PANCHO GUERRA

Francisco Guerra Navarro

OBRAS COMPLETAS

I

LOS CUENTOS FAMOSOS
DE
PEPE MONAGAS

* * *

SIETE ENTREMESES

EXCMA. MANCOMUNIDAD DE CABILDOS DE LAS PALMAS

PLAN CULTURAL

1976

Colección: LITERATURA
Serie: CUENTO

Dirigida por
AGUSTÍN MILLARES CARLO

Dibujos de
FELO MONZÓN, EDUARDO CREAGH
Y EDUARDO MILLARES (CHO-JUAÁ)

Depósito Legal: M. 29.695 - 1976
I. S. B. N.: 84-500-1529-4

Artes Gráficas Clavileño, S. A.—Pantoja, 20—Madrid-2

Colección completa de

LOS CUENTOS FAMOSOS DE
PEPE MONAGAS

(Primera parte)

NOTA PRELIMINAR

Hace algún tiempo recordaba en otro lugar aquella graciosa aventura de Azorín en compañía de sus amigos María y Pablo. Se trataba de una apuesta. Vendados los ojos fue conducido el ilustre escritor en el coche de sus amigos a unos cientos de kilómetros de Madrid. Quitada la venda, el maestro tenía que precisar en qué lugar se encontraba. No había contado para orientarse sino con dos sentidos: el oído y el olfato.

A veces he pensado que si la prosa tuviera su aroma no sería difícil de percibir en los relatos de Pancho Guerra, sólo por el olfato, el intenso perfume de los campos canarios. No importa que muchos de los cuentos que aquí siguen tengan por lugar de acción a la ciudad de Las Palmas, tan abierta cada día a los aires cosmopolitas que le entran por su puerto; no importa tampoco que en ese mismo puerto, o en la añoranza de la vieja caleta de San Telmo, haya recogido Pancho Guerra el fabuloso vocabulario que los "roncotes" de la costa, terminada la zafra, sembraban recelosos por riscos y barrios de la ciudad para regocijo del vecindario. Pese a estos ingredientes, la prosa de Pancho Guerra sigue teniendo un profundo aroma campesino.

Pepe Monagas nos cuenta en sus Memorias que nació camino de Tunte, al ir sus progenitores por la Cumbre en la romería de Santiago. En Tunte, o Tirajana, nació también nuestro autor. De allí, de aquellos altos, al bajar a la ciudad, debió de traer la fecunda semilla que habría de florecer más tarde en su prosa extraordinaria.

Gran escritor este Pancho Guerra nuestro, autor de ese libro excepcional que son las Memorias. Si en alguno de los cuentos que aquí se publican se limita a escenificar una anécdota o un chiste, con la frase final que marca la caída del telón en el momento de provocar la última carcajada, en todos ellos, con una simple observación, con un comentario al parecer al margen del relato, consigue adentrarse en la intimidad del personaje para mostrarnos luego, como un cazador furtivo, la pieza cobrada a despecho de *su dueño. A veces es un retrato de cuerpo entero, hecho con esos firmes rasgos que hacen innecesaria toda otra información. Así, por ejemplo, con el más recio pulso solanesco debió de trazar este dibujo al carbón que hubiera hecho sonreír —cosa nada fácil— al propio autor de tantas máscaras.*

"Atarracado él, rematado por una cabeza dura y taimada, vestido de negro, con un chaleco sucio lleno de lamparones y un diente de oro luciendo entre los encaramillados y sarrosos huesos de la boca como una margarita en un estercolero, don Pancho el Sargo, casero de un portón donde vivió un tiempo compadre Monagas, salía de los cuartos correspondientes sin los cuartos correspondientes."

En el excelente prólogo que Vicente Marrero escribió para los Siete entremeses de Pepe Monagas *alude a la condición dramática, teatral, de* Los cuentos famosos y las Memorias. Observación exacta. *Teatro presentido, sobre todo, no sólo por la frecuencia del diálogo en las narraciones, sino por la fuerza plástica del lenguaje que nos da por entero al personaje en el escenario de la vida, en esa vida trasmutada que es la que anima la auténtica creación escénica. Tal es, digamos como antedecente ilustre, el milagro literario en el teatro de Valle Inclán, en el que la concentrada fuerza de su expresión, más que tramas y argumentos, es la que le concede su especial jerarquía.*

Es inevitable al hablar de literatura canaria, especialmente de cuentos y relatos, recordar las figuras de sus gloriosos creadores, los hermanos Luis y Agustín Millares Cubas, siquiera sea por citar una vez más ese tomo de narraciones titulado San Joseph de la Colonia, *publicado en Las Palmas a principios de siglo y, desde entonces, joya de nuestra literatura insular. El día —si es que llega— en que se haga una reedición de más amplio alcance de la obra de los hermanos Millares —De la tierra canaria, Pepe Santana, Santiago Bordón, Los inertes, Monsieur Charles, entre otras, sin olvidar el San Joseph antes citado y el inolvidable Compañerito—, las nuevas generaciones descubrirán con orgullo que ya hubo, antes de que ellas nacieran, una literatura ejemplar en nuestra tierra, cuando éramos sólo una isla de paso en la que pocas miradas se fijaban.*

La obra literaria de los Millares es más ciudadana que campesina, pese a que muchas de sus narraciones transcurren tierra adentro. Se diría que aun en estos relatos, y no digamos en los que se desarrollan concretamente en la adormecida Ciudad de entonces, apenas si se respira otro aire que el muy confinado del viejo barrio de Vegueta, tan grato a los autores. El silencio de calles y hogares, roto estruendosamente por las altas campanas de la Catedral, da en general a la obra de los hermanos escritores

FRANCISCO GUERRA NAVARRO

(1909-1961)

una entrañable melancolía, típicamente definidora de lo que debió de ser la vida isleña en aquellos años.

La obra de Francisco Guerra, en cambio, se diría que busca el aire libre, el gozoso encuentro de la menuda anécdota que provoca las delicias de sus héroes populares y el regocijo del lector. Es otra vez el campo abierto, el cielo soleado o la brisa del mar lo que airea o ambienta la vida despreocupada de sus personajes.

Puede decirse que los Millares vivieron una época relativamente feliz, si por felicidad cabe entender la paz y el sosiego de que disfrutaba nuestra isla al empezar el siglo. Hicieron, sin embargo, una obra dramática, de clara disconformidad, no exenta de piadosa comprensión, con el ambiente que les rodeaba y que con frecuencia debió de asfixiarles. Actitud, en suma, de rebeldía, aunque pasiva, destinada de momento a quedar impresa en unas páginas. Esta fue su gloria, la que nos han legado.

Francisco Guerra vivió, por el contrario, una de las épocas más dramáticas de España. La guerra civil varió el rumbo de su vida. Pero él siguió siendo fiel a su sonrisa, a esa sonrisa que nunca afloró en sus labios, como si la hubiera ocultado celosamente, para transformarla luego en la ruidosa carcajada que corre de punta a punta por las páginas de sus libros.

Gracias, Dr. Arbelo, presidente de la "Peña Pancho Guerra", de Madrid, por su iniciativa de ordenar esta obra dispersa. Recoger el "folklore" de un pueblo es como ahondar en sus raíces y encontrar la savia que le da vida. Merced a Pancho Guerra se enriquece hoy la personalidad del hombre canario, profunda y secreta a veces por su timidez insular, presente otras, como en estos cuentos, por sus ocurrencias de pasada, sus anécdotas características, los giros peculiarísimos de su lenguaje.

Pancho Guerra es, sin duda, un creador literario —algo no muy frecuente en las letras contemporáneas— porque supo dar nueva vida a cuantos personajes vio o imaginó. Hoy los conocemos como si los hubiésemos tratado, sabemos distinguirlos, pasan ante nosotros, nos sonríen.

CLAUDIO DE LA TORRE

1

DE CUANDO PEPE MONAGAS ESTUVO EN EL VELORIO DE DUELO DEL *MESTRE* ROSENDO, EL DE ISABEL

Así como una hora antes del albita, cuando aún se emperraba el oscuro sobre las requemadas piconeras de las Isletas, cuando todavía roncaban, como bardinos de mal tabefe, los tempraneros y crudos habitantes de la Manigua, ya tenía todas sus velas envergadas y puestas al viento zaragatero de la madrugada el *Mariquita Candelaria*, pailebot costero de sorroballada trapajería y soliviantado caminar de alpispa. Su patrón, el mestre Rosendo, casado, mayor de edad —cayendo en vejestorio trancado de taramela—, pero un manojo de voladores para las ocasiones. Embarazado de viento, de redes y de esperanzas, el *Mariquita Candelaria* repasó una vez más la bocana y se tiró a la alta mar. Navegó feliz, arrimó al Moro, hizo su zafra y puso de nuevo proa a la tierrita.

En vistas de la isla, con la costa a barlovento y tan a mano que se podían divisar burros y cristianos de la parte del Sur, se metió un marejón. El *Mariquita Candelaria* se puso a bailar seguidillas, tajarastes y saltonas, sin concertar los sones, a salga lo que saliere.

—¡A bien viento va la parva!—rezongó el mestre Rosendo, al que de pronto, como a la mar, se le encendió la jiriguilla.

Pegó a dar gritos de "¡arría!" por allá, "¡trinca!" por aquí, sin que nadie, cogido de remplón por el ventanero y la hirviente marea, atinara ni a desenvergar ni a trabar un mal nudo de cochino.. Navegaba de bolina la *Mariquita* entre Barco Quebrado y Punta Tenefe, cuando el mestre Rosendo se arrestó a "hacer la machanga", como después diría el timonel, Pepe el Claca, comentando la audaz rebelina del viejo patrón. Por sobre sus sesenta años, bien minados de la brega, los relentes y la marecía, el marino trepó a un palo alto, dispuesto a un endengue por sus propias manos. En esto que la *Mariquita Candelaria* va y tiene un reparo de potranca viciosa... El mestre Rosendo cayó de lo alto y se quedó como un sarimpenque sobre los recomidos tableros de la cubierta, boca abajo y despatarrado. El talegazo fue mortal de necesidad, pero el enteado costero luchaba como un quíquere hasta con la misma muerte.

Su gente le dio agüita y unas friegas de vinagre y sal. Los roncotes se pusieron después a esperar lo que Dios quisiera, lo mismo respecto a la brava y repentina marea que al leñazo del patrón. Cuando el Señor quiso ganaron puerto, con Rosendo metido en los últimos resopliditos.

Vivo, pues, pero entregando, se lo metieron por las puertas adentro a Isabel, su escachada consorte, una de las mujeres más almanaquientas que haya alumbrado el alto Risco. En su viejo catre matrimonial, y durante muchas y tensas horas, todavía opuso el mestre Rosendo su tea de veterano de la mar y sus peces a la Señora de las Plataneras, que acurrucada en el borde del cabezal, enlutada y malona, esperaba...

¡Qué duelo aquél, caballeros! ¡Qué dolorosos esperridos los de Isabel la de Rosenda! ¡Qué gallillo! Como por radio supieron pronto de aquella desdicha en el Refugio y en los Poyos del Obispo.

—¡Esús, usté...!—comentó en el pilar de Fleitas, insultada, la mujer de Dominguito Santana—. ¿Que se habrá dío otra vuerta la presa de los Betancores?

(Luego dio que hablar aquel desborrifado aspaviento, porque Isabel estaba criticada desde nuevita.)

—¡Ay, Rosendo, Rosendiyo—gritaba, delirante—, que te fites como una mansana pa abajo pa la Costa y te me metes por las puertas adrento como un casón jariao! ¡Ay, castigo con éste! ¡Ay, vigen der Pino, tar desgrasia, que se me ha dío el sostén de mi casa, la sombra de mi patio, el calor de mis teniques...!

Acudían a ella con un pañuelo tirando a sábana. Aliviaba allí aquella marea de mocos y babas, tornando sobre la marcha al planto.

—¡Un hombre tan güeno, quería, de tan güena maera, que los haberá habío iguales, pero de la maera de mi Rosendo, no!

Lloraban las mujeres como si fueran de pago; japiaba de puertas afuera una insalla de perros chimbos, bullendo desatentados entre un manterío de chiquillos atraídos por el imán del drama y las atracadas y altas quejumbres de Isabel... Los hombres se fueron enterrando hasta el cogote los espesos sombreros de pelucha, afilándose bajo ellos de puro serios, y los parientes cercanos del difunto subiéronse solemnemente las solapas para recibir más a tono los pésames. Seguía en la viva y canturreada llorona Isabel, inconsolable.

—¡Quitarme un hombre ansina, de tan buena maera, cuando

hay tanto berringallo salpiando en esas laeras y callejones! ¡Tal castigo, usté!

—¡Cómo ha de ser, comá Sabelita!—consolábala, dengosa, una vecina, envuelta la cambada cabeza en un pañuelo rucio y bien trincado bajo el quejo—. Tómese este gotito de tila, quería, que la confolta... Y resinasión, comadre, talde que temprano, toos diremos cayendo en la gueldera de tierrita.

—Er sino usté—comentó otra mujer, elevando los ojos al cielo hasta quedárseles en blanco.

—Pos ya. ¡Si no semos naíta, quería!

Con la tila y la mopa de aquellas palabras, Isabel se tupía un pizco, pero al modo para entrar con más ganas. Con razón mi compadre Monagas, que estaba a una banda "gozándose" el duelo, dijo, quedito, diblusándose sobre el de al lado: "Está preparando la reculáa del carnero." Luego del jacío, Isabel volvía a los plañidos, que le salían, parte de la tripa gorda y parte del "dispositivo" de su nariz, la cual la había hecho, de siempre, fañosa.

—¡Quite p'allá, señora, cosa con ésta! ¡Me tenía que caer a mí, cuando yo sé de tanto jediondo que ni un rayo lo tumbaría! ¡Tenía que jincar el pico este ombre tan güeno, de tan buena maera! ¡Que nunca me cansaré de desislo: los haberá igualitos, o que se le den un aire, pero de mejor maera que el mío no lo habío en las siete islas de Canarias ni pa fuera! ¡Ay, Rosendo, Rosendiyo, qué maera la tuya! ¡Ay, lo que pielde tu casa, tus hijos, tu mujer, y hasta la mar, que tamién pa eya eras de buena maera!

Así, a vueltas con la excelente madera del esposo, todo el día de las boqueadas, toda la noche del vivo velorio y toda la mañana, hasta que sacaron entre cuatro al mestre Rosendo.

Pepe Monagas había sido buen amigo del patrón. Bien pronto acudió al duelo. Allí empezó a sentir pena por la chuflita que a cuento de la "buena maera" pegó a formarse en el cuartillo de atrás y en el patio. Resolvió decírselo a la dolorida.

—Mana Isabé, favor, palabra—y la sacó de junto al muerto—. ¡Deje ya lo de la madera, cristiana, no sea que vaya y vire en choteo, y eso, que ya usté sabe lo malcriado que es el personal! Tránquese, que cuando las cosas no son de vuelta y vira, sino de vira solo, lo mejor es trancarse. ¡Digo yo!

—Ta bien, usté, Pepito.

Isabel se calló... hasta que llegó la hora grave de tapar el "huacal" para tirar con él. Entonces se lanzó como una ola encima del difunto, ahora, sobre llorona, sobajienta, e hizo aguantar al pobre Rosendo, ya bien afilado, tieso y amarillo, aquella última marea de su vida de marino.

—¡Ay, Rosendo, Rosendiyo, que ya sí que te vas y ya sí que no vuerves, que paese cosa mentira: ayer derecho y calentito, hoy tumbao y más frío que el muro de la marea! ¡Ay, que me da, que me da, que me da...!

—¿Cómo le va a dar, cristiana, tieso como está?—la atajó, desabrido Monagas, al tiempo que probaba a desatrancarla de la caja.

—¡Que me da argo, usté, Pepito...!—y se abanaba con una mano nerviosa, liberada por el soponcio del aferrado y postrero abrazo.

—Usté es la que le va a dar a él, como no se esté quieta y se desaparte. ¡Mire que está el señor cura esperando, cristiana, y tiene mucho que jaser!

—¡Ay, Rosendo, Rosendiyo, salea de mi catre, jorcón de mi casa, el hombre de mejor maera de las siete islas de Canarias, que los haberá como tú, pero de mejor maera que tú, no...!

No se quitaba, virada una lapa del negro y llorado cajón. Compadre Pepe Monagas, estomagado ya con aquella tribulación de por demás, caliente hasta tener ganas de pegarle a Isabel un sonido, se alongó sobre la viuda, le suspendió un instante el desate y le dijo, dice:

—Mire, mana Isabelita, ¿sabe lo que le digo? Pues que en vista de que usté está tan emperrada y él es de tan buena madera, nosotros nos vamos, y usté lo deja aquí y se jase un ropero con él...

2

DE CUANDO PEPE MONAGAS PUSO UN PUESTO DE ESCO- BAS EN LA PLAZA

Maestro Esteban el *Clueco* tuvo un tiendejo a la entrada de San Roque, algo más arriba de la palma alta y cambada que era como hito del barrio, y que compartió con la de doña Nieves, de la colonial plaza de Santo Domingo, alta, airosa y popular fama. Maestro Esteban el *Clueco* se moría de solapada hambre detrás de su estrechujo y recomido mostrador. El inventario del chinchalillo podía hacerse en tres patadas: cuatro papeles de alfileres, docena y media de imperdibles, media de carretillas del 90, algunos calzoncillos con botones para camisas y varios, unas cuantas botellas empolvadas como pollitas en domingo, una caja de galletas de María, mediada y con bichos, un tabal o barrillillo de sardinas-arenques, que, aburridas de no venderse, se habían revirado y alzaban la cabeza, un tarro con boliches de chupar, otro con rapaduras y, por último, tres escobas y dos abanadores bien avasallados de polvajero y moscas.

Veces vendía tres pesetas, veces, tres y un real.

Harto de balances que no llegaban a la muela trasera, y que lo metían en atosigantes velorios hasta las mismas luces del alba, dio en idearle salidas al mezquino negocio. Un día hizo a Constancita, su mujer, un encargo importante.

—Costansilla—le dijo—, mañana por la mañana te vas a dir pa dentro y me vas a comprar ca algún jarandino que venda barato una cortinilla ramiada, así como vara y media de algún telejo que no esté mal. Pero sin botarte, ¿eh?

Doña Constanza trajo la tela y, ayudada por su hija Mariquita, endengó el cortinaje. Don Esteban el *Clueco* lo montó a lo largo de una verguilla vieja y le habilitó al tienducho un recovequito destinado a copas con chochos, pejines y chorizos del país. Pero el ron que expendía era del castío de los Caínes y del de los Barrabases los chorizos. Una cosa y otra fueron cayendo en los estómagos de los escasos clientes que se aventuraron a recalar por el timbeque como hubiera caído una mezcla de zotal, carabaña y cemento rápido. Algunos bebedores se trincaron en bolina y no daban de sí ni con litros de sal de higuera. Otros estuvieron en filos de irse por el palo —con perdón— sin que los contuvieran las libras de chocolate tirando a tenique, ni otros entullos al uso y comprobados.

Un día, don Esteban el *Clueco* reunió a la entecada familia y le dio el parte de la derrota.

—¡Adiós te digo, y no llores!—dijo.

Y se bajó a coger fresco al muro de la marea.

Antes de la hecatombe, y en más de una ocasión, se había agarrado sus buenas calenturas con doña Constanza, su señora. Para barrer la casa, doña Constanza echaba mano de las escobas de la tienda.

—¡Arriba consumes la melcansía!—gritaba encochinado don Esteban el *Clueco*.

—¿Pero no es igual, muchacho?—replicaba, bobalicona, la esposa—. ¿Qué más te da cogeslas d'iaquí, que resurtan al costo, que compraslas por ái, niño?

—¡No quiero empeloteras! Déjalas onde están. Y si te jasen farta, las compras y listón. Y luego tienes cudiao, ¿entiendes?, que en tres patadas las desborrifas toas.

—¡Jum! Al moo te crees tú que son las d'iantes, que esas sí que eran cosita asiada. Ahora con tres meneos, ya las tienes con la tomisa a rastras y el mondongo fuera. ¡Pos ya!

Una de las cuajadas tardes de la ínsula estaba don Esteban el *Clueco* sentado detrás del Teatro, suspirando por un hilito de aire y rumiando su desastre. Un mar de reboso iba y venía estruendosamente sobre la pedrera. Cierta ola larga trajo de pronto a la orilla el cabozo de una vieja escoba. Las ideas eran en la cabeza de don Esteban el *Clueco* como correlones trasconejados en un inmenso majano, pero alguna vez tenía que obrarse el prodigio. Y fue ahora. La escoba que botó la mar delante de sus entristecidos ojos le recordó la observación de su Costancita. "Ahora, con tres meneos, ya las tienes con la tomisa a rastras y el mondongo fuera"—había dicho ella—. "Si no duran nada, tiene que aber demanda", dedujo el hombre por prodigio. Y se le iluminó la frente, llena de esperanzas, de barros y de espinillas.

En poco más de nada alquiló un cuartillo por frente al *Zuleica*, compró una carga de escobas y puso "almacén". Luego, sin importarle un pito el insulto de su hija Mariquita, que era una niña consentida de jueves en el Parque y arreo en las tardecitas de Triana, desparramó un tenderete en la plaza. Pegó a vender. Y a ganar, que aquello era el "negocio de la china".

* * *

Alguna muerta mañana de la ciudad cruzaron el mercado Monagas y Venturilla el *Taita*. Gulusmeaban el trajín sin propósito alguno. Tropezaron con el puesto del *Clueco*. Don Esteban no daba avío a despachar escobas.

—¡Míralo, y paresía sato!—comentó Pepe, cucando a Ventura, mientras contemplaba la encachorrada y sudorosa figura de don Esteban.

En un jasío de las ventas comentaron con el hombre la prosperidad del negocio.

—¡Malillo asuntejo, Estebita!

—Pos jello... Sí, no me va mal.

De retirada, Monagas comentó con Venturilla:

—Un pisquejo de negosio ansina no me vendría mal a mí...

A los tres días, el compadre apareció con un puesto de escobas a la banda del de don Esteban. Para colmo de provocaciones, hasta las pregonaba y todo.

—¡A éstas, muchachas! ¡Escobas de palma rial a media peseta! ¡Lo mejor de islas, incluída Alegransa! ¡Barren pa dentro y pa fuera!

Vendía las escobas a dos reales. Don Esteban las tenía a tostón... El viejo se puso que cogía las vigas del techo. Otra vez se veía el *Clueco* con la quilla en el marisco. Entre tanto, lo volvía loco la inexplicable baratura de las escobas de Pepe. "¡Eso no es vender, cristiano! ¡Eso es espirrifiar!", comentaba con los amigos del copeo.

Decidió vapulear a Ventura, convidándolo con largueza. El *Taita* se dejó querer, jugando para el pie del compadre, zorrongueándose con una de cal y otra de arena.

—Mire, mastro Esteban —acabó aconsejándole—, usté lo que tiene que jaser es robar las palmas y los pírganos. Verá como puede abajar los presios...

El *Clueco* se puso de acuerdo con un sinvergüenza, que guataqueaba palmas ajenas como si fuera un deleite, dijéramos. Bajó el precio a cuatro perras.

Monagas puso las escobas a real...

—¡Me caso en La Habana! Esto ya es cosa de barajas... —se volvió loco el viejo.

Por la tarde convidó a Pepe en *El Camello*.

—Anda, Pepillo, dimee cómo puees regalaslas. ¡Porque eso es regalaslas, consio, no me digas tú a mí!

—Oh, ya vei —se agachaba Monagas, mientras le daba sabias vueltas a un chorizo sollamado.

—¡Pero si no es posible, puñeta! —casi bramaba el *Clueco*—. ¡Si yo jasta robo el pílgano y robo la palma!

—Sí —replicó Monagas, calmoso—, pero es que yo se las robé a usté ya terminaítas, ¿se da cuenta?

3

DE CUANDO PEPE MONAGAS PUSO UN PUESTO DE PER-
DICES EN LA VEGA DE SAN MATEO

Mentiríamos si dijéramos que al compadre le gustaba la cacería. Pesaba en él, en su instinto y en sus maneras, aquel estilo de cargar trasero de que el cantarcillo dice: "Quererte, mi bien, te quiero—, pero vives en el Monte..." Se ha de pensar también, para mejor entender sus destuerzos de cargador sobre la tajarría, en que no era sólo pura rebellada aquella postura suya frente a los apremios de ama de casa de comadre Soledad, su mujer. Decíale ella en ocasiones, cuando lo veía empantanado en su característica flema: "¡Mejor te enrolaras, y te fueras a la safra, con la *Frasquita*, en ves de escarrancharte asquí, como un debaso!" Respondía él, grave y socarrón, con todo un compendio de apalastrada filosofía del vivir: "A mí el pescao me gusta, ende luego... ¡pero en un buen caldo!"

Los nervios del pícaro no parecen estar, como el horno sin punto, para las roscas de la mucha pata sobre rastros, carreras y revuelos. Monagas se dejó decir una vez: "La perdís en el monte, es un bicho trabajoso, de mucho rentundimiento, mano. Más le digo: en la mesa es cosita asiada." Tampoco tiene la tal diversión, para estos cofrades del salto de mata, ese garabato dijéramos de refilón que ofrece a los aficionados de raza: el aire delgadito y como un cristal de gente rica, el paisaje más lindo que un cuadro de las niñas de Arboniés, el agüita de mantialillo, que parte los dientes, pasando incluso el sarro de los virginios, el silencio grande y ancho del campo, donde hasta el canto de un pajarillo riza el aire... Lo único que podía desazonar a un invitado de tal temple era la comida... ¡y le diré!: si acaso los cazadores eran niños de las Casas o similares. La cosa podía representar entonces una buena ocasión para pasar a punto y aparte el gusto de la taramela y el relleno del bandullo.

Incitado por este último detallito, y comprometido en parte por la amistad, cierto día de un cuajado otoño subió Pepe las cumbres a perdices. Iban entre la abundante y animosa jarca cazadora escopetas que se bailaban, como si fuera un deleite, incluso esas tejederas del cielo que son los aburriones. Iba gente con una tela que asmaba. No resultó, pues, fenómeno el balance cierto de aquella excursión: ciento siete perdices y nueve o diez correlones, olvidados del sabio consejo: "Cuchareta, cuchareta, donde no te llamen, no te metas." Pusiéronse, sin que nadie los buscara, bajo la matona boca de los cañones y, ¡riín!, reviraron para "in réculum, reculorum", panza al cielo. Se aplicaron como enyesque de un vinito del Monte que empertigaba los difuntos.

Algo antes de la prima, con el sol tumbado sobre la rotunda teta chicharrera, los cazadores dejaron de batir el campo. Sentáronse un ratito por coger resuello y para complacerse también ante el ancho y espeso tenderete de la caza, tumbada en un tesillo a cosa hecha, por el gustazo de verla reunida. Monagas tuvo un recuerdo para don Pablo Alvarado, aquel simpático personaje de la vieja Vegueta:

—Caballeros, esto lo dice mañana don Pablo en el cuartito de cotorrones, y no se le creen aunque lo jure por la salvación de su alma. ¡Ta loco!

El más anciano de la cuadrilla —un cuarentón, a todo reventar— dispuso el reparto. Había perdices para dar y tomar. Le adjudicaron al compadre Monagas cuatro docenas.

—¡Per, cristiano!, ¿ónde voy yo con semejante acarreto...? Aunque, espere... Hoy es sábado... Mañana tiene que ser domingo, a la fuersa. O séase que en San Mateo hay feria. Nosotros tumbamos por ái pa volver a puerto, ¿no? Tonses, ya está; me queo en La Vega.

—¿Y eso...?

—Oh, pos pongo en la plasa un puestito, liquido las perdises a tostón, un poner, y cojo gilo pa Lan Parma. ¡Miá por ónde Soleá la mía va a tener el fogal caliente y el pomo tranquilo sus tres o cuatro días!

Domingo feriado en La Vega de San Mateo. Las mujeres van y vienen despaciosas, enmantilladas, anchas de enaguas nuevas. Suspensos y envarados, los hombres jalan por un puro al soco de sus cachorras.

—¡Bonita novilla, caballeros! —dice junto a un grupo Monagas, sin que se sepa bien si el elogio va por una acompasada vaca, a la que le resplandeces el melado de la piel sobre la carne joven y granada, o por una pollona de La Lechuza que pasa también llenando la calle de una consistencia y un aroma de plátanos mayeros.

Los que estaban con Pepe eran de las llamadas "fuerzas vivas". Ventilaba él el establecimiento oficial de su puesto de carne de caza. Pronto tendió varias hojas de papel baso. Sobre ellas puso las perdices y sobre las perdices su voz reclamante:

—¡A las buenas perdises, cristianas, fresquitas, acabaitas de afusilar!

Pegaron a trabarse algunas vecinas.

—¿A cómo las tiene, usté?

—A tostón, y no tiene naa que desir.

—¡Sús! Ni que fueran gallinas poneoras...

—¿Ah, las encuentra caras...? ¿Usté sabe la suela que se gasta atrás de ellas y el fogueo que cuestan, que llevan más pólvora que los fueguillos de San Pedro Marte...? ¡Tonses cállese la boca, señora! ¡Fartaba más!

Arrimó el bulto, compuesto como los tollos, empolvado como una cuca, una encopetada dama. Era más resuelta que las otras, las que se mantenían a unos recelosos dos metros del puesto, apoyando las cambadas cabezas en una mano dengosa. Debía ser la señora de un mandamás. Con el quejo remetido y un mohín de culo de gallina en la boca, emblanquecida con polvos de arroz de los de cartuchito, agachóse, cogió por las patas, con melindrosos dedos, una perdiz y se la llevó a la nariz tirando o chopuda, y maculada —por no decir otra cosa— de espinillos tan afincados y viejos como el Pendón. Hizo un claro camango de "¡fos!", y tiró el ave con un desdén criminal. Tornó a diblusarse sobre el tenderete y tornó a repetir el "gulosmeo" con una nueva perdiz, hundiéndole a la altura de la cola la pesquisitiva nariz. Así cuatro o cinco veces, cada vez más acentuado el desprecio de la mercancía, que cobrada la mañana anterior, sí que despedía cierto batumerio... Empezó a cundir la frialdad entre el corro de posibles compradoras. Monagas, que se había venido conteniendo, por olerse que aquella mujer, si no era la esposa del alcalde, tenía metimiento con el caballero de la vara, explotó al fin, aunque tascando el freno, sacado de madre por la amenaza de ruina:

—Señora —le dijo, sin mucho aspaviento—, por donde usté las güele, todos jedemos...

4

DE CUANDO PEPE MONAGAS SE LIBRÓ, POR EL PELO DE MEDIA HORA, DE DOCE BUENAS CACHETADAS

—¡Sus, don Manué, dichosos los ojos, cristiano! ¿Cómo le va?

—Bien, ¿ñi tú, qué tal?

—De gofito, don Manué, grasias sean daas.

—Bastante que me alegro.

—¿Y qué vuerta por Lan Parma?

—Tuve que bajar. Resulta de ser que un sobrino mío se me murió anoche en la glínica. Viene siendo un hijo de mi hermana Costansa él, que pegó de repente con una puntada en un cuadril, y metío en un palio lo trajieron p'abajo. En el pueblo dijeron como que era frío. Dimpués resurtó que era péndise bichada, según me disen en la carta, que por sierto, no la entiendo bien. Al mou con la pus agarró emperitonitis. Y de ahora pa dispués como el otro que dise, ¡listo!

—¿Usté cree que me ha dao jasta sentimiento, don Manué...? No semos naa, cristiano. ¡Un muchacho nuevito...!

—Sí. Con las quintas al caer, toavía. Era güeno, aunque algo brutito. Yo no me llevo bien con mi hermana Constansia, sabes, pero la sangre jala. Luego, si uno no viene, pegan a alegar. Asín que me dije: "Al intierro, Manué". Y asquí estoy.

—Ta claro que sí... Pos hombre, es una pena que los hayamos encontrao ansina. En otras ocasiones los tomábamos unos pisquejos juntos. ¡Y veces, hasta agarrábamos alguna baladerita!, ¿se acuerda...?

—Masiao que me acuerdo... Oye, ¿qué se ha jecho de aquella restrallona del Refugio, que andaba al pisqueo por Fuera la Portada...? ¡Sí, hombre, aquella revuerta en color, entraíta de sintura ella...!

—¡Ah...! Se fue pa Tenerife, ella. Aquí armó unas trapisondas con un señor casao y tuvo que coger jilo. ¡Chica laja!

Hablaban al pie de "un pirata" del Norte don Manuel Lorenzo, hombre con fanegadas en la raya del Bañadero, de donde bajaba, y Pepe Monagas, que subía para el Risco. Amigos desde los tiempos del cuartel, se veían de uvas a brevas, pero cuando la marea de la vida los sacaba a la misma orilla, ambos se echaban la tierra por encima, embarcándose en unas rebambarambas que a veces rebasaban las claras de un día para meterse en las del siguiente. Don Manuel era isleño agachado, pero de pico caliente, y si éste se le caldeaba, perdía el mundo de vista con la camisa por fuera.

—De cualisquier manera —dijo don Manuel, al cabo de quedarse un instante cabizbundo y meditabajo—, que el muchacho haiga abicao no es ostáculo para que nos jilvanemos su media dosena de golpes, ¡tranquilillitos! ¿oítes?

—Masiao que sí. Usté manda, don Manué. Dígame aonde lo espero, y yo estoy allí como el cañón de las dose. ¡Tranquilillitos! ¿oyó?—y a Monagas le asomó la cara de circunstancias, su mejor gesto de tiesto.

—Pos déjate ver a las ocho en el Suiso.

Tiró el caballero para la "glínica" y caminó Pepe para su casita de La Ladera. Al canto arriba del Camino Nuevo, el compadre se cruzó con Juan Soquera, el guardia.

—¿Tú no jas visto a Venturilla, el *Táita*?

—Pos mire, no.

—Me dejó dicho que te dijiera como que te dejaras ve con ée.

—¿Y no le dijo pa qué, usteé Juanito?

—No me dijo naita este mundo. Venía del Puelto, ende luego, porque se abajó aquí bajo d'iuna guagua. Pa mí que tenía candelillas en los ojos. Estaría de lanse en ese muelle y haberá recalao con cuartitos frescos... Digo yo.

—¿Y no le dejó ningún recao, é...?

—Eso sí. Que te dejaras vé, que é estaba entre los cafetines del Potrero y la Matasón.

—Ah... Pos grasias, usté Juanito.

—Que te vaya bien me alegro.

En efecto. Ventura anduvo la mañana tarrayando en los muelles. Al peso del mediodía habían caído unos duros. Monagas encontró al compinche "ca" Eulalio. Se trabaron de un ron sin tufo y unas jareas frescas, entreverando el pizqueo con bizcocho de pan mollete y sollamados chorizos del país. Cuando dejaron a Eulalio, ya cantaban "la chamelona": "Al fotingo de Molina—ya se le picó la goma—¡aé-aé-aé la chamelóona!" Empalmaron. Donde quiera que hubiese batumerio de fritango, allí largaban el sacho y empantanaban.

—Pache lo mesmo.

Aunque fuese la primera copa pedida, el del timbeque no necesitaba más explicaciones. Tiraba despacito de la botella de caña, despacito llenaba los dos macanazos y con la misma imperturbable calma devolvía el limetón al andamio.

Fue una noche de reboso. Ventura dijo de pronto al compadre, más tartaja que nunca:

—Oiga, Pepito, mire qué le digo: a mí es que ya no me entra manque me lo metan con atacaor, pero ¡oiga!, si usté entoavía está franco de bandullo, pía por la boca, ¿oyó? ¡Aquí quean cuartitos, mano!

Salieron, al fin, con los cuerpos tirando a alcayatas, sirviéndose de horcones mutuamente, avanzando dos pasos y reculando cuatro. Casi no hablaban. La única señal de vida era un resoplidito que arrente de un labio regañado soltaba en tal cual jasío alguno de los cuajados templarios. A orillas del Barranco, cerca del Puente de Piedra, Pepe Monagas se esforzó en cobrar tino para situarse.

—Oye, Venturilla, ¿losotros estamos caminando pa atrás o pa lante...? Ende cuando dejamos la Plasa... Pa mí que estábamos ya en San Nicolás, delante de la ermita... y esto no es... Yo no sé lo que es esto... ¡Mira que si estuviéramos entrando en Arresife...!

—Pa dí a Arresife— razonó Ventura por prodigio— hay que pasar la mar, usté, Pepito. Y esto, pa mi gusto está seco... Ahora, si usté lo dise, ¡listón! Lo mismo estamos barlobentiando el charco de San Ginés...

Cuando pasaban el puente, Monagas dijo a Ventura:

—Tiene que ser tarde, tú, Venturilla. Soleá la mía se va a calentar... Me esperaba dende la prima y pa mí que está arrayando el alba...

—¡Qué va, cristiano! Yo no veo claror maldito...

—¿Y cómo quieres ver tú, con la jumera negra que llevas en el sentío...? Si la Catedrán no ha dao el alba, está al caer... Y Soleá va a coger las vigas del techo...

Frente a la Plazuela y al escorarse, en uno de los muchos tumbos, se dieron de narices con Isidro el de Pambaso. Isidro era guardia y estaba allí de "tusnio". Además de guardia celoso del deber, tenía un tabefe de respeto. Con la frente estrecha, las cejas espesas y renegras, los ojos ratoneros y cajetudo de mandíbulas, le tenían su recelo hasta los mismos sargentos del cuerpo de municipales. Se daba un cierto aire con don Manuel Lorenzo. Y sobre la preocupación por la mujer, a Pepe le brincó de pronto al sentido el recuerdo de su cita con el dolorido amigo del Bañadero.

—¡Ya, santísima, que se me orvidó dir...! ¡A lo mejor hay tiempo, entoavía!

Sin darse cuenta de quién era el guardia, le preguntó la hora. Isidro, que había metido la cajeta en el pecho, lo miró de abajo a arriba, dio media vuelta y se alejó al golpito. El municipal tenía a Monagas atravesado, tras su nuez de garabato, como una espina de cherne. Era aficionado a palomas-correo. Un día pegaron a desaparecerle las mensajeras. Cierta vez que libró montó un acecho, llegando casi al convencimiento de que un palomo ladrón, propiedad del compadre Monagas, le hacía la rosca a sus palomas con tales rizos y tales "arrucutucumbas", que arramblaba con ellas por más decentes que fueran. Tuvo con Pepe una "empelotera", pero se quedó sin las palomas, algunas soltadas hasta de Cabo Juby. La rasquera fue eterna. Y el muy jediondo, arriba se permitía hablarle y pedirle el favor de la hora. Se alejaba por no meterle un revés y ponerle los besos como breva atarosada.

—Le he preguntao a usté la hora que es, ¿oyó?, y no se debe ser malcriado con un suidadano. ¡Digo yooo...!—remató Monagas con retintín el reproche.

Por no armar líos, Isidro contestó de lejos:

—Lan dose y media están al caer—rezongó con el morro como carnero en reculada.

A Pepe le pareció poco. Creyó que lo engañaba. Insistió, para su desgracia.

—¡Jaga el favor, no sea bobo! Dígame la hora sierta. ¿Usté pa qué es guardia? ¿Pa llevar la gente al semento y metesle multas a los "piratas", no más? ¿Y el derecho del suidadano contribuyente, qué...? ¡Faltaría más con los desgrasiaos estos!

—¡Le he dicho que son las dose y media!—replicó Isidro levantando su mano grande y peluda.

En el silencio profundo de la Plazuela se oyó el golpe eléctrico de una galleta como un queso de las medianías. Monagas acabó de perder el tino con aquella impresionante bofetada. El *Taita* se lo afianzó a un cuadril y le evitó la caída en redondo. Una vez que administró su justicia, Isidro el de Pambaso tiró para La Alameda, siempre al golpito. Monagas fue volviendo en sí. Y cuando estaba casi consciente, la Catedral dio las doce y media. Pepe se quedó algo pensativo, sonrió suavemente y dijo a Ventura:

—Estoy de suerte, Venturilla. Si llego a venir a las dose, ¡me balda...!

5

DE CUANDO PEPE MONAGAS LE ACLARÓ UNAS EXTRAÑAS CUENTAS AL PATRÓN DE LA *FRASQUITA*

El compá Andrés, patrón de la *Frasquita,* recaló en puerto, procedente del Moro, tal día como hoy, y mañana, sin más acá ni más allá, cayó en la cama con un malejón de barriga. Tan recio, que de ahora para después lo enguirró entre sus matrimoniales y sorroballadas sábanas. Vino don José el médico, garabateó, como al rumbo, una toma, y se fue.

—¿Cómo está, compadre?—entró uno del barco a preguntar.

—Iguáaaa...—mayó, más que dijo, el mestre, que era medroso como un niño para las enfermedades.

—¿Y acualo es iguá?—se emperró el marino visitante, individuo bastante cerrero.

—¡Pos jeringao, hombre!—replicó Andrés algo caliente, pues no tenía ganas de hablar.

—¿Pero de acuaslo dijo el méico que tenía usté?

—Yo no sé bien. Mi mujé es la que sabe, me creo. Parese que le entendí a don Osé como de una entera colite par'áhi pa los sentros del bandullo. ¡Sé yooo...! Y mira, Manué, déjame tranquilito, hombre, que tengo la lengua como una potala y un rebumbio en la cabesa, ¿oítes?

Iba y venía por la casa, metida en una extraña jiriguilla, Rosario la *Chopa,* que así la llamaban por escachada. Rosarillo era la mujer del mestre Andrés, que la desposó cuando él era ya durón, más bien, y ella estaba tiernita como la colleja, siendo, de otra parte, y por personales escarabajeos de su sangre, más mollar que un durazno birollo. La comadre, que de por sí era sofocona para camas blandas y mantas de lana, escarranchó un catrillo de viento a una banda y lo dispuso para dormir aparte. Porque lo que ella decía:

—Eso es frío que ha cojío, en el estómago o onde quiera qué. Y no sale sino con suores, agüita de jorégano, calentita, y frasadas arriba. Que rompa. Pero súe é, mi niña, que es el que está malo, y no yo. ¡Camita aparte, quería, jasta ver si se pone mejorsito!

La enfermedad duró lo suyo. El mestre Andrés se levantó con las canillas más menudas que nunca y más rala y rucia que nunca su pelambrera. Cuando empelechó estuvo todo lo cariñoso que pudo con Rosario. Y todavía matungo se abrió a navegar, llevándole la contraria al médico y haciéndole caso a su mujer, emperrada en que se fuera "por el bien de la casa".

La *Frasquita* remontó la mar con el primer claror del alba.

—¡Viajito desabrío, mano!—decía Andrés al timonel, echándole a las orillas de la isla unos ojos de antoñitos de vivero, y suspirando, que hasta se levantaba mareita, al recuerdo de Rosarillo. A la que había encontrado ahora más platanito mayero que nunca y con un cierto garabato semejante al de la gente de Triana. En medio de su embeleso recordaba, en la ocasión, que uno de los primeros días de su enfermedad, como ella se arrimara a su cama para darle una tacita de pasote, percibió en su mujer un desusado olor a limpia, y hasta una repunta de perfume.

—¿Tú te jas lavao con jabonsillo, Rosario?—le preguntó él, amoroso, con la voz como una mopa.

—¿Tas loco tú, niño?—le replicó ella, algo turbadilla—. Me puse un pisco de agua floría, que me han dicho que es güeno pa que no se pegue el andansio ese tuyo.

Seis meses en la zafra. Y al cabo del medio año justo, vuelta al atraque en aguas de La Luz y vuelta a las ropas planchadas y a los zapatos escaldones.

Este retorno reservaba al mestre Andrés una especial sorpresa: su mujer estaba con un recogimiento... Al pronto, ella no se lo dijo, ni de remplón, ni con rodeos. Pero se puso rara de boca, repugnante para lo que no fuera quesito tierno de las Medianías y uvas.

—Si no le entras al pescao—díjole el marino un día—cómprate unas lasquitas de bichillo pa ti, mujé. Tú sabes que casne arreo no, pero de cuando en ves poemos.

Lo comentó el patrón en casa de unos vecinos. Y allí le soltaron la noticia.

—Pero, cristiano, si lo que le pasa a Rosario es que está... de eso...

—¿Acualo de eso?

—¡En estao, cristiano!

Se hallaba en puerta, pues, el primer guayete de sus ocho años de casado sequitos como un palo. Su alegría de padre primerizo fue al pronto ancha como la mar, pero arrente del gusto le metió en una especial tribulación un cierto barrenillo, que por prodigio le brincó al sentido, de ordinario tupido y siempre tenique. Cayó, para su desgracia, en las "matemáticas", ignorante de aquel sabio consejo que reza: "Si quieres ser feliz, como me dices, no analices, muchacho, no analices." El hombre echó unas cuentas y se le ensombreció la paternidad. "Si yo estuve malito alrededor de dos meses, rayo...—cavilaba contando días y semanas—. Dempués de un tiempo empelechando, coji jilo p'al Moro y estuve aquellando pescao áhi frente medio año... ¿Y esto qué es, mano...?

En medio de estos sombrajos, Rosario cayó en cama y aumentó el censo.

Cada vez más embrollado en los cálculos, decidió confiar sus dudas a persona de su confianza y de más saberes: al compadre Monagas.

—Mire, compá Pepe, yo quiero que usté asín como que me empreste su entendimiento y eso, porque yo estoy dijéramos como saifía entramallada. ¡Y que no me echo fuera, mano! Resurta de ser que Rosario la mía se puso de compromiso...—!de un chico, cristiano!—, y que si vuerta y vira, y esto y lo otro y lo de más allá, pos que lo tuvo esta mañana... Y ahora yo, pos mire... Como yo no estaba aquí y eso...

—¿Es que usté no está seguro de algo, o qué...?

—Pos jello... Yo la vi como un peje tamboril ende que lalgué el sacho en mi casa, ende luego. Más le digo, como ella está metiita en baña ende cuando, pos yo no me pelcaté bien de que viera rejundío de alante, la veldá sea dicha. Mas dispués, usté Pepito, se amuló de josico, que ni al engoo diba. Unicamente le entraba al quesito tiesno y uvas. De úrtimas resurta de ser que fí ahora-pocuá a cá Eulalio, el que vive en el callejonsillo a la banda, y me lo dijo Antonia, la mujé, que Rosario la mía estaba con un recogimiento y en piedras de ocho... "Tá bién. Rasones", dijo dije yo como pa mí, ¿usté entiende? Eso cabe en el ser propio de ella, que pa eso es mujer, ¿no es así, usté Pepito?

—Rasones... Bueno, ¿y qué le pasa ahora?

—Pos mire, yo queé flojillo cuando me alevanté de aquél malejón que me dió áhi más allá. Usté sabe que yo quiero mucho a la comadre... pero yo queé bastante ruinito, mano Pepe. Asin que... lo que fue..., pos fue cosa de naa. ¡Dígame usté! Arriba, considere que yo fí para la Costa hase seis meses. ¿Cuándo aónde ha sío este negosio cosa fuera de nueve...? ¡Digo yo! Rasones, ¿no, mano Pepe...?

—Ji, jiñóooo... ¡Rasones!

—Esta mañana botó el guayete. Quitante too, usté Pepito, el chico es una tonina granaa que viene. Y blanquito, usté, como la sal... Se lo digo tamién, porque ha estao pensando como que si fuera sietemesino de eso que llaman, en ves de tirar a tonina, tiraría a bígaro. ¡Digo yo!

—¡Rasones, ji jiñóooo...!

—Acuéldese cuando Calmela la de Ramón rebaló en esos callejones y entró de popa sobre los callaos, que botó un chiquillo que llevaba cuando no era su debío tiempo. ¡Aquello no era un muchacho, mano Pepe, aquello era una machanga con jambre.

Lo sé bien porque lo tuve abrasao en estos brasos, pos yo fi quien lo cristianó.

Andrés se calló, con la cajeta en el pecho, vencido de la frente, meditador, o cosa parecida. El compadre Monagas lo vio tan caviloso que pensó que tenía que hacerle el favor de aclararle las cuentas y sacarle como fuera aquel triste barrenillo.

—Oíga, mano Andrés, pa mi que usté no ha contao bien, ¿oyó? Usté estuvo seis meses en la safra, ¿no es asina...?

—Asina es, usté Pepito.

—Y usté estuvo dos meses en cama y uno empelechando, ¿no es eso?

—Esato.

—¡Pos ya está! ¡Qué farta de inoransia, mano Andrés, y perdone que se lo diga...! ¡Fíjese: lo de la Costa fueron tres meses pa di y tres pa vení, que suman seis. Fartan tres, ¿no? Y mes y medio de día y mes y medio de noche, ¿qué? Son tres más Usté agarre estos tres y arrímeselos a los seis de antes, y son nueve reondos. Yo creo que está al séntimo, como si dijéramos, mano Andrés...

—¡Pos es claro que sí, rayos!—dijo el padre alzando de pronto la apesadumbrada cabeza—. El que no sabe es como el que no ve, mano Pepe.

—Rasones...—remató Monagas gravemente.

6

DE CUANDO PEPE MONAGAS NO FUE TARTANERO POR CULPA DE UN CABALLO CON PROPULSIÓN A CHORRO

Agustín el *Chopudo* —una nariz de morcilla del bandullo gordo en medio de una cabeza revuelta en color, picada de viruela, entrecejada y grasienta— era tartanero de toda la vida, hijo y neto de tartaneros. Murió de viejo el abuelo, Casimiro el *Tote*, y le dejó al hijo, Manuel *el del Callejón*, el trasto con el caballo. A Manuel *el del Callejón* lo mataron en Fuera de la Portada, un domingo, a la salida de la gallera: discutió en un timbeque de las bandas, por cinco duros que se había jugado a las patas de un canabuey de tres peleas, del castío de los *Cachimbos*, con un tal *Mandarria*, medio matoncillo, que vivía por Molino de Viento; parece que Manuel le nombró la madre a *Mandarria*; éste se quitó de cuentos, y le tiró en lo alto del coco tal macanazo con una botella de agua de San Roque, que lo tumbó de "requiemcatimpasen". Heredó el rebenque y lo que cuelga Agustín el *Chopudo*, hijo de Manuel el del *Callejón*.

El viejo *Tote* era un hombre acaballerado y calmoso. Su hijo Manuel salió algo picadillo, dijéramos: le gustaban los gallos, las pechas de yeguas y potrancas por ese Pico de Viento arriba, el ron y las hembras. Pero no se botaba. El que ya se botaba, como el Ribanzo por el Parque, era Agustín. Salió a la madre, que era algo escachada. Corrían, de otra parte, tiempos diferentes, más modernos. Luego, por dentro de su mala facha lo tensaba el acero de un temple grave y dominante, que impresionaba, especialmente a las mujeres, y dentro de tal especie, a aquellas que tenían un lunar arrente de la boca y grave y entresoñado el mirar. A estas últimas les metía su cachetada luego de requintarlas como a un timplillo brillante. Y ya se le quedaban como zaleas.

Agustín se casó, pero antes del año mandó a la señora a freír bogas al Toril, como el otro que dice. Se enmachinó entonces con una tal Pepita la *Blanca*, que venía siendo de una gente buena de Lanzarote, pero que salió ruinita. La mujer de Agustín, que lo quería —¡el muy perro!—, anduvo el primer tiempo de la separación con tales chapetonadas que las vecinas todas se pusieron pesimistas y lo dijeron: "Esta no la cuenta." A Agustín el *Chopudo* le llegó la volada de aquellas tremendas jaquecas. Al tiempo le hablaron de los hijos, que se quedaban al garete, sin su sombra y su jornal. El tartanero dijo que se fueran todos... a un sitio feo y siguió emperrado con Pepita la *Blanca*, que tampoco era floja. Cuando la legítima esposa de Agustín, Carmela la de Antonia, que se pasaba hasta tres días acostada y al oscuro, con un pañuelo negro bien trincado bajo el quejo y cargas de hojas de nogal sobre la frente y sienes, metida en pena y pugidos de la mañana a la noche con las chapetonadas esas, cuando Carmela, digo, supo de los implacables desdenes del *Chopudo*, reaccionó de maravilla a los estímulos de las comadres que anduvieron consolándola y revolviéndola. Decíanle las buenas vecinas:

—¡Pabile, señóoora, no sea bobática! ¡Pabile, siquiera sea pa dasle de meresé al peaso de perdulario ese, bergante de los infiesnos, mejó le diera velgüensa!

Empelechó Carmela la de Antonia de ahora para después. Y eran de oír entonces sus maldiciones, una vez resuelta a la pérdida, metidas en un timbre de esperrido y con la intención de un cuerno.

—¡Premítalo Dios del sielo que tenga que dí a Tafira con la tartana y se esrisque en Pico Viento a lan dose de la noche, y caiga arriba de un barde de tuneras coloráas y allí lo agarre la clarol del día sin maldita una mano que lo saque de los espichos! ¡La Virgen de las Nieves me ha de oí, Austín del Barrabás, mal rayo de Dios te ajunda, a ti y al felpúo ese con quien ti has embujerao! ¡Pichada la ha de ve, y a ti, llegando a rastras a mi puerta, pidiendo un plato de comía!

Al modo, las maldiciones de comadre Carmela la de Antonia no fueron pregón en desierto. Aflojada la retranca de su fortuna por los clamores justicieros de la burlada esposa, cuando él subía sus repechos de profesional de la tartana y vicioso del sorroballo, Agustín el *Chopudo* pegó para atrás, para atrás tan de prisa y de tan mala manera que en cuestión de dos meses andaba como perro mostrenco, cogido de rabuja y plagado de garrapatas. Se acañó de carnes y se destempló de genio, rezongándole incluso al pasaje de los *Yeoward,* que no se resintió contra la organización turística insular porque no entendía papas de la jerga del tartanero; se le puso un color de naranja pintona, como agarrado de las más malas de las tirisias; se cargó de morros, él que nunca fue petudo. Y hasta la gorra se le viró en cuestión de dos meses tan grasienta, que la vende como sebo y saca sus perras. Aunque a contrapelo, trabajaba la tartana, pero malsacando para el pizco de rollón y el puño de alfalfa del triste caballo, para su kilo de gofio y su media peseta de cebollas.

Se colmaron los males: una mañana entró en la cuadra para enganchar y se halló tumbado y bien muerto el desmesurado manojo de huesos en que había virado el caballo: aburrido de tanta hambre arreo, el pobre penco decidió abicar. Y lo que pasa con el perro viejo: se acrecentaron las pulgas. Cuando su coima, la conejera Pepita la *Blanca,* lo vio de pleno con la quilla en el marisco, le dio un simbólico, pero bien apulsado lique en pleno trasero, dejándole en la mitad del Risco con el cielo y la tierra...

—¡Entoavía te ha de ve peor, desgrasiaooo...!—aullaba, triunfante, en las laderas, comadre Carmela la de Antonia—. ¡Entoavía te ha de ver como los jierros del *Suleika,* bien batío de la mar y bien comío del ferruge!

Así las cosas, una tardecita compadre Monagas se tropezó con Agustín el *Chopudo* junto al mostrador de un timbeque en Fuera de la Portada.

—¿Qui'hubo, mano Austín...?

—Ya veis, Pepe. Aquí echándome un macanasito.

—¿Cómo van las cosas?

—Como culo de botellas, la veldá sea dicha. ¡Y bien lo sabes tú!

Pepe se calló, agachándose por pena. Al *Chopudo* se le iluminó de pronto la revuelta y avellanada cabeza.

—Oye, Pepe—dijo al amigo con interés—, te vendo la tartana. Quisá que pa ti sea asunto...

—Jum...—rezongó Monagas, pensándolo—. Quisá que sí...

Se habló de precios. Bajó Agustín desesperadamente, hasta ofrecer casi tirado su viejo carricoche.

—Pero te digo una cosa, ¿oístes?—advirtió—: no tiene caballo. Se me murió ahorapocuá.

—De gordo no sería—murmuró Pepe, tirado a la guasa sin poderlo remediar.

—¿Pa qué no te dejas de choteos, ahora que jablemos de un asunto de negosios...?—se calentó un poquito el *Chopudo*.

—Dispensa, hombre. Y vamos a jablar en serio.

A compadre Monagas se le agravó la expresión. Le cargó la mano al aire adoptado con unos lentos sobones a la cajeta. Dijo, por fin:

—Pos sí, me pué interesar el asuntejo... Claro que lo del caballo es una vaina. No voy a enganchar a Soleá la mía, ¿verdá?

—Hombre, ende luego.

—Mira, vamos a jaser una cosa. Tú no te comprometas con naide, ¿oístes? Yo te doy la contesta pasao mañana. Te dejas ver aquí mesmo, pa Orasiones. A ver si encuentro un Rosinante por áhi.

Al día siguiente Monagas comentó el caso en la carpintería de maestro Manuel Lorenzo.

—Oye, Pepiyo—informó el compadre Juan Jinorio, que también diba en la rueda de presentes—, el que creo que tiene un caballejo tirando a remedio y sin ofisio ni benefisio es don Pedro el *Batata*...

A poco recaló don Pedro.

—Muy sierto, sí señor. Lo tengo en Tafira, ca mi hermana. El animal es cosita asiada, que mal limpriaito pa pegárselo a una tartana.

—¿Y el turismo, qué? ¿No merese eso?

—Lo mereserá, pero cáa cual es cáa cual.

—Tampoco será tan allá...—se dejó decir Pepe, picándolo.

—¿Qué dises tú...? ¿Pero tú sabes qué clase de caballo es...? Te pueo desir, pa que te des cuenta, que lo sacas de aquí, un suponer, y con estirar un pisco las patas se pone en el Puerto...

—Pos no me sirve, usté don Pedro. Un suponer, tamién: yo agarro un viaje de chones en el muelle un día de *Yova*. Los melaos van y me disen que los lleve ca los indios, o a la Catedrán. Tiro de rebenque y ¡sús!... a parar en los Poyos del Obispo. ¡Las multas de la Junta del Turismo, quién las paga dimpués!, ¿usté...?

7

DE CUANDO PEPE MONAGAS TUVO QUE DECLARAR EN UN PLEITO DE VECINA FEFA Y VECINA LOLILLA LA *ALPISPA*

ESCENA PRIMERA

(Un rincón del patio del Casino a la hora de un echado atardecer. Algunos caballeros muy acaballerados, bien vestidos por Sanchíz y Pelayo, con pantalones sin vuelos y zapatos a medida, de maestro Daniel, altos y color avellana, se balancean plácidamente en las padecidas y blandas mecedoras del Centro. Dignamente adormilados, durante un buen rato, ninguno dice una palabra. Al cabo hay uno que abre la boca para bostezar discretamente. Allá cuando le parece, el del bostezo intenta prender un diálogo.)

EL CABALLERO DEL BOSTEZO.—Pues el *Diario* ya lo ha dicho: no caerá ni una jaruja y se está agravando la impertinás sequía.

EL CABALLERO DEL TERNO GRIS *(Con cierto retintín.).*—Quedrá usté desir la "pertinás"...

EL CABALLERO DEL BOSTEZO.—¡Oiga, que yo no quiero desir nada! He dicho que lo dise el *Diario de Lan Parma.*

EL CABALLERO DEL TERNO GRIS *(Empajándose en medio de su embeleso.).*—¿Quiere jugarse algo a que el *Diario* no dise "impertinás", sino "pertinás"...?

EL CABALLERO DEL BOSTEZO *(Tragándose el degüello.).*—Como quiera que sea, eso no es lo importante. Lo que merita considerarse es que no solamente no corre el barranco, sino que nos tenemos que asear con agua agria.

EL CABALLERO DEL TERNO GRIS.—Ah, eso sí.

EL CABALLERO DEL TERNO NEGRO *(Pulpeándole los amodorrados nervios al "Caballero del terno gris".).*—Dejando el barranco y volviendo a la gramática, tampoco dise "quedrá". ¡Digo yo!

(Los caballeros parecen animarse un poquito ante el amago de unos revuelillos. Mas el "Caballero del terno gris" prefiere atorrarse, impertérrito. Lentamente, suavemente, la tertulia torna a su acaballerado y blando vaivén.)

ESCENA SEGUNDA

(Interior de un "pirata" que baja de San Mateo a Lan Parma. Viene que se tira una naranja y no cae al suelo, de tan acotejado como es el acotejo.)

EL LABRADOR QUE ASOMA EL TRASTE FUERA DEL PIRATA *(Al tiempo de modificar la asentadera, donde la puerta se le viene hincando.).*—Pos de esta sequía a la jambre, mano, tengo pa mí que no haberá el negro de una uña.

EL LABRADOR ARREPOLLINADO DETRÁS.—Y maldito que esajera. No farta más que la langosta, o una apiaemia en el ganao.

EL LABRADOR QUE VA AL LADO DEL CHÓFER.—Me creo que de los pastos no haiga quien recuerde semejante secasón.

EL CHÓFER *(Que no tiene más tierra que aquella donde lo tumbarán cuando "se ponga" del hígado a causa del ron, y abique.).*—¡Ya pegan otra vuerta con la sequía! *(Medio caliente.)* ¡Y torna y vira con la sequía! ¡Vaya un guineo, mano!

EL LABRADOR ARREPOLLINADO DETRÁS.—¿De qué quiere que jablemos, tonses? ¿Es que usté tamién no chasca papas y gofio y sétera...?

EL CHÓFER *(Tan fresco como el muro de la marea.).*—Ni farta que me jase. ¡Que llueva en Cuba, pa que venga ron!

(El tono resuelto del que maneja el "pirata" tupe el diálogo. Se va adormeciendo el acotejado pasaje. Y hasta el labrador que asoma el traste fuera de la puerta, por lo que lleva aquél más bien frío, agarra su apoyito.)

ESCENA TERCERA

(Un pilar en el Risco. Cacharros y tallas en una apretada filera, que se pierde fuera de la escena. Varias vecinas al pie de sus vasijas. Ocho o diez forman grupos, dándole a la taramela. Casi todas visten de negro tirando a rucio. Algunas llevan refajos grises y blusas marrón, con lamparones. Se cubren con pañuelos oscuros bien trincados a la cajeta.)

VECINA FEFA.—¡Cosa con esta, usté, que tenga que guisar usté el pasote del sopeteo pal desayuno con agüita agria!

VECINA LOLILLA LA "ALPISPA".—¡Quite pa allá, señora! ¡Año malisiento con este...!

VECINA ROSARITO LA DEL TURRÓN.—Y ni el pasote sabe, quería, con semejante agua. Más bien tiene palagar de saldiguera, usté, o de no se qué...

VECINA MILAGROS LA "DEL COJO".—Y diantes, quería, sacaban la

Vigen der Pino, y la tráiban p'abajo. La Señora siempre ha sio buen remedio. ¡Y mire ahora! Arriba de que hay mejores caminos, sin el pedregullo diantes... ¡Pos no, señora! ¡Quietita en Teró! ¡Ji jiñóooo!

VECINA FEFA.—Y menos mal que una no es de p'abajo, usté, que haiga que lavarse arreo, como la gente de misa de dose. Si viéramos tenío que jalar de jabonsillo y aduchas de esas arriba, ¡díganmen nustede...!

VECINA LOLILLA LA "ALPISPA".—¡Miá p'allá...! Al mou se haberá decreio usté que hay que ser de p'abajo pa lavarse. ¡Al mou...! Toas las probes no semos porcallonas, pa que lo sepa.

VECINA FEFA.—Yo no lo ha dicho por usté, señora. (Medio engrifándose de pronto y con intención de alfiler de cabeza negra.) ¿Pero quiere que le diga una cosa...? Pa mí, la que ande con fregoteos y restrequinas de jabonsillos y agua floría y esto y lo otro, sin tener que dir al méico, esa pa mí... ¡juum!

VECINA LOLILLA LA "ALPISPA" (Poniéndose en jarras y remangándose, quíquera.).—¿Y acuaslo quiere desir "¡juuum!", si se pué sabé...?

VECINA FEFA (Desalojando bastante aire con un arrogante remango del pecho.).—¿Usté quiere sabé lo que quiere desir "¡juuum!"...? Pos que la probe que no güela a probe, más bien a cangrejilla, un poner, por argo será... ¡Y la que se pica, porque ajos come! (Remata el espicho verbal con un nervioso hocicón, torciendo la boca en un maligno camango y sorbiendo, despectiva, las narices.)

VECINA LOLILLA LA "ALPISPA" (Insultada y salpeando.).—¡Ay, quería, tal desgrasia, lo que me ha llamao el pilfo este, arritranco de tres mil demonios, jedionda, que jiede más que una tenería! (Se tira a "Vecina Fefa" y del primer zarpazo le arranca el pañuelo. Sobre la marcha se trabará del moño como una lapa.)

VECINA FEFA (Metida en tremendo esperrido.).—¡Quítenmenlan de arriba, que me desgrasio! (Llamando a su marido, que es chófer de los Bentacores.) ¡Manué, alóngame la manivela, asín Dios te sarve el alma!

(Las vecinas se arraciman, un grupo detrás de cada contendiente. Fechan a las luchadoras por la cintura y como quien saca un chinchorro halan para separarlas. En vano. Las manos de Vecina Lolilla la "Alpispa" son como tirafondos de tres pulgadas en la cabeza de Vecina Fefa. Las dos mujeres bregan, trincadas de los moños, y acaban rodando por la escalera, en medio de la gritería femenina, que media docena de atraídos y desatentados perros corroboran, japiando a todo japiar. No acude al quite ningún hombre. Dos que están sentados en un poyete, al fondo de la escena, uno de ellos fumando en una cachimba de garabato, si-

guen en su embeleso, impertérritos. En los instantes mismos del mojo con morena atraviesa el foro un vecino, vestido de dril y que no cabe por esa puerta. Al pasar da un vistazo a la marimorena y hace mutis como quien oye llover. Se nota que todos son fieles a esta isleña y antigua sentencia filosófica: "De lágrimas de mujeres y de cojeras de perros, no hay que hacer caso." Al tiempo de desaparecer el vestido de dril, aparece por el lateral izquierdo —punto de vista del espectador— Pepe Monagas. Se planta junto a la bambalina de boca llamada alcahueta, con la cachorra enroscada y las manos en los bolsillos. Los dos individuos sentados al fondo se levantan despacito y despacito trasponen.)

MONAGAS *(Sin moverse del sitio).*—Ya pasaron a la guerra caliente los belillos estos...

(En algún momento de la riña, Vecina Fefa cae debajo. Recurre a la chabascada: clava una dentadura que tiene enterita, sin un mal empaste, en la parte interna del antebrazo derecho de Vecina Lolilla la "Alpispa". Está a punto de sacar un filete que al peso y a los precios actuales, no baja de veinte pesetas corridas. Vecina Lolilla la "Alpispa", luego de un esperrido que se oye en el Barranquillo de don Zoilo, ataca con las mismas armas: trinca una presa de bardino en la nariz de Vecina Fefa con su dentadura encaramillada y de risco. Y como si fuera un deleite, le arranca la punta. Cuando se incorpora, la tiene entre los labios victoriosos. En mitad de la escena queda Vecina Fefa, inerte y desnarigada.)

VECINA LOLILLA LA "ALPISPA" *(Mostrando el pedazo de nariz, como un torero muestra la oreja en una gloriosa vuelta al ruedo.).*—¡Anda, jedionda, pa que güelas ahora a cangrejilla o a jabonsillo!

MONAGAS *(Acercándose, al fin, calmoso y con una guasona sonrisa a flor de labios.).*—¿Qué escorroso es jeste?

(Divididas en dos bandos y como gallinas bajo el aguililla, las mujeres se tiran a él y le cuentan, todas al tiempo, la peripecia. Monagas tiene que enterarse de los acontecimientos por adivinación. Decide no tomar partido. Las dos contendientes y sus hombres son igualmente amigos suyos. Cuando por escurrirle el bulto a los compromisos resuelve largarse, asoma, al golpito, el guardia.)

GUARDIA *(Despacito y con la voz grave.).*—¿Qué pasa asquí pa esta empelotera...? *(Las mujeres se lanzan ahora a él, todas a una hablando al tiempo. Después de mandarlas a callar con un cansado gesto de sus largos brazos.)* ¡Agarren tusnio pa declarar! No quiero bulla, que me duele la cabesa. *(A Monagas.)* ¿Usté estaba presente...?

MONAGAS *(Mantenido en cargar trasero.).*—¡Hombre, yo...!

Estar, estar, lo que se dice estar... Yo pasaba de recalada pa mi casa y...

GUARDIA.—No me diga más náa. Tiene que vení tamién pa el la Comisaría. ¡Despeje el personal pajullo!

ESCENA CUARTA

(Sala de vistas de la vieja Audiencia. En el banquillo, procesada por lesiones graves, Vecina Lolilla la "Alpispa". El juicio oral está en marcha. Al levantarse el telón se oye fuera la voz de un ujier llamando a un testigo.)

Voz *(Fuera.)*.—¡José Monagas! ¡Comparesca!

VOZ DE MONAGAS *(Fuera.)*.—¡...sente! *(Entra el compadre Pepe. Se advierte en su rostro el disgusto con que va a declarar. El no quiere líos ni con unos ni con otros. Se ve que está resuelto a agacharse, a nadar, como un sargo por entre los dos jalíos.)*

PRESIDENTE *(Solemne.)*.—¿Jura usted decir verdad en cuanto sepa?

MONAGAS *(Reculando.)*.—Pregunte, a ver...

8

DE CUANDO PEPE MONAGAS, CURANDERO DE OCASIÓN, TUVO QUE ATENDER A UN LOCO DE LA RAYA DE GUÍA

El compadre Monagas se dio por tiempos al curanderismo. Siguiendo la escuela de la "méica de Tara", hasta practicó algunas veces el análisis de orín.

—Tráigame las agüitas, pero sin botarse, que pa ver lo que tiene no nesesito la presa de los Betancores. Con medio litro, basta y sobra—decía muy serio a tal cual paciente baldado de los cuadriles y con la color tan quebrad como si, en lugar de potaje, comiera barro.

Luego le daba a la muestra un vistazo, en ocasiones según venía, examinando "la flor" y "sacando" por los visajes tornasolados de la superficie el origen del mal... Otras veces sangoloteaba la botella de agua agria donde le traían el orín. Y, de darse turbio, diagnosticaba así, poco más o menos:

—Esto es angurria con fondaos. Bien mirao, tira a fregaúras. Usté viene regüelto del riñón pa abajo. No me coma un tiempito potajes fuertes, ni papas con casne. Arrímeme el gofito, que pa usté es de más sustancia de la debía. Péguele a cositas livianas: sus pescaítos blancos, sus pichonsitos, sus calditos de verguilla; cuanti menos entullo mejón. Y achique agua a esos sentros, de manantial o guisada. De endulsar ésta, mejor asúcar morena que blanca. Tómeme cuando agarre el catre y en ayunas sus buenas escudilla de agua de cola-caballo. ¡Pero hierba! No se me tire a una tartana, porque entonses, arría de no ponerse güeno, le pueen dar su rebencáso, ¿estamos? Esta agüita, más sobre lo amargo que sobre lo durse.

—¿Y aquí por fuera, usté Pepito...? Estas puntáas me tienen en un pugío...

—Pos por fuera... Miré, péguese arrente de los visagreos del caderaje unos parches de lana susia de ugüeja. No importa que tenga cascarrias. Cascarrias, son defensas. Déme tres pesetas, y no tiene náa que isir.

Monagas se viró intruso, o séase melecinero, hierbero, etc., sin malicia alguna. Las cosas como son. Empezó todo el día en que un muchacho de Antonia la de *Pambaso,* galletoncillo de unos trece años, más malo que un veneno, alquiló una bicicleta casa Muñoz, tiró para El Polvorín y cuando bajaba por Matas metió demasiado el "espedal". Del talegazo se quedó pidiendo agua por señas. La máquina de Muñoz era un alcayata con un timbre en la punta. Quienes recogieron al herido hablaron, naturalmente, de llevarlo a la Casa de Socorro. Las casualidades: estaba allí el padrino del accidentado, que le tenía a aquel centro más miedo que un dolor a media noche. Dijo y se afianzó en el criterio, que de cumplir con las ordenanzas municipales, él prefería que llevaran la bicicleta a la Casa de Socorro y a su ahijado al Potrero.

Con el brazo bien quebrantado, una coneja aquí en la cabeza —que Dios libre y guarde— y algunos magullones de respeto, el chiquito paró en el Risco. La cosa ocurrió un domingo y todos los médicos se habían ido para Tafira. Total, que se lo metieron a Monagas por su puerta, fiados los parientes en su muñequeo para todo.

El compadre le anduvo primero en lo del brazo. Con los mismos dedos que deben emplear los ladrones en las cajas fuertes para pulsar el chasquidito de la clave, según se ve en las películas, Pepe le recorrió el miembro quebrado. Entre aburridos del galletón, que hasta maldiciones de las más feas soltó por entre sus dientes encaramillados, fue tornando los huesos y su forro al estado que tuvieron antes del salpazo. Luego, con dos tablillas de una caja de jabón *Swaston* y tirajas de una hermosa y bordada sábana camera, que Antonia la de *Pambaso* guardaba para cuando caía mala, compadre Monagas empaquetó bien la extremidad. Por último, hizo una cura general con vinagre de la tierra, que subieron expresamente de casa de don Juan de la Fe. Al mes, el sabandijo de Antonia la de *Pambaso* estaba rey.

Corrió la volada por todo el Risco. En boca del pueblo, la fama es como el caracol del pescado. Del Risco saltó la nueva de aquella curación a las otras laderas de la ciudad. Pegaron a llegarle a Pepe huesos rotos. Y lo que pasa: como el personal no distingue cuando tiene ganas de sanar de algo, el nuevo curandero pasó sedita de "especialista en huesos" a la "medicina general"...

Al principio cobraba "la voluntad". Ocurría que los pobres solían tener una voluntad más bien robusta, si se consideraban sus teneres, y en cambio los ricos tiraban a cargar mejor sobre la tajarria que sobre la jáquima. Más claro: traseros. El compadre Monagas resolvió "tarifar". Cobraba un tostón por cabeza de ganado, igual que en su famosa escuelita de noche. Pero cuando advirtió que los clientes cuartudos daban en roerse el cabo, tiraba el lance en razón de lo que ahora llaman "signos externos de riqueza". El lustre de los zapatos y los trajes "de cristianar" le daban la pauta. Caía sobre el duro como un tote. Se resolvió a esto a partir de cierta vez en que le entró un gorrón, el cual, a la hora de la apoquinanza, dio en agacharse.

—¿Cuánto es, usté, Pepito?—preguntó con la cara mansita y los ojos humillados.

—La voluntá.

¿Y cuánto es la voluntá...?—se emperró el otro, enseñando así su oreja de Alejandro en puño.

—Pos mire, un duro—díjole el compadre, sequito como un palo.

De repente se le presentó a Pepe un "caso clínico". O "glínico", como él decía. Se trataba de un cierto pollón de la parte de Guía. Estaba, si no loco, por lo menos trasteando. De día desvariaba, metido en guineos imposibles, y de noche se ponía a cantar "puntos cubanos", que no había quien pegara un ojo. Alternaba el canto con llantinas a moco tendido. En ocasiones, muy raras, le entraba la matona. Entonces había que dejarlo solo o tirarle a degüello. Sus parientes se dejaron decir que se había enamorado de una muchachita de Fuera de la Portada, con la cual terminó enojado, y que esta pollona se había ido a una barajera de la calle de Aguadulce, la cual la surtió de ciertos "polvos de querer" que de seguro "le viraban la voluntad otra vuerta". La apasionada amante le dio aquella "cosa molida" en una tacita de café. De allí para acá, el mozo se fue del tino, y hasta la fecha.

Monagas pidió que lo dejaran solo con el loco, aunque algo temeroso, porque el hombre estaba sacudido por una nerviosa jeriguilla, moviendo mucho los hombros, haciendo visajes, metido en constantes camangos... De repente rompió a llorar. Entre lágrimas como chochos llamaba por una mujer: "¡Candelaria, ven acá, Candelaria, que tú sos la única que me puedi endengar el sentío!" Pepe se dispuso a calmarlo. Lo convidó con un virginio y se puso a hablarle de cosas diversas.

—Oiga, de áhi de Guía salió una ves un luchaorsito que si no se llega a dir pa La Habana, más de cuatro pollos comen arena por él...

—Sí. Era Austín Gamona, uno de El Caidero...; y rompió a llorar otra vez como un descosido, llamando a gritos por Candelaria.

Monagas volvió a calmarlo, volvió a hablarle tranquilo... El otro entraba en un jasío, pero corto. Tornaba al llanto. En una de estas pausas, el "méico" quiso cerciorarse de una sospecha. Pensó: "la tos de este gato debe venirle de atrás". Le interrogó:

—A ver si usté se acuerda. ¿Su padre era neurasténico...?

Se quedó el pollo un poco suspenso. Y respondió al cabo:

—No, señó. Mi padre era piroténico, de esos que llaman más bien fueguistas—. Y rompió a llorar otra vez como un becerro.

—Ah... Custión de pólvora...—se quedó pensativo Monagas.

Resuelto a no meterse en berenjenales, el compadre llamó para adentro a la madre del sentimental loco.

—Esto no es pa mí, señora—le dijo—. Esto es, más bien, pa San Pedro Márte. Yo curo gente, y usté me ha traío un volaor de lágrimas...

9

DE CUANDO PEPE MONAGAS FUE PADRINO DE UN EXTRAÑO CHIQUILLO DE PINA LA *COCHAFISCO*

María del Pino Santana, mejor conocida por Pina la *Cochafisco*, esposa legítima de Juan de Dios, uno de Pambaso, se puso un día bien hermosa de bandullo, como un balayo de redonda y ancha, pregonando su recogimiento como un barquito pregona su trapío cuando se enverga entero a una alegre brisa.

—¡Mírenla, qué linda va ella!—comentaban los compadres al verla pasar con aire de trono, tan alta y airosa de proa y tan empertigada, tirándose atrás por armarle contrapeso a aquella especie de enorme peje tamboril que la precedía, y que daba la vuelta a las esquinas bastante antes que el resto de su morena y escachada humanidad.

Pina la *Cochafisco* vivía en el mismo portón de don Esteban el *Baifo,* donde compadre Monagas tenía su casa y sus tres teniques. Una tardecita, a cosa de Oraciones, la vecina, en rebasadas piedras de ocho, pegó con un pugidito de los de soplido, de estos que dan la quejumbre como las sillas retundidas y que se rematan con un suave bufadero, semejante al de una gaseosa mal tapada. A las once dadas entró en un grito, con que puso en planta medio Risco. Entonces llamaron a comadre Soledad, una de las más bien amañanas vecinas para esto de ayudar al aumento del censo. La comadre garrapateó unas letritas y se las dejó a Monagas en lo alto del catre matrimonial: "Esto, Pepe, si vienes, que me estrañaría, recaliéntate tú mismo el potage, la cosinilla se va por el pitorro, que además está tupío, asín que no pegues a ponerte nervioso y con la jiringuiya vayas y la arrequintes mucho, no sea que te dé un estallío, más que nada por los vesinos; yo estoy en ca Pina la *Cochafisco*, alreor della, pos se ha puesto de presentasión, y pa eso estamos, pa ayudarnos unos a los otros".

Rayando el día, Pina cayó en el esperrido, que apoyaba engarabitando las manos en la barra del catre. Despertó al otro medio Risco. Botó por fin en el mundo un muchacho de cinco kilos corridos, pero no de un peso parejito, sino malamañadamente estibado, como si dijéramos. Sacó una cabeza grande y apepinada, con más de jeme y medio de la frente a la coronilla. Del totizo abajo tiraba más a manojo de tollos que a calacuiña granada. Y fue por ello por lo que entró sedita en este puñetero mundo hasta que tropezó en el quejo. De ahí para arriba no había manera. Fondearlo de una vez resultaba como si se pretendiera atracar un *Jalián* en el espigoncillo de Las Nieves, del Agaete. A fuerza de maniobras de Soledad y otras bienamañadas, algo después de las cinco el nuevo ciudadano dejó caer la cabeza sobre el colchón con el aire y el sordo golpe de un huacal. Las mujeres sudaron como si hubieran hecho un amasijo.

Compadre Monagas, que había llegado por la noche y se había acostado sin más, recaló por casa de la *Cochafisco* a eso de las nueve de la mañana. Le enseñaron el fenómeno. Se quedó asmado.

—¡Chica ruina le ha entrao a Pina con este guayete!—dijo al oído de su mujer—. En aspirinas y sombreros, tan solamente, se mama un jornal con sus puntos.

Como al chico se le iba de banda la gran cabeza, y no era cosa de ponerle horcones, como si fuera una platanera, la madre, por empelechársela, pegó a achicarle raleras de gofio y vino, atacándoselas a fuerza de dedos si el muchacho se ponía repugnante. Agarró tal ajitera cuando sólo tenía catorce días de vida que casi traspone para las Chacaritas. Hubo que bautizarlo a espetaperros, no sea que diera en fallecer moro. María del Pino la *Cochafisco* le habló al compadre Monagas de ser padrino.

—Güeno..., pero siempre que usté se conforme con unas "agüitas" pobres: un garrafonsito de vino, unos chochejos y suculún, ¿oyó?

Desde la víspera del bautizo ya hubo pelotera en la casa por causa del nombre. La abuela materna se emperró en que lo pusieran como a su marido "que en gloria esté": Casiano. Hubo oposición de la otra parentela. Pepe se arrimó a estos.

—Con una cabesa semejante—dijo—, todo lo que sea "Casi" se presta a choteos.

Se barajaron cuarenta nombres y al fin tuvieron que salir todos para la iglesia sin nada determinado, porque, sobre ser la hora, de aguantar un pizco más en la casa hubiera habido mojo con morena.

Don Bartolo se revistió al golpito y vino al golpino hasta junto a la vieja pila bautismal. Calóse la gafas en la punta de la nariz, bajó la frente para ojear la parroquia, tan viva y tiesa de fulgurantes driles, y por último dio un vistazo al muchacho. El bueno del cura se despistó ante la mala vista dada al tremendo pepino que sobresalía del naguado.

—Ah, ¿pero es que son gemelos?—preguntó ingenuamente.

Una vez que se aclaró lo de la unidad, don Bartolo dijo a Monagas, que muy en padrino mantenía el crío teatralmente:

—¿Cómo lo ponemos?

Todo el concurso reculó, dispuesto al cabe. El compadre Pepe se quedó un momento suspenso. De pronto empezó a maniobrar sobre la pila, con el chiquillo en vilo.

—¿A qué vienen tantas vueltas ahora?—lo reprendió el señor cura medio caliente.

—¿No dise usté que cómo lo ponemos...? Pos estoy viendo de cuadarle la cabesa pa cuando usté le eche el agua no se le esparrame por fuera...

—¿Tú tienes ganas de choteitos ahora, o qué? ¿Cuándo vas a tener fundamento? Te digo que qué nombre le van a poner...

—Ah... pos mire usté, don Bartolo, resurta de ser que en ese terreno está este familiaje más dividío que la Provinsia.

El santo del cura se quitó los espejuelos, entrelazó las manos sobre el vientre y se puso a esperar.

—Pues ustedes dirán, pero arrejundan, que tengo un Viático— y se quedó mirando en torno al concurso, que, constituido en dos bandos cerrados y gachos, se mantenían como gallos en tanteo.

Habló de pronto la vieja abuela del antojo por su marido, "que en gloria esté":

—Pos mire, don Bartolo, losotros viamos pensao así como de ponesle Casiano, como mi difunto marío, que en gloria esté.

—Miusté, ¡Casiano!...—saltó una del otro lado con un hocicón como un espicho—. ¿Eso es nombre, cristiana? ¡Eso es nombrete!

—¡Ten respeto!—la reconvino don Bartolo—. Casiano no es nombrete, que es nombre de santo.

Metió la cucharada, en representación de los anticasianos, un hombre de negros y averguillados bigotes. Abogó por Fruto. Así se había llamado un antepasado de él, que había sido concejal en el pueblo. Tampoco le gustó a Monagas.

—Ese es peor—dijo—. Luego, cuando el muchachito sea grande dirán que es Fruto, pero de calabasera. Y no le va a haser grasia. ¡Digo yo!

Se emperró la discusión, al tiempo que se agotaba la infinita paciencia de don Bartolo. El cura explotó, al fin:

—¡Cállense todos, caracho...! ¡Que lo desida el padre, y se acabó!

Monagas se vio precisado a explicar:

—Pero, don Bartolo, cristiano, si el padre se marchó pa Venesuela ya hay más de dos años...

10

DE CUANDO PEPE MONAGAS MAJÓ LAS MECHAS A DON PEDRO EL *BATATOSO*

Tertulia en la carpintería de maestro Pepe Quintana. Es el atardecer y está casi toda la cuadrilla de amigos del zumbón artesano. Suspendida sobre la ciudad hay una espesa panza de burro y de Africa está llegando un tiempo calentón, el Levante, que tiene requintados los nervios de los cristianos y que está estrallando las guitarras y los timples. Cómo será la cosa que en una vieja casona de la calle del Doctor Chil largan resina las viejas vigas de tea. Toda la comparsa está callada. Cada cotorrón tiene el aire de haber ido lo menos cuatro veces al Puerto, de estar molido como centeno. Uno de los últimos en llegar, maestro Juan Jinorio, que también diba en la rueda de presentes, dijo, según agarró un banquillo:

—¡Vaya un tiempo sofocón, caballeros!—y apretando el culo contra la banca se calló como un tocino.

Maestro Pepe Quintana mete un bichillo, por ver si lo solivianta.

—Yo creo que tú estás malo, Juan—le dice—, porque calor, calor, lo que se dise calor, pues no hase. ¿A que no estás bueno tú...? Mejor fueras al médico, no sea que tengas esa enfermedad que ha venido ahora del Brasil, que creo que pega con sofoquinas de esas...

Maestro Juan Jinorio lo mira al soslaire, algo caliente, pero no entra en gueldera. Pega dos calmosos estirones al pescuezo y se mantiene tupido, como quien oye llover.

En esto va y llega don Pedro el *Batatoso*, a quien nadie esperaba, porque el día anterior había dicho: "Mañana, después del albita, tiro pa Tafira. M'hermana Rosario me ha dicho de que suba, que tiene que jablar conmigo ella." A nadie le importa un pito que don Pedro suba o baje del Monte, pero él es amigo de ponderar todas sus acciones y movimientos. Incluso cuando se le desabrocha un zapato cruzando el Puente, lo comenta entonándolo, como si aquello fuera un problema de interés insular, semejante al de Puertos Francos, al de cubrir el barranco o al de derivarle el curso al barranquillo de Don Zoilo.

Don Pedro es el más grande mentiroso de las siete islas. Sus batatas se han hecho famosas más allá de las orillas de Canarias. En el Casino, en el cuartito de cotorrones, en las reboticas y en las viejas carpinterías de Vegueta, señor don Pedro el *Batatoso* se mete tales mechas, que San Juan toca a juicio.

—¡Vaya una cara de baqueta, cabayeros!—suele rezongar algún indígena de los que se toman en serio la vida y sus fandangos, sin que don Pedro se conmueva, aunque coja la onda.

Suyos eran el famoso cruce de gallos y gatos para obtener "quiquirimisus"; suyas eran las plantaciones, ensayadas en macetas de la azotea de su casa, de cachimberos de yeso; suya era la paloma que volaba con un olivo chiquito enraizado y criado en el lomo, porque cierta vez que fue de cacería a La Candelilla se le acabó la munición y cargó cartuchos con huesos de aceitunas de Temisa.

Los días de Levante, don Pedro el *Batatoso* se disparaba. Sus trolas eran entonces de tal calibre, que podía calentarse incluso el más flemático de sus oyentes.

—A mí lo que me jeringa es que me tome por bobo—solía justificarse entonces el sacado de quicio—, porque bueno está lo bueno, pero no lo demasiado.

Nada más llegar, el hombre se trabó.

—¿Ustedes se acuerdan de aquel caballito que yo tuve para el quitrin, ya hay más allá...

Nadie resolló. Hablaba del penco que un día habría de venderle a Monagas cuando a éste le cuadró la compra de una tartana.

—Pos m'hermana Rosario me ha contao en una carta una ocasión que ha jecho el caballo, cabayeros, que no creo que haiga otro en el mundo que jaga cosa semejante.

Compadre Monagas miró para maestro Pepe Quintana, y le picó el ojo. Maestro Pepe agachó el morro y siguió en la garlopa, pero corriéndose una juerga interior sabrosita. ¡Ya estaba el hombre en piedras de ocho! Don Ruperto se remeneó en el banco, porque a don Ruperto lo ponían fuera de sí algunos de los embustes imposibles de don Pedro el *Batatoso*. Más impertérrito que nunca, pero más viva que nunca la imaginación, señor don Pedro comenzó a contar la ocurrencia.

—Resurta de ser que hay tiempo le metí a un nío de palomas de piso un huevo de una gallina espesial que por conduto de los Betancores me trajieron de Londres. Dende que largó el cascarón aquel pollito salió diferente, como si dijéramos de un castío inteletual. Me acuerdo como si lo estuviera viendo de que me brincaba al deo y se me queaba mirando con el pico abierto, igualito que si se sonriera...

—Tendría gasusa...—lo pulpeó Monagas, por ver.

—¡Eso nunca!—contestó don Pedro, imperturbable—. Estaba sobrao de comía, siempre. ¡Pa eso m'hermana Rosario...! ¡Ta loco! Pos siendo ya gallina, me regalaron un loro. Uno que vino de la Guinea. Una tal Manué... Sí, hombre... El viene siendo de estos Toros del Sur... Güeno, lo sierto es que el loro y la gallina hisieron unas migas que pa qué. ¡Oh, con desirles a ustedes que m'hermana Rosario llegó a insultarse del relajo, se lo dejo dicho too...! Yo, que algo me golí, agarro el primer güevo que puso y ¡plan!, se lo meto a otro nío de palomas... La gallina madre, caballeros, fue comentada, pero la hija... Aquella no le faltaba más que jablar. ¡Qué talento, mi amigo! El animalito se jiso como de la familia y jasta le pusimos su nombre: *Mariquita*.

Don Ruperto se levantó y se fue a la puerta, ya más requintado que baúl de indiano. Maestro Pepe desarmó la garlopa y se puso a sacarle filo a su acero, despacito. Monagas sacó cigarros y convidó al mentiroso.

—Fúmese un sigarrito, don Pedro, pa jaser boca...

El *Batatoso*, cada vez más embalado, prosiguió:

—Pos un día *Mariquita* va y se mete en los crotos de m'hermana Rosario, que estaban acabaítos de estercolar... ¡Pa qué fue aquello...! Chico destroso, caballeros... Ni la sigarra. M'hermana Rosario la quería matar. Yo la atajé. Agarré la gallina y la puse ensima de la mesa del comeor. Oiga, me la queo mirando, jasiéndome el caliente, y voy y le digo, como quien reprende a un niño desinquieto, digo: "¡Pero *Mariquita*...!" Caballeros, y va y me contesta: "Señóoor..." Oiga me jiso tanta grasia que no le púe echar el pleito.

Don Ruperto salió de estampía por la puerta afuera. Días después dijo en la carpintería que se marchó por no nombrarle la madre a don Pedro. Los demás de la tertulia siguieron gozándosela a todo meter.

—Pero usté día jablando de una grasia del caballo, don Pedro
—lo abosó compradre Monagas, pensándose que había trabado con
el remango de don Ruperto.

—Ah, sí, hombre... No, era que cuando esta gallina era entoavía pollito, como tenía el genio desinquieto, un sierto día se metió
en la cuadra. Picando, picando, se queó debajo del caballo. Y una
ves que éste levantó una pata, al moo pa sacuirse de algo, el
pollo se puso a escarbar justo debajo de la jerraúra. Allí se mantuvo lo menos media hora. Y ustedes no lo van a creer: too ese
tiempo estuvo la bestia con la pata levantá, pa no escacharlo.
Yo siempre ha dicho que hay animales con más miluque que las
personas.

—Hombre, claro—respondióle Monagas, convencido—. Oiga,
don Pedro y jablando de cosas asin fenómenos, ¿usté sabe lo que
me pasó a mí una ves, asquí trasito, algo más allá del callejón...?
Una sierta noche agarré áhi en la Plasa una mamada de las de
camisa por fuera. Dando tumbos pasé la marea, buscando onde
coger fresco y despejarme. Estaba vasía y me tumbé sobre el
marisco, bien dentro. Allí me queé dormío. Por la mañana, cuando me desperté, me encontré debajo del agua. Había subío la mar
y yo como un tronco debajo de ella, más de media noche. ¡Fíjese
cómo sería la chispa...!—terminó el compadre Monagas, tan fresco
como una lechuga.

Don Pedro se quedó bastante perplejo. Y dijo al cabo, como
quien sale de un fuerte aturdimiento:

—Te lo creo porque los dises tú, y sos de confiansa.

11

DE CUANDO PEPE MONAGAS TUVO UN REVUELILLO
CON UN NEGRO

—¿Qué jases asquí tú, si está llegando el *Yova* estivaíto...?
—dijo Tanono el *Clico* al compadre Monagas, según entró en
aquel timbeque del Puerto.

Compadre Pepe estaba diblusado sobre el mostrador cogiendo
resuello. Tenía delante un ron y un platito con tres manises jugando al tute. A la banda de los manises, la gorra deformada y
grasienta por tanto sobeo y tanta calor. Corría un Levantè que
despegaba hasta las guitarras del país cosidas con engrudo de la
tierra.

—¿Pero ya atracó?—preguntó compadre Monagas a Tanono el *Clico* con una voz que no le salía del cuerpo.

—Cuando yo me fí der mueye estaba arrimando ée.

Fuera, delante de la puerta del chinchalillo, sudaba hasta la tartana. Al caballo, desmayado de viejo, le colgaba la cabeza hasta casi rozarle los cayados.

—Tonses hay tiempo entoavía—comentó Pepe tranquilito.

Allá cuando le pareció, jilvanose el compadre el macanazo que tenía delante, le dio para atrás a los manises y se encasquetó la gorra en lo alto del sudoroso coco.

—¡Tamién son ganas de dar la enconduerma venirse de Inglaterra pa abajo, con la calor que jase asquí...!—rezongó como para consigo mismo—. Siempre lo ha dicho y me afianso: chones, gente norasténica.

Salió a la calle y se paró un instante a contemplar el caballo. Contra el relumbre del tremendo sol, el animal parecía transparente. "Tengo una tartana jalada por una radiografía", pensó con una cansada sonrisa arrente de la cola del virginio.

—¡Pabila, arpa vieja!—gritó al penco al tiempo que trepaba y echaba mano del rebenque—. Tenemos que dí al Muelle Grande, a ver si cae un carreto de jijos de la Gran Bretaña.

A pesar de que el barco era inglés, Monagas llegó con tiempo suficiente. El opinaba que a los británicos le funcionaban sus exigentes relojes hasta que doblaban el espigón. "De allí pa dentro, mano—decía—, agarran el tranquillo de asquí. ¡Qué remedio les quea!"

Embarcó seis inglesas largas y tabletudas como listones. Se le sentó al lado, en el asiento delantero, una que sabía su pizquito de español, así como el compadre Monagas sabía su pizquito de "espiquinglis". Claro que era de los dos "güanijay tu ty pley". Pero "pa eso están las señas, ¿oyó", decía él lleno de confianza.

La inglesa de proa, que al modo había estado cogiendo solajeros a bordo, le desparramó una gran sonrisa a todo lo ancho de su cara en la que no cabía una peca más, fijándola por último ya para todo el resto del viaje debajo de la bien pelada nariz.

—¿Pa onde tiramos, místera?—preguntó Monagas correspondiendo con una desmayada mueca.

La turista lo miró perpleja. Después se puso a hojear un libro y a recorrer con un dedo largo y flaco un plano de la estirada ciudad de Lan Parma.

—Trrriana... Coumersio...—orientó la inglesa.

—Ya: ca los indios. ¡Toa la vía...!—rezongó—. ¡Quimonos y alefantes...!

Pepe metió la retranca en mitad de la calle principal de la ciudad.

—¡Camán...!—dijo a sus viajeras—. Ustede déjense vení detrás de mí, sin desparramárseme, que luego me veo feo pa acotejarlas de nuevo, ¿me entiende?

—¡Oy, yes!—contestó la rubia con una cara resplandeciente.

—Me estraña...—dijo el compadre por lo bajo.

Se dirigieron a una tienda donde en un tiempo, ya hay sus años, hacía un trabajo especial un negro colonial británico. Era un templero de hombre, todo un silbido, con algo más de dos metros de estatura, y más retinto que el cazón. Muchos canarios que hoy peinan canas lo recordarán de haberlo visto plantado siempre en esa tienda de indios, que caía frente mismo al comercio de tejidos de los Riveros. Aquel pluscuamperfecto tarajallo no tenía más misión que estar en la puerta, trabar de pico a los turistas que barloventeaban Triana y meterlos en el saco. Ya se encargrían dentro de sacarles las libras como burgados a cambio de rameadas sedas japonesas y de cachitos de trabajado marfil.

La tienda estaba llena de anticipados viajeros. Y lo mismo los dependientes jarandinos que el personal isleño allí empleado, atendían la clientela al golpito, con una lenta traída de mercancías, con un cansado desplegar quimonos. Al grupo de compadre Monagas, maldito nadie le hacía caso. El tartanero se agitó cuanto le daban de sí el temperamento y los alientos, abacorados por el Levante, pero en vano, nadie atendía su gente.

—¿Y esto qué es, mano?—pegó a ponerse caliente—. ¡Con rasón se queja la Junta Turismo! Esta gente tiene que salí alegando de asquí, y con rasón. Pal otro viaje se van pa la Madera... ¡Y con rasón, qué carajo!

—¿Juot?—preguntóle la inglesa al oírlo murmurar por su cuenta.

"Ya me entendió ésta"—se dijo por lo bajo—. No tiene más sino dispensá, señora. Es que esta gente calienta a cualquiera.

Desde dentro se volvió hacia el alto negro, que se mantenía impávido en la calle, junto a la entrada. Lo llamó a voces:

—¡Oiga, usté, negro...! Sí, a usté...

El moreno introductor había vuelto lentamente la cabeza. Luego, con un digno y suave hocicón, la volvió otra vez hacia la calle.

Compadre Monagas empezó a ponerse de verdad nervioso. Insistió en la llamada al entintado tarajallo.

—¡Usté, negro, mire ve, de una ves, hombre...! ¡A ve si usté busca asquí quien atienda mi rancho, que tenemos que dí entodavía a San Antonio Abán, y a la Catedrán, y sétera...!

El reclamado salió de su alta calma. De dos zancadas se le quedó a Pepe delante. Y tanto se le arrimó, que el compadre se sentía como debajo de la casa de don Bruno. Desde allá arriba lo miraban unos ojos de perro bardino. Todo encogido, esperó que el otro le diera un pugido y lo corcovara para los restos. Pensó que él no le había hecho nada a aquel hombre para que se pusiera de aquella manera. Habló de repente el azabachado gigante:

—¡Malcrrriado...! ¿Por qué a mí llama tú negro...?

Compadre Monagas replicó como pudo:

—¿Pos cómo lo voy a llamar? ¿Asúl marino...?

12

DE CUANDO PEPE MONAGAS TUVO UN FUERTE GALLO, DEL CASTÍO DE LOS *CUCARACHOS*

Don Frasco Suárez regaló en una ocasión un pollito inglés a compadre Monagas. Era del castío de los *Cucarachos,* de padre "mariscal" y tíos "generales". De la madre no diremos nada porque no nos gusta nombrársela a nadie. El pollito se crió en el cuarto del Risco como una monería bajo el celo único de comadre Soledad, pues Pepe, al cabo de unos días, ni se volvió a acordar. Fue creciendo el cucarachito y con su tamaño se le desarrolló la maña de hacer sus cosas feas encima de la estera y en ocasiones sobre la cama, en el centro mismo de una colcha de realce, con la que Soledad ponía aquélla relumbrando de blanca. Al principio estas colchinadas eran así como menudencias caseras, más bien por lo chiquitas, pero con el "desarrollo", como diría nuestro amigo el cosechero de Los Barrancos, las "posturas" del animal tiraban a bostas, aparte ls veces en que por haberle dado la comadre sopitas de caldo, se le aflojaba la cantonera y daba en desparramar.

La comadre Soledad pegó a encochinarse. Y un día se lo dijo a Pepe: "Yo lo mato y suculúm." Fue entonces cuando el compadre se fijó en el gallo, pollancón todavía. Lo encontró rufo, resuelto, bien plantado.

—Déjalo estar, que este animalito es una mina de agua...—dijo sentencioso.

—¡Si lo sabré yo!—replicóle la comadre, engrifada—. Pero de agua no, sino de...—y lo soltó con sus seis letras.

—¡Pa qué dise esas palabras, señora, que estamos comiendo...!—la reconvino el marido.

—¡Tú no sos el que tiene que limpiá! ¿veldá...?

El escorrozo se liquidó con la promesa de que él se lo llevaría de la casa. El compadre le puso unas letritas a don Manuel Lorenzo, su amigo de la raya del Bañadero, pidiéndole que le dejara el pollo en la finca el tiempo conveniente. Para ahorrarse el sello, don Manuel le mandó recado con el cobrador del coche de horas: "Disle que sí, que lo mande cuando guste."

Con los bichos que se procuraba escarbando, algún grano que alcanzaba y el oxígeno con yodo de la playa del Bañadero, el *Cucaracho* se fue poniendo que daba gloria el verlo. Un día que don Manuel tuvo que subir a Arucas buscó al cobrador del coche de horas en la plaza y le dio un recado: "Tú le dises a Pepito Monagas que cuando le dé gana que mande por el gallito. O mira, no le digas "cuando le dé ganas", no sea que se demore. Disle más bien que lo retire en esta semana que va corriendo."

El gallo entró en la gallera, sin mucho gusto de Castrito el *Tollo*. El famoso cuidador lo miró orejeando. Y lo dejó pasar por ser vos quien sois; el compadre llegó acuñado por don Frasco, que encontró también al gallito "bien planteado".

Monagas empezó a echársela con su *Cucaracho* bastante antes de tiempo. En las pechas rindió corrientito, pero el amo dio en decir que era mejor que el de un cuento de don Pedro el *Batatoso*. Don Pedro se soltó un día una trola como la casa de don Bruno a cuento de su fantástica gallina *Mariquita*, la cruzada con loro. Se dejó decir que en una ocasión *Mariquita* se salió a la carretera de Tafira, picando, picando. En esto que baja una camioneta procedente del Madroñal, con verduras a bordo. El vehículo se le echó arriba a la gallina de don Pedro y le dio unas sacudidas superiores a todo lo largo del motor y la trasera, pasando por el cigüeñal. Alharaqueando desesperadamente, *Mariquita* estuvo debajo de la camioneta unos segundos decisivos. Cuando aquélla la soltó por popa, *Mariquita* estaba como la pebeta del tango: "Paresía un gallo desplumao—lusiendo al compadriar—el cuello picotiao."

—Una ves que *Mariquita* espabiló un pisco—remataba don Pedro el *Batatoso*, más fresco que el muro de la marea—se queó mirando pa m'hermana Costansa, que estaba en vilo a una banda, y dijo, dise: "¡Fuerte gallo, sita Costansa!"

—Pos el mío es mejor que ese—aseguraba el compadre.

Entre bromas y veras cuando el *Cucaracho* entró en la tanda de aquel primer domingo de casadas con los joselitos, llevaba una leyenda. Por la mañana llegó a casa de Pepe Victorio el del Pinillo.

—Me han nan dicho que pelea un gallo tuyo que manda las peras a la plasa...

—Muy sierto, mano Vitorio.

—Oye, Pepillo, contéstame como si yo fuera tu hermano: qué jago, ¿le juego...?

—¿Tú sabes lo que es "con los ojitos serraos"...?

—Sí...

—Pos juégale ansí, Vitorio, no seas totorota. Ese gallo es la bomba atómica, che.

—¡A ver si es la bomba "anémica", como dise Rosarito la del turrón!

—¡No estés bobiando, Vitorio! Juégale lo que tengas y lo que no tengas. ¡Te lo digo yo!

Mano Victorio el del *Pinillo* cogió y vendió un mixto de cardenal que era el más encendido y hermoso de islas; agarró y le dio jilo también a un timple como no lo ha tenido mejor ni Jeremías; malbarató un traje negro de un luto que le cayó de ahora para después, flus que apenas se puso porque su mujer se disgustó con los deudos inmediatos del difunto por piques de la herencia y a las cinco semanas de uso se lo quitó en señal de protesta y lo metió en una caja; por último, empeñó un mantón de Manila que su mujer se había sacado con un solo mote —y con trampas, según dijeron— en el Mercantil, por una verbena de San Juan, que ahora ha hecho años. Todo lo que recaudó lo puso en las patas del *Cucaracho* de Monagas...

Los trianeros soltaron de enfrente un golilla blanca de Telde, del castío de don Fernando Rodríguez, nada menos, animal de tres peleas, y de estos de "macanazo y arroz con pollo". Victorio se tiró a cantar desde lo primeros revuelos y trabó apuestas varias y fuertes, algo recelosillo porque es que le soltaban el "¡va!" sin pensarlo poco ni mucho. Poca gente jugaba al *Cucaracho*. Y entre ésta se contaba Venturilla el *Táita*, que pegando al techo, con aire de pajullo y clueco de cloquido, iba cantando una porqueriíta, más que nada por fiel a la amistad del compadre:

—¡Siete pesetas al *Cucaracho*! ¡Siete al *Cucaracho*!

—¡Pide una pa las siete y media y vas por la banca!—le guapió un trianero desde enfrente.

La pelea empezó. Y de repente se acabó... Para el golilla blanca de la pila de Telde, todo fue coser y cantar. ¡Zas, zas, zas! Tres pasadas y el gallito del compadre Monagas entró de quilla, se fue luego de banda, remeneó una pata con unos estironcitos como de despedida y dejó este valle de lágrimas. Pepe se enterró la cachorra y se subió la solapa, como si viniera en uno de los antiguos entierros del Puerto, transponiendo como un gato al amparo de la algarabía que se levantó. Victorio lo buscó en vano con resolución asesina.

—¡Es mi amigo, y mi compadre, y es de mi quinta, pero too me importa un pito de caña! ¡Donde lo agarre lo suisido!

Lo agarró en un cafetín de Lugo... Cuando dio con él, al cabo de mil averiguaciones, el compadre Monagas estaba ya en piedras de ocho y con otro roncito delante. A Victorio el del *Pinillo* ya se le había aflojado la matona, pero aún tenía vivo el gallillo y gritó, para desahogarse, al menos:

—¿Y ese era el fuerte gallo, desgrasiao, mal amigo...?

Pepe contestó filosóficamente:

—Acuérdate, Vitorio: más grande era el *Suleika* y entró con la quilla en el marisco... y se jeringó...

13

DE CUANDO PEPE MONAGAS, PAJARERO DE OCASIÓN, LE VENDIÓ A MAESTRO ANTONIO SANTANA, CARPINTERO EN LA MARINA, UN *PINTO* SOSPECHOSO

Pajariar ha sido siempre afición muy isleña, lo mismo real que figuradamente. El paisano pajarea de pollancón, y hasta, si a mano viene, de hombre maduro, bien casado con una gorda y algo despeinada señora. Que no suele enterarse. O que si se entera se hace la sonsa, porque casi nunca hay escorrozos a causa de semejantes destuerzos. El isleño pajarea, o "piquea", que también así decimos, cuando nuevo más fresco que la consabida lechuga atarosada, y de viejo con tales cara y mañas de zorro que las aplica a negocios y en menos de lo que el diablo se restrega un ojo tiene media docena de casas y dinerito a rédito. Cuando el insular va a sitios ruinitos, metido en bola con la facilidad que le es peculiar, va a "pajariar"; cuando acude a una fiesta en plan de rumantela, un poner a la del Pino, va a "pajariar". También pajarea el isleño al amor del sobrante de gambusa y de otros sobrantes: se puede pegar desde laterío a penicilina, pasando por maquinillas, como antes llamábamos a las máquinas de escribir.

Pero el indígena pajarea en rigor cuando agarra su jiñera, o su red, y con ellas, más la chiva al canto, sale al albita camino de algún lugar del campo socorrido de pintos, canarios del monte o calandrias. Si entran capirotes en falsete, miel sobre hojuelas. Se monta la jiñerita o se desparrama la red, a la banda la chiva, inocente colaboracionista, y uno se tumba, bien repachingado, a la sombrita de un almendrero. La hora es la del primer claror. Con la fresca, los pajarillos se ponen más picoteros que nunca. Si el del acecho es amigo de los cantos de su tierra, lo mismo se acuerda en la ocasión de aquellos cuatro versos tan cuadrados para una isita salpicona: "Pajarillos picoteros—que en la arboleda cantáis—, pajarillos picoteros—, ¡buenos pájaros estáis!" Tal vez no haya animalito que con más gusto se esponje y esparganée ante la mañana del nuevo día que el pájaro. Se estremece, se despulga un pizco, salta de acá para allá sin ton ni son, se suspende, empertigadillo y gorgea, torna a brincar y a despulgarse y a cantar de nuevo... Al principio, cada avecica trabaja por su cuenta, como la gente del cambullón. Más tarde, cuando han practicado "por indivudual", como decía nuestro amigo el cosechero de Los Barrancos, aquella especie de culto al sol, se solidarizan y crean el bando. Una vez constituidos en sociedad anónima se lanzan al aire de la mañana para buscar la manduca de cada día. Dentro de lo que tiene de jediondo, éste es el momento hermoso del pajarero...

La chiva lanza su algo desesperada e inocente reclamación. El bando, que barloventeaba el sitio desde donde el traicionero canto llega, se trinca en bolina, vira y toma tierra. Al pajarero se le pone la carne de gallina, pero de gallina de las quintas de la guerra de Cuba: en cada brote de su erizamiento se puede plantar un pino. Los inocentes amigos de las ramas y el viento pasan sedita de un breve recelo a la plena confianza... Es así cómo para horas de pella, o sea, en filos del mediodía, el que tan pacientemente ha aguantado recoge los teleques dichos y con un largo jaulón rebosando pajaritos tira para Lan Parma.

A la mañana siguiente lo verá usted por los alrededores de la Plaza, tal vez pegando al cosquio de la casne, el de acá, a la mano izquierda, según se va para adentro, para Triana. El jaulón levanta testigo y novelería. Antes de diez minutos de instalado en el suelo, hay alrededor sus treinta hombres corridos. Empieza un mirar y un remirar lo mismo de alto que de agachado. No se habla. El isleño es uno de los hombres que con más rigor se arrima al dicho de que por la boca muere el pez. Ante este negocio tiene más razón que un santo. Si pega a darle a la taramela, pierde la "concentración" necesaria para que no lo engañen. El pajarero trincó su mercancía a jecho y a jecho la enjauló. Pretende, claro, venderla también a jechito. "¿Cómo voy a estar desapartando jembras si yo no sé cuálas son? ¿Usté se ha decreído que yo no tengo naíta que jaser...? Y además que esto no es la escuela, las niñas acá y los niños allá..."—responderá, si acaso, a algún meticuloso que venga con pretensiones discriminatorias, dijéramos. Al fin, después de un ojeo más replegado que el de un labrador ante una vaca cara, un isleño se agacha.

—Sáqueme aquée—dice—. ¡Ese no, cristiano! Ese que está salpicando en la esquina...

Cuando se lo ponen en la mano, todavía orejea:

—¿Ta seguro que era éste el que yo le dije a usté...?

—Al seguro llaman preso...—dirá lentamente, pero rechinchadamente el pajarero.

—Me güele a jembra...—replicará el otro con tal aire provocativo que si el vendedor no fuera cuña del mismo palo, paciente de la misma especie de hipotensión, le metía una galleta como un queso de Fontanales.

En más de una ocasión se ha hablado, en esas históricas y comprobadas narraciones, de que mi compadre Monagas era aficionado a pajarear también animalitos, de estos amigos de mi tocayo San Francisco. Lo entretenía y le daba sus perritas el asunto. Cierta vez ancló con un jaulón repleto de "pintos" en la esquina del Puente de Palos, a una banda del dicho cosquio de la casne. No tuvo buena venta en la mañana. Y estando algo caliente por aquel emperrado brisón de proa, arrimó al jaulón maestro Antonio Santana, carpintero en La Marina, y hombre más serio que un funeral de gente rica. Maestro Antonio se encloquilló y empezó un repaso que si no llegaba a la hora, no le faltaba un jeme. Bien asentados los traseros sobre los recios calcañares y jalando imperturbable por una cachimba de garabato, examinó la mercancía tan concienzudamente que no parecía sino que la miraba con microscopio.

—Tríncame éste que está arrimao asquí—dijo al fin—. ¡No, ese rusio, no! Aquée de la moña pintorriada es el que te digo yo.

Lo tuvo en la mano su cuarto de hora corrido. Al fin pagó su tostón y se abrió para La Marina.

Al cabo de unos días, cuando compadre Pepe liquidaba los restos, maestro Antonio que va y recala. Tráiba en la mano un cartuchillo de cuarto kilo con tres bujeros para la respiración. Usted habrá comprendido que dentro venía el "pinto" de su reciente compra. Trincadas las palabras por la fija cachimba, maestro Antonio Santana habló.

—Esto que tú me has vendío, ni es pájaro, ni es náa.

—¿A, no? ¿Pos qué es, tonses... una peseta de churros del sentro?

—No te calientes y no te botes, ¿oítes? Yo te peí un macho, ¿tamos?, y te pagué un macho, decreío de que me lo dabas.

—¿Usté no lo desapartó a su gusto, y lo miró y lo remiró, que cas lo inotisa? ¿Tonses, qué quiere? ¡Si usté no intiende, usté allá!

—No pegues a fartá. Yo si entiendo. Lo que pasa es que me ha llevao el chasco.

—Usté dirá...

—Este pajarito debía cantar—explicó maestro Antonio con cierto retintín—. Y no canta. Veses pega a gorgiá y apunta, muy puestito de pie sobre las patitas, muy empenicaito y muy fino, ée.

De repente, se tupe y too se le va en brinquitos de saltaero en saltaero, con el rabo tieso, muy trincaito de atrás, la cabesita cambada y el ojo caío. ¡Hombre, que da de cara...!

Replicóle Monagas entre caliente y choteándose:

—Esa es virasón jasta de hombres. ¡Y yo no tengo curpa de que el animalito no le haiga salío formal!

14

DE CUANDO PEPE MONAGAS TRINCÓ, EN UNA CALLE *CAÑÓN*, UN CATARRO DE TIRAFONDO

—¡Mejor miraras pa onde estornúas...! ¡Sús, quería, si no parese sino el ventanero que se llevó las plataneras de La Aldea, usté!

Hacía el reproche y se lamentaba comadre Soledad. Estaban comiendo. Ella tenía delante, dispuesta para echarles sus cucharones de caldo, una escudilla con gofio en polvo. De repente acudió a la nariz del compadre Monagas una jiriguilla de estas que no tienen atajo posible. ¡Rián!, salió el estornudo como cuando el viento empuja una puerta. Desapareció el gofio casi hasta las raspas. Y la comadre quedó ciega en pelea, como aquel que dice.

—¡Disimula, Soleaílla! Asiado catarro tengo entre pecho y esparda tú. Y éste es de los que no salen ni con tres liñas.

—Pos güeno, mientras te sale, te viras y largas las salvas por popa. ¡Fartaba más! ¡Arriba de la mala criansa, el gofito listo!

—¡Ta bien, señora, cáyese ya! A la ves de estar resongando áhi, ¿por qué no jase argo para que se me quite, man que sea una tasita de vinagrera...?

—¿Más agüitas guisadas entodavía...? ¡Pos sí, cuando tienes el catarro marguyando! Si no anduvieras por áhi, de belingo y a deshoras...

La comadre tenía cierta razón. Pepe Monagas, su marido, era uno de estos isleños que no se acatarran casi nunca, como si estuvieran de nacimiento y para "in réculum, reculorum" guayacolados, mentolados y eucaliptados contra toda clase de matungamientos en la caja del pecho. Pero es sabido que la Ciudad cuenta con unas cuantas calles de las que llamamos en el país "cañón". Son esos pasajes arrinconadillos, un poco a trasmano, por donde casi no hay más circulación que la de los agentes patógenos del catarrillo, el catarrón con tos de sótano, la gripe, la pulmonía sencillita pero abarrenada, y la con premio, o séase la doble. De esas taimadas callitas, que ni que estuvieran dispuestas y urbanizadas por el Colegio de Médicos y las fábricas de aspirinas, se surte la población. De vez en cuando se levanta del Confital una brisita liviana, remonta como una cometa las Escaleritas y San Lázaro y con paso de gato arrima a los pasajes esos. Allí se agazapa. Y cuando le parece, más bien para hora de murciélagos, levanta vuelo y se pone a soplar del canto arriba al canto abajo de la calle. El pobre isleño que acierte a pasar, se cae como en falsete.

Una noche —la de un belingo de que se quejaba la comadre—, Pepe venía de la Portadilla de San José. Cuando embocó la Plaja Jantana, serían las ocho y media. Una hora fatal en las calles "cañón". Había estado beberretiando cerveza y venía algo apretadillo. "Aquí mismo lo jago", se dijo pensando en la inmediata calle Frías. Esta calle de Frías es "cañón" desde el nombre a las esquinas, desde la de Palacio, arriba, hasta abajo, cas de Anita, la antigua pregonada creadora de los pasteles insulares. Compadre Pepe bajó por ella. Y se paró en la mediación cosa de nada. Apenas aliviar y salir caminando.

Pero fue lo bastante... Cuando doblaba para El Toril le empezó como una comezón al canto atrás de la nariz. Un hormiguerito, un hormiguerito... Antes de llegar al Puente estornudó su media docena de veces. Entonces, haciendo un camango y dando de cabeza, dijo sencillamente:

—Ya lo trinqué.

* * *

No le salía el catarro ni con tazas de agüita de poleo, ni con pasote, ni con miel de Valleseco, ni con nada de este mundo. Es que ni al ron cedió. La primera vez que la caña lo traicionaba. ¡Había que ver! Se dejó decir entonces: "Cuando el ron falla, hay que dir al méico. Y esto es lo peor que le puee pasar a un hombre".

A los cinco o seis días de tenerlo como lapa en marisco, recalaron él y Venturilla el *Táita* por un tiendejillo que tenía en el callejón de Las Chapas un tal Frutuosito, conejero él, de unos Pérez de allá que se vinieron de arrancada. A Frutuosito no le faltaba más que penicilina para tener de todo en su timbeque, porque desde batatas de su isla hasta higos del Hierro, pasando por muselinas, driles, fulgurantes y avíos de pesca, él tenía de todo lo que usted pidiera por boca. Para más, era medio curandero, aunque atosigado por los fiados sólo aplicaba su ciencia en ratos especiales y a amigos de punto y aparte. Fue Frutuosito el del callejón de Las Chapas el que recetó a compadre Monagas la medicina definitiva.

Estaban Pepe y el *Táita* al soco de una cortinilla rameada tras la que Frutuosito vendía uno de los rones más asiados de islas, incluida Alegranza. El compadre estornudó allí detrás tanto y de tal manera que volaron los chochos de un platito y dos de ellos se le metieron al tendero por dentro del chaleco.

—Mire, maestro Pepe—se paró empertigado y grave Frutuosito delante del compadre—, a usté se le va a quitar ese catarro, se lo digo yo.

—¡Si la boca le cresiera, usté Frutuosito!

—Pos se me va a poner como er tune de Terde, en buena fe. Se lo dise a usté Frutuosito Peres, nasío en la villa de Teguise y avesindao en Lan Parma, onde se puee preguntar por ée, que no hay quien le saque colores a la cara. Usté se alleva ahora de mi casa una cuartita de ron con una copa de giniebra, dos de casalla, tres de coñán y cuatro cucharáas de vinagre de ñema. Yo le dispacho tamién una cucharáa encolmáa de asufre y dos de pólvora. Usté me agarra too esto, dispués al acostarse, y me lo trabaja con una cucharita de rabo grande, jasta que quee too como un lameor. Se lo bebe usté y al catre, ¿estamos? Si de aquí a mañana a la tarde tosea usté, o tiene argún agravio de narís, usté no me debe na, mano Pepe, ¿me entiende?

—¡Masiao que lo entiendo! Ron y varias cosas más con asufre y pólvora, ¿no? ¡Usté se ha creío que en ves de un catarro es que se abrió la vea!

—¿Ñor...?

—Mire, Frutuosito, más claro entoavía: este catarro no es de propulsión a chorro. Si fuera de éstos, no estuviera aquí con usté, sino con Monsón, de la Plasetilla de los Reyes p'abajo.

—Cáa cuar es cáa cuar—dijo Frutiosito, retirándose con cierta dignidad.

Monagas pegó a poco a estornudar de nuevo y a largar mocos y babas, que no daba avío con tres pañuelos tirando a sábanas de cuerpo y medio.

—¡Mire, Frutuosito, espache la dinamita esa!—llamó por fin, aburrido.

Al día siguiente a las mismas horas el compadre recaló de nuevo en la tienducha de Las Chapas. Venía rey. Iba a darle las gracias al conejero, porque Pepe era hombre bien nacido.

—¡Parese que estamos más animaíllos!, ¿eh?—lo miró, triunfante, Frutuosito.

—¿Cómo animaíllo...? ¡Estoy como un gallito de siete peleas, mano Frutuoso! Me tomé sus misturao, ¿oyó? El catarro listo. Pero me costó un jolgorio, usté Frutuosito, que jasta Soleá la mía se tuvo que dir pa fuera. ¡Mi casa anoche fue la fiesta del Pino! ¡Volaores sin rabo, pero volaores, mano Frutuoso!

15

DE CUANDO PEPE MONAGAS AGARRÓ UNA SOBERANA CHISPA, POR MAGUA DE SU RISCO DE SAN NICOLÁS QUERIDO

Atarracado él, rematado por una cabeza dura y taimada, vestido de negro, con un chaleco sucio lleno de lamparones y un diente de oro luciendo entre los encaramillados y sarrosos huesos de la boca como una margarita en un estercolero, don Pancho el *Sargo,* casero de un portón donde vivió un tiempo compadre Monagas, salía de los cuartos correspondientes sin los cuartos correspondientes... Cobrar allí dentro era más difícil que cosechar batatas en un manchón de berros. Después de una elevada en cada mechinal de la ciudadela, con la consabida amenaza del papel de barba, las "impósisas" y los sellos "inmóviles", don Pancho cogía la calle con el pescuezo más enterrado y una cargazón de cabeza que no parecía sino que llevara en lo alto del coco un bernegal medio rebosando y sangoloteante. "¡Maná gantuallo!", rezongaba, mientras trasponía, el morro gacho, atrabancado el paso y una expresión de vinagre que mira un cacharro de leche y la corta.

Uno de los morosos era Pepe. Comadre Soledad se había llenado de calma frente a las periódicas chapetonadas de don Pancho el *Sargo,* pero algo del atracón se le quedaba siempre entre ceja y ceja. Así que cuando su marido recalaba por casa ella soltaba la estupidura, aún a sabiendas de que iba a sacar lo del negro del sermón: los ñames como el hielo de Andresito y la melona como potaje en verano.

La última vez, el *Sargo* dijo a la comadre (Pepe, naturalmente, estaba "pa abajo"):

—¡Sépalo usté y dígaselo a su marío, de que ya son siete meses corríos! Y dígale tamién de que el que quiere beserro, que compre vaca. Lo cual que yo le aguanto jasta el sábado. El lunes caigo con el procuraor y un fleje de papeles. ¡Y no me venga con jirimiqueos, porque pa llantos de mujeres hay tiempo que estoy impedío!

Monagas no pagó, pese a las estupiduras de comadre Soledad. Cuando un ciudadano tiene la condición de "arquilino", como dice nuestro amigo el coschonero de Los Barrancos, y no paga "debidamente", la Ley de Arrendamientos Urbanos, antes llamada Ley de *Enredamientos Urbanos,* cae arriba como una piedra de molino, produciéndose lo que nuestro repetido amigo el cosechero de Los

Barrancos llamaba "una desajusiá como la máquina de la china". Don Pancho botó a Pepe como agua sucia. El matrimonio Monagas-Soledad Santana fue a parar un tiempo a unos cuartitos mal empapelados de San Roque, por arriba del Pilar. Compadre Monagas no se amañaba nada en el barrio de la Casa de los Picos. Le encontraba algo finchadillo el tono, y en cuanto al caserío, falto de ese apretado de piña granada que tenía su San Nicolás querido. San Roque lucía lleno de clareas, como esas dentaduras desapartadas y paletudas, que se desparraman en ciertas bocas. Pepe meditaba que a aquello le faltaban perros chimbos y japiantes; borrachos de media noche para el día, de estos que rezongan solos y solos ventilan la jumera; mestres y marinos de atrabancado andar y cachimba de garabato; turroneras escachadas; guardias y tartaneros; muchachitas, de amorenado garabato, yendo y viniendo por el enredijo empenicado de los chiquitos y apretados callejoncillos...

Comentándolo un día en el Polo con un amigo que escribía en los periódicos, Pepe explicó:

—Mire, ¿usté sabe la diferensia...? ¿Cómo se lo diría yo...? San Roque es más mansito, más almidonao. San Nicolás no tiene apresto, y cuando canta, canta de pecho y a boca llena, sin "colocar" la vos y sin entubarla en culitos de gallina. ¿Se da de cuenta...? Más le digo: San Roque es el aguacate maúro, y San Nicolás, la breva pintona y atarosada, con la piel del color de la prima noche y requintadita como la de una pollona en sus quinse. ¡Y un dejito entre lameor y agelioso, caballeros...!

Compadre Pepe paraba bajo los Picos lo menos posible. Y ya desde la primera noche de mudado agarró el portante y se fue para San Nicolás. Lo hacía como quien le echa azufre a una maleza o agüita a una amurrida mata de geranio. El azufre y el agüita eran, naturalmente, un ron del timbeque de Manolito *Mano Abajo*. Manolito vendía una caña decente, que condutaba, dijéramos, con un quesito conejero —de lija del número 5—, aceitunas del país y unos pejinecillos bien empertigados por el tueste. *Mano Abajo* ayudaba a encallar su clientela brindándole unos cajones de jabón. Con todo esto, el que trataba allí solía salir tarde y a cuatro patas. Había también en la trastienda una vieja guitarra, gloriosa de agujeros, manchas de vino, cuerdas amarradas con hilo carreto y una cejilla de pinzapo, trincado el palito con un pedazo de tercera de tripa sobre el tercer traste.

Aquella primera tarde Monagas beberreteó y tiró de guitarra en protagonista de tango, con alma de payador suspirante. Cantó aquello de "Mi casa ya no es mi casa—ni mi calle ya es mi calle..." con dos lágrimas como dos chochos.

Casi rebosando por el gaznate y nadándole a la punta de arriba del lleno una aceituna mal mascada, compadre Pepe se echó a la calle minutos después de las once de la noche. Emprendió el camino de su nueva y lejana casa en San Roque. Con todos los trapos envergados en la cabeza, pero con los pies como potales, empezó a andar. Cantaba, todavía sin trabucarse, y a palo seco, aquello de "Risco de San Nicolás, cuántas parrandas me debes...". Trabado en el cantarcillo, en el que se emperraba, suspirante, pegó a bajar el callejón de San Francisco. Mal que bien lo rebasó, sostenido su tipo por la penumbra del pasaje. Pero cuando enfrentó las luces de los alrededores del cuartel, algo como una de esas olas de los grandes rebosos se le aplicó a la barriga, lo levantó en vilo, lo envolvió, remeneándolo como una gallina bajo una camioneta, y por último, abriendo un tremendo vacío, lo sambucó allá dentro de una negra y profunda sima.

Cuando medio se equilibró, Pepe se dijo: "Pensé que diba pa mi casa y ahora resulta que voy pa Tenerife. ¡Porque a mí no me digan que esto no es el correíllo virando La Isleta...!"

Dando tambucazos barloventeó el Gabinete pasadas las doce. Por allí se cruzó con don Frassco, que salía de su tertulia.

—¿A dónde vas... de saltonas?

—El rumbo que puse es mi casa, usté don Frasco. Pero ya sabe el dicho: "El hombre propone, y el jalío dispone". Llevo un ventanero de proba que lo agarra alguno menos marino que un servior, y para en Alegransa con la quilla en el marisco...

A las doce y media dadas rindió en la Playa Jantana. Aquí volvió a deslumbrarse. Otra vez lo revolvió la chispa. El Ayuntamiento, la Catredán, el Palacio del señor Obispo, la casa de don Silvestre..., todo empezó a girar de pronto vertiginosamente, como esos molinillos bien engrasados que impulsan la mano de algún maúro caliente, de esos que se gastan los cuartos a modo y siempre "le falta un clavo". El pomo de compadre Monagas le subía a la garganta y le bajaba a los calcañares como si fuera un deleite. "¡Ya santísima, tales fatigas!" —resoplaba, metido en un trasudor, bien fechado de un perro, una mano en una oreja y la otra en el rabo...

Cuando Dios quiso entró con la mamada como en un caletón. Resopló un pizco y reemprendió el camino. Según rebasó la esquina del Ayuntamiento para entrar en la Placetilla del Espíritu Santo, encoró un hombre que andaba por allí agachado. Por entre el brumero pudo apercibirse de que estaba manejando un hierro alto en forma de T. Lo había metido en una arquilla del agua y le daba vueltas. Se trataba sencillamente de abrirle a los depósitos isleños, sequitos como un palo, su ración de agua. Monagas se calentó, increpándolo con una maldición que aquí no podemos estampar.

—¡Tenga cudiao con la lengua y no sea fartón...!—rezongó gacho el del agua.

—¡Pos no jaga usté por ónde! ¿Por qué tiene usté que esperar a que yo pase pa dasle güertas a la Plaja Jantana...?

16

DE CUANDO PEPE MONAGAS ESTUVO EN UNA EMPELOTADA JUNTA DE LA SOCIEDAD DEL BARRIO

Se anunció en *La Unión y Progreso*, sociedad de cultura y recreo del barrio, la elección de *Miss Unión y Progreso*. Y al solo aviso se levantó la consabida polvajera, que provocaron los "puntos de vista" de los isleños asociados. Los padres de las pollitas más bien feonas, fogueteados por sus respectivas y zapatudas señoras, pegaron a decir donde quiera que les cuadraba que la tal elección "ni era susetible de unión ni acarriaba progreso".

—La cuáa—argumentaba maestro Manuel el *Bocúo*—que esta sosieá, que fundemos entre toos pa la sivilisasión y la curtura del presonal, va a virar a relajos y a machangás y a esto y lo otro.

—¿Cuálo es "esto y lo otro"?—preguntóle maestro Vicente el latonero, que tenía unas polloncitas vistosas y algo escachadas, de las que se tiraban a Triana jueves y domingos, mirándolo con la cabeza cambada y ojos torinos, entre picado y caliente.

Se aclaró que "esto y lo otro" no tenía nada que ver con ciertos desenfados localizados en Fuera de la Portada y en algunos rincones del Muelle Grande, evitándose así que los tertulianos se dieran una mano de componte. Maestro Vicente el latonero tenía las cachetadas prontas y grandes como tortillas de boda. Y le hallaron ahora en la punta de las manillas de plátanos mayeros que componían sus manos.

Cuando la Directiva se percató de que la fiesta había agarrado una calda semejante a la de la conejera Montaña del Fuego decidió hacer una declaración pública de neutralidad. "Losotros no los entremeteremos en náa", manifestó en junta el Presidente, haciendo que luego corriera por todo el Risco la volada del acuerdo. Pero de viejo está dicho que una cosa es predicar y otra dar trigo. La Junta resultó más entremetida que nadie, particularmente Juanito Cabrera, el presidente de Recreo, quien se emperró en que saliera una chiquita ahijada de él, que venía siendo hija de la vecina Angustia Sánchez, viuda ella, pero todavía nueva y vistosa como una bien regada mata de geranio. Lo que por mor de la pretensión le dieron a la taramela, no ya sólo las mujeres, sino los hombres comineros, apenas tiene pintura. A la viuda, madre de la pollona candidata del presidente de recreo, le sacaron los trapos viejos más remetidos, y de escamas le hicieron samas. La muchachita, que iba tirando tan empertigadilla y graciosa por entremedio de envidias zorras, pero de menor cuantía, se sintió de repente como si se hubiera caído en el centro de un bardo de tuneras coloradas. La madre adelgazó en quince días sus siete kilos corridos. Y a la niña se le puso en la cara un susto de tórtola fogueada.

También andaba en la intriguilla de una parte el Secretario, apoyado por los de la Comisión de Fomento, y de otros tres o cuatro vocales más, éstos, rascalevas de oficio, puestos al rebelaje del Presidente, al que, la verdad, no le iba ni le venía la elección. El tenía un pique antiguo con el de Recreo "por no machihembrar los puntos de vista" de éste con los suyos. Se propuso, tan solamente, aprovechar la marea para darle un golpe a la lapa de su rival, y jeringarlo un pizquito...

—¿Cuála es la que quiere sacar Cabrera?—preguntó el Presidente a alguno de sus adulones.

—Calmela.

—¿Cuála Calmela...?

—¡Sí, hombre! La hija de Angustitas, la viuda.

—¡Aaa...! ¿Seré jediondo, eh...? Pues se va a jeringar, ¿oítes? Esa no sale ni con tres liñas.

* * *

El baile estaba relumbrando, y no ya sólo por la brillantina a granel y el fulgurante, sino "de por sí". Se cuajó la sociedad de farolillos y de rizadas guirnaldas y retumbaba una orquestina de las que se parte el pecho a fuerza de gusto, y de ron, también. Oh, con decirle a usted que se tiraron al tercero hasta las viejas que acudieron con un pañuelo negro trincado al quejo, se lo dejo dicho todo. La gente se esparganeaba a más y mejor. Solamente andaban "cabizbundo y meditabajos" los de la intriguilla, maldiismulando la tirantez y el ansia.

A la medianoche, entre una expectación tremenda, fue elegida la Reina de *La Unión y Progreso*. Salió, a pesar de tanto atrabanco como los de enfrente pusieron, la niña de Angustitas, la criticada viuda. A los sones de un bizarro pasodoble, de importación peninsular, le jincaron a Carmela una banda verde de ocho dedos de ancha, con unas muy vistosas letras doradas que ponían: "Miss *La Unión y Progreso*. ¡Viva!", le pusieron entre las manos temblorosas un ramo de flores como un gajo de pino, y rián p'al Puerto.

Apenas acabado el pasodoble, la fiesta empezó a rebumbiar como cuando se entabla un reboso en la marea. Al canto atrás de la sociedad, donde se había montado la cantinilla, se aglomeraron los hombres. Empezó un trasiego de ron y de coñac de los que dieron los primeros antecedentes a la desintegración del átomo. De pronto sonó una cachetada como un queso de Fontanales. Y sonó en los besos del Presidente. Se la había afianzado a su superior Juanito Cabrera, secretario de *La Unión y Progreso*. El Presidente replicó con un cabe. Y contrarreplicó Cabrera con una patada en sitio que Dios libre y guarde. Cayó aquél como un cortacapote. La guerra fría saltó a caliente en nada y cosa ninguna. Generalizada también como la pólvora, se entabló una pendencia tumultuaria. La cantina y la sociedad toda quedó como si le hubiera pasado por encima la presa de los Betancores que se soltó ya hay años. Bastantes hombres y hasta mujeres tuvieron que ser untados con yodo y esparadrapeados debidamente en sus grandes conejas. Otra cuadrilla buena paró en el cuartelillo y en la comisaría.

* * *

Cuando con los días y los pañitos calientes salieron unos de candonga y curaron otros, la mitad, más dos o tres de los socios, o séase la mayoría, pidió junta general extraordinaria. Cuando recibió la citación, compadre Monagas comentó: "Esta junta va a ser más bien ordinaria". La Directiva amenazaba con irse en desbandada. Decía maestro Chano el de la ferretería, vocal número 7: "¡Maná jediondos! ¿Usté se decree que se pue ser, sin estremeserse, diretivo de una sosieá asín, que a la ves de virar contra el alfabetismo y las malas criansas, vira en favor del relajo...? ¡Quite, hombre!"

Se convocó la junta para un domingo por la mañana. Y se descolgó gente que no iba por allí ni a hacer pipí de recalada. La sociedad rebosaba, pero sus isleñísimos socios se mantenían como al pairo, a excepción de los que estaban metidos de hoz y coz en el lío. La gente, en general, no quería pelearse con nadie y andaban zorronguiándose, hasta ver... A la hora de iniciarse la junta había en el salón de sesiones o actos media docena de individuos, a todo reventar. El resto, la gran masa, se aglomeró en la puerta, sin decidirse a pasar dentro. Estaban dispuestos a gozarse desde allí el temporal y se acabó. Con la mariposa de un virginio entre los labios y la oreja alerta, pusiéronse a esperar en torno a la entrada.

En esto recaló de casualidad Rafaelito el de la tienda, que en la vida iba por allí. El se había hecho socio por causa de sus niñas, a las que les gustaba el baile más que adobo. Cerrero y despistado, a la entrada al salón, abrió la boca, cambó la cabeza y se quedó un instante lelo. Compadre Monagas, que se estaba empajando en todos los puntos del cargado ambiente, pasó entonces junto a Rafaelito. El tendero lo paró un instante:

—¿Cuálo es lo que pasa áhi, usté Pepito—preguntó, intrigado—, que hay tanta gente en la puerta...?

—Pos si le digo le engaño, usté Rafaelito. Será que van a tirar un córner...

17

DE CUANDO PEPE MONAGAS LE SACÓ UN FIADO DIFÍCIL A RAFAELILLO EL DIA DE LA TIENDA

Corrían los tiempos del "reparto" y las consecuentes cartillas de racionamiento. Remontábamos los repechos de la guerra recién acabada. Se comía por cuentagotas, y los tenderos, cuando no se enfrascaban en las trampolinas para sacarle lasca a los pizcos que despachaban sin más remedio, se iban cargando, hasta encochinarse, con los requilorios de los tiques los "tiquis"— y demás yerbas. Si arriba le echa usted los fiados, comprenderá que estuvieran los comerciantes como bardos de tuneras: verdes, espichados y con telarañas.

Una de las víctimas de las encoduermas y del sacar sin meter fue Rafaelito el de la tienda, con un chinchalillo en el Risco, a la vera del compadre Monagas, chinchalillo del que más de una vez nos hemos ocupado debidamente. Rafaelito el de la tienda venía tan requintado con el tejemaneje de las libretas oficiales y con el "apúntemelo por áhi" de su humilde a la par que tranquila clientela, que hasta la lengua se le salía como a los perros fatigados. Y lo que Rafaelillo decía, caliente, con razón hasta dejarla de sobra:

—¡Arriba del requilóriu de los tiquis y del fleji de cartillas, que me tienin la cabesa como un güevo movío, más con cargasón que no afloja ni de día ni de noche, arriba me vienen con los fiaos! ¡Ji, jiñó! ¡Y aguanta la vela, Rafaé, porque si te escarranchas a desir que no, toos se viran culos de botellas y josicones a una banda y otra! ¡Gaste usté libretas de tres riales, que ca día son más menúas, y lápises con las puntas tan ruinitas que no aguantan tres palotes, y meta usté de estos palotes y meta usté chochos en ves de perras! Cuando va el chiquito mío a cobrar, too se va en desir: "Le dises a tu padre que deja a ver... que a lo mejor, el sábado..., y que si por esta via, que si por la otra"... Total, agua en un jasnero, como el otro que dise.

Entróle al hombre, cierta mañanita, una chiquita de aquí de mi comadre Dolores, la del pilar. Era una cría menuda, rañosilla y escopetada. Digo, fañosa y con tinete:

—Faelito..., se me maire... de esto de que... de que me dé lo que quea del repalto, ¿sabe?, y de que... estoo... ¡Sús, usté, que lo tengo en la punta de la lengua y no me sale... ¡Ah, sí, cristiano! Que me suelte un riá de tomates, un riá de ñame y un riá de esto deee...

—Ya se tupió otra vuerta...—resongó Rafaelito, pegando a encochinarse.

—¡Sí! Un riá de pimienta negra.

—Pimienta negra no me quea, que se la llevaron toa estos de jasquí detrás, que les cayó luto. Pero esti no es el caso. El caso es ver si traes los cuartos.

—¿Cuálos cuartos, cristiano?

—¿Cómo que cuálos cuartos?—soltó un esperrido Rafaelito el de la tienda—. ¡Los cuartos pa pagar, puñeta!

—¡Jable bien...!—se le cambó con un tremendo camango en la boca ensayada la machanga de Dolorcitas la del pilar—. Deja ve si se lo digo a mi padre y viene y le coje los besos...

—¿Arriba vienes a amenasarme...? Cállate la boca ya y saca los cuartos. ¿Onde los tienes?

Rafaelito se diblusó sobre el roído mostrador, le abrió la mano a la chiquilla y le registró un bolsillo. Entonces, la hija de Dolorcitas la del pilar dio un grito en do sostenido mayor que se oyó desde Pambaso al barranquillo de don Zoilo. Acudió gente y perros. Entre aquélla y éstos rebulló pronto el padre de la niña. Rafaelito recibió un moquete de los de mochazo de cochino entre las cejas espesas. Cayó como un cortacapote, diblusada la cabeza sobre un barrilillo de sardinas prensadas. Estas añadían a su natural batumerio el de llevar tiempo allí. Le hicieron, pues, el efecto de una sales tirando a calcetines. Empezó a volver en sí y oyó que el padre de la chiquilla estaba diciendo: "¡Bueno está lo bueno, pero no lo demasiao! Una cosa es cobrar sus perras, y otra cosa es el sobeo." Espantado, volvió a perder el tino, al cabo de pensar: "Fiaos, leña... y arriba, acalunias."

El hombre se acobardó y muchos clientes cayeron entonces como pulgas flacas sobre perro viejo. En una ocasión arrimó al mostrador el bulto flaco y nervioso Encarnacionita la del turrón, más conocida por Casnasionita la *Guirra,* una de las más grandes aguililllas que en el Risco han sido. Ya no rogó el fiado, como

era de usos, sino que lo exigió como si viniera con una letra pro-
tastada. Rafaelito sacó valores para recular. Y entonces la *Guirra*
le soltó una estupidera tan completita, que hasta la madre del
tendero, tan de antiguo muerta que ni misas le decían ya, saltó
al tenderete de maldiciones seguidas de alegatos, a santo de que
si el hombre se quedaba con los repartos "pa que la señora criara
baña o los revendiera de "estrespelos" a quien le daba gana".

El día de esta elevada, comadre Soledad caminaba para la
tienda dispuesta a meter el consabido cabe. Desde la calle se
"gozó" el rifirrafe. Y naturalmente, no pasó a comprar. Repasó
los callejones con la pata pronta y la cabeza engrifada.

—¿Y qué me jago, querío...?—entró, desalada como gallina
bajo el milano—. ¡Ay, tal desgrasia, usté!

Compadre Monagas despuntaba un apoyito. Despertó y se estiró a gusto, empajándose en el desperezo.

—¿Qué pasa? ¿Por qué estás gritando áhi?

—¡Grito por no llorar!

—¡Tango tenemos...!

—¡Tango, no, bandío! ¡Jambre: a ver si abicas de una ves
y caes en los infiesnos esmayao como un perro!

—¿Por qué no cuentas primero lo que pasa y dejas las "flores" pal final?

—¿Qué va a pasar...? ¡Que como tú no das golpe, asquí no
hay perras, y como no hay perras, no hay comía!

—Rafaelito siempre los ha fiao...

—Pos ahora no está el tostaor pa cochafisco. Si quieres fiao
vas a buscarlo tú y el alma que tienes. Lo que es Soleá la mía,
no. Figúrate una panchona revirando y un macho salema engrifao: pos asín está Rafaelito.

—Eso es que está desengrasao. Voy a tirarme un salto yo.
Verás cómo lo amoroso.

El compadre Monagas entró en la tienda con naturalidad.

—¿Soleá la mía ha estao por asquí, usté Rafaelito?

—Pos yo no la he visto, entodavía.

—Se conose que no ha podía bajar jasta ahora. Pos mire, me
va a dar el repalto y lo que ella acostumbra a llevar de tomates, sal, prevensiones y sétera, que yo mismo me lo subo.

A la actitud recelosa de Rafaelito, Pepe opuso un así como
distraído recuento de dinero. Medio vuelto de espaldas sacó unas
fingidas monedas del bolsillo del pantalón, que se volvió a guardar... Luego tiró un vistazo. Según la volvió a su sitio, puso un
gesto complacido de hombre que podía atender el gasto. Rafaelito entró en gueldera... Pegó a llenar cartuchos y a poner sobre
el mostrador.

Una vez que estuvo todo a punto, compadre Monagas cargó

con todo en una geitosa rebelina y sobre la marcha dijo al estupefacto tendero:

—Apúntemelo por áhi.

Rafaelito reventó contra el mostrador como una ola del Parque. Gritó, encochinado:

—¡Asquí no se apunta náa!

Monagas ni se enfrió, ni se calentó. Dijo con sencillez, pero con admiración:

—¡Ya mi madre, fuerte memoria!

18

DE CUANDO PEPE MONAGAS ACTUÓ DE PRUEBISTA EN EL VIEJO *CIRCO CUYÁS*

Gran "troupe" internacional de atracciones en el viejo *Circo Cuyás,* el delicioso local de espectáculos que la pollería no conoció, y cuya "biografía" podría ser una de las cosas más divertidas de nuestra historieta. Fue un alarde de los que el isleño pondera con esta expresión: "¡Cosita asiada, caballeros!". Venían músicos excéntricos, que tocaban instrumentos haciendo la palma; venían payasos que con solo visajes y camangos esmorecían a chicos y a grandes; actuaban unas bailarinas tan seditas para todo que hasta pleitos matrimoniales armaron; por los aires, amagando el techo, se guindaron trapecistas que estaban siempre a un jeme del talegazo; actuaba un caballero alto él, con barba él, cerrado de negro él, que como si fuera un deleite sacaba palomas de cola alta del pecho de las señoras y duros de los de antes, que se dice muy presto, de las narices de los caballeros de las primeras filas; salía una polloncita, delicada como una frutita de aire, que pronto se embelesaba bajo los manipuleos de un hignotizador indio que hablaba el catalán a la perfección; también unas machangas bebiendo té con maneras tan pulidas que tomaron como modelo más de cuatro señoras de las que sopetean el pan mollete cuando meriendan sin visita... Pero el "non plis iltra", como decía aquel socio del Casino que había estudiado francés, era el número de un italiano, cuyo apellido, por una de esas cosas raras de la asociación de ideas, sonaba de modo que recordaba el pan bizcochado: "Mascañi".

El tal Mascagni estaba casado —¡decían!— con una muchacha muy delgadita, dorada como la barra de un espejo bueno y con unos ojos grandes y parados. Ella se ponía, rígida y pálida, contra un tablero situado en el fondo del escenario. El *Masca-*

jierro, como también lo llamaron por más facilidad, se situaba delante, al pie de la concha, teniendo a la banda una mesita chica con doce cuchillos, doce, tan grandes, afilados y relumbrantes, que a su sola visión se le ponía a uno el pomo de corbata, dispensado el modo de señalar. El italiano iba cogiendo limpiamente y uno por uno los naifes, alzaba parsimoniasamente la mano armada con aquellos fulgores de acero, que se metían por la espalda abajo como agua de porrón, y los lanzaba contra el tablero donde su muer, manudita y pálida como la florita de un jazmín, aguantaba el embate con un parecer impertérrito. En medio de un silencio que se podía partir como un queso tierno, los puñales cruzaban el aire, bien alumbrados por el largo foco que desde su cabina de manivelista de "películas" le soltaba maestro Pedro, y se clavaban temblorosos alrededor de la impávida polloncita rubia.

Hablar en semejante trance era peligroso. Por esto se armó un escorrozo de respeto cierta noche en que la señora de don Chano, el de la calle de los Balcones, que estaba con un recojimiento cayendo en piedras de ocho, acudió al Cuyás, por hacerle el gusto al marido, cuando a ella no le nacía sino dar una vueltita por Triana, "hasta el Kiosko de la Banda y vuelta pa atrás".

—¿Pa qué me jas traído asquí, Chanillo?—pudo resollar doña Costanza, metida en un trasudor.

—¡Cáyate la boca ahora, consio!—masculló don Chano, caliente.

—¡Tú me quieres matar de un insulto—insistió ella como en misa, pero con la boca en un bico y los ojos medio en blanco—y por eso me has jas traído aquí, bandío! ¡¡Ayyy...!—explotó por fin con tal chillido que hasta el foco se le cambó a maestro Pedro.

Al día siguiente doña Costanza habría de comentar: "Arriba de lo sofocada que está una, usté, que jasta el caso de disimulo me da calor, y arriba de las conduermas con las críaas, tiene el valor de llevarme a la matasón. ¡Porque aquello es la matasón,quería, no me diga usté a mí" Aquella noche, el señor Mascagni tuvo que suspender unos momentos, hasta que entre cuatro sacaron al peje tamboril en que había virado la esposa de don Chano el de la calle de los Balcones.

Cuando el último de los doce cuchillos, doce, se quedaba temblando en el tablero, bajo el sobaco izquierdo de la aventurada rubia, arrente de la encogida almendra mollar de su corazón, era tal el suspiro de alivio que se formaba corriente de aire. Y como es natural, a fuerza de insultos y sustos disimulados, la pobre artista cayó entre sábanas tan consumida y con tal tembleque

que es parienta de uno y manda uno a teñir un traje a tiempo. Pues ya se sabe: no somos nada.

Y así fue cómo desapareció uno de los más fuertes y atractivos números del espectáculo. Empezó a aflojar el personal, que estaba acudiendo hasta de la Aldea atraído por la tremenda prueba. La empresa se dispuso a buscar una solución rápida y heroica. Ningún miembro de la compañía quería embarcarse en la aventura cesárea de sustituir a la rubia enferma. Aparte, más de la mitad de los elementos no se llevaba con *Mascajierro*, por líos de ellos allá. Se recurrió a la calle, haciéndose ofertas muy tentadoras. El asunto corió por esquinas y cafetines. "¡Déjese de coñas—comentó el isleño, tirándose para atrás—, que de repente va y se le va la mano al *Mascajierro*... y adiós te digo y no llores!" El artista acabó poniendo un suelto en el periódico. Solicitaba un voluntario para trabajar con él y reducía los cuchillos a seis. Pagaba por cada cuchillo veinte duros, lo cual sumaba una cantidad que en aquellos tiempos daba para comprar una casita terrera y hasta ponerle retrete. Pasaron días y nadie entraba en falsete.

Pero nunca ha faltado un roto para un descosido. Cogió el asunto a compadre Monagas con la tartana, pero en un parón. Acogotado por el hambre, el caballo se había comido unos periódicos locales. Monagas se dejó decir luego en la carpintería del maestro Pepe Quintana que los tales periódicos traían unos sueltos sobre la División de la Provincia capaces de empachar, no a un caballo, "sino a un elefante". Sin comerlo ni beberlo, pues, el animal pagó los líos con Tenerife. Total que el compadre se quitó de cuentos, agarró el camino y se presentó al italiano en horas de ensayo.

—Digo—planteó algo asorimbado—que como ese tablero viene siendo algo así como la parte abajo del guacal de la asoluta, o séase de la caja en que se traspone pa las plataneras, usté debería subir un pisquito esos cuartos. Lo ponemos en veintisinco duros por cuchillo y no tiene naita que desir... Yo, asín, estoy dispuesto...

El italiano lo vio temblar de arriba abajo, con sus ojos azules y fijos. Después le hizo unas preguntas y unas observaciones lentas y más umbrías que sombra de higuera negra... Por último le indicó que convenía hacer una prueba previa, para que perdiera el miedo. Y sin más palabras, en una rebelina trincó al compadre Monagas por los hombros y lo arrimó contra el tablero.

—¿Pero qué va a jaséee, cristiano...?—musitó Pepe con una bola en el gaznate como una sandía de Lanzarote—. Primero hablemos y dimpués ya veremos...

—¡Quiettto, quiettinno...! ¡Non si mueva!—le replicó imperante el pruebista, afianzándole nuevamente contra la tabla y disponiendo los cuchillos.

Con manos como rehiletes, *Mascajierro* quitó a Monagas la cachorra y le puso en lo alto de la cabeza una cajilla de cigarros rubios. La color del compadre era tan enterregada como un chocolate de gente pobre.

—¡Usté, mire lo que va a jaser, cristiano...!—advirtió con voz que apenas le salía del cuerpo—. ¡Que no tengo jijos que mantener, pero sí buenos amigos abogaos...!

—¡Silencio y non si mueva!—bramó el italiano frente al compadre, con un cuchillo en la mano.

¡Zas!, salió disparado el primer puñal. El zinguido se le metió a Monagas hasta los mismos callos. La punta del arma pasó de banda a banda la cajilla de cigarros y se clavó frente del coco del compadre. Este sintió la hoja que iba y venía en un temblor matón. "¡Ay, mi madre—pensó Pepe, sintiendo que se aflojaba todo—, que no la ha visto tan negra ende que Pancho el *Rubio* me sacó el naife en el cafetín del *Parranda*...!

No había acabado con el pensamiento de aquella pelea risquera, cuando Mascagni se tiró a él, lo viró sobre el tablero, poniéndolo de perfil, y le embutió entre los labios descoloridos y temblorosos un cigarrillo...

—¿Y esta virá pal sotavento, qué es ahora...?—masculló el compadre, ya sin fuerza, sudando que el alma se le arrancaba, y sintiendo, aterrado, que se estaba desarretando de vientre, como cuando de chico su madre le jincaba en ayunas un vaso de sal de higuera.

—¡Non si mueva, per favore! ¡Quiettino!—y ¡rián!, el segundo cuchillazo que sale también zingando y que se llevó como rosquillas el cigarro.

La color de Pepe Monagas lucía ahora tan verde, tan sorroballada, que un difunto al lado era veraneante de las Canteras.

—Mío amicco—se acercó, sonriendo y entusiasmado, *Mascajierro*—, usted ser buen elemento. Usted servire per mi trabacco. Contratato. Tome.

Le dio dinero. Cincuenta duros en total.

—Veinticinco per la cajetilla y otros veinticinco per el cigarrillo.

—Le faltan veinticinco más, míster—empezó el compadre a reaccionar.

—¿Cómo...?

—¡Pos es claro que sí...! Usted no me dejó jablar. Lo cual que no le pude desir que yo ende chiquito, soy más bien mollar de bandullo. Me ha dío, ¿qué quiere usted? Le faltan veinticinco duros pal jabón...

19

DE CUANDO PEPE MONAGAS ESTUVO A PIQUE DE PAGAR UNA CUENTA

Por la época en que el compadre Monagas tuvo tartana, aquella de lance con la que se ganó un tiempo la vida, y que servía un cabizbundo y meditabajo caballejo, con los huesos más dados a filosofar que a la servidumbre de trancos y trotes, por aquellos tiempos tuvo una de sus chapetonadas reumáticas. Cayó en un viejo sillón de mimbre, baldado de las rodillas por unas puntadas más emperradas y amargas que la presa de un baldino. Arrimaron ,el vehículo en el fondo de un potrero y el caballo quedó amarrado en un alpenderillo de latón, arriba, por debajo de La Plataforma. El animal se hubiera empajado con aquellas inesperadas vacaciones, pero no hay dicha sin pellizcón. Era poca la alfalfa y menos que poca la ración que le destinaban, justo para que estuviera de pie, hasta ver... Por cierto que en una ocasión, comadre Soledad, que subía todos los días de este mundo a echarle el pizco del sostén, bajó poco menos que insultada de una impresión. Algo raro la había dejado asmada. Se lo dijo al marido:

—¿Quieres sabé una cosa...? El cabayo ha perdío la vos.

—¿Y eso?

—¿Me preguntas a mí...? Y qué sé yo, querío! Lo sielto es que antes, de cuando en ves, soltaba un relinchito, manque no fuera fuerte. Ahora está tupío.

—Vaya—comentó Monagas—, arriba de que tiraba a burro tamién en el oío, ahora ni relinchito, ni náa... ¿Y en qué se lo has jas notao tú?

—Oh, ende que me ve pega a abrir la boca y a mirar p'al sielo. Y por más fuersa que jase, no le sale la vos del cuelpo.

Monagas sonrió, compasivo.

—Tú estás más impedía del entendimiento, Soleaílla, que el caballo del gallillo. ¿Tú no ves, muchacha, que lo que está es esmayao...? Te quisiera yo ver a ti con tres riales de alfalfa y media peseta de rollón too el día. Tú, que de por sí tienes la boca grande, a poquito, que te descuiaras te tragabas un bernegal...

—¡Ya estás fartando, ya estás...! ¿Es que no te amañas, si no sueltas la patujada, malcriao?

Así las cosas, un día va y recala por el Risco un tal Chano *Chopa,* de el de Las Cruces, tiesto conocido del uno al otro confín insular. Iba a cosa hecha a hablar con el compadre.

—Pos mire, usté, Pepito, me ha tirao un sarto asquí a su casa por mol de que ha sabío por un casual como de que usté estaba malito ya hay tiempo de un redoma que lo ha tumbao.

—Ah, y me vienes a haser una visita... Ya véis: yo te tenía por menos fino...

—¡No, cristiano! Quitante que yo lo apresio a usteé debidamente, como éste que lo es, más bien yo ha venío asín como pa jablar con usté asunto de la taltana, que ya sabe usté de sobra que ajoto de que está usté malo está apalastrada áhi ende cuando, criando ferruge.

—Sí... Pero, oye, si vienes a ofreserte pa engrasármela, y cosas ansina, más vale que cojas el camino y te vuervas a Las Cruses...

—Náa de engrasar ni engrasar... Yo venía pa que yo y usté tratemos de un negosiejillo, que a lo mejón vira en negosiaso, como el otro que dise.

—¿Qué es lo que dise el otro...?

—¡Es un desir, cristiano...! Mira que me lo dijo mi mujer: "Si vas a tratar con Pepito Monagas y lo agarras afluaito, en ves de hablarte de negosios te va a tocar una isa puntiáa..."

—¡Vaya, con la alpispita que tiene por mujer...!

—¡Güeno!, ¿usté quiere que jablemos o no quiere que jablemos...?

—Sí, hombre. Tú dirás.

—Pos yo vía pensao asín como de jaserme yo cargo de la taltana, ¿usté entiende?, un tiempo, mientras usté esté áhi baldao. Vamos a un poner, sinco o seis meses...

—¡Oye, que tú sos capás de ponesle una vela a la Virgen de la Poltería pa que yo no engrase los visagreos más nunca!

—¡Sus, Pepito! ¿Ta loco, cristiano...? Lo desía un poner, hombre...

—Güeno, pos sigue.

—Usté me suelta la taltana, ¡si puei ser...!, yo la trabajo como pa usté y usté me apoquina a mí lo que usté crea que sea debío y eso...

—(De la nata nase el queso.)

—¿Cuálo...?

—No náa. Pos mira, no está mal. Asquí lo peor es que tú pegues a roerte el cabo "y eso"...

—¡Por mi madre muerta, Pepito, que no alcontrará usté en toos estos Riscos quién más desentemente afloje too lo que la taltana dé de sí! ¡Sus, cristiano, ta loco!

Se llegó a un acuerdo, con Monagas orejitando, con el otro tan privado que no le cabía una paja por cierto sitio que Dios libre y guarde. Chano *Chopa* ganaría siete duros a la semana, sequitos como un palo, pero más fijos que el sol cada amanecer. Y lo que recaudaba por concepto de turistas, corredores de comercio, algún médico y tal cual viajito a La Apolinaria, ca maestro Hilario, el componedor ilustre de pomos y madres, eso todo era para el bolsillo de compadre Monagas.

—Listón—puso Pepe punto final al trato—. Sale pa La Plataforma, agarra el penco y tira con él. Y acuérdate que tiene entaura...

—Se lo voy a poner de lustroso, que cuando le dé el sol, encandila.

—¡A ver si te equivocas y en lugar de rollón le das mangrina...!

* * *

Pegó Chano *Chopa* a trabajar. Y a lo primero daba gusto. Cada día atracaba con sus buenas perritas y cada sábado recibía sus siete duros como un tote. Pero, al cabo de un tiempo, ocurrió lo que compadre Monagas se olió con sus finas narices de pícaro: el *Chopa* empezó a recalar con las manos vacías...

—Vengo siego en pelea, usté, Pepito. ¡Yo no sé qué rayos pasa, cristiano, que no me sale un viajito ni pa una meisina! Ahora sí le digo: cuasito, cuasito, me sale uno pal Puelto. Por un pelo se me queó en tierra.

—Güeno, hombre. Otra ves será. Tampoco vas tú a rempujar la gente pa que se monte...

—Masiao que sí.

Días después:

—¡Jasta sentimiento me da usté, Pepito! Si le digo que no ha jecho ni dos maldesías pesetas, a lo mejon no me lo va a decreer...

—¡Esús, hombre! Basta que tú lo digas...

—Pero, mire, ¡cuasito me sale un viaje pa arriba pa La Apolinaria! Pegó a regatiarme...

—Too sea por Dios. Ya subirá la marea y te echarás afuera del marisco, hombre.

Así, que "¡cuasito, cuasito!, le sale un viaje", estuvo Chano *Chopa* su mes corrido. Al compadre Monagas se le venía llenando la cachimba de barro ende cuando. Luego el tartanero volando cobraba, eso sí, sus siete duros religiosamente. Cierto sábado llegó el hombre con la misma historia de costumbre. "Cuasito, cuasito hace tres viajes", que luego le fallaron por esta vida y por la otra.

Monagas le pregunta, sin alterar poco ni mucho:

—¿Tú quieres cobrar? ¿No, Chanillo?

—¡Hombre! Santa palabra.

El compadre sacó despaciosamente siete duros, uno por uno.
Se los pasó de una mano a otra, recontándolos en un sobeo tranquilito. Al cabo, y trincando bien los monis, pasó las monedas
por la palma de la mano del jediondo de Chano *Chopa*. En seguida se las volvió a guardar. Dijo:

—¡Ya, Chanillo: cuasito, cuasito te pago!, ¿eh?...

20

DE CUANDO A PEPE MONAGAS LO LEVANTARON DE LA CAMA A DESHORAS PARA UN ASUNTO

Partido de *sanga,* ahí a la tardecita, en el cafetín de Pancho,
altos del Risco de San Lázaro. Cuatro isleños arriman los bultos
a una mesa de despintado pino, pero tirando a mulata a fuerza
de quemadas, lamparones de beberío y sorroballo. Los cuatro indígenas tienen entre manos una baraja que se ordeña, o cosa
semejante, y da un litro de aceite, su medio kilo de pan de higos
y su arrejundido quesito de ganado.

La *sanga* embebe, como el envite. Nuestros costeros y bar-
queros se emperran en su partida a gusto. No hay roncote que
no la juegue. Se escarranchan cuatro, lo mismo en el suelo que
alrededor de una mesilla bailadora, y juegan de compañeros. Delante de cada punto hay un montoncito con dieciséis "piedras"
menudas, que lo mismo son judías o garbancillos, que "cuentas
de tenique". Las "piedras" van entrando al centro, para volver
a salir, "jaladas", por el ganador. El cheche de los triunfos, o
"trunfios", como dice nuestra gente de la mar, es el as de espadas, al que se conoce por "la espadilla". La segunda, el as de
bastos, que tampoco es flojo, y por último tiene palo y mando
la malilla de la pinta que ha escogido el que es mano.

La *sanga* coge punto de caramelo cuando se la rocía, bien
rociadita, con ron, arrimándole a la caña sus enyesquitos de chochos, sus tollitos o sus jareas. Entonces los de la partida se ponen
picoteros. Y los mismos roncotes pierden el "apresto", blandeán-
dose igualmente para la coñita, que para la calentura. Más de
una *sanga* ha acabado a la piña limpia. Estas son las buenas.

En la partida ésta de que me ocupo se emparejan de compañeros el compadre Monagas y Venturilla el *Táita*. Los dos han
entrado por el cafetín de Pancho el de San Lázaro al rebelaje
de un roncito sin tufo y otros vicios, que aquél tiene a mucha
honra y que ha agarrado una fama pregonada, como si lo hu-

bieran avisado por caracol. En el timbeque están tiesos, serios y aburridos, como figuras de molinillo, compá Andrés, el patrón de la *Frasquita* y Juan Mojo, un tripulante del barquito del mestre.

—¿Quihubo, Andresito y la compaña?

—Pos ya vey, usté, Pepito. Jasquí.

Tras el saludo, unos pizcos que todos quieren pagar al mismo tiempo. Y que se repiten porque al isleño no le gusta "quearse por abajo".

—Pache lo mismo, usté, Panchito.

—Como éstas.

Cuarto ron arreo, que todavía lija el gaznate después de una airosa levantada y que pasa del bolichazo a las cuatro baquetas que los cuatro isleños tienen por estómago.

—¿Echamos una sanguita, mano Pepe?

—Se dijo.

—Chacho, Pancho, alóngame el libro.

El "libro" es la baraja, al decir de los costeros cuando están de buen "tiemple".

—Arrejunde, que hay "clientes"—añade el patrón con cierto retintín.

Otra aclaración para los que no estén al tanto: "cliente" es la víctima en filos de falsete, o amagando la gueldera.

Ni al compadre Monagas, ni a Venturilla el *Táita* le hace gracia la presunción de Andrés el de la *Frasquita*. "¿Qué se haberá decreído el totorota éste?", piensa Venturilla con una sombra de amulamiento enfoscándole la cara. "¿De aonde sacará éste que semos pan comío...?", se pregunta el compadre Monagas cargando el entrecejo.

Los cuatro jalan de banquilla y les arriman el culo. Pegan a jugar. En menos de lo que el diablo se arranca un pelo, compá Andrés, el patrón de la *Frasquita,* mete a Monagas y a su compañero una sanga que hubiera sido de tea y vale un dineral. ¿Razones...? De unas, que Ventura era, en el juego también, más ruinito que carne de pescuezo; de otras, que Andresito, sato para tantas cosas, por ejemplo su mujer, con la baraja en la mano era una burra del Palmero. Monagas, que no cogía color desde los tiempos del Pendón, se enchapó hasta las orejas.

—¡A ver si abres el ojo y esparramas la vista, tú!—le rezongó al *Táita*, cargándole toda la culpa, como suele pasar.

—Mueno, la esparramaremos lon don, a veee...—replicó, rascadillo, Ventura.

Aquello se le siguió dando al compadre con ventanero de proa... De repente se resolvió de manera rara la jugada decisiva. Ventura tenía en las manos una carta especial y no la largó a tiempo. Haciéndole honor al nombrete se la dejó atravesada. El compadre entró con la quilla en el marisco. Levantó la vista y se quedó mirando al *Táita* con tal cara de vinagre de la tierra que de haberse podido vender se lo llevan mejor que el del Monte. Ventura se aturulló y quiso estampujar el fallo metiendo el naipe entre el barullo de la baraja. Pepe, que se había apercibido de algo raro por la cara de espanto de su compañero, le arrebató la carta. Cuando vio que era la espadilla se quedó que lo pinchan y no le sacan gota.

—¿Y esto qué es, desgraciao...? ¿Pa qué la querías, pa caldo, rabo vaca...? ¡Tanta gente desente agarrando purmonías con el alisio ese y tú tan campante como Juanito, el del güisqui! ¡Si no fuera por tu mujer te metía un leñaso que no la contabas, arpa vieja, desgrasiaooo...! ¿Ha visto, eh...?

El resto de la estupidura no se puede sacar en papeles, no ya por la censura, sino porque no está bien.

Rascado se fue el compadre y rascado se acostó, incluso más temprano que de usos. Y allá para lan don dadas por la Catedrán lo despertaron unos tremendos tamborazos en la puerta del cuartillo, tan recios que pusieron en planta el portón en peso.

—¡Ya se murió arguno por áhi y me vienen con el requilorio!—rezongó el compadre Monagas, entresoñado y caliente—. ¡Chacha!—sacudió a Soledad—, ¿no estás oyendo tú las baterías de la Platafolma...?

—¡Quiéeen...!—gritó, avinagrada, la comadre.

—¡Soy yo, Soleaíta, dispensando!—contestó fuera la voz desmayada del *Táita*.

—¿Cuála tripa se te ha roto a deshoras a ti?—le preguntó Monagas desde la cama.

—¡Es pa un asunto, usté Pepito!

El compadre se tiró del catre estremeciéndose y con un ojo pegado. Tropezó con una silla, acabándola de encojar, y derribó un requinto que tenía en composición sobre la mesa. Cuando fue a recojerlo volcó la bacinilla, que estaba raída, porque las noches que soplaba el alisio más de la cuenta, ni él ni Soledad iban allá fuera. Luego se pisó en el camino una cintaja de los calzoncillos, arrancándosela arrente. Por fin entreabrió la puerta, todo erizado del frío y la soñarrera.

—¿Cuálo quieres a semejantes horas?—dijo, destemplado, a Venturilla, que se mantenía fuera, con aire de estar meditando algo.

—Pos mire, usté Pepito, que no ha podío pegar un ojo del reconcomio, cristiano.

—¿De acualo reconcomio...?

—¡De la *sanga*, cristiano, y de la espadilla que se me queó atravesada!

—¡Pero, güeno...!

—Yo venía a desisle que si yo juego a tiempo la espadilla, ganemos. ¡Seguro! Se lo digo yo pa que usté no se decrea que yo soy un totorota y esto y lo otro...

Aquí, usted, paisano, que está leyendo esta historia cierta, entra la caída del compadre Monagas, porque hemos llegado al final. Pero yo no puede estampar al pie de la letra lo que Pepito le dijo a Venturilla el *Táita* antes de tirarle la puerta en los besos al modo como rompe la mar en los muros del Parque. Lo siento, pero ¡las cosas, amigo! Unicamente puedo decirle lo que comadre Soledad dijo a su marido cuando volvió al catre matrimonial:

—¡Mejo jablaras bien, descarao, que vas a entrar en los infiesnos sedita por mor de esa lengua de tuneras coloráas...!

21

DE CUANDO PEPE MONAGAS AVISÓ A TIEMPO EL ÓBITO —LLAMADO EN EL PAÍS, *ABICAR*— DE *SITA* FELITA CABRERA

La más vieja de las niñas de Cabrera, Rafaelita, mejor conocida por Felita, se dispuso por fin a morirse. Vivían las siete solteronas que integraban la familia de las niñas de Cabrera a las bandas de San Antonio Abad, en una casita terrera amarilla, con friso color chocolate del de jícaras. Desde el punto de vista de las corrientes de aire, la casita de las niñas de Cabrera se conservaba tan pura como ellas mismas desde el punto de vista más complicado de la decencia. En las junturas de las puertas y ventanas, siempre bien cerradas, pusieron las niñas anchas tiras de tela blanca y hasta atacuñaban papel en los ojos de las cerraduras. El patio, que era un primor, con su palma real en el centro, sus anchos filodendros en las esquinas, sus crotos viciosos, sus madreselvas y sus enredaderas de gallo, había sido bien cubierto con un cierre de cristales. A tales baluartes contra el alisio insular, las niñas de Cabrera habían añadido particulares defensas terapéuticas: tacitas de agua de cochinitas, esos bichitos grises que medran debajo de las macetas y que se hacen un ovillo en cuanto usted los tienta, y otros cocimientos de pasote, ruda y vinagrera. Ellas habían leído en unas viejas historias del país, que les dejó su padre, junto con altos flejes de la revista *El Iris de*

Paz, que las cochinitas eran buenísimas para diluir los humores
y el mejor específico para el asma, la hidropesía, las anginas y
otros "reconcomios". De las tacitas de yerbas tenía la experiencia
de una tradición familiar que arrancaba, casi, del Pendrón de la
Conquista.

Sabían, pues, de la muerte las niñas de Cabrera por las visitas
y por el *Diario de Las Palmas*, "decano de la Prensa local", al que
don Cayetano, el cabeza de familia, furibundo divisionista, estaba suscrito con una voluntad entre religiosa y heroica. Fue por
esto por lo que cuando Felita, con sus ochenta años más que corridos, cayó entre sábanas, no calcularon que estuviera en la última encavadura. Le achicaron agua de cochinitas y vinagrera hasta sopar a la enferma de bandullo. Luego recaló un día por la casa
don Teodoro Montesdeoca, viejo empleado de la notaría de don
Agustín Millares, solterón emperrado, del que se sospecharon en
tiempos unos callados, tímidos amores por una de las niñas, la
más chica, Matildita, a la que llamaban por el dulce diminutivo
de Tildita. Don Teodoro se quedó de muesta ante *sita* Fela y pensó
debajo de su cachorra, que nunca se quitaba en la casa porque las
niñas no le dejeban destocarse: "Tengo pa mí que Fela está
abicando". Con más rodeos que los callejones del Risco recomendó que trajeran un médico.

Al fin vino don Ventura. El cachazudo doctor cogió un instante
la muñeca de la paciente, mientras con los espejuelos en la punta
de la nariz y la cabeza cambada y algo gacha le dio un vistazo.
Sin decir esta boca es mía y sin molestarse en averiguar la causa
de aquel quebranto, porque no valía la pena, la verdad sea dicha,
don Ventura mandó una toma agarró el camino y se fue.

—¿Sús, no ha dicho nada...!—comentó, dengosa, Tildita—.
¿Qué es lo que será, tú?

Don Teodoro, el de la notaría, se puso más grave que de costumbre y opinó que aquello era gogo. Entendía que el gogo no
le da sólo a las gallinas.

—Usté no tiene más que fijarse—dijo a Tildita, a la que seguía tratando de "usted"—en ese brinquito que tiene en la cabeza
y en la carrasperita que saca. Tengo pa mí que eso es un gogo
como una casa.

—¡Dios nos libre, quería!

Se quebró la moral de las niñas de Cabrera, al cabo de tantos
años de vivir serenamente, sin más conmociones que alguna go-
tera en el techo. Fuéronse arrinconando en torno a la enferma, y
quedándose pensativas. Por sus cabezas chiquitas, reconcomidas
y dulces, desfilaron viejos recuerdos: las excursiones a comer brevas, los melindrosos y frustrados amoríos, los paseos en la Alameda de Santa Clara, las galas en el Casino, alguna alocada cuchi-

panda en el ancho arenal de las riberas del actual Puerto, bastante antes de la Cícer, las guaguas y el carillo restaurante de Juan Pérez... Todas ellas —Rafaelita, Caridad, Costancita, Gregoria, Dolores, Mariquita del Pino y Tildita— conservaban un pensamiento disecado en el engordado libro de misa, un dije con un garabatito de pelo dentro y un suspiro de ocasiones que tenía casi el aliento de un Levante. Además se les atribuían montañas de ropa buena, bien trancada en cajas de cedro y tea, y unas prendas antiguas de oro decente, mucha piedra y mucho refistoleo, cosas todas que a como estaban las cosas y se desarretaban los papelitos hereditarios, amenazaban con armar un pleito de familia tal que la División de la Provincia, un poner, era un rifirrafe de pendejillos, comparada. De aquí que no faltaran a los siete almidonados cocoriocos las visitas y adulonerías de primos, sobrinos y otra parentela más o menos arrimada a su linaje hidalgo, puestos a la tarea algo descaradilla de irlos engodando, engodando... Por cierto que a uno de estos deudos, que les llevaba todos los jueves por las mañanas media peseta de lenguas de pájaro de la dulcería de doña Jesús la *Pollita*, le negaron el adiós los demás parientes. Al susodicho le importaron un pito los jocicones y siguió llevando fielmente su papelito con las golosinas doraditas y primorosamente pegadas.

Cuando *sita* Felita entró con la quilla en el marisco el visiteo viró como un lunes de San Nicolás. Como a la familia se juntaron los muchos amigos con que las niñas contaban, lo mismo del barranco para allá que del barranco para acá, la casa fue en verdad un jeridero. La verdad es que casi todos iban al rebelaje de un chocolate con dulces de almendras que las niñas preparaban con manos monjiles, y que brindaban tradicionalmente a sus visitas cuando caían malitas con andancio y otras boberías. Al calorcito del chocolate se armaban luego unos coloquios sociales que tiraban al relajo, aunque es lo cierto que de ellos salieron hasta bodas, apopadas por las niñas, algunas de las cuales eran casamenteras como rayos.

Ocurrió que la agonía de Rafaelita pegó a estirarse más de lo debido. Los que creyeron que estaba al caer se pegaron una plancha como el techo de un almacén de empaquetado. La dilación trajo muchas consecuencias, prendiendo hasta alguna calentura. Cierta noche, un tal don Manuel Morales, casado con una señora que venía siendo prima tercera de las niñas, y que estaba yendo arreo de visita, soltó una patujada. Hay que aclarar que don Manuel se agarraba sus medias mamadas cada tarde y que las tenía peleonas. Harto de tanto velorio y abandonado a las copas, esa noche que digo soltó en la galería una verdadera malcrianza. Exclamó, caliente: "¿Pero esto es una vieja o un bastón de leña buena? ¡Vaya una vaina, caballeros! ¡Podía abicar de una ves y dejar dormir al personal! ¡Caramba con los velorios estos, que me levanto tuntuniando todos los días del mundo!"

Como si quisiera jeringarlo personalmente, *sita* Fela seguía fechada a la vida como una lapa. El visiteo pegó a coger el codo en cuanto a la confianza habitual. Ya se hablaba alto, se mandaba por corridas de vino con pescado rebozado y hasta se llegó a jugar a las prendas. La reunión, cayendo ahora en jolgorio mal contenido, fue invadiendo la casa toda, entrándose al fin en la misma alcoba de la emperrada moribunda. Hasta las mismas hermanas de *sita* Felita acabaron arregostándose a la imperturbable vitalidad de la enferma.

La única persona que parecía relajada de tanto confianzudo comportamiento era comadre Soledad. Comadre Soledad asistía de antiguo a las niñas de Cabrera. Cuando venían de veranear en Teror, la mujer de Monagas hacía limpieza general, salpeaba los colchones y atendía a otros menestreres del hogar de las hermanas. En días sonados también les cocinaba, preparando, por ejemplo, un baifo en adobo que mandaba las peras a la plaza. "¿Mejor les diera vergüensa —comentó ella un día con Pepe—, que están allí como perros a la carnisa, esperando que abique pa caer arriba de telitas y prendas! ¡Maná jediondos, que entoavía han virao aquello una taifa!"

Al soco de estos servicios, compadre Monagas recalaba tal cual por casa de las niñas, lo mismo en los tiempos normales que ahora que soplaba de proa. Y pasó que la noche en que, ¡por fin!, *sita* Fela se dispuso a entregar su alma a Dios y el cuerpo a la tierra, estaba Pepe allí. Había pasado a la alcoba, casualmente en los instantes finales.

—¿Ta mejorsita?—preguntó el compadre a *sita* Caridad, que estaba en una banda del lecho mortuorio, dándole a la taramela con una visita a cuento del relajo de los baños en la marea.

—Pos iguáa, Peeepe...—contestó la hermana, poniendo de repente los ojos como antoñitos de vivero y sacándole a la vez un singuido de prima de violín.

El compadre Monagas se acercó a la cama de la moribunda, la destapó un pizquito y le cogió el pulso: "Ahora es más sierto que un preso", se dijo Pepe. Cuando nadie se había apercibido de que ahora iba en serio, y alrededor seguían conversando alto y yendo y viniendo y en puro relajo, Pepe agarró una palmatoria que por allí estaba, para darle a la nueva más fuerza y prestigio, y una vez que la tuvo en alto, dijo con voz entre solemne y caliente:

—¡Damas y caballeros, jagan el favor de tupirse que *sita* Fela va a entregar!

22

DE CUANDO PEPE MONAGAS TUVO QUE ATENDER A UN TUPIDO EN EL CAIDERO DE SAN JOSÉ

Don Aurelio, el médico, y una cuadrilla de amigos suyos, embarcaron en el *Super* de Gregorio al albita de un domingo, camino de las cumbres. Entre los amigos viejos y entrañables de don Aurelio, el médico, figuraba siempre el compadre Monagas. Iban a conejos, recién levantada la veda. Con el primer albor, los cazadores largaron el viejo mastrote de Regorillo y pegaron a remontar los repechos del cazadero, que era por la raya de Guía. Cuando el rosicler de la aurora estaba pidiendo, a las voces de los más lindos coros, una habanera que lo contara, o un óleo de las niñas de Arboniés que dejara de él perpetua memoria, don Aurelio, el médico, y su cuadrilla se tropezaron con el pastor Pedro Lorenzo. Estaba el hombre plantado en una asomadita, con un bardino negro a la banda y bajo su mirada grave una punta de ovejas gachas y cayendo en flacas. Pedro anduvo una vez amarillo. Le dijeron que tenía "tirisia" y bajó a Lan Parma. Lo cojió por su cuenta don Aurelio y en menos de un mes lo puso rey. Se conocían el pastor y el médico.

—¡Oh, Pedro?, ¿cómo te va?

—Bien, ¿ñusté, don Orelio?

Compadre Monagas no pudo menos que acordarse de Curro el *Peninsular*. Cuando Currillo se medio mamaba con algún vinito que se diera un aire con las manzanillas de su tierra, cantaba a veces este airillo andaluz: "Las ovejas son blancas y er perro negro —y er pastó que las guarda— se llama Pedro". "Miá por ónde", se dijo tontamente el compadre Monagas.

Luego del saludo —el pastor Pedro preguntó por el rancho de don *Orelio*, y don Aurelio por el rancho del pastor, y todos estaban de gofito— la cuadrillas de cazadores siguió su camino y atrás se fue quedando el amigo del médico, su bardino y su punta de ganado. Pero aquel encuentro fue suficiente para que la cacería tuviera una bien gorda y bien curiosa derivación. Al peso del mediodía, cuando don Aurelio, el compadre Monagas y los demás del rancho se hallaban a la sombrita de un solapón, descansando la comida y la mucha pata que habían dado a lo largo de la calentona mañana, arrimó al grupo, metido en un acaecido, la lengua medio fuera y reventado en sudor, un galletón del Caidero de San José. Venía solicitando los auxilios médicos de don Aurelio. Contó:

—Resurta de sé, usté, señó, que un ta Manué er *Mulo,* que le disen a ée, de jasquí der Caidero, si ha tupío, pero que bien tupío, usté. Al mou pegó a coloquiar con otro de allí, que tampoco es floju, ée, que lo llaman a ée José el de Dolores la de Chano, asunto de que si comían tanto o cuanto, séase el unu más que el otru.

—¿Tú quieres desir—pidió el compadre Monagas aclaración a la algo confusa nueva—que el *Mulo* se la echaba de chascar más que mi tocayo...?

—Yo no sé si será tocayu suyu, pero de que se la echaba de que comían más que naidi, sí. El resultao fue, usté, que Manué apostó a que él se jincaba una sesta pedrera de tunus de una sentá. Hubo algunos endividuos que se lo dijieron: "¡Tú Manué, mira a ve, mira a veeee!" Maldito el caso que jiso. Se la pegó entre pecho y espardas. Al golpito, pero toa. Y dende ayer por la taldesita está tumbao arriba de una estera, revolcándose como un burru desembaldao, dispensando el moo de señalá, y metío en un pugío que da jasta pena. Se supo en el Caidero que estaba el méico jasquí, con los casaores. Yo ha venío con el mandao de desislo pa que si vusté es gustante en dir, pos yo le jago compaña.

—¿Cómo han sabido que yo estaba aquí?—preguntó, algo rechinchadillo, don Aurelio.

—Pos por un pastor, un tal Pedro, que alcansó a veslos a vustedes dían pa ría.

—¿Caramba con Pedro!—rezongó don Aurelio—. ¡También ese *Mulo*...! Con rasón lo llaman así...

—Y vusté que lo diga—comentó vivo el galletón del mandado—. El nombrete se lo pusieron porque otra ves apostó a que se tragaba un güeso de durasno sin agüita ni ná. Se le queó en el galguero y le tupió el resuello...

—Unas ocasiones más arriba y otras por abajo, se ha pasao la vía tupío—comentó, interrumpiendo el relato, compadre Monagas.

—Pos jello... miri... Pos como día disiendo se le trabucó la pipa del durasno y pegó a jaser visajes y camangos, y a manotiar, dando señas de que le dieran un tamboraso en las espardas, por ver si la largaba. Un tal Luis, chofe de los Betancores ée, le metió tal plugío, que el güeso salió como una pedráa. Alandre estaba un cuñao de ée, que como medio clico que era usaba espejuelos, y con el que el *Mulo* no se llevaba bien por unos piquis de aguas.

¡Oiga, el diablo que la jase...!: se le estampó el güeso en un vidrio de los lentes y le jiso sangre al cuñao con los piscos, pos se jiso cabacos. Como andaban amulaillos y la gente es tan brutita, la mujer del del ojo, que viene siendo hermana del *Mulo* —¡fíjese!— se encochinó, dando en desir que aprovechó el escupir el güeso pa jasesle daño a su marío. Entre los parientes se armó una mano de componente muy asiáa y el *Mulo*, que ya estaba güeno, le cuadró el otro farol. Lo metieron debajo del jues con un alto de impólisas y un fleji de papeles que daba mieo. Y jasta carse le cayó.

—Miá, p'allá!—subrayó Monagas la atención general que prendió el vivo relato del pollillo.

Don Aurelio estaba cansado. Para mejor decir, no tenía ganas de consultas, ahora.

—A lo mejor no es nada—dijo, arrepollinándose mejor contra el risco—. De cualquier manera, Pepillo, tírate un salto tú. Echale una mano de bien amañao, si cabe. Luego me dises cómo está.

Al compadre no le hizo gracia la encomienda, pero era bien mandado y tiró con el galletón.

El cuadro no tenía pintura. Salpiaba el *Mulo* como rabo de sarimpenque sobre la estera, hinchado el vientre igual que si se hubiera tragado un bernegal. No eran gritos los suyos, que eran aburridos. En la cara, que le había virado negra como ala de mirlo, los ojos le santaban tan encarnizados que no daba pena maldita. "Si la cuenta —pensó Monagas—, el día que vea una granilla, tira de escopeta."

—¿Ustées no tienen un tristel?—preguntó el compadre a los suspensos y atribulados parientes.

Allí nadie sabía lo que era un "tristel". Monagas lo explicó, aunque con ciertos pudorosos rodeos.

—Pos miri—saltó la vieja de la casa, una vieja de moño retrincado, de estas imperantes y resueltas que hay—jasquí too ha sío meter por arría, papas y gofito, y casne de cochino, cuando la había. De eso por abajo, naíta, en güena hora lo diga. ¡Eso son cosas pa la gente de la Suidá, cristiano! Asquí ría no lo usan más que las mujeres criticáas...

—Pero una vejiga de cochino sí tendrán...

—Losotros, no, pero una Mariquita Alifonso, de jasquí lantre, que tiene el marío pa Venesuela, sí. Y además me creo que la empreste, manque no nos llevemos, siendo pa nesesiá, como me creo que sí.

Trajeron a escape la vejiga de Mariquita Alifonso. Mientras llegaba, Pepe pensó si la dueña del primitivo clíster, con el marido en Venezuela, estaría criticada... Y lo estuvo pensando mientras puntilla en mano iba cortando y refilando curiosamente el canutillo de una caña más bien menuda. Cuando estuvo a punto el cacharro de agua caliente que había mandado a hervir y una cuarta de aceite de comer, a la que por cierto hubo que quitarle tres moscas y una cucarachilla de semilla inglesa, compadre Monagas dio las instrucciones. Había resuelto no manipular él. Tenía muy malas referencias de estradillos como aquel que en potencia se le había planteado. Pensó, de otra parte, que también..., rompiendo, el *Mulo* sería más bardago que cualquier otro cristiano. "¡A mí no me atrinca!", se dijo firmemente. Llenó la vejiga y le colocó el canuto, fechándoselo bien.

—Ahora cogen esto, ¿tan oyendo?, y fichonean jasta que encaje. Ustees verán cómo despeña a tirito. Más bien "a tirote", como si dijéramos... Conviene que se ponga de roillas en el sentro del catre. ¿Usté se recuerda cuando era chiquillo y jugaba a piola?—se dirigió al dolorido—. Pos así. Cuando corrompa, manden un propio, pa ve. Y pa que don Aurelio sepa, ¿tan oyendo? Aunque me inclino a creer que sabremos sin recaos: por el sonío...

Volvió con su rancho el compadre Monagas. Se incorporó en medio del campo al médico y le contó. Nada de particular: un tupido más, "que no sería el primero... ni el último". Pepe se dejó decir con seriedad: "Mientras no haiga curtura, usté, don Aurelio, habrá trancasones de estas." Pasó la tarde. Y al sol puesto, cuando los cazadores bajaban de retirada, ya olvidados del incidente, el galletón del mandado mañanero que va y recala de nuevo, ahora más patético y entregado.

—¿Qué pasa ahora?

—Pos que disi la genti aquella que le diga al méicu como que el tupío sigue igualitu que cuando aquí lo dejó. O más jeringao.

—¿Pero le pusieron lo que yo preparé?—preguntó, estupefacto, Monagas.

—Masíao que sí. ¡Y naíta este mundo, usté!

El compadre tuvo que volver nuevamente solo, pues don Aurelio se mantuvo en cargar trasero frente al caso. Arrimó Monagas el compungido bulto al catre del doliente. Desde lejos ya venía sintiendo su quejumbre de becerro desesperado. Pero lo más tremendo fue el espectáculo que se le puso delante: Manuel el *Mulo* estaba de rodillas en la cama ¡desde hacía siete horas!, con el canuto metido y la vejiga llena y suspendida... A nadie se le había ocurrido apretarla... El pobre tupido se había pasado las largas horas del día gritándole a su mujer y a su suegra: "¡Déjenme echar un ratito, asin Dios les sarve el arma, que ya no arresisto más esta postura!" A lo que las feroces y celosas hembras, dispuestas a liquidar la trancazón, que se mantenía dura como un risco, replicaban: "¡Déese de teclas! ¡Usté se está quietito asín, como el méicu diju que se pusiera!"

—¡Güeno!, ¿y esto qué es...?—preguntó el compadre, asmado.

—Lo que vusté dijo, señó, al pien de la letra.

Pepe se calentó. Tuvo que replicar a los parientes con muy malos modos:

—¿Pero ustées se creyeron que lo que el hombre necesitaba era un gasógeno, o qué...?

Cuentan que el estampido se oyó en Las Nieves...

Para colmo, al volver, tarde, con los de la partida, que lo esperaban ya había rato en la carretera, y al contarle a don Aurelio lo ocurrido ahora, el médico —tal vez por requintarlo su pizquito y oírlo— se calentó con el compadre. "¡Hombre, eso no se hase! ¡Ya que fuiste, haber hecho las cosas como era debido!" Monagas respondió, con acento algo malcriadillo:

—¡Oiga, don Aurelio, yo vine asquí a casar, y no a poner un barreno!

23

DE CUANDO PEPE MONAGAS TUVO QUE VER CON EL PLEITO MATRIMONIAL DE FLEITAS EL *TIENDERO* Y CARMITA LA *COSTURERA*

El mismo día que compadre Monagas casó con comadre Soledad, conforme a la ley de Dios y a la del papeleo, contrajo matrimonio en una iglesia de para abajo un tal Fleitas, de Fuera de la Portada él, aunque procedía de Tamaraceite, donde tenía unas tierritas. Fleitas era solterón y vivía en familia ("familiaje", decía él). Un día se calentó con un cuñado y los mandó a todos a cierto sitio. Partido de Tamaraceite, el hombre puso un tiendejillo por El Terrero. Conoció en la calle de Enmedio a una tal Carmita, que venía siendo de gente buena de aquí del Madroñal, la cual que también se picó con su rancho, viniéndose sola y de arrancada para Las Palmas. Carmita se metió de costurera de ropa de hombres. Lo de sastra debía tirarle, como le tira el monte a la cabra y la patada al mulo, pues Carmita tenía bajo la dominante nariz un sombrajo que amagaba bigote, el corpachón de luchador de mano arriba y los pies como chalanas. Contaba gente de la que va mucho al Muelle Grande y a casa de Juan Pérez, que viajando una vez con los cuatro de pien de una guagua estibadita, Carmita la costurera le pisó a Dominguito el de la Audiencia un callo histórico, tirando a papa de riñón, que le montaba sobre el dedo margaro de su pie izquierdo, callo que Dominguito llevaba sin tocarlo para santo desde hacía una jurria de años, cuidando que no se lo rozaran siquiera, con tales esmeros que no parecía sino que llevara bajo el zapato un huevo de gallina inglesa del castío de los *Cucarachos,* pongamos. Cuando Dominguito el de la Audiencia recobró el conocimiento

en la Casa de Socorro del Puerto, a las dos horas corridas, dicen
que dijo: "Pa mí que me habían puesto arriba del pien la casa
de don Bruno."

Cuando Pepe se hallaba todavía en las puertas de la iglesia
repartiendo saludos, que si esto, que si lo otro, acertó a pasar,
con medio cortejo al rabo, el casar compuesto por Carmita la
costurera y Fleitas el *Tiendero*. El padrino de Fleitas vivía a la
banda de la ermita del santo del jeridero, y para arriba tiró
la pareja. Entre los casados y presentes se cruzaron presentacio-
nes y saludos. Fleitas, que era algo sanguango, se trabó en un
medio aparte con Monagas. Sonriendo por dos paletas como mo-
jones de carretera, dijo con simplona complacencia: "¿Ha visto,
caracho? ¡Los casemos al mismo tiempo!" Pepe lo fijó y le contestó con cierta gravedad:

—Vamos a ver quién es más felís, cuando corra la bola. Ya
nos lo diremos... Ende luego, el matrimonio es como las siete y
media, ¿oyó? Usté ha jugao a las siete y media, ¿no? Pos tonses sabe de sobra que si usté es recortao y se planta en sinco,
un poner, usté se quea por abajo de la conveniensia, vaya dándose de cuenta. Un plantao en sinco no tiene naíta que jaser con
una mujer. ¡Digo, si ella es de ley! Si es sanana, me callo la
boca... Si usté píe carta, lo más seguro se pasa, y entonses no
le arriendo la ganansia, mano. En el color no sale de amarillo
sorroballao y de casnes, para en verguilla. ¡Se lo digo yo!

—¿Tonses, usté, Pepito...?

—Pos tonses que no hay más miluque que sacar las siete y
media. En dos cartas, mejor que en tres, ¿oyó...? Pero, amigo,
¿quién es el cheche que las pué cantar? De chiripa no le digo.
En consumías cuentas, mano Fleitas, que un casorio es igualito
que las siete y media. ¡Se lo digo yo!

Fleitas se quedó orejiando y calló. Cada cual agarró su camino y lo que pudo. Luego pegó a dar vueltas el reloj de la
Catedrán, que, según soplara el alisio, veces se atrasaba, veces
se adelantaba. Igualito que el del Casino. Lo que pasa.

Al cabo de así como un año, compadre Monagas y el amigo
Fleitas, que apenas se habían visto de raspafilón, tropezáronse en
cierto cafetincillo del Camino Nuevo.

—¿Qui'hubo, mano Fleitas?

—¡Oh! ¿Qué dise el hombre...? Yo asquí, al rebelaje de un
macanasito.

El compadre se dio cuenta de golpe de que el tiendero estaba
templado como un requinto. Lo observó. Fleitas se mostraba gacho de frente, en los ojos un brumero triste, semejante al de
los perros viejos, y por las solapas lamparones en tal cuantía que
para entrar uno más tenía que pedir práctico. Casado con una

costurera de ropa de hombres, llevaba unos pantalones que por lo redondos y tiesos más parecían tubos de cemento mal acabados. Lo remataba todo con un barbaje de más de tres días, lo cual que era exagerado. "A este Fleitas—pensó el compadre—le ha salío el tiro por la culata."

—Hombre—pegó Pepe a pulpiar—, si mal no recuerdo, usté y yo los casemos el mesmo día, y jasta debajo de las mismas campanáas, como el otro que dise...

—Muy sierto...—rezongó, más que habló, el tiendero Fleitas, con la boca amarga y medio empurriada en la copa.

—Tengo pa mí—y dispense si no estoy muy en ello, porque ya hay más de un año—que los prometimos desirnos, cuando pasara tiempo, cuál había tenío más suertilla con el casorio. Digo, me parece...

—Asín nes—respondió Fleitas, afianzando las dos enes que le había injertado a la contesta por su cuenta y riesgo, y entenebreciendo el tono hasta recordar el "adiós te digo y no llores" que en los entierros y por latines entonan en la Placetilla de los Reyes.

Pepe calló, agachándose. El tiendero estaba más duro que mollar. Sin embargo, le pareció que rebullía, dijéramos, allá adentro, como conejo en majano batallando con hurón antes de echarse fuera por alguna parte. "Este se destapa", díjose Monagas.

—Pacha un pisco pa mí, y asquí, al amigo, lo que él quiera —dijo, por tirar engodo, al galletón tardío que al golpito andaba en las botellas.

De repente, Fleitas levantó unos ojos entre amargos y encochinados, y se trabó.

—Usté tenía razón, mano Pepe.

—¿De acuálo?

—De que casarse era echar una mano a las siete y media... ¿Quiere que le iga la veldá? Yo, al prensipio, pos me tiré a peir cartas. Al rumbo, ¿sabe? ¿Qué me pasaba...? Güeno. ¡Más se perdió en la guerra de Cuba! Pero agarra, usté, y se me tira pa atrás. Me acordé de lo que conversamos: ésta no es de ley... Dije, digo: "Roquito Fleitas, recoja velas." Y fue peor, usté. Veses, jasta en tres y media me planté. ¡Pa qué fue aquello! Pegó con josicones, impués me levantó la vos, y de úrtimas, jasta rempujones me da. Yo no le quiero levantar la mano porque mi padre desía que a las mujeres no se les debe castigar. El viejo desía, dise: "Con la mujer, lo que el arriero: "A tu amaño, mulita, como no me tumbes."

—Sí, pero es que por la oreja que usté enseña, lo está tumbando...

—¡Tamién es verdá, consio!

—¿Y qué va a jaser?

—Pos yo ha pensao como de dirme pa Venesuela o pa Tamaraseite, y mandasla p'al...

—No está mal... Pero, oiga, yo probaba con una cosita de menos gasto...

—¿Con cuálo?

—Cachetáas. Yo probaba con cachetáas, pa empesar...

—¡Pero mire que es de las que revira...!

—¡No importa! Usté afiánsela y jínquele la primera. ¿Que ella le mete una? Usté le segunda como un tote. Y así, cachetáa va, cachetáa viene, le aguanta usté la variáa, jasta que ella vensa. ¡Que vense, se lo digo yo!

—¡Se dijo!—respondió, empertigándose como un gallito mariscal, el amigo Fleitas—. Esta noche mesmo voy a probar. ¡Oiga, mano Pepe, le voy a meter, de entráa, una galleta como un queso de cortijo! Y mañana, a estas mismas horas, déjese caer por asquí, que quiero contasle.

Sonando la misma hora en el alto reloj de la Catredán, y un poquito después en el del Casino, compadre Monagas atracó en el timbeque. Fleitas no había llegado. Recaló a poco con los besos hinchados, un ojo birollo, arañados los cachetes como si se hubiera caído en un bardo de zarzas, y cambado sobre un cuadril de alguna patada que le meterían sabe Dios con qué asesinas intenciones.

—¿Pero y eso, mano Fleitas...?—le preguntó Monagas, asmado.

—¿No se lo dije yo, usté, Pepito, que reviraba...? Jise lo que hablemos: le jinqué su cachetáa apenita se me engrifó un pisco. Me la devolvió acresentáa. Dimpués, cachetáa va, cachetáa viene, cachetáa viene, cachetáa va... Y mire: asquí me tiene como el Cristo del Graniso...

24

DE CUANDO PEPE MONAGAS PICÓ DE CELOS A COMADRE SOLEDAD

Recaló por el Risco, procedente de Valleseco, una de estas familias soliviantadas, que se hartan de papas y millo o de menguados jornales, casi siempre provinientes de cáidos, por si fuera poco, familias que a falta de arrestos o cuartos para acotejar una maleta y coger jilo a La Habana, La Guaira o Caracas, se bajan a Lan Parma, fechándose a sus laderas como lapas al marisco. Si le cogen la embocadura a la Ciudad, medran, aunque al modo del culantrillo: un poco enterregadas y con más fresco de la cuenta. Las mujeres largan entonces el fulgurante y los hombres, el dril. Ya están algo más que empadronadas: ya están en Lan Parma como la uña con la carne.

Estos de Valleseco que digo eran: Quintinito Ramírez, un labrador de arrifes y algún jediondo cachejo de riego; Mariquita del Carmen Ramírez, que además de esposa, venía siendo prima hermana de Quintinito; Rosario, una pollancona de poco más de veinte años, hija legítima de los Ramiles, como los llamaba la gente de Valleseco, y por último, Manolillo, guayete tirando a galletón, también enteramente del mismo casar.

El matrimonio hizo lo que tantos: vender arriba, aprovechando una mareita de dinero de Bana, y comprar abajo, también de lance, casa con chinchalillo, donde engañar la vida vendiendo carretillas y rapaduras.

Quintinito, que era moreno amorenado, tuvo bastante tiempo uno de aquellos bigotes de estropajo que se desparramaban en bardo colgante sobre los trancados labios, desapareciéndolos del mapa, bigote que acababa en dos entre desmayadas y ariscas puntas, prolongadas hasta algo más allá de la cajeta. Como casi no hablaba, apenas le entraban sus pelos en la boca. La única vaina era si comía fideos. Entonces siempre había alguno tirando a lombriz de tierra que se lo derramallaba, balanceándose un instante allí antes de dejarse caer a plomo sobre el chaleco. Esa pelambrera le agravaba la expresión, anticipándole al aire fijo de la ampliación fotográfica que su mujer colocaría luego, por Todos los Santos, para llorarlo más a gusto, al pie de la cruz que lo señalaba en el cementerio. La Ramiles, Mariquita del Carmen, era la otra punta de esa gravedad. Rubianquilla, de ojos claros, nariz respingona y maneras abiertas y complacidas, llegó incluso a preocupar al marido. Que nunca le dijo nada, pero que allá dentro, donde maduraban sus trasconejados pensamientos, llegó a concluir: "Algo escachaílla sí es." Mariquita, además, hablaba todo lo que da de sí el verbo de una canaria.

Aquella mezcla de razón y panasco, de chuchango remetido y desborrifada alcachofa, de almendra moruna y desmayada lechuga, dio un fruto tremendo: dio a Rosario, la pollona con más reburujón de toda la raya de Valleseco, yyy... (Me callaré para que no se piquen los de Guía.) El guayabo había salido con tales piernas y eso, que no las tornea mejor ni el mismísimo Santiago Rivero, el hijo de maestro Rivero, si todavía aplica sus nerviosas manos de artista a aquel mágico torno suyo de las calles de la Cárcel y García Tello. Y eran altas sus piernas. Y plantadas sobre esas dos palmas reales, que no las tiene mejor, sin despreciar, ningún patio de Vegueta, Rosarillo tenía... ¿Vamos a callarnos, mano, jugando para el pie del viejo y sabio dicho según el cual "al buen entendedor, pocas palabras le bastan"...? Pues vamos a callarnos. Ahora sí: digamos, tan solamente, que la chiquilla restallaba como la colleja.

Aconsejado por algunos paisanos, y también por el ejemplo de otros negociejos similares, Quintinito resolvió poner una pipilla de ron y explotar el copeo en una punta del mareado y angosto mostrador, aislando este despacho con una especie de biombo armado con fardos y verguilla. Nunca se ha sabido bien, y mejor es no revolverlo, porque Rosario está ya casada, y todavía se la puede ver, bien envuelta en baña, colgada del marido y dando una vueltita por Triana después de cena, nunca se supo bien si fue malicia o si se hizo por lo sano lo de poner la muchachita a atender particularmente la sección de coperío. Hubo alguna crítica. (¿Y cómo no, si el comentario corrió a cargo de mujeres?) Fuera en función de chiva para pajareo de templarios de más o de menos, fuera purita necesidad del pizco de negocio, lo cierto es que Rosarillo era la de ese despacho. Y lo cierto, también, que no daba avío, con más poder que la caña que despachaba, una caña con un tufo descarado, y que los enyesques, zapatudos los chochos, revenidos los pejines y revejiditos más bien los chorizos del país.

Y ocurrió que uno de los que se trabaron al rebelaje de la pollona fue compadre Monagas. Al principio, comadre Soledad no se percató de tales... devociones. Pepe se convirtió en seguida en punto fijo de aquel tentador caletón. Si Soledad barloventeaba la tienda, pues no la tenía muy a mano, y recalaba en busca de pimentón o de una carretilla del 50, allí estaba atracado, mejor varado, su marido...

—Oh, yo te jasía p'abajo...

—No... Por no tener que subir, dispués...

—Ah...

Luego pegó a notar que si de repente faltaba algo —sal, vinagre o así— él se brindaba como un rehilete a ir a la tienda. Que era precisamente la de Quintinito Ramírez. "¡Juuum!", se quedaba orejiando comadre Soledad... (Chicas son las mujeres para no golerse semejantes "desviacionismos", como ahora se estila decir.) Cierto día, y en horas que no eran de pizqueo, Soledad entró en el chinchalillo. La verdad es que a cosa hecha. Sabía que el marido estaba allí: había estado cogiéndole los güiros. La comadre se retrincó, nerviosilla, el pañuelo bajo el quejo, y dijo "¡a espachar!" con un rentintín que tenía punta y filo de navaja cabritera. Al fin explotó:

—¡Mejor le diera velgüensa, vejestorio de los infiesnos! ¡Miusté jeso, qué cachetón! ¡Salga pa su casa, tiesto, que a usté no se le ha perdío náa asquí! ¡Y luego hablemos usté y yo, arriba en el cuarto! ¡Lo que me queaba que ver, quería…!

—¿Por qué no te callas de una ves ya, que te estás botando más allá de onde debes?—le increpó el compadre, aunque rizo, cogiendo la puerta de la calle, antes que el pico de aguililla de la esposa desbordara y lo metiera en un compromiso.

Se embujeró en la casa, alegando que tenía "una jaqueca como una cómoa arriba del sentío". La comadre no respetó la supuesta enfermedad. Fue una elevada de las que hacen época, sin que nos sea posible estampar lo dicho por la dolorida mujer. El no rechistaba, atorrado como un camello enfermo. Sólo habló para dar una réplica, cuando su mujer, ya más mansa, dijo, dice:

—¡No sé qué tendrá ella, que no tenga yo!

—Tú tienes lo mismo que ella—dijo el compadre, medio por lo bajo—, lo que pasa es que tú jase más tiempo que lo tienes…

25

DE CUANDO PEPE MONAGAS SE VIO EN UN COMPROMISO DE MUJERES "CA" ROSARILLO LA DEL *BOCÚO*

El por qué Isidro el *Bocúo*, costero de San Lázaro, se casó con Rosario la del *Cerrillo*, pertenece al misterio de las atracciones. Poniéndonos serios un momento, y de relance, pudiéramos decir que fue gravitación forzada para él, primera y principalmente, pues su masa, más recia y más bruta, dominó el desequilibrio. Rosarillo no nació para el *Bocúo*, pero Isidro la metió en órbita. Dicho a lo isleño: en el surco. Y fue contra viento y marea, pues sus amigos y los deudos a la par, bastante que se lo dijeron. "¡Tú mira a ver, Isidro, mira lo que jases, que esa es saifía de otro trasmallo!"

Los abuelos de Rosario trabajaron la cochinilla en la raya de Arucas. Cuando cayó el bichito, aquella familia, como tantas, entró con la quilla en el marisco. Empertigaron los padres al soco del plátano, tiempo después. Pero un día el cabeza de familia se puso del pecho. Pego con un toseo y a entecar, a entecar… No quedó lo que no le hicieron, que hasta agua de cucas y marrubio bebió por azadas. Lo enterraron en Arucas, un día de Todos los Santos, señaladamente, que ahora ha hecho años. Se quedó la vieja con tres hijos: Miguel, el más viejo, que casó con una de Tenoya, y traspuso; Carmela, la que la segundaba, que no estaba mala muchacha, pero a la que no le bajaba del cielo el casamiento, por más que hizo, aunque decentemente, y Rosarillo. Los padres de la pollona eran feos como cocoriocos, y así salió Miguel y fea desarrolló Carmela, aparte que era trabajadora y buena. Pero por uno de esos prodigios familiares, la más chica, que de nuevilla no iba a ningún lado, cuando tuvo diecinueve años mandaba las peras a la plaza como la primerita de Arucas, incluidas las niñas con teneres que se bañaban más o menos arreo, dándose arriba sus toquitos de pintura.

Abocaron a tal pobreza las tres mujeres que le viraron el traste al Cerrillo y tiraron para Lan Parma, donde las muchachas habían resuelto acomodarse. Pronto entraron de criadas, una, Carmela, en Vegueta, con gente de las Casas; la otra, Rosarillo, en Triana, con unos tienderos que habían hecho perras vendiendo zapatos con más cartón que material, pero de buen ver. En esto que entra abril florido y en abril florido, San Pedro Mártir. Ni Carmela ni Rosario pudieron ver el Pendón, porque salía en hora de quehaceres, pero sí acudieron al paseo con música y fueguillos que siempre hay en la Plaja Jantana, a que las pisaran todas y a que las molieran, aunque lo hacían con gusto. Sarna con gusto no pica.

Ocurrió que también se tiraron al festejo, desde su ladera de San Lázaro, unos cuantos costeros, jóvenes en lo que cabe. Entre ellos iba el *Bocúo*... Isidro se puso por allí a la hora de los fueguillos, quedándose tan lelo ante los encendidos prodigios de los "neurasténicos" de Guía, que ni se apercibió de que tenía a estribor la figura amorenada y restrallona de Rosario la del *Cerrillo*. Las cosas. Pero brincó un gatillo, que cruzó el aire como un rehilete, cayendo entre los zapatos apretados de Rosario. Isidro el *Bocúo* reaccionó rápido la primera y la última vez de su vida: plantó su chalana descalza, provista de un gordo crepé natural, arriba del alocado volador. Que debajo de esa planta pegó el estallido. El se quedó impávido, ¡bendito sea Dios!, y en seguida feliz, pues ella sonreía por su boca escachada, con sus dientes parejitos y sanos como una manzana decente... Pegaron con unas palabras envaradillas, después sin saberse cómo arrancaron juntos del sitio donde se habían plantado para los fuegos, y pasearon dando vueltas despaciosas y trompicadas, al tiempo, a la vieja Plaja Jantana. Terminaron sentándose, Rosario en los traseros de uno de los perros echados y el *Bocúo* tieso al lado, casi sin saber qué decir, pero encandiladillo.

Isidro dijo de casarse en seguida, arriba en su casa. Entonces empezaron los líos. Un domingo por la tarde él la sacó al Risco y se la enseñó a su madre y a su padre. También había otros parientes. Todos, a una voz, dijeron que aquella era mucha mujer para él, y que si tal y que si cual; pero todo en vano, porque Isidro atracó en San Telmo de allí a seis meses: le importaron un pejín los amulamientos de la parentela, que acudió a la iglesia por no provocar alegatos, pero bien requintada.

Luego todo marchó con brisa en popa a lo largo de así como cuatro años. A partir de ese tiempo algunos pollitos de abajo de Triana, que tenían la maña de tirarse al Risco a lo que saliera, pegaron a hacerle la rosca a Rosario. Conforme se lo barruntaron los familiares del *Bocúo*, la muchacha salió enraladilla. Le gustaba que la miraran y que la cortejaran. En esta... debilidad echaban un buen cuarto a espadas las forzadas ausencias de Isidro. El hombre tenía que tirar al Moro y allí habría de estarse el tiempo de zafra: sus seis o sus siete meses. Ocurrió que a pretextos diversos entraban en su casa algunos pollos de abajo y hasta de arriba... Tranquila, porque Isidro estaba bien lejos, ella se sentaba a coser y a recibir los halagos de los Ricarditos, que cuando no había en el teatro compañía, barloventeaban las laderas en busca de palomas de paso.

Pues cierta tarde, compadre Monagas empalmó por azar con Juancillo, un pollo de Vegueta con tanto dinero como poca vergüenza. Los dos hombres anduvieron de pizqueo. Y cuando estuvieron con el pico caliente, Juancito dijo de subirse un ratito casa de Rosario la del *Cerrillo*, ahora la del *Bocúo*.

—¡Rián p'al Puerto!—fue todo lo que dijo compadre Monagas.

Rosario no puso reparos en franquearles la puerta de su casita risquera; Juancito había llevado una botella de vino del Monte y algo de entullir. Pronto se animó la reunión y el pollo de Vegueta se puso como un palomo buchudo, dando a la costera tales rodeos y con tales arrastramientos de ala, que hasta el compadre tuvo que decirle algo:

—Oiga, don Juansito, repare que no me ha dío entodavía.

Así estaba de animada la cosa, cuando dieron unos tamborazos en la puerta. Por el tono de la llamada, Rosario se dio cuenta de que era su marido. Isidro había salido dos noches antes para el Moro, pero el barquito tuvo que recalar con una gorda desgracia a bordo: el patrón se había dado tal talegazo desde un palo, que si la contaba podría agradecérselo a Nuestra Señora del Pino, imán de Teror, y a nadie más. Se organizó el tapujo de la situación con los nervios y la torpeza que son de suponer.

—Usté, quéese asquí—había dispuesto, audazmente, Rosario, dirigiéndose a don Juancito.

—¿Y yo, mano...?—preguntó, entre aterrado y guasón, compadre Monagas.

—Pos tú...—se quedó titubeando Rosarillo.

—¡Ya está!—exclamó Monagas, iluminado—. Yo me meto en el ropero.

Y así lo hizo. Como Dios quiso se embutió en el angosto roperillo de los Peñates que estaba en la alcoba del matrimonio. Encloquillado, porque le venía chico, buscó el modo de estar mejor agarrándose a la barrita redonda de colgar las perchas. Se agachó como un conejo, poniéndose a esperar.

Rosario abrió por fin. El *Bacúo* encaró con don Juancito y se quedó de muestra.

—Mira, hombre—dijo Rosario con esa flema única de las mujeres—, este caballero venía en busca tuya, pensándose, al mou que tú estabas asquí... Es que quiere dir a la Costa, ¿sabes?, y pensaba como de que podría embarcar contigo en el *Vige de la Luz*. ¡Fíjate tú!

El otro cogió la "novedad" por el aire y le echó cuento al propósito, tan ingeniosamente injertado por Rosario. Isidro se quedó tan cierto. Prometió hablar con el mestre, a ver si lo dejaba ir con ellos cuando de nuevo partieran. Juancito le dio la mano, tan reconocido, y traspuso. Seguidamente el *Bocúo* se dispuso a cambiarse de flús. Fue al ropero a sacar el traje de dril. Abrió, y lo primero de todo, se encontró con compadre Monagas, encorvado allí dentro, agarrado del palo que cruzaba el techo, hecho una alcayata.

—¡Oh!, ¿cuálo jase usté endentro de mi ropero...?—preguntóle, asmado, el *Bocúo*.

Monagas se le quedó mirando con cara de sorpresa.

—¿Su ropero...?—dijo—. ¡Pos yo me creí que era la guagua de San Roque!

26

DE CUANDO PEPE MONAGAS VIAJÓ EN LA GUAGUA CARRAQUIENTA DE AGUSTINITO EL *MAJORERO*

Agustinito López, majorero él, nacido y criado en La Oliva, y que no era mal encarado, casó con una Estefanita, de Pájara, muchacha con teneres en lo que cabe, pues es sabido lo que Fuerteventura da de sí. Tuvo el matrimonio un casar: Austinillo, que ayudaba al padre en la triste labranza desde pendejo, y María, más chica, la cual se puso ruinita del agua o las comidas. Por ver si empelechaba la mandaron con unos tíos que vivían en Puerto de Cabras, hoy Puerto Rosario. Agustinito López decía que sí, hombre, que muy bonito lo de don Miguel de Unamuno, cuando por allí anduvo llenándose la boca de palabras sobre "la hermosura" —¡hermosura, bendito sea Dios!— de su acamellada isla, pero añadía aquello tan viejo: que una cosa es "pedricar", como él decía, y otra dar trigo. "Solajeros, suores, y ajulagas", concluía rebellado, porque no era hombre que se acomodara a la vana pelea contra aquella tierra. Cuando esto que cuento, él estaba ya de camellos tardíos, cabras escurridas, burros que eran una andante radiografía de burro y campos como jarca, hasta el canto arriba mismo del remolino en que acababa su cabeza obstinada y entrecana. "¡Pero usté no se pué quejar, carriso!—le dijeron alguna vez—. Su mujer tenía, y usté lo ha aumentao. Tomaran otros." Replicaba Agustinito, caliente: "¡Aumentao, aumentao! ¿Y qué...? Pa salir de Guatemala y meternos en guatepior, como desía aquel indiano de Betancuria. ¡Tierra de los infiesnos! ¡Quiti'hombri!"

Cuando el machillo de sus hijos fue galletón, Agustinito tuvo una rebelina definitiva. Entre el zarzal de las cejas le había venido agarrando el barrenillo de tirar para Cuba. Cierta noche de Levante se metió alocado por sus puertas adentro, llamó a Estefanita y se lo dijo de remplón: "Yo y Austinillo el nuestro los vamos a dir pa la Bana." La señora, que era una majorerita callada y firme como la piedra de un hogar, bajó los ojos, enterró el quejo en el pecho y calló una vez más.

—¿No tienes náa que isir...?

—Que está bien, hombre.

—Te tienes que quear sola, jasta ver. Hay que traerse a María contigo.

Traspuso Agustinito el majorero, dejando deshecha a la esposa todavía nueva, y seria a la hija, que aún no tenía entendimiento para agarrar una congoja de despedida. Y séase porque él, conforme andaba digamos bien en las cuatro reglas, trompicaba en la escritura, o séase porque lo de escribir le parecía bobería de mujeres, Estefanita, la de Pájara, apenas recibió media docena de cartas en los nueve años corridos que anduvo su compañero por Trasmarino. En cambió, llegó alguna perra por el conducto de unas letras, que por cierto manipulaba el cacique del pueblo, entreteniéndolas y trapisondeándolas de misteriosa manera, hasta ordeñarle las pesetas que criaran por réditos o por un desahogado empelo...

Un día, sin telegrama ni nada, como era de usos y costumbres, y con dos dientes de oro, un bigote hermoso, un flamante jipijape, una guayabera livianita, un cinto de majá, dos baúles de fulgurante chapado y algunas cajas de puros de a jeme, Austinito el *Majorero* recaló por su isla. A la banda, Agustinillo, ya hecho un templero de hombre. El indiano no esperó a coger resuello para plantearle a Estefanita, que insultada de gozo hablaba menos que nunca, otra gran novedad.

—Hay que dilse de aquí, chicu—dijo, una vez que hizo un fachento reparto de los puros entre los sonrientes y estupefactos vecinos—. ¡Ni hablal de apalastrarse en este corralillo, chiquiticu, dempués de ver pasao el chalco y ver tierra onde no hay legaltos. ¿Qui'hubo...?—se dirigió, glorioso, a su mujer.

Bajo sus muchas canas, bajo sus arrugas, bajo su remetida tristeza de mujer abandonada, Estefanita la de Pájara sonrió, aceptando mansamente.

La familia trincó un correillo y emigró a Lan Parma. Agustinito, que de por sí era descoñadillo, y que había afianzado en la lucha por la vida estas tendencias de pescado casivero, no se botó a emplear sus pacientes y costosos centenes y pesos. Calmoso y tirado para atrás fue viendo casos, ojeando finquillas, examinando solares, oyendo, con la cabeza cambada y la oreja alerta, proposiciones de negocios que le hacían algunos individuos... No se arrestaba el hombre.

—El caso es que los estamos comiendo las perritas sin verle fruto—díjole una noche a la esposa, que permanecía al rebelaje suyo mansa y trancada.

Y un día, viajando del Puerto a Lan Parma en una estibada guagua, le brincó sobre el durez de la mollera la solución definitiva: compraría un "carro" y le sacaría pesetitas yendo y viniendo de la Plaza al Muelle Grande. "La gente tiene que dir allá—se razonó—y volver p'acá a comer... Esto es asunto."

Entró por sus puertas como uno de esos golpes de aire que hay tras las esquinas de las casas de la marea.

—¡Ya está, Estéfana! ¡Una guagua! Voy a comprar un fotingo, le pongo sus asientos ¡y a oldeñal! ¡Chica vaca, too el día p'allá y p'acá, sacando perras!

Estefanita habló, que fue un suceso, mucho más porque en cierto modo le llevaba la contraria al esposo.

—¡Quiera Dios, tú, Austín, y no nos dé disgustos y conduelmas un consumío fotingo de esos, que de repente va y achoca por áhi y te meten en la casa too matao! ¡Sús quería, que náa más de pensaslo me da jasta fatigas!

—¿Usté se crei que yo soy bobo, o qué...? ¡Usté no se meta, que usté no entiende! Deje jaser a su marío, que pa eso ha estao en Bana y ha visto tierra.

Tampoco le cayó bien la idea a la niña María, que se había hecho un guayabito, y quizá sacando el temperamento de su padre miraba para el cañizo con todo el trapo envergado. Alguna jentina le dieron por esto, pero como si no. Se hizo novia de un pollito de gente rica, que hasta socio del Casino era. Tras los golpes, Agustinito solía aconsejarla: "Deje esos moseos, ¿oyó?, que ese niño es harina de otro talego que el suyo, y cada oveja con su pareja. Arriba tiene cara de chimbo. ¡Y no me gusta la gente chimba!, ¿ta oyendo?, porque lo menos que jasen es reírse. Su padre tendrá algún dinero, que pa eso lo suó, pero es un trabajaor y no le da velgüensa pegasle a lo que sea: guaguas, un pico... ¡Lo que sea, pa que se enteren, usté y él! ¡Miá qué josico, que le da velgüensa que su padre trabaje una guagua porque se ha enamorisquiao de un niño del Gabinete! ¡Tendrían él y tú que dir a Cuba, pa que vieran que allí no hay indiferiensias sosiales, ni machangaas de esas! ¡Maná imbérsiles!"

Compró Agustinito el *Majorero* la guagua: un fotingo algo carraquiento, con sus endengues de verguilla y todo, pues se emperró en una ganga. Aprendió a "manijar" en el Polvorín, en donde, por cierto, estuvo más de una vez a pique de sambucarse por un barranquillo, porque, según explicaba, "no era muy mollar p'al manijo". Al fin se tiró a la carretera, con el hijo de cobrador.

(Debo explicarle a usted, amigo lector, que esta verídica historia injertada para los papeles se desarrolló antes de la Patronal de Jardineras Guaguas, cuando cada chófer era amo y señor de su vehículo, y las paradas estaban donde usted, viajero, quería. "¡Apare en la esquina, Juanito!", se le decía al chófer, y cada cual se quedaba donde le iba cuadrando. Daba gusto, no como ahora.)

La guagua de Agustinito el *Majorero* tenía, ¡uf!, más de veinte defectos, pero el más particular de ellos era que la frenaban, un poner, en la esquina de Lugo, e iba a tener, parándose, parándose, con un quejido que arrancaba el alma, en la puerta de allá del Campo España.

—¡Esos frenos, mano Austín!—le gritaban alguna vez de atrás.

—Pos están acabaítos de arreglar, usté—respondía él, agarrándose para ver por el espejo al quejoso.

De noche, él trincaba unos alicates y bajaba a aflojar de aquí y a requintar de allá. "¡Ahora está bien!", se enderezaba rendido de los cuadriles, pero optimista. Mas al día siguiente le gritaba una vecina: "¡Apare en la esquina de don Juan de la Fe, cristiano!" Y la guagua venía a quedarse quieta enfrente del Royal Cinema... "¡Sús, quería, guagua tan rebalosa! —era el pacífico comentario de la sufrida viajera—. Ni que tuviera jabón, usté."

Pues resulta de ser que un cierto día acertó a coger el desobediente fotingo de Agustinito el *Majorero* un tal Cristóbal *Pico y Pata,* que le decían a él, hombre grave de por sí, antiguo federal de Franchy y Roca e individuo con "puntos de vista". *Pico y Pata* tenía un hijo en la Marina. Parece que el muchacho se fajó en un cafetín con uno del Refugio, y sin pensarlo poco ni mucho le metió en la cabeza una botella de gaseosa, con boliche y todo. El padre acudía hirviendo a la Comandancia por ver de sacar a su belicosa cría de la embrujina. Gritó al guagüero, cuando iban a la altura del Círculo Arenales: "¡Apárame en la plasa la Feria!" Agustinito metió el "espedal" del freno y su guagua se fue quedando, quedando, hasta alcanzar el punto muerto pasado el Corazón de María. *Pico y Pata* agarró tal calentura que cogía las vigas del techo. Atizó el encochinamiento, por gusto, el compadre Monagas. Pepe venía de la calle de La Naval, de unos asuntillos. Conocía los puntillos de Cristóbal, sus flaquezas de "siudadano consiente". Finchoneó el compadre, jugando para el pie de la elevada.

—¡Tampoco hay derecho que un siudadano que tenga sus quejaseres en Pamochamosa, vamos a un suponé, tenga que barlovertiar la calle, tirar a La Laja y agarrar la guagua de San Cristóba pa jaser lo que quiera, qué!

Añadió, diciéndolo al revés por empotajar más:

—¡Güeno está lo demasiado, pero no lo güeno!

Gritaba *Pico y Pata* encrespado:

—Como usté inora los derechos del siudadano, y los suyos tamién y se escarrancha arriba de toos, pa que aprenda ahora a saber respetar, recula usté y me deja a mí en la Plasa de la Feria, que pa eso he pagao. ¡No me interesa ni más acá, ni más allá!

—No tiene más sino que dispensá—le decía Agustinito el *Majorero,* que se había bajado—, pero yo llevo más gente endentro y no pueo andar con engorros con este presonal.

La discusión se empelotaba por minutos. Y el pasaje, al principio divertido, se empezó a aburrir. "¡Ya está bueno! Vaya y demándelo y lo arreglan ustedes allá, pero mañana. Ahora tenemos que seguir, que se enfrían los potages!"

Al cabo de veinte minutos corridos, la guagua reemprendió el viaje, dejando atrás un reguero de maldiciones del encochinado Cristóbal *Pico y Pata.* Se hacía el servicio entonces por Triana adelante. Por eso fue que el compadre Monagas, apenas rebasaron el Parque se diblusó sobre Agustinito el *Majorero* y medio le gritó:

—A mí me apara frente a los Espejos, que me tengo que quear en la Plasa...

27

DE CUANDO PEPE MONAGAS ESTUVO DE TOCADOR EN UN "BAILE DE PARIDA" DE MANUEL EL *MORROCOYO* Y MARIA DEL PINO LA DE CHANO

Manuel el *Morrocoyo*, costero de San Lázaro, y su señora, María del Pino la de Chano, tuvieron el noveno de sus guayetes, unos chiquillos con cara de malos: candelillas en los ojos, un majano de pecas por los cachetes y unas paletas de bardino en las bocas regañadas. ¡Y todos machos, menos ésta que hacía el número nueve! A María del Pino la de Chano, esposa legítima y más bien tranquila de Manuel el *Morrocoyo*, con soplarla bastaba. Quedábase como un peje tamboril de ahora para después. Así que sin mucha pena y sin mucha gloria, casi por antojo, dijéramos, ella se puso a sacar una nena, como esos jugadores de molinillo emperrados que se encaprichan con un turrón grande y como casivero, de amargar y no picar, y hasta que no gastan las tachas y desencuadernan todo el aparato, no largan el arco, mareado de tanta vuelta. Atracó, por fin, la *Pinilla*, pues Pina la cristianaron. El *Morrocoyo* había hecho perritas en la Costa y se dispuso a celebrar la llegada de su única hembrita con un baile de convidados.

Manuel le habló a un tocador de La Portadilla, un tal Julián, que era carpintero él, pero que tocaba el laúd con manos muy aseadas, para que fuera a "amenasar" la fiesta. Este Julián, que venía siendo de gente de Las Lagunetas, encallada en Lan Parma por mejorar, contaba con un compañero de amenizamientos, un Rafael el de Las Cruces, que acompañaba con la guitarra bastante bien, aunque su instrumento siempre tenía dos cuerdas amarradas con hilo carreto y le zingaba la prima. Mas se daba buena maña para endengar el calacimbre, calzando la cejilla con un cachito de una caja de cigarros.

El baile se celebró un sábado entre noche y día. En tales vísperas de domingo, Julián el de la Portadilla solía atracar, fijo, en un timbeque cercano a su taller, y tranquilito se pegaba entre pecho y espaldas su media docena de macanazos de ron tan bien despachaditos que parecían para revender. Hizo su habitual recalada también en este sábado del compromiso con el *Morrocoyo*. Así que cuando remontó el Risco ya llevaba el buche tirando a ráido. Lo que es verdad, es verdad: no estaba jalado, pero también es cierto que no le faltaba el negro de un uña.

La rumantela se puso bonita, todo el mundo vestido de limpio, los hombres con los driles como los chorros del oro y las mujeres en fulgurantes de los indios tan entiesados y brillosos como si los hubieran hecho con vidrio del de las botellas de agua agria. La comadre María del Pino la de Chano, que estaba levantada desde el día siguiente del alumbramiento, lavando sábanas, se había puesto una mañanita blanca y almidonada que daba gusto, con unas anchas tiras bordadas, que daban más gusto todavía. Manuel tenía hasta corbata, a la que por cierto le había hecho un nudo de cochino, de seguro por más habituado a trabar estos a bordo que los de la prenda de adorno en tierra.

—¡No quiero ver a naidi desatracao y sin brisa!—gritaba, rumboso, en medio del personal convidado—. ¡Hay angóo y casná pa toa una sagra en el Moro! ¡No basloventéin, rayos, mentris haiga manterío y no esté lajiando! Beban, consio, que el balco que no jase bucháas, ni seba la ola, ni rebasa la mar!

El mismo *Morrocoyo* se puso de mandador. Botábanse seis parejas al terreno, hacían dos taifas y a mear al barranco los hombres; nueva tanda. Julián el de la *Portadilla,* con Rafael el de *Las Cruces* a la banda, estaba de gusto, por cómo trinaba su laúd, que dijérase un capirote engloriado entre higueras, al mediodía. Y de repente se armó, cuando todo marchaba con la más alegre mareíta en popa...

Veamos de encontrarle una punta a la pita. Fue padrino de esta Pinita bautizada un Casimirito Cabrera de para abajo. Casimirito tiraba de pluma en una factoría del Puerto y era antiguo amigo del *Morrocoyo.* Se había casado con una conejera más bien menudita, que abicó de parto. Nuevito, pues, se quedó viudo, y con el gusto en la boca. La mejor pollona del baile era una muchachita de La Atalaya, morena amorenada, pomulosa, con los ojos almendrados y mansos... La atalayera estaba medio apalabrada con un tal Raimundo, que venía siendo primo hermano del *Morrocoyo.* Casimirito, o no lo sabía o se hizo el loco. Pegó a hacer el palomo con la muchacha. Y cada vez que le arrastraba el ala, a Raimundo se le subía al gaznate una bola como el boliche a las gaseosas. Estuvo tragándose el degüello toda la prima noche, pero a fuerza de copas y de ver cómo la muy indina se dejaba hacer la rosca, acabó encochinándose. Como una de las veces convidara a bailar a su pretendienta, a la que Casimirito acababa de largar sofocado y sonriente, y ella le dijera que no, a pretexto de que su zapato "la tenía asada", Raimundo se escarranchó y se lo dijo clarito como el agua:

—Si no varseas conmigo, no varseas con naide. Y si varseas con ese desgrasiado o con otro, te jinco una cachetada que no te va a conosé ni tu madre, ¿oítes...?

Lo sacaron para el patio, le achicaron un "misturado" de ron, anís de garrafones y vino del Hierro. En seguida lo cuajaron. Amansó, pero le entró llorona. Se ponía allá fuera, dice: "¡Ay, mi madre! ¡Y yo que la quería como a un padre!" El escorrozo medio que empantanó el baile. Pero se pusieron en juego compadre Monagas, convidado de los primeritos, el tocador Julián y otros animosos y la fiesta volvió a agarrar viento.

Para poco, porque empezaron, o prosiguieron, mejor, achicando bebería a los tocadores. "¡Una copa pa los tocaores!" se oía cada momento. Julián trasegaba como un fonil, poniéndose en seguida como la presa de los Betancores antes de romperse. De este modo ocurrió que empezaba trinando una isa y se pasaba, sedita, sin darse cuenta, a *El anillo de hierro*, o al pasodoble *Gallito*, que tocaba de alzapúa.

—¡Caballeros, hamos entrao en el relajo!—acabó diciendo el más viejo de la reunión.

Monagas, dispuesto a ayudar a su amigo Manuel el *Morrocoyo*, le dijo a éste que convenciera al carpintero para que dejara un rato los instrumentos. "Tú disle que sarga un pisco a refrescar. Voy a tocar yo y Venturilla me acompaña." Trincó el compadre el laúd y el *Táita* se diblusó sobre la guitarra. "¡Y rián p'al Puerto!", gritó Pepe al pie de un animoso ajijido.

El jolgorio envergó otra vez todo el trapo, con una isa de rechupete que el compadre apulsaba en los instante críticos. Cantó el mismo Monagas, cantó la atalayera, cantó Casimirito, que falto de memoria, le pegó a aquella de "Viva nuestra reunión—y los que estamos presentes,—y aquellos que estén ausentes—que se diviertan o no". Iban empalmándose buenas voces, hasta que de repente se diblusó junto a los tocadores Vitorio el del Pinillo. Nadie lo había convidado, pero se golió el fritango, como aquel que dice, y entró de raspafilón, a cuento de su amistad con el compadre, que invocó, tan fresco, en la puerta. Se pegó su isa. Luego ya se trabó: al pie de una, soltaba la otra. Aquello entró en guineo. Pepe lo miraba dando de cabeza y se trincaba, hasta ver. De repente se paró a la banda de Victorio Farias, un costero calentón y de manos ligeras.

—¿Pero usté es la radio, o qué...?

Aquello viraba en feo. Pepe decidió parar los instrumentos antes de que un nuevo lío estropeara la reunión, que capeaba el temporal, muy marinera. Dejó de trinar y le tendió el brazo a las cuerdas sobre las que Venturilla seguía enfrascado; siempre terminaba un pizco después. Entonces se viró para Vitorio el del Pinillo y le dijo:

—Oye, Vitorillo, ¡lástima que no seas pájaro!

—¿Es que no te gusta como canto o qué?—preguntó, encima
sorprendido, el pesado cantador.

—No, era pa dasle una patá a la jaula...

28

DE CUANDO PEPE MONAGAS FUE AL PINO CON RAFAELITO EL DE LA TIENDA Y OTRO PERSONAL

La medianoche sería del 7 de septiembre, señaladamente, cuando el rancho risquero se abrió a caminar, costeando y remontando
callejoncitos, a salir al Castillo del Rey. Iban al Pino unos diez
matrimonios y así como otros tantos pollos y pollonas del mismo
castío de los romeros, más algunos agregados. Casi todos llevaban
bultos, las mujeres los más grandes. Algunos hombres empuñaban
timples, livianitos y agachados, o llevaban a la banda guitarras,
colgadas al brazo por el clavijero y ceñidas a la cadera como no-
vias ralitas. Ellos habían pegado a beberretear desde que las hembras bullllían en los preparativos, así que iban casi todos con el
corazón en la solapa, la disposición jaranera y el pico caliente.

Entre los alegres romeros me acuerdo que estaban Andrés, el
patrón de la *Frasquita,* con su vieja; Rafaelillo el de la tienda,
con la suya; Victorio el del *Pinillo,* convidado especial, que no
trajo a su consorte, fiel a su principio de que el buey solo bien se
lambusea; Venturilla el *Táita,* que seguía soltero él; algunos ca-
sares de roncotes, vecinos del compadre Monagas, el mismo compadre con Soledad, maestro Juan Jinorio, que también diba en
la rueda de presentes. Remontando el laderón, y cuando ya en
Castillo cogieron algún resuello, ayudado por unos macanitos de
ron para los hombres y vinito dulce para las mujeres, los timples
cogiéronle la embocadura a una isa restrallona, que se abrió sobre la Ciudad, dormida abajo, así como una lluvia menudita con
sol. De repente se destapó cantando la mujer de Rafaelito el de la
tienda, que al modo por leer novelas por entregas como una des-
cosida, tenía los sentimientos algo mollares. Su isa decía: "Yo me
arrimé a un pino verde—por ver si me consolaba—y el pino, como
era verde—, en verme llorar, lloraba."

—Si lo dise por el marido—rezongó el compadre Monagas a
Victorio, que caminaba a su banda—¡amárrame esa mosca por el
rabo! En lugar de pino, es palma, retaca, y lo que tenía de verde,
se lo comió la sigarra...

—¿Cuála sigarra?

Cuando Victorito el del *Pinillo* se bebía unas copas, se tupía algo del sentido y cogía onda tardíamente. Daba en preguntar y se ponía como una potala.

Rebasada la Apolinaria, se formó. Resulta de ser que un tal Fermín el *Cucaracho,* que le decían a él porque era revuelto en color como esos sujetos misteriosos que aparecen en las barajas de las barajeras, venía consintiendo a la chiquita mayor de Juan *Pluma,* costero menudo y calentón, que no tragaba al Fermín ni aunque se lo metieran en adobo. El *Pluma* ya se lo había requetedicho a su hija: "Como te agarre mosiando con el jediondo ese, te meto un pugío que ni en el hespitar güelves al tino." A Fermín le gustaba la picareta. Y una vez mamado, era peleón como un gallito mariscal. "No quiero borrachos endentro de mi gente", había fallado Juan *Pluma* con tal firmeza que parecía una sentencia del Tribunal Supremo. Al rebelaje de la muchacha, el *Cucaracho* se había agregado a la parrandona romera...

Y ya decía con su sentencioso talento nuestro amigo el cosechero de Los Barrancos: "Las mujeres son el diablo, usté." La chiquita empezó a quedarse trasera hasta emparejar con Fermín el *Cucaracho,* que por la zorrita caminaba al rabo de la cuadrilla. En algún punto del camino, ya barloventeando Tamaraceite, Juan *Pluma* se percató de que la niña había dado alguna tumbada rara. "¡Me juego argo a que está en popa trabáa de beso!—se malició—. ¡La muy indina!"

—¿Onde está su jija María, señora?—preguntó a su mujer con la voz más calentona y fañosa que podía sacar.

—¿Sé yo, querío...?—respondióle la esposa con un cierto clueco acento de complicidad—. Paray dirá, tú...

—¡Usté debía vigilarla, que pa eso es su maire, consio!—arrufó el marido por entre los dientes ensarrados y rabasquinientos.

El costero Juan *Pluma* dio unas nerviosas bordadas por enmedio de los romeros, aguzando los ojos por ver entre el oscuro. Pronto encontró a su hija María navegando de bolina a la par de Fermín. Se quitó Juan de cuentos y sin decir esta boca es mía, le afianzó una galleta al pretendiente de la muchachita. Malcriado de por sí, en lugar de estarse quieto y tragarse el degüello, que para eso el castigo venía de manos del padre de la costerita amada, Fermín el *Cucaracho* alzó por la mano y replicó al suegro con tal moquete que el marino se fue de banda, cayendo por una sorriba y parando en un bardo de tuneras coloradas. De allí lo levantaron todo espichado y con un ojo como tres chorizos del país.

—¡Empréstenmen una escopeta!—pedía el *Pluma,* con el gaznate en aburrido.

Mientras le sacaban los espichos al avasallado, compadre Monagas convenció a Fermín para que traspusiera, abriéndose por otra ruta, de emperrarse en seguir al Pino. "Vete tranquilito,

¿oíste?, y pídele a la Señora de Teror que el *Pluma* se olvide, porque si no, mientras no se muera no te casas con María."

Medio endengado el *Pluma*, el rancho siguió de camino. Ya no era lo mismo. Ya iba la mitad del personal medio amolado por el escorrozo. En vano se partían el espinazo los timples y las guitarras, y en vano se levantaban sobre el campo dormido las cantaneras de aquellos que se habían propuesto recomponer el estropicio del bardago del *Cucaracho*.

Y ocurrió que bajando el barranco de Teror, algo antes de apencar por los repechos que llevan hasta el pie de la relumbrante Señora objeto de la romería, la mujer de Rafaelito el de la tienda se diblusó, pudorosa, sobre su marido y le dijo algo en la oreja con la boca chica de los grandes misterios. Rafaelito, menos cuidadoso, le respondió medio en alta voz: "Si no puees aguantarte un pisco más, quéate trasera y agáchate por áhi. ¡Pero no te estés!"

Siguió la gente bajando. Y al ratito de esto, ya con el primer claror rompiendo sobre los montes, pegaron los del grupo a cucarse unos a otros y pegaron a correr unas risitas sofocadas. Algunas mujeres se tuvieron que parar y quedarse atrás, desmorecidas, partiéndose el pecho a reírse. Aunque los que iban cerca de Rafaelito procuraron disimular el regocijo, acabaron por no poder. La ranchada en peso estalló por fin en una burletera y tremenda carcajada. Rafaelito terminó por enterarse, también. Con las primeras luces de alba pudo observar que su mujer caminaba delante de los grupos tan descuidada, con el trasero medio al aire. Había ocurrido que al agacharse un poco más atrás para lo que quiera qué, se le enredó el zagalejo en un taleguillo que llevaba al cuadril, quedando de esta manera destapada más de la cuenta. Con la prisa y la sofocación del camino, más que el tiempo era bueno y que esa es parte femenina con fama de fría, la buena señora no se percató de que iba aireada y desairada de aquella manera.

Rafaelito se encochinó ante semejante choteo. Y al primero que tuvo al lado, que resultó ser Andresito, el mestre de la *Frasquita,* a ese le metió un sonido. Reparado de la sorpresa, Andrés se le cuadró, tirándole una trompada de muerte de cochino. Acudieron las mujeres respectivas de ambos contendientes y se trabaron de moño. Perdieron pelo y liendres. Se generalizó la pelotera. La romería, que ya venía requintada por el enojo del primer percance, se empotajó del todo. Cada cual tiró por su lado, rotos los instrumentos, sorroballada la ropa, entrecejados los semblantes.

Monagas y Soledad se quedaron con Rafaelito. Entonces el tendero le hizo al compadre un reproche.

—Usté, Pepito, ende que se percató de que diba a destapá, debió habérmelo dicho...

—¡Y yo, querío, si me creí que era una promesa...!

29

DE CUANDO A PEPE MONAGAS LO JERINGÓ LA FALTA DE CALDERILLA

—Lo que tú tienes que haser, pero es que de una ves para siempre, es dejar de beber, acabar con los pisqueos, y no comer mojos ni nada picante o con salsas compuestas.

—¡Sus, don Osé!, ¿y aónde vamos a parar con semejantes menguas, usté...?—replicó Monagas al bueno del médico que tan severamente le hablaba y lo miraba.

—Pues vamos a parar a la salud, que me imagino te interesa, puesto que has venido a verme.

—Masiao que sí. Ahora, yo desía como de...

—¡Nada! Tienes que plantarte y renunciar. Ni el estómago, ni el hígado, ni los riñones son de hierro. Y aunque lo fueran: no resistirían ni ese ron ni esos enyesques que bebes por ahí.

—¡Pero si yo nunca tomo sotal, cristiano!

—Déjate de machangadas y hasme caso, siquiera por tu mujer, que vino a verme muy disgustada. Ella me dijo que tenías el color "enterregado", la lengua "como un lavadero del barranco" y que estabas quejoso todo el santo día.

—¡Toa la vía! Las mujeres, siempre jasiendo una sama de una escama. ¡Bendito sea Dios! ¡No, si yo me lo golí, que ella diba a venir antes! ¡La conoseré, yo, más chimba que el perro de mastro Bartolo! Ya estaba en mi casa, a toas las horas que me agarraba dentro: "Que vete al méico, Pepe de los infiesnos, que me tiene llena de golpes porque estás en la tea, Pepe, que eso tuyo no es color, que es barro de la Atalaya, y que si por esta vía, que si por la otra". Casi por quitarme del guineo ha venío, usté don Osé, que usté sabe que a mí no me gusta molestar, mucho menos cuando usté no me cobra naita este mundo.

—Oye, pues como vuelvas con el mismo mal, te voy a pasar la cuenta de tantos años de balde. Y te vas a ver feo por partida doble.

—Ta bien, ta bien... De moo que fuera piscos... ¡Eso se tira al pecho, usté, don Osé! Pero si no hay más remedio, ¡suculúm!

El compadre salió decidido una vez más a dejar las copas. "¡A lo mejor tiene rasón!", pensaba mientras subía a su casa,

la cachorra sobre la frente, las manos en los bolsillos. Cuando
pegaba a remontar el callejón de Maninidra sonrió: "Se han
decreío don Osé, Soleá la mía y algunos batatas de por áhi que
yo tengo fuersa de voluntá y eso que hay que tené—llamáramos
coraje—pa desir "¡no!", y es que no. Van a ver lo que es un
machito templao... ¡Despíase del ronsito y de la papita durse,
mano Pepe, ¿oyó?, que ha sonao la hora del palo seco y el papel
de lija... Ta bien, pero yo no sé cómo va a acabar esto, con el
arregosto que trae este cuerpo... ¡No sé, no sé...! Si no fuera el
arregosto... Quisá que debí de haberle dicho a don Osé asín como
yo tengo oío que de remplón no es naíta güeno quitarse, no ya
del ron, ¡de náa! Too lo que se jaga del sapataso, séase del bo-
lichaso, tiene mal aquelle, séase endengue... Mas, tamién me paso
a creer que si a la ves de tirarme a margullar, me pongo a sebar
la ola, ¡no lo dejo en la vía!

—Fi ca don Osé...—dijo Pepe a Soledad, según llegó al portón, haciendo como que no tenía importancia la noticia, pero mirando a su mujer arrente de la gacha cachorra.

Ella navegó de altura. Siguió tendiendo las piezas que tenía
entre manos.

—Ah... ¿Que fites a vendesle argo?

—El gasnate y la alegría...—replicó el compadre por lo bajo,
asmado del destuerzo de su señora.

"Mujeres... ¡qué bichitos tan agachaos!", pensó mientras limpiaba los pájaros.

Pegaron a correr los días. Compadre Monagas pasó dos semanas, las primeras, con el... a dos manos. Por miedo al tufo de
fritangos, que le amagaba las narices, así como el engodo al de
una chacarona, hermano Pepe navegaba absorto respecto a los
habituales o tentadores timbeques.

"Como no me afirme la guardia sivil...", se decía lleno de
sorprendente valor. Pasaron semanas, y hasta casi tres meses...

—Qué, ¿los echemos un macanasito, mano Pepe?—lo embullaba algún zarandajo por apurar el gallo, o lo convidaba alguno,
inocente del heroico trance.

—¡Ya yo no bebo yo ya!—repetía siempre una frase medio
capicúa, inventándose a los ojos una alegre resolución, pero con
la lengua y el alma más secas que una jarea—. ¡Ende cuándo
lo dejé, cristiano!

—Mal asunto—le dijo cierto día un hombre de San Mateo,
animoso y colorado como un perro de su pueblo—. Un hombre
sin copas, es un tiesto sin flores.

—¿Qué tiene que ver el... con las témporas, mano?—replicó
el compadre—. Eso, de lo que se dise es de los hijos, a ver si

nos enteramos: "Una casa sin hijos, es un tiesto sin flores." Asín es como es.

El de San Mateo contestó, sequito como un palo:

—Viene siendo lo mesmo—y se largó sin más.

En una ocasión el caso fue tema de conversada entre los habituales a la carpintería de maestro Pepe Quintana. Monagas presumió su pizquito, al soco de la admiración general.

—Ustedes no lo apresiarán debidamente, caballeros, pero hay que tener el corasón como un tenique pa resistir tres meses arreo. ¡Un cuerpo, además, que vivía dijéramos dentro del ron y demás parentela como el pes en el agua, un poner! ¡Pa que luego se la echen los que suben a los aroplanos y los busios que abajan al fondo de la marea, ji jiñóoo!

—¿Y tú crees que merita la pena, Pepillo?—le preguntó maestro Pepe, poniendo la cara más chimba que nunca.

—¡Hombre, si tener salú no merita la pena...! A mí me dijo don Osé como que too el bandullo interno, ende la caja el pecho a estos visagreos de los cuadriles, no es de jierro. Y es que ni de latón, ¿tamos? Asín nes que si pegamos a largar áhi endentro ron y lo que cuelga, estas viseras del ser pegan a descalafatiarse y a jaser agua, como aquel que dise. Cuando menos se percata usté le meten al cura por la puerta de la casa con un requiecatimpase que más nunca le aclara. Y atrás, un guacal cumplío y forrao con rengue más negro que las uñas de Manué el del carbón... Aluego van toos los amigos detrás de uno, jasta la Plasetilla de los Reyes, jablando del *Marino*, del *Pollo de Uga*, de la gallera y de cuando atraca el *Yova*... El muerto, al bujero, y el vivo al puchero. ¡Toa la vía!

Amigo lector de esta historia más cierta que un preso, debo ponerlo a usted en antecedentes de un detalle dijéramos esencial para el mejor entendimiento de lo que voy contando. Corrían otros tiempos, los tiempos en que la calderilla escaseó más que la vergüenza. El menudo, el cambeo, las perras sueltas apenas circulaban. Tomarse una copa, coger una guagua, recibir la vuelta de un duro, se había convertido en una vaina. Me parece recordar que esto era corriendo los primeros años cuarenta: 1943, 44, 45..., cuarta más, cuarta menos. Entraron en juego, como sustitutos, sucedáneos, o eso, los sellos de correos y unos tiques lanzados por la Patronal de Jardineras Guaguas: unos cartoncitos con valor de papel moneda, que acababan con cascarrias y centenares de miles de agentes patógenos. Los había de a perra chica, perra grande, real de bellón y media peseta; sacaron del atrabanco, aunque enfermaron a muchos cristianos.

Esta era la situación del perreo, entonces. Pues corriendo tal escasez fue cuando el compadre Monagas andaba en el sacrificio de que más arriba se habla.

En uno de los medios días más angustiosos de su abstención subía a almorzar al Risco. Y al llegar al canto arriba, frente al cuartel de Matas, le llegó un cálido batumerio a fritango. Juanito andaba alrededor de carajacas... El olor del pastoso enyesque ganaba y estremecía la calle como una luz de primavera... "¡Ya santísima, vaya un olorsillo asiao...!" Monagas agachó el morro y apretó el paso. El olor lo perseguía como un remordimiento. "Esto no puee ser, caballeros—meditó mientras se escurría de la tentación como gato escaldado—. Esto es ya abusar de la naturalesa del ser del endividuo, que nesesita su pisquito de riego, como la platanera su dula. ¿De ónde los rasimos, si nó...? Por lo menos una copita, ¡una sola, en buena fe, que me arranque esa jiriguilla mala del pomo y sus alreores!"

Reculó y pasó el umbral del timbeque. "¡Quiera Dios y Soleá no dé en gulusmiarme!"

—Mano Juan, póngame un macanasito.

Cogió la copa con mano temblorosa. Los ojos, en trance como antoñitos en vivero, miraron el denso blancor del beberaje, tan suspirado, y las narices se abrieron como se abre la tierra majorera cuando el alisio se pone querencioso y derrama agüita sobre el ansia vieja de su vieja tierra... "¡Lo que me ha estao perdiendo, consio...!", meditó el compadre, vencido y ralito como una meloja. Se lo sopló de levantada... Inmediatamente sacó un duro y con manos y palabras nerviosas dijo a Juanito que se cobrara. El del bebedero fue al cajón y revolvió en vano.

—Pos no tengo cambeo, usté, Pepito.

—Es iguá. Deme tiquis de la guagua o sellos inmóviles. Me da lo mesmo.

—El caso es que tampoco tengo... Bébase otro pisco, hasta ver si entra alguno y cambea.

—¡Ta loco usté! Eso no puee ser...

—¡No sé por qué! Mándese otro golpito, hombre. Ya recalará arguno con menúo.

Compadre Monagas pensó que las cosas del diablo son las cosas del diablo, y que no están improvisadas, sino mandadas desde el fondo de los tiempos, por lo que un poeta que escribía versos y prosa en *El Tribuno* llamaba, con mayúscula, el Destino.

—Pos espache la otra...

"Si viera habío cambio, ya estuviera subiendo La Vica", pensó frente al segundo ron. Pasaba el tiempo y no entraba nadie. Juanito el del Camino Nuevo, ya ni preguntaba: servía una nueva copa, despacito, y despacito volvía la botella a su lugar.

Pepe Monagas acabó estañando el duro... Cuando cogió la ca-

lle llevaba una chispita empalmada. "¡El demonio son las cosas!"
Se sintió feliz, como recién nacido, o recién lavado, o recién llegado al Pino en el día luminoso de su víspera... "Que don Osé
y Soleaílla la mía me perdonen... ¡pero esto es vivir!, y lo demás,
agua en un jasnero." Cuando remontaba los repechos del Risco,
pensó: "Soleaílla se tiene que dar de cuenta: yo no ha tenío
la curpa. Si el Banco de España no se organisa, ¿qué quiere que
jaga yo...? ¡Pos sí!" Llegando cerca de su casa se le metió un
barrenillo: "Yo no tengo la curpa, yo no tengo la curpa, yo no
tengo la curpa..." Le brincó al pensamiento la vieja y acompasadita melodía antillana de *La chamelona.* Y rompió a cantar...
"Yo no tengo la curpita, ni tampoco la curpona, que al Fotingo
de Molina se le picara la goma... ¡Aé-aé-aé! la chamelooona..."
     Asomó comadre Soledad al patio y lo vio llegar con más repiqueteo y más alegre que un remolcador de La Naval. "¡Ay, tal
desgrasia, quería de mi arma, que ya la agarró otra vuerta!"
El escándalo se oyó desde El Refugio a los Poyos del Obispo.
Lo menos que la comadre le dijo al compadre fue "desgrasiao",
"arpa vieja" y sétera. Monagas aguantó la rociada todo lo que
le dio de sí su confuso remordimiento, pero acabó revirando. Volvióse a su mujer y le dijo:
     —¿Y qué curpa tengo yo, señora, de que el Gobierno no ponga
cambeo...?

30

DE CUANDO PEPE MONAGAS ESTUVO A PIQUE DE QUE LO BAUTIZARAN POR SEGUNDA VEZ

     Don Victoriano, mejor conocido en la ínsula por don Vitoriano,
tenía una finquita buena en los alrededores de la Ciudad; platanitos, alfálfara, algunas reses de mucho cacharro de pastillas,
una punta de cabras de las doce medidas de leche muerta, un potrillo, también de buen castío, cuidado especialmente para cuando
se terciaba pegársele a algún animal de Fabián desde el Fielato
al Jardín de Doña Luisa, un perro de presa que hubo quien cayó
en la cama, de cruzarse con él, tan solamente, y unas veinte gallinas que ponían huevos como quien tuesta y lleva al molino,
las veinte centradas por un gallo de la tierra, empertigado, fachento y fosforito, a pesar de que era de plantilla y de que apencaba por todas, tan fresco.
     Don Vitoriano era Alejandro en puño, o séase gorrón, pese a
tales y tantas bicocas y a no tener hijos, por lo menos en el Re-

gistro. De esta condición de agarrado da idea el hecho de que cuando tenía que pagar las contribuciones caía en cama. Y allí estaba hasta tres días, con el cuarto en penumbra y remediándose con paños de vinagre y hojitas de nogal, para no llamar a don Silvestre, médico que le atendía de relance. Se decía de él —y mi alma la quiero para Dios— que sus cosas allá, las de ese cuartito excusado y de respeto que las visitas requintadas llaman "el baño", bajando la vista y enchapándose de cachetes cuando dicen: "Mujé, voy a entrá un pisquito ar baño, ¿sabe?", cuartito que también le hay, aunque más jediondo, en las Sociedades, y al que las niñas y damas gordas que van a los bailes llaman "el cuarto de señoras", cuando le dicen a sus parejas o a sus maridos muertos de sueño: "Espérate un pisco asquí, que voy al cuarto de señoras, ¿oístes?", decíase de él, repito, que para esas cosas privadísimas no usaba nunca el susodicho cuartito, sino que —¡bendito sea Dios!— se iba a la marea... De repente alzaba en ella su perfil de judío friolento, la cachorra enterrada y el cinto a medio poner.

Cierta vez estaba el compadre Monagas cogiendo fresquito en el muro de la marea, a las bandas del Teatro, cuando le vio surgir y caminar lento hacia donde él estaba en la compañía de unos caballeros del atardecer isleño.

—¡Pero, don Vitoriano de mi alma—le reprochó cordialmente Pepe—, un hombre como usté, cristiano, con un "guater cloque" pinchúo en su casa, asocaíto y seguramente goliendo a agua floría, viene a agacharse aquí abajo, como Alejito...! A pique de agarrar de abajo p'arriba, una cargasón de pecho de las de tirafondo, con serrío y too, o un redoma de alcayata. ¡Quite, ...mbre!

Don Vitoriano replicó, engrifado como un macho salema:

—¡Ta claro! Como tú sos un desrrochaor, igualito que tanto palanquín como hay por Lan Parma, te créis que toos son como tú. Dinguno de ustés se jase cargo de la farta de agua que padesemos, ni tampoco de lo que vale manque sea un chorrejo de manantial, que no se percatan de que si me queo en mi casa cada ves que jalo por la caena, ¡áhi van sinco litros p'al demonio!

El compadre Monagas, asmado como los demás por el peso de aquella lógica, sólo pudo contestar: "Rasones"...

Don Vitoriano era, pues, un ciudadano que provocaba las "montadas". Daban ganas siempre de pegarle montadas un día sí y otro también. Para colmo, se la echaba de que "no vía nasío en las siete islas Canarias el que le viera robao ni el valor de un alfiner. Pa eso tengo un bardino que de cáa chabascáa, saca kilo y medio de bichillo". Y tanto cargaba la cosa que parecía listones.

—En ocasiones con güeso, ¿qué...?—lo finchaba el compadre por calentarlo.

—Echátelo a choteíto, tú, pero te digo que si me falla el perro, tengo a la banda una escopeta de dos cañones que ríete tú de los de la Platafolma. ¡Y que duermo como los conejos, con un ojo entregao, pero el otro clico...!

—¿Pa qué le van a robar, cristiano, pa qué le van a robar, si a naide le jase farta lo suyo...? ¡Polvéeselo con gofio!—le contestaba Monagas, haciéndose el valiente.

Una cierta noche de copas, reunida la cuadrilla de templarios del compadre, saltó don Vitoriano a la conversación, no sé por qué. Estaban el *Táita,* mano Austín Morera, Manuel Calderín, Chano *Rapaúra,* Vitorio el del *Pinillo,* y mi compadre Juan Jinorio que también diba en la rueda de presentes.

—Tengo antojo, Austinillo. ¿Y tú...?—dijo de repente Monagas a Morera.

—¿Antojo de acuálo?

—De arrós con pollo, fíjate tú...

—¿Y aónde piensa dir a pulpiar el pollo?

—Digo yo como de dir a "mudarle" el de don Vitoriano, que el pobre estará aburrío, siempre las mismas gallinas, las mismas gallinas...

—¡Santa palabra!—dijo solemnemente Vitorio el del *Pinillo.* Terció, prudente, el compadre Juan Jinorio:

—Acuérdense del bardino... y de que tiene toa su entaúra...

—¡Olvía eso!—le replicó Pepe, imperante—. Déjame a mí esa "menudensia".

Caminaron para los linderos de don Victoriano, ya alta la noche, alumbrada tan sólo por el Camino de Santiago, que se acababa sobre las lomas, como se acaba la avenida de Gando por arriba de la Hoya de la Plata... El compadre fue explicando el plan, dándole a cada compinche su cometido. "Hay que traerse tamién el postre", encargó con firmeza. Al paso de la botica de guardia, llamó al ventanuco:

—Deme de esas pastillas pa dormir, cristiano, que está Soleá la mía que no pega un ojo ni que le arrimen poliada.

Entretanto, el *Táita* había ido por gofio y queso tierno. Ya en vistas de la finca, y reunidos todos al fin, compadre Pepe preparó una pella hermosa, metiendo entre ella el tubo entero del somnífero. Luego se adelantó con el *Táita* a la banda. Los dos hombres treparon sin mucho cuidado un murete y se encaramaron en lo alto. Habían metido ruido a cosa hecha, por atraer al perro, que no era ladrador. Lo alcanzaron a ver con el morro gacho y un rezongo entre los dientes asesinos, por debajo de unos matos. Un golpe como el de una bosta de vaca, blando y muerto, alteró el profundo silencio del huerto... El bardino alargó las desconfiadas narices. Aquello estaba bueno: olía bien a quesito de ganado reciente. De dos chabascadas se jincó la gruesa pella entre pecho y espaldas. Después alzó la cabeza y se quedó mirando para el muro desde donde lo observaban, lelitos, los dos extraños hombres de aquella merienda.

Al cabo de un poquito, el perro alargó los remos lentreros, estiró hacia atrás sus patas y se echó, el hocico enterrado entre las manos y el rabo muerto. Aún esperó el compadre un poquito. Le tiró, por fin, unas piedrillas, ahora una chica, después más granditas... "Ya está como un ropero", comentó el compadre, sonriendo. Acudió Ventura por la jarca, que cayó sobre el huerto como cigarrón berberisco. Mientras unos ordeñaban cabras y vacas, otros cargaron con manzanas y con plátanos. Monagas se fue al gallinero. Encloquillado en lo alto de un palo, el gran gallo de don Victoriano soñaba con una granja de esas grandes que tienen más de cien gallinas. "¡Vaya una empajada!", se estaba diciendo, cuando un puño de hierro lo trincó por el gaznate y le privó el resuello. No dijo ni pío. Pepe entregó el desmadejado animal a Venturilla y dio con pasos de gato un nuevo rodeo.

Dieron lan don en la Catredán. A los cinco minutos bien corridos soltó las suyas la campanita del Gabinete. La cuadrilla fue reuniéndose en el punto señalado. Todos estaban, menos el compadre Pepe. Pero él mismo había dicho: "Cuando esté la mayoría junta, hay que echarse afuera. El que farte, ya se las endengará." Pegaron a saltar...

A Monagas lo había perdido un antojo... Se retiraba, cuando sintió un dulce pugidito. Era una baifillo de unos veinte días, granado y blanquito como la espuma. "¡El pobresillo, se dijo el compadre, agarrando relente aquí, y el bandío de don Vitoriano bien acostao en su buen colchón de crín...! Vámolos, querío, de aquí, que jase mucho frío, y tú sos chiquito entoavía." Cargó con él, trincándolo de morros, no fuera a cantar entre gallos y media noche, como aquel que dice, y lo echara todo a perder. Pero tropezó en una sorribilla y soltó la sordina. El baifo bajó con un desconsuelo que arrancaba el alma. Don Victoriano, que andaba orejiando entre el sueño, soliviantado por ciertos desusados y misteriosos rumores, brincó del catre en camisilla y con los calzoncillos largos, a los que les colgaba una cinta, que se había soltado él en la noche por la bulla de una pulga que lo traía tieso. Corrió, escopeta en mano, hacia el huertecillo. Monagas sintió que llegaba, resoplando. Largó el baifo e intentó subir por donde primero le cuadró. Tenía delante un medio estanquillo donde bebía el ganado. Se encaramó en él y garrapateó buscando el lomo del muro. Ya arriba falló la tierra. El compadre cayó en peso dentro del estanquillo. Al ruido del agua acudió don Vitoriano. Lo encañonó.

—¡Si jaces un remeneíto siquiera, te jinco un tiro que no arcansas ni a Padre Dios!

—Ta bien. Baje la escopeta y no se bote—contestó el compadre, rizo, escurriéndose el agua.

—¿Qué jases asquí, bandolero?

—Pos na, que vine a retratarme...

—¿A retratarte, so jediondo...?—y don Vitoriano se acercó, alzándolo por el entripado cuello de la americana e intentando verle la cara—. ¿Quién sos tú? ¿Cómo te llamas?—preguntó, matón.

—Como a usté se le antoje: ¿no me está usté sacando de pila...?

31

DE CUANDO PEPE MONAGAS FUE A OíR UNA VIEJA RADIO "CA" DON PEDRO EL *BATATOSO*

Corrían los tiempos dijéramos prehistóricos de la radio, la "edad de tenique" de la onda, la antena y la válvula. Llegaron a la ínsula los primeros aparatos, unos largos y enrevesadísimos cajones con una bocina en todo lo alto, al modo de los viejos gramófonos. Y quien tuvo comezón infantil, imaginación y cuartos, compró su "el la radio", como fue llamada por la gente del pueblo, que también tiene su corazoncito. La media docena de isleños que se embarcó en tal compra aguantaba después hasta altas horas de la noche —algo más de las once dadas por la Catedrán— una tropilla de amigos, que entre asorimbados y socarrones se apretaban en torno a la mesa donde el sonoro huacal montaba su mágica enredina de hilos y mandos. De la expectación solían salir luego con una cargazón de cabeza como una sandía de Lanzarote, en especial aquél que por "entender de electricidad", o sea, por ser bien amañado para hacer trampas de la luz, se pegaba de las perillas y se partía la atención y el espinazo en busca de una voz humana o de un pizquito de música. Que pese a tanto cable menudo y a tanto chisme, no salía nunca. Mentiríamos si dijéramos que en "el la radio" no sonaba nada. Mas también diríamos una batata si escribiéramos aquí que sonaba algo más "garrasperas", "singuidos" y en ocasiones algo así como el rumor sordo de un tropel de animales pasando un camino, aparte cierto zumbido semejante al de un abejón.

—Eso está tupío—solía observar alguno de los circunstantes. El amo del aparato se calentaba y todo.

—El que está tupido es usté—replicaba, aliviando su rasquera por la adquisición de aquella trapisonda mecánica.

Uno de estos insulares que se mercó su aparato fue don Teodomiro Tabares, caballero de Vegueta, con casa de alto y bajo en la calle de los Reyes. La verdad es que don Teodomiro, hombre de por sí porrón y más bien amigo de que en su casa no se escuchara ni el vuelo de una mosca, no la quería comprar de ninguna de las maneras. Pero pegó sita Concha, su señora, y pegaron las siete niñas que arreo le trajo al mundo sita Concha, a decirle que "anda, hombre", que "mira que eres, hombre", y que si por esta vida y que por si por la otra, y nada: el hombre se fue ca don Abraham, tiendero del Puerto que las vendía, y arancó con una. Por cierto, fue una vaina meter el aparato en el viejo coche del acarreto, porque tiraba a cómoda en el tamaño y no entraba ni rempujándola. Hubo de tirar de la tartana. Cabe decir también que una de las poderosas razones de la adquisición fue la emperrada soltería de las pollitas. Había que tirar cualquier clase de lance y colocárselas al mayor número posible de peninsulares. "El la radio", dando un buen motivo de reuniones, funcionaría también como engodo. "El que es bobo, que aprienda", decía por cierto una mujer de Tenoya que estaba acomodada ca don Teodomiro desde antes que nacieran las siete niñas. Podríamos decir que en lo que tuvo de garabato social fue en lo único que el cajón rindió. Entraron en casa los cuatro pretendientes de las cuatro mayorcitas. Y de puertas adentro fue más fácil para sita Concha emburujar a los que estaban consintiéndolas. Los paseos del Parque eran demasiado sueltos y hasta algo finchandillos, y los descansos del Teatro no daban para nada. Lo cierto fue que la madre canaria no anduvo muy descaminada: dos galanes —uno peninsular, destinado acá, y un pollo del país que embarcaba tomates a Londres— entraron en falsete.

Pese al éxito, don Teodomiro estaba requintado con su aparato. Alguna vez que se sentó a oírlo, se levantó rezongando: "¡Vaya un guineo, caballeros!" Y trasponía para el Casino, donde embutía el traste en una mecedora y se estaba callado tardes enteras. No veía, pues, las santas horas de quitárselo de arriba. Un día aprovechó el jasío que le procuró una muerte familiar: entregó su alma a Dios y su cuerpo a las Plataneras, a los noventa y siete años corridos y después de recibir los auxilios espirituales, doña Pino Matos Guerra, dama de acrisoladas virtudes, por lo que se había hecho acreedora al aprecio general. Su entierro constituyó una imponente manifestación de duelo. (Esto según el periódico. Según don Teodomiro, desde que tuvo uso de razón no hizo otra cosa que provocar: a él, "por individual", lo trajo tieso durante cuarenta años.)

Cuando el caballero, cerrado de negro como un tintero de tinta china, recaló de nuevo por el Gabinete, después de las misas de San Vicente que dijeron en Santo Domingo por el alma difícil de doña Pino, pegó a sacar conversación sobre el aparato de radio. "Si no fuera lo alegantina que es la gente—se dejó decir—podríamos escucharlo, pero a Concha la mía no le gusta que la critiquen. ¡Hay que darse cuenta, caballeros, de que doña Pino era su madre, y madres no hay más que una!" Los caballeros circundantes asintieron, graves y entrando en gueldera. Que era lo que el zorrocloco de don Teodomiro quería... Picó señor don Pedro el *Batatoso*. Después de un regalito por poco más de medio duro, trincó el cajón y la bocina, lo metió en la tartana de *Pata Loro* y tiró con él para la calle de Pedro Díaz.

Aquello constituyó una revolución en todos los alrededores de Santo Domingo. Don Pedro se escarranchó a decir donde quiera que arrimaba el alto, flaco y desparpajado bulto, que había oído un discurso del Papa en italiano y en español, un concierto de Alemania, otro de gaitas en La Coruña, "o por áhi", una ópera enterita "arriba en Milán" ¡y qué sé yo cuántas cosas mías! Cuando la gente, asmada, iba a casa del inmenso mentiroso, escuchaba, a lo largo de las dos o tres horas que duraba la pesca de la onda —que se "estorsía más que una vieja casivera", al decir de Monagas—, las cosas siguientes: la marea subiendo y bajando en la pedrera de atrás del Teatro; tal cual perro con un gangarro al rabo; lamentaciones de un duelo en una casa de costeros del Risco, con sus buenos esperridos entreverados; un baile, escuchado desde el piso de abajo de una casa sin cielo raso; los afilados zinguidos de esas puertas de las casas de la playa que se empenan de la marecía y luego no ajustan; un potaje de silbidos de pastores, y sétera.

—¿Pero usté, no dijo, don Pedro, que escuchó esto y lo otro...? —le preguntaba el personal, desconcertado.

—¡Pos está claro que sí! Lo que pasa es que esta noche hay mucho armoférico de ese.

Naturalmente, la cosa se comentó en la carpintería de maestro Peque Quintana. Y la jarca de tertuliantes se plantificó una noche en la casa del señor don Pedro el *Batatoso* dispuesta a gozársela como quiera que fuera. Ni que decir que con la cachorra sobre las cejas allí estaba compadre Monagas. Pegó señor don Pedro a manipular en las dos docenas de mandos. De allí trinco, de allí aflojo, el gesto expectante y la oreja alerta, el hombre tuvo a sus amigos mantenidos casi en silencio hasta casi lan don

dadas por la Catedrán y lan don y cinco por el Gabinete. Mastro Juan Jinorio, que también diba en la rueda de presentes, era
de los más pegados al aparato, con la cabeza casi metida en la
bocina. Dominando el tumulto de ruidos, una de las veces compadre Monagas le preguntó:

—¿Mariscas argo tú, Manué?

—Un rebumbio, un rebumbio, na más, querío.

Pepe reviró contra don Pedro, guasón.

—Mire, don Pedro—le dijo—, véndalo, compre un For y ajo-
rre la diferensia...

Al pie de este ganchito del mal tabefe, y de repente, comen-
zaron a salir de la verde bocina unos extraños zinguidos, como
viento en rendijas, que en seguida pegaron a afilarse y derivaron
a silbidos, modulados como el canto de un mirlo.

—¡Apárese áhi, no menee náa!—gritó Monagas en pie, asus-
tando al personal—. ¡Déjela ansina, don Pedro, y abran la oreja
toos!

La gente se quedó silenciosa y suspensa un largo instante.
Los silbidos seguían, a veces suavitos, a veces agudos como los
de un pastor cumbrero.

—¿Pero cuálo es lo que pasa...?—preguntó al cabo Vitorio el
del *Pinillo,* que se había tendido todo sobre la alta bocina de
"el la radio".

—¿No está oyendo, bobo? Que hamos agarrao la estasión de
la Gomera...

32

DE CUANDO PEPE MONAGAS DESPRESTIGIÓ EL CAFETÍN DE FRASCORRO EL DE PEPA LA *CHOCHA*

Frascorro el de Pepa la *Chocha* tiró para La Habana, en los
tiempos risueños en que todavía se podía cantar, a ritmo de "punto", aquello de "... en Cuba todo se encierra, Cuba es un jardín
de flores", o sea, antes de que a la perla del Caribe le saliera
la barba. Y tiró con una mano atrás y otra alante, como suele
decirse para pintar una pobreza "de ampliación", con tarlatana
verde y todo. Usamos un símil fotográfico para significar lo mi-
seriento de su situación. Los desheredados que comen algo más
que un caldo de verguillas al mediodía y un sopeteo de pan moreno y agua de pasote por la noche, éstos tienen una pobreza de
"afoto" de carné: más bien chiquita, aunque bien leal. En Cubita la Bella, a Frascorro el de Pepa le florecieron las piedras.

Al cabo de los años recaló en La Luz con un jipijape, siete dientes de oro, una guayabera rajada atrás y un cinto de maja cuya hebilla plateada le ayudaba a lucir el vientre, crecido a fuerza de años y potajes. En el Banco tenía pesos, no digamos que a fuleque, pero sí los bastantes para poner lo que él llamó ante su frustrada y envejecida mujer y sus hijos, ya granditos, "un pisco de negosio".

Frascorro el de Pepa la *Chocha* traspasó en las bandas de la Plaza un cafetín, convirtiendo la mitad en timbeque de beberío y enyesques, con moscas cuantiosas y sobejas, y la otra mitad en churrería. En lo alto de la puerta mandó pintar un rótulo de refistoleados caracteres: "La Prosperidad —copas y enyesques—. Churros y chocolate fino." Frascorro se especializó en el chocolate por una presunción: le gustaba que a su cafetín acudiera "gente buena". Nacióle tal debilidad cuando le empezó a entrar de amanecida el personal de los tumbos en las fiestas sonadas del Gabinete, el Club, el Mercantil, y sétera.

—Pónganos unos chocolatitos y unas rueditas de churros—pedían los caballeros del Casino y sus señoras enfiestadas, con las etiquetas alegres de confetis y tal cual lamparón de güisqui.

Frascorro se desborrifaba todo:

—¡Esús! ¡No fartaba más, caballeros y damas! A tirito está todo. ¡Tuuu...!—se dirigía, imperante, a una criada porcallona con la que venía batallando para que dejara de sonarse con la mano y de limpiarse luego ésta, pasándose la personal brillantina por toda la moroña, hasta arrente del liendroso rodete—, tú, Corina, menéate y has unos chocolates. ¡Cosa asiada!, ¿oíste?, que es gente fina y me interesa, ¿oíste?

El le echaba un vistazo a las jicaritas, comprobando su punto, probándolos después de soplar hasta enmendarle la pureza al chocolate con alientos del virginio y agentes patógenos de su viejo infiltrado bronquial y otras porquerías traídas de Cuba y celosamente guardadas entre pecho y espalda. Cuando las tacitas estaban a punto, Frascorro el de Pepa le pasaba al roído hule de las mesas una vieja camisilla en función de paño de cocina. Y pese al rancio del trapejo, las mesas quedaban que en ellas se podía freír un huevo.

—¡Vamos a ver es der gusto de los caballeros y la compaña, séase las damas! Yo, ende luego, me ha esmerao debidamente, dao que la parroquia lo merese, y no es adular. Que yo tendré de too, pero de adulón ni el negro de una uña, ¿oyó?—y sonreía, después de un gesto grave, dando gusto verle, al tiempo que la fila de áureos dientes, colmillos y muelas, la privación con que atendía el servicio y la observación anhelante del gesto con que su

distinguida parroquia del parrandero amanecer subraya las calidades de su "chocolate fino".

—¿Qué tal...?

—¡Esto manda las peras a la plasa, Frascorro!

—Lo que se debío y na más, ¿oyó?

El chocolate de Frascorro se hizo famoso hasta en Tenerife.
Cuando llegaba un correíllo estibadito de chicharreros porque
jugaba acá, a un suponer, el *Deportivo*, los propietarios del Teide
gigante generalife tiraban el peso para casa de Frascorro el de
Pepa. En estas ocasiones, dijéramos "de reboso", Frascorro servía
el chocolate con sudor, en fuerza de no dar avío y de afanarse
como se afanaba.

Pues con Frascorro tuvo compadre Monagas cierta madrugada
unos revuelillos. Resultaba de ser que recaló con su jarca una noche de mucho jolgorio. No quisiera mentir, pero me parece haberle
oído al mismo compadre que fue por San Pedro Mártir. Había
atracado en *La Prosperidad* tal gentío que se tiraba una naranja
y no caía al suelo. Pepe y su cuadrilla se sentaron por allí y se
pusieron a esperar. De vez en cuando alguno de los del grupo
lanzaba su llamada con la calmosa impaciencia del país: "¡Tú,
Frascorro, mira avéee, hombre, de una ves! ¡Oh, padrito!" El
churrero no tenía atención y manos nada más que para la "gente
fina". Allí donde lucieran las brillantes solapas de un "smoking"
o los escotes empolvados como cucas de algunas damas, allí estaba
Frascorro sirviendo jícaras en exclusiva.

—¡Habráse visto el apopante desgrasia éste!, ¿eh?—rezongó
el compadre Juan Jinorio, que también diba en la rueda de presentes.

En un momento en que Frascorro el de Pepa la Chocha salía
de una mesa de "gente buena" camino de la cocina a por un encargo, el compadre Monagas le metió un guapido:

—¡Adulóoon!

Frascorro se paró en seco, como cuando se para una película,
quedándose todo cambado. Luego se fue volviendo con una cara
de caliente como la puerta de un horno. Terminó por acercarse a
la mesa de aquellos desgraciados.

—El presonal que no esté confolme con lo que quiera que se
jaga de esas puertas adrento, arranca la caña y a escupir al barranco, ¿tamo? ¡Ha dicho y listón!

—¿Te quieres callar la boca tú, arpa vieja?—le replicó, más
bien alto que bajo, Manuel el *Mulo*, al tiempo que preparaba una
piña como una mandarria.

—No apures el gallo, tú, Manué...—metió baza compadre Monagas, conciliador.

—¡Aquí endentro, ¿tan oyendo?, no me da esperríos naide

más que yo, que soy el amo! Y ha dicho ya que por la puerta se coge la calle.

Monagas lo paró con una habilidosa calma.

—Tú estás aquí pa espachar, Frascorrillo, hombre. ¡Jaste cargo! Y pa espachar a jecho, ¿oíste?, séase por tusnio riguroso, como en la cola de la guagua. Lo mismo debiera darte que viniera Alejito que viniera señor Conde. ¡Digo yo...!

—¿Tú sos el amo de esto o yo...? ¡Ah!

—¡No te calientes, deja eso pal chocolate! Y vente a rasones, hombre, Frascorro, que jablando jasta los ingleses se entienden, fíjate.

La gente de los flus de etiqueta pegó a llamar, impaciente.

—¡Pa ustede no hay chocolate!—gritó de pronto Frascorro a Monagas y los suyos, ya negro como una mora—. Pueen trasponer dende este presente momento.

Dio media vuelta y tiró camino de la cocina.

—¡Adulóoon!!!—volvió a guapiarlo Monagas, ahuecando el cloquido porque pareciera de otro.

Frascorro el de Pepa la Chocha del Tinglado arrancó a Casimirito el guardia de una conversada despaciosa y soñolienta que tenía con unos fruteros de Santa Brígida, y se lo trajo a su cafetín. Compadre Pepe se mostró fino: le dijo a Casimirito el guardia "que tomara asiento y se mandara con ellos, su pisquito de chocolate". Frascorro se puso que cogía las vigas del techo. Maguado por no haberse podido aprovechar de aquella insólita convidada, Casimirito impuso las ordenanzas municipales. Con las barrigas defraudadas y los moquetes a flor de las coyunturas, Monagas y los suyos tuvieron que salir para la calle.

Desde aquel día el compadre "la cojió" con el cafetín de Frascorro el de Pepa la *Chocha*. Donde quiera que se escarranchaba ponía sus servicios de caldo y cocina. Lo menos que decía era: "Frascorro no es endiViduo de cosas claras y chocolate espeso, como sería debío, de unas, por hombre, y de otra, por su negocio. Frascorro es persona que lo da too ralito, tamién el chocolate. Fregaúras, diría mejor."

Una cierta tardecita recaló por la carpintería de maestro Pepe Quintana señor don Pedro el *Batatoso*, y salió en el conversar el cafetín de Frascorro. Dijo don Pedro:

—Cabayeros, antes de antier los levantemos pa dir a la Cumbre a casar, y fimos a bebesnos un gotito de chocolate cas de Frescorro... ¡Cosa asiaa, cabayeros! ¡Ni el de la casa de uno!

—¡Quite pa allá, hombre!—lo atajó Monagas, requintadillo—. Al moo usté no sabe lo que es chocolate. ¿Cuándo aonde ha sío bueno el de Frascorro...? Y aluego lo que se sirven a usté: ¡un pisco!, que no le llega a usté a la muela trasera.

—Caracho, pos me estraña...—se quedó don Pedro caviloso—.
A losotros nos pusieron antes de antier una media escuillita que
daba gusto...

—Estaría templao. O será que le va peír algún favor a usté,
porque lo sierto es que lo que le pone a usté delante Frascorro es
un dealito. Mire, sin dir más lejos; la otra mañana caimos por allí
yo y Ventirilla el *Táita*: "Tú, tráilos unos chocolatitos, ¿oítes?",
le dijimos a Frascorro. Yo le peí tamién un biscocho ilustrao. La
tasa no tenía más que un pisco de náa, en buena fe. Pero me callé,
¿qué diba a jaser...? Lo sierto es que voy a meté el biscocho de
remojo, mano, ¡y en mala hora!: si no jalo por él tan pronto, se
mama el chocolate...

33

DE CUANDO PEPE MONAGAS LE COBRÓ UNA VIEJA CUENTA A UN BALTASAR DE AQUÍ DE LA PARTE DEL SUR

Vencido por la tenacidad de su mujer, la buena de comadre
Soledad, que a fuerza de amulamientos, hocicones y remangos, a
veces, y otras a golpe de esperridos, detupiduras y hasta lágrimas,
conseguía al cabo que el marido metiera el hombro y volviera
al cuartito risquero con unas perras con que ir sebando la ola
si no del hambre, sí de la gana de comer, Pepe Monagas se alistó
una vez en las cuadrillas de peones que tuvieron a su cargo el ya
histórico arreglo de la calle de Triana. Corrían los tiempos en
que todavía la rua principal tenía adoquines en lugar del asfalto
que luego le pusieron para que la pollería que la pasea en la
tardecita arriba y abajo, entre la viva calentura de los guagüeros,
pudiera arrastrar mejor los zapatos. Que sí que los arrastran, en
parte por la peculiar indolencia y en parte por lo que pudiéramos
llamar "psicosis de palomos". A falta del ala con que subrayar
el "arrucutucumba" del galante, si que tímido rodeo, el pollito
isleño arrastra los zapatos. Los pone perdidos, pero París bien
vale una misa.

Mandaba la cuadrilla del compadre, en función de capataz, un
tal Baltasar, de aquí de las rayas del sur. Baltasar era un sujeto
que lo mandan a hacer de encargo, tomando como esenciales elementos agua de Carabaña, tuneras coloradas, vinagre de la tierra
y partes posteriores o traseras de botellas, y no sale más cumplidamente malamañado y con peor tabefe. Alto como un pino,
menudo como un palo de varear, con hechuras de cerbatana, en-
mendado el costillaje por una cargazón que lo disponía como a

topar, o como a entrar al cabe por nada y cosa ninguna, amarillo de una tirisia más vieja que el Pendón, que al modo tenía la carajaca averiada desde que lo concibieron, y los ojos como aceitunillas ajorradas, el capataz Baltasar era tan querido en la obra como unos fríos y calenturas.

Al compadre Monagas se le atravesó de entrada en la boca del buche como una espina de cherne. El otro debió haberse olido esta... voluntad, porque pegó a corresponderla con el mismo aire de entrepuertas. Para colmo, Pepe, que había empezado a llamarlo entre sus compañeros de tajo "Basaltar", trabucando por choteo las letras, lo llamó así un día en sus barbas.

—Oiga, mastro Basaltar...

El otro dio un respingo y lo paró en seco.

—¡Quítateseme'lantre, porque te pego un pugío que te corcovo! ¡Y a ver si apriendes mi nombre debiamente, que tú sos el que va a saltar, me parese...!

—Asquí no se ha jablao de que vaya a saltar naide, ¡digo yo! Yo me ha trabucao y listón. Pa más, no hay palabra mal dicha, sino mal comprendía—le replicó el compadre haciéndose el manso, pero brincándose el tieso que llevaba dentro en un leve camango de la boca guasona.

—Cáyate ya y vete tranquilito, ¿oíte? y no te trabuques, que es pior...

De allí en adelante, "mastro Basaltar", como ya se quedó para los restos, le cogió tal inquina a Pepe que si lo veía resollar se ponía malo. Para él fueron los picos de más gorda encavadura, para él los más requintados corchos de mezcla, para él los transportes de los más recios teniques que afloraran en la obra... Encima le gritaba si lo veía un instante quito, arrimándose candela a la misca del virginio o secándose el sudor.

—¡A ver si espabilamos, tú, que te están royendo el cabo ca dos por tres!

Al pie de uno de estos persecutorios guapidos, el compadre ya no pudo más, aparte de que estaba de aquel trabajo, "tan retundidor", hasta más arriba de la mismísima moña. Soltó esa vez:

—¿Pero, oiga, usté se ha creío que yo soy la máquina de la china, o qué...? Tampoco se puee avasallar a los suidadanos de semejante manera, ¡digo yo! Si usté quiere albalda, compre burro, ¿oyó? Usté será mastro Basaltar, pero yo soy Pepe Monagas. ¡Y a mí!, ¿ta oyendo?, aunque usté no fuera Basaltar solo, sino Basaltar, Melchor y Gaspar, too junto, a mí no me abacora usté.

Botaron al compadre como agua sucia. Aquí para nosotros: él se fue "más alegre que unas Pascuas". "¡Vaya una vaina, cabayeros!", se decía recordando aquella servidumbre de ocho horas arreo, con sólo una de alivio para el potaje de enredaderas y la pellita con queso chasnero.

Pasó el tiempo. Y un día...

Repicaban gordo por Señor San Juan de Terde. Compadre Monagas había ido abajo con turrones. Como fue año bueno de papitas y demás, vendió a fuleque. Tuvo que tirar a Lan Parma por refuerzos: unas siete camadas entreveradas y dos docenas de perros y cochinitos de yeso para un molinillo de "a real la más cerca". Al volver trincó uno de los viejos piratas que entonces partían de detrás de la Catredán. (¿Te acuerdas, Juan Rodríguez Doreste, y te acuerdas, Miguel Navarro Jiménez, de aquel hermoso grito que daba el de la "manija" en el camino de Los Reyes: "¿¡Va pa Terde!?") El vehículo se fue llenando al golpito, hasta requintarse. que ya no entraba ni un papel de fumar. En la parte de atrás fueron encajonándose una señora más bien gorda ella y con cara geniosa, una polloncita que no rebasaba los veinte años y que estaba de rechupete, mejorando lo presente, y el compadre Monagas, medio escorado. Y en esto que arrima su desgambilado garabato y su mala pinta el que fue capataz del compadre, "mastro Basaltar" en persona. Alguna jiriguilla le venía trabajando el duro y gacho morro, porque ni se percató de quiénes eran sus compañeros de viaje. Mas al poquito de estar en la espera, levantó el menudo mirar, dio un vistazo a la señora de los sobrados kilos y paró los ojos cuanto pudo en la chiquita que iba a la banda y que era hija de la grave viajera.

El chófer le metió al *Super*, por delante, una larga manivela. Luego sacó la lengua y le sacudió al hierro tres apulsaditas vueltas. El pirata pegó a retemblar y a poco pasaba los Reyes, la Placetilla, los Callejones, las Tenerías, la Puntilla, la Hoya de la Plata, La Laja... Por fin, el Túnel a la vista. Con unos tremendos carraspeos, el viejo coche cambió la velocidad y entró, tardío y asmático, en el oscuro. Deslumbrados por el vivo sol de fuera, los viajeros no veían tres montados en un burro.

Y en este momento sonó una cachetada como un queso de Guía... "¡Rián!"... Al pie se hizo el más cerrado silencio.

Al fin salió el *Super* a la claridad de la Mar Fea. Nadie se estremeció, siquiera, cada cual trancado y finchado. Y con un pensamiento: "¿A quién le habían metido esta bofetada...?"

Años después, cuando compadre Monagas relataba el lance, le echaba fantasía al asunto, antes de aclararlo.

—El presonal—decía—tuvo que pensar así: La señora geniosa: "Esta ha sío mi niña, que el mou la alcayata esta que lleva a la banda se haberá despropasao él y ella le ha soltao su cachetón. Sale a mí. ¡Qué güena estuvo!" La polloncita se diría: "Seguro que ha sío mi madre. Por los moos, el turronero éste, pensándose que era yo... ¡Y mira!: ella le ha dao su revés. Y es que él no la conose. ¡Que se lo pregunten a mi padre!" "Mastro Basaltar" cavilaría de esta manera: "¡Vaya con el palanquín ese de al lao, que se ha querío aprovechar del oscuro! Aluego la niña ha pegao de mí..."

Monagas remataba, glorioso:

—Y yo me empajaba diciéndome: "¡Con las ganas que tenía yo de jincarle su galleta a mastro Basaltar!"

34

DE CUANDO PEPE MONAGAS VIAJÓ EN LA GUAGUA CON UNA SEÑORA MÁS BIEN FEONA

Fue un domingo risueño y deportivo de otro tiempo recuperable, como algunas fiestas. Había habido encuentro de mucho vocerío y mucho puro en la vieja gallera del Camino Nuevo, entre joseítos y trianeros. El jeridero de gente por ese Bravo Murillo abajo y en timbeques y cafetines, daba miedo. También se meneaba especialmente la carretera del Puerto y el Puerto mismo. En el que fue teso de fútbol del Muelle Grande, después del lío con don Domingo por el Campo España, se iban a partir el pecho y los tobillos aquellos cheches de lo que la prensa local llamaba en sus artículos serios "deporte balompédico": el Marino... "¡serenidad, Marinooo!" —y el Victoria—, "¡arriba de ellos, Vitoriaaa!"

Compadre Monagas había perdido en los gallos jugando a San José. Cabizbundo y meditabajo cogió la guagua y tiró para el Puerto. Eran sus amores azules. Los marinistas estaban en la obligación de agarrar una ronquera por el equipillo de Fuera de la Portada en aquel partido decisivo. Y hasta de soltarle una pedrada a alguno del Refugio "si se enroscaba más de lo debido". "¡Serenidad, Marinooo!", gritaba Juanito Alonso, con la guagua arrimada en banda y la vida suspensa de un color, "asulito como la marea". Tres punterazos le valieron al Victoria tres goles como la casa de don Bruno. El "tim" de Alamino, "pechito d'ioro", pudo hacer a última hora, y medio de chiripa, eso que los cronistas deportivos llaman "el gol de la honrilla".

Dispuesto a olvidar el desastroso domingo, Pepe Monagas entró con la quilla en los cafetines de la Manigua.

—Póngame un misturao—pidió para hacer boca.

Se mandó allí los dos primeros "macanasos del olvido". Des-

pués salió, y aquí se larga un pisco, más allá se larga otro, a la
bulla y en su tufo, el compadre estaba en piedras de ocho. En
el último tumbo cayó en *Los siete charros,* donde entró a entullir una mezcolanza de un vinito seco del Hierro, dorado como
una meloja, con pota asada y unos cachitos de pan moreno.

Cuando el compadre trincó la guagua para volverse a Lan
Parma iba cuajado como un beletén. Llevaba una chispa de mal
tabefe. Allá dentro, en lo más metido del turbio coco, lo trabajaban como carcomas dos negros barrenillos: las pesetitas perdidas en la gallera y la desgracia de su Marino frente al listado
de blanco y negro once porteño. "¿Me caso en La Bana?"

Pepe viajaba de "pien" en una malamañada y estibadita guagua. Se guindó con la mano derecha de la barra del techo y agachó el morro sin más remedio. Delante suyo iba, también colgada, porque ya empezaba a usarse la fea maña de no darle el
"siento" a las señoras, una mujer rara, más bien alta ella y más
bien flaca, cerrada de negro y con un cordón amarillo amarrado
a la cintura, los ojos más cansados que una alcayata, bigotuda
y entrecejada como la ampliación de un retrato antiguo, y de
una palidez de engrudo de para afuera. Ni de encargo sale más
fea la vecina.

Y ocurrió que cada vez que la guagua arrancaba, sacudiéndose toda como mulo con moscas de caballo, Monagas, por la
mamada, le metía un empellón al cocorioco que llevaba a la
banda. Ella se limitó, por lo pronto, a torcer el cardo que tenía
por boca, en un agrio camango. Al segundo trompicón, se la oyó
el cloquido.

—¡Júuuum...!—dijo en una especie de rezongo de perro bardino.

El compadre, ni enterarse. Por frente a la playa de las Alca-
rabaneras, uno de atrás gritó de repente y con cierto apuro:
"¡Apare en la esquina!", cuando la esquina estaba ya rebasada.
El de la manija metió arrente el "espedal" del freno. Todo el personal se conmovió. Sin poderlo evitar, el compadre se descargó
en peso sobre su vecina la fea. Ella reviró engrifada como un
macho salema. Y todavía trancada, echó a Monagas unos ojos
que eran verdaderas pimientas de la mala palabra. Arrente de
la torina mirada hizo tal jocicón que hasta el sombrero de un
Estebita el de la Portadilla, también viajero de los sentados, saltó
como si lo hubiera alcanzado uno de esos golpes de viento que
suelen brincar repentinos delante de la Catredán. Estebita asiscó
por el aire su cachorra, al tiempo que gruñía: "¡Oh, y este airote ahora...!"

Desmadejado y oscilante como un espantapájaros al viento,
los ojos yendo y viniendo de la soñarrera al rebrillo guasón, Pepe

pegó a mirar a su compañera de guagua de raspafilón. Fue entonces cuando advirtió que era más fea que pegarle a un padre.

Un poquito antes de arribar a Lugo, la guagua hizo un esfuerzo para no escachar a un perrillo chimbo que se tiró a la carretera. El de la manija soltó una frase fea, pero apropiada. Monagas se fue de banda. Y al trincarse de bolina para no salir estampado, fuese nuevamente arriba del cocorioco vestido de negro y con un cordón amarillo en la cintura. La señora pegó entonces a dar bufidos, ya resuelta, cogiendo tal aire de mula de cuartel que hasta los que nada tenían que ver con el resultado de tales remeneos se encogieron, rizos. El compadre fue recogiendo la atención sobre la cara birolla de la viajera, al tiempo que ella se desarretaba en lo que en los periodísticos artículos de fondo llaman "denuestos o improperios".

—¡Fartaba más con la maná sinvergüensas, desfachataos éstos, que ya no se va a poer ni dir en la guagua! ¡Borrachos susios, que mejor les diera vergüenza, gastándose el jornal en beberajes, a la vez que llevaslos a casa! ¡Pos ya...!

Pepe resolló, al fin.

—¡Señó, yo ha visto esta cara...! ¿Onde ha visto yo esta cara, usté...? ¡Ah, en Asuaje!—terminó, triunfante, al hacer el "descubrimiento".

(Para los lectores de hoy aclararemos que entonces había en Azuaje una mona, o séase, una machanga —la mona de Azuaje—, muy fea, claro está. Era el segundo antecedente del parque zoológico insular. El primero fue el león del Parque, del que alguna vez volveremos a hablar, pues tiene una historia bien bonita.)

En efecto, el parecido de la señora con la mona de los baños, era notable.

Pepe se dirigió a ella, después de poner cara de intrigado.

—Dispense usté, pero o usté es de Asuaje, o tiene familia allí...

A la viajera se le pegó un temblor de fríos y calenturas. Con un estremecimiento en el quejo empezó a soltar por esa boca... Lo menos que dijo al compadre fue: "Jediondo, tiesto, arritranco de los isfiesnos, sinvergüensa de tres mil demonios..."

Poniendo una cara de desconcertado y bondón, Monagas reconvino:

—¿Señora, pa qué se pone asín, porque la he preguntado por la familia, y na más...?

—¡Bandío, ordinario, arranclín!—rugía la viajera, largando espuma y retrincando coces y chabascadas—. ¡Borracho susio, borracho asqueroso, borracho indesente, borracho malcriao...!

Metida en un jalío por la vehemencia de aquel embate, la mujer se calló un pizquito. Y el compadre Monagas aprovechó

el jasío para decirle, con la boca más cambada que nunca por
la guasa:

—Borracho, ende luego, sí, señora. Pero a mí se me quita mañana...

35

DE CUANDO PEPE MONAGAS LE METIÓ UN GUAPIDO A MAESTRO PEDRO, EL OPERADOR DEL VIEJO *CIRCO CUYÁS*, POR MOR DE LA BERTINI, LA OJEROSA Y GUAPA ESTRELLA DEL CINE MUDO

Tiempos verdes del cine. Quiere decirse, tiempos no maduros.
Más claro todavía: los de las películas en gris cerrado, como el
alivio de un luto, y desasosegadas y brinconas igual que si tuvieran el mal de San Vito, y con bocas chicas y grandes pame-
las, y sétera. Tiempos inefables de las cintas mudas. En la Ciudad, una sala con más color y más historia que una cupletista
de subido reburujón: el *Circo Cuyás*, que era esto —circo—, y
teatro, y cine, y gallera, y lo que quiera que fuera cuadrando.
En la cabina, por las temporadas peliculeras, maestro Pedro, el
veterano y más castizo operador de la Gran Canaria, Lanzarote,
Fuerteventura e islas menores. Y por los tendidos de gallinero,
un grito de guerra, que cuajó entre los dichos isleños con fortuna: "¡Más despasiooo, maestro Pedrooo!" Lanzábanlo los nerviosos, que atribuían las carreras de las películas —en ocasiones no había tiempo de leer los breves letreros con que el espectador iba cogiéndole pies y cabeza a las tremendas o a las
regocijantes historias— a que maestro Pedro tenía que hacer alguna diligencia, o estaba convidado a una última o a otra rumantela por el estilo. El hombre entonces se fechaba a la manivela con todo su pulso y en menos de lo que el diablo se
arranca un pelo aparecía el aviso de liquidación: "Fin de la séptima y última parte." Al soco de su "temperamento", él oía de
arriba el güapido clásico: "¡Más despasiooo, maestro Pedrooo!",
como quien oye garujiar. Así se fumó muchas veces lo mismo
las películas normales, que aquellos apasionantes rollos de treinta
partes, verdaderas novelas por entregas en imágenes.

Eran los amos, entre otros, Charlot, Max Linder, Maciste,
Eddie, Duncam, Tulma Tod, con cuyos sombreros no podía com-
petir ni el más florido patio de Vegueta; Rodolfo Valentino, que
clavaba la mirada en un cerrojo, un poner, y lo dejaba más ralito
que un bienmesabe; Francesca Bertini, cuyos ojos en blanco y

cujas ojeras como un luto por una madre ni tienen pintura ni tuvieron par...

Por siete perras y media, cuarta más, cuarta menos, podía un cristiano gozarse una película y agarrar de camino una puntada en un cuadril, o un desconsuelito en el hueso palomo, a causa de la riga de los asientos, que se resistía arrente de los traseros con una firmeza de tenique. En la misma suspirada suma podía entrar su buena embosada de pulgas y chinches tan bien despachadita como si fuera para revender.

Ocurrían las cosas más pintorescas en estas históricas sesiones cinematográficas. No era —¡qué va!— como al presente. Ahora va usted al cine y se goza un Imágenes, con cosas de Ciudad Real, un poner, que a usted le importan un pito, después un No-Do, y hasta, tal vez, un dibujito de ratoncillos desinquietos y un gatazo que recibe leña como quien tuesta y lleva al molino; por último, pasan la película grande, y a la mediación le dan suelta, en un descanso sin cansancio, para colaborar con las fábricas de tabaco, consumiéndole virginios en media docena de chupadas. Antes era diferente. Antes aparecía un letrero deslumbrado y estremecido que ponía: "Primera parte." Acababa ésta con un montón de rayas en blanco y negro que lo preparaban a usted, pero que muy bien, para unas gafas antes de tiempo. Se encendía la luz y al cabo de un ratito volvía a brillar otro letrero: "Segunda parte." Entre medio, los letreros explicativos y las roturas. Tal juego de sombras y claridades servía para que al cabo los médicos oculistas dijeran a los socios del Gabinete, sus clientes: "¿Usté va al sine con frecuensia?" Contestaban los cansados de vista: "Pues de relanse. Más bien cuando a Concha la mía se le antoja." "De cualquier manera, tenga cuidado con los letreritos. Más vale que se los haga leer por su señora. Entre tanto, póngase esas gotitas por la mañana. Son dies pesetas."

A veces, el operador se equivocaba a causa de una chispa o por distracción. Y entonces, en lugar de la segunda parte, dijéramos, ponía la séptima. Se armaba entonces abajo tal rebumbio de patadas y gritos que al viejo barracón se le abrían dos o tres brechas en sus ancianas y repintadas maderas. En otras ocasiones se anunciaba un complemento, que luego, por misteriosas y no explicadas causas, no se ponía. El público retumbaba como la marea en el antiguo rompeolas y gritaba, más bien de arriba: "¡Farta uuuna..., farta uuuna..., farta uuuna...!"

Las forzadas penumbras y aquellas faltas de compostura hicieron que ciertas familias de Vegueta y los devotos de la ópera y el drama de don José Zorrilla prohibieran a sus niñas ir a las "penículas". Hubo caballero que, sentado en las mecedoras del Casino, se dejó decir, con una gravedad que mal empleadita para la División de la Provincia: "El sine es un relajo. Y arriba estraga el gusto del espíritu de la juventud del individuo. ¡Qué diferensia con la ópera! ¡O con esa *Dama de las camelias* hecha por doña María Guerrero! ¡Quite, hombre!"

Ocurría también que el dichoso operador se equivocaba en otras ocasiones al colocar el rollo y lo metía al revés. Entonces, claro, las imágenes aparecían invertidas. Surgía otro unánime y rítmico clamor de la multitud, en el que coincidían el Risco y Vegueta: "¡Ta al revéee..., ta al revéee..., ta al revéee!" Maestro Pedro arrimaba la mosca del cartabuche, tranquilito, y viraba la cinta, tranquilito.

No hemos dicho que entre las "estrellas" de la época, la Bertini era para el isleño como el lucero de la tarde. Sus apasionantes ojeras, su boquita en forma de corazón, sus tobillos frágiles como los de la más frágil carretilla, y sus maneras desborrifadas, de amante al tiempo refinada y elemental, traían a mucho público del país a maltraer, descarándose, entre éste, los Ricarditos, que andaban, a su sólo anuncio en la cartelera, como con moscas de caballo. Con tal influencia sobre la corriente sanguínea y la imaginación del insular y masculino público, no es de extrañar que pasara lo que pasó una noche en que Maestro Pancho volvió a equivocarse al meter un rollo. La Bertini salía que era un plátano mayero de amanzanadita y demás...

De repente ella apareció en la sábana camera que hacía oficio de pantalla con los pies, tan lindos, para arriba, y la cabeza, tan intensa, para abajo... Y en contra de la costumbre, todos los hombres, que eran los que chillaban, guardaron un impresionante silencio... Sin rechistar, la sala en peso la dejó ir y venir al revés como si fuera la cosa más natural del mundo. Los isleños asistentes, entre los que se contaban aquella noche compadre Monagas, Victorio el del *Pinillo* y Venturilla el *Táita*, se habían sugestionado de tal manera con el arrebatador atractivo de la Bertini, que se dispusieron a esperar una mágica acción de la ley de la gravedad. Pese al extraño silencio de la sala, maestro Pedro se dio cuenta del error. Tapó el foco y encendió la luz...

Sonó entonces una sola y vehemente y ronca voz, por la que hablaba toda la representación masculina del local. El compadre Monagas gritó al operador, con una sinceridad imponente:

—¡¡¡No la vires, bandíooo...!!!

36

DE CUANDO PEPE MONAGAS VENDíA UN LíQUIDO QUE ENGORDABA EN CUESTIÓN DE MINUTOS

El compadre Monagas fue siempre un pillo y un mataperros, pero no un aprovechón. En el país llamamos "aprovechón" a aquel isleño de morro gacho, hocico matonero y mañas de gato goloso que pasito a paso va llenando talegas de hilo moreno, o comprando casitas, más que sean terreras, o atorrando una cuenta de las que llaman corrientes —y no lo son, pues más bien escasean— en un Banco, o prestando al rédito con un diez en el papel y un veinte en el bolsillo. Todo con cara de llorón y como el que no quiere la cosa. Consideraba el compadre, y el que suscribe está con él, que buscarle a la vida sus tranquillos más fáciles con una inclinación alegre y bohemia —con la que se nace, la cual descarga culpas—, esto no es ser zorrocloco-aprovechón. Esto es ser, cuando más y mucho, tiestillo con garabato.

Pepe ha vivido siempre al día, más con el cielo y la tierra que con dineritos en cantidad, que ni sabría ganar con afanes y complacencias de hormiguita, ni podría, como ésta, retener. Que se cree la gente que es fácil disponer de cuartos en mano, olvidando que ellos tienen un mucho de burro malamañado, animal que el maúro maneja cogidos sus tranquillos y a sabiendas de sus vicios, pero que agarra, un poner, a un cristiano poco traqueado en jinetearlo, y le mete un talegazo como los metía *Mandarrias,* que en paz descanse.

Por todo esto que digo, algo gravemente, antes de romper con la verídica historia que sigue, me creo que no resultará escandalosa, ni tan siquiera para los muy mirados de decencia, una de las pillerías más sonadas del compadre Monagas, que él aprendió de cierto libro dejado al morir por Joselito Negrillo, un granadino de mucho trapo que había tenido bastante que ver con la Guardia Civil. Este Joselito nació en Motril, se crió en Granada y en Sevilla y, llevado de su mal asiento y de sus patas de cigarrón berberisco, brincó a Madrid y a Barcelona, donde se recrió, madurando para las parejas de civiles, los banquillos de las Audiencias y las rejas y patios de muchas encerronas más bien involuntarias. Cuando Joselito Negrillo recaló por islas, librado de sabe Dios qué mareas, había amansado, aunque todavía estaba entero. Arrimó en banda el pastoreo y el pillaje que lo hicieron personajillo en el Rastro madrileño y en el Barrio

Chino de Barcelona, citemos como campos especiales de pulpeo, y se hizo inventor. Con recetas de su propio ingenio y otras que fue trayendo en prisiones y por esos mundos de Dios, compuso un libro extraordinario, que conservó Monagas muchos años, hasta que se lo comió, sin conduto y como si fuera un deleite, cierta cabra intelectual que tuvo, la cual llegó a medrar días enteros sin más "alfalfa" que *El Tribuno* y *La Provincia*. (Conviene recordar que de ese genial libro sacó el compadre Monagas las recetas del "chorizo restrallón" y los "polvos matagorgojos", que con tan particular "éxito" fueron aplicados en mercancías de Rafaelito el tiendero. (Creo que alguna vez he contado la peripecia de ese par de inventos, buenos, pero mal comprendidos.)

Los isleños cincuentones tal vez se acuerden de un viejo cantarcillo que se entonaba en la Ciudad por los tiempos de las primeras guaguas, cuando aún iban y venían de Lan Parma al Puerto los amarillos tranvías ciudadanos con sus remeneantes remolques. Decía así el susodicho cantarcillo: "En la carretera'l Puelto—oí una vos que desía—¡qué desgrasiada es la guagua—que achoca con el tranvía!" La copla se hizo verdad en el pobre Joselito Negrillo. En alguno de sus trajines iba del Muelle Grande para Fuera de la Portada cuando la guagua en que viajaba junto al chófer se dio un macanazo de padre y muy señor mío con el tranvía que iba de la Plaza para allá. A Joselito Negrillo se le envainó en la barriga la larga retranca de mano con que el conductor frenaba en la Plaza de la Feria, un poner, e iba a pararse en la Casa Quemada. Estuvo malito sus cuatro días con sus noches y abicó al alborear del quinto con tal cara de magua que hasta en Tenerife fue comentado. Compadre Monagas casi no se separó en ese tiempo del catre donde Negrillo se había fechado en un tremendo regateo de su alma al cielo y del cuerpo a la tierra. Le puso sus inyecciones, le dio las cucharaditas de sus tomas, lo revolvió y lo consoló en la quejumbre, acotejándolo de últimas con tales esmeros que lo dejó vestido como un padrino de boda en San Francisco.

Negrillo "testó" en su favor, dejándole cuanto tenía: una maleta de pinzapo con alguna ropa interior tirando a rengues, dos barajas marcadas y de naipes tan empegostados que con un pizquito de humedad hubieran criado berros, y el manuscrito de sus inventos, del que alguna vez, a poder que pueda, me ocuparé debidamente. La obra tenía un introito y todo. Con letra algo garbanzuda y de rabos finales muy empertigados, Negrillo había escrito: "Aquí no se engaña a nadie, entendiendo por "nadie" al que vaya a aplicar ciertas invenciones que me saqué de la cabeza, o que coseché a lo largo de los caminos y los días, pues a los demás sí." No se podía ser más leal. Entre otras varias fórmulas "para vivir sirviendo a la humanidad sin mucho costo", como el autor ponía también en la introducción, figuraba bajo este título: "Para engordar personas en pocos minutos", la siguiente maravilla: "El artista, que trabajará en ferias y otras juntas de mucho personal, dispondrá de una báscula grande, de estas llamadas romanas, procurando ponerla muy maja con sus pinturas y alguna bandera en lo alto. En una mesita pequeña instalada a la vera del peso tendrá unas botellitas llenas de agua de menta con unas gotas de cazalla, a cuyo líquido dará color con anilinas. Dispondrá por lo menos de dos colores, uno verde para los caballeros y otro azul para las damas. Se establecerá en su puesto con un cajón lleno de calderilla, sin que le valga ninguna otra moneda. Luego no admitirá el pago sino en pesetas, que irá colocando en cajoncillo aparte. En resumen: la plata, al bote, y el cambio, en cobre. (Adviértese que eran los tiempos de la antigua moneda.) Cualquiera que quiera pagar en perras deberá ser rechazado de plano, explicando a los desconfiados que ya se va sobrado de calderilla."

"Una vez reunida la parroquia a golpes de campanilla, aspavientos y voces, se pregonará con mucho y con muy buen verbo el milagro de aquellas botellicas como invento alemán para madres lactantes, convalecientes de largas enfermedades, personas avejentadas y otras criaturas flacas sin más remedio. Una sola cucharada del *Agua Michelín* engorda unos gramos inmediatamente. Este "inmediatamente" debe ser dicho en grito y muchas veces. Cuando pique un cliente se lo pesa antes de tomar el *Agua Michelín*, registrándose los kilos que arroja en una libreta, que mostrará al público. Durante un ratito se seguirá el pregón, para que el agua mágica haga su efecto. Antes de la segunda pesada, el paciente entregará su peseta. De cobrarle veinte céntimos por la fórmula, se le devolverán ocho gordas. Así dará en la báscula su peso anterior más los ochenta gramos de esta calderilla. Es, pues, un aumento instantáneo de 'casnes'."

"Si se trabajare ante gente desconfiada, como paletos, soldados veteranos y sin graduación, profesores mercantiles y personal que tenga el mirar gacho y los ojos chicos, deberán buscarse "ganchos" entre los más flacos del lugar y que se presten a una prueba pra animar a los tibios, indecisos y demás elementos contraproducentes."

En poder del gran secreto, compadre Monagas se resolvió a engordar cristianos, incluyéndose él, claro está. Preparó las botellitas, pidió prestada una romana y se plantificó en San Miguel de Valsequillo. Por si acaso, se llevó de La Parma a un tal Vicente el *Pincho*, sujeto alto y tan menudo, que pusiérase como se pusiera, siempre estaba como de perfil. Plantó su tenderete en un rincón de la plaza y desparramó sobre la gente los mejores aspavientos y las más brillantes voces de que era capaz. El personal se mantuvo orejiando bastante tiempo. Compadre Monagas le picó la perica al pincho, que se estaba en el corro con cara de ajeno y de sonso... Vicente jugó para el pie como un maestro. Sostuvo un recelo de buen cómico, que sí, sí, que si no...

—Si no engordo ni un pisco me degüelve los cualtos, ¿tamos...?—reviró atravesado.

El compadre llegó a quedarse estupefacto. Pensó: "Miá el taita éste, lo cuico que se destapa..."

—Se dijo—contestó Monagas, como si jurara.

El *Pincho*, mejor que aleccionado, intentó pagar en perras.

—¡Ha dicho que no quiero menudeo!—gritó el compadre, como si estuviera caliente—. El que quiera, que alije pesetas. Y las tiene que dar antes del peso. Tengo ese cajón muy lleno y no quiero más peso. Yo degüelvo y listón. A engordar, caballeros y mujeres entecadas. No jase farta gofio, ni bichillo, ni cosas caras de la botica! Por dos perras, un peje tamboril en una semana. ¡Lo nunca visto!

Pegó la gente a entrar en falsete. Cada sujeto enganchado daba ochenta gramos de más en tres minutos. ¡Después de Cuba, no había cosa como aquella, caballeros! Y de pronto se abrió paso hasta la punta alante del compacto corro un hombre de aquí de la raya del Bañadero, menudo como una verguilla, amarillo como un tuno, remetido de cachetes y encuevados los ojos, que lucían con un brillo de calentura. "Este al moo está "tis", pensó el compadre, disponiéndose a aprovecharlo como la mejor propaganda. Se pegó un discurso medio en peninsular, soltando sus "vosotros", sus "hagaís" y sus seteras, para reforzar el palabrerío sobre "bañas", "gorduras de soplaeras", "casnes enteadas", "grasas bobas", "filetes de jiñera" y así. Amplió un poco el empujón el círculo de mirones y puso en medio al flaco del supremo experimento. Cuando entendió la breva a punto, hizo subir a la báscula al menudo del Bañadero.

—¡Oído, caballeros y maúros, damas y criadas de casa! Asquí tienen ustedes un cristiano que larga en la romana tan solamente cuarenta y nueve kilos y trescientos gramos. Ni el mismo San Miguel afinaría más. Yo no tengo nesesidá de robar en el peso, como los tienderos. Del peso de este hombre a las Plataneras, no cabe una paja. Y que él me dispense el modo de señalar... Jaga el favó: abájese. ¡Atensión, caballeros que tenéis el honor de escucharme! Bébase esta cucharada, usté, mi amigo... ¡Aaasí! Manténgaseme por áhi ahora un pisco.

Compadre Pepe empalmó otro elogio del agüita mágica. Pasados unos tres minutos dispuso el nuevo pesaje del tis.

—Alije una pesetita, mano, que yo le doy cambeo.

El triste flaco pagó a gusto de Monagas, encaramándose seguidamente en la báscula.

—¡Atensión, pueblo que me escucháis!—gritó el compadre, con cierto acento dramático—. Este hombre tan menúo aquí presente pesa ahora cuarenta y nueve kilos yyy... yyy...

Algo raro estaba sucediendo. El espiritado vecino del Bañadero debería pesar 49 kilos y 380 gramos, sobre la base de las ocho perras devueltas, y ocurría que los gramos eran 390. De entre el personal se levantó un rezongo. El compadre se abatató un poco, pero no estaba dispuesto a perder. Se diblusó sobre el expectante tísico y le dijo al oído:

—Alije la perra grande que le di de más.

37

DE CUANDO PEPE MONAGAS LE AQUELLÓ EL LÍO DE UNA TRAMPA DE LA LUZ A DON ESTEBAN EL *BAIFO*

—¡Ay, Pepillo de mi arma, qué esgrasia!

Comadre Soledad recaló en el portón como gallina sin nidal. Y más amarilla que una sama.

—¿Qué pasa?—preguntó el compadre con calma, pues conocía bien a las mujeres y sabía que por nada y cosa ninguna levantan una bulla.

—¡Ay, Pepe, tal desande en esa casa!

Sin largar la barrenilla con que endengaba los falsetes de una jiñera, el compadre preguntó:

—¿En cuála casa?

—¡Cas doña Candelaria, niño! ¿En cuála va a sée? ¿No sabes que fi a salpiasle los colchones?

—Sí... ¿Y qué tripa se le ha roto a doña Candelaria?

—Pos le tricaron la trampa de la lus, mi niño, y se le ha tirao al pecho. De ahora pa después ha caío en la cama a caldo, como si estuviera de compromiso.

—Bueno, ¿y a ti, qué te importa?

—¡Sús, Pepe, por Dios! Yo estaba allí cuando vinieron los del corriente y se la agarraron. Y como se armó aquel desande, que paresía un duelo de difuntos acabaíto de empesar, pos esto, que meee... que me... que me dio a mí tamién el insulto. Doña Candelaria cayó como un cortapote en la galería, que tú sabes que es de ladrillos. Arriba, uno de los nietitos, el machito de sita

Fefa, había dejao tiráa allí una escopetilla que le echaron los
Reyes. La señora cayó con la cabesa sobre el gatillo, y esto meee...
meee... Bueno, que se jiso una coneja que le cabe una aseituna
del país. ¡Fíjate tú!

—¿Una escopeta y una coneja...? Entonses es que fue a casar sin abrirse la vea...

—¡Ya está, ya está con el choteito eee...!

—Cúuucha. ¿Cómo le agarraron la trampa?

—Pos resurta de see, que esto que meee... que meee...

—¿De qué se te ha pegao a ti ese balío? ¡Meee, meee...!
¿Cuándo aonde los sustos te han vuerto cabra a ti?

—¿Te quieres callar ya, niño...?

—Sí, pero deja el jabla de baifa. ¿Qué pasó?

—La trampa de don Esteban era de esas de caña, que llaman
de pesca. Creo que toas las mañanas, a poquito del primer claror, él se alevantaba en calsonsillos, se subía a la asotea y la
quitaba. Si estaba atroncao, doña Candelaria, que ella misma me
lo contó, le daba sus buenos codasos y le desía: "Espabila, que
tienes que quitar la caña." Porque ella tenía mieo, ¿sabes?, y
ende que guindaron el aparato, dormía como los conejos.

—¿Pero qué fue lo que pasó?

—¡Pera que te cuente too, niño; si no, no agarras ni pies ni
cabesa... El viejo creo que anda ahora con una tranquina de un
desajusio que le metió a una arquilina de Fuera la Portada, la
cual que no le paga, disen, en de jase porsión de tiempo. Y ya
tú sabes lo que es don Esteban pal dinero. Del barrenillo que
se le ha metío, se distrae, que jasta creo que en la mesa agarra
el teneor por el rabo. Oh, con desirte que el otro día se comieron unos quesos de estos que traen un papel por abajo, y él se
jilvanó el queque con papel y too, que jasta tuvo que purgarse...

—Pos ya...

—En consumías cuentas, que se olvió esta mañana de subir
a quitar la caña con el garabato. Ella creo que se desveló anoche
y se queó traspuesta. Asín que no lo llamó, ni le dijo naíta este
mundo. Totáa, que llegan los de la lus, tú, ¡y agarran la caña
guindáa. ¡Pa qué ha sío eso...!

—¿Y aluego, qué pasó?

—Pos esto que meee...

—¡Ya pegas otra ves a belar!

—¡Cáyate ya, provocativo, que sos un provocativo...! La pobre doña Candelaria quiso engañarlos —¡date de cuenta!— y dijo
que era una caña de pescar de su marío...

—Ya. Y que don Esteban la había colgao del jilo de la lus
pa ponerla a secar, ¿no...?

—De eso no sé, pero sí que los de la Siser le dijeron, dise:

"Dese de cuenta, señora, que esta caña no es de las de pescar, lo que se dise pescar pescaos, ¿entiende? Arriba de ser más gorda de la cuenta, a la ves de tansa tiene un jilo negro con cobre por endentro." Doña Candelaria les dijo si no sería un jilo modesno que vendían ahora en el mercao. Ellos le contestaron que náa de modesno, que era más viejo que el Pendón. Cuando dijeron lo del Pendón, fue cuando la pobre señora cayó y se dio el pertigaso en la galería y sobre la escopeta.

—¿Y don Esteban a tóo eso, qué?

—El se vía dío trempanito pal Osgado, niño. La que estaba en la casa era sita Patrosinito, la solterona, que ya tú sabes que le dan soponsios. Cayó y se atroncó tamién. Por sierto que en medio del ataque, tóo se le diba en desir: "¡Padre, quite la caña, padre quite la caña!" Y los muy sinvergüensas de la Siser, pegaron a reírse.

—Gente malcriada, que siempre hay...

—Por úrtimo vino don Esteban, que yo fi a buscaslo al Osgado. Te digo que el *Baifo* cogía las vigas del techo. Sin saberse contra quién, agarró tal calentura, que ni las corrientes de aire funsionaban. Dispués a la casa serró la ventana de la sala y se sentó allí al oscuro, callao como un tosino. Tan solamente abrió la boca pa desir: "Fela, guísame una escuílla de tila, bien cargaíta."

—Bueno, ¿y qué?

—¿Cómo que y qué...?

—Que qué pito tocamos losotros en esa... "tocata".

—Yo desía como de que tú te tiraras un salto ca don Esteban y jablaras con eé, a vée...

—¿A ver qué?

—Hombre, pa si tú puees desirle argo, o jaser argo. ¿No ves que le van a cortar el corriente, arriba de una murta como la máquina de la china?

—Pos que se jeringue, el muy gorrón. Bastantes conduermas que me ha dao a mí tamién por el arquiler. Too el día: "paga, paga", que no se le cae de la boca esta palabra.

—Güeno, hombre, jaslo más que sea por doña Candelaria, que está la probe metía en un desande.

El compadre se calló todo el tiempo que tardó en hacer un bujero en un falsete de la jiñera. Meditaba.

—Y dises tú—preguntó sin levantar la cabeza—que el *Baifo* anda enreao en la traquina de un desahúsio...

—Pos parese. Según me dijo doña Candelaria es contra uno del portón de Fuera la Portá. ¿Cómo le disen a ee, señó...? ¡Sí, niño! Un tal Angelito, que viene siendo ée sobrino de Calmela la del turrón, casao ée con una de pa arriba de Valleseco, bajita ella, más bien llenita ella... ¡Lo más que tú tienes que conosée!

—No sé por qué.

—¿No te acueldas, niño, que vivieron asquí atrás antes de dirse de arrancáa pa Aguadurse?

—¡Ah...! Sí, hombre: Angelito *Millo Duro*. Ese no paga ni las misas de la madre... Pos, mira, voy a "intervenir". Y a ver qué pasa. ¿Cuánto debe Angelito?

—Creo que cuarenta duros.

El compadre trincó la guagua y tiró para Aguadulce. Atabicó a Angelito *Millo Duro*.

—¿No es más sierto—le habló en curial por afianzar el entrometimiento—que usté anda metío en papeles con don Esteban el *Baifo* por mor de un desáhusio, séase un desajúsio?

—¿Y se pué sabé quién le ha dao a usté vela en esi intierro? —reviró el otro con un rezongo de bardino en orilla.

—El propio don Esteban, ya usté vei. Yo vengo dijéramos de "hombre bueno" pa allanar el asunto. ¡Siempre y cuando usté se meta en rasones! Rasones atajan curias, ¿oyó? ¿No es muy sierto que usté no apoquina debíamente el arquelinato correspondiente por la ley de enredamientos urbanos y que adeuda cuarenta tollos?

—Muy sierto, sí señó. Pero usté tiene que considerá como de que yo llevo seis meses aparao. Y como no me tire a robar, ¿de aónde, me quiere desir? Le ha dicho que se aguante, a ve, y no quiere.

—Rasones... ¿Y si usté le pagara la mitán y liquidáramos la porquería...?

El otro se rascó el cogote, primero, y una pantorrilla después, y mudó la cola del virginio con la punta de la lengua y por último le metió su golpito despacioso a la cachorra, trayéndola sobre la frente. Así, con el morro más agachado, contestó al fin:

—Pos jello.

—Hay que meterle retranca a la curia cuanto antes. ¿Pa qué horas púee usté tener los cuartos?

—A las sinco, o para áhi.

—Se dijo.

Pepe Monagas tiró para la fábrica eléctrica. Se enteró por un amigote de la cuantía de la multa a don Esteban: cien tollos, le dijo el compinche. Caminó para Vegueta y se le metió por las puertas adentro a sita Candelaria Manrique. Sita Candelaria le dio una tarjetita, escrita con tinta antigua y letra ancha, para un muy amigo suyo de la Cicer. A la hora el compadre había conseguido que la sanción bajaría de 500 a 250 pesetitas. Otra vez dio pata el diligente gestor, ahora para la casa de don Esteban. Este estaba tan abatatado que lo preparan y da unas truchas de rechupete.

—Don Esteban, tóo este lío se púee arreglar, si usté tamién se abaja a rasones.

—Eso no lo arregla ya ni el méico chino.

—Yo, que no soy ni méico, ni chino, le pueo poner el asunto sedita de hoy a mañana... ¿Qui'hubo? Piense que lo van a dejar al oscuro y jágase cargo del choteo entre los vesinos... Mire, usté ahora paga la murta y levanta er desahusio de Angelito *Millo Duro*. El le paga a usted diez duros. Y yo, que voy a saldar personalmente lo de la lus, me llevo las quinientas. La indiferensia de doscientas, las sincuenta pesetas es pa gastos de "representasión". A cambio, yo le monto a usté una trampa de la lus de puertas adrento que no se la echan fuera ni con jurona. Na de cañas con garabato. Eso está güeno pa bogas y sargos, na más.

—¡Con tal que no me enrées!...

—De eso náa, don Esteban. Usté alije y déjeme a mí, ¿oyó?

Compadre Monagas recaló por la noche en su casa con cuartos frescos y descansaditos. Llamó a Soledad y le puso en la mano veinte duros.

—Toma, pa que compres casne con papas. Tráete tamién unos chorisitos del país pa sollamar.

La comadre lo miró estupefacta, asmada una vez más.

—¿Pero y este lanse...?—preguntó.

Pepe respondió, quitándole importancia:

—Don Esteban, que me emprestó la caña...

38

DE CUANDO PEPE MONAGAS LE SACÓ LA CONTRA A UNA NOVEDAD QUE HAN METIDO LOS TIEMPOS EN LOS VELORIOS DE DIFUNTOS

—El que está muy malito, hombre, es mastro Domingo.

—¿Cuá mastro Domingo?

—Mastro Domingo er de la Parma San Roque, niño.

—¿Y eso? Si ayer lo veí yo... Por sierto, en la botica de don Benino.

—Que ya vendría renquiando, er pobre. Lo sierto es que estaba afeitándose ca Manué, este der furbo ée, der *Lus y Progreso*, cuando le cargó una puntáa en er pecho y pegó con un jalío. Y jalío ha sío, tú, según me contó ahora la nuera, que cayó entre sábanas. Ya le yevaron a Pedro Dios, y don Osé, er méico, ha dicho como de que no sale de la talde.

Comadre Soledad entraba de la tienda y daba la nueva a su
marido, que estaba atrás, en el patio chico, poniéndole medio
huevito duro a un casar de pinto y canaria del monte mal avenido
todavía, como si fuera un matrimonio de años.

—Digo que tú debías tirarte un sarto, hombre, a vehlo...

Compadre Monagas recaló en San Roque algo después de Oraciones. La casa de su amigo enfermo estaba ya metida en trance
de duelo. Se compungía, todavía trincada, la media viuda, y lloraban más abiertas las cinco hijas, una casada y cuatro solteras,
del que de súpito estaba abicando allá dentro, en la penumbra
y debajo de un cuadro apaisado de la Virgen del Carmen.

—¡Cómo ha de ser, comadre!—dijo compadre Monagas, con
la voz algo pebradilla, a la dolorida esposa.

Despúes saludó sin palabras a las cinco hijas y al marido de
la casada, el yerno de maestro Domingo, que no se llevaba con
su suegro desde hacía una jurria de tiempo por unas palabras
que tuvieron al cabo de algunos años de la boda. El tal yerno
no era hombre trabajador. Albeador de oficio, las tres cuartas
partes del año se las pasaba sin dar golpe. Los chiquillos pasaban
galbiusa y la pobre mujer se echaba mano y no se alcanzaba.
Maestro Domingo le hizo un día unos reproches más bien mode-
rados. El otro reviró: "Si estoy aparao, ¿qué quiere que jaga?"
—dijo a su suegro. Regañado de boca y vos Maestro Domingo creo
que le contestó: "Tú sos un aparao de plantilla." Entonces el
yerno se calentó y no le volvió a mirar a la cara. Pero ahora, con
el hombre a morir, el enojo pasó al olvido.

Poquito después de las ocho dadas por la Catredán salió de
la alcoba un aburrido que se sintió hasta en el Camino de los
Andenes. Maestro Domingo había entregado su alma a Dios —de
verdad, porque era un hombre decente desde la moña a los ñames—, y su mujer lo cantó allá dentro con tal intenso grito de
dolor, que hasta una guitarra del país que tenían sobre un roperillo, falta de encordonadura y llenita de polvo, se le abrió una
de esas brecas que se le abren a las guitarras isleñas cuando el
Moro arrima las candelas de sus Levantes. Después que pasó la
primera chapetonada, plantéaronse los requilorios propios: los
del entierro y el papeleo. Una vez más en su vida, el compadre
se hizo cargo de estas traquinas.

—Tú déjate estar asquí, ¿estás?, con las mujeres, no sea que
alguna se abatate más de la cuenta—dijo Monagas al yerno—. Yo
me voy a tirar un sarto a la funeraria, pa lo del "guacal" y demás. A tirito estoy asquí.

Por entonces habían sacado en el país la maña de sustituir
con "velas" eléctricas los amarillos, gordos y graves cirios de los
velorios de muerto, que algunos soplaban de vez cuando cum-

pliendo un ceremonioso rito y echando a perder, de paso, las tijeras de la casa. Las solemnes luminarias escurrían cera, en un chorreteo que ponía perdido alfombras y pisos, pero "eran lo propio", como decían, cargados de razón, los caballeros del Casino fieles a la temporada de ópera y a la División de la Provincia. También la gente del "estado llano" estaba contra la innovación. En las tertulias de la Pazuela y en las Sociedades de San Osé, las Escarabaneras y el Puerto se decía, en alta voz: "¿Cuándo aónde se ha visto meter a un cristiano difunto entre cuatro bombillas de sincuenta bujías, como si a la ves de iluminar al susodicho difunto estuvieran iluminando un ventorrillo de la fiesta de Jinámar? ¡Esto no es respeto, hombre!"

Pero los tiempos cambiaban y hubo que tragarse las candelas eléctricas, prevaleciendo el criterio de un "funerario" de Fuera de la Portada, modernista él, que argumentó implacablemente: "¡Al muerto qué más le da, cristiano, que le arrimen velas o que lo alumbre la Sise!"

Precisamente en casa de este hombre de por allá por la Plaza de la Feria apalabró Monagas el entierro de maestro Domingo, el de la Palma de San Roque. Ya sabía el compadre de la novedad de los bombillos. Y maldito le gustaba. Se lo dijo al del negocio de los negros huacales de la absoluta.

—La gente de maestro Domingo es más bien gente enchapáa a la antigua, ¿oyó? Mande unas velitas de sera, a la ves de esas cañas con lus elétrica.

Contestó el "funerario" que de eso nada, que él ya no tenía cera, y que había que alumbrar al muerto con bombillas o dejarlo a oscuras. Añadió, emperrado en lo suyo, "que pa lo que a mastro Domingo le iba a importar".

—Tamién es un gasto mayor, porque habrá que ver lo que jala un contaor de la lus toa una noche con esas cuatro bombillas ensendías arreo. Y esta gente no es gente de teneres, ¿oyó?

Ni el argumento económico sirvió para cosa ninguna. Compadre Monagas salió de allí requintadillo. "Modesnistas... ¡Lo que son unos jediondos!", se iba diciendo camino de San Roque. Y nada más llegar tiró de puntilla, pidió unos alicates y se encaramó en una escalera junto al contador de la luz.

—Mantén esta vela asquí, tú, y alúmbrame—le dijo algo imperante al yerno de maestro Domingo, que sin llorar y con la cachorra puesta iba y venía por los cuartos y corredores.

—¿Cuálo va a jaser, áhi, Pepito?—preguntó estupefacto viendo al compadre manipular con los hilos "del corriente" que entraban arrente de la caja del contador.

—¿Que qué voy a jaser...? Una trampa como la casa de cho Bruno.

39

DE CUANDO A PEPE MONAGAS LO TRINCARON EN LA TIMBA DE PÉREZ Y TUVO QUE SALIR A ESPETAPERROS

"¡No te abatates, "Péres!" ¿Acaso hay algún isleño que desconozca este grito sagrado de la tierra? Imposible, como es imposible también la ignorancia de este otro marcial esperrido: "¡Arriba de ellos!" En otro tiempo, y pasándonos al importante terreno de "el la" *Marca*, diario el más trascendente del país, tuvieron vigencia distintos y hermosos alaridos. Estos: "¡Juego raso, *Vitoria!*" y "¡Sereniá, *Marino!*" Contemporáneos de ellos, aunque ya fuera del campo deportivo, existieron otros, de los que recordamos: "¡Atórrate!", "¡Larga el saco!", "¡Ahi va el hombre!", "¿Va "pa" Terde?", sétera. Unos eran gritos funcionales, verdaderas llamadas al estímulo. Los otros fueron puros y simples guapidos. Entre aquellos primeros puede figurar con rango diferente, como Carmencita Sevilla, el que se cita al principio: "¡No te abatates, Péres!" El motivo de esta arengante locución lo dio el más famoso Pérez que en la isla ha sido. Más de una vez se ha ocupado de Pérez este transcriptor de la vida y milagros de Pepe Monagas. Es aquel que puso una casa de gallos en la calle de García Tello, donde después estuvo luengos años la carpintería del artesano singular que fue maestro Pancho Rivero, tornero fino y que hacía guitarras "del país" con tubos de metal y unas maderas de hermosos nombres: sangre de doncella, por ejemplo.

Creo haber dicho en alguna antigua ocasión que Pérez fue un devoto de los gallos ingleses, cofrade fervoroso de peleas sueltas y casadas, sabedor de castíos como el primero en las siete islas grandes y las seis chiquitas, a saber: la Graciosa, Alegranza, Isla de Lobos, Montaña Clara, Roque del Este o El Campanario y Roque del Oeste. (No contamos las Islas Salvajes porque son como esas mosquillas que andan al rebelaje de los limones y del vinagre de la tierra.) En honor a la verdad histórica, y también por no sea que de Tenerife salga alguno llamado troliento o batatoso a este honesto cronista grancanario, debe hacerse constar que cuando Pérez abrió la casa de gallos la abrió "con vistas a la marea", dijéramos. Los reñidores bichos no serían lo de menos, pero sí lo que segundaba. Tras los animalitos —y la Ley— se atorraba un "asuntillo". Entre gallos cantaneros y gallinas mollares, Pérez montó una timba o garito... Esta era la madre de la baifa.

En el teso que en función de patio tenía la casa allá atrás, el amigo Pérez desparramó media docena de jaulones. Y en los locales habitables de la parte de delante instaló un timbeque: un mostrador de pinzapo que le compró de lance a uno que se arruinó en la Plaza, y unas botellas de ron, vinito y cerveza de la blanca y de la negra, beberío que complementó con chochos, pejines y un quesillo de cabra pimenterillo y tirando a risco. Luego instaló varias mesitas con sus correspondientes y padecidas sillas, encima de cada una de las cuales largó una baraja con la que se venía jugando desde poquito después de la gloriosa incorporación de Gran Canaria a la Corona de Castilla.

Sin más albeo y con unos barridos a sobrepeine, Pérez puso en marcha el negocio, abriendo de día de par en par y atrancando de noche desde el mismo sol puesto con unas taramelas como un antebrazo, dispensando el modo de señalar. Se pasaba con contraseña, controlando el propio Pérez o un sobrino suyo que era más vivo que las tejederas. Y es que estaba rigurosamente prohibido el juego. A este acicate se juntaba el que entonces vivía la ciudad la edad de oro de sus matones, con los que el imponderable don Diego Mesa habría de acabar después, metiéndolos, sencillamente, de guardias. Estos farrucos y jaquetones compartían sus trompadas de patada de mulo y sus navajazos y sus séteras con "lo prohibido", dándole especial animación a los garitos.

Llovió la consabida parroquia, la flor y nata de la afición y el matonismo. Enseguida se vio que la timba era "asunto". A Pérez se le cortaba la digestión con particular frecuencia, porque aparte el cerote a los guardias, que podían sorprenderle el juego en cuanto hubiera alguno más chimbo que los otros y se lo goliera, o en cuanto algún cliente de mal tabefe fuera con la alcahueteadura; de vez en cuando algún matón mal perdedor o de mala bebida se calentaba y levantaba una bulla de piñas de la que siempre salían mal parados por lo menos un cristiano y una mesa. Pero quitante estos escorrozos, el mal entrapado barquito de su negocio marchaba con toda la vida brisa en popa.

Cierta prima noche, poquito después de Oraciones, y estando el juego en su flor, se oyeron en la puerta de la calle unos imperantes tamborazos... El sobrino de Pérez por la azotea y Pérez mismo por la hendijilla de una persiana, comprobaron que estaba allí la autoridad. ¡Amargos chochos! El sobrino de Pérez lanzó la voz de alarma:

—¡El guardia!

(El isleño nunca dice "los guardias", aunque venga la plantilla completa, sino "el guardia".)

Aquello fue como cuando estalla un volador desrabonado en mitad de un gallinero. Pérez gritaba en vano: "¡Déjensen dir!"

La gente no quiso atender la maliciosa recomendación de recoger los naipes y ponerse a conversar como si nada sobre los partidos *Marino-Victoria,* sobre Justo Mesa y sobre que el chicharrero teatro *Guimerá,* no le llegaba al *Pérez Galdós* de Lan Parma, ni a la suela del zapato.

Como nadie acababa por abrir, los municipales más robustos cargaron sobre la puerta. Y el fechillo saltó como si fuera un deleite. Cuando los agentes entraron así, de remplón, todo estaba en tinieblas. El sobrino de Pérez había apagado. Fue al amparo del oscuro como traspusieron casi todos los jugadores por la misma entrada que los guardias acababan de desfondar. Escaparon unos calle arriba, otros calle abajo.

Ya es hora de decir que esta noche estaba en la timba compadre Monagas. Ocupaba una mesilla mano a mano con los siguientes individuos: el *Brígido,* de profesión matón; un tal Manuel Higuera, que tampoco era flojo, y a quien conocían mejor por el *Drago,* a causa de su fortaleza y de la mucha sangre propia y ajena a que había dado suelta, en ocasiones por mano de navajas y en otras por mano de mujeres bravas. Victorio el del *Pinillo,* que caía por allí de relance, y mi compadre Juan Jinorio, que también diba en la rueda presentes.

Monagas partió García Tello abajo como gato que sardina lleva. Cayéronle atrás un par de municipales. Por entonces se pasaba desde los Reyes al antiguo Cercado de Avellaneda atravesando el zaguán de doña Candelaria, la madre de Antoñito González, que en paz descanse. Se cruzaba una tierra de alfalfa —mejor conocida por alfálfara— que había detrás y se salía al muro de la marea, arrente mismo de un castillete que allí hubo y que luego desapareció, cuando los Jesuitas hicieron su colegio. Los dos guardias, que se conocían el terreno tan bien como el compadre, le mantuvieron la variada sin aflojar ni un jeme.

Así llegó Pepe al filo del muro que se levantaba sobre el sonoro Atlántico, con sus tres metros bien medidos arriba de la pedrera. Se paró, con algún chilgo, es claro... "Esto representa un salpaso como un torreón de la Siser", pensó el compadre, dudando un instante en lanzarse, pese a no tener más escapatoria. Con esa velocidad con que en los trances críticos pasan por la cabeza las ideas, pensó en mil cosas, pero sobre todo en comadre Soledad. "Si me trincan, ella va a saber que estuve jugando. Y entonces, ¡chiquito guineo, caballeros!"

En este instante cumbre sonó a su espalda, ya encima, la voz de un municipal:

—¡Alto!—gritó, pistola en mano.

Rezongó el compadre Monagas, antes de lanzarse a la marea:

—¡Será alto, pero yo me tiro! ¡Oh, ya!

40

DE CUANDO PEPE MONAGAS SE PLANTÓ EN NO PINTARLE A DON ANTONIO EL *BARDINO* LAS PUERTAS Y VENTANAS DE SU CASA DE ALTO Y BAJO

Todos los años por San Pedro Mártir, don Antonio, el *Bardino*, que le decían —y antes de las perras, "mastro Antonio"—, albeaba y pintaba su casa, una casa de alto y bajo que le agarró en hipoteca a un cierto caballero del país, el cual se metió en negocios sin entender ni papas, y acabó comiendo casa de los hermanos, con un terno lleno de lamparones y pidiendo cigarros. A don Antonio lo sacó el pueblo de pila con ese dichete de *Bardino* haciéndole sencillamente justicia: él se lo había ganado a pulso y sn recomendaciones. Decíase de tinta tan buena como si fuera inglesa que el ilustre caimán daba dinero en hipoteca o a rédito siempre con tres, caballo y perica, o sea, amarrando el desenlace como con nudos de cochino. La misma volada señalaba que el *Bardino* sólo aflojaba la mosca de los préstamos a ciertos individuos por él llamados "románticos": gente que había nacido en la tierra del cambullón y la cochinilla con su pizquita de imaginación, con una ambición alegre, y tirando más a bondosos que a teniques. Totorotas, en fin, para los negocios, que, como el mismo don Antonio decía, "se vían metío en camisones de a onse varas corridas, cuando estaban buenos pa chalecos". Y añadía el *Bardino*, con una boca verde, como de haber comido berros crudos: "¡Y entoavía me alargo!" Sus préstamos, pues, eran considerados en el país como jiñeras. Y él daba dinero como quien sale a pajariar.

Le estoy hablando a usted, paisano, de un tiempo algo pasado, de poco después de nuestra guerra, cuando estábamos levantando cabeza y hubo que establecer las "cartillas de racionamiento" y los "repartos". Vaya la aclaración especialmente para la pollería que no vivió la época, ni está en edad de memorias. Sepa que en el tal reparto figuraba una ración de chocolate con el que las loceras de la Atalaya hubieran podido fabricar sus ollas, sus gánigos y sus escudillas tan bien como con la tierrita empleada desde antes del Pendón.

Y vamos otra vez, amigo, a cogerle el hilo de pita a esta verídica historia. Decía que don Antonio mandaba albear todos los años por San Pedro Mártir. Lo sabía la comadre Soledad, que una vez más trajinó porque en su chiquito y risquero hogar en-

traran unas perras: mujer —y mujer de pies a cabeza—, al fin
y al cabo, y como mujer, conservadora. Sabiéndolo un trabajito
seguro, para el que el *Bardino* prefería siempre un bien amañado,
pues le salía más baratito, Soledad llegó un día de las vísperas
de la Incorporación de Gran Canaria a la Corona de Castilla, séase,
señaladamente, "San Pedro Márte", como allá llamaban, y le dijo
a su marido, dice:

—Esto, que mira, Pepe, que está San Pedro Marte ensimba,
y ya sabes que don Antonio pinta y arbea tóos los años pa estas
vísperas.

—Sí, ¿y qué?

—Oh, que mira a ve si le caes y arreglas con ée, que confolme lo jase otro, lo pués jaser tú.

—¿Pero de acuálo?

—¡De arbiá y pintá, niño!

—¿Pero de arbiá y pintá a quién?

—¡Sús, tal tupisión, quería...! ¡A don Antonio el *Bardino*, con-
sumisión! Ya te estás tirando p'atrás, que te conosco...

—Ni p'atrás, ni p'alante. Lo que usté quiere se tira al pecho,
señora. ¡Pos no es náa dir a tratar un trabajo con el *Bardino!*
Tú no estás güena del tino, Soleaílla...

—¡Lo haberé perdío por causa tuya...!

—Pero ven acá, muchaaaa, ven acáaa... ¿Tú te has jas dao
de cuenta...? ¿Tú sabes bien, ¡lo que se dise bien!, qué clase
de marrajo es don Antonio el *Bardino*...?

—¿Y a ti que más te da que sea marrajo que sea antoñito de
vivero? Vas, jablas con ée... ¿Qué arreglaron...?: Santas Pascuas,
aleluyas. ¿Que no...?: adiós, don Antonio, y que Dios le acre-
siente las mataúras.

—Pos mira, pa poderle desir eso úrtimo, voy a dir. Tamién
pa que no pegues a alegar, como otras ocasiones, que si me royo
el cabo, que si cargo trasero, que si por esta vía o que si por
la otra. Pero ya sé yo por onde me va a salir, te lo digo, ¿eh...?
¡Se me trasconejará, me regatiará, quedrá sacarme el cuero con
un ajuste...! Y cuando ya me tenga pidiendo agua por señas, entonses me ofreserá un tostón. ¡Flojillo sasnícalo!

Y así fue, en efecto. Don Antonio el *Bardino*, que para hablar
agachaba el morro, o se ponía de banda, todo cambado, malmi-
rando al soslaire, particularmente cuando cruzaba la palabra con
"gentuallo" —considerando por tal a los que no eran ni siquiera
socios del Mercantil—, habló con el compadre Monagas del susodicho "trabajillo o endengue", escurriéndose como una saifía, salpiando a veces en charquito de poca marea. "Da más trabajo
tratar, que albiár", pensaba el compadre mirándolo de abajo para
arriba.

Al cabo de una zorra lucha, Pepe y el *Bardino* llegaron a un medio acuerdo, pese a que el ajuste era una porquería, porque aquél empleó con don Antonio, al que conocía "como si lo viera dado a luz", la táctica que llamaba "de la cometa", consistente en "dar jilo", hasta ver...

Mas surgió una porqueriílla de nada, que lo echó todo a perder. Dijo Monagas:

—Güeno, pos yo pego el lunes, con la fresquita. Pal jueves, cuarta más, cuarta menos, tiene usté listo lo de la cal. Aluego yo me traigo mis pinturitas y fajamos con puertas y ventanas.

—¿De cuálas pinturitas?—preguntó el *Bardino*, medio engrifado.

Pepe tenía —y ésta era la "porqueriílla"— sus arreglitos con maestro Juan Amaro, pintor de Vegueta, o se mercaba en el cambullón, si el lance meritaba la pena, sus latitas de pintura de "pa fuera", inglesas casi siempre. Por lo general, sabía dónde emplearlas y ya las tenía "de la banda acá". Pero resultaba de ser que en el mismo abasto porteño el *Bardino* se había mercado un deje de cuenta de latas de éstas. Las compró desde un mes de Santiago y las tenía debajo del catrillo de la criada aguantando hasta estas fechas de repique gordo del abril florido. Se trataba de unos botes de pintura marrón, más viejos que la raña y más feos que castigar a un padre.

—¡Pero, cristiano!—reviró Pepe—. ¿Va a pintar su casa con ese canelo sorroballao, que más parese horrura de cuando dejaban venir el barranco, séase, el Guiniguada? ¡No jaga jediondáas, don Antonio de mi arma, no jaga jediondáaas, hombre, que aluego tóo son alegatos de la gente...!

—¿Tú sabes lo que es un óleo...? ¡Pos jeso se me importa a mí de la gente!, ¿oítes? Tampoco te ha pedío la opinión a ti, ¿tamos? Asín que tú, a pintar. Y se acabó la presente historia.

Compadre Monagas se mantuvo un instante cabizbundo y meditabajo, como decía nuestro amigo el cosechero de Los Barrancos. Al cabo dijo, metiendo la retranca hasta más allá de la alpargata que solían ponerle a las retrancas:

—Mire, don Antonio, búsquese otro, ¿oyó?

Dio media vuelta y traspuso. Sin cargar las pinturas, y en las pinturas la mano, aquello no era negocio. "Lo malo es que Soleá no lo va a entender", pensaba remontando La Vica. Preguntóle la comadre, nada más entrar en el cuartillo.

—Pos mira, no arreglemos, ¿oístes?

—¿Pero y por qué, condenao debaso?—replicó con un medio esperrido la hormiguita de la esposa.

Y contestó el compadre Monagas con cierta dignidad:

—¡Porque yo no pinto con chocolate del reparto, ¿tiendes?

41

DE CUANDO PEPE MONAGAS GANÓ UN MANO A MANO DE COPAS FUERTES

Corrían —al golpito, pero corrían— los tiempos heroicos, a la par que hermosos, del fútbol isleño, los tiempos del *Marino* y *Victoria, Santa Catalina* y *Porteño, Sporting* y *Luz y Progreso* con la palestra principal en el Campo España, que manejaban desde arriba, don Domingo, y desde abajo, Salvadorito. Las caldas tremendas que las competiciones locales levantaban en el clima de Lan Parma, más recias que esos Levantes bravos que rajan las guitarras del país —y no digamos las peninsulares— y hacen largar el sumeque resinoso a los viejos timones y vigas de tea que sustentan tantos hogares del campo y la ciudad, esas caldas subían a temperie de infierno cuando la lucha era regional y venían desde la isla Picuda, tirando de correíllo y a partirse los goles, el pecho y las canillas, el *Hespérides,* el *Club Deportivo Tenerife* y el sétera. Los viejos gritos marciales de "¡Arriba d'ellos!", "¡Serenidad, *Marino!*", "¡Juego raso, *Vitoria!*", salían entonces, no de la garganta, sino de la misma tripa gorda y con el mismo bravo y ronco acento de los esperridos que exigió el pleito de la División de la Provincia, a causa del cual tantas tacitas de agua de vinagrera se consumieron. (La vinagrera siempre ha sido buenísima para las afecciones del galillo.)

Pues vino de Santa Cruz para un partido de Liga el *C. D. Tenerife.* Y con los once muchachones, más los suplentes, los directivos y el que echaba a los accidentes los chorritos de agua agria, viajaron una jurria de tinerfeños, ronquillos de por sí y dispuestos a quedarse hablando por señas con tal de ver el correíllo. Entre los viajeros venía un Juan Cansio, nacido y criado en el Toscal, propietario de lanchas del cambullón y de perros de presa, bueno para la piña y empedernido jugador de "prohibidos". El tenerifeño, socarrón él, pero doblado y con unas muñecas tirando a peponas, tenía también fama de bebedor sin par, de hombre que se jilvanaba una botella de coñac él solito, caminando luego para su casa o para donde fuera sin una bordada y sin un maltranco. Se contaba que en esas ventas de La Laguna para Las Mercedes y otros puntos de los altos, donde dan unos vinitos y unos baifos que levantan los pies del suelo, se escarranchaba Juan Cansio una noche de empalmada, y macanazo va, macanazo viene, podían agarrarlo las auroras de tres días arreo.

Calando, además, sin taperíos, arrimados en banda los cabritos, como dicen los tenerifeños, el pan bizcochado y cualquier otro entullo.

Ocurrió que el *Tenerife* le majó las liendres al *Marino,* su rival de turno, aunque en rigor no le ganó, pues hubo un empate, un empate a dos goles hinchado y resoplante como aquellas altas mareas del rompeolas del Parque. Pero se aplicaba el llamado *gol average,* y por mayor número de tantos, ellos salían favorecidos. Sobre toda la ciudad, pero especialmente sobre ese Fuera de la Portada, donde Miguel Gil, Antonio Rojas, Alamino *Pechito'n d'ioro...* eran algo así como los dioses para los griegos, cayó un manto de pesadumbre como el de una Virgen de la Soledad. Aquel triunfo forastero por el *gol average* era un espicho de pitón bien jincado en el mismo cogollo del alma grancanaria. Por ese Aguadulce y por ese Pamochamoso hubo mujeres que se soplaron de tanto llorar, y hombres que atrancaron persianas y ventanillas y se sentaron al oscuro en el fondo de sus salitas. ¡Qué duelo! Y con razón.

Después del partido, que fue, claro, de los de "vale matar", hasta tener Salvadorito que mandar a uno de sus culichiches para que recogiera lascas de canillas y boliches de tobillos de sobre el teso, antes que se metieran a pulpiar los perros, luego, decimos, de la memorable contienda, una panda de tenerifeños cayó en el bar de Lugo, orillas del Barranquillo de don Zoilo. Entre ellos estaba el cheche Juan Cansio. Pegaron a beberretear como foniles, picados, de la victoria, y alzando las copas con un aire desafiante, así como diciéndole a los del país: "¡Pa que te empapes!" Así como diciéndolo y haciéndolo con todas sus letras. Y es que tiraron de guitarra y fajaron a cantar sus folías, sus vivas "folías tenerifeñas", al pie de una de las cuales, uno se pegó este estribillo: "Allá arriba en La Cuesta —venden tomates— a tres perras la libra ¡pa que te empapes!" Los del país pegaron a ponerse como con moscas de caballo, escarabajeados y gachos de morro... Y es que estaba claro: aquel "pa que te empapes" no era por la fruta del tomatero, en sí, sino por los "tomates" del partido...

Mascándose el mojo con morena, entraron de recalada y por azar, dolidos y callados como tocinos, el compadre Monagas, Venturilla el *Táita,* Victorio el del *Pinillo,* un tal Manuel *Toli Toli,* de Las Cruces él, que arrimó de pegadera, y mi compadre Juan Jinorio, que también diba en la rueda de presentes. Después del partido tiraron para las Escarabaneras, pero aquello estaba plagado de tenerifeños. Y véase por dónde por salir de Guatemala se metieron en guatepeor. Se pusieron en la otra punta del mostrador. Al fondo salpicaban, como sardinas en orilla, las folías de "enfrente". Cantó uno: "Tenerife está en un llano—y más arriba una Cuesta—, echa vino, vendedora—que mi dinero me cuesta."

—¡Tanta "cuesta" y tanta "cuesta"...!—rezongó, bardino, *Toli Toli*, que tiraba a cerrero, y por nada y cosa ninguna se quedaba trabado como un perro de presa...

El de Las Cruces pegó a sentir que se le revolvía todavía más el potaje del almuerzo y las cebollas del conduto, todo sin digerir hasta el presente momento, pues los días que jugaba el *Marino* se le atrabancaba el estómago y viraba con un durez tan tabletudo, tan de tosca viva, que la misma Carabaña hubiera entrado allí como palillo de diente en risco. Se cambó todo, sacando el trasero y agachando el morro. Este está preparando la "reculada del carnero", pensó compadre Monagas, entre divertido y con su pizco de cerote.

Manuel *Toli Toli* se corrió su vara y media sobre el grupo de tenerifeños, que se arracimaba en una mesilla de pinsapo llena de copas y lascas de salchichón. El vino tinto se esparramaba como el barranco cuando lo dejaban venir y brincaba sobre El Terrero y los bajos de La Herrería.

—Manué, al favó...—lo reclamó Pepe, en un intento de atajar a tiempo la rebambaramba.

El de Las Cruces se obstinaba, como burro en el tranco de la orilla... De repente aprovechó una entrada de las folías que estaban vibrando, ajenas, y se metió a cantar. Entonó este veneno: "Dos cosas tiene Canaria—que no tiene Tenerife—: la playa de Las Canteras—y el torreón de la Siser." Arrente se metió su golpe de ron y se esparganeó como pájaro fuera del agua...

—Ya éste le dio candela al barreno...—dijo Monagas por lo bajo.

Se arrimó —¡tranquilo!— a *Toli Toli* Juan Cansio en persona.

—Oiga, amigo—díjole con una calma de marea hinchada—, ¿se puede saber quién le ha dao a usté vela en este intierro...? Porque esa guitarra es particular, ¡digo yooo...!

—Se lo voy a desir en verso—reviró, también aplomado, el de Las Cruces—. "Canto aquí, canto en La Habana—y canto en Pinar del Río—, y como este cuerpo es mío—canto onde me da gana." ¿Qui'hubo...?

—Ta bien. Macho que es usté...—replicó, sonriente y ronquillo, el tenerifeño.

Y pegó a desaflojarse, quitándose el saco con una pachorra que daba escalofríos. También *Toli Toli* se quitó su chaqueta, más nerviosillo, y la tiró por allí, sobre un banco. Con tan mal gesto, por cierto, que se escurrió, cayendo sobre un montón de escupitinas. Ambos hombres se remangaron, enseñando unos brazos que eran olivos y con unas pelambreras como los pinares antes de los ingenieros de montes.

Y en este crítico instante, compadre Monagas entró al quite. Atravesóse entre *Toli Toli* y Juan Cansio. Se encaró, sin rizarse, pero sonriente, con el tenerifeño.

—Oiga, mano, yo le conosco a usté... Su cara de usté me suena a mí de argo...

—Yo tamién creo que lo conozco a usté—replicó Cansio, de raspafilón, mientras acababa de remangarse despaciosamente las mangas de su camisa colorinada—, pero ahora no me doy por conosío. Aguántese un pisco, jasta que le meta tan solamente dos guantasos al macana éste.

—Pero, mire, venga acá, paisano—se plantó Monagas, resuelto a que aquello no pasara de "guerra fría", como ahora se estila decir—. Aquí ha habío una provocasión, ende luego. Manué es cantaor, que le tira, y está rascaíllo por lo del *Marino*. ¿Qué vamos a jaserle? Póngase en su lugar... Ahora, pasarse a piñas por un cantarsejo de más o de menos, a mí me parese demasía. ¡Digo yo! ¿Usté quiere que échemos un desafío los dos, yo y usté, de otro moo?

—Usté dirá.

—Usté es Juan Cansio, que yo lo conosco. Copas, la inclusive, hamos bebío usté y yo juntos, en Santa Crus, por la Recoba, de amanesía...

—Pue ser...

—Usté tiene fama de ser el bebeor más fuerte de las siete islas...

—Sierta es la fama.

—¿Y si ajuliáramos este pleito los dos al macanaso alcohólico, en ves de al otro macanaso, éste que jincha los besos...? Séase que usté y yo nos arrepollinamos delantre de unas botellitas y fajamos a calar. Quien más beba, gana. Y listón.

Juan Cansio bajó la vista, sacó la mandíbula inferior hasta reñagar los dientes y se mantuvo así un instante en actitud de pensarlo.

—¡Se dijo!

Rápidamente se organizó la pecha. Compadre Monagas y Juan Cansio beberían mano a mano una vez tinto, otra vez coñac y otra vez ron, con tres botellas delante para cada cual. Ni hablar de enyesques. El primero que cayera debajo de la mesa, bobito como un beletén, ése perdía.

Restablecida la cordialidad, pegó el beberreteo entre chácharas y demás, sobre las siete dadas por la Catredán. Serían las nueve los dos bebedores se llevaban las copas a los labios con brazos de plomo. Ambos tenían ya las lenguas gordas y oscuras

como barras de conserva, sin que del habla se les entendiera ni
papas. Habían consumido sus tres botellas hasta las mismas raspas. Los de fuera consideraron que ya estaba bien. Estaban empatados. "¡Tablas, tablas!", se empezó a oír, como en las luchas.
En medio del brumero de la tremenda chispa, el compadre observó a la banda un vaso de ron que mantenía, sorbeteándolo,
Victorio el del *Pinillo*. Sacando fuerzas de flaqueza se lo quitó
de la mano y se lo jilvanó de golpetillo. Una vez que lo tenía
en el buche, se volvió y dijo, medio tartaja:

—Tablas..., güeno... Pero yo ha ganao por el "beberaje"...

42

DE CUANDO PEPE MONAGAS RECIBIÓ DE LA HABANA A SU CUÑADO PABLO CABRERA

Comadre Soledad casi no conoció a Pablillo, su hermano de
padre y madre. Pablillo cogió jilo para La Habana cuando todavía era un vagañete. Un tío de los chicos, Pedro Cabrera Bordón, amaneció un día con el barrenillo de irse a Cuba. La razón
oficial que el solivianto dio a parientes y amigos era puramente comercial: quería abrir allá un cafetín y necesitaba un
muchacho como Pablillo, espabilado y diligente, que le echara
una mano en los servicios menudos. Mas la gente chimba del
Risco que estaba al tanto de sus cosas y de sus casos explicaba
la venada de otro modo. Pedro Cabrera casó con una tal Carmela, de Pambaso ella, mujer escachada, de mata de pelo grande
y negro azuleando como las moras. Cuando Carmela pasaba por
la calle iba como soltando moscas de caballo sobre los lomos del
personal masculino. Tal vez ella no quería. Pero fuera por su
gusto, fuera sin más remedio, lo cierto es que a Pedro aquella
fatalidad le gustaba menos que la sal de higuera. Al cabo de
siete años de matrimonio no les había nacido ni un chiquito siquiera. Pedro, que era padrero y un tanto tierno, llevaba también esta ceniza encima de la frente. Se alivió volcando su cariño
en Pablillo, al que luego le emporcaba el estómago achicándole
pastillas de limón, rapaduras, cachos de conserva y sétera.

Al cabo de los años miles recaló de nuevo en la ínsula Pedro
Cabrera, viejo ya, pero enteado y sin más valores que el oro de
unos dientes, aunque tan visibles, paletudos y rutilantes que si
bajaba el Camino Nuevo, desde la Comandancia lo sacaban por
la entaúra. Allá se quedó Pablo, quien por su cuenta puso un

negocio de lechería, que ni que lo hubiera aprendido con los lecheros de su tiempo y de su isla, según le metía agüita y sal y otros "entullos", como cualquier maestro de las Medianías canarias.

De uvas a brevas escribía unas letritas el hermano de Soledad, pero a medida que pasaba el tiempo pegó a tupirse. De repente se acabaron sus cartas. Al año o poco más de este definitivo silencio, volvió de Cubita la Bella otro indiano, un Chano el *Sajonao* de detrás de la Plaza de la Feria. Chano se dejó decir que Pablo se había muerto después de haberse sopeteado un pan mollete con la leche de la que él mismo preparaba. Soledad se tiñó los vestidos y le mandó a decir una misa en San Telmo y otra en San Nicolás. Compadre Monagas apareció unos días con su golpe de tirilla negra en una solapa.

La vida siguió su curso, impertérrita, como los perros de la Plaja Jantana, con el Pendón saliendo cada año por estas fechas, con la gente poniendo trampas de la luz y yendo al Pino... Las cosas.

Un día tocó en el cuartito del compadre Justito el cartero.

—¡Carta de La Habana!—gritó de fuera, dándole el último vistazo a la misiva con sus lentes de arillos de metal en la punta de la nariz.

"¡Sús! ¿Y de quién pué seé...?"—rezongó dentro comadre Soledad, pensando al tiempo—: "Ya Justito se equivocó de puerta." Abrió como gallina bajo el milano.

—¿Ta seguro que es pa mí, Justito...?

—¿Usté no es "Doña Soleá Cabrera, Risco de San Nicolás, Lan Parma de Gran Canaria"? ¿Tonses...?

Compadre Monagas le metió una puntilla 1 sobre y lo rajó con sumo cuidado y perfección. Leyó, estupefacto, ante la asmada esposa:

—"Labana, 23 de Santiago de 1923.—Quería Soleá y apresiable cuñao Pepe: deseo que al resibo de la presente se ayen todos gosando de salú como este micorasón lo desea; yo vien grasias a Dios, anque estube muy malito ay más allá, que no abiqué porque acuéldate Soleá lo que desía el abuelo: de que naide se muere la víspera sino er día—. La presente es pa desisles que el viento de aquí me está soplando de proba ende cuando tuve que largar la leche y ponerme a vender fruta con un carretón, pos pusieron una sentral lechera y al mou le echaban menos agua que yo, lo sierto es que no vendía una médía ni pa una melesina; yo ha querío pegale a otras cosas, pero esto está tan mariscao ya y yo jarto de aplicarme y sacar lo que de agua en un jasnero, que me ha resuerto a dir pa Canaria y Dios y la Vigen del Pino dirán; tengo casi ajuntaos los cualtitos der pasaje y en cuanti que estén en el saco tóos los presisos, brinco por el Morro y adiós Labana que te vaya bien, que bien te ha querío, pero magua no me dejas. Si vieras Soleaílla y cuñao Pepe de mi arma las ganas que tengo de trincar un platito de tollos compuestos con papitas sancocháas y unas jareítas con mojo y unas pellitas de gofio con queso de cortijo, ¡ya santísima! que na más de pensaslo me saliva jasta el ala de la cachorra.—Soleá, ésta es pa desirte que espresiones a tu marío, quia pesar del ron quiatragao creyo siga vivo él, como este mi corasón le desea. Soleá, ésta es pa desirte que endentro diunos días traspongo, que mucho me gusta esto, pero que ya no lo cambeo por mi Risco ni con sentenes arriba.— Resibe muchas espresiones de éste tu ermano que desea más berte que escrivirte, Pablo."

—¡Ya cayó que jaser!—resolló el compadre según acabó la lectura de la carta—. Me estrañaba a mí que tu hermano Pablo doblara las cajetas sin dar conduerma. ¡Me estrañaba a mí!

—¡Mueno!, ¿ya pegas tú...? Déjalo a ée. Si fuera hermano tuyo, veríamos a vée...

—Ta bien, señora. ¿Yo qué ha dicho? Que me estrañaba y nadita más.

Por encargo muy encargado de Soledad, Pepe anduvo vigilando cuanto barco de Cuba recalaba en La Luz. Un día saltó Pablo. No traía ni donde caerse muerto, y a pesar de ello venía de un fachento que daba de cara. Por los años, los trabajos y el trópico, que se come las carnes y los nervios de los isleños como una lima sorda, tenía cueros y estampa de cazón jariado. Ni la cartera ni el físico eran, pues, para empertigarse, pero el complejo positivo de emigrante dominaba siempre, aunque brevemente, el alma y los nervios del isleño, que hacía la América. "Este viene como si fuera a llevar el Pendón en la prosesión sívica-religiosa de San Pedro Marte", pensaba Monagas con una sonrisita agachada, viéndole moverse y jalar por el puro y dar palmadas y decir constantemente: "¿Qui'hubo, chiquiticu?"

Cuando entraban del Puelto pa Lan Parma en la tartana de Angelito *Pata Loro*, compadre Monagas dijo a su cuñado Pablo:

—Alcontrarás esto cambiaillo, cuñao...

—Psss...—despreció el indiano, como a golpe de sifón—. Esto sigue siendo el mismo corralillo, chicu, no te ocupes.

—No, si no me ocupo...—empezó a revirar Pepe, viéndolo con el aquel aire imperante—. Más bien quería desirte como de que te fiaras en ese muelle de la Copa, que está asiado, no me digas...

—Tú no has jas visto el Morro, chicú. Si lo vieras visto, esto te resurtaba una rapaúra. ¡No te ocupes!

—Ta bien, mano Pablo... ¿Pero te acueldas de los Arenales? ¿Te acueldas cuando éramos unos jovensillos —y ya mayores—, de estas montañas de arena que había asquí, dende la Estasión jasta casi el barranquillo de don Soilo...? Fíjate ahora, Pablillo, que asquí se ha jecho ahora un gran barrio, el de las Escarabaneras, con un teso par furbo cosita asiada: el Estadio, que llaman a ée.

—Un corralillu, chicu, no te ocupes—se emperraba Pablo el indiano, haciéndole fos a cuanta mejora se le mostraba.

—Hombre, no me digas que estas casitas de sinco y seis pisos que han jecho áhi no están desentes y eso...

—¡Terreras, chicu, no te ocupes! Tenías que ver pasao el charco, isleño, y ver visto las de La Bana, con setenta pisos pa riba. ¡Ni comparansia; gallego, no seas bobera!

Compadre Monagas se empesó a estomagar. Callóse y se puso a pensar, soplado: "¿Qué encontraría que valiera pa el totorota éste...?"

Llegaron al Risco. Pablo se quedaría allí unos días, hasta encontrar acomodo definitivo. Comadre Soledad, su hermana, toda privada, le preparó un catrillo de viento.

—Escáldalo bien y úntalo de pretóleo, no sea que tenga algún bichillo, de estar arrimao por áhi—recomendó Pepe a su señora.

Monagas dejó hablando a Soledad con su hermano y salió un instante. Muy cerca de su casa estaba la tienda de Rafaelito el tiendero. El hijo de éste, Rafaelillo, tenía un morrocoyo, todo el día zorronguiándose debajo de las camas, sin una hojita de lechuga que llevarse a su hambre de animalito olvidado. Rafaelillo le "emprestó" el bicho al compadre. Y algo después de lan dien dadan por la Catedrán, en filos de cojer todos la cama, y aprovechando que Pablo fue "allá fuera", Monagas metió el morrocoyo debajo de la almohada del catrillo de viento donde el indiano había de descansar de aquel apasionante primer día en la isla. Molido como centeno, Pablo se quedó de golpe y zumbido como un reló. A la media hora estaba metido en tal roncar, con zinguido de olla exprés, que se lo podía oír clarito de La Plataforma.

En tal profundo momento, el morrocoyo, al modo sofocado de la almohada, o por huírle a aquel sordo berreo con que el indiano amenizaba su sueño, pegó a echarse fuera. Bajó por la orilla de la cama, hacia los pies, y como tropezara con la mano grande y muerta de Pablo, viró, trincado en bolina y proa al peludo pecho del durmiente... Trabó las patillas en la pelambrera de su compañero de catre...

El esperrido lo escucharon en la misma Laja Pepe Melián, Victorio Millares, Simón Doreste —mi gran amigo— y otros veraneantes que se acostaban más bien tarde. Pablo había despertado, y al tentar aquel caparazón duro como un tenique y frío como la barriga de un muerto, dio el grito, y al tiempo tal brinco, que se quedó de pie en temblequeo bajo los largos calzoncillos.

—¡¡Ay, mi madre!!

Pepe, que se mantuvo despierto por estar al güiro, corrió al catrillo, con una vela.

—¿Qué rayos te pasa, Pablo...?

—¡Mira, chicu!, ¿te parese poco...?—y señalaba el morrocoyo arrastrándose tardío en medio de la sábana.

—¡Si eso no es náa, muchacho! Que Soleá no limpió bien, y náa más.

—¿Cuálo...?

—Que al moo ella no le dio bastante pretólio y se ha quedao áhi esa chinche canaria...

43

DE CUANDO PEPE MONAGAS SE CREYÓ QUE ERA UN BARCO

Monagas salió de aquella ajitera —que no fue ajitera, según dijo quien bien podía saberlo, o sea el doctor don Vicente Ruano, sino unas "fiebres gástricas"— que le dan un soplido y levanta volando como la brujilla de un cardo, mejor llamado vilano. Asomó en la calle tan virado calacimbre, tan quebrado de color y tan flojo de remos que, olvidado de los fiados, hasta Rafaelito el de la tienda le tuvo lástima. La comadre Soledad tenía que atenderlo, pues para eso era su esposa. Así que en la casa no entraban más perras que las obtenidas por cabes, séase préstamos y sablazos. Había acabado de abracar a la dichosa pareja, que las desgracias nunca vienen solas, ya se sabe, una crisis del turrón como no se recordaba otra desde los tiempos en que la química tumbó a la cochinilla. Ni en aquel entonces ni en este ahora compraba nadie más que fuera una cuarta del de gofio, pero es que ni para una medicina. No sé qué había pasado para fuera con el plátano y con el tomate que no los querían los chones. Y tal repudio, que parecía lógico alcanzara en exclusiva a los cosecheros y a los que inmediatamente viven al rebelaje de ellos, repercutió también en los desgraciados sin más tierra que la de las macetas, más matas que algún tomaterillo espichado en una caña y más agua que la del cielo, cuando le daba gana de llover.

Así andaban los compadres, brincando desde los amargos chochos a las brevas de Tirajana, cuando llegó el remedio en forma de presidente del Casino. El señor don Frasco, hermano del padrino de Pepe acababa de ser elegido "para la punta l'ante de la Junta", como decía nuestro cosechero de Los Barrancos. Soledad, tan celosa del cotidiano potaje de enredaderas, llevaba tiempo de visiteo buscando algo para su marido, sin dejarlo empelechar suficientemente. Cayó una mañana casa del padrino del compadre.

—Oye—se quedó éste pensativo—, pues a mí hermano lo acaban de elegir presidente del Gabinete... Tú disle a Pepe que se deje ver conmigo, que a lo mejor tengo un asuntillo para él.

—Pero repare usté, don Antonio, que mi marío se ha levantao de esa ajitera, o de lo que quiera que's, tan menúo y sin valores, que es lo que él dise: "Estoy como un volaor mojao." Búsquele algo más bien livianito, asín Dios le sarve el arma.

—No te apures, que será llanito y vestido de limpio.

Antes de una semana, compadre Monagas entró de mozo en el Casino. Lo destinaron a la cantina, como él llamaba el bar de la ilustre sociedad. Ignorante del oficio y algo tupidillo por la flojera que le dejó la enfermedad, en las primeras semanas anduvo más bien torpe y atrabancado. Se le desparramaba el "cafén ni leche", le pedían coñac y él reclamaba ron, sétera. Los del despacho y los socios que así lo vieron cayeron en el tácito acuerdo de hacerle alguna burla.

Cierta tardecita que soplaba de guasa llamaron a Monagas de una mesa.

—Mira, Pepe—pidió un don Vicente Tabares, más mal intencionado que espicho de pita—, tráete un cafén con leche p'aquí, un coñá pá aquí y a mí me vas a traer un Martín Sáens...

—Sí, don Visente, a tirito.

Pidió el servicio en la cantina. Y se armó el choteo.

—¿Martín Sáens...?—y el cantinero ponía una cara chimba y cambada, desdeñosa y burletera—. ¡Echale paja a la burra...! ¿Pero, muchacho, tú no ves que eso no es una bebía, que es un barco de los Bordes, de los que van pa La Habana, muchacho...? ¡Ya santísima, cuánta totorotiada hay que ver!

—De moo y manera que ha habío montaíta, ¿eh...?—se agachó, medio rizo, Pepe Monagas.

Volvió a la mesa. Y por no arrimarle cabacos a aquella candela, dijo como si nada:

—Dispense usté, don Visente, el Martín Sáens se acabó. El último creo que se lo bebió usté ayer...

—Ah, sí, hombre... Pues mira, entonses me traes una copita de Conde Wifredo.

—Se dijo. ¡Espacha una copa de Conde Wifredo!—pidió ya en el bar, haciéndose el desparpajado.

Las risas fueron tan vivas dentro y fuera del mostrador que hasta las filas de botellas pegaron un tembleque.

—¿Qué pasa ahora...?

—¡Conde Wifredo...!—se esmorecía el desponsable del despacho—. ¡Pero si ese es otro barco, totorota, también de los Bordes y también de los que van pa La Habana!

—Vaya, que está la tarde de torosáa, por los moos...

Un socio que estaba jilvanándose su pizquito de ron en la barra le explicó, más serio, al compadre, que, en efecto, los dos nombres de supuestas bebidas pertenecían a dos barcos que hacían la travesía de Cuba por entonces y que eran muy populares en la isla porque acarreaban emigrantes como quien tuesta y lleva al molino...

Días después de este percance recaló por la ínsula un general destinado a la Comandancia Militar de Las Palmas. Invitado por algunas personalidades del Casino recaló un día en la sociedad. Se sentaron en el patio. Monagas acudió a una llamada. Cada cual pidió lo suyo. El general dijo:

—Para mí, una copita de *Marie Brizard*.

Monagas se quedó de muestra y cambió. Plegó la boca en un camango guasón. Luego cerró un ojo, torció aún más el hociquillo de "sabedor" y se diblusó sobre su estupefacto cliente. Le dijo por último con el más argentino retintín:

—¿Conque *María Brisar*, eh...? Se fue pa La Habana ende cuando, mi general...

44

DE CUANDO PEPE MONAGAS SE GOZÓ UN SERMÓN DE SAN PEDRO MÁRTIR

Don José López Martín, Canónigo él, de la raya de Guía él, y del que la pollería seguramente no sabrá ni papas, fue en el país canario un hombre de los que ahora llaman "fuera de serie" y antes un cheche, lo mismo si se escarranchaba en un terreno de luchas, que si se movía en el seno de la Santa Madre Iglesia, donde también despuntó como el más lozano gallardete de rosal. Hijo de roncotes de aquellas playas del norte, o sea nacido en pañales tan humildes como la humilde retama, aquel Pepillo de la ribera guiense viróle el traste a la marea y le dio cara a los libros. Este cronista de la vida y hechos del compadre Monagas oyó a gente antigua, ya hace una jurria de años, que aquella figura, a la que andando el tiempo habrían de llamar el *Diario* y otros papeles locales "insigne y preclaro varón", se mostró al principio frente a los estudios más bien tenique que mollar. No le entraba el muchacho ni al latín, ni al griego, ni a la retórica y poética, ni a otros atrabancados semejantes libros. Mas no aflojó. Y estando en la brega, "catre" va, "catre" viene, Pepito que se va para Guía en unas vacaciones de verano, y Pepito que agarra un tifus de los del tiempo de la División de la Provincia, que duraban tres meses más bien corridos, y que largaban a los cristianos por los pios del catre, de rebasar, cayendo más en calacimbre que en figura humana.

El tal tifus obró un prodigio. Como si hubiera destupido el miluque del chiquito, de él salió el seminarista con un talento macho. Fue para arriba como espuma de jabón inglés hasta plantarse en deán. Y estaba en ese alto vuelo y prometiendo los planeos soberanos de la aguililla, con un obispado barruntado y a la vista, cuando se lo llevó la muerte, nuevito todavía. Se le lloró cumplidamente; no era para menos.

Como cosa curiosa le diré más, paisano. Le diré que don José López Martín vivió muchos años en el más encantador rincón de Vegueta: en la plaza de Santo Domingo, esquina a la calle del Agua. Frente creo que hubo una gofiería de un tal Justito, que vendía el gofio mejor de islas, incluidas las menores. La mansión del señor deán don José era una casita con huerto que allí está todavía —quiera Dios que por muchos años—, un huerto donde lozaneaban los topetes y los rosales y los crotos, donde se enramaba viciosa una olorosa madreselva que a la prima noche bullía de esas mariposas oscuras que deben bajar de la luna y subirse a ella antes del primer claror, y donde, tirándose más bien al esquinazo de la tapia colonial, se alzaba una palma bien galana, que si no era tan allá como la de San Roque, tampoco podían hacerle feos las del barrio de la Casa de los Picos. Era la Palma de doña Nieves, datilera ella, a la que todos los galletones de mi tiempo tiramos pedradas por mor de las támbaras, que las daba y bien buenas.

Mucha gente, inclusive de entonces, tal vez ignore que doña Nieves, la de la palma, era doña Nieves López Martín, hermana de padre y madre del señor don José, el Deán.

Y ahora vamos a embocar la materia de esta historia, tan cierta como el sol que nos alumbra. Don José López Martín fue el más grande predicador de su tiempo. Yo diría que hasta de Tenerife, pero no lo diré, no sea que vayan y se me piquen y amulen hasta los buenos amigos nacidos al soco del gigante negeralife, de viejo llamado Teide, y de más viejo Echeide, séase antes de las folías. Don José tenía el timbre de voz y las maneras graves del clásico orador canario, su varonía y señorío. Y eran tan singulares sus sermones, según contaban quienes se empajaron oyéndolos, que inclusive, en los fijos, condicionados a un santo o a una solemnidad determinada, eran en su boca como nuevos. El personal de fuera venía de la Aldea —que ya no se llama así— por gozárselo, y el de portadas y portadillas para adentro perdía el comer y, lo que es más grave, el beber por oír "pedricar" al señor deán don José.

No hubo rincón en la ínsula donde no resonara el caracol de aquella fama. Inclusive los Riscos, que entonces eran de la iglesia así como parientes lejanos —cada cual en su casita, con sus tres teniques, y Dios en la de todos— se conmovieron con aquellos torrentes de santas, sabias y hermosas palabras. Comadre Soledad estaba cansada de oír en casa de doña Candelaria los más encendidos elogios de don José López Martín. Iba a escucharlo, y a cada instante llegaba a su cuartito risquero hablando y no acabando de aquel pico de oro, al que cierto inspirado local llamó una vez "Capirote de la Catredán".

Y en esto, que ahora hará años, llegó un San Pedro Mártir, mejor conocido en la ínsula por San Pedro Marte, con su solemne oreo del Pendón y con sus fueguecillos municipales, tan amados en nuestra infancia, y especialmente por el espectáculo de la sarta de piñas que cada dos por tres conmovía el paseo de la Plaja Jantana. Lo dijeros los papeles y lo pregonaron las vivas voces de la gente de una la otra punta de la isla: el sermón "corría a cargo" de don José López Martín.

—¿Tú no estabas antojao de oír a don Osé? Pos ahora pedrica por San Pedro Marte—dijo un día de las vísperas a su marido la comadre Soledad—. Ya sabes que es cosita asiáa. Asín que no te lo pieldas por bobo.

—No me lo perderé—contestó Monagas con firmeza—. Y es más: ese día te vas a levantar trempanito y me vas a calentar trempanito el gotito de cafén, ¿oístes?

—¿A qué hora llamas tú "trempanito"?

—Oh, pos un pisco dempués del arba.

—¿Onde vas a dir al arba? ¡A los churros será, por los moos vistos! ¡Si el sermón es p'allá pa las dies, niño!

—¿Y a mí qué, si a lo que voy es a coger puesto...? Quiro agarrar un siento lantrerito, ¿tiendes?, pa gosármelo apulsao.

—Tonses no te estén por la noche por áhi. Te vienes tempranito y te acuestas.

—No diré más que a dar una vueltita por la Prasuela y a tirito estoy asquí.

Pero el diablo la hizo. Tiraron de él las ganas de beligno y tumbó hacia la Plaja Jantana. Le daría un vistazo al rebumbio organizado, oiría un par de piezas de la tocata y vería uno o dos fueguillos de los "neurasténicos" de Guía. Antes de las once dadan estaría otra vez en casita...

Pepe entró en el cuartillo sonando el toque de alba de San Pedro Marte en la Catredán... Se había encontrado con unos amigos a las bandas del paseo. "Qué, ¿nos largamos un macanasito?" "Uno no es pecao. Se dijo." Macanasito fue que lo agarró la autora delante de media peseta de churros abajo en un cafetín de la Plasa.

La comadre puso el esperrido por arriba de la casa de don Bruno, séase en el cielo.

—¡Palanquín de los infiesnos, perdulario de tres mil demonios, pilfo, que no sos más que un pilfo! ¡Miá que horas! ¡Y qué josico!; "¡Lámame trempanito, que voy a dir a coger puesto p'al sermón de don Osé! ¡Ji jiñóoo!"

Siguió una sarta de lo que en los periódicos llaman "denuestos" y en el Risco "estupidura". El compadre decidió no aguantar aquella rociada. "Esta no me va a dejar pegar un ojo. Hoy dispierta con el tabefe sangolotiao. ¡Déjame dirme...!"

—Güeno, señora, túpase ya, que ya está bueno. Voy a dir al sermón. ¡Si yo no me ha acostao por si acaso te queabas dormía tu, boba...! Y como ya me tomé el cafén me voy.

Traspuso, más que nada por quitarse de guineos. Bajó a la Plaza y se tomó otro pizquito de café y una "ginebra", haciendo tiempo. Cuando le pareció bueno, recaló por la Catedral. Encontró el sitio que le dio la gana. Se arrepolliñó bien arrepollinado y se puso a esperar pacientemente. El templo resonaba de silencio y la alta luz que bajaba a sus naves tenía ese arrojo de las habitaciones cerradas para la siesta. Compadre Monagas se fue quedando bobito, traído dulcemente al embeleso por la mala noche y por aquella paz y aquella suave claridad. Del apoyito pasó al sueño atroncado como pasa el "crespóculo", que decía nuestro amigo el cosechero de Los Barrancos, a la noche...

¿Cuánto tiempo estuvo entre los colchones de gente rica que Morfeo tiene por brazos...? ¿"Qui lo sá", como decían los abonados a la temporada de ópera en el Galdós? Lo cierto es que volvió en sí abriendo primero un ojo y despué el otro, cuando sintió un rebumbio de sillas rodadas y ese rumor sordo que provocan en los templos las multitudes al hincarse o al levantarse. Alcanzó a ver a don José López Martín cuando bajaba del púlpito, ya lista su sagrada pieza oratoria...

—¡Aaah...!—suspiró en alta voz con auténtica magua.

Le pasó calmosamente la bocamanga a la cachorra, más por espabilarse que por limpiarla, y cogió el camino de la calle. Cuando ponía pie en la acera, acertó a pasar Dominguito el de la Audiencia.

—Oh, Pepe. ¿Estuviste en el sermón de don Osé?

—Pos... si jiñóoo...

—¿Y sobre qué habló?

—¿Sobre qué...? Sobre el púlpito...

Colección completa de

LOS CUENTOS FAMOSOS DE PEPE MONAGAS

(Segunda parte)

los **CUENTOS** FAMOSOS de

PEPE MONAGAS

LOS SACA EN PAPELES
ROQUE MORERA

Llevan un prólogo de DON SIMÓN BENÍTEZ

Portada de la primera edición

11

El autor —Eduardo Creagh— de esta
caricatura, directivo de nuestra Asociación y contertulio de los tiempos
madríleños de Pancho, la llevó a cabo en una noche de la Peña, sobre el
mármol de una mesa de nuestro café, y fue sólo entonces conocida por
el inolvidable desaparecido amigo.

Me tengo por ser uno de los escasos devotos del poeta insular *Don ALONSO DE QUESADA*. He creído que esto me autorizaba a fusilar del prólogo a sus sabrosísimas *Crónicas de la Ciudad y de la Noche* unos parrafitos con los que cubrir y aprovechar esta desamparada solapa de mi libro. Aquí suelen poner los editores o los amigos del autor una síntesis biográfica suya, seguidas de unos —por partida doble— estimulantes elogios. Como yo no tengo editor, ni perrito que me ladre, estampo aquellas palabras de *Don Alonso*, con lo cual a lo mejor salgo ganando (que me extrañaría). Lo que tomo prestado dice:

"Este libro no se regala a ningún amigo. Los amigos están obligados a comprar los libros de uno. Aparte de que el capital que se desembolsa es muy pequeño, sería cosa descortés no comprarle al estimado amigo su libro, que encima puede tener gracia, y lo que dirá será cierto y pintoresco, como cosa de la tierra que es. El autor no regala este libro porque el producto se dedica a un fin benéfico: el fin benéfico de sí mismo. Pues él vive de la escritura pública, como otros de sus secretarías, y otros de sus ultramarinos, y otros de sus padres. Tres tollos, por otro lado, se gastan sin saberlo uno, y el libro no está tan mal que no merezca el regocijo y los tres tollos de un honesto tenedor de libros, o de un honesto comisionista, o de un mercader no tan honesto."

Me resta formular el ruego de que no lo presten sino a los pobres de solemnidad.

ROQUE MORERA

El autor amenaza con estos otros

LIBROS:

¡No te apipes, Regorio, que la agarras...!
¿A la costa...? ¡Ni amarrao!
A mí lo que jeringa son los abusos.
En el "Yova" llegó un chone...

Cuatro entremeses canarios, representados con viento en popa en distintos teatros y similares de la ínsula.

Ahora que hay marea..., golpe a la lapa.

Comedia en tres actos, de ambiente risquero, que no he estrenado por gandul.

Mi léxico de Gran Canaria.

Nuevas palabras, palabrejas y palabrotas, refranes, dichos y donaires de la tierra del gofio y los tollos, con glosas y demás.

Dos pequeñas biografías: Roque Morera y Rafael "Mamela".

Los cuentos famosos de Pepe Monagas.

2.ª serie, mejorados y tal.

Escandallo p. v. p.

TRES TOLLOS

A maestro Pepe Quintana, que en su carpintería de la calle de Juan E. Doreste me dio las primeras y mejores lecciones de humor popular isleño cuando yo era casi un niño y él ya el más grande coñón que han parido las madres insulares de todos los tiempos.

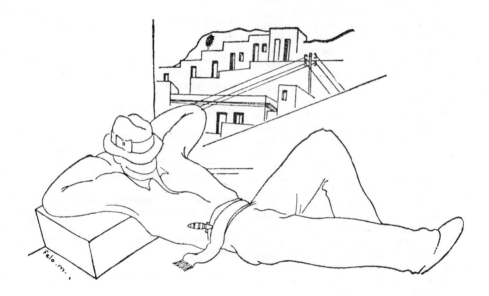

ACTA DE NACIMIENTO

DE PEPE MONAGAS, EN FORMA DE PRÓLOGO
AL LIBRO DE SUS AVENTURAS

D<small>E</small> cuando Pepe Monagas, *de manos de su padre literario don Francisco Guerra Navarro, salió por primera vez a la vía pública de Las Palmas, montado en las columnas de la prensa local, data mi compromiso de servirle de guía para más lejanas andanzas, prologando el libro de sus mejores cuentos.*

En los meses transcurridos, mi ofrecimiento amical se ha hecho innecesario, por cuanto Pepe Monagas ha llegado a alcanzar tal celebridad que estoy buscando recomendaciones para obtener que me presente al público, el día que me decida a intervenir con algún producto propio en la amena Literatura. Si a pesar de ello escribo este prefacio, es para más obligarle a corresponderle luego.

Vivía Pepe Monagas en su casa del Risco, dedicado a sus mil enredos y trapacerías, sin que nadie parase en él la atención. Alguna vez hablóse de sus buenos golpes en la botica donde Robaina, Chirino, Fabelo, Galindo, Camejo y don Felipe Centeno vertían sus comentarios de la ciudad y de la noche, que sorprendidos por el malogrado poeta "Alonso Quesada" constituyeron la crónica humorística isleña, de fina gracia insuperable.

Pepe Monagas se fue creciendo. Fuera del ámbito de la tertulia, alguna vez se hizo eco don Leopoldo Fleitas —cuando se le reventó su pertinaz divieso— de sus ocurrentes salidas.

Y ampliando el círculo de sus admiradores, corearon en diversas ocasiones sus buenas caídas don Antonio, don José, don Salustiano, don Onofre, don Manuel, don Francisco, don Gregorio...

Pero el pueblo, al que Monagas pertenece, seguía ignorándole. El pueblo no conversa en las boticas, no ocupa las mecedoras del

*Casino, ni invierte sus horas en descubrir sigilosamente la pista
de un güiro.*

*El pueblo se reúne y se solaza en los campos de deporte. Y lo
único que el pueblo comenta son las incidencias del juego. Busca
ansiosamente, al otro día, el apoyo de sus apreciaciones, en las
crónicas de espectáculos.*

*Y he aquí que en la buena mañana de un lunes, el Noticiero
periodístico no sólo le informó de los goles del domingo, sino que
le dio por añadidura cuenta exacta de alguno de los dichos de
Monagas. Y siguió luego, semanalmente, a guis de repórter de
local fijo, insertando el ingenioso Paco Guerra nuevas travesuras
de Monagas, nuevas mixtificaciones, nuevas marrullerías, toda
una novela de la canaria picaresca, desgranada en cuentos breves.*

*Y el público le ha comprendido. Se ha identificado con Mo-
nagas de tal manera, que en alas de su favor, Monagas ha llegado a emanciparse de la paternal tutela de su inventor. Un día
y otro Pepe Monagas aparece en la prensa de Las Palmas, y
carga como propias con todas las ocurrencias, unas con mucha
gracia y otras con bastante menos, que le plugo colgarle a uno
u otro periodista. Como buen isleño, todo lo aguanta con filosofía, por lo que no se molesta en protestar de las crónicas apó-
crifas de los hechos que falsamente se le atribuyen. Comprende
que no se presta sino a los ricos. Y por muy modesto que Pepe
Monagas sea, nunca desagrada un poco de popularidad.*

*Estaba Pepe Monagas inmerso en la masa anónima de la mu-
chedumbre canaria, impregnándola de su malicia socarrona. Aga-
rróse para salir a la superficie, en la linde del último con el presente siglo, a la elegante prosa de los relatos de la tierra canaria,
que los hermanos Millares sacaron a la luz. Aún hizo otro esfuerzo por desprenderse de la informe ganga multitudinaria,
asido de la pluma de uno de sus primeros cronistas, en los últimos años de don Agustín Millares Cubas, cuando ya el literario
y efervescente mosto juvenil se había decantado en suave ironía,
trocando el áspero gusto rabelesiano, por el delicado aroma y
sutil transparencia que gota a gota destila el correr de una serena vida.*

*Mas éstas fueron imágenes de Monagas deformadas, aunque
embellecidas por el espejo que las reflejaba. Hasta el nombre,
ese nombre propio latente en todas las cosas y personas, había
sido disfrazado. Y el pueblo canario no le reconoció como suyo,
aunque de su cantera había sido extraído.*

*Lo que Monagas necesitaba era salir intacto de su escondite
del Risco. No con traje de buen corte, ni con parla de buen ha-
blista, sino charlando con dejo cansino, arrastrando el acento, co-
miéndose unas cuantas consonantes, dejando la palabra sin aca-*

bar, interrumpiendo el párrafo para echarse una copa de ron cubano, hablando el guanche, en fin.

Sirvióle de truchimán don Francisco Guerra Navarro, que sacándolo de casa de sus compadres y concurdáneos lo paseó literariamente por esas calles, dándole la fugaz vida del periódico. Perdido el miedo al público y sus malas intenciones —que él de sobra conoce porque, sobre todo, es público también—, Monagas subió luego al escenario siempre del brazo de Paco Guerra. Ahora éste, puesto definitivamente en pie el mito simbólico de Pepe Monagas, trata de impedir que se desplome, infundiéndole la perenne vida del libro.

Que este más amplio paseo por esos mundos literarios robustezca aún más a su personaje, es nuestro ferviente deseo. Hagamos votos por que este tipo representativo de la entraña, a la vez candorosa y burlesca del alma canaria, pueda tropezarse alguna vez con sus compañeros de más alta prosapia, John Bull o el Tío Sam, y, guardando las distancias, viva tanto como ellos, para solaz del isleño arrinconado.

Simón Benítez

Diciembre de 1947.

DE CUANDO PEPE MONAGAS ME CONTÓ EL *COMPROMISO* DE LAS LLUVIAS EN FUERTEVENTURA

A don Simón Benítez.

Voy esta noche de nuestra recién estrenada y echadita Primavera hacia la Plazuela con ánimo de tirarme un salto a Vegueta y recalar en el "Suizo", cuando me canse de andar. Templada, en penumbra y solitaria la ciudad, da gusto andar por sus calles altas, llenas de encanto propio y de primeros recuerdos personales. Es una de estas noches vacías, en que parece que todos los isleños se han puesto de acuerdo para no ir a ninguna parte. El predominio de Vegueta, que por fases suele alzarse y ganar, a la manera de "levante", todo el ámbito de la ciudad atlántica, es absoluto.

Cuando paso abstraído, recorriendo castillos, intentando recordar los versos de un soneto antiguo, con cara de bobo, por delante de la Alameda, desde debajo de uno de sus árboles me llega una voz despaciosa que al pronto no determino:

—Adiós, mi amigo...

En seguida se presenta el saludador. Una sombra se desprende de este banco cercano y viene hacia mí... Es Pepito Monagas. Nadie más, ni nadie menos. Con el sombrero tirado atrás, "desaflojado", en un brazo la americana y la mariposa de un virginio entre los labios, sonríe mirándome.

—¿Onde va tan traspuesto...? Venga pa arriba y se asienta un pisco.

Como no tengo esta noche ganas de hablar ni de oír hablar, me disculpo.

—Ande, cristiano. Suba y echamos una parrafiada... ¿Onde va que menos gaste?

Y acabo renunciando al paseo propuesto. Subo y me siento

con él bajo la espesa quietud de uno de los árboles, cuyo verde-oscuro y compacto silencio turba por tiempos un escorroso violento, seguido de algún chillido de pájaros.

—En que se entra ay un avechucho casnisero, se manda su media dosena de pájaros palmeros, como quien come brevas sin pelar, y traspone... El pescao grande se jinca al chico, dise el dicho... ¡Toa la vía!

Nos callamos un rato. Un guardia, que pasa al golpito, saluda:

—Buenas, Pepito y la compaña.

—Que le vaya bien me alegro... ¿Aónde es el fuego, Manolito...?—pregúntale Monagas por requintar su pisco, a cuento de la pachorra y cucándome.

—¡No! Fuego, no... Un robillo aquí lante. Parece que unos galletones esconcharon una pestillera y se llevaron en peso un escaparate.

—¿Y ahora?

—¡Déeejelos! ¡Ellos caeen!

—¿Pero usté, no..., no les cae arriba y eso...?

—¿Pa quéee, usté Pepito? Ellos caeen... ¿Tiene un virginio ay, Pepito?

Monagas vuelve a cucarme. Saca del bolsillo un sobre viejo y se acerca al guardia:

—¿De cuántas chupáas lo quiere, Manolito?—y le muestra el interior del sobre lleno de colas.

El guardia le da dos pasadas, con toda la mano abierta, a las bandas del bigote, lo mira gacho un instante y tumba, tragándose el degüello.

—Hay asquí en la siudá—aclara Pepe, sin apoyar mucho el comentario—unos siertos endeviduos que "no fuman..." de lo de ellos. A unos se les queó la cajilla en la mesa, otros no compran porque lo train prohibío de méicos, siertos no encuentran tienda abierta... Este Manolito usa las tres batatas pa fumar a costillas, ¿sabe? Yo, que siempre ha sío luchaor contrero y de mano arriba —¿pa qué vamos a disimulá?—, me ha buscao este sobre, lo ha llenao de colas de toos los tamaños y le digo al que me píe: "¿De cuántas chupáas lo quiere...?" Oiga, ha sío como con la mano...

Volvemos a callarnos como tocinos otro rato. La tertulia del isleño está llena de baches y aparentes meditaciones. Claro que pulpeándolas bien, de lo que se las encuentra llenas es de galbana, de siesta eterna, que nadie rompe por falta de fuerzas. Cuando una de estas tertulias se acrecienta con algún peninsular, o cualquier otro elemento nuevo que por che o be tiene sangre en las venas y la taramela liviana, la quiebra de la modorra normal alcanza categoría de sordo escándalo. Alguno de los insulares fijos sale un momento de su soñarrera, se diblusa discretamente sobre el vecino y dice por lo bajo, caliente:

—¡Vaya un piano, cabayeros!

—Oiga, viene desarretado...

El hablador acaba tupiéndose, o largándose, porque pegan a jeringarlo con una sonsera ambiente irresistible, o con puntitas de tan mala clavada como las de una tunera.

—Jase su calorsito...—dice al fin Monagas—. Pa mí que se va a meté levante.

—Sí... Se va a meter.

Volvemos a enmudecer un cuarto de hora.

—¿Usté ha oío que en Fuerteventura llovió...? Se metió ese tiempo que llaman en Tunte "de los Molinos" y ensopó como ay años que no ensopaba... Creo que movió barrancos, tan de banda, que ni los más viejos los recordaban iguales...—Pepe hace una pausa, que aprovecha para encender la cola del virginio, con la cabeza toda cambada y la lumbre de la cerilla lamiéndole el bigote sollamado—. Pa mí que esa gente majorera es llorona. ¡Pa mí lo tengo! Siempre ha oío jablar de que si seco, de que si baldío, de que si cabras escurrías, de que si manchonsitos de alfáfara que caben en la palma de la mano... Luego, ende don Miguel de Unamuno —al que tuve el gusto de ver en la Prasuela una sierta noche—, jasta la pluma más jedionda de los periódicos, no ha quedao perro ni gato que no haiga dicho algo ajoto de esas nubes negáas del sielo majorero... ¡Oiga, cualquiera se quita de ariba, así como así, toa esa literatura, o como la llamen! Ahora tienen que cargar con ese mochuelo pa in secula reculorum. ¿No le parese?

Pausa. Encendemos un cigarrillo y cambiamos la asentadera en que veníamos sustentando el descanso, que entre las tirillas enconadas del echadero y uno que está de carnes que no da para un caldo de pobres, si no muda se enduerme de mala manera.

—Pos yo, ¿qué quiere que le diga? Yo sigo creyendo que son mimos y tapujos, ¿oyó?—reanuda Monagas, tranquilito, imprimiéndole a cada palabra un deje de vara y media—. ¿Y sabe por qué se lo digo...? La otra mañana me cogió en el muelle la llegáa del correíllo de Fuerteventura. Venía un conosío, un hombre de ay de la Oliva ée, que conosí yo asquí porque es de mi quinta ée. Los saludemos, como es debío. Y lo le pregunté arrente lo que siempre se pregunta a esa gente de las islas allá, según se "interesa" uno por la familia y táa...:

—Qué, ¿ha llovío argo?

—Sí...—me dijo con un sí esmayao—. Una jarujiya ha caío...

Me percaté de que venía serrao de negro de arriba abajo.

—¿Por quién es el luto, usté?—voy y le pregunto.

—Por mi padre, que en pas descanse...

—Vaya, hombre. Le doy el pésame y ta y ta... ¿entiende?
—le dije yo—. De vejés, el pobre—dije más, por desir algo—.
¡Oiga...!:

Monagas saltó en el banco y se quedó sentado en el filo, vuelto
hacia mí. Medio caliente, dándole al sombrero un golpito hacia
atrás, remató:

—¿... sabe lo que me dijo...? Dise: "No. De vejés, no. ¡Se lo
llevó el barranco...!"

2

DE CUANDO PEPE MONAGAS NO SE FIABA DE DON JOSÉ EL *ESPIRITISTA*

A Tomy Christy.

Pérez, el popular Pérez, aquel que en una sonada intervención como "tribuno de la plebe", cuando funcionaba la ya histórica tribuna pública del Ayuntamiento, se atarugó al expresar "cierto punto de vista", recibiendo entonces el famoso guapido: "¡No te abatates, Pérez!"; Pérez, decimos, abrió una gallera. Pérez era, desde luego, un devoto de los seis domingos de peleas y del tiempo y las incidencias anteriores y posteriores a las pechas: cruces, crías, cuidos, intriguillas, sabotajes, atentados... Pero Pérez tenía ahora el ojo puesto en un asuntillo algo más allá de jaulones, pollos y cuidadores. Pérez iba derecho como una vela, pero atorrándose, a una timba. La gallera sería el gran tapujo para jugar a lo prohibido.

Abrió el hombre la gallera-garito por Vegueta, en un solar de la calle de García Tello, exactamente donde hoy está el taller de tornería, carpintería y guitarrera —no tienen sino dispensar el verso— de maestro Pancho Rivero. Instaló en el teso trasero los jaulones de los gallos, dispuso en una habitación delantera un timbeque con sus botellas de cerveza blanca y negra, sus gaseosas, su ron y sus chochos, y en otra pieza, también de la entrada, distribuyó unas mesas de pinzapo, les largó a las bandas media docena de sillas de Agaete y abrió la puerta... De día, de par en par; de noche, lo suficiente para entrar una persona, de "media escuadría", que diría el inolvidable maestro Pepe Quintana. Y esto, previo un ojeo por el "bujerito" disimulado que él había abierto, y luego de descorrer la taramela y sacar una barra de hierro que prestaba a las hojas un afianzado y seguro apoyo.

Estaba celosamente prohibido y vigilado el juego. Y este acicate, unido a que vivíamos el "siglo de oro" de los matones insulares, para los que la baraja era tan indispensable como la trompada de manopla y anillo y la puñalada trapera, hacía que tales tabaquientos y furtivos gazapones gozaran de una asistencia y cuido tan amoroso como los que se podrían prodigar a una cabra de las de diez medidas sin espuma. Cayó la parroquia como perro a la carniza, figurando entre ella lo más asiado de la afición y el matonismo. A las pocas noches se vio claro —Pérez, desde luego— que aquello iba a ser una bicoca. Desde la segunda, los congregantes de las "siete y media", el "monte" y sétera se jilvanaron más de media cantina y todos los chochos como quien tuesta y lleva al molino, a más de dejar su buen chorro de pesetas en "conseto de impuesto de juego", como decía Pérez. Marchaba el "asuntillo" con brisa de popa cuando una noche...

A las diez y media de un sábado, señaladamente, recaló por el timbeque el *Brígido*, un matón atarracado, de mollera de tenique, faltón y con las manos peligrosamente livianas, que tenía un crimen en su haber y que habría de morir, pasando el tiempo, con los zapatos puestos. Le abrieron brecha en una mesa atestada de las "siete y media". Callado y calmoso, sacó un manojo de billetes y lo puso delante. Lió un cartabuche y pidió juego... En una de las manos, cuando la banca sacaba para sí las cartas finales, pareció manifestarse una trampa. El *Brígido*, con la cola del virginio colgando de su bemba de breva tarozada, la cabeza a una banda y los ojos menudos y rabasquientos pegados a la jugada como una lapa, cogió por el aire la socaliña. Y por debajo de la barba de millo requemada y estropajosa que usaba como bigote, se dejó decir sordamente:

—El que ha jecho la fullera no tiene madre...

Se cuajó el silencio como un cacharro de leche cortada. Actuaba de banquero otro que tampoco era flojo: Manuel Higuera, conocido por el *Drago*, tanto por su fortaleza como por lo espeso y oscuro de su sangre, de la que había largado mucha a consecuencia de "marcas" femeninas, picadas de raspafilón —de las que conservaba en el rostro bronco huellas indelebles— y puñaladas de mayor cuantía. El *Drago* acusó la puya:

—Cabayeros—dijo sonriente—, aquí naidie, que se haiga visto, ha jecho una cosa torsía con la baraja. ¡Digo yooo! No ostante, aquí...—y señalaba con el pulgar barrigudo hacia una banda...—, aquí el señor ¡diiise! que ha cojío una fullera. Y jasta ha nombrao la madre del fullerento que él dise...

Interrumpió el *Brígido*, gacho, con aire de perro que muerde callado:

—Ha dicho —¡y no me arrepiento!— que el que jiso la fullera no tiene madre.

Era la guerra. Pérez lo vio. Entró al quite sin altura, con una condescendencia blanducha:

—Cabayeros, jánganse de cargo. Toos vamos a jeringarnos con una elevada a los pocos días de abríi. ¿Qué va a pensá la gente que es jesto...? ¡No, hombre, no! Yo tengo que serráa y íi a la carse y ustées se quean sin timba por una machangáa. ¡Vénganse a rasones, cabayeros, que no hay náa como el entendimiento del endividuo!

—¡Cáyate la boca!—lo plantó de golpe el *Brígido,* poniéndole una mano en todo su desgraciado rostro y empujándolo contra la pared de mala manera.

Y luego, seco, inexorable, metido el quejo en el pecho, y los ojos atorrados tras el zarzal de las cejas, insistió sombríamente en negar la existencia de la madre del banquero. El *Drago* largó entonces, despectivo y con limpio gesto, la sobajada baraja, que se abrió como un viejo abanico sobre el tablero de pinzapo. Luego replicó:

—¡Aquí, el que no tiene madre, so jediondo, sos tú...!

Y al tiempo trincó al soslaire una botella de gaseosa de las grandes, recién servida para Adrián el *Indiano,* y, ¡riáaan!, se la estampó al *Brígido* con la más afortunada tela arrente mismo de la moña. El líquido corrió alegremente por la cara batida y acerba del matón, trabó unas burbujas monísimas en la pelambrera salvaje del bigote y filtró, por fin, con caspa y ceniza del virginio hasta los labios reventones e insolentes. La lengua del agredido tiró un lance y se llevó dentro la escurridura con un geitillo de camaleón. En la frente no se había levantado ni un mal gallo. Era de tenique majorero aquella cabeza. Volvió a cuajarse el aire, ahora como un queso de las Medianías. Unicamente el boliche de la gaseosa, que saltó, despreocupado y pueril, desde la frente a una botella de cerveza negra de las del estante, de allí al mostrador y del mostrador a un porrón de lata que había al pie, interrumpió un instante la espesa pausa. El *Brígido* dio un impresionante manotazo a la mesa, hálo rápido por un revólver cubano, con un caño como la chimenea de un correillo, y fajó al tiro limpio. Los circunstantes se tiraron a las bandas —¡oh, ya!—, dejando al *Drago* a cuerpo gentil bajo el fogueo. Las balas, gordas y largas, como puros de La Palma, dibujaban ansiosas la silueta bronca del banquero y se aplastaban, silbantes, contra los revocos del cuartucho. Cuando el *Brígido* iba por la cuarta brimba terció Cardenete. Cardenete era un sobrino de Pérez, galletón listo como un rayo y arestado como un hombre, que lo mismo le hacía al tío la cuenta de la pata, que liquidaba un atrabanco como el presente. El muchacho trincó decidido la pata de un taburete antiguo, de tea ella, que estaba allí para juez de tales litigos, se subió en una silla detrás del *Brígido,* lo fue cuadrando, lo apulsó bien, y ¡riáaan!, le metió tan fuerte toletazo en todo lo alto de la melona, que el matón dobló sin decir pío. Fue como con la mano. Quitáronle al durmiente el mastrote, lo arrastraron como un saco de papas hasta la calle y aquí no ha pasado nada. A los tres minutos escasos se sintió dentro una voz que decía tranquilamente:

—Deme una virada pa arriba...

Fuera, Cardenete sostiene con el guardia, que ha llegado al golpito, el siguiente diálogo:

EL GUARDIA.—¿Qué tiros fueron ésos?

CARDENETE.—¿Cuálos tiros?

EL GUARDIA.—¿Cuálos tiros...? Masiao sabes tú...

CARDENETE.—Si usté se empeña... ¡Tiros, dise!

EL GUARDIA.—Sí, tiros. Y ay endentro, que no es lo mesmo.

CARDENETE.—Ay dentro se han abierto unas gaseosas. Cuatro gaseosas. Ahora, si a eso llama usté tiros..., tonses me cayo.

EL GUARDIA.—¿Y ese hombre tumbao ay, qué es?

CARDENETE *(Entonando un estribillo de isa.).*—"Una mamadita —serenita— que tengo..."

EL GUARDIA.—Pero en la cabesa le luse un macanaso como una papa de riñón... Y está lalgando sangre...

CARDENETE.—¡Qué sangre, ni sangre, hombre...! Lo que pasa es que le fimos a echar una botella de agua agria pa que refrescara y fimos y los equivoquemos y le echemos la botella del jarabe...

EL GUARDIA.—Ah, ya. *(Se va al golpito.)*

* * *

Bueno, pues a este ambiente se incorporó un mal día Pepe Monagas. Le sentó al compadre la timba de Pérez como un tiro de sal y azufre. Saliendo a tajada diaria; sin una perra que llevarse a la boca, porque lo que le entraba las noches que estaba de leche, largaba en otras con el juego de "proba"; nervioso y torpe en el quehacer y en la cama, desde que pasó el umbral la primera vez ya no hubo en casa de mi comadre Soledad ni paz ni concordia. Amarga como la retama, la mujer no salía de ruegos a San Nicolás, llantinas y escandaleras, viniendo para atrás como con unos fríos y calenturas. Le pidió y más que le pidió que dejara la "consumía gayera". Y un día, a fuerza de mocos y babas, acabó poniendo al esposo mollar. Entonces le expuso tímidamente una idea:

—Estaba pa desirte, ende cuando, Pepiyo, que pa qué no te días conmigo ca don Osé el *Espiritista,* que la gente jabla y no acaba de ée, pa ve si ée te quita de la bebía y de la gayera de Péres...

—¿Qué dises tú...? ¿Tú te has jas vuerto loca, o qué...? ¡Ca don Osé el *Espiritista...*! Mi que cara...

—Te lo digo, hombre, porque tú me jas dicho a mí, más de una ves, que esto queee... que si tú pudieras no dibas y que como si te jalaran de ayí...

—¿Y eso qué tiene que vée pa íi ca el totorota ése...?

Nuevas y consecutivas llantinas, nuevo amollaramiento. Y la decisión por fin. Una mañana, luego de una noche borrascosa, el matrimonio atracó en el "espacho" de don José el *Espiritista*. Era el curandero un hombre delgado él, alto él, de nariz ganchuda y ojos como con una calentura de las del "canuto hasta la punta arriba". Informado del caso, púsose delante de Monagas, le clavó los ojos calientes, fijó un camango en su boca desdentada y pegó a hacerle visajes. Mi compadre lo miraba de medio lado con una deliciosa cara de guasa y lo dejaba hacer...

—Tiene usté que ayudarse a sí mismo—recomendó al final el curandero—. Su voluntá es tamién presisa.

—Echaremos una mano... Quiere desirse que se jará lo que se puea, don Osé.

—¿Cuánto se le debe, don Osé?—preguntó mi comadre Soledad privada, traspuesta por la fe.

—Nada, señora. Eso no es nada. Cuando le vea usté sobre la prática, la voluntá.

—¡Esús! Ni por náa...

—¡Cáyate, muchacha!—la sacudió Pepe por un brazo—. ¿No ves que dise que ahora náa, que dimpués...? ¡Oh!

Empezaron a correr los días. Soledad no vivía acechando las entradas del marido a ver cómo traía el equilibrio. Y de noche, en el catre, después que apagaban la vela, venteaba el aliento de su hombre... ¡Ni una gota, San Nicolás bendito! La mujer se hacía cruces y no veía las santas horas de pagar con algo aquel tremendo favor. Una mañana se lo dijo a Pepe:

—Oye, Pepiyo, estooo... que ha estao pensando, hombre, que debíamos haresle un regalo a don Osé, que ya veis, hombre, que te ha puesto güeno, quitándote de la bebía y de la gayera de Péres. Como ahora estamos en vísperas del día de ée...

Monagas se rascó el cogote y arrugó las narices:

—Yo esperaba, tú... ¿Qué prisa tienes? Mira, sí. Déjalo pa más alante, ¿oítes?

A los pocos días Soledad insistió:

—Pasao mañana es día tuyo, Pepe. Y de don Osé...

—¿Cuá, don José?

—¡Don Osé el *Espiritista*, hombre...! Digo que si no sería güeno que tuviéramos una atensión con ée..., digo... Ya sabes que va pa dos meses que no bebes náa, en buena hora lo diga.

Monagas volvió a recomendar:

—¡Más vale que te esperes, mujé; más vale que te espeeeres!

—¿Pero por qué, hombre?—preguntaba ella, ingenuamente.

—Oh, por náa. Pero digo yo... Déjate dir. Toavía hay tiempo. Aguántate más que sea tres días más... ¿Qué más te da...?

La mañana del día de San José, Soledad se quitó de cuentos,

y por la zorrita compró un mazo de puros de La Palma, una botella de ron, un quesito chasnero de a libra y media y un talego de nueces, y lo llevó a don José. Ya ante él y en un arranque de entusiasmado agradecimiento, sacó dos puros y se los puso también en la mano. Se había quitado un peso de encima. Llegó a su casa más liviana y más contenta que nunca. Sólo la falta del marido, que no vino a almorzar, le enturbió un pizco su gozo. No era ninguna novedad que faltara, pero aquel día de íntimo regocijo a ella le hubiera gustado compartir con él la mesa. Tampoco vino Pepe a cenar. Mi comadre se acostó cuando recogió todo. Y poco antes del alba la despertó el guineo de un borracho que se arimaba cantando al portón: "Por asiadas que sean—las lavanderas..."

—¡Sus! Esa vos...—pensó en voz alta y sentada en la cama Soledad.

Tocaron a su puerta. Y entró el compadre con una chispa como la casa de don Bruno...

—¡Esús, tal desgrasia, Dios mío de mi arma...!—y la comadre cayó como un cortacapote.

Al volver en sí, media hora después, no eran para oídos los gritos, las estupideras que salían de aquella boca amarga. Volvía la desgracia. Y arriba, con el regalo a don José fresquito.

—¡Pa más, desgrasiao, mal rayo Dios te ajunta, me dejaste jaser el gasto, me dejastes comprasle el regalo a don Osé, que mal limpriaitos cuatro duros y medio que me gasté...!

Monagas, que, sentado en un tuburete, todo colgado de la chispa, había callado estoicamente, resollando sólo por un golpe de hipo que traía pegado, habló al fin:

—¿No le dije que se esperara, señoora...? ¿No le venía disiendo que esperara, a véee...?

3

DE CUANDO PEPE MONAGAS SE LEVANTÓ UN LORO A DON GRACILIANO

A Felo Monzón

Don Graciliano, aquel venerable canónigo insular de la misita mañanera, gran amigo de los animales, que lo mismo ponía un gajito tierno al pinto de una barbería o la palma de la mano con unas migas de pan fresco a los pencos aburridos de las tartanas, que aguantaba en la carpintería o en el cuartito de cotorrones la

lata del isleño echón y zoquete; don Graciliano tuvo un loro.
Lo trajo un sobrino de don Graciliano de Fernando Poo. Este
sobrino de don Graciliano podía ser muy bien el protagonista
de aquella copla de folías que empieza: "Soy el hombre más
bandío—de los palmares canarios..." Manolito, como lo llamaron
de galletoncillo y siguieron llamándolo de pollancón y de car-
camal, era a los veinticinco años más corrido que un caballo de
tartana y contaba en su haber más líos que la justicia de Tunte.
Según dicen se hizo novio de una muchachita de aquí del Camino
de los Andenes, que estaba acomodada ca las niñas de Rebenque,
desciendientas ellas de aquellas del cuento de doña Teodomira.
Al modo la engatusó y al modo se le fue el baifo, dando con la
quilla en familia calderoniana, de las que mataban por puntos
de honra. Lo cierto es que tuvo que salir a espetaperros para
abajo para la Costa porque un hermano de ella, que era chófer
él, lo estaba aguaitando para darle un acebuchazo definitivo con
la manivela de una camioneta.

A los tantos años, madurón ya y con una calentura pegada
que acabó llevándoselo para las Plataneras, recaló de vuelta en
la ínsula Manolito. Se dijo acá que se aventuró porque tuvo nuevas de que don Graciliano, hombre de supuestos teneres, andaba
amagando las últimas; por lo cual, dos parientes lejanos suyos,
con los que apenas se trataba, pegaron a rondarlo, adulándole, con
vista a la marea... Manolito, que conocía naturalmente la debilidad del tío por los animales del Señor, tan extremada que a él
mismo le había perdonado sus días tumbado y sus noches en vilo,
le trajo al canónigo un hermoso loro, un loro especial, una fantasía de loro, que no se llevaba paja y media con los que Néstor
nos dejó pintados en el Teatro Pérez Galdós.

Pero aquella maravilla hablaba menos que una muñeca de
gente rica, que aunque con timbre de baifa recién parida dice
papá y mamá bastante clarito. Lo vinieron a ver muchos exper-
tos, particularmente gente del cambullón.

—Este animá, pa mí, es que nasió tupío—opinó uno—, como
siertos endividuos del seso humano que salen impedíos del jabla
y le jablan a usté por señas, cosa que en un animáa del seso asín
del loro no cabe. ¡Digo yoooo!

Otro opinó:

—Pa mí que este animalito estraña. Quiere desirse que no le
ha cojío la embocaúra al país nuevo onde ha venío. Seguramente
sabe su lengua de ée ayá; pero, está claro, ¿pa qué va a jabláa
asquí, si asquí, quitante algún jarandino de esa parte, que haiga
perdío por ayo, no hay quien sepa papas de su lengua de ée ayá...?
¡Y es loro viejo, don Grasiliano! Tengo oío que loro viejo no
apriende lenguas...

—Moro—corrigió don Graciliano—. Yo tengo oído que moro viejo es el que no aprende lenguas.

—Loro o moro, que pa el caso viene siendo lo mesmo, éste es de los que se moría de jambre si tuviera que comer pidiéndolo con su lengua.

Hasta que un cierto día conoció el caso Pepito Monagas... Se tropezó con don Graciliano y le dijo que le dejara ver el animal. Y ya ante el loro mudo sentenció:

—¿Usté sabe lo que la pasa al cotorro éste, usté don Grasiliano? Pos ni más ni menos sino que tiene susto. Hay que arregostarlo a bulla. Quiere desirse que hay que poneslo, primeramente, onde bele una cabra, onde enrée una insalla de chiquiyos, onde se peleen las mujeres y sétera. Cuando tenga el oído jecho al ambriente este de acá, entonses hay que pegar a dasle clase y al golpito. Primero, "lorito rial, tú para España y yo para Portugáa"; dispués, "larga el saco", o cosas asín; más tarde, "igualito que en Tenerife". Cuando trinque la balasera, yo le aprometo que no jabla: sermonea, que no es lo mesmo.

—¡Tú no me le enseñas maldisiones, Pepe!

El loro pasó seguidamente a la casa de Monagas. Y al poco tiempo de la casa de Monagas a Inglaterra, para donde se lo llevó un míster a cambio de unos chelines, una cachimba y media libra de tabaco piola.

Pasó un mes. Pepe, que venía huyéndole el bulto a don Graciliano, no pudo evitar un encuentro con el bueno del canónigo a la entrada del Puente de Piedra.

—¿Cómo van esos clases, Pepillo?

—Pos, jay... Ya pasó la cartiya, ende luego. Y se anda en el catón, como quien dise. La semana que entra pegamos con la siclopedia. Pero no se lo mando entodavía, jasta que cante el "Retosna vinchitore", que se lo estoy enseñando...

—Bueno; pero yo podía ir a verlo...

—¡Ni jablar del asunto! Aguante ganas, ¿oyó?, que pa la impresión que se va a yevá, tiempo tiene...

Pasaron tres meses. Pepe huye ahora de don Graciliano como del fuego. El le manda sus recaditos con un monigote. No está nunca. El galletón dice a la mujer:

—Al favóo de desisle a ée... que esto quee, que dise don Grasiliano que se deje vée.

—Eí, mi niño... Es que no ha venío a almorsáa hoy... Pero vete descuidao... Que se deje vée. Ta bien...

El monigote lleva al escamado don Graciliano la misma respuesta:

—Siempre dise que no ha venía a almorsáa. Al mou está en una fonda.

A los seis meses Pepe empareja en el mostrador de un timbeque con Felipe el tartanero, que de viejo hacía los viajes a don Graciliano:

—¿Tú no sos el profesor del loro de don Grasiliano? Pos aprepárate, ¿oítes?, porque le va a dar parte al sargento Ravelo... Y me parece que ya te está buscando.

A Monagas le desagradó el giro que podía tomar el asunto. Tumbó para un cafetín de la Marina y bebió sólo más de la cuenta. Los rones lo iluminaron. Y maquinó un plan para liquidar lo del loro.

A las cuatro de la tarde del día siguiente recaló por la Alameda y se sentó en un banco debajo de aquel glorioso árbol que antaño sombreaba la bajada a la calle de Muro. Aguardaba allí la salida de coro. Y cuando vio que don Graciliano bajaba al golpito por la acera de frente a Palacio, púsose de pie en una rebelina y comenzó a mirar hacia lo alto por entre el mato, con mucho meneo de remos, mucho camango y mucho apuntar al cielo con un dedo tieso. Se acercó el jardinero:

—¿Qué le pasa, Pepito?

—¡No me diga náa, hombre! ¿Qué me va a pasáa...? Que traía el loro de don Grasiliano pa devolvérselo, y en el deo, pa más grasia, y se me escapó...

—¿Ah, sí? Pos, ojos que te vieron díi...

Ambos intentaron localizar al animalito entre las ramas. A los cinco minutos hay veintisiete personas puestas a lo mismo. Cuando don Graciliano rebasa el puente, el gentío da miedo. Monagas lo va movilizando. De pronto grita, siguiendo una trayectoria imaginaria con la mano:

—¡Mírenlo, mírenlo...! ¡Voló pa ayá!—y desplaza la masa hacia la casa de don Francisco Gourié—. ¡Ahora se corrió pa aquí, pa frente al Casino!—y allá va la marea...

Se incorpora don Graciliano y en seguida sabe la desgraciada nueva. Está un rato a una orilla, presenciando las "evoluciones" de su loro, sin poder ver a Pepe, perdido en el rebumbio.

La masa de goledores va apasionándose y dividiéndose en grupos. De pronto, Pepita la de las tirijalas grita, al tiempo que un betunero le roba dos:

—¡Mírenloooo...! Ya lo veo...

—¿Dónde?

—¡Allí! Trasito aquel gajo de la telaraña.

—¡Síii!...gritan cien voces.

Y en seguida, frente al Gabinete, Angelito el de la Placetilla ve otro loro:

—¡Mírenlo allí...! Allí, a la punta arriba de aquella rama cambada.

—Bonito animal, cabayeros. ¡Mal limpriaito!—comenta mirando el cielo maestro Domingo Matos con su hermosa voz de socio del Casino.

Aún se registra un tercer descubrimiento delante de la casa donde está el Negresco. Pepe el *Clueco*, que siempre está de debaso en la Alameda, ve otro loro más. En tres sitios distintos la imaginación popular había inventado tres loros. Entonces se tropieza don Graciliano con Monagas, que entre satisfecho y trastornado por aquel contagio de locura se dispone a trasponer. Delcificado por el temperamento y la pesadumbre, don Graciliano reconviene a Monagas:

—¿Qué te parese, Pepillo?

—Buenas, don Grasiliano... ¿Que qué me parece? Que si yo sé que saca crías de esta manera. ¡No lo dejo dir ni aunque me cueste la vía!

4

DE CUANDO PEPE MONAGAS FUE AL MANICOMIO A VER A MANOLITO SANTOS, QUE PEGÓ CON *IMANIAS* Y ACABÓ COMO UNA *BAIFA*

Al Dr. Rafael O'Shanaham

Una cierta noche, Manolito Santos —antes don Manuel Santos— pegó a desvariar, a desvariar y a decir unas cosas tan raras y destartaladas, que Iluminita Santana, su señora, arregostada de viejo a sus rarezas, llegó a sospechar que el hombre estaba definitivamente como una baifa. Manolito entró de la calle a la prima con el morro gacho y una candelilla en los ojos. Iluminita se lo notó:

—¿A ti te ha pasao argo, estooo, Manuéee?—preguntóle como el que no quiere la cosa.

—A mí no me ha pasau mardita cosa—replicó, engrifado, Manolito.

—Ta bien, hombre. ¡Pa eso no te pongas asín...!

Tampoco le extrañó el tono de la contesta, porque a los tres meses de casarse, ya Manolito destapó el malcriado que llevaba dentro. Y no lo largó hasta que entregó su cuerpo a la tierra.

No volvió a decirle más nada Iluminita. Sirvió el potaje, se lo comieron, rezaron el Rosario. Y entonces... Cuando estaban en la Letanía, en vez de "ora por nobis", como Manolito iba contestando metido en un guíneo y con un apoyito cogido, se puso a decir: "Ora y el ora... Ora y el ora..." Iluminita lo reprochó, dengosa:

—¡Esús, Manué, hombre; paese cosa mentira, hombre...! ¿Pa qué dises "ora y el ora", si es "ora por nobis"?

—¡Yo digu comu me da la gana!, ¿tiendi? ¡Vaya, consio! Si va a resurtá de see que uno en su casa es un Juan Pitín...

—Pero es que es la Letanía, hombre...

—Comu si quieri see las folías, o la Patroná de Guaguas. La casa es mía y tous los arrifes de secanu y los cachos de riego son mius... ¡Y el Papa lo ha de sabée, porque yo agarro mañana mesmo un correíllo y tiru pa Roma... ¡¡¡El Papa lo ha de sabéeeee...!!! —remató Manolito Santos el desvarío con tal esperrido que hasta el gallo de la casa, que dormía al canto atrás, en un patiecillo, sacó la cabeza, se esponjó, dióle unos macanazos con las alas a las gallinas que dormían a las bandas y cantó desafinado una romanza de *Los Gavilanes*.

—¡Sús, tal desgrasia, Dios mío de mi alma!—suspiró, insultada, Iluminita, que se dio clara cuenta de que la locura de Manolito era ya algo más que una inmanía.

El asunto tiene los siguientes antecedentes y tal. Manolito Santos fue hombre que estuvo bien. Abrió un comercio y ganó sus perras. Con ellas compró media docena de casas, las suficientes para que le dijeran don Manuel y le dieran la acera hasta con sus cachorrazos. Manolito, que nunca fue hombre muy católico del sentido, pegó un día a soliviantarse con la idea de un viaje a Cubita la Bella. Estuvieron en su tienda algunos indianos y luego se habló también de ello en la "Prasuela". "En Cuba todo se encierra—Cuba es un jardín de flores..." "Me voy pa La Habana..., me voy pa La Habana"—repetía hasta en sueños.

—¿Pero pa qué vamos a dir allá?—intentaba convencerlo Iluminita—. ¿Pa qué vamos a dii, Manuél, si asquí estamos rey, hombre...?

—Túpase y déjeme a mí, señora, que yo soy el hombri de la casa, ¿tiendi? Yo sé lo que jagu. Tan solamenti por no ver a tu padri y a tus hermanus, vale la pena dirse... ¡Maná tiestus!

El pique con la familia de su señora venía por un pleito patrimonial. Ciertos arrecifes y cachos discitiédonse en la curia, entre un fleje de papeles que daba miedo. Y a Manolito le echaron el pleito en contra.

Vendió acá y cogió jilo para Cuba, conservando tan solamente una casita en el Risco, que compró porque trincó a un pobre necesitado que le debía unas onzas. Y de ésta no se desprendió porque no hubo nadie que la quisiera, de puro jediondia.

En Bana cogió viento y dobló y triplicó los capitales. "¿Lo vey, señora?—se dirigía triunfante a la mujer—. ¿Se da cuenta que yo tenía rasón? ¡Ah...!"

¡Pero viene la "moratoria", mano...! Todo fue listo. Integros —que se dice muy pronto— le agarró los cuartos a Manolito. Y ya no hubo manera de levantar cabeza. El, que, como decimos, fue siempre un hombre trastornado, o raro, viróse entonces insoportable. Gritaba por nada y cosa ninguna, se levantaba de noche en camiseta de felpa y calzoncillos largos, se tiraba a la calle y se iba de aquella facha a las puertas de los bancos a dar en ellas puñetes y a gritar que le devolvieran los pesos.

—¡Manáa, ladrooooneeesss...—gritaba en medio de la noche tropical!

Lo trincaban los guardias. Y hechos cargo de que tenía el coco como un cencerro, lo largaban en seguida.

Al fin Manolito tuvo que trasponer para Las Palmas, con la cabeza como un huevo movido, cabizbundo y meditabajo. Y hubo de embujerarse en el Risco, en la casita que por azar conservaba. Con la renta de unos cachejos de libró del pleito y yendo y viniendo a Lanzarote por cebollas y batatas, y a Fuerteventura por queso de cabra, fue tirando, mal que bien. De vez en cuando se ponía a trastear, pero con unas píldoras y algún arreglo del pomo medio que volvía a su centro. Se dijo que en su familia había habido varios casos de locura. Si arriba tomamos en cuenta los fracasos de su vida y los kilos de su mujer, que viró a engordar como una vaca, arrente mismo de la bendición nupcial, hasta el extremo de que Manolito se cayó porción de veces de la cama abajo por mor de ella, que por coger el cuerpo y medio del catre casi de banda a banda con cualquier estuercito lo despedía, entonces quedará plenamente justificado que tuviera la sandía como el fotingo de Molina.

La noche que, rezando la Letanía, se atacó ya de mala manera y para *in seculam seculorum*, Iluminita salió a la calle toda elementada, pegando tales esperridos de socorro, que una maceta con un croto que estaba en el muro de la calle cayó en peso abajo, y por una cuarta no agarró a unos galletones que se reunían allí de noche a hablar del *Rehoyano*. La casa de Manolito estaba puerta con puerta con el portón donde vivía mi compadre Monagas. Allí se metió la atribulada esposa. El mismo Pepe le abrió la puerta, más que nada por que no se la echara abajo.

—¿Qué es lo que le pasa, usté Iluminita?

—¡Ay, Pepito, tal desgrasia que se me ha metío por las puertas adentro, cristiano...!—lloraba como una becerra—. ¡Manué el mío, usté, que ha virao a desir atrabancos y destartalos sin pien ni cabesa, y pa mí que se ha vuerto loco!

—¿Pa usté...? Y pa tóo el mundo. Y ya hay tiempo, Iluminita, como el vinagre viejo —dispensando el moo de señaláa...

Acudieron a la casa. Manolito tenía la peliona. Tiraba las cosas como si fuera la guerra. Cuando entraron estampó dos perros de yeso, que daba gusto verlos sobre una cómoda. Después trincó una botella que tenía un barco dentro y disparó contra Monagas. El embotellado correíllo le pasó singando arrente de una oreja. Otra pieza lista fue una bacinilla de pisa, que aunque estaba ya toda desborcillada, hacía su oficio todavía. Aprovechando que haló por una vara de tarlatana que protegía de moscas una ampliación de Iluminita y se pegó a morderla como si se estuviera comiendo un baifo al horno. Monagas, que había ido rápido al traspatio y desatado la cabra para coger la cadena, le echó un lazo y lo dejó quieto.

Ni qué decir que hubo que llevarlo al manicomio. Mi compadre, accediendo a ruegos de Iluminita, lo llevó arriba con los loqueros pedidos. Después, a instancias de la misma, que intentó en vano ver a su marido por dos o tres ocasiones, sin que él, furioso, accediera: "¡Que me quiten delante al berringallo ése!" —exclamaba cuando la anunciaban—, le hizo una visita con unos regalejos: unas jícaras de chocolate del reparto, tres huevos, medio kilo de leche en polvo, ocho rapaduras, un cartucho de gofio, otro de nueces y un cuarto kilo de miel de caña.

Pepe se encontró, al llegar al manicomio, con una novedad: Manolito estaba en cama.

—¿Pero está malo ée?—preguntó.

—No. Se ha emperrao en acostarse—le explicó un loquero— y no hay moo de convenserlo de que sarga a cogé un pisco de soo. No se alevanta ni pa jaser sus nesesidaes perentorias.

—¿Cuálas perentorias...?—preguntó mi compadre, perplejo, con la cabeza cambada.

—Las nesesidaes ésas, hombre, propias de usos y costumbres del cuerpo de todo ser humano...

—Ah, ya.

Monagas se sentó al filo del colchón. Manolito estaba como un ganado, que ni que decir que es más que una cabra.

—¿Cómo se alcuentra, usté Manolito?

—¿Cuálo...?—reviró, engrifado como un macho salema, el enfermo—. ¡Yo no tengo náa, consio! Se han emperrao en que estoy loco...! Y ha sío mi mujée, que no ha jecho en toa su vía más que jeringarme! ¡Ella ha siooo, mal rayooo...!—gritaba de de pronto como si estuviera cantando una isa y con los ojos en blanco.

Pepe pegó a notar un mal olor, un mal olor, que se acentuaba cada vez que Manolito hacía un esfuerzo en la cama. Llegó un momento en que aquel batumerio era insoportable. Mi compadre sacó el pañuelo y alivió. "Manolito se ha dío en el catre" pensó sobre lo firme.

—¡A ti te costa, Pepe Monagas—gritó de pronto el viejo, sentado en la cama—; a ti te costa que yo no estoy loco! ¡¡¡No estoy loco, puñema!!! ¡Dislo, Pepe, asín Dios te sarve el arma!

—Sí, Manolito, usté no está loco—díjole con el pañuelo en las narices—. Usté lo que está es podrío...

5

DE CUANDO PEPE MONAGAS CONTÓ EN LA CARPINTERÍA ALGO SOBRE LA PERRA VIDA DEL CONEJERO PERICO EL *SAJOSNAO*

A Agustín Miranda Junco

La prima arriba en Vegueta, uno de estos mansurrones días insulares, en los que no se mueve ni la hoja de una madreselva. Ya hay rato que soltaron en la carpintería de maestro Manuel Lorenzo. Y van cayendo en el taller los personajes de la tertulia: señor don Andrés, el canónigo; señor don Pedro, el *Batatoso;* don Frasco; don Gregorio, el médico; maestro Miguel Calandraca; Victorio el del *Pinillo;* mi compadre Juan Jinorio —que también diba en la rueda de presentes— y sétera. Van cayendo, con su bastón pulido de leñabuena, con sus zapatos color avellana, lucientes bajo la caída estrecha del pantalón sin vuelto, con su callo, un callo eterno y resistido, con su olor a colas de virginio, con su zorrocloca disposición para pegar montadas y jeringar. Van cayendo y sentándose, molidos como centenos, y callándose como tocinos. De uvas a brevas se levanta alguna noticia:

—El que creo que está muy malito es don Andrés Romero.

—¿De cuándo acá?

—¡Mueno! ¿Qué fecha yeva esa carta?

—Pero ahora, de últimas, se le ha metío un malejón, creo que de vejiga, que lo tiene orejiando. Parese que es angurria. Y eso no va ni con el canuto.

—¿Qué edad tendrá don Andrés ya?

—¡Pos jello... Ah, espere: él es de la quinta mía. Entodavía podía estar entero.

—Masiao que sí. Lo que pasa es que se ha acabronao con la mala vía.

Llega mi compadre Monagas, que por tardes suele recalar y escarrancharse en la punta del banco y animar la entrecortada, tardona tertulia de la tardecita.

—Me crusé—dice—ay en le caye de los Barcones con la Majestá. No sé pa quién diría.

—¿Qué rumbo cogió?

—Tiró como pa atrás, pa San Antonio Abán.

—¡Vaya! Pa don Andrés, seguro.

—Es verdá que está entregando. Se lo oí a Soleá. No me estraña, porque ya hay meses que venía "trabao".

—Ten respeto, Pepe...

—¡Sss!... Que yo no lo ha dicho por la fama; que lo ha dicho por lo acacharrao que venía ende cuando... Las historias de ée y su mujé, allá ée...

El recuerdo de la desgracia de don Andrés sube a todas las memorias y escapa fuera y se queda flotando en medio de la carpintería, como esas nubes embobadas que las calmas varan en el cielo insular. Don Andrés era de gente bien de aquí, pero venida a menos. A los varones de la familia todo se les fue en espirrifiar el fuerte patrimonio —que alcanzaba platanares en Santa Cruz y viñedos en Lanzarote— alrededor de perros de presa, caballos de pega y gallos ingleses. Y de "Ricarditos" también, atrás de artistas que venían generalmente a cantar, pero que de raspafilón tiraban sus lances sobre algún bobático con cuartos. Las hembras, que eran una insalla, quedáronse casi todas solteras y dedicadas tan solamente a echársela en los bailes de Candelaria, en la Alameda y en los palcos de la ópera. El don Andrés, que era el primogénito, fue mozo espigado, de buen pelo, con los ojos entre verde y celestes y con un pico de capirote. Tales prendas podíanle haber procurado una boda linda con la niña de más campanillas de todo Vegueta, siquiera en cuanto a perras se refiere, aunque en lo físico fuera buchuda, corta de remos, más sobre el cerón que sobre la palma. En ello anduvieron cavilando sus padres, que no le habían podido dar carrera ¡ni en La Laguna!, en gran parte porque el pollo no salió bien amañado para la letra, en parte por las apasionadas aficiones que quedan dichas, y a las que hay que añadir la de las cacerías en todo monte...

—No hay bicho nasío que puea darle el estuerso a su sino, cabayeros—comentó de repente Monagas, interrumpiendo el silencioso pensamiento de la tertulia, que, remontado a años bastante lejanos ya, recordaba cosas salientes del vivir de don Andrés...

Una cierta noche Romerito, como le decían de pollo los amigotes, conoció en una taifa de aquí del Risco a una tal Carmela, una pollona de dieciocho años estrallando como la colleja, ni que decir que morenota ella, con el ojo de un negro de moras en su punto, una mata de pelo que le llegaba a las corvas, alta de bandas, que en el andar sacaban un vaivén de habanera, y cantadora asiada de folías, que entonaba con una voz grave y caliente, tirando a celos y a fiesta del Pino. Por esa voz —de las de medianoche pal día, con un turbio delirio de madrugada tartanera, agria de copas y enyesques recios y dulce de café con leche y media peseta de churros del centro— pegó a perderse Romerito. Don Andrés se fue del tino. La rondó, la buscó, la trasteó... Carmela iba al engodo, dábale unos engañosos rodeos al anzuelo, despuntábalo hasta imprimirle al corcho un esperanzador temblorcito... y cogía el tole. El pollo, desesperado, se emperraba por horas de mala manera. Y como por las torcidas no había de qué, fue y se declaró a la muchachita.

—Esta no es vieja de su artura, señó don Andrés—le contestó Carmela con una sonrisa que era una salina con un solito de mayo—. Tire sus lanses pa abajo pa Vegueta, que es marea más propia, cristiano...

No dio su brazo a torcer el enamorado. Fuese a los padres de la Carmela —costero él, turronera ella— y la pidió formalmente para llevarla al altar de San Telmo. El marino quedóse orejiando, que no lo entendía; pero la turronera, que era una veterana y más escachada que una cuca, dio el "sí" con los ojitos cerrados. Celebróse la boda entre aspavientos y duelos de la casona del galán, que quedó trancada por dentro, como si se hubiera producido la deshonra de una hembra. Ni padres, ni padrinos, ni curas, ni amigos pudieron sacar a don Andrés aquel barrenillo. Todo el mundo se convenció de que "le habían echado los polvos". La madre de la moza era una barajera conocida, y sabía de yerbajos y rezos como un catedrático de la brujería.

Casó don Andrés de madrugada, se embujeró en el Risco peleado con toda la familia, y allí fue emborregándose, emborregándose, cogido de los embrujos inmediatos de la restrallona esposa y de los indirectos de la suegra.

Murieron a poco los viejos —señor don Frasco y señora doña Fernanda—, díjose que de pena. ¡Y él no fue ni al entierro, que la Carmela se lo prohibió...!

De repente pegó a disparásele al hombre el mirar. Como un rancajo de mal palo, se le clavó hasta el tronco otro barrenillo: el de los celos. La Carmela salió, según se lo advirtieron, enralada como una meloja. Le tiraban, además, los suyos, reservones, bravíos, oliendo a trabajo y a salitre. A poco más del año le faltó... Con un costero que se metió de chófer, primero. Con un cuidador de gallos de Tenerife, después. Don Andrés lo supo por un zapatero remendón, maestro Bartolo, que tenía cerquita su taller, y que le guardaba ley, estando, además, picado con la madre de Carmela a causa de un potaje que se armó un día por mor de un perrillo inglés que el maestro tenía.

—Usté puee cogerle los güiros ende que quiera, señor don Andrés—le dijo—. Aséchela y verá cómo no es acalunia. ¡No hay derecho, cabayeros, que una tiesto...!

Don Andrés inventó una salida de cacería y se echó fuera cierta noche del mes de agosto. Sentóse en la marea, cabe el teatro, y ya "a lan don dadan por la Catredán" recaló de improviso en su casa. Saltó por un murillo del patio trasero... y ¡pa qué fue aquello! Arriba, el cuidador de gallos le metió tal jentina que Romerito estuvo a caldo sus tres días bien medidos.

Naturalmente, don Andrés se fue del mechinal y se puso a vivir solo, como un penitente, en una ala del viejo caserón de Vegueta. Allí se fue entecando, entecando, según se pensaba —quién sabe si sobre lo firme—, más por amor que por rasquera. Carmela era, dispensando el modo de señalar, como unas ganas de fumar con angina de pecho... Ahora don Andrés, a quien la ciudad en peso acabó teniendo lástima y perdonando —en parte por respeto al amor y en parte porque el tiempo... ya se sabe...—, se moría solo, casi, revuelto exclusivamente por una vieja y leal criada.

—¡Pobre Andrés...!—suspiró señor don Pedro el *Batatoso*.

—Era más loco que otra cosa—comentó el canónigo.

—Sí, un bobera—opinó don Gregorio.

—Ni loco, ni bobera, ni nada, señóoo...—afirmó mi compadre Monagas con una firmeza aplastante—. El sino del endeviduo es firme como una estreya. A la tardesita sale por Oriente, remonta sin retranca que varga y sin un estuersito y traspone por la otra banda, como un tote. Esto es fijo, cabayeros, como la misma muerte... En amores, como en too, si nase uno pa caer de pien, cae como un gato. Si está de doblar de banda, el talegaso no se lo quita de arriba ni el méico chino. Yo conosí y traté en La Bana, y luego asquí, a un conejero que lo llamaban a ée Perico el *Sajosnao*. Fue a Cubita, jiso dinero como istiércol, compró ingenios... ¡Y un día, mano, se le atraviesa una mulata que cantaba por los teatros de América eya...! ¡Listo Perico el *Sajosnao*...! ¡Cuidao con una mujée de calao, cabayeros! ¡Ta loco...! La indiana se le metió en el tino de tan mala manera, y le salió tan gata y tan gastona y antojaísa, que antes del año al *Sajosnao* no le queaban más oro que el de la chapa del sinto y el de dos dientes... ¿Y ustedes saben a lo que yegó, que jasta su chascarrillo tiene...? Al cabo de esplotar el sable, que ya no le queaba filo ni pa pelar un tuno, inventó la muerte de un jijo que no esistía. Se buscó una cachorra negra y una tiraja de la misma pinta pa la solapa, y templao como un requinto se puso en la puerta de la gayera ¡a pedir!, como lo oyen. ¡Oiga, con una cara de duelo tan sinsera, que jasta las amistaes entraron en el falsete!

"—¿Me da argo pa enterráa a un jijo que se me murió esta madrugáa, asín Dios le sarve el arma?"—pedía con la vos empañá a los que dían saliendo.

Ajuntó lo suyo y jasta hubo quien, con el pecho apretao, le soltó tres duros juntitos: uno de asquí del Bañadero, que vía ganao jugándole a San Osé. Y como el asunto se le dio tan güeno, al domingo siguiente, siempre metío en una chispa, montó la guardia otra ves en la gayera. Repitió el disco del jijo difunto, aunque echando el ojo pa no trabar a los mesmos de la ves anterior. Pero al mou no era buen fisionomista de eso, o el hombre del Bañadero venía con otro flus..., lo sierto es que golvió a pedisle:

"—Pero oiga, ¿usté no me pidió el domingo pasau pa lo mesmu...?—le dijo. Caliente, claro...

Interrumpió don Pedro el *Batatoso:*

—Vaya, Pepe, ya vienes acá con una chotería de las tuyas...

—Oiga, don Pedro, que no vuerva a ve a Soleá si es mentira... ¿Y sabe lo que le contestó el *Sajosnao?* Dise, dísele:

"—Sí, jiñóo... Le pií pal intierro..."

El mauro lo jaló por la solapa:

"—¿Y antonsi...?"

"—Oh... Es que como el domingo no ajunté sufisiente, ¿sabe?, metí al difunto de remojo en yelo..."

6

DE CUANDO PEPE MONAGAS ANDUVO EN UNA
TRAQUINA DE ENTIERRO

A Antonio Junco Toral

Cayó malita con las últimas Dolorcitas Calcines, una comadre y vecina de Pepe Monagas, casada ella por la iglesia con Victoriano el *Guerde*, costero viejo de aquí del Risco, que ya no iba al Moro sino de uvas a brevas. No era vieja Dolorcitas, pero después de que un yerno se le murió ahogado en la Apolinaria, cuya nueva recibió de remplón, viró a aflojar de tal modo que antes del año del suceso era tan frutita de aire como cualquier niña solterona de Vegueta. Los médicos nunca dijeron de una manera categórica lo que padecía. Ocasiones se le presentaba al canto abajo de la espalda una puntada que la tenía metida en un acecido hasta sus tres días con sus noches; en otras se atacaba de la cabeza y gastaba el vinagre de la tierra por cuarterolas y las hojas verdes de nogal por cargas; veces desconchabábase del estómago, donde se le pegaba un salto como el de la tolva de un molino. Y así...

Dijeron que si era inmanía, que si era el pomo... Esta última atribución pareció la más formal y fundamentada. Un cierto día forraron una tartana con sus cortinillas blancas, la jincaron dentro, toda envuelta en una pañoleta negra, y tiraron con ella ca maestro Hilario. Previamente le había visitado una santiguadora, que se hartó de hacerle rezados y de pasarle ramos de hierba de Santa María por toda su revejida humanidad. Como apenas enderezó, recurrióse a las Rehoyas. El bueno de maestro Hilario hizo lo que pudo: le dio sus soboncitos, le dijo sus dichos, le mandó su copita de ginebra asustada en ayunas... Se endengó un poco, pero poco. Antes del mes, señaladamente para vísperas del Pino, cayó con tal tembleque que hasta las perillas doradas del catre, con una flojera de viejo, repicaban que daban gusto. Esto fue un sábado. Y para amanecer un martes se fue para las plataneras.

Victorianito el *Guerde* lo sintió como nadie lo imaginaba. Con una gorra negra enterrada hasta las orejas y las solapas subidas, se metió en una esquina del velorio tan descocido y tan mollar que fue una admiración en todo el barrio.

—Le doy el pésame, patrón...—se acercaba un vecino.

Victoriano levantaba lento la cabeza, miraba arrente de la visera y decir dramático, con la boca más amarga que una retama:

—¡Hay que jeringarse, mi amigo!

—Pasensia, usté Vitorianito—consolaba una vecina sentada en el suelo, limpiándose el llanto en la nariz—. ¡No semos náa, quería!

Rompía a llorar sordamente bajo la gorra y entre las solapas el costero. Y cuando al cabo había un jasío en la congoja, oíase un suspiro:

—¡Ay! Cómo ha de see...

Como pudo, Victoriano se levantó y llamó a Monagas, que acompañaba tirando de un virginio y sosteniendo la teoría de que no ha habido hombre sobre un terreno, en las siete islas de Canarias, como Justo Mesa.

—Compá Pepito, palabra, con el premiso de los demás asquí presentes...

Lo sacó al traspatio.

—Mano Pepe, jágase cargo... Yo estoy ya pa tumbar atrás, y maldita la magua que me quea. Si usté me jisiera el favó de ocuparse usté de too lo al respetive del intierro y eso... Esa no es marea pa mí.

—¡Sus, compadre Vitoriano! Ni jablar del asunto. No se ocupe y déjelo de mi cuenta.

—Ta bien, compadre Pepito. Usté es un amigo, y los amigos... —rompió a llorar.

—Vaya, vaya, tranquilícese, que con descoserse no va a remediar náa. ¿Usté no es marino...? ¿Tonses? ¿Viene viento? Pos se arrían velas. ¿Vienen buchadas? Pos se achica y listón. ¡Liña es lo que jase farta pa estos casos, mano Vitoriano! La vía es como dir al Moro, créame a mí.

—Ende luego que eso sí... ¡Pero...! Güeno, a lo que diba Quiero que usté se jaga cargo del barco —quiere desirse del intierro y demás requilorios. Agora sí le digo: yo quiero que ella vaya a la tierra desente, en lo que cabe. ¡Pero...! Es sabío, de punta a proba del Risco, que yo no soy un hombre de poeres—; quiere desirse de perras abundantes. Tampoco quiero que la gente pegue a desir que soy un Alejandro en puño, mano Pepe. Hay que jaserle un intierro bien puesto, pero tumbando siempre pa la rasón —quiere desirse pa los teneres que uno tiene—. Naide debe margulláa más de lo que le aguanta la caja el pecho, ¿tamos?

—Rasones, mano Vitoriano... Usté quiere una cosita dina, pero arreglao a lo que puée regolver.

—Palabra santa, mano Pepe.

—No me diga más náa... Y resinasión, compadre, que a toa vieja le yega su ansuelo.

—Talde que templano, sí señóo...

Monagas tiró pa Fuera la Portada y apalabró el entierro en una funeraria del barrio. Trató una caja tan sencilla que le quitan lo negro y le meten dátiles y hace que da gusto su oficio en una tienda. Unicamente, y después de regatearlos, mandó que le fueran puestos unos clocos de fulgurante. Convenido el precio y la forma de pago, sin más detalles, Pepito Monagas salió andando. Lo llamó desde la puerta el "funerario", que enredado en el regateo no precisó detalles:

—¡Oiga, Pepito...! Sí a usted...

—Diga...—contestóle de lejos mi compadre.

—¿Y los paños y las velas, cristiano?

—¿Los paños y las velas...? Mire, déjelo, ¿oyó? Mi comadre va a remo.

7

DE CUANDO PEPE MONAGAS NO LE PUDO DAR EL ASIENTO EN LA GUAGUA A ENCARNACIONITA LA *GUIRRA* PORQUE TENIA UNA PUNTADA DE *REOMA* EN LA CINTURA

A don Diego Mesa

Cola de la guagua. El que espera... Y algo más que desesperación padece: se le pone el cuerpo y el alma negros y molidos, como un cesto de brevas de tres días. La filera es en el Parque. Y es de las de respeto. Y la hora, la del peso del mediodía, con un sol cuajado, bobito como un beletén, en todo lo alto. Viene una guagua, al mou requintada, porque pasa como esos individuos con los que uno no se lleva y que, siendo más nerviosos que uno, al darse de manos a boca con uno en la misma acera, tumban para la otra como perros con bencina... Viene otra y para. Para que se baje un isleño que la cogió de pies en la calle de Torres y que, como esos pescadores del Parque, que están tres horas para trabar una breca que no llega al jeme, se plantificó en la cola sus tres cuartos para recorrer montado doscientos metros. Se baja y se queda tan fresco. Desde dentro de la guagua sale entonces una voz clueca:

—¡Uno asentao y trensss de piensss...!

Los cristianos están dormidos, que aquí dormimos hasta de pie, con una bobería, una bobería en el sentido desde por la mañana a la noche. Por eso no se calienta nadie en la cola: porque está todo isleño como un tronco y con los ojos abiertos. A los quince segundos, cuarta más, cuarta menos, y al modo del trueno, que llega rodando tardío bastante después de la lumbrada que lo provoca, la voz del cobrador, que tampoco es floja, alcanza las conciencias isleñas en cola. Nadie se decide prontamente. Todos van reaccionando como con movimientos cinematográficos de cámara lenta. Entonces, un peninsular, que ocupa el doce o catorce puesto, se arranca y se guinda. Como ha transcurrido el tiempo necesario para que el insular vuelva en sí de la pardela que tiene arriba, los de alante reviran contra el decidido:

—Oiga, mano, ¡hay que jaser cola! Digo yooo...

Y replica, airado, desde la guagua el arrestado peninsular:

—¿Pero es que vamos a estar esperando a que ustedes celebren junta para decidir por mayoría si suben o no suben...? ¡Nos ha fastidiao!

—¡Vaaa-mooo-looo!—avisa, tranquilo, el cobrador, corriéndose una "juerga interna" y dejando atrás una calentura de rascados que acaban de volver en sí.

Cola frente al Frontón, al peso del mediodía. Y en ella, deshecha, Encarnacionita la *Guirra*, una mujer de aquí del Refugio, que vende por puertas "jabó algentino, malmelada de... estooo deee... estoo deee... de silgüela, mantequiya de pa fuera" y eso. Entre la prisa y ella, que de por sí es un manojo de voladores, está en el sitio hirviendo, pronta a estallar. Auméntale el sofoco el pañuelo negro, amarrado debajo del quejo, y un sobretodo de lana que le abarca toda la caja del pecho y que verlo, tan solamente, con este solajero, ya da fatigas. A los pies tiene el balayo de caña donde trae y lleva sus mercancías, ahora vacío, que todo lo colocó "ca gente rica" después de dar más patás que un perro cazador. Desandada, porque está en horas de potaje y no acaba de arrancar, Encarnacionita la *Guirra* —dichete que no le venía de atrás, sino que el pueblo le adjudicó por haberlo ganado a pulso— ofrece en la fila un peligro de desintegración. Si alguien la finchara tanto así, daba un macanazo de dinamita.

Allá cuando Dios quiere, Encarnacionita puede subir de piesss. Le toca una guagua de esas menudas, de esas en las que uno tropieza con todas las rodillas de los demás —y menos mal si son de señora— y gacha como una cueva. Levantanda de una banda por fecharse al techo, cuelga de la otra con el balayo arrente. La guagua zigzaguea y la tira a babor y a estribor y la sacude de arriba abajo y está a pique de estamparla cuando el chófer, que va hablando de la Unión Marina, mete repentino la retranca. La pobre mujer lleva el cuerpo como una chopa de vivero, pero los ojos le lucen como candelillos... "¿Y ahora cómo rayos saco las perras, ustéee...?", va pensando—. "Deja vée si me dan er puesto, o se abaja arguno..."

Ni se baja nadie ni va allí dentro un solo hombre con un arranque de estilo antiguo. Todo el mundo viaja arrepollinado y haciéndose el sonso. Y entre todo el mundo, por un casual, mi compadre Pepito Monagas, que fue quien me contó el lance, y que por entonces venía atacado de unos dolores de "reoma" en la cintura, de esos que los médicos llaman lumbago, y que mi compadre llamaba "bardinos de Lansarote". Ni intentar ser galante con semejante presa en los cuadriles.

El cobrador dice de pronto a la vieja:

—Córrase pa lentre, señora... ¡Le ha dicho entre pa drento!

Encarnacionita se engrifa como una gallina de Agüimes. ¡Al fin podía explotar!

—¿Pa drento pa onde, codenao...? ¡Miá pa allá arriba de lo sofocáa que viene una, que da de cara este abuso! Tiráas en la carretera, como perdularias, con casas que atendée y maríos que comée, ¡y arriba a arrempujáa! "¡Corrase pa lante!", ¡Echati otra!

Pausa. El cobrador, al pasar, empuja, sabe Dios si adrede:

—¿Oiga, mi niño, usté está aquí pa cobrá o pa sobrarse...? ¡Vaya, vaya! ¡Pos no fartaba más...!

—Si sabía que iba a ii requintáa, ¿pa qué se subió?—replícale el cobrador, al tiempo que se mete el dedo gordo en la boca y se trae pegado el billete como un burgado.

—¿Y a usté qué se le impolta? ¿Y qué quería? ¿Que me cojiera la noche...? Si hubiera desensia no pasaba esto...—y echa una mirada torina alrededor de la manada de tarajallos que van sentados sin importarles un pito su condición de mujer, su cansancio, su sofocación y su sétera—. ¡Fuera una pollita y verían ustede! Quisiera yo velme en mis quinse, o que viniera asquí una niña nuevita y fina, que en ves de golée a jabón der "Gaucho" y eso, jediera a esensia de París de Fransia... ¡Veríalos usté, entonses, unos por arriba di'otros. Toos a matarse pa darle el siento! ¡Mire, señooora, ha'l favóoo...!

El pasaje va violento con las puntitas de la vieja. Desde luego, y según usos y costumbres, nadie se solidariza con la víctima. Pepe Monagas, que no es malcriado, aunque ha habido quien se lo creído, y que, fueran carcamales, fueran pollonas, a todas las mujeres les daba su sitio, va requintadísimo con la situación. El sabe que si endereza no va a llegar al Muelle Grande sin caerse. Y arriba de todo esto, la mujer, que lo lleva a la banda, le va clavando unos ojos como tachas de siete pulgadas. Tiene la desasosegadora impresión de que ella pega de él solo, de que concentra en él todo su enojo de vieja gruñona y disparada, como si fuera él el único varón arrepollinado de la guagua. Vuelve la mujer a rezongar cuando el chófer hace una de esas piruetas geniales que sólo saben hacer los conductores de las guaguas, y a las cuales debemos los isleños tanta emoción y hasta la vida, especialmente la pollería en la edad de la tuberosa que pasea de noche por Triana, y de la que pudiera salir, para la exportación, un plantel de toreros tan buenos como nuestros famosos y cotizados futbolistas. La tal pirueta lanza a Encarnacionita sobre una mujer, que por atajarla pone el codo. Y ya se sabe cómo se hinca y duele un codo de mujer.

—¡Si te parese, mátalos tamién! No los farta ya sino salii de asquí pa las Plantaneras...

Con una voz calmosa y cargada de guasa isleña, el chófer dice, diblusándose para columbrarla por el espejo:

—Pero, señoora, ¿usté qué es lo que quiere? ¿Que le pongan un siyón de mimbre, un vaso de Filgas y un abanico, o quéee?

—¿Y a usté quién le ha dao vela en el intierro esteee? ¡Manije y cáyese! ¡No fartaba más que usté ya pa que estos asquí endentro fuera una pura malacriansa y un relajo! ¿Ya usté se entrometió? ¡Ya estamos completos! ¡Ji jiñóoo! ¡Manáa jediondos! Ya no fartaba otra cosa...

Monagas lleva remordimientos, pero también se corre su "juerga interior" con los revueltos de la *Guirra*. Más que nada por desahogar la isleñísima propensión guasona de su temperamento, dice a Encarnacionita:

—Sí farta otra cosa, usté, señora: fartan asientos...

8

DE CUANDO PEPE MONAGAS FUE *REFRE* DE UN PARTIDO DE FUTBOL *TAFIRA - LA CALZADA*

A Servando y a Agustín Morales

Alborotado domingo gallero de peleas casadas. Tarde caliente de circo estivado, embullado y jugador. Muchas de las apuestas pican de las mil pesetas, que se dice muy pronto. En las gradas, jugando a San José, pero virándose a tiempo, cuando el gallo del "histórico", barajunda o amagado de tal, se le pinta con más bulla que nueces, está Victorio el del *Pinillo*, ayudado en el canto por el *Táita*. Victorio se juega unos duros por cuentagotas y a tiro hecho, en lo que cabe. Con tres, caballo y perica, como quien dice. Cuando las riñas se liquidan, el isleño tiene en la cartera cuarenta duros como una casa.

—Ve y date una vuerta por ay, ¿oítes?—ordena Victorio a Venturilla—. Mira a ve si localisas a la jarca. Tú le dises a eyos que yo estoy asquí, ca Juanito. No te orvide de Pepe, ¿oítes?

A la media hora, todos los templarios están congregados al pie de Victorio y en torno a unos tanganazos de ron doble. Y a la hora, con los picos calientes y tirando de pirata, van proa a Tafira, "consignados" a una bodega del Monte. Dentro del *Supe*, y en las manos de plata de Pepito Monagas, va cantando a todo trapo un timplillo conejero que hubiera envidiado el propio Jeremías. Y por ese Pico Viento arriba van levantando las coplas como cometas: "En la carretera el Puelto—oí una vos que desía: —"Qué desgrasiáa es la guagua—que choca con el tranvía."

—Y usté que lo diga, oiga—comenta muy serio un hombre de

San Mateo, que va de alcayata, sentado en la puerta, con el final de la espalda al airote de la carretera.

La bodega se va llenando de zorroclocas sonrisas y calmosas actitudes. A poco se anima. Los vinos, unos tintos y otros dorados, honradísimos como gente antigua, son saboreados inicialmente de una manera entre científica y sensual. Estallan en paladeos lentos y pastosos, desesperan la avidez de los gañotes discurriendo como melojas, muestran sus vivas transparencias, altos, contra los claros de las puertas, abiertas de par en par sobre la media tarde, templadita y echada en las lomas morenas del Reventón. En seguida empiezan los gatillos del buen vino a correr los ojos de la comparsa. Y el primer sentimental entona una habanera: "Yo quisiera vivir en La Habana—a pesar del calor que hase allí..."

Andan al caer las cinco cuando la parranda, jaladita de caldos calientes y revuelta de mezclas, se echa a andar carretera abajo encabezada por el timple, que canta más brillante que nunca en las manos de plata de Pepito Monagas.

*   *   *

A la misma hora y cerca de allí, en el *Tanque Viejo*, dos equipos de fútbol esperan sentados a orillas del "campo" la llegada de un árbitro, especialmente mandado a buscar a Las Palmas en vista de la gravedad del partido: dos empates a decidir y una caja de coñac para el ganador. Hora y media bien medida lleva el tal árbitro de retraso... Al fin, llega un recado: "No podrá subir porque le cayó la madre mala." (Después se supo que había sido cerote que cogió.)

Ni los clubs —el *Tafira* y el *La Calzada*—, ni el público, tienen ganas de que el encuentro se aplace. Los capitanes invitan a algunos espectadores a actuar como jueces. Nadie quiere embarcarse en esta aventura de muerte. La rivalidad entre ambos equipillos es vieja y terrible, y el partido presente, de los que vale matar. A las orillas del terreno hay dos bandos concentrados y las piedras están a la mano, como esquinas de papas en los tiempos buenos. En cada isleño palpita un guanche, cuya pedrada, según la historia, cortaba a cercén una penca de palma como si fuera un deleite.

En estos decisivos momentos recala por el *Tanque Viejo* la parranda de mi compadre Monagas. Victorio tiene una rebelina: se mete en el terreno, reúne ceremoniosamente a los dispersos y desagallados futbolistas y les asegura, convencidísimo, que entre sus amigotes viene un buen árbitro: Pepito Monagas. Apenas hay una teatral resistencia por parte del improvisado juez, que no entiende papas.

—¡Cáyate la boca!—le susurra al oído Victorio—. Trinca el pito y tírate a la mar. Date de cuenta que se juegan una cajita de coñac, ¿oítes? La cogemos dispués de ajuste, le abrimos una cabesa de puente y rematamos la chispa gratis. ¡Cáyate la boca y trinca el pito!

Pepe larga el requinto, se desafloja y se tira al campo lleno de autoridad entre una cerrada ovación.

Empieza el partido. En seguida se producen los primeros rastrillazos. La lasca de una canilla del medio izquierdo del *Tafira* salta a la cara de Ventura como si fuera un botón. Un suplente le baja la media, le echa unos chorros de agua de San Roque, y el hombre vuelve a la brega tan campante. En represalia, al punta derecha del *La Calzada* le suelta un punterazo imponente en un pie el defensa izquierdo del *Tafira*. Y la bola de su tobillo sale rodando como un boliche de gaseosa. Se registra el primer cuerpo a cuerpo a los siete minutos y medio del primer tiempo. La pelota se queda por allí olvidada y quieta cerca de un cuarto de hora, mientras los veintidós hombres, y algunos espontáneos, casi todos pertenecientes a las directivas, se arrean una leñada que pa qué. Sacan entre cuatro al secretario del *Tafira* y a un vocal del *La Calzada*. Se reanuda el juego a fuerza de pito y con una ayudita de Victorio, que se mete prudentemente al final de la pelotera para dar "unas rasones". Se sigue jugando con calor, pero más metida la gente en el surco. No obstante, se producen de vez en cuando revuelos y cogidas de buche, y hasta algún amago de degüello. Pepe se ve obligado a expulsar a dos jugadores. El punta izquierdo del *La Caldaza* corre una pelota como si corriera un conejo. Un medio del *Tafira* le pone delante, como si fuera la cosa más natural del mundo, el zapato. El muchacho entra de cabeza en el terreguero, y cuando se levanta, parece que está vestido de máscara, con una careta de tierra colorada. Así y todo, suelta tal coz, que duerme al otro más de diez minutos. Un espectador le nombra la madre al de la zancadilla y la pelotera se corre fuera del campo. Dura unos siete minutos. Al terminar, el balance es: un herido grave de una patada en el canto abajo del estómago, que deja dentro un hueso, una tacha y un pedazo de suela; nueve de pronóstico reservado, casi todos de piñas en los ojos, y diecisiete leves, de cachetadas y raspafilones.

Un señor veraneante, gordo él, con una chaquetilla de pijama él, que había ido tranquilito a gozarse del partido, porque estaba ya mareado de la radio, se retira lleno de indignación, diciendo gravemente:

—¿Esto es un partido de futbó? ¡Esto lo que es es un relajo!

La contienda, que acaba totalmente antes de finalizar el primer tiempo, por falta de árbitro, entre otras razones, remata de mala manera así:

El *Tafira* avanza como la máquina de la china sobre la portería del *La Calzada*. Los jugadores enemigos van quedando atrás como sacos de papas. Monagas, que va corriendo con el pito en la boca tras la jugada, tropieza con el centro medio calzadeño y se le va sin querer un pitido en el preciso momento en que el delantero del *Tafira* tira de punterazo y mete un gol como un bloque del Ensanche. El tanto resulta anulado porque instantes antes de pasar el balón la raya sonó el pito del juez. Los perjudicados avanzan ahora gachos y sombríos, cerrándose sobre Monagas... "¡Adiós, que ésta no la cuenta...!", dícese para sus adentros el árbitro. Pero los del *La Calzada* se ponen de parte de Pepe. Los supervivientes de ambos onces se fajan de mala manera en el centro del campo. Mi compadre, que ha tenido suerte, se refugia detrás de un tarajallo del *La Calzada* que está aguaitando a un defensa del *Tafira*, con el que además tiene piques viejos de familia por un lío de linderos y quiere cobrárselas. Pero el otro no es flojo. Se va cuadrando y le tira a su rival una piña como la patada de una mula del cuartel. El agredido se agacha, ¡y detrás está mi compadre! Ni que decir que el macanazo alcanza a Moragas en mitad de la nariz, cogiéndole parte de un ojo. El mundo se le desaparece. Después de un singuido que entra por las orejas como dos chorros, le inunda la cabeza un brumero de plomo, en el que rebrincan súbitamente millares de estrellas que mal empleaditas. Dando unos pasos de borracho en las últimas, se sostiene milagrosamente en pie. Cuando empieza a volver el tino, siente entre el tumulto, cerca, insistente, monocorde, la voz de un mago que grita:

—¡Fue penalteee! ¡Fue penalteee! ¡Fue penaltee!

Monagas, entreabriendo al fin el ojo que le quedaba medio bueno, alcanza a columbrar al maúro del grito. Tríncalo, rabasquiniento, por las solapas y grita sordo:

—¿Onde está el Peñate ese, me caso en La Bana, pa partirle toa el alma que tiene...?

9

DE CUANDO PEPE MONAGAS AYUDÓ A LLEVAR LA CAJA EN QUE ENTREGÓ SU CUERPO A LAS PLATANERAS MANOLITO EL *LARGO*

A Domingo Montesdeoca

Manolito el *Largo,* vecino él de la Matula, aquí arriba, según se sale de San Roque, no murió entero cuando le llegó su turno, sino acacharrado ya, arrastrando la chola por mor de los años, que arriba traía requintadas de tanto partirse el pecho por la pella y el caldo de jaramagos. Se quedó al sol puesto como un pajarito.

—Vete abajo ca mastro Rafaé, ¿oíte?—ordenó ese vecino que se presta para arreglar los potajes que arma una muerte en una casa, a ese otro vecino que también se presta animoso para llevar la esquela y arreglar otro requilorios de la calle—, vete abajo y le dises tú a ée que mande pa arriba una caja pal viejo.

—A tirito estoy asquí.

—¡Péera! ¿Te vas a íi asín, sin llevá las medías ni náa? Déjate dí y ven pa drento.

Le tomaron la medida a Manolito. El hombre era un silbido. Y el del mandado recibió dos metros de tomiza como si fuera un deleite.

—Disle tú que si le parese le ponga un geme de más, ¿oíte?, no sea que vaya y pegue a estiráa.

—Sí señó. Pa que farte, más vale que sobre.

Maestro Rafael tenía las cajas en un cuartuchillo de la trasera de la Iglesia de San José. Como él vivía en la "Plaja Janto Omingo" y no era amañado para desplazarse, se asomaba a su puerta, largaba la mariposa de un cartabuche, se metía los dedos hasta la campanilla y daba un silbido. Acudían inmediatamente a este toque los mataperros que allí daban la enconduerma, escogía tres de ellos más sobre lo llagetón que sobre lo chirguete y los mandaba con un hijo, ya mayorcito, al depósito. El "encargo", de pinzapo, forrado de rengue rucio, con clocos de fulgurante negro, o mejores (dependía), en que todos cogeremos el tole más o menos tarde, según atine o se le vaya el baifo al médico, salía luego a hombros de los cuatro muchachos hasta el lugar de la ocurrencia.

Pepillo Monagas vivió una partida de años, hasta que fue un pollancón, en los alrededores de Santo Domingo. Casado ya, fue cuando se mudó para el Risco, de donde era, nacida y criada, mi comadre Soledad. Entre noche y día caía en la plaza, donde iba congregándose su jarca, una jarca inquieta y peligrosa, que lo mismo tiraba un volador desrabonado en el zaguán de algún vecino calentón, que ponía un gangarro y bencina a un perro, soltándolo en medio de una fiesta. Cuando se presentaban caídos de llevar cajas o un farol en los entierros de noche, aprovechaban, cobraban su media peseta, hacían un cometón y se iban a La Loma.

Silbó Rafael. Y corrió una insalla. El empaquetador escogió tres, entre ellos a Pepillo, y los mandó con el hijo Isidro. Este Isidro, que tampoco era flojo, buscó, midió y tiró de cajón.

—Esta le viene al pelo.

—¡Vaya un sollaje, mano!—comentó Monagas viendo aquel túnel.

Emprendieron el viaje entre noche y día. Y desde que salieron pegó la juerga. De entrada sacaron la caja a la calle. Y aprovechando que otros compinches ayudaban a Isidro, dentro, en la colocación de las desechadas, Pepe levantó la tapa de la de Manolito, se metió dentro y cubrió. Al salir y no verlo, Isidro cogió su calentura:

—¡Ya se rajó el jediondo ese! Eso pasa por mi padre dasle la media peseta antes del acarreto.

Se oyó de pronto una voz cavernosa que salía del fondo de la caja:

—¡Sácame de este tormento y págame los sinco duros que me debeees...!

—¡Ay mi madre!—se erizó todo Isidro, que partió a correr más amarillo que una yema.

Salieron. Y como el repecho de San Roque se pega, Pepe, que desde nuevillo ya tiraba al beberío, propuso mandarse unos pizquitos de vino "pa refrescá el gasnate, ¿oíte, Isidro?" Cayeron tres de un tinto que dejaba en las copas un fondajo de tunos colorados y salieron con el rabo tieso. Monagas se paró de pronto:

—Chacho, Isidro, yo podía aprovechá, ¿oítes?, que tengo un recao de mi madre pa las niñas Lirias, que viven ay frente, asunto de un encargo de llenar colchones...

Tocaron en la puerta de las niñas Lirias. Las niñas Lirias eran tres viejas, una viuda y dos solteronas, con la quilla sobre el marisco desde tiempo, pero resistidas como la buena tea. Teclosas, con un miedo a las Animas, que chirgaban, cerrarndo ventanas por las corrientes, de misa en novenario y de novenario en visita, iban tirando tan bien agarradas que traían tieso a un sobrino, solterón él y empleado desde pollanco en una peletería; el cual vivía con ellas, esperándolas como cazador a orillas de un majano, y dispuesto a casarse, cuando doblaran al fin las cajetas, con una muchachita de aquí a la entrada de San Roque, con la que venía mosiando jueves y domingos desde hacía diecisiete años bien medidos.

Lamó Monagas:

—¿Quiéeeennn...?—llegó de dentro una voz de gata criando.

—¡Paaa...! ¿Quieren tooyos, señóoora?—gritó Pepe tan fresco, aunque acluencando la voz.

—¡Chacho!—se alarmó Isidro.

—Cáyate la boca tú...

—¡Sus, toyos a estas horas...!—resolló la más vieja.

—Pues mira, a lo mejor vienen más baratos por eso...

—¿A cómo los yeva?—preguntó la viuda, sin abrir.

—Casi de barde, señora... No tienen naíta de pajúos y están durses como una meloja... Abra pa que los apruebe...

Salieron las tres a la puerta, trancada desde la prima. Y al abrir, descuidadas, y encararse con aquella caja negra y larga como "er Tune de Terde", cayeron redondas como cortacapotes. Murieron después seguiditas en el espacio de seis meses, con gran privazón del sobrino de la peletería... Dicen —que muy bien pudiera ser una calumnia—que un reloj tipo cebolla desarrollada que tuvo un tiempo Monagas, a poco del percance, se lo regaló el pariente heredero...

Siguió la guaracha para La Matula. Y de repente, un poco más arriba de las niñas Lirias, se les vino encima una folía de piedras, que escaparon porque nadie se muere la víspera, sino el día. Enterados los vecinos del susto recibido por las viejas, escarrancharon en cólera y emprendieron una ofensiva que la agarran a su debido tiempo los alemanes y salen por detrás. Volcaron los cuatro palanquines la caja y se atorraron debajo de ella mal que bien. Cuando los creyeron muertos, los vecinos se retiraron a comerse el potaje de la victoria.

Noche cerrada pasaban los Andenes. Entonces sintieron venir un rancho. Era gente que bajaba de La Matula, precisamente del duelo de Manolito el *Largo*. Pepe, que era el Barrabás, se percató de una cueva que había a la banda, al tiempo que le brincaba entre las cejas una idea torina, y dijo:

—Señores, yo estoy entregao. En too trabajo se fuma.

Largaron la caja, dejándola atravesada en un recodo del camino, y se metieron en la cueva a echarse un virginio. Cuando el rancho, con mujeres y hombres, se topó con aquel insospechado catafalco, pasó lo que era de esperar. Abrieron todos a correr como conejos fogueteados, tan desaforadamente, que unos fueron a coger resuello a los Poyos del Obispo y otros a La Apolinaria. Dos mujeres quedaron, a resultas, padeciendo del pomo, y una que estaba en estado, allí mismo se comprometió. Tuvieron que ir al alba por ella y por el guayete, el cual por poco no lo cuenta de la relentada que agarró. Entretanto, en la cueva, los cuatro palanquines se esmerecían de risa.

—¡Y rián pal Puelto!—ordenó Pepillo.

La expedición cogió viento otra vez. Y entonces sobrevino algo que pudo haber acabado en catástrofe. Alguno de los asustados tumbó para La Matula. Al recalar, con la lengua llegándole al último botón del chaleco y la color de huevo clueco, contó lo ocurrido. Sospecháronse arriba que era una mataperrería. Y se alzó en el patio del duelo una jarca con palos y algún que otro rebenque. Monaguillas, que como buen "indino" que era tenía tan aguda la oreja como las intenciones, los acusó de lejos. Por el tranco y las voces presumió que venían a matar. Dio unas órdenes. La caja fue sacada en vilo del camino y tirada detrás de un bardo de tuneras, algo lejos. Junto a ella se atorraron los cuatro. Agachados así hubieron de estar su par de horas largas, que el rancho los buscó afanosamente todo ese tiempo, sin sospechar que estuvieran tan a la mano. Cuando se echó al fin aquella marea, llegó el sonido de campanas. La Catedral daba, desmayadas, las doce.

—¡Mi madre, las dose de la noche ya...!—se echó manos a la cabeza Isidro, oliéndose la tollina que habría de meterle maestro Rafael, su padre, que dando cuero era como el *Faro de Maspalomas* en lo suyo.

Monagas, con un cerote que no podía disimular, dijo que él largaba el asunto. ¡Cualquiera seguía con la caja y llegaba a La Matula después de aquella noche de pastoreo y pillaje!

—Pos hay que llevasla como quiera que sea—se impuso Isidro.

Salieron del camino. Y dando tumbos, tirando la caja cada momento, reemprendieron la marcha. Pasaron arrente de una casita en obras. Sobre un andamio había un balde con una lechada de polvos azules, sobrante del albeo de un zócalo. Tropezaron y se les vino arriba. La caja, toda despilfarrada, se pintó, que daba gusto verla, de azul vivo.

—Esta faltaba—rezongó Isidro, hecho un chino.

Atracaron por fin a la casa del difunto.

—Aquí ta la caja...—dijo Isidro en el patio, todo cambado.

—¿Cuálo...? ¿Pero qué es jeso que traes jay?—preguntó el vecino que mandaba el baile, viendo aquel desastre de caja y echando al insulto natural todo el teatro que podía.

—La caja. ¿No la vey?—pudo articular Isidro, agachando el morro.

—¿La cuála...? Mueno—rectificó el isleño llenándose de solemne pachorra—. Tú sos de maestro Rafaé, ¿no...?

—Sí, jiñóoo...

—Ta bien... ¿Y ese es el fundamento que te ha enseñao tu padre, mi niño...? ¡Buena criansa, cabayeros! ¿Y a ti no se te cae la cara de velgüensa de vení acá con semejante arpa vieja, di...? Por los moos vistos, tu padre se ha decreído que era el intierro de la sardina, ¡digo yooo!

Monagas, que no podía remediar la sangre guasona que sacó de madre ni en una ocasión como aquélla, salió así en defensa de Isidro:

—Dispense que me meta, usté... Er muchacho no tiene curpa, ¿oyó? Lo que pasa es que mastro Rafaé se ha equivocao. En ves de mandaslos con una caja de muerto, los mandó con una caja de turrones...

10

DE CUANDO PEPE MONAGAS SE DISFRAZÓ

A Márgara Bosch de Guerra del Río

Los carnavales, aquellas desaparecidas y disparatadas rumantelas —¡"ojos que te vieron dir"!—, tan pintoresca y desafortunadamente cultivados en las ciudades atlánticas, los corría mi
compadre Monagas con el trapo tan suelto y margullando en una
chispa de tan mala manera, que cuando abicaba en el catre el
miércoles de ceniza, después de churros, caía como la Bella Durmiente. Ni el hambre, ni el cañón de las doce, ni una elevada
en el Portón lo sacaban del estado de tronco de olivo en que
entraba. En una maravillosa demostración de euforia y resistencia, Pepito pegaba un mes antes de las carnestolendas "para ir
haciendo boca" y acababa el día de la Ceniza como un cesto de
fruta de esos que se olvidan en el depósito del coche de horas.

Todos los años Monagas se ponía un disfraz único y estupendo.
En la época gloriosa de Ursula López, se vistió de Ursula López
y cantaba en la Plazuela, exprimiéndose previamente junto a
los ojos un pedazo de cebolla peleona, aquello tan famoso de
"Mira, niño, que la Virgen lo ve todo—y que sabe lo malito que
tú eres..." Otra vez se puso unos cuernos de goma, se encasquetó a la espalda un caparazón imitando el de un caracol, y se
empaquetó luego con traje de etiqueta, sombrero de siete pisos
y corbata de ceremonia. Se había disfrazado de "chuchango compuesto".

La pollería ignora, claro, que uno de los números fuertes del
Carnaval en nuestra ciudad era un baile, compacto como una piña
de San José, que se celebraba en el recientemente desaparecido
Café Triana. Por allí desfilaba la ciudad en peso y el enralo no
tenía pintura. Las mesas, arrinconadas contra las ventanas de la
calle Mayor, eran para los "derrumbados" por unas y otras causas, y la pista, que sugería sin remedio la peña y la lapa, copábanla los que iban llegando frescos... en todas las acepciones.

Poco antes de dar los carnavales las boqueadas entró en el
café, en horas de menos, Pepe Monagas. Era el martes por la
mañana y había perdido toda vestimenta festiva. Conservaba, eso
sí, su ropa de diario y la chispa. Entre gritos, abanazos, codazos
y vaivenes pasó la entrada y se aflojó sobre una silla vacía del

pasillo. Estaba en una de esas fases mudas de las grandes tajadas, cuando sólo hablaban la actitud o el gesto.

De pronto se animó un pizco y se incorporó otro pizco. En su cabeza turbia cogió cuerpo la idea de improvisarse un disfraz original y comodísimo. Haciendo un esfuerzo por estabilizar la cabeza para controlar la entrada del pasaje, comenzó a usar el disfraz. Estiraba tranquilamente un pie y lo ponía al paso de las tapadas. Pegaron los leñazos, que en un principio se resolvieron con gritos joviales de protesta y algún que otro recio abanicazo. Pero como repitiera la suerte hasta tres o cuatro veces con una máscara, gorda ella, que iba y venía del baile a un grupo de cotorrones enralados que estaban mandándose unos güisquis a la entrada, haciéndola caer por fin con tal talegazo que creo que hubo que llevarla a ca Amador, la broma dejó de ser broma y se enredó la pita. Protestaron mayormente los cotorrones, uno de los cuales dicen que tenía que ver con la gorda y estaba disimulando. Llamaron al dueño para que echara al importuno borracho.

—¿Por qué no se va usted a molestar al barranco?

Con un dedo que intentaba, fluctuante, inseguro, ordenar silencio, Pepe inició la réplica:

—Ssss... Yo estoy bien asquí... ¿No estamos corriendo los casnavales...? Pos yo soy una máscara. Y listón.

—¡Jabón suasto es lo que es usté!—chilló la gorda, a la que estaban refrescando con agua de San Roque.

—Por ay vas bien, Michelina—susurró Monagas.

—¡Cáyese, peaso de indesente, mejó se fuera a dormíi!

—¡Bueno, bueno, se acabaron los abusos!—gritó el dueño, dando una patada en el suelo y alcanzando en un callo a uno de los cotorrones, que también cayó en la cama porque era un callo antiguo y como una aceituna del país, y por eso casi tan malamañado como una puntada en la rabadilla—. ¡Se acabaron los abusos ha dicho! Usted se va a la calle.

—¡Sss...! Calma y tabaco, Nicolás... Déjese dir, que estamos en un establesimiento público y ya sabemos os derechos del suidadano. ¡Que yo soy federáa de toa la vía!, ¿oyó? Y a mí atropellamientos de la suidadanía, no. ¿Tamos? ¡Ah, ya!

—Pero bueno...

—Ni bueno ni malo. Esto es un baile de máscaras, y yo soy una máscara.

—¿Cuándo aónde es usté una máscara? ¡Miá pa allá!—chilló la gorda.

—¿Cómo cuándo aónde? ¿No me ve disfrasao?

—¡Disfrasao! Miá qué cara...

—Disfrasao, sí, señora... Disfrasao de cáscara de plátano...

11

DE CUANDO PEPE MONAGAS ASISTIÓ A LA LECTURA DE UN DRAMA DE ESTEBAN PACHECO

A Luis Campanario

En la plaza de Santo Domingo una cuajada noche del verano insular. Hay tal levante, que se parte un huevo en una baldosa y se queda de golpe más seco que una jarea. En los bancos de piedra y en sillas caseras intentan coger fresco algunas apacibles familias de Vegueta, desaflojados y callados como tocinos los maridos y las señoras esponjadas de felicidad hogareña, hablando, más nasales que nunca y con más deje que nunca, de la "consumía" plaza y de las criadas robonas:

—¡Quite pa ayáaa, señooora!

En algunos asientos, tal cual pareja de novios con alguna liña dada, porque llevan cinco años mosiando y son de boda más segura que un preso.

Calma chicha a todo lo ancho de la plaza. Pasa un perro chimbo y hace una parada en una de las socorridas cuatro esquinas del indecente torreón de la luz. Un insular de la amodorrada tertulia de un cuartito de cotorrones que está al pie de la casa de don Prudencio, sale del apoyito espabilado por el perro:

—¡Ese torreón! No me dirán ustedes, cabayeros, que no es antistético.

—Masiao que lo es—traba un contertulio—. Ha hecho farta el *Diario de las Palmas* pa una buena campaña.

—Mal limpriaitos cañonasos los que dan a las dose—comenta un tercero—pa no habérselos tirao arrente...

Cruza más tarde un matrimonio gordo, con dos niñas alante. El lleva unos callos como clacas y ella se mece a las bandas como una gabarra en la punta del muelle. Saludan haciendo una parada como un trono. Y al dar en el alto un resoplido, provocan el único fresco de la noche.

—Adiós la gente.

—Que les vaya bien me alegro...

—¿Cogiendo fresquito?

—Del poco que hay, señooora.

—Eso es bueno.

—¿Y los ranchos?

—Pues de gofito, grasias sean dadas.

—Bastante que me alegro. ¿Vienen de pa dentro?

—No, señora. Venimos de aquí lante, de ca doña Soledá Carsines, ¿habe? Sí, señora; que se lá metío un andansio en su casa y tiene tres en cama y dos orejiando.

—Miá y'ayá. Sí, ahora anda. Sintiendo estoy yo que se meta por mi puertas, usté.

—Pues ya... Bueno, señora, pues hasta más véee...

—Que son señas de volvée, si Dios quiere.

—Que les vaya bien—resopla un marido.

En uno de los bancos que está al canto abajo, frente a la Palma de doña Nieves, despuntan el sofoco Pepe Monagas, Victorio el del *Pinillo*, Venturilla el *Táita* y mi compadre Juan Jinorio, que también diba en la rueda de presentes. El bochorno que llega del Moro es tan abacorante, que hasta hablar muele. Sólo se oye el resoplido de Venturilla, que respira con vegetaciones, y que tiene, además, singuido de algo que le sobra en la nariz.

En medio del aburrimiento y la espesa calma cruza, fugitivo, desgambilado y traspuesto, Esteban Pacheco, un dramaturgo insular, que tiene un baúl cubano estivado de obras teatrales, tragedias todas con más muertos que una "apidemia", como decía aquel hacendado de Los Barrancos. Estebita era un incomprendido. Nunca había podido estrenar una de aquellas terribles piezas, que en escena y fuera de ella hubieran podido mover el Barranco. Había de todo en el baúl, desde el drama medieval, con un castillo lleno de damas trancadas, cabralescos arrebatos y sablazos, hasta la tragedia guanche, con un rey de Telde, una princesa de Gáldar, media docena de faicanas y faicanes y un coro vestido de zaleas, el cual, en el segundo acto, llegaba en manifestación por Triana hasta el Gobierno Civil a pedir justicia contra un tiesto de aquí de Santa Cruz, que le dio con una botella de sifón un macanazo mortal a un "guaire", o consejero real, de Tenteniguada él, desplazado acá con carácter oficial, rematando de manera tan poco diplomática una discusioncilla que tuvieron acerca de la disvisión de la provincia.

Monagas espabila al verlo. Presiente que va a tener salida el aburrimiento. Pacheco es el gran tipo para un alivio y él tiene mucha letra menuda para embaucar y animar chiflados.

—¡Chacho, Esteban! ¿Ya te vas a meter en el cuarto ya, con el calor que jase...? Ven pa acá, hombre...

Pacheco se para indeciso, mira torcido con sus ojos saltones y recelosos y traba al fin en la sugestión de mi compadre. Arrima al banco la figura bohemia e infeliz.

—¿Qué quieres?

—Que te asientes un pisco y conversemos... Oye, Estebilla,

¿disen que tienes un drama nuevo que manda las peras a la plasa...?

—Sí—contesta al desgaire Pacheco, como quitándole importancia a su talento—. Nuevo es. Y de los que mandan las peras a la plasa tamién... Pero ya hablaremos. Ahora no quiero detenensias, ¿oítes?

—¡Ven acá! No seas serrero ni desconfiao, que tú sabes que losotros reconosemos tu talento y eso...

Ayudado por los compinches de jarca, Monagas lo va engoando, engoando, hasta que Esteban Pacheco se anima a leerles el drama.

Tiran todos para El Pinillo, donde Esteban tiene su cuarto de solitario. El escritor enciende una vela, cuya llama se debate en la atmósfera espesa que reina y que tumba. Con la lumbre se alza un escorroso de cucas —de semilla inglesa, volonas y chopas—, que en manadas buscan el oscuro debajo del catre y los otros pobres muebles del buchinche. Cerrada la puerta —"por los goledores, ¿sabe?"—, con un pedazo de cañería y la taramela, Esteban tira de cartapacio. El drama está escrito con lápiz en papel vario y multicolor —en el interior de cajas de cigarrillos, en papel de barba numerado y oliente a queso, en hojas de ese gordo que dan en las tiendas para ayudar a robar en el peso, sétera— y con una letra garbanzuda. Monagas hace aparte la observación de que el rabo de la a era igual al del perro inglés de maestro Bartolo.

—Se titula—pega después de un carraspeo de sótano el dramaturgo—, se titula el drama que os voy a leer La reina Olegaria mata muriendo...

—¿Son los apellidos de eya...?—pregunta, haciéndose el sonso, Juan Jinorio.

—Nóoo...—replica Pacheco, soliviantado—. Mata muriendo son ajetivos. Quiere desirse que muere matando... La reina Olegaria mata muriendo, o el que hiere con sable no puede acabar al pirganaso.

—Santa palabra—comenta Pepe.

—Primer acto. Un cuarto más bien grande que angosto, con un ropero de tea y taburetes. En el ateráa isquielda hay una puelta disimulada por onde sale más tarde Goldofredo, que anda en enralos con la reina y que está escondío en el ropero de tea con una navaja de afeitar. Se está pasiando arriba y abajo él. Contra atrás, contra la parén, insultada y muerta de miedo se arrima ella...

—¿Pero quién es él?...—pregunta Ventura, interesado.

—¡El rey, totorota! ¿No lo véis...? Si pegan a interrumpirme, no leo, ¿tamos?

—Cáyate la boca tú, Ventura. Sigue, Pacheco—ordena mi compadre.

EL.—¡Me has de oír vos, perra infiel! ¿Os creéis que desconosco vuestras relasiones y ultrajantes contrubesnios con el caballero Goldofredo? ¡Vos os engañadais, señora, vive Dios! ¡Contad con que si lo trinco, lo escacho como a una cuca!

ELLA.—¡Señor...!

EL.—¡Callal, por ventura! ¿Me tomáis por un bobático, o qué? ¡Soy el rey! ¡Jincaos de rodillas ante mis plantas y pedírosme perdón, rufiana!

(Al grito de "¡rufiana!" aparese una servidora del palasio.)

SERVIDORA.—¿Me llamabais, señor?

EL.—¡Nóoo! Llamaba a esta pécora.

SERVIDORA.—Me paresió que llamabais vos.

EL.—Os llamáis Rufina y no rufiana, aunque bien pudiera ser, porque sois mujel. ¡Salil! (Sale ella.)

REINA.—Señor, no me humilléis asín delante de las criadas, que al luego me pielden el respeto. (Se levanta y se le aserca.)

EL.—(El rey la rempuja de mala manera y la reina cae.) ¡Callaos vos!

REINA.—¡No me rempujéis, señor, tamién!

EL.—¡Sí te rempujo! Y poco me parese. ¡Salil! Os ordeno. (Ella sale, y entra por la otra banda doña Eduvigis, la alcagüeta de la reina.)

DOÑA EDUVIGIS.—¿Hablabais solo, poderoso monarca y amadísimo señor?

EL.—¿Qué dises tú? ¿Cómo osáis atreveros vos a dirigirme el verbo, velillo? (Sale él, hasiendo un josición.)

DOÑA EDUVIGIS.—(Abriendo el ropero, del que sale don Goldofredo.) ¿Oíteis, caballero, lo malcriado que éstá?

DON GOLDOFREDO.—Oí, doña Eduvigis. Y huéleme esto todo a que aquí va a haber mojo con morena. ¡Vóime! Desid a la reina, mi señora, que soy su seguro servidor que estrecha su mano, Goldofredo. Desisle también que vóime a tierra de infieles a buscar la muerte, que ya llevo de aquí, en este pecho traspasado por el sablaso del amor.

DOÑA EDUVIGIS.—¿Osáis iros y dejar a mi señora, que tanto os ama?

DON GOLDOFREDO.—Oso irme porque..., porque es de mejor conveniensia para ella y para el reino.

DOÑA EDUVIGIS.—¡Mentís, don Goldofredo! Os vais porque tenéis chirgo y no lo podéis disimular.

DON GOLDOFREDO.—Me ofendéis, señora. Y no os largo una cachetada, porque sois mujer y no está bien, que si no, os tumbaba como un cortacapote. ¿Lo oís? (Sale él.)

Doña Eduvigis.—(*Gritándole desde la puerta.*) ¡Lo oí, pero me jago la que no lo oisgo, porque a pesar de saber quién fue vuestro padre, cosa que vos no sabéis, quiero seguir creyéndovos un caballero, y no un jediondo. (*Sale ella, echándosela. Seguidamente entra él, que da un vistazo y llama.*)

El.—¡Doña Eduvigis...! (*En vista de que nadie le contesta, sale él.*) ¡Voto al chápiro! (*Entra ella.*)

Así siguió la lectura del primer acto, que a la hora y media iba aún por la mitad. "Entra él", "Sale ella...", repetía en un guineo, con la boca seca y los ojos como gallo en pecha, Esteban Pacheco. Entre la sofocación del cuarto, cerrado y oliente, y el peso del drama, Monagas se fue acogotando, acogotando, pasada la primera fase divertida de la lectura. Y ya del todo requintado, explotó:

—Mira, Esteban, ábreme la puerta, ¿oíte?, que ahora el que sale soy yo.

12

DE CUANDO PEPE MONAGAS LE PREPARÓ EL ENTIERRO AL COSTERO IGNACIO BRECA

A Paquita Mesa de Christensen

—¿Cómo está el patrón, mana Candelaria?

—Lo mesmo, usté. ¡Tóo sea por Dios!

—Lo mesmo... ¿Y cómo es lo mesmo?

—Oh, igualito que antié y que ayéee, usté Pepito.

—Ah... Jeringao, entonses... Bueno, pero y el méico, ¿qué es lo que dise ée que tiene?

—¡Sé yóoo, cristiáaano! Quién lo entiende... De eso de looo... ¿Cómo fue y dijo, usté...? No lo saco, Pepito; pero yo vine a entendée como que la entera colite lo tiene cojío de los distentinos y se lo está chupando como si fuera un baifo, usté. Antié lo llevemos a los rayos clueques de la pantalla, ¿sabe?; lo miremos, y jasta le saquemos un el la radio de la caja del cuadril con esa máquina de retratá.

—¿Pero es que el compadre se va a jaser un casné, o qué?

—¡No, cristiáaano! Un el la radio de esas de los güesos, que se vei por endentro too el cañiso, ¿sabe? Don Osé saca, sigún me paresió entendesle, como que tiene una sombrita en la tela der estógamo. Y dispués, piedras en la vejiga, o p'aray. ¡Miusté piedras! ¡Me quiere jasé cree que mi marío ha estao comiendo piedras! ¡Mire, señora!

—Bueno, y a lo mejor no son piedras, sino güesos de aseituna. Bastante que le han gustao al compá Inasio.

—Usté siempre de gusto, Pepito.

—Diga usté que ajuliando pesares... Güeno, comadre, desle recueldos y que eso no sea náa.

—Jasta más vee, Pepito.

Han sostenido el diálogo Monagas y Candelaria Santana, la mujer del costero Ignacio Breca; él, de recalada para el portón, y ella, en la puerta de su casita, cuadrándole el airote a un brasero de La Atalaya que se le amuló. Ignacio venía malito de tiempo. Pegó con un reúma, que agarró en la mar, y después todo fueron pulgas sobre perro viejo, las cuales ya no largó hasta que lo entregó todo —inclusive el terno azul marino-rucio, el de tierra— a las plataneras.

Se oyó por allá dentro la voz del viejo marino, que con la enfermedad había virado mimoso como una gata de gente rica; una voz de baifito con carraspera:

—Candelaria, ven acá.

La mujer, agoniada con el fuego, que se resiste, contesta, destemplada:

—¿Qué te duele ahora...? ¡Ya voy, niño!

Cuando el fuego levanta, ella se arrima a la cama del enfermo, revuelta, con las sábanas morenas, en donde, todo enguirrado, se va Ignacio.

—Guísame una tasita d'iagua, Candelariya de mi arma, calentita, que me está subiendo un frior de la quilla por el trinquete pa arriba, que si no es de muerte, es de alguna puerta que dejaste abierta.

—Ya la tengo jecha. Pasote es. Te lo tienes que tomá sin asuca, que el pico de rapaúra que queaba te lo eché endenantes en la leche.

—Man que sea. Es pa calentáaa, ¿sabes...? ¿Quién estaba áy, Candelaria?

—El compadre Monagas. Que recueldos.

Ignacio suspira con tal fuerza, que se menea la tarlatana del espejo:

—¡Ay, señóoo, tal clavo clavao, que parese un remo metío entre pecho y esparda! Y que no ha habío ni santiguao, ni ungüento, ni parcho que puea con ée... (Mimosa la voz.) ¿Farta mucho, Candelariya?

—¡Te la estoy pasando, niño! Cáyate ya, ¿oh?

—Mujée, es que tengo como un brisón arrente los güesos...

—Bueno, ta bien. ¡Sus, quería, tales teclas, usté!

Pausa. Ignacio sopla y sorbe trabajosamente la tacita de pasote. De pronto pregunta:

—¿Qué comieron ustede hoy, Candelaria?

—Toyos.

—Ah... ¿Y estaban güenos, tú?

—Pajúos... Y más bien sobre lo amargo que sobre lo durse. La mujer miente por no desconsolarlo.

—Oye, Candelariya, ¿te quearían argunos pa recalentá?

—¿Cuálo...? ¿En qué demonios estás pensando, condeao...?

Pausa larga. El *Breca*, que tiene la idea de los tollos clavada como un barrenillo, vuelve a la carga:

—Candelariya, ¿tas oyendo...? (La voz es ahora como una mopa.) Yo tengo un antojo, ¿oítes?

—¿Uno solo...? ¡Jun...! ¿Cuálo quieres?

—Estooo... No te vayas a enroñaa, mujée, ¿oíte? Mira, me quisiera comer mi platito de toyos, Candelariya...

Ella revira, engrifada como un macho salema:

—¿Tú te has jas vuerto loco, condenao...? ¡Toyos ahora!

—Mira, mujée, ven acá... Yo estoy ya con la quilla en el marisco, ¿oítes? Este barco viene de tiempo cogiendo buchadas, tú lo sabes, y ya no lo achica ni el méico chino... ¡Dame un platito de toyos, Candelariya, asín Dios te sarve el arma, mujéee... ¿Pa qué me vas a dejá con el gustito en la boca si sabes de sobra que ya yo no atraco más, séase sin ese lastre, séase con ese lastre...? Jaslo por tu salú y tu sarvasión, Candelariya...

—Aspera que venga tu jijo Manué. Si él es gustante, yo tamién. No quiero requilorios dimpués.

Manuel, que estaba jugando una sanga en un cafetín de San Lázaro, recala. Seguidamente se entera del antojo del viejo. Se rasca el cogote, y razona:

—¿A usté se lo píe el cuelpo? Lo que el cuelpo pía, no daña. ¡Desle los toyos, señoooora, y listón! Totáaa...

Esto era entre noche y día, con las Animas al caer. Y entre noche y día también, rayando el alba, Manuel estaba dando tamborazos en la puerta de Monagas:

—¡¡¡Quién!!!

—Estooo... ¡Pepiiitooo! Soy yo, Manué, ¿ta oyendo?

—¿Qué quieres a estas horas?

—Es que mi padre, estoo... Mi padre se murió...

—Ya cayó que jaser—rezonga Monagas, espabilando—. Pos mira, te acompaño en er sentimiento, ¿oítes? Pero si ya se murió, ¿pa qué me voy a levantáa?

—¡Es que yo quería —¿ta oyendo?—, yo quería que usté me ayuaara en los requilorios estos...!

—¿Pa qué no esperó a las nueve o nueve y media? ¡Son ganas, tamién...! ¡Ya voy pa ayá a tirito!, ¿tas oyendo? ¡Y vete preparando un pisquito de cafén!

Cuando mi compadre llegó al cuarto del difunto se encontró a Candelaria en los pies de la cama, desarretada, que no daba avío la pobre a atajar con las puntas del refajo el aguacero de ojos y narices.

—Vaya, comadre, vaya. Venga pa acá y asiéntese. Y resinasión. ¡Si no semos náa, usté lo sabe!

El cuadro era abacorante. Entre las sábanas, sorroballadas y revueltas, amarillo y menudo como una vela barata, encloquillado y de banda, aparecía tieso Ignacio *Breca*. Bueno, lo de tieso es un decir. Como un garabato se quedó su miserable cuerpo. Encloquillado, hemos dicho, y no muerto con arreglo a los usos y costumbres. Al modo entregó allá para las once, cuando todo el mundo estaba como un tronco, y sin más recado ni más mandado. Ni un resoplidito tan siquiera. A las cuatro y media, cuarta más, cuarta menos, unos ladridos del perrillo de maestro Bartolo desvelaron a la comadre, que se levantó para darle una vuelta y una taza de caldo. Y ya se lo encontró como un ajo porro. Por eso, con tantas horas frío, no fue posible estirarlo para vestirlo y dejarlo decentemente en medio de la casa. Estaba como una persona que se muriera sentada en una silla, hecho un cuatro de los que hacía Rafaelito el de la tienda. Mal que bien, le metieron sus calzoncillos largos, su camisa de los domingos y su terno azul marino, que el tiempo había virado rucio.

—¿Pero y ahora pa metehlo en la caja, usté...?—se paró, pensativo, Pepe, viéndolo sentado en la cama, vestido de limpio, que parecía un padrino de bautismo—. Esto va a ser una vaina, me pareeese...

Manuel se soliviantó:

—Pos yo no quiero que mi padre vaiga jasiendo el redículo y eso, ¿oyó?

—¿Y quién te ha dicho náa...? Acuéstelo, comadre... Déjelo caer de esa banda. ¡Aaasí! Ponte por ayá, Manué. Más arriba... Féchalo ahora de la cabesa y no lo dejes vení pa mí, ¿oítes? So es... ¡Aaaa! ¡Aaaa! No afloja ni con la grúa del Densanche. Está como jierro frío, comadre. Trincao en bolina de aquí del rodillaje... Usté lo dejó enfriá, Candelita.

—¿Yo, querío de mi arma: si cuando disperté estaba listo ende cuando...? El tenía ese dormí ende acabaito de casá, ¿abe?, que siempre se lo desía yo, porque apenas me dejaba sobrante, el pobre, en el catre: "Jate pa ayá, Inasio..." Y se roaba, el pobre, porque no lo había más güeno en las siete islas... (Soltando el trapo.) ¡Ay, Inasio, Inasio, tal desgrasia, que te fites alantre y me dejates como una gayina sin niáa...!

—Bueno, cáyese ahora, comadre. Deje la yantina pa cuando esté en la caja y haiga jente delante... Ahora vamos a vee cómo arreglemos esto de empaquetaslo, ¿oyó?, que como no venga un inginiero, me parese... (Pensativo.) Si acaso..., con una caja más alta, o que traiga su corcova, como la de un timple, pa encajar las rodiyas... ¡Digo yooo!

—¡Pepito—salta Manuel, con la cabeza cambada—, losotros semos más probes que naide en todo el Risco, pero mi pare tiene que tené un intierro desente! De mi pare muerto no se chotea naidi, ¿oyó?

—¿Quién se va a chotiar, totorota?

—No: es que yo no quiero, ¿oyó?, que mi pare se intierre en un baú cubano, ni en una caja de turrones.

—¿Pero quién va a enterrá a tu padre en una caja de turrones, vagañete?

—Lo que yo le digo.

—¡Cáyate ya, sollajo, cáyate la boca ya! ¡Oh, padrito...! Yo voy a tirar un sartito a la funeraria. Déjalo de mi cuenta, que yo lo arreglo... Dame un pisco de cafén pa podé fumá, que tengo la boca como una jarea.

Monagas se ausentó una media hora larguita. Y cuando recaló, Manuel, al que se le había metido el barrenillo de un "intierro desente", y seguía desconfiado de que Pepito preparara un embalaje mal amañado del viejo, preguntó, ansioso:

—¿Quí hubo, Pepito? ¿Cómo lo arregló?

—¿Cómo lo va a arregláa...? ¡Como es debío, señóo! Tu padre saldrá a la vida pública en una caja formal, llanita y larga, como toas. No te agoníes.

—¿Pero y cómo lo va a metée endentro?—se emperraba el hijo.

—¡Qué pesao te pones, Manoliyo! ¡Ya santísima! Si tu padre no va a dir dentro, muchacho. La caja va a dir vasía.

—¿¡¡Cuálo!!?

—A tu padre lo asentamos alantre con el chofe, ¿oítes?

13

DE CUANDO PEPE MONAGAS, ESTANDO BALDADO DE UNA *PUNTADA DE REOMA*, PUSO UNA ESCUELITA DE NOCHE EN EL RISCO

A don Eduardo Benítez Inglot

Se ha dicho porción de ocasiones en los papeles donde han ido apareciendo las aventuras y los dichos del isleño **Pepe Monagas** que el compadre le pegaba a todo con tan firme diente como buena maña. Cierto que era inclinado a cargar trasero, escurriéndole el bulto a trabajos "retundidores", como él decía; pero cierto también que se las agenció siempre para que no faltaran en su bolsillo el par de pesetas y en su casa potaje, aunque fuera de enredaderas. Desde cortar y trabar aretes para los turrones, hasta endengar la más aseada trampa de la luz, de cada cosa sabía Monagas su pizquito.

Un tiempo que estuvo baldado de una "puntada de reoma", que pegó la presa en una rodilla y lo encalló por más de dos meses entre una butaca y el catre, tuvo una idea. Llamó a mi comadre:

—Oye, Soleaílla, ¿sabes lo que ha estao pensando ende anoche, que no pegué un ojito? En poné una iscuela...

—¿Cuálo...?

—¡Ya estás! ¡Ya estás engrifáa! ¡Ya te engrifastes!

—¿Una escuela? ¿Pa enseñá tú, niñooo...? ¿Cuándo, aónde?

—Déjeme jablá, señora, déjeme jabláaa. ¡Oh, padrito...! Mira: por asquí, por los alreores hay una insalla de chilguetes y galletonsiyos tan serreros, que se jase un campeonato de soquetes y se ve uno negro pa dar el diploma... Jablando con los padres de la curtura y eso, quién sabe si se embuyan y tal... Yo doy la iscuela a la prima noche, cuando ya no tengan quejaseres, ¿tiendes? Pongo un tostón por cabesa de ganao —dispensando el moo de señalá— y rián pal puelto. Tú, como el que no quiere la cosa, sueltas la volada en la tienda, en el Piláa y onde vaya cuadrándote, ¿oítes? Yo te aseguro que cae asquí su dosena de batatas.

Mi comadre no tenía confianza, pero forzada por la necesidad y arregostada a que el marido siempre tuviera razón, fue dando la nueva. A la semana, Pepito Monagas tenía una escuela con dieciocho toletes dentro.

Pronto se requintó. En seguida estuvo tan estomagado y tan provocado de guineos y zoqueterías, que anduvo en filos de liquidar el pizquejo de negocio pedagógico. Caía arriba mi comadre Soledad:

—¿Con qué comemos...? ¡Ah...! Aguanta, que toa albalda tiene su moleúra.

—Ta claro... Como no sos tú la que tiene que cargar con los mochuelos... Aluego le ha dao a dos o tres de ellos por preguntar sus cositas de eso de la regla de tres y tal, como si esto fuera el Estituto... La otra noche se emperró el *Siclopédico*, como yo le digo... —¡Sí, muchacha... El jijo del indiano Galindo, que tiene lentes, que es bisojo ée... ¿Sabes quién es ya...?—. Pos se emperró en que le desplicara el esqueleto humano. Como yo vía visto uno en el museo, pos le dije que era la armasón de too ser de la presona humana y taa y taa, trabáa con verguiyas, la cual, antes del endeviduo dir pa las Pataneras, estaba forráa de casne, más o menos, sigún el rasionamiento... Se fue con el cuento al padre, que estuvo en La Bana y se la echa ée de sabeor. Y me mandó a desir que too estaba pasaero, menos lo de la verguiya. Y que si seguía metiéndole batatas al chico, lo quitaba. ¡Como si yo tuviera que sabée tamién de güesos! Al mou se habrá creío que yo soy Amador...

La pita se enredó cuando Rafaelito el de la tienda mandó al hijo Sebastián. El *Chano* este llevaba ya un tiempo en la ciudad, pero se mantenía tan serrerito que hablaba y la gente se volvía insultada, pensando que había un bardino al pie. Ladraba, y todavía le adulamos. Para colmo, era fachento, como un gallo quíquere. Todo se lo sabía y hasta le enmendaba la plana al maestro. El señor Monagas al tal *Chano*, tanto por echón, como por ser hijo de quien era —el tendero de los líos por los fiados—, lo tenía atravesado como un espina de cherne. Rafaelito lo había quitado de un colegio del centro, porque "arriba de que no arrejundía debidamente", costándole más cuartos de los que él estimaba justos, "por mor de los maestros, que no saben debidamente ni pa ellos", le hacía falta en la tienda, mayormente los sábados y los días de reparto. Con los "tiquis" de las cartillas, Rafaelito iba agarrando una cargazón de cabeza que si no le echaban una mano acababa pidiendo agua por señas.

El día que entró *Chano*, Monagas lo llamó para ver por dónde andaba.

—Vamos a vee. ¿Usté qué sabe asín del catón y eso...?—los primeros días los llamaba de "usté", por infundir respeto.

—¿Del catón?—replicó, despreciativo y empenicado, *Chanito*—. ¡Del catón...! ¡Si yo me ando en la siclopedia...!

—¡Miá pa ayá! Bueno, pos vamos a vee qué sabe usté de la siclopedia...

—De gramática, me ando por los velbos...

—¿Ah, sí...?

—Sí, jiñóoo... De alimética, me ando por las cuatro reglas y entrando en los quebrados...

—¿En los quebrados? Menos mal que no es más que entrando...

—De gometría me ando por la siscuferensia y eso... Deee... de geografía me ando por las capitales y los ríos de la Uropa. De historia, me ando por la reconquista...

—¿Cuála reconquista?—preguntóle Monagas, aturdido.

—La reconquista esa...

—Ah, ya. Sí...

—De historia naturáa, me ando...

Monagas rezongó, requintado hasta más no poder:

—Por la jáquima, sí... ¡Peeere! Vamos a vee si es verdá tanta beyesa... Vamos a vee... ¿En cuántas partes se divide la gramática?

—¿La gramática? En cuatro—contestó *Chano,* como un rehílete—. Oltografía, sintasis, velbo y sílaba.

—Le falta una, pero no se la digo, no sea que vaya y se lo diga a su padre... Bueno, conjúgueme el presente indicativo del verbo amar.

—¿De cuál velbo amaaa?

—¡Oh, padrito! ¿De cuál va a see? Del verbo amar... No pegues a ponerte nervioso y a ponerme a mí, ¿oítes? Conjuga, anda.

—Yooo... yo amo..., túuu... tú sos..., él sooo...

—¡La luna y las estreyas, sí! Echale paja a la burra y bebe... Mira, vamos a ve la tabla... ¿Cuántas son siete y ocho?

—¿Siete y ocho...? Siete y ocho son... ¡Son onse!

—Se te nota que sos hijo de tiendero dando la vuerta de un billete... Bueno, ¿pero no dise usté que se andaba en la siclopedia?

—Sí, señóoo. Me ando en la siclopedia.

—¡Me ando...! ¡Me ando...! Pos mire, mi niño, vaya y méese en la cartiya, ¿oyó?

14

DE CUANDO PEPE MONAGAS SALIÓ DE *PANTASMA* Y POR POCO SE LE ENREDA LA PITA

A Chona Madera

Tal vez la pollería no sepa lo que eran y representaban en la ínsula los fantasmas —las *pantasmas,* como estragaba el isleño su denominación—. Una *pantasma* era un individuo con la cara más dura que las judías del reparto y que, consecuentemente, se prestaba a vestirse extemporáneamente de máscara, envolviéndose en una sábana de dos cuerpos, a cuyo indumento añadía un cesto de caña, una talla o una lata de belmontina, que coronaba su cabeza, alzando así su estatura hasta dimensiones un tanto impresionantes. De esta guisa, y arrastrando una cadena más de buey que de cabra, o algún gangarro de broncos y destemplados sones, salíase de noche a correr las calles de la Vegueta, a la par que señorial, vetusta. Metían las tales "ánimas en pena" a los grandes en unos insultos que afectaban gravemente pomos y hasta prendas íntimas, y a los chicos en unos chirgos que hasta de día, si la cosa salía a cuento, provocaban angurrias de sorimba. Cuando eran *pantasmas* de lujo, llevaban ojos de lechuza, practicados con dos agujeros por los que lucía fuego pegado, las manos untadas de fósforo y un cirio gordo encendido, que podría servir de tolete, si la cosa se ponía atravesada por che o por be.

¿Para qué salían a la calle las *pantasmas...*? ¡Este es el "asuntillo"! Se ha venido en conclusión, después de arduas investigaciones en archivos públicos y privados, practicadas por los mejores pescadores de güiros de las siete islas, que los susodichos espantajos ejercían oficios celestinescos o así. Complemento de alcahueta y planes, se tiraban a la vía pública algo después de Oraciones, para dejar terreno libre a las andanzas y afanes de algún "Don Juan" de Las Casas o de la cochinilla... ¿Que había un asuntillo delicado y tal, y era conveniente "ajuliar las moscas" para evitar que el isleño, tan aficionado a meter las narices en los moceríos ajenos, cogiera el güiro...? Pues se agarraba un sujeto de los que lo mismo barren que friegan, se le apoquinaban dos tollos, o siete pesetas y media, según, y allá, cuando la Catedral dejaba caer las diez o las once brimbas flacas y temblonas de las diez o las once, se le hacía aparecer por una esquina previos unos quejidos tan apropiados, que los de las vacas de la Matazón eran suspiros de primera novia. Entonces pegaba el paseo. Una sombra blanca y zancula pasaba a compás de trono por el centro de los adoquines. Y en los alrededores no quedaba ni el guardia.

Pero la gente fue espabilando y dándose cuenta con la cultura y eso. Cogía viento de popa el desarrollo industrial canario, particularmente manifiesto en la cochinilla, el cambullón y las trampas de la luz. Y llegó un momento en que hasta los chiquillos de la doctrina sabían que la *pantasma* era un jediondo vestido de fantasma, con una misión de descubierta y ajuleo encomendada por algún Ricardito de fuera de bambalinas. Se dio una noche el caso de venir de un baile de parida un matrimonio y tres hijas, que vivían al canto arriba del callejón de los Majoreros, y pararse tranquilamente a ver un fantasma que bajaba solemnísimo, para entrar en la calle del Agua y salir a Santo Domingo. El marido comentó tranquilamente, después de decir a sus niñas: "Sigan su camino ustedes...":

—Esto ha de ser por esa doña Lola enralada de Santo Domingo. ¡Vaya!

Su señora, con la mano puesta a una banda de la cara y la cabeza cambada, dijo, desdeñosa:

—¡Mejó le diera velgüenza, semejante berringallo...! Y mira, hombre, arrastrando una sabanita tan buena, ¡mal limpriaíta!

Por entonces se le ofreció a señor don Pedro, pollo él —y que no era de los flojos—, un "asuntote y tal" en una casa, no precisada por los investigadores, de la calle de Avila. Tenía que entrar y velar al tiempo por que el prestigio de la mansión quedara intacto. Habló con mi compadre Monagas.

—¿Qué dise usté...? ¡Eso sí que no, señor don Pedro!

—¿Por qué?

—¿Que por qué...— ¡De máscara ahora...! ¡Si fuera por lo menos Miércoles de Senisa! ¡No, no! De repente me jincan su pedráa, que ya se están dando casos... Ya no es como diantes con las *pantasmas*, don Pedro, usté lo sabe.

Y era de verdad. Les habían tirado agua caliente, escaldándolos de mala manera hasta meterlos en cama todos untados de azufre y clara de huevo; les habían tirado sus pedradas, que partían singando de cualquier esquina; les habían dado hasta sus buenas entradas de palos... Pero don Pedro estaba emperrado. La cosa no era para menos: una cierta viuda, ni muy nueva ni muy madurona, concentrada como un cartucho, con las carnes lindas y los ojos negros... La cosa meritaba la pena insistir:

—Yo te doy dies duritos, ¿oítes...?—insinuó el galán zorroclócamente, dejando caer la oferta templadita de tono, como esos relojes que tocan música en los cuartos de hora...

Era demasiada tentación. Y la situación de mi compadre, en el momento, bastante mala. Pepe se vistió la sábana y demás requilorios propios y se echó a la calle, pegando unos quejidos tan de cabra dando a luz, que hasta don Pedro, que le daba la salida, encontró ridículos:

—Es que entodavía no le ha cogío la embocaúra.

Vivía por entonces a la mediación de la calle de Avila un tal Luis el *Pipano*, recién llegado de La Habana con sus buenas perras. Era *Pipano* hombre macho. Antes de embarcar y desde galletón luchaba con empuje y maña particulares y tenía una piña que se cimentaba. Se dijo que un tal Juan Candela, de La Apolinaria él, que amaneció tieso en la puerta de un ventorrillo después de una fiesta de San Juan, fue listo de una trompada que le metió el *Pipano*. No le pudieron probar nada por papeles de justicia, pero la fama de esa muerte lo obligó a trasponer. En Cuba se endureció de cuerpo y alma y acrecentó su fama de matón, que lo mismo ganaba desbaratando un baile al gajazo limpio, que dándole a su mujer una gentina de cama y caldo. Al establecerse en la ínsula de vuelta, le dio por echársela, dejando de vestirse con costureras y comprando bastones, de los que llegó a tener colección, en la que figuraban algunos estupendos ejemplares de leñabuena.

Casualmente la noche que Monagas hacía a señor don Pedro el peligroso servicio de "espanta-güiros" subía de pa dentro Luis el *Pipano*. Llevaba uno de sus mejores bastones de leñabuena. Al asomar a Santo Domingo sintió la queja y los ruidos del fantasma y se atorró detrás del viejo pilar que centra la plaza... Entró en ella Monagas como la procesión del Paso. Le había cogido el geito a un quejido entre gata por enero y baifo de ocho días y se largó uno en el centro que otro que no fuera el *Pipano* cae con un trasudor... "El ánima en pena" vio de pronto salir desde detrás del pilar, tranquilamente, a Luis, y lo vio venir arriba de él, callado como un tocino, sin pizca de miedo, paso a paso... A unos diez metros, Pepe conoció que era el bragado vecino. Y rompió a sudar como entre las mantas de un andancio. "Este me va a dar una mano de componte que más nunca me aclara", pensó rápidamente... Como llevaba la cadena del arrastre dispuesta para ser desprendida con urgencia, apenas le costó trabajo librarse del pesado requilorio. Según lo largó, sacudió la cabeza y despidió la talla. Luego abrió a correr tan desaforadamente que *El Tomatero*, con todo su golpe de bicicleta, se queda en morrocoyo a su lado.

Pero el indiano tenía ganas de fajarse. Cayóle atrás como una rueda de fuego. Pepe delante y Luis el *Pipano* al rabo, ambos hombres cogieron a García Tello abajo como dos Fotingos. Monagas dobló por los Reyes hacia el sur. Y el otro arriba. El *Pipano*, cuya carrena no enredaba sábana alguna, acortaba cada vez más la distancia. Llegó a tirar en la Placetilla un lambriazo sobre la marcha con el bastón, que iba dirigido al tronco de la oreja de mi compadre, pero que, afortunadamente, se limitó a singar en el vacío... Entraron sobre San Cristóbal. Monagas tuvo una idea torina: meterse por el callejón del cementerio a ver si amedrentaba al otro. ¡Vanas ilusiones! El *Pipano* siguió atrás, manteniendo tan fresco la tremenda corrida en pelo.

Casi en puertas del "Templo de la verdad es el que miras...", Luis trabó por la sábana al fantasma. Monagas se desprendió como pudo, al tiempo que el bastón le pasaba silbando arrente del cogote. Y recurrió entoces a un desplante heroico: se arrimó contra la verja de entrada, abrió los brazos en cruz, agachó el morro y sacó de lo más profundo de la barriga una voz gorda y negra, como una morcilla de la tripa gorda:

—¡No oséis tocarrrmeeee...! ¡Ni arrempujarme, tan siquieraaa...!—conminó como un bajo de ópera al matón—. ¡No profanéis tamién mi espíritu tuo, in pasennn in meannn, como profanates el corporunnn meannn en vita meannn...!

El *Pipano* no pudo remediar un bache en el impulso atravesado que traía. Tragó saliva y exclamó, al fin:

—¡Pos di quién sos, chicu! Como no me lo digas, te doy una mano componte que jasta los güesos se te quean como una meloja... ¡Esplicotéate liviano, isleño!

Monagas ahuecó aún más el cloquido:

—¡Soy el ánima de Juan Candela, a quien matates vos de una piña y a traisión en la puerta de un ventorrillo, un día de San Juan, señalaamente...—y remató cantando—: "Aaméeen...!

Al *Pipano* lo recorrió un escalofrío. Abacoradillo, replicó:

—¿Cuálo...? Pruébame esa sonsera, chico. ¡Si no me la pruebas, te doy doble guataquiada!, ¿oítes? Pruébame que sos Juan Candela...

Pepe acluecó aún más la voz:

—¡Las ánimas no tienen séula personal...! ¡Aaaméeeen...!

15

DE CUANDO A PEPE MONAGAS SE LE *OLVIDÓ* PAGAR LA GUAGUA

A Felipe Alonso

Era en los tiempos, un rato —"no obstante"— menos heroicos que los actuales, de las primeras guaguas, aquellas menudas y salpiconas corre-vuelas, con mucho de jaulón de gallos y de palco del viejo Cuyás, más sobre el "Fotingo" de Molina que sobre las actuales "Majo y limpio", las cuales, por lo escasas y amatalotadas, más majan que limpian; era la época de la crin aplastada, el hierro, la chapa y la verguilla convertidos en guaguas por obra de la habilidad del isleño; era, en fin, cuando las guaguas "caninas", que, a semejanza de los perros, no dejaban atrás esquina donde no "apararan". Oía usted constantemente en la carretera un agoniado requerimiento, que se hizo clásico: "¿Va pal Puelto?" Entonces "cabía uno", no como ahora, que ni con los "tres de piesss" acaban esas embobecidas y al tiempo desagalladas "fileras" de la Plaza, el Frontón y sétera.

No tenían estas guaguas históricas cobrador, por razones de "economía individualista". Y quizá también por el estilo tartanero del servicio. El isleño había vendido las tartanas, derrotadas, ¡ay!, por el "Fotingo". Y se había comprado a plazos su guagüita, que con una cabra buena de leche hacía el completo en la consecución de la felicidad hogareña. La cabra daba leche, si a mano venía, hasta para vender; y la guagua, la alfalfa y la ración para el animalito y el familiaje, que escarranchado ante una buena borsolana con pellas era la cigarra, y recorto. El antiguo tartanero, que se había limitado a cambiar las bridas y el rebenque por un volante y un acelerador, no tuvo antes cobradores. ¿A qué tenerlos ahora? Resultaba un lujo de "chonis" contar atrás para los cuartos, con un galletón, que si salía malamañado solimpiaba al día su par de pesetas tranquilito. Entonces uno cogía la guagua y gritaba a su debido tiempo: "¡Apare en la esquina!" "*Su debido tiempo*" quiere decir unos quinientos metros antes del sitio, ya que había que dar a los frenos de alpargata disponibles un margen para ir dominando la velocidad, que remitía agoniadamente, entre gritos, chillidos y estremecimientos del hierro. Bajaba uno, iba alante, pagaba la perra el chófer, y adiós mi amigo.

Pero el isleño, que tiene ganado a pulso el Premio Nobel de la Trampa de la Luz, solía aprovechar cualquier "jasío" —un rebumbio, un conato de choque y un sétera— para hacerse el sonso y bajarse y largarse tranquilamente, Entonces solía caerle atrás el guapido del chófer: que había de llevar el pasaje; ofrecer gratis una corrida de toros en la que él ponía el toro y el peatón el torero; chocar dos veces con un carro de Telde cargado de millo; acechar por el espejo al tranvía y a las otras guaguas que se partían el cigüeñal a todo lo largo de la carretera en la más espectacular y pintoresca competencia de la historia universal, y aguaitar a los frescos que "olvidaban" apoquinar debidamente.

Cierto día subió en la Plaza, con rumbo a Lugo, mi compadre Monagas. Tenía perras, pero no tenía ganas de pagar (disposición que constituye una peculiaridad más de la compleja y pintoresca personalidad isleña). A la altura de la Casa Encarnada, una mujer, que llevaba en la falda un ancho balayo oliendo a cherne, gritó medio clueca:

—¡Apare en la esquina, usté cristianito!

Pepe, que iba junto a la bajada, armó brinco. La viajera y su cesta lo cubrían. Se atorró un pizco y echó a andar mirando interesado a las casas de enfrente, como si buscase en ellas un número. El chófer lo caló de golpe. Por el espejo, que como queda dicho era el gran cómplice de la competencia, al tiempo que el gran control de los frescos, vio cómo Moragas trasponía. Gritó, caliente:

—¡Sss...! ¡Usté, sí...! ¿Vamos a pagá o no vamos a pagá...?

Pepito se volvió sorprendido. ¿Sería a él? Miró a los lados y detrás, buscando al requerido.

—¡No, si es a usté! No mire pa las bandas.

—¡Ah!, ¿es a mí, dise?

—¿Tonses a quién?

—Güeno, usté dirá qué se le ofrese.

—Hombre, mire, que no ha pagado la guagua...

Monagas, que conocía las compras a plazos y las exigencias de los vendedores, se decidió a darle un consejo:

—Ah, ¿no la ha pagao? ¡Pos páguela, amigo, mire que se la quitan!

16

DE CUANDO PEPE MONAGAS LLEGÓ A TIEMPO CA LAS NIÑAS ANGUSTIAS

Al doctor don Juan Bosch

La más nueva de las niñas de Angustias volvió de una novena en San Agustín con una puntada en el costillaje tan mal presentada, que ponen la vieja pollita a la venta y no hay quien dé por ella un real bellón. Era un dolor de presa fechado detrás de su armazón de pájara en la muda. Cuando remató la escalera y alcanzó la galería, con unos ruidosos acecidos de gallina con gogo, traía una cara de tierra y unas ojeras impresionantes. Verla las hermanas y virar la casa un zafarrancho fue todo uno. La una corría como un gallo barajunda al que le han arrimado un recio cañazo en el tronco de la oreja; la otra caía y se levantaba de un soponcio intermitente, sin más auxilio que el antiguo abanico, que cuando cogía viento levantaba las cor-

tinas de encaje blanco como si las soplara el muro de la marea;
una tercera empujaba con fuerzas insospechadas a la vieja criada,
que venía empeñada en encender la cocinilla a toda mecha y
que no acababa de dejarla prendida, ahora echado fuera el fuelle, después tupido el pitorro... A tanto llegó la morería que no
quedó vecino en toda la manzana que no supiera a los cinco
minutos de una puntada feísima que Ritita, la más nueva de
las Niñas, traía de repente entre pecho y espalda.

—¡Ay, padrito mío San Nicolás bendito, que no nos dejas
resollar de una pa meteslos en otra!

—¡Ay, otra con ésta!

—¡El Señó lo quiere, y acatada sea su santísima voluntá...!
Pero tanto bandío como hay por ay desperdisiando la salú como
agua de chorro... ¡Ay, otra con ésta!

Acostóse al fin Ritita casi sin ayudas, porque ninguna de sus
hermanas atinaba a echarle una mano eficaz. Tiráronle arriba
seguidamente, que casi la escachan, cuatro mantas de lana del
Ingenio, tres traperas, una colcha de punto y una cubierta rameada impropia de las circunstancias, porque ponía un acento de
verbena relajosa o de alcoba equívoca sobre el patético barrunto
de aquel repente.

Allá fuera, la cocinilla seguía amulada. Con el cuero del fuelle desborcillado y el pitorro sin dar de sí, había acentuado de-
sesperantemente la agonía de la casa.

—¡Esús, quería, tal tupisión de cosiniya! ¡Parese que se es-
mera la condenáa, usté!—rezongaba Corina, la vieja sirvienta,
toda retundida de reúma, pero siempre como una escopeta, servi-
ciala y animosa, metiendo el destupidor y dando fuelle con tales
bríos que ponen el aparato en la mar con aquella presión y para
en Santa Cruz al tiempo del avión de la *Iberia*.

—¡Esto no ha sido sino que Ritita se ha metío en un corriente! ¡Y cuidado que se lo tenemos alvertío!—opinaba, como
un manojo de voladores la más vieja de las niñas de Angustias, mientras revolvía desatentada el cajón de las hierbas en
busca de la vinagrera, que es muy buena para cortar las puntas
de pulmonía.

Saltaba la otra, ayudándola a entorpecer la búsqueda:

—Ponte el saquito de punto, Rita, ¡que agarras un airote,
Rita!, y no salgas a la calle sin taparte la boca bien con el pañuelo, Rita... ¡Esto todos los días y a todas las santas horas!
Pa nada, niña, ya veis. Ahora —¡tal desgrasia!— se nos mete
con esa puntada de cuesno, que sabe Dios...

—Tampoco hay que tirarse a lo pior, sita Petra—opinaba Corina—. Bien pudiera se un dolor de redoma, que ella paese...

—¡Ay, si la boca te cresiera!

—Usté verá que es redoma. ¡Abré yo, que vengo bardaíta ende aquella Semana Santa del graniso!

Al fin llegaron con una tacita caliente a la orilla de la hermana. Ritita se mostraba tan desmadejada, con la color tan revuelta y el soplido tan en un hilito, que hubo vecino que salió a la galería a opinar que la solterona estaba mejor para traerle a Padre Dios que para tacitas de agua. Dominguito el de la Audiencia, que se tiró un salto a verla y ofrecerse, salió y dijo:

—Esa está lista ya.

Encarnacionita la de la *Marea* cambó la cabeza, se cubrió una banda de la cara con una mano desmayada y puso los ojos como chops de vivero:

—¡Esús, quería, sin más recao ni más mandado, usté!

Con cara de baifo tieso comentó Mariquita Peña, que estaba a la banda:

—¡Si no semos náa, Casnasionita, usté lo sabe...!

—¡Cómo ha de ser...!—remató, con un suspiro, la cómica de Isabel Farias, que, picada con las Niñas, porque les sonsacó una vez una muchacha que tuvieron para la calle, y sin llevarse por eso, se metió por las puertas, aprovechando el desande para belinguiar.

Por fin llegó don José, el médico, que tuvo que romper por entre una insalla de goledoras y goledores arracimados en la galería y a la entrada de la alcoba, ellas dando calor y largando pulgas y ellos espesando el aire con colas de virginio y ese olor a engrudo que da de sí el isleño viejo fumador. El doctor, canario arrente, no pudo reprimir la exclamación:

—¿Que aquí parió la gallera...?

Lo que quiera que Ritita tenía, don José se lo calló como un tocino. Anduvo escuchándola con lo que llamaba mi comadre Soledad "el teléfano de la caja el pecho"; miró el reloj, como toda la vida; hizo unas preguntas, distraído, como acordándose de Tafira, y tiró de receta. Después de los garabatos dijo:

—Vayan a la botica y compren esto.

—Pero, don José, ¿qué podríamos haserle pa irle aliviando esa puntada, mientras despachan la reseta?—preguntó, agoniada, la más vieja de las hermanas.

—Pues... En el interíin, pónganle un parche poroso, a ver. Mañana vuelvo.

Y traspuso.

Recaló desandada de la cocina la segunda de las niñas:

—¿Niña, ya se fue don José...? ¡Esús, que yo quería verlo...! ¿Qué dijo?

—Pues, mira, le mandó esto. Y dijo que le pusiéramos un parcho en el interín.

—Pues, mira, casualmente yo tengo en la cómoda uno guardado, de cuando Concha tuvo aquel malejón, que te acuerdas que no se llegó a poné...

Lo sacaron. Y en el momento de prepararlo se planteó la terrible cuestión.

—Oye, Isabé, dijo en el interín...

—Sí... ¿Qué?

—¡Oh, mujé, paeses que estás boba! Dijo en el interín... ¿Y dónde quea el interín, tú?

—¿Pero, niña, no se lo preguntates?

—Pos, mira, no... ¡Sus, mujé, no me empieses ahora a abacorá! ¡Oh! No se lo pregunté, no.

Se volvió para todos, desconcertada e implorante. Las visitas mantenían cerradas y suspensas las caras.

—Tú no sabrás, Corina...

—¿Yo, sita Concha de mi arma? Si le digo la engaño. Si viera sío de la madre, o asín... ¿Pero el interín? En mi vía lo ha oío.

Y en este angustioso momento, Monagas que entra. Se lo encontró por la calle Dominguito, que había ido a lo del botiqueo y que más pronto que volando le soltó la ocurrencia:

—¿Sabes que la más chica de las Angustias ha caío entre sábanas de ahora pa después con una que pa mí abica...?

Pepe se tiró un salto, que era agradecido. Las niñas de Angustias querían mucho a Soledad, la cual iba a hacer limpieza general para las vísperas de Jueves Santo, Corpus y San Pedro Mártir, y tenían debilidad por Monagas, al que habían sacado de algún apurillo, recomendándole asuntos entre sus buenas amistades. Cuando mi compadre entró, la pregunta daba vueltas, salpeando, como un pájaro suelto, por toda la casa:

—¿Pero y dónde queará el interín...? ¡Sus, tal desgrasia!

—¡Pero qué bobería no habérselo preguntado a don José!—reprochaba, con voz del Casino, don Prudencio el de la Notaría.

—Tú no sabrás, Pepe...

Monagas sonrió, perdonándole la vida a aquella manada de toletes. Grave, se acercó al oído de sita Concha. Y le dijo dónde quedaba el interín. La dama se puso repentinamente seria. E invitó a todo el mundo a salir.

* * *

Fue pasando el día... A la prima noche, los quejidos de Ritita, que se habían mantenido en diapasón de gato chico, rozaron casi el esperrido. Monagas, que a ruegos de las niñas se había quedado "velando" y poniéndole a la enferma unas inyecciones de aceite alcanforado cada tres horas, sospechó que la cosa se había complicado. Se lo dijo a sita Concha. Sita Concha se quedó sola con la enferma unos momentos y volvió allá atrás floja como una madeja de lana, en trasudor y con la boca más seca que una jarea. Habló a Pepe con mucho misterio. Este salió, cabizbundo y meditabajo, para el despacho de don José.

—Pos mire, don Osé, vengo a desisle, de parte de sita Concha, que sita Ritita está mejorsita, en lo que cabe de la puntada con que le pegó el malejón, pero de lo otro, ¿entiende? ¡Ahora...!, resurta de sel que la cosa ha sacao un rejo, ¿usté me entiende?

—Ah, sí... ¿Un rejo? ¿Cómo un rejo?

—Sí, hombre. Sita Rita se ha trincao que no da de sí, ¿usté entiende?

—No entiendo. ¿No ves que no entiendo? Bueno, vamos a ver, ¿qué le han hecho?

—Pos, mire; se le han nan metío sus indesioones —que yo mesmo se las puse—; se le han jincao sus cucharaítas —que yo mesmo se las di—; y de úrtimo —pero no yo, ¿entiende?, sino la hermana— se le puso el parcho en el interín...

17

DE CUANDO PEPE MONAGAS SE ENTROMETIÓ EN UNA AGARRADA DE ISABEL LA DE *CARMELO* Y DOLORCITAS LA *CHOPA*

A Resurrección Acevedo, Maruja Umpiérrez, Nena Artiles Acevedo, Pepe Castellano, Isidoro Bermúdez, Agustín Sánchez y Manolo Pérez, insuperables intérpretes de los entremeses de PEPE MONAGAS

PIZCO DE SAINETE

La escena representa la plaza de San Nicolás el día del Patrono del barrio, con el festejo dando las boqueadas. Colgadas de unas verguillas, media docena de banderas descoloridas. Regados por el suelo tres o cuatro carosos de piñas asadas —y mamadas—, huesos de aceitunas y aretes de turrones. Espichadas en barricas de cemento o clavadas en timones albeados, algunas pencas de palma. En el centro mismo del escenario, chamuscado y vacío, el palo de los fueguillos, y al pie, con las raspas, una caja de turrones. En el lateral derecha un ventorrillo de sábanas y sacos y en el izquierdo un tabanco con queques y caramelos escurriendo el bofe. Durante la acción, dos perros chimbos pasean la escena pulpiando. Huele fuerte, entre a barranco y tenerías. De lejos llega guitarreo con el calacimbre y el quinto desafinados y una isa revuelta, que la canta un burro y pasa, pero que la entona un cristiano y no va a la cárcel porque no hay justicia.

En el ventorrillo, Dolorcitas la "Chopa", molida como un centeno, pero metida en tal fregado de nervios que las tablas del pescuezo parecen de riga. Al pie de la caja de turrones, Isabel la de "Carmelo", menuda como un volador, afilada de nariz, que le gotea, y por la que de vez en cuando se pasa la palma de la mano, con la que luego se alisa el pelo ("A mí déjeme de briyantinas, usté, que tengo oído que dan la tiña."). En el tabanco, Pepito el "Peninsular", limpiando los queques con un trapo, como si fueran piezas de un automóvil.

La única luz de la escena la dan: un carburo del ventorrillo, que tiene tufo y soplido del airote que corre; otro del tabanco, que se mantiene como un suspiro, y el faro de la turronera, cuya vela aletea también en las últimas.

La fiesta está lista. Al levantarse el telón, los personajes figuran estar recogiendo para irse, hasta que se enreda la discusión por mor de una pollita, María del Pino, hija de Dolores la "Chopa", que se fue al paseo desde la prima, quedando en volver en cuanto acabara la música, ¡y hasta la fecha!

ESCENA PRIMERA

(Dolorcitas, Isabel y Pepito el "Peninsular".)

DOLORCITAS.—¡Miá que se lo dije!, digo: "Dende que toque el pasadoble, cojes el tole y te vienes pa acá." ¿Usté ha venío...? Pos eya iguáa.

PEPITO EL "PENINSULAR" *(Que ha cogido los dichos del país; aparte.)*.—Igualito que en Tenerife...

ISABEL *(Con retintín.)*.—¡Ji, jiñóo! Dígaselo a las niñas de hoy en día, mi niña, que son como alpeldises foguetiadas. ¡Mire, señora, al favóo!

DOLORCITAS *(Acusando el retintín.)*.—Toas no son iguales. Digo yo... *(Picada y picando.)* Si es por comparáa, no sé qué se haberá creío usté de mi niña...

ISABEL *(Hace un hocicón, como repugnada, y se recoge la gota con la mano.)* ¡Jum!

DOLORCITAS.—¿Cómo que "jum"? ¿Jum de acuálo?

ISABEL.—Pos mire, pa desírselo por atrás, se lo digo por alantre: igualita que toas. ¡Miusté!

DOLORCITAS.—Naturáa...

ISABEL.—¡De Agüimes...!

DOLORCITAS.—Como las suyas le han salío abejones en flores, que aquí lalgan un novio y más allá agarran otro; y van y vienen del tingo al tango; y usté las deja dil al Pabeyón solas —¡que iban solas!— y pal Puelto los domingos, que le recalan dispués de Animas, metías en un sitio que le disen el Barandilla, se haberá decreído usté, al mou, que toas son iguales. ¡Al mou!

PEPITO EL "PENINSULAR" *(Aparte.)*.—Preludio de guerra. ¡Se zumban, como si lo viera!

ISABEL.—¡Miá quien jabla del Pabeyón y del Barandilla...! ¿Por qué no le pregunta a Usebio *Garepa* ónde vio la otra taldesita a su niña. Oraciones daas, con un poyito de pa abajo de Triana...? ¡Aaah!

DOLORCITAS *(Engrifada como una gallina de Agüimes.)*.— ¿¡¡¡Acuálo!!!?

ISABEL.—¿Que acuálo? Pregúnteselo a ée... En el Arbo Bonito de Chile, mi niña, cuando entodavía no vieran puesto el bombillo grande di ahora. *(Aparte.)* ¿No fumas, inglés?

DOLORCITAS *(A tirarse.)*.—¡La lengua te debieran arrancá, peaso de arranclín, felpúo de tres mil demonios, que traís casta de tiestos y no la dismientes!

ISABEL *(Metiendo retranca y amarilla como una ñema.)*.—¡Casta de tiestos! Echate otra. El casnero le dise a la poya "quita pa ayá que me tisnas". ¡Miá quien jabla de tiestos, gentuallo! Eya, la muy peldularia. ¡Y su niña, con ojos de pájara echáa!

Es la guerra. Pero cuando parece inminente el estampido, que habría de iniciarse con una cabeza de puente abierta por Dolorcitas entre la nariz y el rodete de Isabel, interviene, diplomático, Pepito el "Peninsular", que se ha ido acercando durante estos cañazos preliminares con un queque en una mano y el trapo en la otra.

PEPITO EL "PENINSULAR".—¿Se pué zabé a qué viene esta gresca, vezinas, cuando es jora de dormir? ¡Por los clavos de una carreta, mujé, dejaslo pa otro día!

DOLORCITAS *(Como una cocinilla inflamada.)*.—¿Y a usté quién le ha dao vela en este intierro?

PEPITO EL "PENINSULAR".—¿Velas a mí...? ¿A que va a se er tío de la funeraria? Quería dezí que...

DOLORCITAS.—¿Pa qué...? ¡No diga náa! Guarde las ganas pa su mujée. ¡Y guarde a su mujé tamién!

PEPITO EL "PENINSULAR".—Ya arcansaste argo, mujé, sin comeslo ni bebeslo... Déjela usté, señora Dolores, que ya se cansará eya. *(Inicia una prudente retirada, intimidado por la actitud felina de Dolorcitas.)* Por lo demás, darse ustede por los morros. A ve si va y tiene gracia. Vaya, ¡con Dios! *(Se va para el tabanco limpiando el queque, al que intenta sacar brillo con un golpe de saliva.)*

DOLORCITAS.—¡Y tú, estropajo, basiniya de mi catre, te vas a comé como conduto la caja de turrones, el faró, los pesos y tóos los teleques! ¡Por éstas que te las cobro! *(Pone un dedo oliendo a hígado de vaca encima de otro oliendo a aceitunas del país y estampa encima un beso como un queso de Guía.)*

ISABEL *(Cerrando, agachada y vuelta de popa, la caja de turrones.).*—Sí, sí... Mejó estacara corta a la jija, que dimpués que la nombraron mis de la Sosiedá está más relajona que un bienmesabe. ¡Escacháa, que tiene a quien salíi!

DOLORCITAS *(A pique de caer encima de Isabel como la máquina de la china.).*—¡Ay, que me pieldo, santísima!

ISABEL *(Siempre de popa y con tonillo indiferente.).*—Usté está perdía hay que tiempo...

DOLORCITAS *(Saliéndole por la boca la presa de los Betancores.).*—¡Ya, señores, tal mujer provocativa, señores! ¡Espérate ay, cometa de mil demonios...! *(Se tira a Isabel y se le fecha al moño, tirándole al tiempo una chabascada en la nariz. De la nariz saca lasca y del moño se le viene entre las uñas un abundante reblujón con sus correspondientes liendres. Isabel le pone ambas manos en la cara y empújala hacia atrás, tirándola como un cortacapote. El coco de Dolorcitas suena como cuando cae en peso una sandía de Lanzarote.)* ¡Ay, que ya me mató la indina! *(Este grito debe ser expresado con un poco de cloquido en el "¡Ay!", para que no pueda ser confundido con el "Marabú", y a los fines, también, de lograr un mayor efecto dramático.)*

ISABEL *(Recogiéndose el rodete como quien saca un chinchorro.).*—¡Así es como está buena, tiráa en el terreguero, la indina! ¡Lástima de escoba!

ESCENA II

(Dichos y Pepito Monagas, Venturilla el "Taita", Victorio el del "Pinillo" y mi compadre Juan Jinorio, que también diba en la rueda de presentes. La jarca entra en el momento en que Dolorcitas, repuesta del talegazo, se dispone a fajarse otra vuelta.)

MONAGAS *(Haciéndose cargo de entrada.).*—Ya declararon las utilidades los belillos éstos. *(Metiéndose entre ambas mujeres.)* ¡Sss...! Manténgase, comá Dolores. Y tú, Isabee, tira pa la caja. ¿Qué relajo es éste?

DOLORCITAS *(Está que se la compara con una panchona y la panchona no pasa de pejín.).*—¡Suélteme, Pepito Monagas, lárgueme, que usté no sabe el deshonro que esa perdularia me ha jecho! *(Da un reflechón y logra zafarse, pero se le atraviesa Venturilla el "Taita", al que, ciega, trinca por la pelambrera, trayéndose en cada mano un puño como para un baifa primeriza.)*

VENTURILLA *(Echándose manos al coco y en tono sencillo.).*— Ya me peló la desgrasiáa ésta... *(Entre Victorio y Monagas logran contener a Dolorcitas.)*

DOLORCITAS.—¡La mato, bandía! *(Pausa suficiente para que coja resuello, teniendo en cuenta la conveniencia de que la artista se meta en situación.)* Ha pasao, que María el Pino la mía la dejé dir al paseo y no me ha vuerto. Y se lo estaba disiendo a la jedionda ésa y pegó a tirar puntitas...

ISABEL.—Jedionda lo será usté, tiesto. ¡Miá pa ayáaa!

MONAGAS.—¡Sss! Está en el uso del cloquido aquí Dolorsitas. Usté, mana Isabée, me va a jaser el favóo de cayarse jasta que eya desembuche toa la prueba testifical. Prosiga en el uso, Dolorsitas.

ISABEL *(Más salpicona que nunca.).*—¿Y por qué me tengo que cayá yo, vamos a vee? Si el guayabo se le mete en esos bailes di ahora, que no se ve náa por entre medio, que la estaque más corta y que no venga a desajogar en los demás. ¡Miusté!

MONAGAS.—Mana Isabée, usté confunde el baile con el angruo de la tierra. Y no es del caso. Otro sí: le ha dicho que se tupa, jasta que aquí, comá Dolores, afloje too el paquete de la parte demandante. ¿Qué más, comá Dolores?

DOLORCITAS.—¡Oh, que los hamos agarrao a peliá, que ninguna nesesiá tenía yo de cojerme un atracón de éstos pa remate!

MONAGAS.—¿Usté terminó?

DOLORCITAS.—Por ahora, sí. ¡Que dimpués, cuando la trinque sola, pego otra vuerta!

MONAGAS.—Jabla tú ahora, Isabée.

ISABEL *(Con los puños en los cuadriles, un pie sacado como en un paso de baile y el moño bailándole de flojo y de la arrogancia.)* Una palabra tan solamente, usté Pepito: ¡Imberse!

> Al oír lo de *"imberbe"*, Dolorcitas cae tiesa, procurando el director que se meta el leñazo cerca de la concha para que el apuntador pueda darle bien un jeringazo de tinta china colorada en la

cara, aplicándole luego una buena linterna, todo,
naturalmente, a los fines de lograr un realismo
dramático rayano en la Matazón.

DOLORCITAS *(Salpeando, en una batalla por incorporarse.).—*
¡Ay, que ya me quitó de la vía este berringallo! Pe... pi... to...
Mo... Mo... Monagas... tráiganmen un cura... ¡Y búsquenmen mi
jija, asín Dios le sarve el arma...! Métale usté la gentina que
yo... que yo no podré metesle por mor de una desgrasiáa turronera... Es... cuche, Pe... pito...

MONAGAS.—Comadre, no lo diga por diócesis, ¿oyó?, que suena
el "pito" y se arma el choteo.

DOLORCITAS.—No tiene si... no... si... no...

MONAGAS *(Aparte.).—*Poco, mucho, nada.

DOLORCITAS.—Sino dispensá... De unas perras... que... que
tengo al... al reito, con un pagareme arriba de José Manué, el
de la Plantafolma, mándeme a desí unas misas de San Visente...

MONAGAS.—¡Cáyese la boca! No jable de misas, que usté no
se va a morí. Espere, que yo tengo una meisina que usté verá.
Yo ha visto jugaores de la pelota medio desnuncaos y con unos
chorritos se quean saltando como un chinchorro. ¡Chacho, Ven-
turiya, alóngame una boteya di agua de San Roque...!

DOLORCITAS *(Dando las boqueadas.).—*¡Adiós, Canarias... que...
rida!

MONAGAS *(Aparte.)* ¡Mal limpriaito emprinsipio pa una isa
puntiada!

DOLORCITAS.—¡A... adiós, María der Pino! A ver si mi muerte
te sirve de ejemplo pa que... pa que cojas fundamento de... de
una ves... Adiós... *(Muere.)*

MONAGAS *(Sin darse cuenta de que ha entregado.).—*Pampa
mía... *(Al apercibirse del fallecimiento se levanta serio y se quita
la cachorra. Luego de una breve pausa se adelanta y se dirige
al público. La voz de este final deberá sacarla de la tripa gorda,
si no se lo carga.)* Ay tenéis, señores que me escuchasteis, un
ejemplo: una madre que acaba de mala manera por mor del relajo de la juventú contemporánea, cuya velgüenza —dicho sea
mejorando lo presente y dispensando el moo de señalá— está
más perdía que una abuja en un pajar. Y ay tenéis, tamién, una
vítima de la palabra. La palabra, cabayeros, es como lo pólvora.
Pega un endividuo a jablá y se lleva los hombres como casneros.
Se dise una mala palabra —porque bien se saca pa jeringá o
bien pa afiansá, o sale como un gatillo en un momento de calentura y eso— y la arma, o quea usté por un malcriao pa mientras
viva. Mientras menos se jabla, más echaito está el ser fisiológico
y el norasténico del ser humano. El hombre tupido —se entiende

de la lengua— en tóos sitios tiene el respeto y la considerasión debía al suidadano desente y tal. Lo ha dicho Servantes y otros endeviduos famosos en las siete islas y pa fuera. De tóo lo dicho y acaesío, ay tiene el mundo un ejemplo como la casa de don Bruno. *(Señala para Dolorcitas con el dedo tieso y una cara de cabecera de entierro.)*

Al mismo tiempo, en el fondo, Victorio saca del ventorrillo una guitarra, ya afinada, para que no dé el requilorio, y puntea la malagueña del nueve, que Monagas entona con sentimiento:

MONAGAS *(Cantando.):*

Al pién de un bardo tuneras
oí una vos que desía:
pican de peor manera
la jija que sale bandía
y una mala turronera...

Sobre el último verso va cayendo lentamente el

TELÓN

18

DE CUANDO PEPE MONAGAS ENRALÓ A DON FRANCISCO EL *BATATA*

A Sarito Doreste de Jaén

Desde pollona ella, doña Catalina tenía un genio que era una ensalada de culos de botella y vinagre de la tierra. Por nada y cosa ninguna agarraba tales calenturas que caía en la cama, habiendo que hincharla de tila, coronarle la frente con hojas de nogal y poner sus cuatro camionetas de arena en la calle para aplacar los ruidos de coches y carros. Sacó en la traza los cerros y el entrecejo del padre, su misma lengua pronta y faltona, el mismo humor de mil demonios, tanto para lo negro como para lo blanco. Don Andrés, el *Bardino*, como le pusieron de dichete, tuvo fama de ser el señor más imperante de las siete islas, al que no contradecían ni en el Casino, contri más en su casa. Cabal heredera de este hombre de rezongo y chabascada, Catalinita fue una mula en el colegio, una mula en el hogar, una mula con las amistades y una mula con los contados pollancones que se aventuraron a hacerle la rosca y que aguantaron a su vera así como el tiempo de una rosa.

De las criadas, ni qué decir... Espantaban todas, unas atrás de las otras. Y si alguna duraba arriba del mes era porque tenía temperamento de loquera, o porque estaba robando en la plaza y lo aguantaba todo con tal de no largar la teta. En tal necesidad de servicio llegó a verse la casa por mor de la consumida niña, que doña Candelaria, la madre, que tenía tanta fama de gorrona como la que su marido gozaba de cerrero, cuando caía alguna muchacha de Las Cuevas, un suponer, con mañas de robona, no sólo no le pedía las cuentas claras, sino que las empotajaba para dar lugar a que se quedara con un real bellón de más, ayudando así a la permanencia.

Otra particularidad muy significativa de la Catalinita era que sacó bigote desde los catorce años entrando en los quince. Por consejo de las amigas del colegio se daba de noche sus buenas untadas de agua oxigenada para procurar al incipiente bozo el alivio de un color de barbas de piña. Pero le bogaron pelos, y éstos de cepillo, también en las piernas. Y aquí el tal agüita no tenía nada que hacer. Entonces, a la escondida, cogía la navaja barbera de su padre, el *Bardino*, y se hacía unas destasajadas que se cae en la calle, vamos a poner en un plátano, y corre la volada de un crimen de abajo para arriba.

Doña Candelaria sabía de sobra que "colocar" a su niña era una vaina. Tenía la intuición de que un hombre dispuesto a casarse no tiene por qué saber boxeo, o por lo menos piña canaria, antes de hincar el morro al pie del altar. Un hombre se casa para otra cosa que para añadir o recibir en la dote un repertorio de gentinas con qué encender a la esposa y mantenerla a raya de día, u ofrecerle a ella lomos de burro. Habría que engordar y engatusar a un batata, mientras más sonso mejor. Ya le prepararía ella sus meriénditas con queso de mazapán, sus copitas de anisado, sus pucheros los domingos y sus excursioncitas a la finca... Estas cebaderas pocos las han resistido, inclusive peninsulares.

Un día pegó a rondar a la niña un muchachito delgado él, con poquita voz, pero desagradable. Con treinta años arriba del lomo, pero más atrasado que un chiquillo en el Catón, el pollo se había convertido en otro problema familiar. Su gente, que según la de la calle quería quitárselo de arriba, empezó a atosigarlo para que buscara mujer. Le hablaron en la casa, cierta tarde de encerrona en concejo, de Catalinita, "hija de tiendero, única y tal" y heredera forzosa de unas tías viejas, las niñas Ruano, que vivían atrás de la Catedral, "todas al caer", según atestiguó un tío del pollo que lo sabía de buena tinta: por el médico de las niñas... Frascorito, que así se llamaba el solterón, se atrevió a replicar:

—Es que a mí me han dicho que Catalina es brutita y peluda...

—¿Qué tiene que ve, niño?—saltó la madre como un rehilete—. Tiene sus buenas perras y ya está. ¡Faltaba más!

—Por lo que hase a bruta—opinó, solemne, el tío—, tú la amansas, que sentando la mano, hasta los mulos abajan de bandera. Y al respective de peluda, la mandas a afeitarse y listón.

—¡Sí, muy fásil...!

—Si no lo crees fásil, apagas la lus a tiempo y suculum.

Frascorito no apetecía esa boda, pero era tan flojo y con tal maña le prepararon en su casa y en la de Catalinita la baladera, que la agarró un domingo de tocata en el Parque y no la largó hasta entrar con la quilla en los mismos pies de la Virgen del Rosario de Santo Domingo, tres meses después.

* * *

Casó Frascorrito con Catalina Ruano. Y a los nueve días mal contados, la mujer le metió tal calda con una vara de leñabuena en bruto, que por poco se lo tienen que llevar a Amador. El hombre intentó revirar, más por dolorido que por genioso; pero Catalinita le afianzó un acebuchazo en el tronco de la oreja tan definitivo que lo tuvo durmiendo hasta el peso del mediodía. Todo vino a ser porque a una muchacha de aquí de la Angostura que les entró de sirvienta para adentro, y que estaba, por cierto, un guayabo asiado, le cayó una porquería en un ojo. Con la punta del pañuelo se puso Frascorrito a sacarle la porquería. ¡Y en esto, va y sale la señora del baño, que era sábado...! ¡Para qué fue aquello!

De allí en adelante, doña Catalina cargó de hecho y de derecho los calzones y don Frasco pasó a ser un Juan Pitín para todo el resto de su abacorada vida. Para colmo de males, la esposa sacó de madre el ser "Alejandro en puño". Viró de entrada tan gorrona que en vez de traer, por ejemplo, el café de la tienda del padre, que le salía al costo, poníase imperante y ordenaba al marido:

—Sale por café, ¿oítes?, en lugar de estar ay como un debaso.

Y el pobre Frascorrito tiraba entonces hacia los Poyos del Obispo, por ejemplo, y pegaba de allí para adentro a recorrer tiendejas, y tienduchos. Preguntaba, haciéndose el interesado:

—¿Tiene buen café, usté?

—Pues sí lo hay bueno, sí.

—Deje verlo... Sí, parese que no tiene mala encaradura... Mire, de toas maneras, me va a dar una muestrita para que mi mujé lo vea, ¿tiende?

Por este procedimiento, cuando llegaba a la Portadilla tenía su medio kilo, en los tiempos buenos.

* * *

Entre otras muchas cosas, don Frasco tuvo que renunciar a una tertulia de amigos que se reunía en la trastienda de una tabaquería a beberse sus roncitos con chochos y a hablar, con acento maúro perdido, de papas, de horas de agua y de cuando estuvieron en Cuba. La concurrencia a dicha trastienda no salía por menos de un tostón. Y doña Catalina sólo le daba medio duro los domingos para que fuera a las luchas y suculum. Si un día surgía un paganini y se embullaba, llegando a cenar después de Oraciones dadas, sita Catalina le soltaba su entrada de trompadas hasta meterlo en cama un par de días. Enteramente sometido, su vida era la de un satélite jediondo, dando vueltas alrededor del astro zapatudo y con bigote que el destino le había deparado.

Cierto día —por San Pedro Mártir, señaladamente— venía don Frascorro de un entierro calle de los Reyes arriba cuando acertó a pasar una tartana que iba a La Laja. Ocupábanla Pepito Monagas, Victorio el del *Pinillo*, Venturilla el *Táita*, Manuel el de la Placetilla, maestro Rafael el *Sajosnao* y mi compadre Juan Jinorio, que también diba en la rueda de presentes. Monagas, más metido que nunca en la piel del diablo, y que sabía de la trágica vida conyugal de Frasquito, tuvo una mala idea. Mandó parar la tartana e invitó al hombre a irse con ellos de rumantela a San Cristóbal, en donde estaba al fuego un caldito de pescado que mandaba las peras a la Plaza.

—¡Ta loco!—se replegó don Frasco, con una triste sonrisa.

—¿Pero por qué, señó?

—No... Por... por unos quejaseres, ¿sabes?

—¡Venga, hombre! Anímese, no sea bobo.

Le soltaron un tanganazo con la botella a pulso, y medio que a empujones lo metieron dentro y tiraron con él... Fue tan grande la mamada, que don Frascorro se emperró en ir caminando a Lanzarote, a ver a un tío de él que era cura en Tinajo. Costó Dios el mundo sacarlo entripado de la marea cuando ya le llegaba el agua por sobre el ombligo. Hubo —¡natural!— meneíto de requinto. Y entonces fue cuando Frasquito pegó con aquel guineo que luego se hizo famoso: "¡Esto es vivíii, esto es gosáaa...!", entonado en una canturria que ya no largó hasta que llegó a la puerta de su casa, privado el infeliz de verse libre por primera vez en toda su vida de casado y olvidado con el ron y la jarana ambiente de la máquina de la china que tenía por mujer.

Pero se despejó a la prima la templadera. Y le empezó a Frascorrito tal tembleque que no se desarmó porque lo tendieron en un catre y lo paralizaron bajo una montaña de mantas. En la cama le entró una llorona:

—¡Ay, Pepillo Monagas y los demás aquí presentes—plañía con mocos y babas—, que tengo que irme pa mi casa, ¡señores!, y me está aguaitando una tollina que tiene que ser la penúrtima, porque la úrtima me la jincan en el Purgatorio arrente de ésta!

—No sea bobo—animábalo Pepe—. Jínquese este posquito de cafén amargo, ¿oyó?, pa que vuerva a su ser. Y no piense en la vuerta, que tóo se arregla.

—¿Pero pa qué quieres los calsones, consio?—le increpaba, caliente, maestro Rafael el *Sajosnao*.

—Pa podé salíi a la calle—suspiraba llorando don Frasco.
Cuando despejó un poco pegaron todos a foguetearlo:

—Lo que pasa, mi señor don Frasco, es que usté se ha dejao cojer la camella, ¿oyó? Trinque una vara de asebuche, cristiano, y faje con ella como quien salpica un colchón. A la segunda entollada, se le quea como el pelo de una salea. ¡Oh, ya!

Concretamente Monagas le aconsejó:

—Mire, ahora vamos a tirá pa arriba, ¿oyó? Losotros lo dejamos a usté con la proa en la puerta de la galería. Usté toca, ¡tranquiliiiito! Y entre que eya le abre, ¡riáaan!, la primera cachetáa es la suya... Apúlsela bien, que le caiga el deo del sentro en el mismo tronco de la oreja. Yo le garanto a usté que esa no güelve a empenicarse.

—Si le faya la gayeta—añadió el *Taita*—, porque eya, un poner, le jaga un estuerso asín, entonses mándele a moa de tosinete, con la mano pa pellas, de abajo pa arriba y al vise verso, ¿ta oyendo?

—Una ves que pegue—remató Monagas—no afloje. Mantenga la variada arreo, ¿oyó?: atrás de un cachetón, el otro. ¡Como quien lava, don Frasco, no sea bobático!

La tartana con la presunta víctima y los templarios arrimó al portal de doña Catalina bien pasada la medianoche. Con el fresquito de la carretera don Frasco se fue aclarando y hasta llenándose de un desconocido valor, de unos arrestos tan extraños que a él mismo le ponían los pelos de punta.

—¡La mato, carriso!—masculló sombrío, con los ojos encandilados, cuando lo bajaron de la tartana.

Monagas y Vitorio le ayudaron a pasar el zaguán y a subir la escalera, dejándolo al fin ante la puerta de entrada al piso, por cuyas rendijas se veía luz. Este síntoma y unos pasos duros que iban y venían, enjaulados, de una punta a la otra de algún cuarto, hicieron presumir que la esposa estaba levantada, esperando... Antes de bajar a aguardar en el zaguán los acontecimientos, Monagas volvió a recomendar:

—No se me orvide, don Frasco: la primera cachetada es la suya. ¡Afiánsela bien!

Frasquito llamó recio. Y no hizo doña Catalina sino tirar de la puerta, ¡plán!, abrió el fuego con una galleta como uno de esos mazapanes que se le regalan a los médicos cuando no cobran. El esperrido de la señora fue bien oído hasta en el Pilar de Fleitas. Luego se sintió un portazo como la caída de la loza en Santo Dimingo. Después... comenzó dentro un rebumbio como un rebozo de la mar, con un fragor sordo de pedrera removida y unos resoplidos de mula de arriero remontando repechos. Pegaron a ladrar unos perros chimbos de algunas azoteas, haciéndole al menos un coro que mal empleadito...

Abajo en el zaguán, con las orejas tensas y suspenso el resuello, seguía la conflagración toda la jarca de los templarios, a la que incluso se agregó el tartanero.

—¡Cuero, consio!—dijo al fin Monagas con el rostro resplandeciente—. La está dejando, cabayeros, como una baqueta. Esa no se engrifa más, me juego argo.

De pronto cesó todo el escorroso. Y los templarios se fueron al catre.

* * *

A los cuatro o cinco días, Monagas se tropezó en el Tinglado con don Frasco. El hombre llevaba un brazo guindado de un pañuelo; cojeaba de un remo, al que ayudaba con un bastón; sobre una ceja se cruzaban dos tiras de esparadrapo, y los ojos, disimulados con unos lentes negros, asomaban soplados como aguas vivas y negros y fofos como moras revenidas. Pepe se quedó asmado:

—¿Pero y eso, señor don Frasco...?

—Pues ya tú veis... Esto es que hubo unas noventa cachetadas, cuarta más, cuarta menos. La primera, según quedamos, fue mía... Pero las ochenta y nueve restantes y eso, fueron de ella por unanimiedad, ¿tiendes? Que te lo estoy contando grasias a la Virgen del Pino, que se jiso presente en un milagro de los de que más nunca le pago.

—Oiga, tóqueme el bello, aquí en la muñeca... ¡Me ha queao como un eriso cachero, don Frasco...! Entonces, grasias a la Virgen del Pino...

—Sí, jiñóoo. Mira, en la galería tenemos losotros colgao un

cuadro antiguo de la señora de Teror. Y con los tambucasos, ¿oítes?, se vino abajo. Como no via sido limpiao ende que nos casemos, a Catalinita se le metió la polvajera que tenía detrás por los ojos. ¿Que si no, mano Pepe?, ¡más nunca me aclara!

19

DE CUANDO PEPE MONAGAS FUE *JEFE* DE LOS BOMBEROS

Al practicante Gabriel Cáceres

El isleño puede tener cara de sonso, de taía o de batata y contar, sin embargo, con el muñequeo suficiente para crear e ir hinchando una talega bancaria llena de duros hasta el canto arriba; para comprarse dos casas terreras y una de alto y bajo en Las Palmas, amén de un chalet en el Monte; para enredar en papeles de la curia una finquita que vale veinte mil, un suponer, y agarrarla por tres mil quinientas a fuerza de papel de barba con un SUPLICA fuera de la rasante, y para tener, por último, un automóvil de líneas *aorodinámicas*, como decía en la "Prasuela" un rico insular explicando las características de su último modelo. Es más, si el isleño tiene cara de sonso, de taío o de batata, está en mejores condiciones que el que aparenta despabilado para ese trabajo de pulpeo nocturno que exige la creación de una riqueza. Tenemos, entonces, el zorrocloco comercial, tan característico y abundante en la ínsula.

La cosa está, primero, en "colocarse", cogiendo "ves" y aire... Al empezar da un resultado pinchudo cultivar una cara de bobático, sonriendo bondadosamente a todo y riendo con risa amarilla las más pajizas gracias de la gente a lidiar. No se da así pie a un tipo peculiar de recelo isleño, que ya veremos, y se va cogiendo confianza (en uno y la ajena). Este isleño no es hombre que proteste de una condición o un trato de burro cuando de medrar se trata. Pero no le hace gracia que se le escarranchen arriba los "listos", "los que se la echan de listos". En el país las tiendas y los timbeques más jediondos son los que han hecho de siempre el mejor negocio. Un bar, por ejemplo, si quiere sostenerse y mejorar ha de tener convenientemente distribuidas dos docenas de cucarachas de semilla inglesa, una docena de volonas y media de chopas; quince o veinte huesos de aceitunas del país; cuatro o cinco forros de chorizo y el doble de gambas, cáscaras de manises en abundancia, dos perros chimbos jociquiando y un olor: el olor de un excusado, con un bombillo de cinco bujías bien envuelto en telas de araña, sin cadena para el agua, con un batumerio que no hay chispa que lo resista y con "agua" bastante para exigir ser alcanzado nadando o en bote. Si a pesar de esto se le ocurre al dueño lavar bien el servicio y ofrecer un vaso de cerveza, por ejemplo, sin olor a café con leche o a ponche de huevos, entonces está perdido: tendrá que cerrar y buscar una cuña para un concejal que lo coloque de peón en las obras municipales. El amo, además, deberá estar detrás del mostrador, remangado y con las clásicas alpargatas ranciosas, sosteniendo todo el santo día la cara de buenazo y de infeliz que exige, aguaitando y sordo, el cliente indígena, celoso hasta la ferocidad del bienestar ajeno.

Guay de aquel canario que ponga un timbeque, mejore y coloque empleados, mientras él va a ver a los que venden el coñac, o a aflojarle la mosca al de la carne para que le guarde —sin cola— los cinco kilos de hígado para las carajacas; guay de él, decimos, si sale a estos menesteres con un traje de lana que no haya sido hecho por una costurera y una cachorra sin grasa en la cinta y un tanto enroscada. Ese va listo antes del semestre, pudiendo acabar, incluso, en la Mar Fea o guindado del Arbol Bonito. El isleño, pega en seguida a saludarlo frión, con el morro gacho, y a quedársele mirando con el pescuezo cambado y los ojos chicos. Después comenta:

—¿Sabe a quién me acabo de encontrar compuesto como los tollos y sin caberle una paja? Pues al jediondo de Migué, el del timbeque, que en poco más de na y a costillas ha abierto cuenta en el Hispano y no le han nan vuerto a cortá la lus ni el agua... ¡Oiga, me ha quedao asmao! Pero ende luego, si quiere ganá dinero, que se conquiste a los peninsulares. Lo que es conmigo se jeringa.

El comentarista es casi siempre un zorrocloco, que ha enconcontrado tan bueno lo suyo y que se rechincha todo ante el espectáculo de la mejoría ajena.

Pues uno de estos insulares, que subió en poco como el jabón del Gaucho, agarró la maña de hacer negocio con el seguro. Todos los años, arreo, arreo, le metía fuego a un almacén del que durante cierto número de meses iban sacando disimuladamente mercancías. Llevando una contabilidad más mal amañada que una guagua angosta de las que trajeron de Tenerife; sacando por un lado y metiendo por otro; distrayendo, como se indica, para cobrarlas luego como quemadas, cosas que figuraban depositadas y sétera, el isleño este que digo —que como gerente habría de dar a fin de año cuenta del negocio— "engordó" que era un primor y una admiración.

Tan ciertas y sistemáticas se hicieron las candelas, que ya toda la ciudad y hasta la isla entera se ponían a esperarlas, como se espera la fiesta del Pino o los fueguillos de San Pedro Mártir.

—Oiga, entodavía no se le ha pegao fuego al almasén—se podía oír a un isleño en la tertulia de la Alameda.

—Ya no debe andar lejos el siniestro del almasén—podía comentar normalmente en la "Prasuela" otro isleño de los que escribían en los periódicos, y que por eso decía "siniestro".

—No debe andar, no. Usté verá cómo antes de quinse días hay fuego pegao.

No he dicho hasta la fecha que mi compadre Monagas estuvo un tiempo en la guardia municipal, de la que salió por un pique con el "Dispertor" por un asunto de gallinas o similares. No había por aquel entonces en la ínsula servicio de incendios. O séase, lo había un poco peor que el presente. Y eran los guardias municipales, heroicos y bienamañados, los que habían de partirse el espinazo acarreando baldes y cacharros de belmontina para "dominar la triste ocurrencia", como decía el *Diario de Las Palmas*. Naturalmente, siempre llegaban tarde. Cuando caían sobre las llamas las primeras aguas "oficiales", el fuego se había comido lo que había y lo que no había. Los bomberos arribaban para ensopar y poner perdido lo poco que hubiera podido escapar.

Por otra parte, constituía una juerga ir a ver apagar un fuego. El isleño se divertía más que en la fiesta de La Naval. Así se explica que llegara gente a las candelas hasta de La Apolinaria.

Uno de los años que "casualmente" ardió el almacén del isleño zorrocloco, estaba actuando mi compadre Monagas como jefe de la sección de incendios. Cierto atardecer llegó un aviso: "Bomberos, al avío. ¡Fuego pagao en el almacén!" Cuando Pepe acabó, al fin, de reunir a su gente y sus cachos de manguera empatados y demás, salió para "el lugar de la ocurrencia". Entre tanto, el promotor de las quemas hacía para la galería las más espectaculares escenas de protesta, preocupación y dolor: Monagas había comentado años atrás, viéndolo en situación y aspavientos semejantes: "Este hombre le hubiera podido dar un susto a Borrás." De nuevo, y como si fuera la primera vez, venía, increpaba; se tiraba del chaleco y se cargaba dos botones; pateaba como un toro reculón...

Cuando al fin recaló Pepe, el "afectado" se le vino arriba como un terraplén. Con mucho y muy alto meneo de remos, con una voz alternativamente sofocada y brillante, soltó la estupidura de turno. Mi compadre aguantó a pulso la rociada con una cara de guasa tal que a un cómico menos fino lo deja más ralito que un lamedor:

—¡Ahora vienes acá! ¡A buena hora y con soo...! Cuando too

está ya listo ya. ¿Y esto es una siudá modesna, con un servicio desente y aldecuao de bomberos y eso? ¡Mire, hombre! Esto lo que
es es una... ¡Déjeme cayarme...! ¡Qué horas de venir, desgrasiao!

Monagas preguntó lleno de pachorra:

—¿Le ha paresío tarde a usté?

—¿Y lo preguntas?

—Güeno, y entonses, si lo quería usté puntuá, ¿por qué no me
lo dijo ayer...?

20

DE CUANDO PEPE MONAGAS PERDIÓ UN ENVITE EN LA GOFIERÍA DE MAESTRO JUAN CANSIO

A Alfonso Santamaría

En tiempos hubo por Santo Domingo, en la calle del Rosario, casi frente mismo a la palma de doña Nieves, una gofiería que andaba en fama de vender el gofio más asiado de la Ciudad. De San José el millo, limpito como el oro, en su punto el tostado y mendido todo en caliente, con apenas arrejundía por la fuerte demanda, no había otro en la raya que lo emparejara ni en color, ni en aroma, ni en paladar.

El dueño de la famosa gofiería, maestro Juan Cansio, era un hombre gordo él mas bien, atarracado él y consecuentemente con más pachorra que un burro de mandadero. Siempre en su negocio desde las claras hasta bien pasado el sol puesto, nadie sabía de él que tuviera vicios conocidos. Allá el hombre con unas salidas para "adentro" que hacía todos los lunes señaladamente, compuesto como los tollos... Desde luego, está visto que ni los propios santos escaparían a la lengua insular. Corría por la zorrita la volada de que de lejos —allá por la Plaza de la Feria— subía a Santo Domingo a comprar su puñito, a pesar de haber buenas gofierías en Fuera de la Portada, una tal María la *Morena,* madurona ella ya, pero aún con la mata de pelo azulando de negra, el ojo brillante y un frenado desgarro en la boca, golosa y cantadora. Decían, las mujeres mayormente, que siempre han tenido fama de chimbas, que si nunca la vieron pagar, que si en la vida lo vieron a él ponerle los chochos y los palotes del fiado, que si esto, que si lo otro... Lo más seguro, alegatos. Y como a nadie le importa, vamos a lo nuestro.

Decía que a maestro Juan Cansio no se le conocían vicios y no es verdad. Tenía uno y de los emperrados: el envite. Lo que a ese bicho le gustaba el envite no es para pintado. Esperaha la hora del partido como un chiquillo los Reyes. Y lo cuajaba en ocasiones de ron y enyesques hasta salir la gente de cuatro patas. No se producía esto, sin embargo, a causa de golpe de rico o salidas de padrino desborrifado. Allí el que perdía, pagaba como un tote, tanto el beberío como los entullos.

En la tardecita, cuando se ponían rosadas que daba gusto las lomas de La Apolinaria y aflojaba la venta, iban cayendo en la

gofiería los del partido, casi fijos: mi compadre Monagas, Victorio el del *Pinillo,* un tal Bartolito de aquí de la entrada de San
Roque, que se jincaba dos litros de ron y se quedaba tan fresco
como un callejón de la marea; Manuel el de la *Placetilla,* Venturilla el *Táita,* que casi siempre estaba al cáido para cubrir alguna roída de cabo, y mi compadre Juan Jinorio, que también
diba en la rueda de presentes.

Eran partidos maestros, como un desafío *Mandarrias-ElRubio,*
mandando los cheches: Monagas de una banda y maestro Juan
Cansio de la otra. El "pasaje de tercera", o séanse los "puntos",
respondía que daba gusto.

No era lo bueno de aquellas contiendas jugar y ganar. Era
el "relleno" lo aseado del partido. Entablábase un meneo de puntitas y señas, de dimes y diretes, de acechos y provocaciones, todo
propio del juego, pero que en estos casos particulares de la gofiería alcanzaba gracia y sabores únicos. La baraja, a la que para
rematar en palo de gallinero sólo le faltaba quedarse tiesa, restrallaba, como varas calientes de gamona, sobre el requemado
pinzapo de la mesilla. Y cada amenaza de "¡envío!" abría una
brecha en la pared que se metía una mano, dispensando el modo
de señalar.

Se cortaba, se repartían los naipes a fuerza de saliva, y pegaba la contienda. Los jugadores, un momento en silencio, con
las tres cartas trincadas a la barbilla, íbanlas estirando cautelosamente hasta descubrir el palo por los cortes del recuadro. Al pie
comenzaba el aguaite, las señas, hechas tan a la zorra, con tales
maliciosas expresiones de bobo, que las aplica el cuadro en el
cambulloneo de un barco inglés y lo venden por piezas frente
a la Matazón...

Monagas jugó siempre bien. Y en los partidos casa de maestro Juan Cansio se extremaba el hombre porque el gasto solía
ser "del carajo pa ariba". Beber bien valía la pena, pero pagar
era una verdadera vaina. Por el celo con que mandaba, ganaba
un día sí y otro también. Los de la comparsa, pensándose que
maestro Juan se iba a aburrir el mejor día, recomendaban a Pepe
"que se dejara dir", que perdiera aunque fuera de uvas a brevas.

—Déjelo que los aprebe, Pepito, que es mejó pa toos —recomendaba Venturilla.

—¿Cuálo? —replicaba Monagas, un tanto engrifado—. ¿Qué lo
deje ganá? ¿Y con qué pago dimpués, mano Ventura...? ¡Ah!
El no se aburre. Con la jiriguiya de ganarme alguna ves, está
mantenío... No ostante, si en alguna ocasión, un poner, me coje
en perras, o el gasto no requinta mucho, yo largo liña. ¿A mí
qué se me importa?

Una tarde, víspera de domingo, se armó un tenderete entre

seis imponente. Por primera vez, después de mucho tiempo, maestro Juan Cansio había ganado el primer partido. El gofiero estaba que no le cabía una paja...

—¡Que me gusta majasle las liendres a los campiones, cabayeros!—decía, hecho un quíquere.

Se empezó uno de revancha, del que Monagas había ganado el primer chico.

—¿Sierta carta, mano Manué?—preguntaba, atorrado y sin color, maestro Juan a uno de sus puntos en la primera balsa del chico segundo.

—Sí, señó. ¡Oh! Siertita, como un preso.

—Ta bien. ¡Cartas al pecho, cabayeros!

—Cojan señas—recomendaba Monagas.

Añadía maestro Juan:

—¿Le quean entullos pa un rempujonsito...? ¡No me engañe!, ¿oyó?

—La veldad de Dios. ¡Sus, mastro Juan...! Mire estoo... Sí... Su pisquito tengo acá, ¿oyó?

—Ta bien. ¡Cartas al pecho!

—¿Pa qué?—finchaba Monagas—. La sierta carta es un pájaro dío. Y el entuyo no llega a la muela trasera. ¿Quiere vehlo?

—¡Sí!

—No se bote, que por su tranco yega... ¿Quí hubo, mano Vitorio...? ¿En peleíta? ¿Sieguito? ¡Miá pa ayá! Más vale que sarga a vendé los sesenta iguales... ¿Tú tamién arrancao, Ventura? ¡Tas asiado...! Mira a ve si jurgando, jurgando...

Sonreía, triunfal, maestro Juan:

—No son burgaos, Pepe, date de cuenta... ¡Cartas al pecho, cabayeros!

Monagas buscaba un clavo caliente. Quedábase lelito mirando a Vitorio, que había hecho una seña falsa. Rectificábala ahora el de la *Placetilla*.

—¿Sierta...? ¡Vaya! Agáchala bien, ¿oítes? Tú sos mano, ¿no?

—Ji, jiñóoo... No. Peera. Es allí, Ventura.

—Pos mándale tú de entrada. ¡Peera! Después de la sierta carta, ¿cuálo, mano Vitorio...?

—Oh, me quea su ganchito, pa da que jaser. Y jasta quién sabe y un bichejo... Pueo arrastrá. ¡Digo, si túuu...!

—Sss. Manténgase. Juégate pal pién.

—Un bastito—jugó Ventura de mano.

—Mete bicho tú—mandó maestro Juan.

—Agárrese, mastro Juan—amenazó Pepe—, que le estoy preparando la reculá del casnero.

—No te agarres tú, que chica agachaílla. ¡Cartas al pecho, cabayeros!

—Juégate tú. ¡Too el mundo al pién!

—Meta un ganchito ay, usté.

—Dasle tú en la melona a ése.

—¡¡¡Vío!!!—estalló la voz de mi compadre Juan Jinorio, al que Monagas le había picado una seña para que lo pegara de entrada.

Manteníase en vilo, con el brazo en ángulo frente a la cara y una carta pegada al pescuezo, dispuesta a caer como la bomba anémica.

"Esto es un cañaso como la Casa los Picos", se malició maestro Juan, rascándose el totizo. Hizo unas consultas previas:

—¿Sierta su carta, mano Baltolo...? ¿Y usté...? Sí... Ah... ¿Le quea man que sea pa un arrastrito?

—Hombre... se dan casos. Su pisquito...

—Pero aluego estás al garete; dislo de un aves—provocaba Pepe.

—¿Por reyes, qu'iubo?—insistió maestro Juan.

—Tengo uno por asquí...—y Manuel el de la *Placetilla* hizo un fugaz camango con la nariz chopuda.

—Ta bien. ¡¡¡Quiero!!

—¡Riáaan!—cantó Jinorio, con voz de la tripa gorda.

La perica cayó como la loza. Y del salpazo se quedó en la tabla toda despatarrada, pidiendo a Amador por señas. Pero maestro Juan Cansio no se abatató. Con un golpe maestro de la lengua pasó bajo el otro matorral del bigote la inverosímil cola del cartabuche, trascendiendo a engrudo de la tierra.

—Tú juegas—dijo, frío, a Manuel el de la *Placetilla*—. ¡Cartas al pecho, señores!

Manuel se trabó, haciéndose el desorientado. Dijo al fin, como indeciso:

—Yo tiraba de asebuchaso, maestro Juan. Ahora... usté es el patrón...

—¡Mándale!—ordenó maestro Juan, privado.

La voz del de la *Placetilla,* que sobre ser de por sí de las de barreno, estaba entenebrecida del ron, de la cebolla para condutar y del vinagre de los enyesques, tronó de pronto:

—¡¡¡Vío seis!!!

Pepe tenía chico primero y el tres de bastos atorrado en un punto antes del pie: en Victorio.

—Quiero un pisquito—dijo, tranquilo—. Juéguese too el mundo pal pién...

Cayó en la mesa el caballo con un recio golpe de la coyuntura.

Cuando llegó la mano a Victorio, el del Pinillo, que había estado haciendo ascos a sus cartas, sobajeándolas, dijo, haciéndose el taía:

—Mano Pepe, yo me paso. ¿Pa qué voy a aguantáa cartas jediondas?—y tenía el tres el muy bandido.

—Usté no se pasa, no esté bobiando. Mándele en la cresta a ese cabayo.

—¿Pero y con qué, querío...?

Era tal la cara de infeliz que el palaquín de Vitorio ponía, que Monagas llegó a dudar de la seña:

—Pero bueno... ¿sierta carta...?

—¡Cojan señas, y cartas al pecho, cabayeros!—ordenaba, temblando, maestro Juan, pendiente como un galgo de la cara de Victorio.

Después de una pausa tremenda, Victorio dijo al fin:

—Mira, lo que voy a jaser es jugar callaíto, ¿oítes?

—¡Mándale!—ordenó Monagas.

Se empenicó Victorio:

—¡¡¡Vío nueve!!!

—¡Quiero!—replicó, firme, maestro Juan, seguro de que era un cañazo como un torreón de la Cicer.

Victorio agarró el caballo por las patas y le sacudió tal lambriazo con el tres que le dan con el tolete de un rebenque en el tronco de la oreja y tuntunea menos.

La carcajada fue tan gloriosa y provocativa que maestro Juan tuvo que beberse su buche de agua de San Roque para ayudar a pasar la rasquera.

—¡Chico segundo, mastro Juan! Y de un lanse, ¿oyó? Pacha más corrías asquí, Ventura. Y tíralos de a veinte, que la cosa lo merita.

Se jincaron la primera botella y mandaron por otro litrito.

Rascado como un piojo, maestro Juan pegó con el tercer partido, dispuesto a jugar ahora con más cautela. No podemos entrar en la menudencia de este famoso desquite porque habría para un medio libro. Dispuesto a ganar, el gofiero dejó de beber, mientras Monagas calaba como un fonil.

Se desarrolló esta tercera fase más lenta. Maestro Juan no se fiaba y entraba cuando tenía tres, caballo y perica, o así. De resto se dejaba "dir". Esto de una parte, y de otra que mi compadre había agarrado su chispa casi sin darse cuenta, el resultado fue que maestro Juan ganó el tercer partido. Estalló el gofiero como una fiesta del Pino. Le salieron los colores y parecía que estaba vestido de limpio. Monagas, en cambio, adquirió ese aire de los gatos en el invierno al salir del fogón.

—Cabayeros, me voy a retirar—dijo, con una pesadumbre zorra, calculando el gasto y royéndose el cabo para no pagar.

Cogía la puerta cuando maestro Juan Cansio le gritó entre triunfante y caliente:

—¡Aguántate!, ¿oítes?, que hay que pagá el gasto...

Mi compadre se revolvió. Y dijo, sequito como un palo:

—Pos mire, mastro Juan, yo no pago náa...

—¿¡Cuálo!?

—¿Otra ves...? Que no pago naíta este mundo.

—¿Pero ustede han nan visto, eh? ¿¡Pa qué jugates entonses, desgrasiao!?

Pepe contestó, ingenuamente, al tiempo que trasponía:

—Oh, polque yo me creí que diba a ganá...

21

DE CUANDO PEPE MONAGAS FUE A MARISCAR A UN CERCADO DE PAPAS

A don Juan Millares Carló

Un día vino señor Ramírez de Cubita la Bella al cabo de quince años de guataquiar caña, negociar —metiendo, naturalmente, la mano hasta el sobaco— en guayaba, tabaco y rones y ponerse un colmillo y dos muelas lantreras de oro. Como todo buen indiano que vuelve al surco no puso ni santificados ni telegramas, sino que se metió por las persianas adentro de remplón. Las persianas estaban por entonces abajo en la Puntilla.

Y estaban allí porque resulta de ser que una niña de señor Ramírez, la más vieja, que la llamaban a ella Adela, mosiada de tiempo con un tal Manuel Sánchez, un muchachito decente de aquí de San José. Y el tal Sánchez fue y se enraló una noche en un baile de confianza que daba Adancito el del *Pilar* para celebrar una lotería que le cayó ca los Feos. El Adancito, que era de Agüimes, tenía un tienduchillo con escobas, boliches, pimentón, rapaduras y una hija por acá del Pilar de Fleitas. La hija era morena sorroballada, entrada en carnes, de piernas cortas y zambas y con tan poca gracia que se decía que se tiraba a un terreno en taifa y perdía la fuerza hasta la luz de carburo. Pero era única, poseía una casa terrera y unos cachos en la villa nativa, la tiendita y la reciente lotería, que no era para tirar voladores, pero tampoco para hacerle "fos". Por el barrio se dejaron decir las más chimbas que la madre de Sánchez pegó a malmeterlo con la hija de señor Ramírez, obedeciendo al plan de "empalmarlo" con el morrocoyo de la de Adancito. La vieja, que tenía traza de bruja, se las había aquellado para colocar al hijo en una ferretería del centro, manteniéndolo siempre limpito y planchado, hasta el extremo de que mucha gente, viéndolo pasar, se creía que era domingo. Inculcóle, además, ambiciones económicas y sociales por una suerte de odio que le cogió al marido, un perdulario siempre despilfarrado y tan jediondo que si alguna vez se lavaba las extremidades en una borsolana caía en cama con "un bronquites".

Por una causa o por otra, Sánchez encalló ca Adancito. Entonces, a Adela la de señores Ramírez le dio tan recio insulto de entrada, que una mesa de centro con un florero de los de molinillo y dos perros de yeso granditos, un esquinero sobre el que había una figura bastante cagadita de moscas, una botella con un arco dentro y algunos otros teleques de adorno que estaban arriba de una cómoda, acabaron hechos cabacos bajo su furia histérica. Después empezó a ponerse menuda y trancada del gañote, que ni los huevitos y otros mimos le pasaban. Por último viró con una tirisia que parecía la parte del centro de una bandera de fiesta. Algo más que tirisia maliciaron los vecinos que tenía, porque empezaron a encuevársele los ojos y se le pegó un toseo de sótano sospechosísimo. A la madre todo se le iba en disimular, diciendo que su niña tenía tan solamente un "catarro mal curado". Contando a una vecina, que la atabicó a preguntas recelosas, el resultado de una exploración por los "rayos clueques", acabó confesando que el médico había dicho que su hija tenía "una sombrita en la tela der purmón". Recomendáronle que se la llevara para el Monte, pero como no tenían posibles (señor Ramírez, de un tiempo a la fecha, no giraba un peso ni con tres liñas), tiraron para San Cristóbal. Y gracias.

Cuando se enteró el indiano de que su gente estaba para abajo de arrancada, trincó una tartana, la requintó de baúles enchapados y tiró por esa carretera todo tirado para atrás.

* * *

Ramírez se portó como un cochino. Apareció fingiéndose pobre. Y resistió cuando le pidieron trasladar la enferma a Tafira y comprar inyecciones de huevos, huevos directos, carne y demás "boberías" exigidas por la lima de una "tis". Se calentó como un chino cuando supo que la niña andaba encamada "por mor del sentimiento".

—¡Qué sentimiento, ni sentimiento, puñema!—vociferaba delante de Adela—. ¡Gástese usté ahora los pesos que me saqué del costillaje, en güevitos pa la niña, porque la dejó un vagañete jediondo! ¿Qué sonseras es jesa, imberse? El hombre es susertible de queré a la que le dé la gana a ée. ¡Vias estao pa fuera tú, pa que vieras lo que es bueno! Amor, amor... ¡Téseme lante, desgrasiá!

A la semana de estar en casa tuvo que cantar: traía de "Bana" unos quince mil pesos, "pero si se vian creío que los quería pa tirarlos, como si fueran volaores, estaban equivocáas del canto alante al canto atrás". Por instinto, la mujer le buscó de nuevo los tranquillos, perdidos en la ausencia. Lo convenció primeramente para que aflojara algo la mosca en pro de la salud de Adela. Luego, como él venía bastante remozado y ella arrastraba la chola ya... y el mundo estaba lleno de perdularias... y de soltero él —y hasta de casado— se le iba el baifo si a mano se le venía algún pilfo, lo trabajó por todos los trastes para que empleara las perritas.

—Pegas a comértelas—argumentaba—y cuando eches mano no te arcansas. Piensa en tus jijas, y en el buen ver, y que a la vejés virgüelas; y jasme caso a mí, no seas bobo.

Ramírez se puso mollar, pero reviró todavía con salpeo de panchona en las últimas:

—¡De casas no me jables!, ¿oítes? No quiero casas ni medio que de barde. ¿Pa requilorios del Auntamiento y conduelmas de arquilinos! ¡Jágame el favóo...!

—Pero una tierrita, hombre, asín...

—Ya una tierrita...

Allí cerca, debajo de la carretera de San José, vendían una finquita de millo y papas, con su pozo, un molino y un burro de clases pasivas para cuando no corría el airote. Doce mil duros se dejaban pedir por ella. Aquéllo era la dicha... Señor Ramírez se quedó entonces orejiando. Cerró los ojos y se le pusieron delante, en medio de una nube rosada, dos vaquitas primorosas, una docena de gallinas y un gallo jabado; sus cuatro cabritas del macho de Perera y la cabra de Betancor y un potaje de habichuelas cogidas por sus manos de la mata verde y tarozada... Pareció decidido a comprar. Y cuando estaba abocadito, casi se arrepiente, porque para aconsejarse llevó un amigo a ver la tierra y el visitante opinió:

—Ca uno es ca uno, señó Ramiles, ¿oyó? Ahora sí le digo: pa mí estos cachos no son de medra. ¡Digo yo... que toos los equivoquemos! Yo apresio como que er curtivo sale ée más bien rabujiento d'iabajo de la fuersa de la madre... No sé si vusté me entiende...

La esposa del indiano se quedó muerta:

—¿Pero tú no veis, muchacho, que es invidia? ¿Que ée te está arrepintiendo porque está invidioso de que tengas una propieá?

Trabó Ramírez. Había adquirido un finquejo con un pozo salado, que no valía dos onzas, en once mil quinientos duros, que regateando logró sacar tal rebaja.

El fracaso de la primera cosecha fue tan grande que el hombre estuvo a punto de irse para la Plataneras por mor de la calentura. Le entró al plantío, regado con agua salobre, una maleza y un desmayo como los de Adelita, que seguía en el catre suspirando y leyendo números antiguos del *Blanco y Negro* y *La Familia*. Lo supieron hasta en la Vega Enmedio y no quedó isleño que no se choteara de señor Ramírez, al que por gorrón y cerrero lo menos que le deseaban en la ínsula era un tiro de sal y azufre en una pata.

El indiano abandonó la propiedad. La señora rogó, lloró, batalló para que volviera a plantar y a regar... Con esto y el tiempo pasó la chapetonada. Y Ramírez le metió a los pedazos cuatro fanegas de papas de semilla inglesa... Hasta la gente de la mar comentó, con una afilada sonrisa, la decisión del antipático indiano.

Entonces fue cuando lo aguaitaron media docena de isleños para rematar la cosa con una buena montada. Tomó la iniciativa mi compadre Pepito Monagas, que no le perdonaba a Ramírez la brutalidad con que reaccionó ante el caso de su hija enamorada y enferma de amor. Oliéndose que le acechaban la tierra para ver el resultado del nuevo plantío, el indiano extremó los cuidados...

Una noche... Convidados por Monagas tiraron para San Cristóbal, poco antes de la prima, el *Táita*, Victorio y algunos otros elementos de la jarca del compadre. Primero anduvieron una hora larga sobre los mariscos de la Hoya de la Plata cogiendo burgados, lapas, erizos, pegaderas, buyones y cangrejos. Con un par de cestos rebosando y la noche entrada arribaron a los cercadillos de Ramírez. E hicieron en ellos una concienzuda siembra a voleo de los mariscos...

Al día siguiente los sembradores bajaron temprano y se sentaron al acecho de que Ramírez le diera una vuelta a la propiedad. El hombre salió al fin de su casa y alcanzó las tierras... Cuando vio los cachos plagados de bichos de la marea se le fue el color y dijo: "¿No lo desía yo, puñema...? ¡Iiii... puf...!" Y cayó al suelo como un tote. Monagas y demás indinos esperaron a que volviera a su ser. Y cuando Ramírez, con una color de horrura, bajaba por un veredillo a la carretera, la jarca se le acercó. Adelantóse Monagas. Y le dijo:

—Señó Ramiles, estooo..., como está la marea yena, venimos a ve si usté nos deja pulpiar en su finca y cogé un caldito de mariscos y eso...

22

DE CUANDO PEPE MONAGAS PINTÓ UN LEÓN EN LA TIENDA DE *LOS MAÚROS*

A Inmaculada Medina

El isleño —ya lo hemos dicho porción de ocasiones— es bastante bien amañado, inclusive fuera del oficio con que el destino le cogió el lomo: le mete a usted un tirafondo, le arregla una pestillera, le endenga los plomos cuando se funden, le pone sus inyecciones lo mismo entre cuero y carne que en la vena, le pega su par de sanguijuelas como si fueran pólizas de 1,50, le cura el gogo a las gallinas con vinagre y cebolla, le jinca a la luz una trampa que no la agarra ni el ingeniero alemán... Ni qué decir que mi compadre Monagas sabía y le sobraba un cacho de estos adjetivos endengues y "cambulloneos".

Pues resulta de ser que Pepe era requerido alguna que otra vez para albeos particulares. El hombre despuntaba en ese oficio por un golpe personal de muñequeo que tenía y por lo curioso de sus labores, que acababan sin enterregar zócalos y tablados; aparte, lo llamaban porque solía cobrar más barato que los profesionales. También pintaba, y hasta se preparaba sus colorcitos, en competencia con maestro Juan Amaro. Cuando estaba de gusto y se le venía a las manos un cáido de éstos, lo aprovechaba hasta con deleite, porque era trabajo que no le repugnaba, siempre que no atosigaran, ni hubiera que guindarse en casas de tres pisos. Tranquilito, y mejor casitas terreras que "cómodas de cemento" desarboladas.

Ocurrió que ciertos compadres de Valleseco se apalabraron, formaron una sociedad y se vinieron de arrancada para Las Palmas, dispuestos a poner una tiendita en San Nicolás, que a poco fue bautizada con el nombre de *Los Maúros*. Buscaron una casa baja, con dos escalones y un cuarto a la calle donde armar el tenderete de escobas, ceretos de higos, sacos de judías atómicas y de azúcar —con chopas paseando de noche por las bocas abiertas—, rapaduras, boliches, botellas de cerveza negra, vinagre bautizado, basura en todos los rincones, cucas a granel, gorgojos y ratones. Y en vísperas de abrir, a uno de ellos, que había estado en Cuba de raspafilón, pues apenas atracó en el Morro vino la "moratoria", se le metió durante un desvelo el barrenillo de ponerle un nombre al negocio. Por la mañana se lo dijo a su socio:

—Miri, que ha estau pensando que estu queee... que si no sería prático de ponesle un nombri asín al negosiu y esu...

—¿Un nombri de acuáslo?—preguntó el socio, que como no se lavaba la cara no cogía hasta pa allá pal peso del mediodía.

—¡Hombri!, ¿de acuáslo va a sé? ¡Un nombri, señó...! Un nombri alantri, en el fronti, pa veslu de la calli y esu...

—Yo no andaba con requilorius, ¿oyó? Alcuentro esu una machangáa.

—Déjimi a mí, qu usté no entiendi de esu. ¡Hay que ver dío pa fuera, pasal el chalcu, chicu...!—replicóle, cortante, con fuerza y acento cubano.

Ante este argumento supremo, no hay isleño que rechiste.

El de la iniciativa, una vez bien tupido su socio, añadió:

—Yo estuvi anochi, toa la santa nochi, dando güertas en el catri, con la matraquilla del nombri... Y he pensau —¡digu, si usté nooo...!

—Murió el cuchinu. Lo que usté jaga, bien jecho está.

—Pos han pensau de ponesle El León, con un león pintao alantre, sobre la entráa y esu...

En total, que llamaron a Pepito Monagas, por recomendaciones de una vecina.

—De moo y manera—díjoles Pepe una vez enterado—que ustede quieren un león... Güeno, se dijo.

—Pero estooo, losotros, ¿tiendi...?, losotros...

—No me diga más náa. Ustede quieren sabé cuánto cuesta el león, bien pintaito y bien terminaito y tá cuáa, ¿no es jeso...? Güeno... Y ustede, ¿cómo lo quieren, con caena o sin caena...? Porque es asigún...

—¿Cuálu quieri desir usté...?—preguntó traspuesto el que no se lavaba la cara.

—Que si ustede lo quieren con caena o sin caena...

Los tenderos se miraron aturdidos.

—¡Oh, padrito! ¡Que si lo quieren amarrao o suelto!

—Hombri, losotrus creemos que p'al caso...

—Pos no es lo mesmo, ¿oyeron?, porque entre otras cosas de mayor o menor cuantía, como el otro que dise, las cuales se pueen ver al pién y con el tiempo, el detayito influye en el presio...

Se rascó el cogote el que había estado en Bana:

—Ah, pos... ¿Cuál es más baratu, usté?

—Hombre, el de "sin caena", naturalmente.

—Pos miri, sin caena, ¿oyó?

Monagas les pintó un león del color del chocolate del reparto, sentado en los traseros, bien metido de barriga, con una melena que daba para llenar un colchón, una pata lantrera levantada y el rabo tieso. Sacó un único defecti: le quedó bisojo. Pero lo que él decía: "¿No salen tamién los cristianos, tamién, con los ojos cambaos, o clicos? ¿Tonses...?" Pero lo hizo con polvos malos, que no preparó, encima, para que "amarraran". Está claro, desde que cayeron, ahí por tiempo de castañas tempranas, los primeros gotarones, el león desapareció del mapa, y en su lugar apareció un lamparón de color de barranco. Tan sólo permaneció, tiesa, la punta del rabo.

Los maúros se calentaron. Y lo mandaron a buscar.

—¡Eso no se jase!, ¿tamos? Y eso no se quea asín...

—No; eso se quea peor... cuando llueva más.

—¿Arriba se chotea, jediondu...?

—¡Sss...! ¡Mía las palabras, ¿oyó?, por un si acaso...! Y al respetive del animalito desaparesío, escuchen que les digo: ¿Qué les pregunté yo, a su debío tiempo...? ¡No, ni se caliente, ni pongan cara de batatas! ¿Qué les pregunté yo cuando tratemos...? Que si lo querían con caena o sin caena, ¿no es así...? ¡Ah! ¿Y no me dijeron ustede que sin caena? Pos ay lo tienen: ¡cogió el tole!

23

DE CUANDO PEPE MONAGAS COLOCÓ DE GUARDIA MUNICIPAL A JUAN ESTEBAN EL *TUMBAO*

A don Pedro Cullen del Castillo

San Pedro en Agüimes. Festeja la villa del viento liviano y del café mas asiado de las siete islas la fecha del Santo Portero con repiques que se alongan hasta los confines calientes de los llanos del Condado; con ancho ferial de novillas, lecheras y toros, en el que rebulle la flor del ganado de todas las rayas, y con romería en tal insalla y barullo tal que por ratos se da su aire con las grandes de la Señora de Teror y Santiago de Tunte. Sin revirarse por tales "menudencias", los maúros y los finos del jolgorio cruzan pisándose concienzudamente los zapatos nuevos, oliéndose con una entereza digna de la guerra, jincándose una serie de codazos que se reúnen y aplican a las cañadas del Teide, un suponer, y se quedan los de Tenerife sin su apreciable y decantado Pico. Los indígenas aguantan, pero cobran, y los forasteros bailan a ratos en el sobeo de una taifa lerda y desafinada; pasean, metiendo el pecho para abrirse camino; marcan en la caja grande de Rosario Tejera su media librita de turrón "en fiel", pelan uno en la Plaza, lo parten con los dientes y ofrecen el cacho más chico a una moza relumbrona, gacha de ojos, que si no viene mollar, o presta a enralos, revira de medio lado para decir con ceño y voz de tunera: "¡Jaga el favol de arretirarsi!" Van pasando, ellos con una cachorra en vilo a la flor de la cabeza, calmosos de palabra y manos, y

ellas con un recelo de palomas fogueteadas, arrebatadas como duraznos pelones, metidas en un trasudado y tieso alegror de fulgurantes, andando como sobre huevos por mor de los zapatos, que,
nuevos, carecen aún de "consecuencia" para la uña del dedo gordo
y los juanetes, tan voluminosos como aceitunas de Temisa.

Mi comadre Soledad y su marido, Pepito Monagas, han acudi-
do, ella con una caja de turrones casi tan grande como la de Rosario y de un azul tan rabioso que se le veía en la raya de la mar,
y él con un molinillo bien engrasadito, completito de tachas, tumbado a la banda —como el que no quiere la cosa...— de las posturas más flojonas y regularmente estivado de turrones varios, puros atarracados y negros, alguna que otra botella de cerveza y media docena de machangos de yeso, entre los que destacan unos
perros para sobre las cómodas y unos cochinillos que si aparentan
no parecerse mucho a lo que pretenden, no es porque desmientan
las trazas de tales animales, sino por la color, que de puro tirando
a huevo duro, merman bastante la ilusión. De cualquier manera,
la gente se tira a esas "terracotas" y hay que ponerlas.

Monagas se aburrió bien pronto de la guardia al pie del garabato saca-perras, dando vueltas casi arreo, que ya mareaba, y todo
por un calderillaje tan menudo que no meritaba la pena. Venteaba, además tufos de ron y "casne con papas", que llegaban milagrosamente puros por entre el sorroballo y los batumerios de la
fiesta. Y estando ya cogido por el barrenillo de darle esquinazo al
puesto, alcanzó a ver, pulpeando entre el genterío, a un tal Rafael,
un garalletón de Pambaso, hijo él de Mariquita Antonia Mollero,
que también atrabancaba una esquina con su cajita turronera.
Pepe le pegó sus guapidos y lo trajo a la banda.

—Oye, Rafaeliyo, ¿qué tás jasiendo tú?

—¿Yo? Ná. Pulpiando por ay.

—¿Y por qué no te jases cargo asquí del moliniyo, ¡un pisco
apenas!, ¿tiendes?, que yo tengo que dir lante a jasé una dili-
gensia...?

—¿Su mujé es gustante...?

—¡Venga, hombre...! ¡Taría güeno...! Tú te queas asquí, que
yo vengo en seguía, ¿sabes? Aluego arreglamos losotros una atensión y ta..., ¿tiendes? Mira, si meneas disimulaamente su pisquito
el moliniyo, cuando vaya muriendo la tiráa, puée quearte siempre
fuera de clavo...

—¡Sí, hombre, yo sé! Váyase tranquilo.

Pepe se metía por los rumbos de la fiesta, atrabancada y caliente, con un techo de banderas salpiconas. Y daba a poco de
copas a boca con media docena de antiguos conocidos de Agüimes,
gente con la que trabó en ocasión de otras fiestas y en madruga-
das de "días de Plaza" y con la que compartió, al alba de muchas

de estas últimas ocasiones, el gotito de café amargando, la media peseta de churros del centro y el pizquito de ginebra, ellos en un clarito de las verduras y frutas y él de recalada con un releje turbio de mala noche. Estaba la tanda de medios amigos al pie de un mostrador improvisado en una trastienda y ante una corrida de rones recios, platitos de baifo asado y lascas de pan de Agüimes. Figuraba en la comparsa, bien echado sobre unos sacos de grano, y jilvanando como una máquina, un tal Juan Esteban el *Tumbao,* dichete que ganó a pulso, porque siendo un tarajallo de respeto, todo lo que tenía de grande lo tenía de ruin y gandul en toncando a meter el hombro, como es de ley. Tirado como un cerón sobre las aceras de la villa, y levantándose tan solamente para mandarse un pizco de café, se le iban las horas muertas del día. Si alguna vez —de relance— dejaba el sol y el echadero, como cuando espantaban al paso los lagartos de las terreras del pueblo, para pegarle a la tarea de un almacén o a jornadas de peonaje, entonces cargaba brasero de tal modo que podía proclamársele sin discusión campeón de los galibardos insulares. De puro debaso, ni sentarse se sentaba. El *Tumbao* no tenía sino que era simpático, superando en fuerza de sanote rebrujón el mal ánimo con que la gente veía y comentaba sus pardelas eternas. "El trabajo embrutese al endividuo", aseguraba con una pícara seriedad. O casi se exaltaba para teorizar: "Entra usté a trabajá, vamos a un poné, y de repente, por mano del diablo, farta argo en el sitio onde usté ha entrao, ¡y va y pegan de usté...! No, no. Esteban el mío no quea por ladrón por una bobería. ¡Ta loco!" La villa le aguantaba sonriendo que fuera gandul hasta quedarse dormido de pie, las pocas veces que estaba derecho.

La incorporación de mi compadre fue saludada con risas de la tripa gorda, efusivos puñetes en la espalda y gritos entusiastas de "¡Espacha asquí lo mismu y traiti baifu doble pa aquí pa Pepitu!" Monagas caía de pie dondequiera que llegara. Corrieron las copas, apareció un timplito y una guitarra... Pepe trabá el camejillo y le tiró la mano diestra con tal airoso brío, que hasta el dueño del timbeque, que estaba robando a mano metida, y sordo, por tanto, para lo que no fueran aquellos "cañazos" ocasionales, se quedó lelito y perdió la cuenta de los palotes. Pegó el guineo. Una isa majadera trabó de beso y ya no se fue hasta morir en las orilla del alba. Desmadejada y revuelta con sones de malagueñas y puntos cubanos, fuése quedando entre los cerotes de higos del Hierro y los sacos de millo con pulgón. Con el primer albor, la rumantela tenía el aspecto de un campo de batalla, sustituida la sangre por "devoluciones" y los tiros por cavernosos y rotundos eructos.

Quedaban derechos mi compadre Monagas y Juan Esteban el *Tumbao,* aunque este último cómodamente afianzado contra una tonga de sacos de grano. Al tiempo que entraba en la tienda la primera claridad deslumbrada del alba, Juan Esteban pegó con una llorona más desarretada que cuando enviudó (por aburrimiento de su señora). Se puso derecho —la primera vez en toda la noche—, pero se buscó un soporte. Concienzudamente colgado de un hombro de Monagas, y hablando con toda su nariz metida dentro de los ojos del compadre, viró a decirle que él no podía seguir en Agüimes, "ondi si'abusaba der farso testimoniu y der choteo, ondi too se vía virao puyitas, cantaris y escorrosos ajoto de la acalunia indinante de su gandulería"... ¿¡Había derecho!? Que si tirado en las aceras como un majalulo; que si debaso pacá; que si legarto clueco p'allá; que si le preguntaban los forasteros por dónde se iba al Curato, un suponer, y tumbado como estaba alzaba el lanchón de una pata ferrada para indicar el camino, sétera, sétera. ¡No había derecho! Y él no estaba dispuesto a consentirlo más. "¡Porque son mentiras, consiu...!" —remataba la llantina, sacando el pañuelo y sonándose con tal recio rebufe que no sólo apagó el exhausto carburo, sino que lo estremeció en el clavo, despidiéndolo y haciéndolo caer en peso al suelo.

—Estoy lo que se disi aburriu, Pepitu. Si vusté me consiguiera trabajitu en Las Parmas, me día más pronto que volando.

—Yo, mano Esteban...? ¿Y ónde, usté?

—Vusté es un hombri de influjensias, carrisu; déjisi de boberías. Vusté tieni muchas conosensias y esu...

—Ta bien. Si usté lo cree así, váyase p'ayá y probemos a ve de colocaslo. Mas que sea pa contar las palomas de la Plaja Jantana. ¡El too es entullir, mano Esteban!

—¿Ñor...?

—No, nada... Que vaya p'ayá, pa ve...

Al cabo de una porción de semanas, cuando ya Pepe ni se acordaba de él, Juan Esteban el *Tumbao* se metió por sus puertas emperrado en la pretensión llorona de aquella festiva amanecida.

—Pepitu, mire ve...

—"Mire ve" dijo un siego...

—¿Ñor...?

—Que sí, que yo miraré... Déjese ve mañana, ay pa las once, en el Tinglao.

Monagas le habló a don Carmelo, un teniente alcalde que tenía tecla con él y con quien agarró sus buenas chispas de medianoche para el día, cuando la familia del edil veraneaba en Tafira, y a la *fuerza viva* le salían "asuntillos importantes en la Siudá".

—¿Pero, y en qué querías tú que lo colocara?

—¡Sé yo, cristiano! Métalo mas que sea de guardia... Ende luego, fíjese que es de Agüimes, y usté sabe que ayí don Juan Melián es el amo, y eso...

—Sí, claro... Bueno, pues déjalo de mi cuenta.

A los pocos días apareció el *Tumbao* por el paseo de San José adelante con un "informe" nuevo, caprichoso y desmesurado, como ropa de cuartel, una gorra metida hasta las orejas y un sable ancho y caído a una banda. Era ya guardia y lo habían destinado al simpático y pacífico barrio. Juan Esteban dio un par de vueltas, al golpito, y apenas le pegó en el totizo la comenzón del sol mañanero, sintió la añoranza de las aceras de Agüimes. Llegóse a la Plaza y tranquilamente se repantigó en el poyo más soleado, con los ñames allá alante y las manos metidas en el cinto, sobre los cuadriles. Cogió un "dulce embeleso", que ya no largó hasta la hora misma del relevo.

Alcanzó tal grado la pachorra del hombre, que ya no se alzaba ni para saludar y dar la novedad a los sargentos.

—Asquí rría no pasa naíta este mundu, mi sagentu—decía, bien arrepollinado, sin que ninguno de sus superiores se atreviera a reprocharle los abandonos y descomedimientos.

Naturalmente, se había comentado entre la guardia, y alguno de los jefes se calentó y todo y aseguró que lo iba a meter en vereda. Pero éste se tupió definitivamente y los otros mantuvieron su vista gorda cuando alguien informó que era de Agüimes y recomendado por don Juan Melián, o así...

Entretanto, el *Tumbao* seguía empajándose en la Plaza de San José, donde consumía impunemente la integridad de sus servicios. Le cogió los güiros al sol. Y corriéndose sin mucho esfuerzo, según rodaba el rayito por los filos de la ermita, o colaba por entre la flaca ramazón de los cuatro matos jugando al tute que exornan la plazuelilla, se cogía tales hinchadas de lumbre solar, que las de las jareas comparadas eran baños de María.

Pero nunca ha durado cosa buena en este puñetero mundo. Alguien fue con la alcahueteadura al concejal, que lo metió, una vez y otra, que siempre hay quien esté dispuesto a jeringarle a uno el potaje de enredaderas y el modo de cada uno. Don Carmelo acabó por preocuparse. Y mandó a buscar a Monagas.

—Oye, esto de tu recomendado de Agüimes no puede seguir, ¿oítes? Ya son muchas las quejas.

—¿Quejas de acuálo?

—Oh, de que hase el servicio a la bartola. ¿Te parese poco? Creo que se pasa todo el santo día sentado en los poyos de San José.

—¿¡Sentao!?—exclamó Monagas, dando un salto, estupefacto y lleno de entusiasmo—. ¿Sentao ha dicho usté, don Carmelo...?

—Sí, sentado... ¿Por qué?

—¡Porque hombre tenemos entonses, don Calmelo!

Colección completa de

LOS CUENTOS FAMOSOS DE PEPE MONAGAS

(Tercera parte)

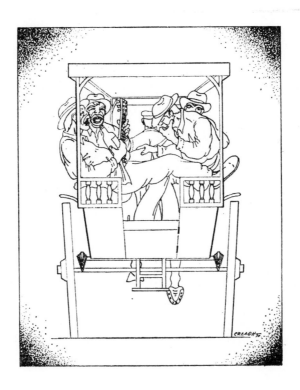

P R O L O G O

POR

FRANCISCO AGUILAR Y PAZ

El presidente de la "Peña Pancho Guerra", doctor Antonio Arbelo, ha querido que anuncie la nueva salida de "Pepe Monagas", a caballo de la incisiva prosa, "Fabuloso vocabulario", como dice Claudio de la Torre, con que nos lo presenta, su creador y ejemplar cronista, Francisco Guerra, el inolvidable amigo.

La vida y sucedidos, las sentencias y decires de este extraordinario personaje, nos plantean la existencia de un humor canario, inserto en la forma universal del humor; pero con la característica del sentir popular isleño, en el que conjugan alma y paisaje.

El humor es algo tan apegado originariamente al hombre, que en sus comienzos sirvió para aludir a las condiciones somáticas del ser humano. Hipócrates y Galeno, los dióscuros de la Medicina, describieron los diversos tipos de humor. Sangre, linfa, bilis y atrabilis, constituían los humores, cuya armonía producía la salud y su desarmonía, la enfermedad. Y del predominio de unos u otros, se forjaba el temperamento.

Pero no es este humor somático el que nos interesa, sino el estado de ánimo, a que se alude cuando se habla de "buen humor", o de "belle umore" o de "humour". Y aunque Chesterton escribía, que intentaba definir el humor, supone ya una deficiencia de humor, para quien lo intente, se nos permitirá, no definir; pero sí enumerar las diversas formas de humor que nos facilite el situar a "Pepe Monagas" en su exacto meridiano.

Ante el mundo que vivimos, cabe adoptar tres posiciones, a las que corresponde una determinada forma de humor. A la primera llamaremos "cinemática", y es la que considera al mundo como Naturaleza y a la vida como Costumbre. Donde no hay nada que modificar y todo está justificado. Quien vive "cinemá-

*ticamente" "in-vive" su propia vida. En su conciencia se refle-
jan los acontecimientos, como en un espejo. Los padece y se re-
signa.*

*El humor se traduce en situaciones, donde la burla, descarga
al acontecer, de su gravedad, sin que de ella saquemos lección
alguna. La burla no es una protesta, sino una defensa. Un humor,
por tanto, ajeno a todo compromiso. Hasta la muerte misma pierde
en este humor "cinemático" su guadaña. Es un humor agitado,
vertiginoso, circense. A la manera de las Danzas de la Muerte
medievales.*

*El autor que mueve los hilos de este humor nos muestra a
sus personajes como en un "guiñol". No sufrimos con sus pade-
cimientos porque el autor ha cuidado en presentárnoslos como
si no padecieran. Sólo nos descubre al personaje, en su ingenui-
dad o en su astucia para burlar la acometida del mundo. En esa
especie de "burladero" en que se refugian las gentes modestas
para librarse de las cornadas que da la vida.*

*La segunda posición aspira a un deber ser, frente al ser. La
denominaremos "dramática". O sea, de oposición y lucha contra
el mundo que les ha tocado en suerte vivir. No acepta ni rehúye
el acontecimiento, pero le combate. La posición "dramática" es
esencial al vivir político. Entendiendo por política la pugna de
los contrarios, amigo-enemigo, uno de los cuales intenta eliminar
al otro para el logro de la felicidad o de la justicia.*

*En la forma de humor "dramática" tenemos que ser belige-
rantes. Y en ella es la voluntad humana la que intenta modificar
la con-vivencia ya establecida. La expresión del humor "dramático" se manifiesta en la "sátira" o en el "humor negro". "Humor
negro", que no es otra cosa que la confesión del tremendo fracaso de la voluntad frente al mundo. Es entonces cuando la burla
se vuelve contra aquello mismo por lo que se había luchado.
Contra aquello que un día se amó. En el "humor negro" no somos
insensibles, indiferentes. Seremos sus partidarios o sus enemigos.*

*La tercera posición la calificaremos de "trágica", término quizá
un poco equívoco. Queremos significar con él la necesidad de su-
perar a los contrarios, sin destruirlos. En esa posición se afirma
que la esencia de la vida es dolor, "valle de lágrimas", y que
todos los que luchan por mejorar el mundo, bien sosteniendo la
Tradición o urgiendo la Revolución, tienen o creen tener razón.*

*La concepción del mundo "trágica" se expresa en un "trans-
vivir". Es decir, la vida no es in-vivir en cinematismo, en comi-
cidad; ni se con-vive en dramática oposición; sino se trans-vive.
Y trans-vivir es valorar las cosas y los seres desde la otra orilla.
"Sub specie eternitatis". Desde las estrellas.*

Las formas de humor de esta concepción del mundo no la co-

noció la Antigüedad, que no pudo evadirse del amigo-enemigo. Adviene con el Cristianismo. El rompe el fatal dilema, con la clara y precisa declaración de amar al enemigo.

Desde la trascendencia de este amor el humor se hace humano. No es ya burla ni sarcasmo, sino ternura y bondad. No se ríe, sino padece en simpatía con todos esos personajes que sufren, lloran, ríen, que llenan con sus voces el gran teatro del mundo, la gran comedia humana. En este tipo de humor no somos indiferentes a la suerte de los seres humanos. Nos aproxima a ese estado de ánimo las palabras de Spinoza: "Non ridere, non lugere, neque detestari, sed intelligere." Sí, comprender es lo valioso en nuestra existencia. Pero para comprender hay que amar y el amor es una luz que transforma, en claridad y limpieza, los sombríos y sucios rincones de la vida.

Esta forma de humor es la suprema en la jerarquía de los valores del Espíritu. Es cuasi religiosa. La representa Cervantes con "Don Quijote" y la bondad de Alonso Quijano y de Sancho. O Velázquez, con la humana simpatía hacia los bufones. Así como la forma "dramática" la asumen en "humor negro" Quevedo o Goya. Y el humor "cinemático" lo acoge la alegre humanidad del Arcipreste de Hita.

Pues bien, volviendo a nuestro "Pepe Monagas", nos lo encontramos disfrutando de la primaria forma de humor. El es un andariego como las criaturas del Arcipreste. Pero sus andanzas no le apartan de su estamento social. No aspira a salir de él, ni siente necesidad alguna de cambio. Cuando habla de sus derechos no lo hace dramáticamente. Se refiere simplemente a "su derecho", y exige reconocimiento. No del derecho como fin, sino como medio que le permite seguir su vida, sin que nadie le moleste. No es hombre de protesta. No se queja. No acusa a los demás de su suerte. Pero tampoco los perdona. No tiene tiempo para meditar sobre su propio destino. No pasa por su alma el soplo de soledad del humor "trágico" ni el rencor del humor "dramático". El se siente siempre protagonista. Hombre de acción y de decires. Más de decires que de acción.

"Pepe Monagas" no quiere líos ni compromisos. Defiende a ultranza algo que oculta cuidadosamente, que no menciona, secreto que revelamos ahora: ¡defiende su libertad! Ser libre, para "Pepe Monagas" es hacer siempre su voluntad o su gana. No estar sometido a norma alguna. Es un anarquista sin saberlo. Vive día a día. Sabe que cada día trae su propio afán. El pasado no existe para él, ni el futuro. Sólo el presente es. No busca su provecho. No es interesado. Ha nacido para servir, para ayudar. A cambio del servicio prestado o de la ayuda concedida, él cobra en humor. Es su moneda.

"*Pepe Monagas*" *tiene una mente sutil. Es un ergotista. Si hubiera realizado estudios universitarios hubiera sido un tremendo sofista. Arguye con la palabra creada por él, entre-cortada, palabra viva, que es la cosa misma. Palabra convincente, resolutiva de situaciones y conflictos, consoladora a veces. Y en torno de su palabra, cuasi de letrado, circula un abigarrado grupo humano, acorde con su tono vital.*

Pero el mérito de Francisco Guerra es el haber incorporado y representado en "Pepe Monagas" un tipo de existencia que comienza a desaparecer. Esta es la misión del artista. Eternizar a la frágil y pasajera temporalidad de las criaturas. Y esto acontece con todas las grandes creaciones literarias. Dante escribe la "Divina Comedia" cuando el mundo comienza a "desdivinizarse". Cervantes, "Don Quijote" en el momento agónico del espíritu caballeresco. Goethe, "Fausto" en el ocaso de la Alquimia y en el Orto de una nueva ciencia, la Química. Azorín canta el silencio y quietud de los pueblos de Castilla en el instante en que los pueblos rompen el silencio de quietud con las voces de radios y televisores, y con los tractores que manchan, con sus humos, el azul del cielo.

El Autor nos trae de la mano a "Pepe Monagas" en el preciso tiempo en que la Isla cambia su ritmo vital. O sea, cuando pasa de un vivir despreocupado, divertido, ocurrente, a un vivir preocupado, serio, masivo. O un contemplar en la dulzura de un clima y templanza del mar, a un azacaneo y trabajos excesivos. De una libertad ante las necesidades in-necesarias, a una servidumbre a las in-necesarias necesidades.

"Pepe Monagas", como obra de observación social, como descripción de un grupo humano, adquiere, además, una categoría pedagógica, pues el personaje y su mundo representan con singular perfección el fenómeno sociológico que se llama "cultura de la pobreza", a la que dedican sus mejores esfuerzos los sociólogos. ¡Quién iba a decir a "Pepe Monagas" que se convertiría en un clásico de la sociología!

Francisco Guerra, Pancho Guerra para nosotros sus amigos, al presentarnos a "Pepe Monagas", nos quiere dar una lección de humor que nace del contraste de dos mundos. El uno presto a morir, el de la libertad individual, el de "porque me da la gana", de la independencia, y el otro de la colectividad, de la masa, de las obligaciones. El uno, libre como el aire, luminoso, alegre. El otro, envarado y rígido, entre estadísticas y planificaciones. "Pepe Monagas" es el último guiño que nos hace una sociedad que definitivamente acaba. Por eso hay una cierta melancolía en su adiós. El humor, de pronto, trasciende de lo jocoso, se hace humano.

Y gracias al Autor y a estos fieles amigos de la "Peña Pancho Guerra" nos llegan los cuentos de "Pepe Monagas", sus ocurrencias, sus dichos y hechos, que son ya historia, y nos dejan el testimonio de esa sonrisa canaria, llena de comprensión y de bondad.

Madrid, febrero 1970.

1

DE CUANDO PEPE MONAGAS TEMPLÓ UN CALDO CON SAHUMERIO

Por el tiempo de las vacas gordas, cuando esto era aún un poco Jauja, tiempo de plátanos a 0,20 y de predominio de tracción tartanera, el isleño se corría unas juergas imponentes sobre el pretexto gastronómico de un sancocho o un caldo de pescado. Cogíanse en estas cuchipandas unas tortas delirantes, de estas que dejan a los cristianos como un saco de azúcar morena. Y cuando la comparsa sancochista aún no se había "muerto" bajo los efectos matones de un ron con tufo, más abudante que el Barranquillo de don Zoilo en las buenas invernadas, entonces daba gusto gozar de su humor guitarrero, socarrón y por rachas.

Las playas —las inmediatas y las de lejos— eran gran campo para estos domingueros tenderetes. Pero estaba la marea al pie. Y cuando un insular se tiempla a la orilla de la mar, luego de cantar *Marina*, se echa a caminar por las olas adentro, como si no hubiera agua ni nada. Ya se habían dado muchos sofocones por estas navegadas de los templarios. Y a los prudentes de la orden se les ocurrió un día que lo mejor para atajar encharcamientos era celebrar las comilonas —las "bebelonas"— en los estanques vacíos, cuyos terraplenes de contención garantizaban todo probable percance. De allí en adelante fue verdad para estos insulares lo del gozo en un pozo. Cada estanque de Tafira y por ahí, sequito como un palo, claro, se llenaba de ron y de sancochistas.

A una de las más famosas congregaciones de templarios de éstas pertenecía, cómo no, Pepe Monagas. El sabía guitarrearse, malagueñarse y tal, cocinar sopas y caldos de solemnidades, etc. Era de la plantilla de los imprescindibles. Y un día, en Tafira Baja, mejor dicho, entre Tafira Baja y el Secadero...

Se preparaba un gran caldo, un caldo de celebración. Mi compadre Eulogio, el del Pambaso, había corrido un potranco con una yegüilla de la Vega San Mateo. Y la yegüilla no le había visto los polvos, después del amo echársela más que un indiano. El compadre Eulogio, el del Pambaso, pagaba todo.

De repente faltó la sal. O la olvidaron o la perdieron por allí, lo cierto es que no daban con ella. Alguien dijo que bueno era el caldo, cuando el caldo era bueno; pero si era de "viejas" y de la mano de Pepe Monagas, entonces... ¡oh!, mejor era un ron con tollos que un caldo. Para lo que iban a comer... No había que preocuparse de la sal. Pero Monagas era un cocinero honrado. Y el que siempre hay para los recados, y especialmente para cuando se acaba el beberío, en este caso Venturilla el *Taita* recibió el encargo de buscar sal y salió del estanque en la compañía templadilla ya de Victorito, el del Pinillo.

Ambos llegaron a un par de tienditas del lugar. Y en ninguna quedaba un grano ni para una medicina. Entretanto, y para no perder la vez, se administraron en cada una así como media docena de copejas. Y al irse, Victorito dijo:

—Entonses no tiene sal, ¿eh?

—No, señor. La última la vendí pa unas aseitunas, a una mujer de asquí lantrito.

—Ah, ya... Pos mire, déme media peseta de sajumerio.

El *Taita* se quedó pegado a la pared.

—Victorito, mire lo que jase...

—Con rasón te disen *Taita*, Venturilla... ¿Pero tú no ves, bagañete, que es lo mesmo?

—Ah. Yo no sabía náa.

—Espache el sajumerio, usté.

Y de vuelta le entregaron a Pepe la media peseta de incienso. Monagas, distraído por las prisas y las copas, se la echó íntegra al caldo. Y siguió la guaracha.

Cuando se creyó la cosa a punto, Pepe se dispuso a templar, con el virtuoso y sabijondo sorbito de rigor. Pero al levantar la tapa de la perola, un tufo a incienso lo tiró para atrás. Y soltó el consabido golpe:

—¡Vemería! ¿Pero esto es un caldo, o una funsión en la Catedral?

2

DE CUANDO PEPE MONAGAS FRACASÓ EN LA PESCA DE LA ACEITUNA

Otro día de muchas copas. Pepe Monagas había cobrado unas pesetillas. Resultó que se resolvía un lío judicial, en el que Monagas actuó de raspafilón. Maestro Cirilo el *Bocúo,* vecino de Las

Cruces, se había separado de su mujer por mor de unas incompatibilidades especiales, arrimándose con una tal Candelarita, del Pinillo ella, delgada y feona ella, pero con un rebujurón. Al poco tiempo de este enmachinamiento, a maestro Cirilo le dio un cólico miserere que casi le acaba la casta. Y estuvo que si se va, que si no se va, lo menos dieciocho días. Se dijo que si era mal de ojo, que si castigo de Dios, que si esto, que si lo otro, pero nada se aclaró.

El viejo tenía unas casitas para allá para los Poyos del Obispo. Pero como no se las pagaban, era como si no las tuviera. Y tenía también unas cabrillas, buenas de leche ellas como las primeras, alguna que otra de la casta de las de don Nicanor, con diez medidas de reboso y muertas. Creo que eran unas siete cabras.

Cuando maestro Cirilo se repuso cayó en cama otra vez, como un cortacapote: sus cabras habían desaparecido. Sólo le quedaba, como una burla, la peor, una que él llamaba *Arpa Vieja* y *Serrucho*, conservada porque no la querían ni en la Matazón. Candelarilla las había vendido todas.

Y éste era el lío. Maestro Cirilo pegó en seguida de su amigaza. Ella acabó por decir que sí, que las vendió, pero por mor de la enfermedad de él, para atenderlo adecuadamente de médicos y medicinas. Y porque no cobraba nada de las casas. Pero el viejo, que sabía que ella era un fonil bebiendo cazalla, la denunció, más fuerte el amor a sus cabras animales que el que profesaba a la cabra racional de Candelaria, que era una cabra como una casa. Sentaba Cirilo que las liquidó para beber y no para botica.

Entonces Candelaria encargó de "su asunto" a un componedor de trapisondas judiciales, como todos, más documentado siempre en las trampas que en la ley. Y el enredapleitos habló a Pepe Monagas. Y le dijo:

—Usté le compró a Candelarita seis cabras, ¿usté me entiende?, porque ella vino llorándole como una Madalena a que le hisiera aquella caridad a fin de salvar a su "marido" de la muerte. ¿Oyó?

Pepe se hizo cargo de golpe, y prestó una declaración que partía hasta el alma de los alguaciles, ya con un callo como los de los señores de La Alameda. Candelarita salió bien parada. Y Monagas sacó quince pesetas del asuntillo.

Se las estaba bebiendo en ca el *Cubano*, con Venturilla el *Taita*, que como le sintiera cuartos era una lapa. Y a los cuantos rones, que venían enyescando con aceitunas, Pepe veía tres montados en un burro. Quedaba en el platillo, de la última corrida, una aceituna, esa aceituna que siempre queda, más rebejida que

las otras, con arrugas y verde como las hojas. Monagas comenzó
a cazarla. Pinchó una y otra vez infructuosamente. La aceituna
resbalaba, se escurría, huía el bulto, como un cristiano mal amañado. Pepe se lo fue cogiendo a pecho. Metía el palillo como entrando a matar, a modo de jinete de burro, en golpe de espa-
dachín, con puño y tiro de matarife. Nada. La aceituna era de
movimiento, por lo visto. Entonces llamó al *Cubano* y le dijo:

—¿Usté, pa enyescá, puso aseitunas o saltapericos?

Entonces, un isleño fachento, que estaba al pie mandándose
un aperitivo, dijo:

—Guardo diai. Eso hay que saberlo jaser, maestro.

Y armándose de palillo pinchóla, comiósela y se acabó.

Monagas, rascado como un piojo, le soltó, dando la cara:

—¿Y usté se cree que eso tiene mérito después que la tenía
ya cansáa?

3

DE CUANDO PEPE MONAGAS Y VENTURILLA EL *TAITA* ROBARON UN GALLO

ESCENA I

*El timbeque de "Los siete chorros", allá por Franchy y Roca.
Al pie del rosal florido —¡y cómo no!— Pepito Monagas y Venturilla el "Taita", trabados a un vinillo herreño con tollitos. En
esto recala Isidrito, mirón yagoniado.*

ISIDRITO.—Jallárselo a usté es más difísil que jallarse un duro,
cristiano.

MONAGAS.—Asigún.

ISIDRITO.—¿Cómo asigún?

MONAGAS.—Asigún. Si me busca en una botica o en una ferretería, puede.

ISIDRITO.—Güeno, al asuuunto.

MONAGAS.—Usté dirá.

ISIDRITO.—Pos...

MONAGAS *(Por Venturilla.).*—Si es sobrante, lo ajuleo.

ISIDRITO.—Déjelo estáaa. Verá... Mi señora está en cama. Y pa
esta noche amos organisado yo y el padrino, mi compá Juanito
Mariiia, que es el patrino (si no se lo ha diicho) un tenderete
por el asunto este del guayete nueeevo. Pero una cosa desente,
¿oyó?

MONAGAS.—Oí.

ISIDRITO.—Y losotros, ¿entiende?, tuviéramos mucho gusto en que usté y la compaña, si es gustante, se dejaran caer por el tenderete, de mou y manera que aquello se menee un pisquillo.

(Monagas se calla, importante. Venturilla va liquidando, zorrocloco y tragón, un plato de tollos, al margen de los acontecimientos.)

MONAGAS.—¿Usté qué va a tomar?

ISIDRITO.—Pos... mire, déeejelo...

MONAGAS *(Con una sequedad cordial.).*—Póngale un golpe asquí.

(Nueva pausa. Venturilla soba pan contra el plato y su mojo. Monagas, ceremonioso, alarga a Isidrito su vaso.)

MONAGAS.—Pos... *(Pausa.)* Pos no sé qué le diga. ¿Qué te parese, Ventura?

VENTURILLA.—¿A mí? Pos, dir.

MONAGAS.—Cuente con losotros. ¿No es eso, Ventura?

VENTURA *(Sorbiéndole al plato una gota de la orilla.)*—Ende luego.

ESCENA II

Un baile de "última" en Fuera de la Portada, ca Isidrito el "Talayero". Al fondo, la cama, con la señora y el crío. La señora, mi comá Candelaria, la "Puercallona", metida en un ancho y almidonado camisón de dormir. Encima de la cabecera, un cuadro de Ánimas. Se taifa. Manda el baile el padrino, un "talayero" con bigote de retrato antiguo. Anda medio mamado. El baile lleva media hora de empezado.

PADRINO.—¡Aparen los istulmentos...! Yo ha dicho siete parejas al terrero. Y hay nueve. *(A un galletón.)* Usté es sobrante en esta ves, porque turnió antes. ¡Digo yooo!

EL GALLETÓN.—¿Es a mí...? Usté no sabe lo que tiene entre manos... bre.

PADRINO.—¿Pero usté ha visto? ¡Tú ganaste, bagañete, como una gallina!

(El Padrino se tira al gaznate del Galletón. El Galletón alza por la mano y le da una importante trompada al viejo. El viejo, reculando, reculando, se va en peso contra una mesa de pinsapo blanco de ca los Peñates. Sobre la mesa hay galletas de María y botellas de cerveza. Una sale volando y se estampa en mitad del cuadro de Ánimas. Refrescan los penitentes. Mi comá Candelaria se empapa de cerveza. Y hasta el guayete, que al jaleo se despierta, berreando con toda la boca abierta, alcanza su trago. Mo-

nagas espera que diga: "Leonardo, dame unas almejas." Los hombres, empelechados, se dan unas cachetadas imponentes. El requinto de Monagas pasa a corbata de Isidrito. Venturilla, aliviado de un canillazo, que no se sabe de dónde le vino, se manda en un rincón del patio, solo e impávido, una botella de anisado y unos trozos de baifo fritos.)

ISIDRITO. *(Subido en un taburete de Vallaseco.)*—¡Fuera de mi casa, que es desente, bandíos!

CANDELARITA *(Con el histérico.)*.—¡Hiiiiíííí! ¡Alcánsame la escopeta, Daniel!

ESCENA III

Aclarando el día, detrás de la plaza, al pie de los gallineros de junto a la antigua Matazón. Duermen las aves aún y también las dueñas. La tentación pasa, se diblusa al oído de Venturilla y lo pierde.

VENTURILLA.—Pepito, estooo... Sss... ¿Usté se ha fijao en este gallo?

MONAGAS.—¿Te dieron en la cabesa tamién?

VENTURILLA.—No, señóo. Digo ay, en ese gallinero.

MONAGAS.—¡Ah, ya...! Te veo venir, Ventura.

VENTURILLA.—Lo desía porqueee dimpués, al mediodía, ¿sabe?, podíamos quitar el releje de lo de anoche.

MONAGAS.—¡Ah, ya! *(Pausa. Remiran el gallo, las viejas dormilonas de al pie, la puerta y su tranca.)* Mira. Yo te guardo el aguaite. Tírate al pescueso, primero que náa, y métele un boliche de gaseosa.

(Mientras Monagas vigila, Venturilla mete manos. El gallo da un cloquido sordo y se queda aplastado bajo la chaqueta y los brazos de su raptor, que traspone. Despierta una vieja. Y Monagas se pone a cantar en tenor, para disimular y en el mismo tono del cloquido.)

MONAGAS.—"Nooo ves la nuube—que'n'osiideeente—aluuumbra el uúltimooo—raaayo del soooool..."

LA VIEJA *(Revisa el gallinero. Escamada, escucha cantar a Monagas.)*.—Paese que sentí un gallo, usté...

MONAGAS *(Dignísimo y siempre en cantante.)*.—¡Señora, un gallo se le ha dío jasta a Fleta!

4

DE CUANDO PEPE MONAGAS LE ARREGLÓ A UNO DE AGÜIMES UN RELOJ DE UN SOPLIDO

Todo isleño que no sea taita del todo es "bienamañado". No habría que estar majaderiando en que bienamañado es aquel que, a más de la técnica de su oficio particular, conoce y practica, por intuición y afición, una serie de técnicas de especialización ajena. Es claro que en el bienamañamiento del isleño, como en todo, hay una escala de valores. Está el isleño medio bien amañado, está el isleño bienamañado y está el isleño bienamañado que es un gusto. El primero sabe arreglar los plomos, enderezar una pestillera, ponerle un par de tirillas a una persiana, etc. El de enmedio puede hacer un tresillo con cajones, poner unas inyecciones tan bien como Bonilla, estrellar macetas de cemento con tapas de botellas. Y en fin, el último puede hacer una radio de cuatro lámparas que coge Tenerife, una jaula para una calandria igual a la casa de los Picos, una trampa de las que hacen correr los contadores de la luz para atrás, y eso. Este tercero roza casi el genio.

Ni qué decir que Monagas era un isleño de los bien amañados que es un gusto. Pero él se había "especializado" en platería y relojería. Sabía convertir una peseta en una alianza más sentimental que "Sor Angélica", y un duro en un anillo de matón, de esos que tienen un sello ancho a todo lo largo del metacarpo del anular, y que tienen una trompada como la patada de un mulo. Y sabía desarmar y armar un reloj. Y si a mano viene, dejarlo andando con dos o tres piezas de menos.

Cierta vez se dejó caer por su casa, después del almuerzo, un cristiano de Agüimes, conocido por Usebito *Betún del Káiser*, a causa de poseer un bigote como de verguillas y más negro que un mirlo. Usted tiene que conocerlo. Él casó por dos veces, la segunda con una entená de un tal Arboniés, que tenía unos portones y eso por Molinos de Viento... Que Usebito tenía un tienducho en el Risco, hombre, cerca del Pilar... Bueno. Traía el hombre, que era gorrón, como un prestamista, un reloj desconchabado, el cual, de aquí para allí, se le paró en las doce y media y cinco, al momento de despacharle media libra de aceitunas de pa fuera a una chica. Alegaba que le saltó salmuera al chaleco y por mor de esa agua se atrabancó la máquina.

Monagas lo cogió con una importancia de cirujano ante una

apendicitis supurada. Era un reloj cubano. "Cuervo y Sobrinos.-Roskof Patent", con un golpe de segundero de tartana en empredrado, pero duro y sano, como un viejo de cumbre. Y en efecto, sobre la caja redonda de celuloide que lo protegía, se perfilaba un lamparón como el de un chaleco de luto, indudablemente de la salmuera. Con una puntilla lo abrió, meticuloso. Lo examinó con una atención teatral. Le metió un alfiler de cabeza negra y lo hurgó un poco.

De pronto, Monagas largó las herramientas, puso ante su boca la máquina y le dio un concentrado soplido.

—Tranc - tranc, tranc - tranc, tranc - tranc...—se echó a caminar el caballo. Monagas lo entregó despreocupado e importante. La operación había durado tres minutos. Y Usebito se quedó privado.

—Güeno, Pepito... Estooo... Yo creí, estooo, que estaba pior...

—Pa oliarlo, no. Pero, pero pa ventosas... Oh, ya usté lo ha visto.

—¡Je, je...! Sí... Güeno, Dios se lo pague.

—Pero oiga...—lo atajó Monagas, sintiéndolo atorrarse—. ¿El reloj es suyo o de Dios?

—Güeno... perooo... ¿por soplá tamién cobra?

—Parao vino. Y se le puso su ventoooosa.

—¡Lo primero que ha visto, usté...!

—¿Sí?—se le encaró Monagas—. ¡Pos aprenda a soplá!

5

DE CUANDO A PEPE MONAGAS SE LE FUE EL *BAIFO* EN UNA APUESTA

Las siete de la tarde en la barbería de maestro Andrés el "Chocolate", aquí delante en Fuera de la Portada. Es sábado. Una parroquia peluda lee números atrasados de "Mundo Gráfico" y "La Careta", que maestro Andrés va usando para limpiar la navaja de jabones azules y pelambreras de leña buena.

Maestro Andrés es del "Marino", tiene un galgo que se llama "Polvajera", y el patrón del "Tomás" es compadre suyo y primo segundo de su mujer. Así que también hace fuerzas por el bote de San José. Las tales tendencias más le promueven la taramela que la navaja. Repantigado y feliz, Pepe Monagas se echa una afeitada, porque es sábado y le toca.

Aquella noche paga "Polvajera" en el perrómetro del "Campo

España", al siguiente día por la mañana pega el "Tomás" en el sonoro Atlántico, y por la tarde pega el "Marino" con el "Victoria", que no es cosa de juego. Maestro Andrés está dinamítico, polémico y castelariano. Pepe Monagas piensa que si le arriman un cigarro adelanta los fuegos de San Pedro Mártir.

TACATACA *(Un peón de almacén.).*—Pos yo alcuentro a su perro con mucha vela y poco viento.

M. ANDRÉS *(Revirándose como una panchona.).*—¿Quiere que le diga una cosa? Usté altiende de perros, ¿oyó?, como yo de alefantes. Mi perro tiene viento pa su velamen y pa el de toa su familia junta, ¿oyó?

TACATACA.—Ta bien, pero no se caliente. Y repare que yo no le ha nombrao su madre entodavía. ¡Digo yoooo...!

MONAGAS *(Sacando la cabeza y la voz de debajo de la enjabonada, tira un lance sobre la sospecha de unas pesetas.).*—Güeno, y en ves de ponerse asín, ¿por qué no jasemos una apuestita?

TACATACA *(Trasladando despacio de maestro Andrés a Monagas los ojos zorroclocos y envainando.).*—¿Una apuestita...? Usté dirá...

MONAGAS.—Oído al canto: si gana "Polvajera", usté afloja sinco duritos pa mi y sinco pa Andrés. Si pierde, yo le apoquino a usté sinco y Andresito otros sinco.

TACATA. *(Metiendo la mano por debajo de la cachorra se pega un rascado de dos minutos, cambado y pensativo el gesto.).*—Güeno... Pero depositaos y eso, ¿eh? Y el arrepentío paga la convidá de toos los presentes.

Don David, un señor durón ya, de cuello tieso él, con caspa en las solapas rucias, viejo empleado ca don Agustín Millares, es elegido depositario. Sonriente y honrado como un santo recoge los cuartos. A Pepe se los presta Andrés, porque él está pendiente de un asuntillo, "que no le ha cuadrao entodavía". Por todos sitios corre la volada de la apuesta.

* * *

En el terreno del "Campo España". Al galgo "Polvajera" le pasa una chasco. Agoniado por salir, tanto batalla en su jaula que da vuelta. En la hora de la partida resulta con el rabo para la puerta. Tacataca se ríe como relincha un potro. Y las carcajadas se oyen en los Poyos del Obispo.

TACATACA *(A un vecino.).*—Pero oiga, maestro Andrés se la estaba echando con un galgo, y lo que tiene es un cangrejo. ¡Vemería!

* * *

Al "Marino" le tocó un árbitro del Puerto, morenillo él, victo-
rista él. Y perdió por cinco a cero. En todo Fuera de la Portada
hubo rasqueras y luto riguroso.

M. ANDRÉS (Al salir del campo, un color se le iba y otro se le
venía.).—Oiga, yo no he mandado mis barcos a luchar contra los
elementos.

* * *

El "Tomás", hasta la altura de la Matazón viene que es un gusto. Pero luego, sobre tierra, se aplatana, oiga, falto de viento, y
casi lo coge la noche.
En San José no caben los rascados. Y hay también luto riguroso.

* * *

Maestro Andrés se mete en un mechinal de su casa, se sube la
solapa, se entierra una cachorra que tiene para dentro y para
cuando tiene constipado y se queda más serio que un difunto.

ANTONIA MARÍA (Que es la señora de maestro Andrés.).—Andrés, la comía está en la mesa.
M. ANDRÉS.—Coman ustede, que yo estoy estomagaillo. Debe
ser el potage de hoy, que me cayó pesao. Coman ustede...

* * *

En el café de Lugo. Tacataca se toma un pizco de café. Y tira,
inflado, de un puro palmero de a veinte. Monagas entra, cabisbundo y meditabajo. Tacataca se le encara. Y le suelta un buche del
palmero en pleno rostro.

MONAGAS (Cuando sale al fin del sanjumerio.).—Oye, ¿tú te
estás fumando un puro, o la chimenea de un correillo?
TACATACA (Sin enterarse.).—Mañana arreglaremos el asunto de
la apuestilla. Al maestro Andrés se lo tragó la tierra, digo yooo...!
Si lo alcuentra, dígale que quién le echó la maldisión, que se le
ha venío arriba too junto, como las plagas de Egito.
MONAGAS.—Lo que se le ha venía arriba es el Viesnes Santo.
(Y luego, caminando hacia dentro sin hacerle caso e imitando la
matraca). ¡Tacataca, tacataca, tacataca!

6

DE CUANDO PEPE MONAGAS FUE DE POLÍTICO A COMU-NICAR UNA MUERTE A VALSEQUILLO

Al lado del portón donde vivía Pepe, en una casita terrera que está por encima, vivía una familia de Valsequillo, la familia de don Juan Lorenzo, hacía una partida de años. Una familia buena, usté. El cabeza trajo unas onzas de La Habana, vendió unos cachos en el Sur y se vino a la "siudá", emperrado en darle carrera a los hijos, unos muchachos seriotes ellos y brutitos, que estuvieron en una escuelita Fuera de la Portá y más tarde en la Escuela de Comercio.

La casa de don Juan era un fonda gratis. Cada vez que se ponía malo alguien de Valsequillo, o venía a líos de linderos o a retratarse, paraba en ella unos días tan frescamente. Los Lorenzos contaban, para tales ocasiones, con unos catrillos de viento, donde reposaban los huesos, sin rechistar, los guayetes, cediéndose las camas a los huéspedes. Y nunca se soliviantó aquel bendito matrimonio por aquellas frescuras de lechuga atarosada.

Y otra cosa. Pa vísperas de San Miguel se murió en Valsequillo don Eusebio Suárez. Aparte la fecha señalada, esta muerte tuvo otras trágicas características, ¿sabe? El viejo labrador preparaba unas reses para las ferias del Patrón, entre ellas un toro con una color de bergenal sollamado.

Y un día, señaladamente la antevíspera del Santo, cuando lo sacaba del alpénder para que lo admiraran, a las agoniadas de la tardecita, unos marchantes y amigos, el becerro sacó una poderosa y repentina cabezada, lo empitonó por bajo los costillares y lo sacudió moribundo sobre la pila caliente del fiemo. De entonces acá, su señora, doña Candelaria Marte, que en paz descanse, se puso a padecer del corazón, que de cualquier esfuerzo le daba un soponcio, oiga. Y todos los años, cuando advenía la fiesta del Arcángel, doña Candelaria armaba viaje pa Las Palmas, porque la fecha la ponía más amarga que la retama. Y paraba, cómo no, en ca Los Lorenzos.

La última vez que vino, se quedó. Parece ser que soñó una noche con su marido y el toro. Despertó pegando unos gritos que pa qué. Y al alba era difunta. ¡Oiga, el mismo día de San Miguel! Que como usted sabe es fiesta de repique gordo allá abajo en Valsequillo. Se planteó entonces al sencillo don Juan Lorenzo el problema de comunicar la triste nueva a dos hijos, una hija y el yerno de doña Candelaria. Sus chicos eran unos bagañetes para una cosa seria así. El era un malamañado tremendo para los rodeos. Lo hubiera soltado de remplón... ¿Entonces? Entonces se acordó de Monagas. Pepe conocía a doña Candelaria, le había puesto más de una vez inyecciones apuradas de aceite alcanforado y ella le "hubiera" regalado sus puñitos de papas y gofio y sus cestitos de tunos y eso. Monagas era el gran embajador de la desgracia. Lo llamó:

—Tú sos más político que cualquier cosa, Pepillu. Tienes que dir allá abajo y soltar el asunto como el que no quieri la cosa y tal, pa que no tumbi al sabersi.

Don Juan le dio cinco duros para el almuerzo, le puso un coche a la disposición, y al partir le dijo tan sólo:

—Dios vaya contigú.

* * *

Cuando Pepe iba por la Portadilla, tirado pa atrás y más solo que un perdido, pensó que era un viaje largo para hacerlo tan desamparado de compaña.

—¡Apara, Gregorio! Mira, recula y vamos a buscá a Venturilla el *Taita*, pa que me acompañe... ¡Mira espera! No sé qué jaser, tú, porque Venturilla, dende que güele fiesta, se me enrala... Y a mí eso se me pega como el engrúo de la tierra... No... Yo no pueo dir hoy animoso pa copas y eso... De toas maneras... Mira, vamos por él.

* * *

En Valsequillo, a las diez y media, pizco más, pizco menos. Hasta los arrabales llegan las banderas, las varas de palmas y las filas de burros. Huele a pólvora alta, a vino y a bailes. Al soco de un ventorrillo, una voz de barreno canta:

—"Soy del Valle de los Nueve, onde llueve y no gotea..."

Por entre el gran tenderete de la fiesta, Monagas, con Ventura detrás, se desoja en busca de los doloridos. Encuentra al fin a uno conversando con un romero, un hombre de pa allá atrás, de su quinta él.

—¿Cómo ta la genti?

—Pos jai, jalando como Dious quieri.

—¿A da una güeltita por la giesta?

—Sí, señou.

—Eso es güenu.

Monagas metió la cucharada:

—Pablito, tengo que jablá con usté una palabra seria.

—Dispénsimi, José María.

—Ta dispensau, no faltaba más.

—Ayúdeme a buscar a sus hermanos.

—Güenu. Pero saludi, cristianu... Y vamus a echalus un golpi.

—Mire, deje el golpe pa dempués (que no es flojo) cuando estemos toos reuníos, ¿oyó?

Ventura metió la vez, por ver de virar la torna, ya soliviantado con el olor y el rebumbio de la fiesta:

—¿Qué prisa tiene...? Vamos a onde él quiere.

Cayeron tres a reo. Un ron blanco digno de ser moreno y sevillano. Al salir del Timbeque, el *Taita* andaba ya casi en piedras de ocho. Preludió:

"A que tú no tienes
lo que yo tenía,
un puesto en la plasa
y una churrería."

Monagas lo miró a lo María Guerrero y Ventura arrió velas más pronto que volando.

Se reunieron al fin todos, el yerno de doña Candelaria inclusive.

—¿Vusté por asquí...? ¿Qué güelta?

—Pos... a comprá turrones. Güeno, en serio... Yo tengo que poner en conosimiento de los presentes, pa los efetos consiguientes...

Ventura siguió poniéndole cáscaras de plátanos al asunto:

—¿Pa qué no deja el embite pa la última balsa, Pepito...? Déjese dir pal pie, hombre, entodavíííía... Vamos a buscá onde sentarnos.

Pablito jaló por todos y los conglomeró en un ventorrillo.

—Pónganos algo.

* * *

—Espachi lo mismu.

* * *

—¿Quieris poneslus otro pisquillu, Isidoru?

—Lálganus otru asebuchasu, túúúú...

—Oiga, ¿usté no tiene, no tiene, no tiene una guitarrilla y eso por ay, ¿eh?—consumó Venturilla.

* * *

Empezó el meneo así como a las doce. Y así como a las doce, pero de la noche, cuando la fiesta se desinflaba por su sordera, su agotado silencio y sus luces tristes de turroneras, levantando el campo, Monagas comunicó que doña Candelaria estaba de cuerpo presente. Pablitos, al que ya le daban ataques en el cuartel, cayó como un cortacapote. Manué, que había estado en La Habana, trincó los dientes, que casi se le salta un colmillo de oro, se subió las solapas y se enterró la cachorra hasta el cogote. El yerno sacó la cabeza arrente de la sábana y adivinó en lontananza unas lomas de almendreros que quiééén saaabe" si le tocarían... Luego comenzó a llorar que partía el alma, usté.

En un rincón, sobre un banquillo de turronera, con los brazos cruzados sobre la marea imponente del pecho, la ventorrillera, parado el fritango, dormía con la boca abierta como el túnel de Terde.

—¿Pa qué lo dijo tan pronto?—pudo articular Venturilla cuando le volvió la saliva a la boca.

—¿Y tú qué querías? ¿Que se lo dijera pa San Miguel del año que viene?

Aterrado y sin saber qué hacer contempló aquel trágico hundimiento.

—Mire usté si es ruina esta... Pa qué habré cogío yo vela en este intierro.

—¿Y ahora, Pepito?—suspiró Venturilla.

—¿Ahora?—reaccionó Pepe—. Ahora no veo las santas horas de llegar a Las Palmas pa desirle a don Juan Lorenzo que otra ves que necesite a un político se lo diga a don Fernando de León y Castillo.

7

DE CUANDO A PEPE MONAGAS LO ENSOPARON EN UNA SERENATA

—¡A esa la jeringo yo!—dijo el vestido de negro, bebiéndose, detrás de la amenaza, un veinte de ron de Telde, que en una equivalencia con el papel de lija era del número cinco—. ¡A esa la jeringo yo!—volvió a repetir, mordiendo la frase y una aceituna menúa del enyesque, cuya pipa pidió socorro.

El vestido de negro, callado y gozándola, arrejundía de tal modo con las aceitunas que era la cigarra. Se trataba de Luis *Pos Pos*, gago él, hijo él del fabricante de los turrones *La Pipa Dulce*. Estaba golpeándose antes del almuerzo con Anselmo Liria, el vestido de canelo, hijo de Angelito el tartanero, un muchacho dramático por el arranque y por las aficiones, ya que era primer galán del cuadro *Garcilaso de la Vega,* un cuadro teatral que daba gusto. Pasaba lo siguiente:

Anselmo, practicando un tipo intermedio entre Carlitos Gardel y Clark Gable, acotejó a desplante limpio y a tangos en seco, de tal manera el corazón de Eloísa Tabares, la "miss" del barrio 1933, que la muchacha se puso por él tan menúa que si le arriman un cigarro se vuelve volador de lágrimas. Llegaba el galán a la prima noche. Y apenas al pie de la verde ventana, ella le sacaba una silla. El se sentaba, callado como un tocino, sacaba un cigarro del *Kruger* y se ponía a mirar para el suelo, con un aire atormentado igual al de un baifo colgado de un clavo. La pobre Eloísa arriaba velas a los sueños de sus ojos de "miss", varaba la sonrisa frutal de su boca desesperanzada y aguantaba aquella calma de marea del Pino, a la espera del reboso, que se daba a las diez menos cuarto, cuando él se iba.

—¿Por qué le dijistes adió?—reclamaba su voz celosa, caliente de exigencias y del virginio.

—¡Pero si es el guardia, muchacho!—se revelaba ella dulcemente.

Un día lo plantó, usté. Eloísa venía ya tan requintada que si no lo deja le da algo. Cuando de propia iniciativa y aconsejada por la parentela y amigas andaba ya con el esquinazo en piedras de ocho, un muchacho finito él, peninsular él, le dijo en el Parque, un día que estaba sola porque jugaba el *Marino.*

—Zi usté me dejara di a zu vera, me gorbía religioso. ¡Olé!

—No sé por queee... contestó toda cuajada Eloísa.

—Po que usté es el ange de la guarda. ¡Olé!

La requebró el peninsular que aquello era un relajo. Y ella se abrió a la felicidad, esa noche, como la flor de un cardón. Cuando Anselmo recaló, Eloísa le sacudió tales jocicones que lo dejó seco.

—¿Qué es lo que te pasa...?

—¡Niño!, ¿qué tono es ese?

—¡Oye!

—Mira, te lo voy a desir con un cantar: "Ni te estires ni te encojas, ni te jagas al rogar, que yo nunca ha pretendío, rasimo de tal parral."

La persiana, cayendo atrás, sonó como el cañón de las doce.

* * *

—¿Tú te jases cargo?—preguntó Anselmo al turronero—. Por eso la quiero jeringar, ¿estás? Esta noche voy a cantarle puntitas, que va a saber lo que es el país y eso.

* * *

En la serenata provocativa venía de músico mayor Pepe Monagas, su requinto al costado, y al rabo Venturilla el *Taita,* con una guitarra de las de maestro Pancho Rivero que era un piano, usté. Llegaron, sobre las doce, afinaron y entraron con isas. Anselmo largó la suya:

> —"Algún día, tú, mujer,
> has de llorar sin consuelo,
> y han de pedírselo al sielo
> que yo te vuelva a querer."

—Chico primero—soltó Monagas.

Ventura estribilleó:

> —"Como sé que te gustan
> las aseitunas,
> por debajo la puerta
> te meto una."

—Tú sos un imprudente, Ventuuura...—reconvino Monagas.

—Yo ha venío a una serenata provocativa. ¡Digo yooo...!

En esto cayó sobre el grupo un cacharro de agua. Salpicó y mojó a alguno.

—¡Ooooh!—se escamó Pepe—. Esto se pone pa paraguas. ¿Vamos a dislos?

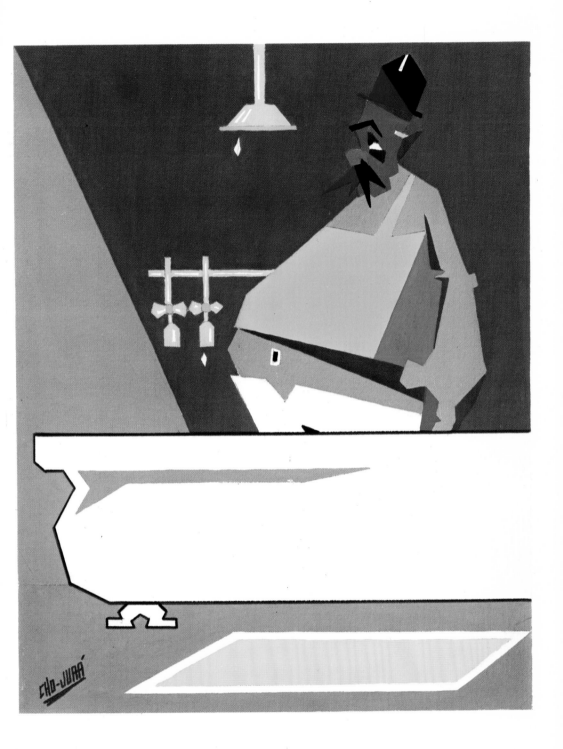

—¡No! Aguantamos asquí de hombres—dijo, sordamente, Anselmo.

Se atacaron folías. Agazapada tras la ventana, Eloísa o la madre ojeaba al grupo. Anselmo cantó:

—"Esta es la calle del viento,
la calle del remolino,
la calle de las fachentas
y de las niñas sin tino."

Y Ventura:

—"Como sos de tal calle
no es maravilla,
que el vendabal te estape
las pantorrillas."

—¡Cállate, Venturiiilla!—aconsejó, escamado, Monagas.

Cayó un segundo aguacero. Ahora ensopó, mejor lograda la puntería.

—Oye, vamos a dirnos, ¿oítes?, porque esto es que va a vení el barranco.

—¡No! Siga tocando.

A los dos minutos, un tercer cacharro entra de plano sobre el grupo. El requinto se quedó rebosando.

—Empréstame la cachorra, Ventura.

—¿Pa qué?

—Pa achicá, que estamos cogiendo buches.

En seguida, otro cacharrito.

—¿Por qué no vira la tosna?—se encaró Ventura con la ventana.

El agua le cayó en plena cara.

—Si fuera sábado, te salvabas—le dijo Monagas.

Se fueron. Aquello estaba como la Cumbre. Y cuando trasponían la esquina, Pepe se volvió pensativo. Y dijo:

—¿Racioná y a la medianoche? ¡Adiós, tanque los ingleses!

8

DE CUANDO PEPE MONAGAS SE VIO NEGRO
EN LA HABANA

No les había dicho, ¡me pareceeeee!, que Pepe pasó el charco
una vez y que, cuando el rebotallo de los millones, estuvo en
Bana, como es natural de todo isleño, séase de aquí o del campo;
que allí guataquió caña, tuvo un puesto de guayaba y dulce de
piña y hasta vendió frutita y verduras en un carrillo verde de
los que hay que arrempujar. Y que recaló un día por el Risco,
con un diente de oro por toda fortuna y media docena de cigarros puros, que se dijo que eran de La Parma con un anillo cubano. Pero a mí no me lo crea, usté. Pues la vez que estuvo:

Resulta que cuando desembarcó, más molido que un centeno,
preguntó a un mulato, que andaba sanganiando por el Morro,
dónde había una fondita que no fuera cara y eso, preferible si
el patrón era isleño, porque podía cuadrar hasta un cabe. Con
la breva de guía, Monagas arribó a "La Flor de la Tunera de
Agüimes", una casa de comidas y camas de un tal Agustinito
Melián, del Carrizal o de por ahí abajo, él.

—Yo quiero comer y dormir asquí esta noche, usté. Pero tengo
que seguir viaje pa dentro mañana por la mañana tempranito.
De manera que si usté me jase el favor, me llama a eso de las
sinco de la madrugada.

—Murió, chico—contestó definitivamente su despertador.

Monagas se acostó temprano, luego de cenar en la compaña
de dos gallegos y un negro, que dormían también allí, y con los
cuales no se entendió, porque los primeros hablaban una jerin-
gonza que pa qué, y el segundo era una caja de muerto, no sólo
por la coló, sino por lo callado.

—A buena noche, señores—dijo, avinagrado de sueño y de
conversaciones en el buche. Y se largó.

Cuando Pepe había de estarse desnudando, entraron al fon-
ducho tres isleños más, que todas las noches se dejaban caer por
allí un ratito por ver si cuadraba jugar un envite. Supieron que
había recalado un canario. Y uno de ellos, Robaina, nacido en
La Apolinaria, pero criado en el Risco, lo conocía. ¡Nada menos
que Pepe Monagas! Hablando, hablando, se le ocurrió a Robaina
darle una montada al paisano.

—Alóngueme un plato, Ustinito. Y una vela, si me jase el
favó.

Tiznaron el plato, bien tiznado, a la llama de la vela. Y con él en la mano y el paso cauto de un ladrón, Robaina se metió en el cuarto de Monagas, que, entregado, dormía como una tosca, y lo pintó de negro, que lo dejó como un mirlo. Después salió otra vez en silencio.

* * *

Con la primer cantanera de los gallos, Agustinito dio unos tamborazos en la puerta de Monagas:

—Alevántese, isleño, que se le va el carrito... Espabile, que está aclarando.

Pepe sacudió la modorra, remedó con la boca el tune de Terde, encendió la luz y se amarró la cinta de los calzoncillos, disponiéndose seguidamente a un ligero lavado. Cuando estuvo ante un espejillo de los que arrugan y se vio tiznado hasta el cogote, pensó un momento, volvió a mirarse al soslayo y caminando decidido a la cama, dijo, con las palabras brumosas de sueño:

—¡Pero fuerte patrón bruto! En ves de llamarme a mí, llamó al negro... ¡Vemería!

9

DE CUANDO PEPE MONAGAS CASI ABICA DEBAJO DE UNA DUCHA EN CUBITA LA BELLA

La estancia de Pepe Monagas en Cubita la Bella tiene un ruma de cosas buenas, se lo digo. El isleño la anduvo desde Balondrón hasta la Punta del Fraile. Y en ingenios, maniguas y ciudades dejó el rastro de sus golpes y voladas. Le voy a referir aquella chapetonada de un día que se dio una ducha ca un señor de Terde él, ricachón él, que era dueño de un ingenio más grande que toda la Vega de San José junta y que, si no me equivoco, se llamaba don Andrés o don Eulogio Castro. Estooo.

Hay que decir que si bien Pepe volvió arramblado, con más fulleras que cuartos, hubo un tiempo en que no se dejaba abacorar por mil pesos, se lo digo. Y no es que trabajara, uusté. ¿Pa qué nos vamos a estar engañando? Lo que es que se daba más maña que el mundo. Siempre fue dado a cargar trasero, o, como el otro que dice, a roerse el cabo cuando había que trincarse la tajarria y apencar pa alante. Pero se daba maña, como le digo, y, por reburujón que tenía, sin dar golpe, resultaba tremendo. Y ganancioso, que es lo grande. Hasta estuvo un tiempo girándole a la mujer unas perrillas. Bastante, ¿oyó?, porque ella anduvo inclusive echándosela y comprando cá los Peñates juegos de mimbre, pantallas y eso.

Pues, como le iba diciendo, un día pa la fiesta de San Andrés, el patrón quiso celebrar su santo con un tenderete canario, que oliera a chernes, a papitas arrugadas, a ron y a carajacas. Oh, con decirle a usted que para hacer las carajacas vino a Matanzas expresamente desde Camagüey un tal Juanito, que era de aquí de San Antonio él, y un tal Isidoro el *Rascabuche*, al asunto del sancocho, desde un punto que llaman Caiguanabo, en la provincia de Pinar del Río, se lo digo todo. Aquello se puso que daba gusto. Y cuando tocó a la prima noche irse cada oveja con su pareja, los señores de Castro y sus amigotes pasaron dentro, para un número fino, aparte y eso. Y en él tomaba parte, como artista, Pepe Monagas. Tocaría su requito y cantaría sus trujanes y demás. Pues bueno. En la preparación de este regocijo especial se llevó Pepe la chapetonada. Don Andrés lo llamó y le dijo:

—Mira, Pepe. Pa allá pa las seis vamos a jaser dentro una rumantela particular, ¿entiendes? Yo quiero que tú vayas pa que cantes tus folíiitas y demás, ¿entiendes? Pero tienes que ir limpito como el oro, eso sí. Para eso, ahora mismito te vas a dar una ducha, ¿entiendes?

Pepe se quedó todo cambado.

—Pero, oiga, don Andrés, en una borsolana me podía yo acotejar, y eso...

—No, nada de borsolanas. Tiene que ser como un pescado, ¿entiendes?

—Ta bien—contestó Monagas, haciendo camangos—. Pero si cojo un ruma, o me da una puntada, ustedes se lo pierden. Mire que yo soy una fruita de aire...

—Nada. Tú te lavas, ¿entiendes? Y ahora mismo, ¿entiendes?

Pepe entró todo enguirrado en el rico cuarto de baño de la casa. Y se quedó bobo de su limpieza, de su enladrillado verde, de combinación múltiple de grifos.

¡Vemería!

Como es natural, hizo fulleras. En camiseta y calzoncillos se metió descalzo dentro de un poquito de agua de la tina. Después se diblusó cuidadosamente, se mojó la cara y se enjabonó. Pero don Andrés le estaba cerca cogiendo los güiros. Y como no sintiera el agua, entró despacito, sin que Pepe, enjabonados los ojos, lo apercibiera. Del zapatazo le abrió todas las llaves de la ducha. ¡Amargos chochos! Como una catarata se le vino arriba el agua de remplón, por encima, por debajo, por los lados. Monagas se quedó primero esmorecido del insulto, todo atragantado por la tremenda e inesperada impresión. Al tuntún pudo echarse fuera de aquel diluvio. Y cuando sintió un jacío y pudo hablar, pegó un grito tremendo:

—¡Don Andrés de mi alma, cristiano, víreme la tosna, que me ajogo...!

10

DE CUANDO PEPE MONAGAS ANDUVO GITANEANDO CON UN BURRO MÁS VIEJO QUE EL CAMINO DEL PUERTO

Resulta, con esto de la gasolina y el parón, que Monagas creyó ver un gran negocio en la compraventa de burros y otras caballerías amañadas para el acarreo de mercancías y cristianos. Y dándole rumeos y rumeos al plan, hay pocos días se echó a caminar por el camino a Los Barrancos y alrededores, por ver de mercar algún burrillo, cuando meeenos. Poco traquiado en andaduras de negocios, y molido como un centeno, porque la cuesta y el piso se las traen —¡pues ya!—, se tumbó un rato contra una sorriba y se echó un cigarro. Y en esto vio que bajaba por una veredilla de enfrente, con un paso doliente y menudo, por lo visto de La Apolinaria por Los Barrancos, un burro de nada, más menudo que un pírgano, cabizbajo como la cabecera de un intierro del Puerto, y con tanta matadura por las ancas, los lomos y la cruz que más que burro, usté, parecía una carta santificá de La Habana. Y pa más veras, pidiendo por señas alguien que le hiciera merced de Cirineo para unos cabacos de leña que traía traseros, de más no poder, y oficio de lazarillo para una ceguera de la de no ver a tres montados en un colega. El animal, sobre ser nano, como el millo de Agüimes, era más viejo que el camino del Puerto, más jarto que la madre de una miss relajada y más ciego que un envite sin ganchos ni pisquillos siquiera. Cuando Dios quiso, acabó la vereda y cayó al camino. Y pasó, dejándose dir, a la vera de Pepe, que entre lastimoso y burletero se dijo pa él:

—¡Bendito sea Dios, y vaya unas apoteosis que dispone pa algunas personas!

Cuando cruzaba el amo, un viejo que, tan consumido como el burro, seguíale al pie el aperreado continente y la agoniada andadura, Monagas saludó:

—Adiós, amigo... y la compaña. Estooo..., ¿se pue jablar aparte una palabra con usté...?

—Pos ya... ¿Siaiii...! Vusté dirá que se le ofrese.

—Pos... mire, yo. Yo... Su burro... Su burro me gusta, ¿oyó? Me resulta chiquito, pero abarrenao. Y yo quiero, a ver si usté, estooo, ¡vamos!, si usté quiere vendérmelo, y eso.

El viejo lo miró incrédulo y cambado. Y cambado e incrédulo

le echó un vistazo al arpa vieja, haciendo al pie una pausa inesperada, filosófica y triste, con la falta tan sólo de una carrera partida y un bigote para ser un retrato romántico.

—Oiga, premítame que se lo diga, que yo no ha tenío nunca pelos en luenga. Vusté, con palabras de buena criansa, quiere jaser un choteo y eso del burro y mío. Me pareeeese...

—Usté dispense, amigo. Yo vengo más serio que a pagar las contribusiones. Quiero tratarle el burro. ¿Usté quiere vendé o no quiere vendé?

—Pos... güeno.

En fin, el burro se lo trajo Monagas por veintitrés pesetas y una cachimba usada. Lo llevó a su casa. Y lo endengó, gitaneando con más maña que un viejo pícaro de feria. Y al mou le quedó bien, porque a los nueve días lo vendió a un panadero, de aquí de la Portadilla de San José, en una onza.

Pero a las veinticuatro horas de haberlo encajado, recaló el comprador hecho un manojo de voladores. El burro no veía de las narices pa lante ni una camioneta. Y él estaba dispuesto a comprale todo, menos unos lentes. Por la mañana, pasando por la calle de Viera y Clavijo, en vez de seguir pal Camino Nuevo, se metió en casa de Andresito el del *Hielo*. Por la tarde entró por la Plazuela adentro y cuando lo vieron tenía la cabeza metida en una ventanilla del quiosco de don Agustín Quevedo. Y al sol puesto se fue de baretas por Pambaso, que el reguero de pan daba miedo. Pero Monagas se negó a admitirlo, porque el trato era trato, y los cuartos, pa más, estaban ya más lejos que cerca.

—Pos usté tenía que saber que era impedío de la vista, y eso, y debía haber aguantao los cuartos, jasta ver—díjole, molesto, el panadero.

—¿Jasta ver...? ¡Ta bien! Mire qué le digo: con su dinero, caa uno tumba pal viento que quiere, ¿oyó? Además, ¿usté no lo sabííía?, "piña asá, piña mmáaa". Usté se quea con su burro y yo con las taifas. Y listón.

—Y listón, ¿eh? ¿Y me quiere desí queé jago yo con un burro que ni con espejuelos...?

—¡Oh! Póngalo a vender los sesenta iguales, ¿oyó?

11

DE CUANDO PEPE MONAGAS LE DIO UNA QUINTADA A UNA *JURRÍA* DE GENTE

Es la prima noche insular, quieta y caliente de tiempos de la costa. Suenan en la Catedral las nueve —aunque el reloj marca las nueve menos diez— y la ciudad anda ya medio dormida bajo sus pocas estrellas bobáticas. Pepe Monagas baja del Risco camino de la botica de *Las Cadenas,* o *del Rincón,* frente a la parada hoy de los Piratas, en la que se deja caer de relance, cuando no han salido tenderetes ni en velorios de pa dentro ni en relajos de pa fuera. En el camino empalma con don Eulogio, a quien llaman en su tierra *Pan Biscochado,* por un ruido que le hacen los huesos al menearse. Es un hombre acaballerado, socarrón él, con un pantalón estrecho, bajo del talón y sin vuelto y una bota fina de color avellana. Tiene un callo en el pie izquierdo que lo trae jeringado de siempre. Y usa eternamente un sombrero grave y un abrigo azul, aunque haya un levante que raje las piedras. Camina haciéndole fulleras al paso por mor del callo y pegándose unas paradas de Miércoles Santo de Santo Domingo cada momento para ponderar cosas del tiempo antiguo, que le sacan a los ojos candelillas de fuegos trapisondientos.

—¿Tú te acuerdas, Pepillo, de aquella Mariquilla Santisteban, que le decían la *Sobajienta...*? ¡Sí, hombre! Que vivía ella en la calle de la Herrería, por debajo de ca don Juan Sintes...

—¡Oh, ya! ¿No me voy a acordá? ¡Oh, ya! Que usté, unas veses, vestío de pantaaasma... ¿eh?

—Ssss...—lo mandaba a callar, complacido por el donjuanesco recuerdo, don Eulogio—. ¡Aquello sí que era, Pepillo!

—¡Oh, ya! ¡Plátanos mansanos y pasteles de Anita! ¿Pero y por qué se recuerda usté ahora de eso?

—Porque me vino en el aire un olor a madreselva. Y ella tenía una, grande y frondosa, en la punta del corredor...

Al alcanzar la esquina de la Alameda, Monagas tiene una rebelina. Y se queda trasero para preparar una quintada.

—¿Usté va pa *Las Cadenas,* don Eulogio? Yo voy pa allá a tirito. Deje, que voy a un asuntillo asquí.

Don Eulogio prosigue, engañando su callo y con algún que otro estrepitoso golpe de tos, para la botica, a cuya puerta conversan espaciada, ceremoniosamente y socarronamente unos cuantos traspuestos y adormilados insulares. Entre tanto, Pepe da unas

vueltas de perro apurado por entre las penumbras de frente al hotel Madrid, hasta la esquina donde hoy está la notaría de don Cayetano Ochoa. De repente saca un fósforo, raspa y empieza a buscar, agoniado, por entre los adoquines. Otro fósforo. Otro. Y pasa un insular, maestro Severino el del jilorio:

—¿Qué se le perdió, cristiano?

—Pos... Pos, un anillo, usté. Con una piedra buena, y eso. Un recuerdo de familia, ¿sabe?, que ma limpriao. Mejor hubiera perdío el deo onde lo llevaba...! ¡Ave María!

—¡Déjese diiir, que ya pareseráaaa!

Raspa sus fósforos el isleño. Y los dos empiezan a dar vueltas, busca que te busca. De retirada cruza la tartana de Estebita el *Calandraca*.

—¿Qué le pasa, Pepiiito?

—¡No me diga náaaa, hombre! Que perdí un anillo. Llevo gastáa media caja de fósforos y ni los polvos.

—Espeeere.

El *Calandraca* mete la retranca, desmonta un farol, se apea y colabora.

En seguida cruzan dos isleños más, primero Santiaguito Bordón, que viene de mosiar, porque es jueves y le toca, y después Chanito Fleitas, que parece que sabe de practicante y vuelve de poner unas ventosas. A poco recala el guardia, despacito, despacito. Los tres sacan la cajetilla y empiezan a buscar el anillo. De los Malteses pa arriba sale mi compadre Austinito el de la Placetilla, con la mujer y el rancho alante, que viene de ca Damasito el *Sargo*, donde se metió el andansio y hay tres en cama y dos orejiando, si caen, si no caen. Son visita, ¿sabe? Mi compadre Austinito se entera del motivo del rebumbio y dice a su gente:

—Sigan ustedes, y déjense dir por el pueeente, Manuéee (al novio de la niña más chica), quéate tú pa que ayudes.

Más fósforos. Todavía, siete cachos viejos de una tertulia de La Alameda levantan la galbana y se tiran a buscar.

Cuando Pepe Monagas los tiene enredados a todos en la busca de un anillo que no existe, se va escurriendo, escurriendo y para en la botica. Desde la esquina, los cotorrones se esmorecen de risa a la vista de aquel afán de fósforos y gente encloquillada. A alguno se le pega una puntada de tanto reírse.

Pero de repente suena una voz. Estebita el *Calandraca*, con el farol de la tartana en alto, llama:

—¡Pepito! ¡Pepitooo! ¿Onde rayos se metió, cristiano? ¡Asquí tiene el anillo!

Había pasado que uno de los cotorrones se fue corriendo por el Terrero y llevó la alcahuetadura de que Pepe les había dado una quintada. Sin levantar el campo, prepararon la revirada de la panchona. Y entonces fue cuando llamó Esteban. Pero Monagas se golió que se habían dado cuenta y que le estaban haciendo la cama para cobrársela. Y gritó de enfrente:

—¿Cómo es el anillo, tú?

—De oro, y con una piedra—apuntó, bajito, Severino el del jilorio.

—¡De oro y con una piedra!—gritó, animoso, el *Calandraca*. Y Monagas:

—¿Con una piedra...? Eso es del riñón, tú. Dale agüita de Los Berrasales. Y llévalo ca don José Ponse, ¿oítes?

12

DE CUANDO PEPE MONAGAS ANDUVO SI ECHA SI NO ECHA BOGOS

Se dejaba caer por tiempos en la ciudad el señor don Juan Lorenzo, de esa raya de Arucas, o por áy, un hombre con más plataneras y tomateros que el mundo, con cuartos que no daba avío. Venía de relance, ¿sabe?, pero cuando le tocaba, disculpado con el "asuntillo" consiguiente, se echaba la tierra por encima. Porque aunque era un hombre viejo, tenía más aguante pa los enralos que una vara de acebuche. Conoció don Juan Lorenzo a Pepe Monagas una noche de tenderete, de que emparejaron los dos al pie de un mostrador madruguero y derrotado. Pepe tenía mucha letra menúa para estos viejos escachados, y el señor Lorenzo debilidades por la simpatía personal. De aquella noche pa acá, don Juan ya no prescindió de él siempre que le "tocaba". Entonces le mandaba un recadito. Y recalaba el hombre, a una banda el requinto, saltando bajo el brazo como un podenco que huele caza, cuerditas nuevas y hecho un piano. Salían. Y si te vi no me acuerdo. A las claras entraban con la proa al marisco de una churrería, tirados por un reboso que pa qué.

Una vez más, Pepe recibió el consabido recado:

—Pepito, dise don Juan Lorenso que se deje ve, pa lo que usté sabe, y eso.

—Ta bien.

Cuando se hallaron, el hombre de los cuartos dijo:

—Caramba, Pepe, tengo un compromiso, ¿sabes?, que no puedo dejar. Me mandó recado don Eusebio Blanco pa que me viera con él en la Plasuela. Pero es cuestión de un pisco. Yo me le quito de arriba más pronto que volando. Tú te dejas estar por aquí. Dentro de media hora tiras pa allá. ¿Tú entiendes?

—Güeno.

* * *

Monagas sabía ser discreto. Se fue primero al *Suizo* y dejó allí el requinto. Luego subió, como el que no quiere la cosa, por ca los Peñate arriba y pasó, ¡"distraííído"!, por delante de los dos señores en conferencia. De repente se quedó mirando.

—¡Vemería! ¡Pero si es mi señor don Juan! ¿Cómo le va...? ¿Y el rancho...?

—Pues..., pues, ya ves. Todos buenos. Sí...

—Oiga, don Juan, cuando usté puea, yo tengo que jablarle de un asunto. Diba a dormir y lo vi y me dije: voy a aprovecháaa.

—Siéntate un pisco.

Se sentaron. El compañero del señor Lorenzo era otro propietario de los gordos. Hablaban, hablaban de exportaciones, de plátanos, de cañas, de semitín, de agua, de rafia, ¡qué sé yo!

—¿Usté qué va a tomá?—le preguntó don Eusebio a Pepe.

—¿Yo? Pos, mire, yo... Déjelo.

—Un chocolate. Traiga chocolate pa los tres.

Monagas se quedó muerto. Aquello era la segunda puñalada trapera a la corrida en pelo que se prometía. El chocolate y el sueño atrás. Seguro. Siguieron hablando, y Pepe, callando. Que si esto, que si lo otro, acabaron discutiendo sobre abonos. Don Juan Lorenzo era un decidido partidario del abono de cuadra.

—No hay nada como lo natural, usté.

En cambio, don Eusebio defendía calurosamente los superfosfatos, el nitrato de Chile, el sulfato amónico y demás abonos químicos. La discusión llevaba hora y media. Y cada vez se encendía más. Pepe vio malograda su juerga. Y cuando, no poniéndose de acuerdo, se le ocurrió a don Juan Lorenzo preguntarle:

—¿A ti que te parese, Pepe?

Contestó, engrifado como un macho zalema:

—¿A mí? ¡Que si me echan agua retoño!

13

DE CUANDO PEPE MONAGAS QUISO Y NO PUDO

Andaba raspando la madrugada cuando Monagas, con un relaje de copas que llevaba al hipo y al cambio de la peseta en penumbra y zaguanes trasnochados, tumbaba para los cafetines de la Plaza, en busca de la ginebra y los churros de la prima hora. Venía del Risco, de una última marinera, estivado de un ron blanco que era lija, con una mamada bonona, de las de hablar solo y cantar *Marina*. Del callejón de Maninidra a la Alameda tardó tres cuartos de hora, sin exagerar, usté, tres pasos pa alante, dos pa atrás, una baladera de banda a banda contra los zócalos de cantería, alguna que otra parada en seco para entonar:

"... Marina, dónde estáááás...?"

Al pasar por frente al Casino, sintió rebumbio de baile. Había solemnidad aquella noche en el Gabinete. Pepe se paró un poco y dijo, con una mano como bendiciendo:

—Diviértanse, mis jijos, que a mí me da lo mesmo.

Y siguió andando, como Dios quiso, con aquella leva excepcional. Pero en la farola grande de la punta de la plaza de Cairasco un hombre agarrado a ella como un marino al timón en medio de un temporal, le paró el viaje. El hombre aquél había salido del Gabinete con una torta peor que la de Monagas. Pepe se acercó, reclamado por sus voces. Decía el templario:

—¡Ah, del transeúuunte!—la voz le salía por la nariz como una tumba—. ¡A mí, hombres de bien! ¡Doy un duro...!

Pepe se tiró a margullar.

—¡Doy un duro a quien me alcanse mi sombrero!

Monagas descubrió quién era. Nada menos que don Frasco del Toro, con el chaleco de esmoquin desabrochado, la corbata amarrada de una oreja y los pantalones vueltos como para pasar el barranco.

—¿Por ónde saltó, don Frasco?—le soltó, socarrón, Pepe.

—Por Sardinas, si no me flaquea la memoria... Túuuu, quien quieeeras que seeeas, si me alcansas el sombrero, te doy un duro.

A los pies de don Frasco, hecho un higo del Hierro, estaba su sombrero, que desde hacía media hora intentaba recoger, afianzado de la farola con una mano y alargada e insegura la otra, obstinada y vacía en la pesca. Monagas aprovechó un jacío y se afianzó también del poste. Los dos, tambaleándose sobre el mismo punto de apoyo, se miraron sin verse.

—Si me coges el sombrero te doy dies pesetas.

—Oiga, don Frasco, usté dijo antes sinco. Lo digo no sea que yo lo coja por la palabra y aluego me diga usté que lo de las dies lo inventé yo, ¿oyó?

—Síí. Pero te doy quinse. Si me coges el sombrero, te doy quinse.

—¿Dijo usté quinse...?

—Nooo... Digo veinte. Te doy veinte, si lo coges. Vaya: sinco duros si me lo coges.

—¿Qué? Por sinco duros no le cojo yo a usté su cachorra, sino la tienda de don Juan Sanches de la Coba. ¡Oh, ya!

Monagas lo intentó. Agarrado con una mano a la farola, con la otra quiso pescarlo. Y no pudo. Perdía pie, daba un tumbo y se quedaba si cae, si no cae. Don Frasco echaba también su lance. Y de repente los dos se trababan en un estrecho abrazo con el poste en medio, y toda la plaza de Cairasco dando vueltas como un molinillo.

—Yo estoy templaíto, don Frasco, ¿oyó?, pero usté está como un piano—le decía Monagas, con su nariz pegada a la del caballero templario y dándole cachetaditas en los carrillos.

—Si me coges el sombrero, te doy sinco duros—replicaba, majadero y sin enterarse, don Frasco.

Monagas se emperró de nuevo. Cada lance era un fracaso y un vertiginoso remolino.

—¿Pica o no pica?—preguntó don Frasco.

—No, señó—replicó, caliente, Monagas—. Con la mano se come la casná y no pica.

—¿Entonses te das por caído?

Y Monagas, sudando:

—¡Oh!, ¿y qué voy a jasé, sin engóos, sin tansa, sin ansuelo y sin náa? Si yo no sé a tiempo que es pa pescá, traigo una caña.

14

DE CUANDO PEPE MONAGAS FUE A GOZARSE
LA TEMPESTAD

Era la noche de temporal. Pero de temporal en el teatro. Andaba por acá una compañía de ópera y zarzuela, malamañada y rebuznadora, como un burro garañón. Y echaban aquella noche *La Tempestad,* pieza vieja y devota.

Estando en la barbería cogiendo vez para pelarse y demás, en unión de una extensa parroquia de sábado que ponía de caldo y cocina al barítono, al tenor, a la tiple y a los coros, con un solo voto a favor —el de un oficial de peluquero, que después se averiguó que entraba gratis, como pajullo—, estando, le digo, en la barbería Victorito el del *Pinillo,* Anselmo Lezcano, Manuel el del *Pilar,* mi compadre José Morales el *Birollo* y Pepe Monagas, después que foguetiaron la discusión por ver a los apasionadillos del asunto, convinieron en darse juntos una vuelta por el teatro para gozarse *La Tempestad.* Y a las nueve y media estaban los cinco encaramados en una delantera de paraíso. Atorrados allí hasta tanto, distraían la espera acechando el patio y sacando lascas a personajes y personajillos solemnes de abajo, finchados en los palcos o paseando los pasillos con un pretendido dominio del andar y del ambiente, como en coto propio y conquistado. Por ejemplo, cuando entró don Casimiro el *Harado,* con la frutita de aire de su mujer, abacorada por su genio de pirata, y las tres niñas, menudas y pretenciosillas, Monagas dijo por lo bajo:

—Me paso.

—¿Por qué te pasas?—le preguntó, sospechoso y ojeando el patio Victorito.

—Porque de pa abajo envían con tres, caballo y perica.

Principió la función. La compañía era más desabrida que un rabo de gato, usté. Con ella entre manos, la zarzuela resultaba como un entierro de pobres. Al lado de Pepe Monagas, un jovencito, atildado él, oliendo a jabón de afrecho vivito y coleando, de maneras recortadas y blandas, ojos desvaídos y tremendo temperamento, se revolvía nervioso, desahogando con un pañuelo que traía entre manos hecho una trenza de ajos. Haciéndose el serio, Pepe le preguntó:

—¿Qué le parece, eh?

—¡Jesús! ¡Hágame el favó! ¿Esto es *La Tempestad*...? Esto es una jaruja. Y entodavía exagero, usté.

La cosa siguió de mal en peor. Empezó el toseo. Y a poco, de arriba abajo la gente comenzó a despuntar un sueño, que es a la modorra a lo que deriva el complaciente público insular, a diferencia del peninsular, que, según dicen, propende al zapatazo y al guapido. Y cuando el barítono, arrente de las candilejas, con una mano toda abierta contra el pecho, la otra cerrada y como implorante frente a la cabeza, dispuesta a atajarse una pedrada, los ojos, cambados de las fuerzas, puestos sobre el palco principal de la esquina, intentaba, con una voz de sochantre de Los Arbejales, cantar aquello de:

"Volvió la alegría,
renace la calma..."

Monagas le dio un codazo a Victorito y otro al joven atildado de su derecha, se levantó y dijo, bajito y sin importancia:

—Voy a aprovechar este clarito pa dirme.

15

DE CUANDO PEPE MONAGAS FUE PEÓN EN UNA FÁBRICA DE MAESTRO SANTIAGO *PERINQUÉN*

—¡Condenao hombre, que me tiene más enjillá que un pejín!

Sale el tremendo lamento de la cocina. Alrededor de un bullento fritango de bogas anda agoniada y vuelta un fosforito, por mor de una nueva cargazón que él se trae en el buche, la mujer de Pepe Monagas.

—¡Mejor le diera velgüensa, peaso de bergante, y trabajara como una presona desente, en lugar de andar too el santo día josiquiando rones y lambusiando porquerías, que ansí tienes el estómago!

Se le encandilan los ojos rabasquinientos, engrífansele media docena de pelos de un lunar de a céntimo establecido por bajo de un cachete, y el moño, por lo desmadejado y temblón, vira en amenazas de soltarle hasta los traseros el largo rebencazo de su terneza. La señora anda requintada como nunca. Vuelve las bogas con tal remango que, de como suenan, más que freír parece que está salpeando ropa. Nunca la repararon los vecinos tan encochinada. Una hija de Concesionita la *Baifa,* vecina de un tabique por allá, que vuelve de un belingo, dice a la madre:

—¿Usté se ha dao cuenta, madre?

—Pos ya. Hay más de una hora que está en ese patio poniéndolo de caldo y cosina. Pepito atracó hoy con una templaera de las de camisa por fuera y sorroballo. ¡Hombre más indino! Está claro que da con ella, que no se trinca la tajarria y lo bota a la calle, como agua susia.

—¡Esús, madre! ¿Por qué dise esas ordinarieses...?

—¡Niña!, ¿qué refistoleos son esos? ¡Pos no faltaba más!

Emplantanado al pie de la pila, haciendo camangos, con los ojos dormilones, desmayada y oscilante la actitud, e interrumpido el intento de coordinar disculpas por un hipo majadero, Monagas observa el confuso y enfosforado ir y venir de su señora.

—¡Malos demonios se lo coman!

—Mireeee... estoooo... Es... escúcheme usté a mí una palabra, ¿oyó?

—¡Quítese delantre, peaso de baladrón, debaso, mejor se le cayera la cara de velgüensa!

Monagas opta por seguirle la vareada. Coge una baladera y atraca en la cocina, adulón y songuito.

—Pero mire, mujer, óigame a mí primero... ¡Digo yooo...! ¡Mire, yo siempre... yo! Usté sabe que yo siempre la ha querío a usté, y la ha respetao a usté...

Se pone sobajiento con tal maña que la señora arría el enroño y vira por una llorona que parte el alma. Monagas se contagia y hace otra llantina.

—Vamos a ve... Usté... Usté qué es lo que... ¿Qué se le antoja a usté que yo jaga en esta casa pa que no haiga traquinas ni jirimiqueos? Vamos a ve...

—Que trabajes. Yo lo que quiero es que tú trabajes. Too el mundo trabaja menos tú.

—Sss... Déjese diiir, que eso tiene sus más y sus menos... Si yo si quiero trabajáa...

—¡Me parese que te veo, burro blanco en el terrero!

—Sss... Déjese diiir... ¿Usté sabe por qué yo quiero y no quiero...? ¡Ah, ya! Pos, porque yo soy un hombre honrao, ¿entiende? Y si a mano viene, roba algún palanquín algo en el taller y pegan de mí, que cosas peores se han visto, ¿oyó?

—¡Avemaría! ¿Habráse visto?

—Sss... Pero es más. Yo estoy... estooo... yo estoy dispuesto a trabajar. Pero usté sabe muy bien, señora, que no hay trabajo.

—¿Y si yo te lo busco, trabajarías?

—Pos... Güeno. Usté búsquemelo.

* * *

Madruga Monagas, como a coger puesto. Cuando van recalando maestros y peones y averiguan a qué viene se quedan orejiando. Al entrar se remiran y sonríen, zorroclocos. Por instinto y gusto de montadas, pícanse el ojo y conciertan un buen tute. De arriba comienza gritando una voz:

—Peeepeee... Sube un par de valdes de semento.

Ya arriba:

—Mira, alóngame aquel canto blanco que está al pie de la asera.

Cuando torna con él está negro, como un cazón.

—Ese no es, hombre. ¡Vemería! Aquél más grande de la punta allá.

Así todo el día, subiendo y bajando, cargado como un macho de arriero. La jentina es tan grande que Monagas tiene, al soltar, el totizo como con garrotejo, una puntada como un tiro arrente del visagreo de los costillares, el quejo caído como un difunto y los cuadriles trillados. Al salir, lo encara maestro Santiago:

—¿Qué tal te ha dío?

—¡Oh! Partío como un manojo de tea.

—¡Vaya! El poco costumbre.

—¿Señor...? Oiga, mastro Santiago, una pregunta: ¿Cuánto tiempo tarda usté en jasé esta fábrica...? Pregunto yooo...

—Oh, pos... jai, como un año.

—¡Ah! Y ende que vine yo lo quiere usté terminá en un día... ¡Por lo que veeeo...!

16

DE CUANDO PEPE MONAGAS ESTABA HACIENDO LA COLA DEL TABACO

Solajero de piedras sentidas y moscas sobajientas en la cola del tabaco, aquí ca don Luis Correa, en la calle de Triana, al peso del mediodía. El sol y el enjambre se complacen, pegajosos, sobre la paciente fila humana, reaccionando toda ella en moruno ante el acoso y el desperdiciado valor del tiempo, que va pasando zorro en el aire, como el que no quiere la cosa, camino de los Poyos del Obispo, pa abajo. Hay mujeres y hombres afianzados contra las paredes, ellos con un zapato en la acera y otro en los zócalos resobados. Ellas para los maríos y ellos para sí mismos, todos aguantan estoicamente la vela por ver de alcanzar la librita de virginio con que entretener el fumeo de la semana.

Enfrentito, ca los indios de Metheram, hay baratillo, según una volada que corió el día antes de la boca sabedora de Dolorsitas la del Pilar de Fleitas, que creo que lo supo por un empleado, y que corió como la candela, usté. Y ajoto de esto hay por los alrededores rebumbio de mujerío, sin cola cuajada, dispersa la alegantina congregación de compradoras.

En la cola del virginio, con una pata en la acera y otra contra la pared, anda cogiendo vez Pepito Monagas.

Entre la insalla de vecinas de ca Metheram, desagallada, como gallina sin nidal, va y viene mi comadre Pino Farías; aquí traba la hebra, más allá la larga.

Y en una marea que la tira para la acera de enfrente empalma con Monagas, que es padrino de un guayete de Pinito, el que le segunda a un sietemesino que ella trajo al mundo tres meses y medio después de casada.

Como le iba diciendo, Monagas y Pinito trabaron un coloquio, asunto de las colas y esto y lo otro. Y Pepito empezó a injertar chascarrillos y a decirle boberías pa dir matando el tiempo. Al tranvía nuevo le sacó una partida de comparancias; por ejemplo, que le decían el cenicero, porque recogía todas las colas. ¡Fíjese usté! Y así, dándole a la taramela más de lo acostumbrado. El reloj de ca los alemanes, cuyos saltos venía aguaitando Monagas, poniéndole el dichete de reloj-alpispa, dio el último brinco sobre las dos. Mi comadre Pino Farías, oiga, se pasó todo el tiempo esmorecía. Y al irse a lo del baratillo por si alcanzaba alguna vara de rengues que fuera, dijo a su compadre Pepe:

—Güeno, compadre, jasta más ve. Ya le diré a mi mario que ha pasao un buen rato con usté.

—Güeno, que le vaya bien.

Pero Monagas reacciona rápido y la ataja:

—¡Oiga, comadre! Pero dígale que fue ca Correa, en la cola, ¿oyó?, con el día clarito. ¡Por si acaaaso! Que yo no quiero cavilaciones ni enconduermas con mi compadre. ¿Usté me entiende?

17

DE CUANDO PEPE MONAGAS VENíA DEL PUERTO EN EL TRANVíA

Es un domingo risueño y deportivo. Ha habido gallos de gran casteo en Viera y Clavijo y pelota de populares en el Muelle Grande. El jeridero de gente por las calles y en cafetines y timbeques da miedo. Monagas ha ido al Puerto porque juega el *Marino.* Y son sus amores azules. Y como en la gallera ganó *San José* y en el Muelle el *Marino,* Pepito se enreda en un coperío de camisa por fuera. A la media hora anda en piedras de ocho; aquí se larga una, más allí se larga otra, de roneo, por cuanto cafetín porteño le va viniendo al camino. Y tumbo va, tumbo viene, el rancho encalla en *Los Siete Chorros,* donde entra a entullir una mescolanza de un vinito seco, del Hierro él, dorado como la meloja, pero que despaciiito, despaciiito, oiga, se va metiendo debajo, que si uno no lo ataja, la agachadilla es como una casa.

Salió la comparsa pa'l último tranvía, la cafetera nueva, oliendo a herrería de mastro Benito y gritona, como una comadre de la laera. El rebumbio pa cogerlo, usté, era como el paseo de San Pedro Mártir. ¡Fuerte genterío, cristiano! Pepe Monagas se tiró a la marea. Y cuando se vio, se vio arriba, subido en vilo por una avalancha de hombres y mujeres que se tiraban como perros a la carniza. Había caído en uno de los remolques cerrados, de pie en el pasillo. Y viajaba agarrado como Dios le dio a entender de alguna de las morcillas del techo. El tren pegó un par de guapidos, le metió una sacudida a toda la cola de vagones y empezó a deslizarse.

Viajaba junto a Monagas, también de pie y también guindada de un cuero del techo, una señora gorda ella, llena de perendengues, vestida de un negro verdoso, con un cordón amarillo amarrado a la cintura, los ojos más cambados que una alcayata, bigotuda como un retrato antiguo y con su boca pintada de un rojo descolorido y despegado, como el engrudo de pa fuera. Resulta ser que cuando el tren dio la vuelta frente a Aviación, Monagas tuvo un esfuerzo y se fue contra la señora, que le echó unos ojos de pimienta de la mala palabra. Y arrente de la torina mirada un jocicón, oiga, que hasta el carburo del vagón se quedó haciendo visajes y soplando por el pitorro. Encaramado y oscilante, como un espantapájaros al viento, los ojos yendo y viniendo de la soñarrera, el rebrillo guasón. Monagas la comenzó a mirar de raspafilón. Y advirtió que era más fea que una palabra.

Después de la estación, y en la otra vuelta, se produjo el segundo choque. La señora empezó a dar bufidos y como a preparar coces, con un aire de mula de cuartel que la retratan y no hay quien la confunda con una burra. Pepe fue recogiendo la atención sobre su cara birolla, obsesionándose con lo cocorioco de aquel rostro presumido. Y pensó:

—Señó, yo... yo he visto esta cara... Ya... ¡Ah, ya! En Asuaaje.

En efecto: el parecido con la mona de los baños era importante. Encarado por un vaivén, Monagas le soltó, por aliviarse la obsesión:

—Señora, me ha estao fijando: ¡cuidao que es usté fea, cristiana!

A la viajera se le fue pegando un temblor de fríos y calenturas. El tren entró en la estación del Metropol. Y al frenar allí se sacudió de atrás alante. Monagas se fue en bolina contra la estantigua. Y por un pelo no la sacó por la ventanilla. Era el colmo. Había caído la última gota. Explotó la represa, como aquella vez la de Tenoya. Salió la primera rociada. Monagas se la gozó impávido, replicando:

—Yo desía que la ha visto a usté en alguna parte. ¡Ta claro! En Asuaje, contra. Usté es hermana de la mona.

—¡Bandío, ordinario, jediondo, sinvergüensa! ¡Borracho susio, borracho asqueroso, borracho indesente, borracho malcriao!

En un jacío, Pepe, mirándola al rabo del ojo, más guasona que nunca la sonrisa, le dijo, como en aparte:

—Síii. Pero a mí, ¿oyó?, a mí se me quita mañana.

18

DE CUANDO PEPE MONAGAS TUVO UN DIRETE
CON UN TARTANERO

Carnavales. ¡Vemería, aquellos Carnavales isleños empalmados y más parranderos que un ventorillo conejero de La Naval! ¡Quite, hombre! ¡Esos Riscos, oiga, escarranchados sobre el jolgorio, abiertos en un cantar, todos ellos vueltos timbeques...! ¡Y las aceitunas dando singuíos de tantas y tan escabechadas! ¡Vemería!

Carnavales de los de "ayer maravilla fui". Pepe Monagas, Victorito el del *Pinillo*, Venturilla el *Taita*, mi compadre Juan Fleitas, Austinito el de *Matas*, mastro Pepe Jilorio y un rancho más de la vieja, ronienta y empedernida jarca, corren el festejo sin comerlo, beberretiando pa alante que es un gusto, mantenidos de milagro con unos churritos de amanecida y tal cual enyesque carajaquiento. El disfraz, a medias, porque las caras van solo pintorriadas bajo aludos sombreros de palma, viene a ser algún zajalejo antiguo, de ancha y tiesa tira bordada, un vestido de miriñaque, conservado en perdidas cajas familiares, dos sacos de guano vueltos casulla, y así. Como complementos, hay algún collar de trenza de ajos, una jaula con un baifo dentro, alguna caja de puros vacía con un nido de ratones, una mona vestida de monigote, etc. Victorito lleva un largo camisón de dormir y un cubrecabezas hecho con un calcetín. Cuando se tropieza, frente al Casino, con el señor don Pedro y éste le pregunta que de qué va disfrazado, contesta dudoso, echándole un vistazo a un cesto que porta, con una mamadera de las que chillan en el fondo:

—Pos mire, don Pedro..., si le digo lo engaño.

Monagas va vestido de amarillo. Y coronado como un antiguo poeta, pero con ramos de perejil. A la correspondiente pregunta del señor don Pedro, contesta:

—Pos voy vestío de tortilla española, náa más.

La ranchada, de tumbo en tumbo, recala en la Plaza. Y en un timbeque hay un pique, media docena de empujones, algún recordatorio para las madres vivas y difuntas y un ¡vámolos!, terminante de alguno. Se dispone una tumbada pal Camino Nuevo. Pero la gente anda con rebozo.

—De aquí allá nos coge la noche, ¿oyó?—masculló alguno—. Ay lante ta la tartana de Angelito. Vamos a jablasla.

Los templarios van llegando al pie del vehículo y enracimándose en sus viejos hierros. La tal tartana es ya una pieza de museo, desde el caballo al estribo. En la tea el penco, desfondado el techo, saliendo por unos sietes desgarradores la crin vieja y renegrida, chillona como unos zapatos nuevos y las ruedas más templadas que los viajeros, era la tartana piripintada del Carnaval.

—¿Cuánto los lleva de asquí al Camino Nuevo, mano?

Angelito remiró la comparsa, se rascó el totizo y preguntó, calculador:

—¿Pa dejá o pá esperá?

—Pá dejá.

Animoso y truquiento saltó de pronto al pescante, rebenque en mano:

—Vayan, suban. Por ser a ustedes... siete pesetas y media.

Monagas se quedó mirándolo cambado, revolvió el carrucho con un vistazo y le preguntó, sequito como un palo:

—Oiga, Angelito, ¿y quién le ha preguntao a usté por el presiode la tartana, eh?

19

DE CUANDO A PEPE MONAGAS LO DESAJUSIARON Y NO SE AMAÑABA

Bajito él, vestido de negro, con un chaleco rucio lleno de lamparones y un diente de oro como una margarita en un estercolero, don Pancho el *Guelde,* casero del portón donde vivía Pepe Monagas, salía de los cuartos correspondientes sin los cuartos correspondientes, después de una elevada pa allá dentro pal patio con la señora de Pepe. Y por mor de que no había de qué en el asunto de la cobranza, el hombre se iba con una cara de vinagre de la tierra que mira un cacharro de leche y la corta.

—Yo no le digo más náa, sino de que ya son siete meses. Vusté déjele en el conosimiento de su mарío de que digo yo de que el que quiere beserro, que compre vaca. Y jágale jincalpié de que yo le aguanto jasta el sábao. Y de que no me güelva usté con jirimiqueos, ¿oyó?, porque pierde el tiempo. ¡Pos no faltaba más!

La pobre mujer de Monagas se quedó que se le podía freír un huevo en la cara. Y cuando el marío se dejó caer, a las tantas, ella se le vino arriba como un manojo de voladores.

—¡Habráse visto!—terminó la rociada—. Que tenga yo que tragarme estos chochos por un debaso.

—Déjese dir, señoooora, que too tiene composisióóóón. Y sus más y sus meeenos. ¿Cuántos meses se le deben a ese caballero?

—Siete. Y quisá te parescan pocos.

Monagas se quedó orejiando.

—Pos él gana, señora, porque como ya los desajusió una ves, tiene chico primero, y ahora mesmo entra en piedras de ocho... No lo arregla ni el méico chino.

Echaron a Pepe como agua sucia. Y fue a parar, un tiempo, a unos cuartitos mal empelados de aquí alante en San Roque, por arriba del Pilar. De noche, por el pasaje de Pambaso, bajaron silenciosamente algunas figuras, a cuestas con unos cachillos, los escasos teleques del hogar de Monagas. Oiga, más triste que un intierro.

Pepe no se amañaba nada en la ladera de la Casa de los Picos. Le jeringaba el aire finchado del barrio, lleno, además, de clareas, como esas dentaduras separadas y paletudas de algunas mujeres escachadas del campo. Encontraba que le faltaban perros, gritos, mediasnoches pal día, turroneras y compadres, muchachas morenas en un descuidado y jarifo ir y venir por el enredijo empenicado de las callejuelas apretadas. Tenía San Nicolás un no sé qué... Resabios porteños, algo, como gitano en la color y en el nervio. Tenía... ¡Espere!: tenía reburujón. Eso. San Roque era más manso, mááás, menooos... Mire: San Roque era el aguacate maduro, ¿oyó?, y San Nicolás la breva pintona y atarozada, oscurita la piel y tensa, como piel moza en los quince, con un dejillo agelioso. Sabido es que la breva es una cosa seria pal gusto, pero escalda los labios.

Monagas paraba bajo los Picos lo menos posible. Y ya desde la primera noche de mudado cogió el portante y se vino para San Nicolás, como quien le echa azufre a una maleza o agüita limpia a un ramo de flores. Está claro que el azufre o el agüita era un ron de ca Manolito Mano Abajo, cuidado como un gallo de buen castío. Manolito tenía un gran ron, un quesito conejero —de lija del número 5—, aceitunas del país y media docena de cajones para las estancias de los embullaos repentinos o de los fijos del sábado. Y a veces, una guitarra. ¡A veces!, porque casi siempre le faltaba la prima o el cuarto de seda. En cuyo caso, y si la cosa merecía la pena, tiraba Venturilla el *Taita* a buscarlas hasta el Camino Nuevo. Pa entullir la tristeza que se le pegó de mudarse, Pepe se jilvanó medio cuartillo de aquel blanco y atravesado ron. Y hasta cantó, que estuvo a pique de entrarle la llorona, aquello de "Mi casa ya no es mi casa, ni mi calle es ya mi calle..."

Rebosándole el beberreteo y nadándole a la punta arriba una
aceituna mal mascada, como el corcho de un pescador del Parque, Pepito se echó a la calle serían las doce y cuaaarto, doce y
veeeinte, tumbando para su casa lejana. Pero el reboso era como
para pedir un bote por señas. De mala manera y canturreando
aquello de "Risco de San Nicolás, cuántas parrandas me debes...",
alcanzó el callejón de San Francisco. Entonces, como un saltador
de la nieve, abrió los brazos. Y mano a una banda, mano a la
otra, lo rebasó mal que bien. Pero cuando llegó a la punta abajo
y enfiló la calle de Malteses, la luz de frente del cuartel se le
viró Justo Mesa, de cómo se le metió dentro, de cómo lo sacudió
de atrás alante y de cómo lo sambucó en un fondo negro. Toda
Las Parmas empezó a darle vueltas. Aferrado a un hierro de las
barandas, aguantó el marejón hasta que le volvió el tino. Y pudo
ponerse a considerar preocupado:
—¿Pero yo voy pa mi casa o pa Tenerife? Por lo visto hay
toros allá, porque esto es el correíllo doblando la Isleta.
Tres pasos pa alante y dos pa atrás, alcanzó el Casino pasada
la una. Y se terció aquí, en retirada de su tertulia, el señor don
Pedro.
—¿A dónde vas, Pepe?—se paró un instante, con el bastón
apoyado en el cogote.
—Pa mi casa, ¡si me dejan!
—¿Si te dejan, por qué?
—Porque traigo un viento de proba, usté, que si fuera per-
sona y yo estuviera güeno, la bofetáa era como un pan de
Agüimes.
Ay como a las dos rendía en la Plaja Jantana. De un repi-
quete alcanzó un perro. Y se trabó de una oreja como una lapa.
Se le tiró por delante del pensamiento todo lo que le quedaba
hasta el Pilar.
—¡Vemería! Tener que tirar jasta allá arriba ahora... Si se
viraran las tosnas, don Pancho el *Guelde* me estaba llevando a
mí a la pelea dos meses. ¡Y yo con un rebenque, que no es lo
mesmo!
Calculó que lo mejor era coger una banda, la de Palacio, o
la de ca don Silvestre. Pero mandaba la marea. Y ella lo tiró
pal centro. Deslumbrado por los arcos, yéndosele la vista a cada
momento, la pasó como sobre una cuerda floja. Tocando las escalinatas, el reloj le tiró al pie, como dos tomates de teatro, las
dos de la madrugada. Sentáronle como un par de cachetones.
Pensó en su mujer, esperándolo, engrifada como un macho salema, y en aquella hora escandalosa. Y se buscó un consuelo:
—¡Ese Juanito Cabildo! Oooo... o ese Perera... ¡Miá cómo
tienen el reló que repite la una y se quea tan fresco! ¡Meeería!

Subiendo las escalinatas y por el reflejo de los dos arcos allí presentes, le volvió el "correillo". Las cuatro bandas de la plaza diéronle vueltas como un molinillo engrasado. Perdió el mundo de vista. Y las fatigas eran a arrancársele el alma.

—¡Patrón—dijo cuando pudo, sintiéndose otra vez a bordo—, apare en la esquina, que yo me queo en el Confital!

Rebasado el marejón, alcanzó de un nuevo repiquete la esquina del Ayuntamiento. Pero apenas se trincó de los sillares, otra vez lo levantó en vilo un mareo.

—¡Me caso en la mar! Me empeñao esta noche en volar y volo, por lo visto. ¡Adióóós, profesor Picard!

Virado para el jardincillo del Espíritu Santo andaba calculando un plan de subida, a base de baladeras, tumbadas y repiquetes, cuando columbró un hombre que, en la esquina, levantaba la arquilla del agua, metía un hierro en forma de T y comenzaba a dar vueltas y vueltas, en la decisión tardía, por lo visto, de dar a los depósitos, sequitos como un palo, la correspondiente ración. Entonces Pepito tuvo una alucinación quijotesca, tan metida que se calentó y todo, con su trincada de dientes y su sacada matona de mandíbula. Despejado de pronto por mor de la sulfurada, se fue arriba del aguador y le metió su par de guantazos.

—¡Oiga, mano!—se incorporó el agredido—, ¿si tiene ganas de tocá, pa qué no se compra un requinto?

—¡Un requinto!, ¿eh? ¿De móo que sos tú el que, pa jeringarme, está dándole güeltas a la Plaja Jantana...?

20

DE CUANDO PEPE MONAGAS FUE PADRINO
DE UN BAUTIZO

El compadre Juan Jilorio tenía una insalla de chiquillos, alguno mayor y una tanda entre galletones y guayetes. Un día se paró la mujer en los nueve. Y plantada en ellos anduvo ¡qué só yo la de años! Pero de repente, al mou porque bebió algún agua o eso, apareció la señora con un encargo, ¿usté me entiende?, y los consabidos antojos.

—¡A buena hora y con sóoo!—le dijeron a mi compadre Juan Jilorio cuando se corrió la volada.

—Son figurasiones de ella, hombre, no jaga caso. Aire, airito y grasias.

Pero no era aire, usté. A su debido tiempo encalló en este

mundo un guayete, menúo como un sarimpenque, con la cabeza grande y yéndosele de banda, las patas flacas, así como varillas de voladores, y una cara de vieja tal que hubo comadre que dijo que cómo no lo mandaba a las Hermanitas de los Pobres.

Apalabraron entonces a Pepe Monagas para que fuera padrino del crío. Y después de unos jalones, que si sí, que si no, el hombre entró en verea.

Está claro que fue un bautizo de gente pobre, con su vinito blanco, su anís y sus galletitas de María. Pero, oiga, no obstante, de bastante meneo, porque además de que el beberío arrejundió, a última hora se dejaron caer Vitorito y una jarca más con alguna botellita de ron y unos cartuchos con pescao rebosao y chochos. Y el asunto se enderezó como millo regao.

Al centro de la casa, la madre, recostada entre cojines, con el guayete al pie, intentaba callarle una perrera acabaíta de coger, esmoresío por una isa cantada y bailada que casi no acaba.

—¡Vaaya, vaaya, vaaya, vaaya!—lo sacudía la madre sobre las rodillas, en un meneo de arriba abajo—. ¡Vaya, vaaya, panito de Agüimes, tollito mío! ¡Cállense, demonios, a vé si coje resuello! ¡Vaaya, vaaya!

—Vaya un piano que le ha caío, comadre, después de vieja —comentó Monagas al pie de la cama.

El niño lloraba como un becerro, trincadas las manitas, cerrados los ojos, negro, como un cazón, del esmoresimiento. Mi compadre Juan Jilorio opinó, bromista:

—Que lo coja mi compadre Pepe, que tiene jeito pal requinto, y verá cómo se quea más echaíto que una marea del Pino.

—¡Jágame el favó, hombre!—protestó Monagas—. Yo soy el padrino y san sacabó.

—¡Ande, compadre, cójalo!—le pidió ella, ya enfosforada y como a punto de darle un puñete a la criatura.

Pepe se decidió. Y resultó verdad, por lo visto, que tenía jeito, porque a poco se calló como un tocino. Con él en los brazos, lo contempló bien por primera vez, que en la ceremonia, con los nervios, apenas le pudo echar un vistazo. Y observó entonces que era más feo que un millo viejo. No pudo dejárselo en el buche.

—Oiga, compadre, no es por náa, ¿uste me entiende?, pero el guayete es más feo que una mala palabra.

—Hombre, mastro Pepe, no es pa tanto. Siempre se esajera un poco.

—Ni esajeraciones ni náa. ¿Pos usté no lo ve, que llora y parese una machanga, y se calla y es una burra mascando?

—Síí... Pero usté sabe que los chiquillos dan muchas güeltas...

—¿Muchas güeltas? Pero oiga, ¿yo ha sío padrino de un muchacho o de un molinillo?

21

DE CUANDO PEPE MONAGAS RIFÓ UNA CÓMODA

Un tiempo —en una de las rachas de trabajador que le entraban—, Monagas dispuso en su casa un cuartuchillo pa trabajar de carpintería. Pero no en trabajos, asín, de mucho miluque, sino en endengues: alguna silla de rejilla con una pata movida, algún esquinerillo o repisa, que pegados con engrudo de pa fuera, se habían descosido a fuerza de años; tal cual taburete desencuadernado, alguna guitarrilla malparada por un marejón parrandero, y eso. Y empezó bien, oiga. Pero en cuanto remendó media docena de teleques vecinos se le viró al cuarto una calma de marea echada que no se ganaba ni pa calentar el engrudo. Entonces se le ocurrió a Pepe una idea torina: hacer una cómoda para rifarla por las fiestas del Patrón del barrio. Y se puso a ello como una fiera. Consiguió media docena de cajones regularcillos, entrando con ellos a la cepillada limpia. Y, engrudo por aquí y tachas por allá, en quince días la largó lista.

Hizo después más motes que tierra. Y la mujer por una banda y él por otra, vendieron a rial tal cantidad, que en poco más de ocho días habían recaudado alrededor de cincuenta duros. Con el embullo de la fiesta, todos los compradores habían olvidado en un rincón de sus carteras el mote comprado. Y siguieron pasando días. Y mastro Pepe no resollaba nada asunto de la susodicha rifa. Hasta que una mañana se lo tropezó, al canto arriba del callejón, mastro Manuel *Arpa Vieja*, que le había comprado una peseta con ilusión, porque se le casaba una hija con un muchachito decente de aquí de San Roque, y había soñado sacársela para un ceremonioso y práctico regalo de boda.

—Oiga, mastro Pepe, ¿qué hubo del asunto de la rifa de la cómoda? ¿Se rifó o no se rifó?

—¡Buuuf! ¿¡Qué fecha lleva esa carta!?

—Ah, pero... Pos ahora me desayuno, usté.

—Sí, hombre. ¡Ende cuándo se rifó!

—¿Oiga, y se pué sabé quién se la sacó...?

—El mismito que la jiso, mastro Manué, que bastante trabajito que le costó.

22

DE CUANDO PEPE MONAGAS LE CONFUNDIÓ LA GIBA A MASTRO CHANO

Hay un fiestejillo aquí en San Cristóbal, por julio. El 25, si mal no recuerdo. La carretera, embanderada, parece el rabo de una cometa. Y una carga de pencas de palma se afianza contra las casas idas po alante de cabeza y manos, como borrachos sin camino y en el amanecer. La Comisión ha comprado tres fueguillos de ay de Guía, de uno de los más afamados "neurasténicos" del Norte, el último de ellos de los buenos, el del castillo y el barco, que se dan leña como quien lava. Por las calles y a orillas de la marea se estira una insalla de chiquillos gritones, de perros soliviantados y sobajientos y de compadres con el familión a rastro, en merendonas de pan con dátiles, humeantes asaderos y ron entreverao. Funciona tal cual guitarra, las de la playa más recompuestas, punteando mazurcas y valses de antes, y las de arriba, ventorilleras o en pasaje, más escachadas, dando cuero a la isa, una isa cantanera, ahora rebuzna éste, más dimpués rebuzna el otro. Y en ocasiones, hasta dos juntos, que es cuando se empotaja. Estas últimas suelen inclinar al mojo con morena, cuando los que las llevan apaliadas son de ranchos que no se llevan ni papas ni pescado, o alguno se mete sin haberle dado vela en aquel intierro.

—Mano, o canta usté o canto yo. ¡Digo yooo...!—para su canto el más calentón.

—Y si usté no tiene gana de cantá, ¿pa qué rayo canta?—replica el incompatible.

Entonces salta, como un gatillo, el cachetón. Y atrás del cachetón, los rempujones, la madre y esto y lo otro. Y, por último, el arrastre de uno de ellos —que suele ser el que alcanzó el güeso— y que se lleva a efecto entre reflechones, algún que otro "yo te cojo bagañete" y mujeres colgadas. Luego sigue la guaracha. Y aquí no ha pasado nada.

Por Los Barquitos pa abajo se deja dir un rancho, gente farrera, de tres días sin comerlo y beberretiando, cada cual con una cara de sinvergüenza que hasta las banderas se ponen como con tirisia cuando van pasando. En la proba, bien trincado el requinto y en un compás de pasodoble, Pepe Monagas. Y de aquí pa allí, con éste se traban, con el otro se rozan, traseros y enralados, Vitorito el del *Pinillo,* Venturilla el *Taita,* Austinito el de la *Pla-*

cetilla, mi compadre Juan Jilorio y demás congregantes templarios. Ay por las Tenerías han encontrado, asomada a una persiana, compuesta como los tollos y seria como un retrato, una vieja revirada, solterona ella, pintada con geranios y papel de banderas. Y en lo alto un moño como un pan de Agüimes, largando más aceite de comer que media peseta de churros. Vitorito se le para al pie, como si fuera a mosiar. Y serio, como un novio decente principia a arrancarse uno por uno los botones del chaleco, al tiempo que va salmodiando:

—¿Me quieeere...? Sííí... poooco... muuucho... naaada... ¿Me quieeere...? Sííí...

La persiana cae como la Losa de Santo Domingo. Y de pa allá adentro alcanzan la calle media docena de palabrotas, silbando como un rebenque.

El rancho entra de recalada en un ventorrillo. El ventorrillo es de mi comadre Pino la *Chacarona*, que se trajo sus sabanitas y sus cañitas de San Nicolás y lo escarranchó a una banda de la carretera, pegado a la iglesia. Dentro está aquello que se le arrima un fósforo y hay una desgracia. En el momento guitarrean su parrandera unos hombres del campo, de pa abajo del Sur, brutitos ellos, pero buena gente, que pasaba en una camioneta y se tiraron a beberse media docena de copas. Encloquillado junto al instrumento, un tal mastro Chano, que luego se supo que era de La Higuera Canaria, se dispone a cantar. Tenía que ser un capirote, usté, porque hasta Pinito la *Chacarona* y dos perdularias, escachadas y morenillas ellas, que andaban en la traquina general del ventorrillo, tenían parado el fregueteo de copas en la borsolana.

—Caballeros—salió al paso de los llegados un hombre alto él, secarrón él, con un sombrero verde de pelucha él, que imponía—, jáganmen gel favor, que va a cantá mastro Chano.

Era como en la Catedrá, oigaa. Todo el mundo callado. Todo el mundo menos Monagas, que, celosillo por la solemnidad y el caso que hicieron sus compinches de jarca, se quedó en la puerta, trabado de pico con Dolorcita *Turrón de Gofio*, una turronera de San Lázaro, en otro tiempo moza de mucho cortejo y gran cantadora.

Lo curioso del asunto estaba en que el cantador tenía una corcoba igual que un baúl de La Habana. Con aquella cargazón, alta y picuda como la montaña de Gáldar, malamente se podía esperar nada bueno. El hombre se tenía que entregar. Victorito se diblusó sobre Austinito el de la *Placetilla*, que le quedaba arrente, y le dijo al oído:

—Ha de tené poquita vos, pero..., pero desagradable.

Mastro Chano cantó. De dónde le salía el cloquido no se sabe.

Venturilla el *Taita* tuvo una opinión pajiza: que le salía de la corcova. Y Austinito lo mandó a que se acostara. Pero, oiga, no era sólo la voz, sino la manera, y el sentimiento. Aquello era cantar. Y lo demás era un baifo desmayado. Tenía un estilo entre campurrio, barquero y del Risco. Créame usté, que tarde se tercia gozar de cosa tan seria. A Monagas, fuera, se le trabó la isa en el primer repetido. Y lo ganó. Entró el hombre tirándose de entusiasmo. Y se fue derecho al cantador, trabándole un abrazo como una lapa. Entonces sus manos tocaron, asombradas, el promontorio que el amigo llevaba por espalda. Monagas se volvió y dijo:

—¡Oiga, y sin gasolina...! Mastro Chano, le jincaron a usté un gasógeno que vale un dinerá.

23

DE CUANDO PEPE MONAGAS SE PEGÓ SU OPINIÓN DE ABOGADO

Bajo el fanal diáfano de su clima, tibio como agua de sol; dos veces sí y una no techada por su panza de burro; una vez sí y dos no bajo la lumbrarada de un sol que es como una abierta rosa dorada entre las manos; siempre —a veces con ánimo y fuerza de mano juguetona que despeina, a veces con el quedo pasar de un suspiro— bien batida por el Norte, locamente prendido en las altas palmeras de San Roque y doña Nieves: la ciudad va pasando por los años como una ingrávida nubecilla suelta y desatendida. Esto, claro está, antes, cuando las reboticas, las tertulias de Oraciones a Animas y el correo "dos vez al mes". Habían voces cansadas intentando reanimar la soñarrera temprana de la traspasada y socarrona congregación.

—Creo que ha llovido en los altos.

—Pues no le digo, don Pedro. Pero mire, aquí está don Manuel, que bajó hoy de arriba.

—¿Es a mí? ¡Ah! Pues no, nada. Cuatro gotas, como el otro que dise. Una jarujilla y san sacabó.

—Buen puñao son tres moscas.

—Y usted que lo diga.

Pausa.

—Oiga, estooo, disen que está muy malita la mujé de don Pepe Vera...

—¿Ah, sí? Caaaaraaacho. ¿Y de cuándo acá?

—Pues de poco. Oh, le han llevado a Padre Dios y todo.

—Pues ahora me desayuno. Oiga, ¿y dónde viven ellos?

—Aquí, en el Toril.

—¡Meria! No me diga más nada. Ya la trincó la calle de Frías, como si lo viera.

Una ancha pausa, con su embeleso y todo. Hasta que llega Gregorio Liria, que reanima el cotarro con sus noticiones.

—Gracias a Dios que llegastes. ¿Qué traes? Alguna buena sama viene hoy en la tarraya, porque se la ve salpicando a tres liñas.

—No, pues mire, no... Bueno, sí. Unicamente que pasado mañana se celebra el juicio oral por el crimen de Los Callejones.

—¿Qué me dises?

Toda la tertulia se pone alerta, como podencos en torno a un majano con rebullicio y salpeo de hurón y conejo atosigado. En efecto, se anuncia la celebración de ese juicio. Está encartado en él un tal Manuel *Boca Burro*, de aquí del Pinillo. El sujeto acechó una noche a don Bartolo Calvero, que subía de no sé qué trapisondas, y le metió tan gran toletazo en el tronco de la oreja que lo dejó echadito al pie de la acera pa toda la vida. Agarraron a *Boca Burro* por mor de unos gastos de más de la cuenta que la misma noche hizo en cá Dominguito el de los *Caracoles*. Tiró allí de botellas de cerveza, que, pintorreadas de moscas y vueltas para abajo, tenía Dominguito desde el siniquitate. Prendió el runrún y la caída atrás cuando el tiendero, viéndolo trasponer como un cuchillo, dijo, con un ladeo tranquilo de la cabeza:

—¡Huuuumm! Me güele a trapo quemao, usté.

Los juicios orales, con su desfile de testigos, su ampulosa oración de defensa, la rígida y seca perorata fiscal y la malamañada de los acusadores privados, sacaba de quicio toda la dormilona quietud local. Aquel de Los Callejones, por las circunstancias y el enredo de "yo le guardaba el secreto", ajoto de estar don Bartolo a deshora en esquinas de poca vergüenza, era sonado como un repique de San Pedro Mártir. Se celebró ante un genterío que daba miedo. Cuando el alguacil, vestido de cónsul, cantaba con aire de gallo aquello de "¡Audiensia pública!", la gente se tiraba como perros a la casnisa. Y el juicio fue tema de tres días apasionados y mal dormidos en plazuelas, reboticas y camarotes de cotorrones.

Una de estas tertulias, donde la ventilación del crimen se cogió a pecho, radicaba en la esquina de la Plazuela, ante la botica de don Fernando Bojart, desaparecida. Era una tertulia de señorío, pero en ella, como en la de enfrente de Las Cadenas, tenía un puesto de simpatía Pepillo Monagas. Las discusiones se encendían una noche detrás de la otra. Y a punto de caramelo una de tales elevadas, recaló por allí Monagas. Se opinaba, casi gritando, sobre si existía o no evidencia de culpabilidad en el caso de Manuel *Boca Burro*. Como anduvieran por el momento en una agarrada de pico, llena de macanazos y en camino de degüello, don Antonio Vegueta y don Domingo Travieso, el señor don Pedro aprovechó a Monagas para aliviar la situación:

—Caballeros—interrumpió, solemne—. Hay una opinión que oír. A ver, Pepillo, ¿a ti qué te parese?

—Le diré. Primero que nada, vamos por partes. Yo quiero poné un ejemplo pa que la cosa sea más clara. Si yo salgo pa mi casa al peso del mediodía y tiro Risco arriba y al pasar por delante de ca mi comadre Frasquita la *Baifa* siento un friteo y su olorsillo de rebumbio estomacal, pos me digo: "ca mi comadre Frasquita la *Baifa* están friyendo pescao". Esta es evidensia, como usté dise, don Pedro. Pa dentro hay fritango, aunque yo no lo haiga visto. Pero ahora quepe la duda, don Pedro, porque ¿serán samas o serán bogas?

24

DE CUANDO PEPE MONAGAS FUE A UN BAILE EN EL TORRECINE

Mises. Había mises en San José. Un concurso de belleza entre guayabitos pintones, que anduvieran de verdad en los quince, como ciruelas del país con una banda dorada y la otra tirando más a lo verde que a lo maduro. Lo había organizado Juan Torres con su habitual buena suerte y su peculiar buen humor, en el Torrecine, la popular y simpática sala de espectáculos de su propiedad. Concurrieron peligrosas promesas de mujer, todas ellas, respecto a la niñez, en tres, o séase, dos pa dirse y una pa quedarse en chiquillas de lazo grande y tirasbordadas, más en el filo ya que una jiñera. Diez o quince pimpollos, de cada barrio dos o tres, morenitas ellas, de isa, unas, trigueñas otras, algunas con los ojos como el peso de la media noche, algunas con ellos encendidos de verde mar, todas, insistimos, con los cristales "con que se mira" alegremente curados de espanto.

Se eligió una noche feliz la reina de aquel juvenil concurso. Era rubia tostada, como los trigos a punto, y tenía los ojos como campanillas, tanto por lo azules como por lo repicadores. Alguna más vehemente femenina, más fantasiosilla, con un moreno de mareas y sol de playas metido en la piel y el temperamento, tragó su cáliz con brevas de Tirajana dentro. Pero lo tragó sonriendo y hasta con su beso amable en la mejilla de la soberana rival. Despúes hubo su poco de beberío y su poco de bailoteo en la sala del Torrecine, pendiente como la **Cuesta del Empedrado**, para arriba en segunda todo el mundo, para abajo metiendo la retranca.

Y en esto recaló, de pasada, por el cine, Pepito Monagas, que andaba rindiendo una tumbada en la Portadilla y se dejó caer al instinto del tenderete. Entró altivo y encandilao, con su poco de hipo y una seria, callada contracción guasona de los labios. Observó entonces el ir y venir, arriba y abajo, de la pollería bailadora, ahora cogen la baladera de la cuesta a favor del viento en popa, más despúes le entran a pecho, en contra y con vendabal de proa. Y empezó con él una agonía, una agonía, que si no grita se le va la vista. Y gritó. Gritó llamando al pianista de la orquesta, desde atrás mismo, por sobre el concurso de parejas.

—¡Mano! ¡Maestro! ¡Patrón, escuche que le digo!

No se oía nada. Y él subió la voz, haciéndole campana con la mano:

—¿Usté me atiende o no? Antes que sea tarde. ¡¡¡Mano!!! ¡Patrón! Oigame un pisco, que pa luego ya no hay remiendo.

A los gritos, el maestro se volvió sonriente y con una mano, un momento libre, hizo señal de que esperara. En seguida terminó y vino atrás.

—¿Qué hay, mastro Pepe? ¿Qué le pasa?

—¡Oh, nada. A buena hora y con sol!

—¿Pero por qué?

—Porque ya se acabó la taifa. Como usté estaba de espaldas no se daba cuenta.

—¿Pero de qué?

—¿De qué? Yo le quería desir, por jaserle un favol a usté que estaba más en peligro que naide, que cuando las parejas fueran pa abajo se dejara dir.

25

DE CUANDO PEPE MONAGAS SE PUSO GORDÍSIMO Y TUVO QUE IR AL MÉDICO

Nunca había dicho —que yo recuerde, a lo menos— que Pepe Monagas se sacó una vez la lotería. Unos tres mil duros, o una cosilla así, a los cuales dio giro más pronto que volando. Un giro entre práctico y alegre. Está claro que práctico hasta cierto punto, porque si bien dio en comer a todo pasto, aprovechando el caido, ya se sabe que lo comido, como lo bebido, es cosa que según entra sale. Y ojos que te vieron dir. Y no como una casita terrera, que es cabra de un día sí y otro también. ¡Y sin meeerma! Bastante que se lo dijo la mujer, usté:

—Pepiiillo, no seas booobo, cómprate una casita terreeera.

Monagas no era hombre dispuesto a los requilorios de la propiedad, el inquilinato y las alcantarillas. ¡Jágame el favó, ...mbre! Y encomenzó a meterse unas sentadas, en casa y por fuera, de papas y casne compuesta, que se puso, oiga, en cuestión de nada, como una rana con un canuto a la punta atrás. De sobra se sabe que una gordura asín no es buena, ni mucho menos. Anduvo un tiempo que pa él era verano todo el año, de la punta de enero al rabo de diciembre. Y hasta el caso se dio de que por épocas le entrara más al bicarbonato que al mismísimo ron, que no es nada lo del ojo. A poco a poco se le fue encochinando el físico, que ni él mismo se conocía. Y acabó de tal manera atosigado que no le quedó más remedio que ir al médico, resistido como estaba y a rempujones de la mujer, que hasta que no lo embarcó en la consulta anduvo más majadera que un isleño contando la guerra de Cuba.

Tiró una mañana, ay a las diez, pa ca don Silvestre. Y le contó cómo andaba de requintado. El médico aconsejó primero una dieta:

—Debes limitarte un tiempo a un platito de puré, algún huevo pasado por agua, un poquito de pescado, dos o tres papas, alguna fruta...

Monagas le cortó el hilo de la palabra:

—Pero, oiga, don Silvestre, esooo... ¿antes o dispués de las comías?

Prosiguió la consulta. Y entró una recomendación de ejercicio:

—Te conviene bastante, además, algún ejersisio. Primero te das unos paseítos hasta la Plasetilla de San José. Después los vas alargando y te llegas al Pilar de Fleitas, a los Poyos del Obispo, al Túnel...

Volvió a tijeretiar la hebra Monagas:

—¿Y los cuartos pal coche, don Silvestre...?

26

DE CUANDO PEPE MONAGAS FUE A UNA CORRIDA DE TOROS EN TENERIFE

En los correillos y por los puertos aldeano, moganero y de Las Nieves llegó acá un día la volada de que en Tenerife iba a haber una corrida de toros de las que mandan las peras a la plaza. No era mentira, no, señor. A poco la prensa lo ponía en letras de molde. Y daba, inclusive, la fecha, noticia de los toros con sus colores y todo, y de los toreros con los cuales aquéllos habían de encender las carreras y los taponazos. Se viró aquí una animación, usté, por ir a Santa Cruz, que ya, ya, ya daba de cara, como cualisquier relajo. Oh, con decirle a usté que hubo que fletar un correillo y demás, se lo digo tooodo.

En vísperas, una prima noche de copas tranquilas en ca Miguelito el *Suleica* —que, ¿sabe?, le decían el *Suleica* porque era del Hierro— entró con el *Diario de Las Palmas* Victorito el del *Pinillo*. El periódico traía un suelto alrededor del asunto de la corrida en la plaza chicharrera, cuyo suelto fue leído despacio, quietas más de lo corriente las copas y enguruñadas e intactas las aceitunas del enyesque. Lo cual tenía su miluque, porque de ordinario era más el tiempo que las copas andaban vacías y las aceitunas dando singuíos por los gaznates pa abajo, que el que reposaban en un olvido. Algo de bueno, y que los demás se golieron por el aire, traía al timbeque Victorito. El lo dijo cuando terminó:

—Caballeros, ¿vamos a dir a los toros?

El isleño está siempre dispuesto, pero es malamañado para los entusiasmos repentinos. De ordinario da en hacerse el remolón. Y por dentro anda que se puede freír un huevo. Aquello de: "No quiero, no quiero ("¡Echamelo en el caquero!"). Después va aflojando, aflojando. Por último se deja dir, pero como haciendo un favor. Y ya en el trote, individualizado y disperso. Pirriándose todos por el viaje, alguno se dejó decir, resumiendo la reservona general:

—Yo lo que digo es que sería cosa de dirlo pensando.

Como todos los insulares de la pandilla respondían, el que más con el que menos, a la misma psicología, el viaje era cosa hecha. Unicamente Monagas, que saltaba siempre, y que en su vida había visto una corrida de toros, respingó un poco:

—¿Pensarlo? ¿Pero tú vas a dir a Santa Crus, o te vas a casá?

* * *

Tiraron pa enfrente un sábado, al peso del mediodía, los de la gira. Iba casi toda la jarca. Pero alguno —Venturilla el *Taita*, por ejemplo— se quedó en tierra. El hombre no andaba en cuartos. Y la suscripción para embarcarlo no sólo no alcanzaba el pasaje de cubierta, siquiera, sino que destartalaba los presupuestos particulares de los templarios. Por cierto, que se lo tropezó en el Tinglado mi comadre Consesionita, la mujer de Juan Jilorio, que con la cabeza ladeada, asmada, la boca y una mano abierta en un gesto de sorpresa contra un lado de la cara, le dijo después de mirarlo sin creerlo:

—Pero Venturilla, ¿sos tú? ¿Pero que no fuites?

Le quitó importancia, por aliviarse.

—¿Pa qué, Consesionita? Son novillos, ¿oyó? ¿Y aónde me deja los peninsulares que vienen a atoreáaa...? ¿Usté sabe quién son? Empápese: los que venden los helaos por la calle. ¿Qué le parese? Pa dir a una corría de esas me voy a la feria de Jinama. ¡Ta güeno!

* * *

En la plaza. Un manterío de gente a la redonda debajo de un solajero que raja las piedras. Alguna charanga suelta, animosa, el *Gallito,* el *Machaquito* y otros pasodoblejos. Y a la hora en punto, el lío que empieza. Pepe no quita un ojo. No sabe directamente cómo será aquéllo, pero se güele que es más feo que un ventorrillo lleno de matones. Por una puerta, negro como todos los demonios y empenicado de tarros, se tira al teso, un toro, usté, que nada más la vista de él era bastante para insultarse. Sólo un momento en medio del genterío callado, tira la vista, así, alrededor con unos ojos tan calentones que es de sobra ya para dejar a toda la plaza con fríos y calenturas. Bueno, pues así y todo, de detrás de una tabla se echa a valiente un torero, vestido igualmente que los que están pintados ca Pepito, el del bar *Lagunetas.* Y menuíto, menuíto, llevando una pañoleta en las manos, se va arriba de aquel barranco con cuernos. Y tan fresco, oiga. De lejos da pataditas cn el suelo y ajulea con la pañoleta, provocativo y demás. Monagas, erizado y sin habla, asiste, todo cambado, a aquel impresionante momento. De repente el toro se hincha de fuerzas, como una vela, clava las pezuñas, arranca y se va hecho un ventanero sobre el hombre, de tan mala manera que no era toro, se lo digo, sino la presa de Tenoya. Monagas no puede contener un generoso impulso. De pie, en medio del silencio, grita, tremendo, al torero:

—¡¡¡Juiga, cristiano, que lo coge el güey!!!

* * *

Luego de unas viniadas imponentes, con sus clacas atrás y sus refuerzos de conejo compuesto, el rancho se dispone a volver pal corralillo. Pero en tumbos y trompicones, la jarca se dispersa un poco. Y Monagas y Victorito pierden el correillo. Cuando llegan al muelle, el barco va allá afuera, trasponiendo el espigón, con un aire tremendo de hombre que ha ganado en los gallos, más insultante a causa del puro que se va fumando, un puro como de boda, de boda de padrino botarate, trincado en el centro, con el anillo puesto y por todo lo alto.

—¡Adiós te digo y no llores!—pudo articular Victorito, con el alma en los pies—. ¿Y ahora, Pepillo?

—¿Ahora? A la güelta lo venden tinto, ¿oítes?

Pero no había cuartos. Pepe estaba que lo viran al revés y no larga ni una medalla. Victorio tenía seis perras y media.

—Escucha—se le prendió entre las cejas una idea a Monagas—. ¿Tú te recuerdas de aquellos canarios que vimos colgados al canto arriba de una calle, en una sapatería, por detrás de una plasa...?

—Sí. ¿Que había un remisto y dos hamburgueses...?

—¡Angela María! Pos déjate venil pal pien.

Subieron planeando la cosa y localizaron la zapatería y los pájaros. Unos canarios amarillitos como ñema de güevo, y zancudos y rizados, que parecían una señora antigua en un palco de ópera del Circo Cuyás. Entró Vitorito y se tomó la medida completa para unos zapatos bajos, de becerro, que quería para el sábado sin falta, porque lo habían comprometido para padrino de una boda. Mientras, Monagas descolgaba tranquilamente una jaula y se la llevaba con pájaro y todo.

Se reunieron a poco en el muelle. Y buscaron por allí un barco inglés. Había un *Yeoward*. Y un comprador.

—¿Usté lo ve, míster? ¿Usté ve este pájaro, finchao él, que parese que va de esmoqui? Pos antodavía, si usté lo oye cantá, le nombra la madre a Caruso. Créame a mí.

Vendieron el pájaro —¡oh, ya!— y se enteraron, de paso, que el *Yeoward* salía aquella noche para Las Palmas. Consiguieron primero un pasaje en cubierta. Y luego, hasta la hora de partir, hubo tintillo en Tenerife que casi se ahogan.

* * *

Por la noche, a bordo. Molidos como un centeno, aperreados de tanto ir y venir y de tanta copa, sentáronse ambos en dos mimbres a la mano. Pero se enterraban las varas hasta los huesos. Y soplaba un Norte con sorimba que no se llevaba de una ducha paja y media. Además dieron en marear. Se les venían los hipos presagiadores a la boca como las malas palabras en un pleito de portón. Monagas puso el oído. Todo el barco dormía. Entonces resolvió la cosa.

—Ssss... Vitorio, ¿oítes? Vente a ver si jallamos un cobijo.

Cautelosamente fueron bajando escalones. Y la casualidad los desembocó en los camarotes de primera. A la vista de su limpieza muelle y prometedora, Victorito miró, radiante, a su compadre:

—¡Mería, cuando lo coja!

Se desnudaron rápidos, tiraron las ropas de cualquier manera por allí y se tumbaron como lagartos, a la penca. Minutos después aquello sonaba como las entrañas del Teide gigante.

* * *

Arrayando el día y en vistas del muelle de La Luz. El camarero inglés del departamento cruza y percibe el fragor de los ronquidos. Entonces entra, correcto, pero severo. Se encara con una embrujina de ropas, zapatos, calcetines y tiros.

—¡Oooou!—exclama, sin poderse contener.

Se le engrifa ahora la pintorriada, rubia nariz, el gesto se le camba todo. Entonces saca rápido su lista de pasaje, la consulta seguro y, en seguida toca levemente en un hombro a Monagas, descuidado y feliz. Cuando consigue destroncarlo pregunta, entre severo y extrañado:

—Seeeñogrrr, por favogggrrr, ¿viene ousted de primegggrra...?

Y Monagas:

—¿Tú oítes, Vitorillo? ¡Mería! ¡Que si vengo de primera! ¡Cómo que no ha mareao en toa la noche!

27

DE CUANDO PEPE MONAGAS, SIENDO TARTANERO, TUVO QUE LLEVAR A UN HOMBRE COMO UN CASTILLO

Lo de toda la vida. El hombre del campo —Pepito María Pérez— que va a Cuba, guataquea caña como quien lava, reúne purriada de onzas y centenes, se merca su leontina y se pone dos dientes de oro como dos adoquines. Al rato —que la vida es un cigarro— que compra unos mazos de puros, un reloj regularcillo de "Cuervo Hnos." y tres o cuatro cintos de pellejo de majá, con hebillas relumbronas. En seguida que requinta un par de baúles enchapados, con zapatos claritos, guayaberas y otros requilorios de la vestimenta. Y de la noche a la mañana, usté, que sin avisar ni mucho menos, trinca un *Balbanera* cualquiera y coge el tole, cruzando el charco proa al corralillo de su tierra. Lo de toda la vida.

Ya acá se escarranchó Pepito María en la ciudad, ojió unas casillas terreras, las calculó, zorrocloco y lento, y las compró, por último. Lo demás fue el riégate agüita del hombre de la Alameda, que es rentista, somnoliento y de lento y escaso conversar, que discurre por la ciudad y su vida como una nube sin resoles ni truenos y que usa zapatos negros de elástico y calzoncillos largos de tirilla y demás.

Pues a más de las casejillas terreras, este indiano del asunto compró una tartana, que alguno la tenía en deje de cuenta y se la metió por los ojos. Pero no para manejarla él —¿ta loco?—, sino para poner un tartanero, a tanto por día y eso: él quería descansar en la Alameda, y de otra parte, la señora, que había sido una escachada toda la vida y que después de traspuesta le dio la inmania de sacarle señorío al pellizcón de La Habana y a su redondo amorcillamiento, se le engrifó como un macho salema cuando supo del proyecto. La madre tenía el apoyo casi total de las dos niñas, Casimirita y Rosita María, ambas con más dengues que un álamo mecido por la brisa.

—Si tú llegaras a cogé el rebenque en la mano—vociferaba la esposa, en un tremor amenazante—te caías con too el equipo, porque aquí no volvías a poner la planta.

—¿Cuála planta?—preguntaba, simplón, el indiano, desapasionado y aturdido.

—¿Cuála planta? ¡Yo te digo a ti! ¡Tú cogiendo el rebenque y losotras la puerta! ¡Era lo que los faltaba, pa que los pusieran otro dichete!

—¿Pero aónde está la afrenta?—preguntó al fin él, cuando lo dejaron resollar—. Porque ninguna de vustedes sabe lo que yo traigo aproyetao. Yo la aquiero pa aluego ponesssle un hombre. Un tartaneeero, señooo. Güeno, es, es que la innoransia, caballeros, es muy atrevía. Siempre se ha dicho.

* * *

Monagas fue el tartanero de la tartana del indiano. Yo no sé por dónde se enteró del proyecto, ni eso. Pero cayeron ca el amo primero la mujer y él atrás. Y una con llantinas y el otro con arrumacos y un déjame entrar que tenía, consiguieron entrambos para Pepe el rebenque y el desvencijado trono, del que jalaba un caballo que en cuestiones de tartaneo sabía latín. Le pasaron cosas a montones en ella. Pero ahora le voy a contar una, usté, de las que mandan las peras a la plaza y eso.

Estaba una noche, más virada ya la hora pa el alba que pa la prima, en una esquina de Fuera de la Portada, aguaitando carreras del reboso y los viajantes. Dormían al pairo, tranquilamente, Pepe y el penco del enganche, cuando a aquél lo tocó en un hombro, con una mano insegura, pero pesada como cho Plomo, un hombre gordo, pero lo que se llama gordo, ¿entiende?: morcilludo, encochinado, rebosando por el cogote más manteca que el mundo. Y grande, usté, como un tarajallo. Con el meneo de una gabarra estivada y diblusado en peso sobre el alto y frágil guardafango de madera, el carricoche se atorraba de una banda con un quejido de mimbres, tan resignado y tan metido en remaches y visagreos, que daba ganas de sacar una perra, echársela en el pescante y darle un par de palmadas animosas, diciéndole: "Cómo ha de ser, hermana." A la punta alante, el caballo, sospechando arrente de las orejeras lo que se le venía encima, orejiaba resignado, con sus golpes de rabo, espantando de mala manera el embeleso madruguero que despuntaba en el aguante.

—¿Qué se le ofrese?—preguntóle Monagas al gigante por pura fórmula.

—¿Cuántooo...? Estooo...—. Su voz arrastraba jalones de un sueño aferrado y un batumerio a beberío que tiraba pa atrás en peso. Encima, un hipo, en un juego de boliche de gaseosa, se le atrabancaba majadero—. Estooo... cuánto me vas a llevá poor... pooorrr... —¡jeeep, jeeep!— pooor llevarme jasta la fonda de Antero.

—¿Jasta la fonda de Antero? ¿Pa dejá?

—Ta claro.

—Pooos... Cuatro pesetas, y no tiene na que desí.

—¿Que no tengo na que desí? ¿En qué vapó? ¿Pero tú te has jas creído que salté de un Yova, o qué? ¡Cuatro pesetas! ¡Jeep! ¡Jeeep!

—Oiga, no es por náa, ¿usté me entiende?—le insinuaba, con gesto tímido, Monagas la cargazón que su cuerpo trasatlántico prometía—. No es por náa, perooo... Jágase cargo. Es en rasón de la carga. ¿Usté me entiende?

—Yo no entiendo naa—gruñía obcecadamente la montaña de Arucas hecha hombre—. ¿Me abajas la tarifa, o no me abajas la tarifa?

—No, no. ¡Qué va!—se emperraba Pepe, mirándolo de arriba

abajo, mientras hacía infructuosamente un contrapeso de banda, como en los botes—. Ni por náa del mundo.

—Pos sos un ladrón, porque...

—Oiga, repare que yo no le ha faltao a usté. ¡Digo yooo!

—Sí, sos un laaa... un laaadrón. ¿Y sabes por qué? Porque a mí me han llevao jasta por una peseta.

—¿Sí? ¿Pos quiere que le diga una cosa: con una peseta no compro yo mañana ni la verguilla que me jase farta pa aquellar la tartana. Con eso está dicho too.

—Vaya, te doy dos pesetas. ¿Cuadra?

—No, señó.

El gordo se iba. Pepe sabía que era tan gorrón como rico. Y como ya era hora de retirada y el viaje lo dejaba casi al pie de la cochera, decidió aprovechar. Llamó a la montaña:

—Mire, venga acáaaa.

Y luego, sigilosamente, cautelosamente, metiendo la boca arrente de la oreja del viajero y con el gesto virado en acecho del resignado potranco, dijo silbando:

—Súbase, ¿oyó? Pero jágame el favó, que no lo vea el caballo.

28

DE CUANDO PEPE MONAGAS NO SABIA SI ERA
PEPE MONAGAS O FRAY PEPE

Las cosas sucedieron así: una prima hermana de Pepe Monagas, llamada Mariquita de las Nieves, conoció una noche en un bailoteo del Círculo Arenales a un tal Andrés Pisaca Trujillo, de Tenerife él, madurón él ya, que iba y venía en negocios interinsulares, y que andaba en casarse acá, porque al mou allá le habían metido algún cebollinazo sentimental. Y del tal cebollinazo se le viró una rabia a las mujeres chicharreras que no las podía ver ni en pintura. La prima hermana de Pepe era morenota ella, escachadona, pero con un lunar arrente de la boca que era una guinda, tanto por el tamaño como por lo demás. Tenía, desde luego, algo de bigote y una expresión mandona en las quijadas y en el morro de las narices. Pero el instinto de Andrés Pisaca le advirtió que ambas preponderancias apuntaban cosa buena para el fregado de la docena de hijos y el fogal.

Se casó más pronto que volando. Y se fue a vivir a Tenerife, y en Tenerife, a La Laguna, donde el amigo Pisaca abrió una gran tienda en una esquina alta de la calle de La Carrera. El negocio fue creciendo como un pitón, de derecho, y como un drago, de bien agarrado y recio.

Un percance y una coincidencia dieron pie a las cosas para que salieran según estaban escritas. En uno de los viajes a Canaria, cuando tenía siete meses de casado, Andresito Pisaca recibió un telegrama que decía: "Mujer alumbrádole hijo macho. Madre hijo buenos que dan gusto. Coja correíllo. Anselmo." Le telegrafiaba el empleado de confianza.

Coincidió el advenimiento con un malejón de Monagas. De copas vínole una agitera, o de sabe Dios qué diablos agarró una falladera que lo viró en tres días una frutita de aire, dejándolo más amarillo que una ñema de güevo. Y como se empeñara su mujer y unas vecinas en que era el pomo, Pepe tiró a ca maestro Hilario. Pero maestro Hilario lo desengañó:

—Usté tiene un pomo como un burro, maestro Pepe. Y en su sitio. Pierda cuidiaos con él. Usté no tiene más sino que está estomagao, ¿me entiende? Púrguese. Y tome siete días en ayunas una copita de giniebra.

Pero siguió malo, desapareciéndose, como el final de un repique en el aire. Entonces Pisaca, que tenía grandes simpatías por

él, llamándolo "pariente", díjole en horas de irse, viéndole abatatado:

—Parieeente, usté se viene conmigo pa Tenerife. Eso se quita
can airito lagunero y vinito de Icóoo, ¡yo que se lo digo...! De
otra parte, parieeente, yo tengo capricho porque sea usté el padrino del guayeeete. Conque, prepare el jato y al aaagua.

De esta manera fue a parar un tiempo a la vieja ciudad de
La Laguna Pepe Monagas.

* * *

Estaba por entonces la Universidad lagunera que no le cabía
una paja, de repleta de estudiantes. Y había una cuadrilla de
ellos que, malamañada para los libros, se había dado tan desaforadamente al pastoreo y al pillaje que contaba con hazañas bastantes para un romancero como el de aquel señor castellano del
siniquitate, que fue llamado don Rodrigo Díaz de Vivar, y el *Cid*
por nombrete. Las mataperrerías se sucedían como los días y las
noches, ingeniosas algunas, de leche de tabaiba las más. Y entreveradas, las serenatas, bajo ventanucos y piedras blasonadas,
que a este mocerío le daba lo mismo la que pesca en ruin bote
que la altiva Karaman Chi May. Ni qué decir, usté, que Monagas era a los tres días de estancia el gran compinche de la tropa
universitaria. Y que no se daba serenata sin su presencia mamada y guitarrera. Pero así como era el mimo de la pandilla,
era a veces también la víctima de sus aturdidas frescuras. Una
noche...

Rosita Anchieta tenía los ojos anchos como goritos, cambian-
tes del negro al pardo, como los gatos bajo la luna, con un aliento
de luceros y de una dulzura pastosa de leche condensada marca
La Pastora. Aquellos ojos traían más frito que una boga a Pablito Penichet, un canario de Canaria, hasta el extremo de que
sus ojeras eran como un luto por una madre. Una noche serena-
tearon a Rosita, por mor de Penichet, como es natural. Y Pablo, que era de la raya de Bañaderos y que tenía los cuartos
como cargas de leña, prodigó el beberío tan a manos cubiertas
que a la media hora, de los quince juglares, sólo quedaban derechos cinco, Monagas inclusive: los demás eran sacos de papas,
regados por esquinas distintas y dispersas. Como se intentara
espabilar al primero de los serones, derrumbado y estertoroso, y
contestara gruñendo: "Al que me menee de aquí, le nombro la
madre", los demás fueron quedando abandonados a su suerte de
ceretos de higos del Hierro.

Saltó al fin la diablura, como el gatillo de unos fuegos. Iba
entre los cinco supervivientes Frascorro Castro, llamado general-

mente Castrito, pero mejor conocido por *Peripesia*. Frascorro era un conejero más malo que la gangrena, con los ojos saltones, menudos, claros, pegados al morro de la nariz —la cual tenía la punta cambada sobre la izquierda— y con la mandíbula inferior aguda y el labio boquino. Empezó haciendo mezclas matonas con el beberío. Y achicándole a Monagas como a un fonil. Pepe cayó por fin como un cortacapote. *Peripesia* explicó su plan. En ca doña Esperanza, la dueña de su pensión, había un hábito de fraile franciscano, colgado cuidadosamente en un empotrado ropero de su dormitorio. Parece ser que don Juan Lorenzo Pérez de Zerolo, el difunto marido de doña Esperanza, venido a menos, pero celoso de sus blasones, como un buen perro de sus orillas, perteneció a la Orden Tercera de San Francisco. Sintiéndose morir encargó, malvendiendo para ello unos antiguos bargueños familiares a unos nuevos ricos de Santa Cruz, un hábito franciscano, para que lo enterraran con él. Esperaba el hidalgo que se lo hicieran con tiempo. Pero un día amaneció en la cama tieso como un ajo porro. Y como era estación de verano y había una calda que sancochaba huevos, hubo que enterrarlo a toda prisa y corriendo, vestido con un chaqué que le venía ya como un ladrillazo. Cuando llegó el hábito, don Juan Lorenzo Pérez de Zerolo llevaba más de tres días debajo de la tierra. Y doña Esperanza hizo a la encapuchada estameña una llantina tan aparatosa como a la del propio cuerpo presente. Después la colgó amorosamente, con unas bolsitas de naftalina, en el viejo ropero empotrado.

Era la una de la madrugada. *Peripesia* fue por el hábito. Y luego, entre todos, arrastraron a Monagas hasta la barbería de Bigarillo, un peluquero gran amigo del rancho escolar. Lo levantaron de la cama. Y Bigarillo peló magistralmente a Monagas con un cerquillo de fraile. Otro robó a la criada de su pensión las anchas sandalias cotidianas. Por último, lo vistieron. Y en poco más de media hora, el isleño era Fray Pepe Monagas de los pies a la cabeza.

En esta traza, los estudiantes lleváronlo al convento inmediato de franciscanos y llamaron destempladamente. Levantóse el hermano guardián.

—A la paz de Diosss. ¿Qué se ofrece, hermanosss?—dijo, dulcemente, por la mirilla.

—Hermano—contestó, trágicamente, *Peripesia*—, hemos encontrado a este fraile en la plasa de la Consepsión. Debe estar enfermo.

El hermano portero se empenicó suavemente y columbró a Monagas derrengado entre los brazos del grupo y mascullando sordamente:

—¡Que me larguen, les ha dicho!

—¡Ave María Purísima! ¿Cómo esss posible? Aguarden, hermanosss. Avisaré al Superior.

Desapareció un instante. Y a poco se abrió el portal del convento y apareció el padre con el guardián portando alto un farol inquieto y triste. Explicáronle los muchachos lo del encuentro.

—No es posible—dijo, alterado, el Superior—. Pero...—cavilaba examinándolo—. Sí, pudiera ser. ¡Hermano!—lo sacudió suavemente.

—¿Usté me va a dejá tranquilo de una vees? ¡Oh, padriiito! —resolló Monagas, dando un manotazo.

Lo entraron por recomendación del padre. Y lo acostaron sobre las losas de la entrada.

Al alba, atarozada y fresca como una mata de lechuga, sonó una campana pequeña, con un tañido insistente y límpido. Monagas, refrescado y sintiendo el bronce, despertó aturdido. Y al levantar los ojos se halló con un grupo severo de frailes, que, encapuchados y con las manos perdidas entre las holgadas mangas, lo contemplaban fijamente. El hombre pegó un brinco y se quedó en pie. Tenía fríos como el hielo los pies y la coronilla. Se miró, se tocó, se vio allí dentro. Y la cabeza le quiso dar un estallido.

—En mi vía ha tenío un sueño más estravagante—dijo, cambando la cabeza.

—Hermano—sonó la voz grave y pausada del Superior—. ¿Quiere usted explicar?

—¿Esplicar el qué?—dijo Pepe, sobándose, asmado, los ojos.

—Explicar su conducta.

—¿Mi qué...? Pero oiga, padre, ¿por qué no me esplica usté a mí primero? ¡Ay, mi madre, que estoy despierto!

—No se insolente, hermano. Y explique de una vez.

—¿Que no...? ¡Vemería! Oiga, padre, ¿quiere que le diga una cosa? Que me parta un rayo si lo entiendo.

—¿Usted quién es? ¿Y de qué convento procede usted?—insistió, inexorable, el Superior.

Monagas lo pensó un momento, y dijo al fin, con un tremendo aire resignado:

—Mire, padre, jágame usté un favó. Mande usté a la casa de Andresito Rivero, ¿oyó?, que está al canto arriba de la calle de la Carrera. Que pregunten allí por Pepe Monagas. Si no está, entonses Pepe Monagas soy yo. Pero si está—se le quebró la voz de terror—, entonses yo soy Fray... Fray... ¡Se me ha olvidao jasta el nombre, usté!

29

DE CUANDO PEPE MONAGAS QUERÍA IR AL CINE DORÉ

A lo mejor no se recuerda usted de un cine que hubo, ¡ay qué años!, aquí en Las Palmas, enclavado en las inmediaciones del Camino Nuevo y que se llamó cine Doré. Era el almacén de empaquetado convertido en sala peliculera y aguantando alegremente por la curiosidad y el paladar de la época. Allí se gozaba el isleño amplias y tracamundiniadas novelas por entregas en imágenes. Treinta y dos partes entre pecho y espalda, todas ellas llevadas a pulso en hombros y brazos de Maciste, de Duncan, de Eddie Polo. Y de relance, algunas cintas cortas de Max Linder o de Charlot, y otras menos cortas de la Bertini, ojerosa y constantemente atacada de dramáticos soponcios, de Telma Tod, tocada con macetas de La Atalaya, del primer Rodolfo Valentino, serio, serio y mirando, mirando, como si estuviera siempre enamorado y eso, y de Douglas Fairbanks —padre—, saltaperico y echado para alante. Cualquier celebridad de éstas, con todos sus satélites, se podía ver tranquilamente desde un banco que acababa siendo una trinca arrente de los cuadriles, y que tenía en sus entresijos media docena de chinches, hermosas, como las reses de una feria, y al pie, bailando seguidillas, dos docenas de pulgas flacas, por sólo la módica cantidad de 0,75 céntimos.

¡Y si hubiera sido esto sólo! Le explicaré. No era como ahora la función, que se la manda uno de una sentada, casi, con sólo un alivio y un cigarro, a la mitad. Era por diócesis, ahora una parte, después luz, al cabo de un rato otra parte y otra vez luz. Y al principio, un letrero —el primero de los mil— que iba diciendo con temblona luz cegante: "Primera parte." "Segunda parte." Por cierto, oiga, que a veces se equivocaba el de la máquina y cuando debía ir, por ejemplo, la segunda, metía la séptima. Se armaba entonces tal guirigay de silbidos y gritos, que el hombre no tenía más remedio que encender, taparle la boca a la equivocación y cambiar pacientemente el rollo. ¡No le digo nada cuando la ponía al revés! ¡Méeeerííía! ¡La de cosas! En una ocasión empezaba la parte con una salida lujosa de la Bertini por en medio de un salón. Sus brazos redondos, que tenían un no sé qué de mazapán, su boca, que sin saberse cómo sacaba a la de uno el sabor único del bienmesabe que hacen en Tejeda las niñas de Vega, su busto, alto, como la palma de doña Nieves, y pleno, como una corporación unánime, traían a una tanda de isleños imaginativos con los ojos encuevados y el sueño a mal traer. Casualmente metieron arriba esa parte vuelta pa abajo. Avanzó así unos segundos la aparatosa gran dama. Y la sala no rechistó. Todo el mundo la dejó caminar virada, como si fuera la cosa más natural del mundo. Por el sobrecojimiento de una extraña esperanza, basada en el instinto de la ley de gravedad, se aturdió en el salón la razón técnica, esperándose el milagro de la falda celosamente amplia y coluda. Algo así como la súbita floración de un capullo de rosa o el desmadejamiento en tiras de la cáscara del plátano. Quizá por primera vez en la vida el hombre de la máquina se dio cuenta de la inversión por cuenta propia, sin el aviso algariento de los de abajo. Y encendió la luz con la película andando, según costumbre, procurando así el desaire de mujer sorprendida que tiene la pantalla cuando le encienden el patio. Entonces, ante la amenaza de la normalidad, Monagas, que se encontraba presente, como polarizando toda la tensión pública, gritó, ardoroso:

—¡No la vires, bandío!

¡Y si fuera eso sólo!, dejé dicho más arriba: Había algo más. El cine Doré tenía un piano, a la punta alante, debajo de la sábana. Y un pianista fijo, que amenizaba la función tocando una pieza entre parte y parte, mientras se montaba la siguiente. El piano era más viejo que la carraca del puerto. Y el pianista era un francés atracado en la isla y apellidado Salmón. Mosiú Salmón. Pero no se vaya nadie a figurar que esto era un nombrete. Se llamaba de verdad así, Salmón. ¡La de cosas que le decían al hombre ajoto de su apellido! ¡La de cosas que se le ocurrían a Monagas, por ejemplo, para torearlo! Una noche, lo calentaron de tal manera, usté, que se volvió iracundo para el público y en su lengua y por las narices soltó unos tacos tan particulares, que si la gente llega a saber francés, Salmón no la cuenta. Monagas, viéndolo revirado, comentó entre su jarca:

—¿Esto es un salmón? Esto lo que es es una panchona.

Otra noche unos guasones le tiraron, después de una pieza, un medio cesto de cebollas, tomates y rabanillos. Al siguiente día se dejaron decir en el casino y en las boticas que en el Doré habían dado películas con ensaladas.

No obstante estas chapetonadas, desde que se hacía la luz Mosiú se sentaba en su banqueta y le metía manos al arpa vieja, disparándose unas latas de las de dos aspirinas.

—En una ocasión —y a esto iba—, en horas de abrirse el cine, Monagas, que hacía boca en un cafetín del Camino Nuevo con su jarca, habló de ir a la película. Empezaba una serie de Eddie Polo titulada *Tranquilidad viene de tranca*. Pepe quería ir. Le gustaba el cinematógrafo. Decía de él cosas curiosas. Por ejemplo, que las películas se echaban siempre en la trasera de un ventorrillo. La gente andaba remolona, casi todos en tres: dos en quedarse y una en dir. Alguno de la opinión de Pepe, para animar a los compinches, ponderó a Polo como ponderaría un buen perro de presa a un carnero de poderosa topada. Dijo al final, cambando importante la boca:

—Caballeros, se puede desir sin desajeración que ese hombre tiene una trompada como la patá de un mulo.

A pesar de eso el grupo no se animaba. Que si las chinches, que si las pulgas, que si los asientos eran demasiado duros para dormir, que si esto, que si lo otro. ¡Hasta el precio! ¡Que el precio era caro! Quejándose de una entrada de 0,75 céntimos.

—¡Quita ...mbre! Carísimo. ¿Quién va allá?

Monagas saltó:

—¿Y a ti te parese caro...? Tú no te has jas fijao que por siete perras y media te dan una penícula y siete latas de salmón.

30

DE CUANDO PEPE MONAGAS ESTABA *EN TRES*

Pepe Monagas fue también, por un tiempo, costero. En una extraña crisis de rectificación y arrepentimiento por que pasó, y como quien cansado de los vicios y maladanzas del mundo se decide por un convento recoleto y austero, sintió el llamamiento penitenciado de la Costa y de su vida de brega a bordo de los barquitos de la pesca. Significaba embarcar roerle el cabo al beberío, a las mediasnoches pa el día, a las resacas estomacales, que no daba avío el agua de San Roque, para encalmarlas. Significaba, por último, ¡TRABAJAR! esa cosa incómoda, de pájaros en jiñera, embrutecedora. Pero que debía ser digna, porque la mayoría trabajaba. Y la mayoría, aparte y eso, era digna. ¿Pa qué vamos a andar con requilorios?

Entonces fue y se enroló en un barco. Trabajo le costó, porque mastro Rafael el *Chopa*, patrón de la *Candelarita Canino*, nada más entender qué quería, le soltó, revirado:

—¿Que tú...? ¿Que tú quieres dir pal Moro con losotros? Pero, ¿tú te has jas creío que vamos a dir al Pino, o qué?

—Oiga, mastro Rafaé, oiga... Pero... ¡Escúcheme una palabra, señor...! Cada hombre es un mundo. Y de los arrepentíos es la gloria y too lo demás, ¿oyó?

—¡Ah!, ¿pero estás arrepentío? ¿Y qué marea te viró la proba? ¡Vemaría, consio, y lo que le quea a uno que ve...! Ta bien. Tira pal Moro. Pero de timples y requintos, ni el columbro, ¿oítes? Porque dende que los mientes, te meto de remojo. Y no te pesco, pa que lo sepas.

* * *

En el Moro, pasando las brevas de Tirajana, estuvo Pepe seis meses, pizco más pizco menos. Y volvió tan requintado, usté, que nada más oír hablar de botes en los timbeques —de botes de leche, de botes de laterío cualquiera— se cambaba todo y le entraba un mareo que era a irse pa las plataneras. Y se cogía unas calenturas como en un tifus.

A la mujer de Pepe, que estaba privada con aquella rectificación y los cuartitos fijos de la zafra, cuando supo un día que su marido no volvería nunca más, le dio un ataque tan superior que rompió tres macetas con geranios y tomateros, la jaula de un capirote, que decía "Pepito", y que voló, una bandurria con la cejicilla estropeada que tenían allí para endengar y un San Miguel de esquinero con una espada de papel de plata y las pesas de tapas de botellas de agua agria. Pepe le soltó una andanada encima, cuando supo que el soponcio era porque él no quería volver a la costa. Luego, cuando ella se recobró y le hizo un llanto, él, ablandado, la conformó, diciéndole misteriosamente que él "estaba en tres".

Soleaita se quitó de cuentos y se fue ca los señores Jorge. Y consiguió que lo llamaran.

—¿Disen que no quieres volver?

—Pos no, señor. Aquello fue un arranque marítimo.

—¿Un qué? ¿Por qué no hablas claro?

—Pos claro. Le diré... No es que no quiera golver. Pero entodavía estoy "en tres".

—¿En tres qué...?

—En tres, no más. Dos en quearme y una en dir.

31

DE CUANDO PEPE MONAGAS SE CAYÓ POR LAS ESCALERAS DEL TEATRO

Echaban en el Pérez Galdós una función de aficionados. Una de aquellas funciones que se anunciaban para las 9,30, comenzaban a las 10,15 y se acababan en hora de churros, poco menos que aclarando el día. Cantaba un distinguido grupo de señoras gruesas, tocaba unas cosas más largas que un silbío algún violinista o algún pianista y hasta había su palabrerío de entrada, que se disparaba un señor, serio él, y todo cantado porque la luz se le venía arriba de proa.

Resulta que a Pepe Monagas le regalaron una entrada. Victorito el del *Pinillo*, que trabajaba en ca los Betancores, tenía cinco, del reparto que allí hicieron. Y Pepe fue a la función, en una de esas noches en que uno está como gallina sin nidal, buscando palo donde encaramarse y despuntar la prima. El isleño ocupó una estratégica localidad de anfiteatro. Ni qué decir tiene que al igual que sinnúmero de vecinos, también de "tifus" —séase de los que entran sin pagar—, libre de la jeringa de las butacas de patio y de finchamientos distinguidos, se durmió como un tronco. Hasta el extremo que, alarmado por los ronquidos, tuvo que soliviantarlo alguna vez un acomodador:

—Mastro Pepe, a dormir al catre.

—Oiga, ¿usté está aquí pa acomodá o pa incomodá?

Y volvía a dormir.

*　*　*

En un descanso espabiló Monagas. Salió. Y bajó al Salón Saint Saens, que nunca se cansaba de admirar y para cuyas pinturas tuvo siempre la misma frase:

—¡Mería! Este Néstor es más grande que la palma San Roque.

Diose una vuelta por las orillas. Y se animó a bajar a la entrada. Pero cuando había descendido dos escalones, una señora guapísima ella, con un gran aire de pa fuera ella, fumando maravillosamente y seguida de tres finchados caballeros, asomó a la baranda, sobre la escalera. Pepe se quedó lelito. Tan lelo que al pretender descender más se le dobló por el tobillo un pie, tumbándose todo de una banda. Cuando enderezó, falló el otro pie hacia adelante y se fue de proa. Metió la cabeza, atacó de plano los filos de los escalones con las costillas, levantó al cielo las palancas, tiró un brazo al pasamano y dio tres o cuatro sacudidas, como una gallina desnucada. Y después de pegar así tres o cuatro botes, se quedó sentado abajo, al pie del ancho espejo que da frente a la entrada lateral. La carcajada fue de las que hacen corirente de aire.

Monagas la sintió, allá en el rancho grande de su aturdimiento. Y se recuperó forzadamente, más dolorido por el ridículo que por los salpasos. Cuando levantó los ojos y entrevió algo, se halló con su imagen reflejada en el espejo. Entonces, con la turbia ilusión de que no estaba solo en la desgracia, dijo a través de una ingenua sonrisa:

—Vaya, caramba... Los caímos al mismo tiempo.

Colección completa de

LOS CUENTOS FAMOSOS DE PEPE MONAGAS

(Cuarta parte)

PROLOGO

por

Francisco Rodríguez Cirugeda

RECUERDO DE PANCHO GUERRA

"Amigos de siempre", Pancho. "Camarada de entonces, cuando éramos mocitos..."

Amigos, sí, de siempre. Cuando tú lo escribiste, Pancho, sabías ya —sabíamos— que nuestra amistad era de siempre y para siempre, aunque ya nos había separado la vida y no era como entonces, cuando éramos mocitos. Al escribirlo yo de nuevo ahora, el "siempre" es ya definitivo, porque la muerte ha vuelto a separarnos, pero sólo por ahora. Hasta que ella, otra vez, definitivamente, nos reúna.

"Camaradas de entonces." Yo quisiera, Pancho, recordar el tiempo en que fuimos camaradas, "cuando éramos mocitos". Recordar aquél, tan importante, en que nacía en los dos una vocación literaria, blanda arcilla que tú supiste trabajosamente modelar, cocer y convertir en obra perdurable. Mientras yo dejé a la mía quedarse en barro, en barro seco, y convertible en polvo que la ventisca —"la vida", Pancho, "y la economía"— dispersó. Y quiero recordarlo para ti, en quien ya el pasado no es recuerdo, es presencia. Para ti y para mí, pero también, sobre todo, para estos amigos tuyos que te recuerdan y te quieren. Estos amigos nuestros con los que de vez en cuando me reúno a recordarte. Y esos otros amigos tuyos, que tú no conociste, que empiezan ahora a conocerte y a quererte. Esos amigos nuevos que ganas cada día, cada vez que un nuevo lector abre alguno de tus libros.

* * *

No consigo recordar mi primer encuentro con Francisco Guerra Navarro. Mis primeros recuerdos de él se mezclan en una imagen borrosa, como un viejo cliché desvaído, entre el grupo confuso de los demás compañeros, en las aulas del viejo Instituto, nuevo entonces, a la vera del Guiniguada. Entreveo, como si fuera en la foto semiborrada de un grupo convencional de fin de curso, su silueta larguirucha, su crespa cabellera, empinándose

*para agrandar su talla de muchacho más alto de la clase. Pero
no estoy seguro de que ese recuerdo corresponda a una imagen
real; tal vez se trata de una composición, con imágenes prestadas
por la imaginación, supliendo huecos de mi memoria.*

*Probablemente nos conocimos en 1924. Tal vez, lo más pronto,
a fines de 1923. Ese año, en septiembre, días antes que don Miguel a la Dictadura, llegué yo a Las Palmas. En octubre comencé
a asistir en el Instituto a las clases del segundo curso. Allí estaría Pancho, Francisco Guerra Navarro, como le nombraban las
listas que se pasaban al principio de las clases. Pero de aquel
primer curso en el Instituto de Las Palmas sólo conservo vivo
el recuerdo —tal vez avivado por experiencias posteriores— de
una angustiosa sensación de soledad y desamparo. El traumatismo
del funcionario (el, tal vez mayor, del hijo de funcionario) a
quien un cambio de destino desarraiga del ambiente donde había
creado unas amistades, del paisaje social en que estaba inserto,
y se encuentra trasplantado bruscamente a otro, raramente hos-
til —no lo fue el de Las Palmas, para mí, en absoluto—, pero
casi siempre indiferente, donde lentamente, quizá penosamente,
ha de ir creando las nuevas relaciones, encontrando las afinida-
des o los contrastes que anuden la amistad.*

*Lo cierto es que a Pancho apenas le recuerdo en el Insti-
tuto. Allí nos encontramos, sin duda, y de allí debieron partir
nuestras primeras andanzas para descubrir paisajes, para explo-
rar las cosas y las gentes. Mis recuerdos más remotos, ya defi-
nidos y concretos, aunque de incierta cronología —tal vez de 1925
ó 1926—, se refieren a nuestras infatigables caminatas por toda
la ciudad. Me veo con Pancho transitando los vericuetos del Risco,
coleccionando perspectivas sobre la ciudad y el mar, al acecho
de sus gentes, aquella humanidad, viva y colorida; paseando las
plácidas calles de Vegueta a esa hora mágica del atardecer, en
que alcanza la plenitud de su encanto; asomándonos al mercado
(abajo, en la margen derecha del Barranco), con su bulla, su
abigarrado colorido, sus intensos olores y aquellos risqueros y
campurrios que nos divertía observar en los cazurros forcejeos
circunspectos del regateo mercantil, o cuando, ya distendidos, una
vez la transacción realizada, se acercaban a algún timbeque cercano a proseguir la conversación, rica en sabrosas expresiones.
Hasta allí les seguíamos, a veces, si nuestro magro bolsillo de
estudiantes nos permitía el dispendio de un vasito de ron con
su enyesque de carajaca que nos quemaba la garganta y nos cortaba el aliento, pero que nos parecía afianzar nuestra hombría
de muchachitos de quince años.*

*Me veo al lado de Pancho, en largas caminatas hasta la Isleta,
para hacer la inspección de los jardines que entonces empezaban*

De derecha a izquierda: Francisco Guerra Navarro, Santiago Santana y el autor de este prólogo, Francisco Rodríguez Cirujeda, en Las Palmas, el 27-I-1929.

a verdear por la parte de las *Alcaravaneras*, y para asomarnos a la *playa de las Canteras* o a los *muelles* del puerto, donde, llevando por guía los versos de *Tomás Morales*, vagábamos a la busca de buques de exótica matrícula y marineros de facha legendaria o pintoresca estampa. Me veo con *Pancho*, en la única sesión de riña de gallos que presencié en mi vida, y asistiendo, allá por *Fuera la Portada*, a épicos combates de lucha canaria, donde "Pollos" siempre con nombres de resonancia guanche dirimían sus contiendas. Me veo en el viejo *Campo España* desgañitándonos para aportar nuestro esfuerzo en la enconada rivalidad que dentro de la isla polarizaban el "Victoria" y el "Marino", casi con tanto ardor como entonces dividía al archipiélago la división de la provincia.

Me veo, sobre todo, siguiendo con *Pancho* y otros tres o cuatro amigos de inolvidable memoria (*Penichet, Padrón, Santiago Santana, el malogrado Ramón Conejo*) las procesiones de *Semana Santa* o la gran salida cívica del *Pendón de la Conquista* en la fiesta de *San Pedro Mártir*. Ibamos —la duda ofende— llenos de emoción religiosa o de altos sentimientos patrióticos, según el momento requiriese. Pero no eran ellos estorbo para aprovechar la ocasión de derramar la vista encandilada sobre el lucido guayaberío, especialmente deslumbrador en tales circunstancias, y para aguaitar lo que pudiera verse mirando a los balcones, o divertirnos observando a los *magos* y *maúros* que aquellos días vestían, rígidos y envarados, sus trajes de fiesta, sofocados dentro de ellos, perdida aquella graciosa naturalidad con que los solíamos contemplar en los aledaños del mercado.

Esto me parece un dato importante para la biografía de *Pancho*. Su temprana curiosidad, amorosa y entrañable, por las gentes humildes de su tierra. El las contemplaba incansablemente, con ternura matizada, quizás, por un punto de ironía que le permitía el distanciamiento indispensable para la perfecta captación. Cuando observaba a aquellos tipos, con cuyos rasgos iba amasando, sin todavía saberlo, la figura esencial de "Pepe Monagas" y la rueda viviente de sus amigos y compadres, se dibujaba en la cara de *Pancho* aquella sonrisa golosa tan suya, que le encendía una chispita en la mirada, le achicaba la boca como si se relamiese los labios desde dentro y le hundía las mejillas en ademán de sorber el gesto, la frase, el vocablo que aturdía su atención, retenía su interés o despertaba su entusiasmo. Antes de nacer su vocación literaria, ya *Pancho* buscaba a "Pepe Monagas" y ya hacía mentalmente fichas para ese Léxico popular de Gran Canaria, que no llegó a terminar.

La vocación literaria de *Pancho* se manifestó hacia 1927, en una época en que el grupo de amigos que antes he nombrado

*nos reuníamos casi a diario en el Parque de San Telmo. Empezó
Pancho entonces el estudio de la Literatura como asignatura con
un maestro excepcional, don Agustín Bravo Riesco. Yo le llevaba
un año de ventaja porque había adelantado uno en mi bachillerato y, por un venturoso azar, combinándose mi personal plan
de estudios con una de las epidémicas reformas del Bachillerato
que durante el último medio siglo han asolado nuestros Institu-
tos, me encontré matriculado en 1926 único alumno en Las Palmas de la asignatura "Literatura española comparada con la ex-
tranjera", que explicaba don Agustín. Como en aquel bendito sistema no había exámenes por asignaturas, sustituidos por exámenes de grupo y reválida final, en el curso siguiente seguí asistiendo a las clases y allí coincidí de nuevo con Pancho, con quien
desde mi tercer año de bachiller había dejado de convivir en las
aulas.*

*Fue aquel un curso en el que, junto a la literatura que leíamos
con don Agustín, descubrimos otras muchas cosas. La reapertura
del teatro Pérez Galdós, nos mostró el mundo de la ópera y el
del teatro de calidad, interpretado por una excelente compañía
de la gran Catalina Bárcena. El mundo de las Bellas Artes lo
descubrimos asomándonos asiduamente a la "Escuela Luján Pérez", de la mano de Santiago Santana. Allí se vivían apasionada-
mente las artes plásticas. Recuerdo unas conferencias inolvidables
sobre Arquitectura de su director, don Domingo Doreste, el ad-
mirable Fray Lesco. La música se nos abrió en algunos concier-
tos del teatro Pérez Galdós y en diversos recitales, entre los que
no olvido uno del guitarrista Pujol en la redacción de* El País.
*El cine alcanzaba entonces su primera cumbre, antes de la cri-
sis que había de significar la iniciación del cine sonoro, con aquellas películas que se llamaron* Amanecer, El Demonio y la Carne,
La quimera del oro, Varieté...

*Fue aquel un tiempo de exaltación por los temas del arte,
vivido por toda nuestra promoción con ilusión y entusiasmo. En
el Instituto, la presencia de un magnífico cuadro de profesores
—he nombrado a don Agustín Bravo Riesco; debo mencionar también, al menos, a don José Chacón y don Gonzalo Pérez Casanova— había suscitado un espíritu espectante, vivaz e inquieto.
No sé de dónde surgió la idea de fundar una revista estudiantil,
pero sí que puedo afirmar que a aquella empresa aportó nuestro
grupo, y Pancho en primer lugar, el mayor entusiasmo. Nosotros
buscamos los medios económicos, los anuncios, las colaboraciones
y las suscripciones. Hicimos numerosas visitas a empresas, a in-
telectuales, a compañeros, para gestionar suscripciones o ayudas.
Sería divertido y aleccionador relatar la variada acogida que tuvo
nuestra embajada. Lástima es que no lo hiciera Pancho, que hu-*

biera sabido cuajar, socarrón y mordaz, el retrato de quienes nos despidieron con cajas destempladas, de quienes nos dieron buenas palabras y pomposos consejos, pero nos cerraron sus bolsillos, y aún de quien se largó hasta obsequiarnos con un tostón —1,25 pesetas— sin faltar un cuarto, guiñándonos el ojo con maliciosa complicidad al advertirnos que ya se imaginaba que no íbamos a gastárnoslo en publicar revistas, sino en una farra fenomenal que nos deseaba muy divertida.

De aquellas visitas quedó muy fija en mi memoria, aunque no haya retenido nombres de personas, la que hicimos a un grupo de maestros nacionales que residían en la calle del Cano o sus inmediaciones, por quienes fuimos atendidos con ánimo generoso. Fue seguramente el primer sitio donde se tomó en serio nuestro proyecto.

Otra visita importante, decisiva, fue la que hicimos a la redacción de El País, pilotado a la sazón por Pedro Perdomo, Juan Rodríguez Doreste y Rafael Navarro. Allí nos dispensaron estímulos, consejos y orientación definitiva. Como nuestra edad impedía que ninguno de nosotros pudiera asumir oficialmente la dirección de la revista, Rafael Navarro se nos ofreció como director y firmó los papeles necesarios para obtener la autorización gubernativa. Supo ser Rafael un director discreto que, ayudándonos seguramente más de lo que nosotros supusimos, nos dejó absoluta libertad de iniciativa y decisión. Él redactó las líneas de presentación y dedicatoria de la revista —a Luis Bello— y alguna breve nota informativa.

Estudiantes publicó dos números. El primero se puso a la venta en la fiesta de San Pedro Mártir del año 1928. El segundo tuvo fecha de mayo. Sin firma, con ella o con seudónimo, escribieron allí Juanita Padrón Hernández, Agustín Miranda Junco, Ambrosio Hurtado de Mendoza, F. Zumbado Espino, Francisco Hernández González, José Rodríguez Batllori, Santiago Santana, José Peñate Castro, José Benítez Bravo de Laguna y el profesor Pérez Casanova, quien nos entregó un estupendo artículo anónimo sobre el Laboratorio Oceoanográfico de Las Palmas. También, desde luego, escribimos Pancho y yo.

Quisiera destacar aquí la calidad y significación de casi todos aquellos trabajos (el casi va a cuenta de mis pobres artículos), pero no debo desviarme del propósito de estas cuartillas. Creo, además, con la perspectiva de los cuarenta largos años transcurridos, que lo más importante de aquella romántica empresa fue ser vehículo para la presentación pública de Pancho Guerra y de "Pepe Monagas", aunque ninguno de los dos apareciera entonces con sus nombres.

El primer número de Estudiantes contuvo tres trabajos de Gue-

rra Navarro. Uno, en verso, unas garbosas coplillas de tema estudiantil, firmadas "Simplicio Panduro". Dos, sin firma, que eran dos cuadritos de costumbres; el primero, una anécdota escolar. El otro, "una isleñada", fue el primer ejercicio de Pancho en ese género, en el que llegaría a ser maestro. El protagonista se llama Justo, pero es ya "Pepe Monagas". Es un cuentecillo con mucha gracia, que Pancho reelaboró años más tarde para publicarlo en 1960. Está recogido con el número tres en el tomo primero de la edición definitiva de sus Cuentos famosos. En aquel trabajo primerizo, "Pepe Monagas" está ya esbozado y aparece bien manifiesta la preocupación por la fidelidad al vocabulario y la fonética popular.

En el segundo número de Estudiantes publicó Pancho otro relato, también costumbrista y popular. Se titula La perra: describe un viaje en guagua, tema que había de aflorar con frecuencia en sus trabajos posteriores. Lo firma con el seudónimo "Pancho Pitouto": "Pitouto" y "Panduro". Dos seudónimos que —con el tema estudiantil de las coplillas publicadas en el número primero— muestran el influjo que unas lecturas todavía elementales ejercían en aquel momento sobre los juveniles entusiasmos de Pancho, adscribiéndole a una visión convencional de "casa de la troya", ingenua, sencilla, que entonces fue maliciosamente comentada. Si advertimos que en aquellos dos números de nuestra revista se conmemoró el centenario de Goya y se citaba, en otros trabajos, a Ortega, a Spengler y a D'Ors, trayéndolos muy a cuento, podemos imaginar que ninguno de los que allí aparecimos pensó —y el propio Pancho, de sincerísima modestia, menos que nadie— que la más perdurable de las carreras literarias que allí se iniciaban había de ser precisamente la de aquel sencillo y apasionado muchacho que hacía su primera aparición acogido a la sombra de un novelista, Pérez Lugín, que la mayoría de nosotros pedantescamente desdeñaba.

En los dos números de Estudiantes publiqué yo unos insípidos trabajos titulados "Folklore", cuando aún la palabreja no había sido desacreditada por su mal uso desde los escenarios de variedades. Querían ser el comienzo de una sección fija dedicada al estudio del saber popular. El segundo, sobre la folía canaria, está significativamente dedicado "a mi querido amigo Francisco Guerra Navarro". No tiene más valor que ser indicio de por dónde andaban nuestras comunes aficiones.

Estudiantes tuvo el signo efímero de todas las revistas juveniles, y se extinguió con el curso. Hubo intentos de prolongar su vida e incluso una breve campaña periodística que mantuvimos Pepe Rodríguez Batllori, José Padrón, A. Caballero Armas y yo. Pero al reanudarse el curso, en octubre de 1928, Estudiantes no reapareció. *Algunos de sus colaboradores, Pancho entre ellos, participaron en otras iniciativas, también de corta duración y, si me atrevo a decirlo, de menor calidad: "Sancocho", "Son... risas", "El mojo", "Rumbos". Predominaba en las primeras el tono humorístico y, bien evidentemente en dos de ellos, el "sabor" popular canario. "Rumbos" tuvo pretensiones de mayor elevación en la gran línea que su nombre evoca de la literatura atlántica que en Tenerife había dado una gran revista con nombre pedido también a las cartas marinas: La rosa de los vientos, en la que resuena modernizado el gran aliento de Néstor, Torón y Tomás Morales. "Rumbos" quedó muy por bajo de su intento y tuvo también corta vida. Pancho intervino activamente en su gestación, puesto que me escribió —vivía yo entonces ya en La Laguna— pidiéndome colaboración para el primer número de la nueva revista, en el que no encuentro, en cambio, huella alguna de su pluma.*

Pero esto ocurría ya a fines de 1929. Antes vivimos Pancho y yo otra bella aventura, de la que fue promotor y real protagonista Santiago Santana, el gran y común amigo. Alguien regaló a Santiago unos pliegos de espléndido papel de bibliófilo. En nuestra tertulia cotidiana del Parque de San Telmo maduró la idea: confeccionar con aquel papel maravilloso un libro. El ejemplar único de un libro, que titulamos Aromas, donde Santiago caligrafió primorosamente unos versos de Pancho y unas poesías mías, e ilustró y encuadernó con arte. La "edición" la realizó Santiago en su Moya natal, en las Navidades de 1928. El resultado fue delicioso y el libro circuló de mano en mano y mereció los honores de la crítica, que El País le dispensó en su primera página del día 24 de enero de 1929, con la firma amiga de Rafael Navarro. Para los tres (Pancho, Santiago y yo) fue éste un exquisito divertimiento, una empresa menor que nos dio la satisfacción de ver realizada nuestra primera ilusión juvenil. Seguramente fue aquélla la primera ocasión en que Pancho, que no había firmado sus colaboraciones en Estudiantes, vio escrito su nombre con letra de "imprenta".

Nos quedaba ya —y aún no lo sabíamos— poco tiempo de convivencia. Se acababa, sin que lo presintiéramos, nuestra jugosa camaradería. Y acariciábamos el proyecto, que no llegó a realizarse, de una nueva empresa donde nuestra colaboración se iba a centrar en el tema de nuestras comunes aficiones y estudios: el folklore de Gran Canaria.

Nuestra tercera salida estaba proyectada para el verano de 1929. Teníamos esbozado el plan en sus líneas generales, perfilados muchos detalles. Había de consistir en una magna excursión por la isla, siguiendo las fiestas locales, según un itinerario

*que se iniciaría por las fiestas de Santiago, en Tirajana, el Tunte
entrañable de Pancho, y acabaría, según pintasen los examenes
de mayo y fuera o no necesaria la presencia en la convocatoria
de septiembre, ya en la feria de San Miguel, de Valsequillo, ya
en la más tempranera fiesta grande de la Virgen del Pino, en
Teror, a primeros de septiembre. Teníamos estudiado calendario
y ruta. Estábamos iniciándonos en los secretos del arte fotográfico, con cámara de cajón y manejo de reveladores y fijadores
en cubo, puesto que la base de la empresa consistía en dedicar-
nos a hacer fotografías al minuto a los maúros que estuvieran
dispuestos a gastarse los dos reales de nuestra tarifa, para per-
petuar su imagen. Y sí que la hubieran perpetuado, porque entraba en nuestro plan, y ya lo teníamos medio apalabrado, ceder
luego los clichés obtenidos en nuestra gira al Museo Canario para
nutrir sus incipientes series etnográficas. Yo no sabría distinguir
exactamente ahora qué es de aquellos planes, lo que era ya proyecto firme y lo que eran todavía meras ilusiones, pero en el
planeamiento entraba escribir unas crónicas periodísticas, amén
de recoger cantares, romances, decires y consejas en su fuente
más fidedigna: los labios de los ancianos de cada lugar. No me
atrevo a afirmar —ni a negar— que Pancho pensara ya entonces
en recoger vocablos para su futuro Léxico Popular, cuyo proyecto no estaba, a buen seguro, aún en su mente. Pero sí que
estaba bien despierto su interés por los modismos y expresiones
peculiares de los isleños.*

* * *

*Y entonces fue cuando nos separó la vida. Yo andaba ya em-
pezando mi carrera de Derecho y para que pudiera asistir a las
clases de la lagunera Universidad, decidió mi padre pedir destino en Tenerife. El 20 de febrero de 1929 embarcamos en Las
Palmas rumbo a la isla hermana. La marcha no parecía entonces definitiva. Por otra parte, Pancho iba a seguir también la
carrera de Derecho y vendría más adelante a La Laguna, al menos en las épocas de examen. Compañeros comunes estaban ya
allí o viajaban con frecuencia de una a otra isla. A través de
ellos se prolongó durante algún tiempo la impresión de continui-
dad en el contacto.*

*Fechadas en 1929 conservo tres cartas de Pancho. Al releer-
las ahora advierto un dato que puede documentar un detalle curioso de su historia. Se refiere a su propio nombre, a ese "Pancho"
que él adoptó, tomándolo probablemente de su ámbito familiar,
con el que todos le conocemos ahora, pero que yo no recuerdo
haber usado en la época de nuestra camaradería juvenil. Pancho*

era entonces, en nuestro círculo de amigos, Francisco Guerra Navarro, o simplemente Guerra. Así está designado en las breves notas manuscritas que de entonces conservo y en las cartas de aquellos años en que amigos comunes me dan noticias suyas después de mi marcha.

La primera carta que me escribió a La Laguna es de fin de marzo y está firmada "Francisco Guerra Navarro". La firma "Pancho Guerra" aparece por primera vez en la segunda carta, que es del 17 de mayo de 1929. La tercera y última es de noviembre y la firma "Pancho Guerra Navarro". ¿Comenzó a usar el "Pancho" familiar y popular en sus colaboraciones de Sancocho y El mojo? El "Pancho Pitouto" de su seudónimo en Estudiantes pudo ser un primer paso hacia la utilización literaria de su apelativo familiar.

No conservo más cartas de él que las que he enumerado. La de noviembre de 1929 viene llena de disculpas por el largo silencio que la había precedido. "Tú sabes por qué no escribo. Por nada. Por cualquier cosa. Yo no sé por qué." Sí. Yo sabía por qué: por eso, por nada, por cualquier cosa. El tenía una explicación más breve, pero no justa: la gandulería, la pereza. Pancho vivió siempre con el remordimiento de una galbana que a él parecía mayor de lo que era en realidad. A ella se refiere en la nota prologal a las Memorias de Pepe Monagas, fechada en noviembre de 1958, y de ella se acusaba en nuestras conversaciones de esa época en Madrid, cuando estaba constantemente atareado por su diario quehacer periodístico en Informaciones, sus colaboraciones literarias en las periódicos de su isla y la preparación del ingente Léxico popular en que entonces trabajaba. Lo que él llamaba pereza no era sino desgana para coger la pluma, porque nunca fue Pancho —y que me rectifiquen si me equivoco quienes le trataron asiduamente en su época más fecunda— hombre de pluma fácil. Tenía Pancho la imaginación muy viva, la palabra pronta, espontáneas la gracia y simpatía. Pero verter en el papel le costaba esfuerzos que su exigencia de perfección hacía más penosos. Tenía que vencerse para coger la pluma, pero lo cierto es que siempre se vencía. En la carta cuyo párrafo he copiado continuaba: "Tengo aquí, a la vista, tres borradores de cartas, que no se realizaron precisamente por eso: por ser intentos, borradores. Porque no me gustaban, por un lado. Por no sacarlos en limpio, por otro." Porque no le gustaban. Pancho fue muy exigente consigo mismo. Lo fue cada vez más, y así llegó a la perfección de sus últimos cuentos, de la parte terminada de su Léxico popular. Su pregonada pereza no era sino disgusto de no saber traducir de primera intención su fino ingenio centelleante en la palabra escrita. Y de esa desazón nació, en definitiva, la perfección de su obra, esa gracia fluida que parece espontánea, pero que esconde un trabajo penoso, minucioso, para traducir artísticamente su gracia natural. Trabajo del que sólo el estudioso atento llega a percatarse.

* * *

A fines de 1930 regresé, con mi familia, a la Península, yendo a vivir a Barcelona. El contacto con Guerra, mantenido a través de los amigos comunes durante 1930 en La Laguna, va haciéndose más distante. Sobre la distancia en millas va cayendo otra en meses, en años, en lustros. En 1931 paso unos meses en Madrid para hacer el doctorado y luego viajo un poco por España. Los estudios jurídicos han ido desplazando mi interés a los temas sociales y económicos. Falta del amistoso ambiente que la alumbró en Canarias, mi vocación literaria se agosta. Comienzo a preparar unas oposiciones. Muere mi padre y la necesidad de ganar la oposición se hace apremiante. El servicio militar. Mis nuevas tareas profesionales. La guerra civil, la postguerra...

De Pancho me llegan noticias muy de tarde en tarde: estudia Derecho, con desgana. Cuelga luego los estudios de Derecho. Se dedica por completo al periodismo. Ha compuesto unos cuadros escénicos muy graciosos. Se ha ido a vivir a Madrid...

A Madrid voy también en 1957. Abrumado por obligaciones profesionales que absorben todo mi tiempo, toda mi actividad, todas mis energías. Tardo unos meses en saber de Pancho. Él también está atareado, acuciado por la tarea diaria del periódico en que trabaja, por el Léxico que está camponiendo y cuyo plazo de entrega, al que está condicionada la beca que "disfruta", se acerca inexorable, mucho más veloz que la terminación de su trabajo.

Nos vemos de tarde en tarde. ¿Seis, siete veces entre 1958 y julio de 1961? Casi siempre, para comer juntos, a fin de aprovechar mejor el poco tiempo que él y yo tenemos disponible. Hablamos poco de nuestros problemas actuales, de nuestras ocupaciones, de nuestros trabajos, que se empeñan en seguirnos separando. La conversación se nos marcha siempre a Las Palmas, al paraíso perdido de aquellos años maravillosos, a los amigos de entonces, a los sueños, proyectos e ilusiones que entonces acariciamos.

Pancho, sin darle importancia, menciona un librillo que publicó recogiendo trabajos periodísticos que en la tierra alcanzaron "cierta aceptación". Un día me lleva un libro que acaba de imprimirse. "Creo que te gustará, si aún te acuerdas del modo de hablar de mis paisanos." Allí mismo, con su letra desparra-

mada, abierta y clara como su modo de ser, como su estilo de vida, me dedica un ejemplar de las Memorias de Pepe Monagas, *con esas palabras emocionantes que tan fielmente sintetizan la historia de nuestra amistad: "A Paco Rodríguez Cirugeda, mi amigo de siempre y mi camarada de entonces, cuando éramos mocitos y no nos había separado la vida ni la economía, con un gran abrazo." Hojeé el libro aquel día y no acerté a calar todavía su importancia. Cuando pude leerlo con sosiego, al llegar las vacaciones, quedé deslumbrado. Toda la luz, todo el perfume de la isla, todo el tierno encanto de sus gentes estaba en aquel libro asombroso. Tuve entonces impaciencia por conocer otras cosas suyas, esos entremeses, esos cuentos que él guardaba y llegó a parecerme un tonto despilfarro —y así se lo dije— esa dedicación suya actual a confeccionar un erudito diccionario. Él, sonriendo, me aseguraba: "Procuro, ¿sabes?, que no quede en una cosa fría de coleccionista de vocablos."*

Él esperaba tener pronto un piso, algo más que el "rincón de su cuarto de eterno realquilado". Allí me enseñaría sus cosas, sus versos, sus cuentos, sus trabajos. Allí nos reuniríamos con algunos de los amigos que siempre recordábamos y con otros nuevos de los que él me hablaba.

Un día de fin de julio —1961— me llamó por teléfono. "El sábado por la tarde, ¿quieres?, ya tengo el piso. Está casi vacío, pero no importa. Vendrán varios amigos. Ellos tienen también ganas de verte." No podía. Yo no podía. Tenía ya todo preparado para marchar de Madrid precisamente ese sábado a mediodía, para empezar las vacaciones. ¿Acaso el viernes...? "No puede ser. No importa. En septiembre nos veremos. Mejor, así estará más preparado todo aquello."

Pero en septiembre no nos vimos. A mitad de agosto, en mi rincón de Cataluña, leí la noticia brutal, desconcertante: "Periodista fallecido repentinamente." El periodista de aquella noticia era Francisco Guerra Navarro.

* * *

La reunión que Pancho quiso celebrar en julio, que aplazó hasta septiembre, se celebró, sin él, meses después, en ese rincón isleño que es el "Hogar Canario" en el Madrid de la calle de Fuencarral. Antonio Arbelo, a quien hasta entonces sólo por referencias de Pancho conocía, nos convocó a sus amigos y allí quedó constituida la "Peña Pancho Guerra", que se propuso como tarea fundamental la publicación de toda la obra, inédita o dispersa, del amigo prematuramente desaparecido, labor que en gran parte se ha realizado con el fervor de todos, bajo el amoroso cuidado de *Antonio Arbelo, Vicente Marrero, Miguel Santiago, Alfonso Santamaría, José Navarro, José Pérez Vidal, Eduardo Creagh, Luis Manchado y Luis Villarino. Gracias a ellos pude al fin ir conociendo todo ese fabuloso tesoro de canariedad, y reconciliarme con el Léxico que tan injusta ojeriza llegó a inspirarme cuando se estaba escribiendo.*

Ahora ese grupo de los amigos de Pancho me ha pedido un prólogo para el cuarto tomo de los Cuentos Famosos de Pepe Monagas. *Por complacerles y en recuerdo de Pancho he escrito estas cuartillas. Les quedo deudor de las emociones que he vivido al revivir los recuerdos de otros días. Mis recuerdos de camarada de Pancho, mis recuerdos de entonces, cuando éramos mocitos.*

F. Rodríguez Cirugeda

Madrid, 29 de abril de 1971.

DE CUANDO PEPE MONAGAS SOÑÓ QUE UN TORO ARGENTINO...

Aquel domingo mi comadre Soledad se descolgó con un puchero, caballeros, que los olores, con la mareíta del norte que venía corriendo, soliviantaron gente hasta en los Poyos del Obispo y las Escarabaneras. Sobró en abundancia. Y recalentado, y espesito y tal lo volvió a poner por la noche. Al mou cogió gusto en el asentamiento, porque estaba de cena tan sabroso y echao a la calle que no hubo perro en la raya que no se diera sus vueltas. Pepe se arrepolliñó bien, pegó a servirse y a largarse sus chorritos de vinagre y a condutarlo con una bandeja de cebollas conejeras, saltonas como seguidillas, y venga mandar y vengan singuíos...

Se levantó como un balayo, llenitas las venas del totizo y entomatada la color. Y con una bobería, una bobería en los ojos, que agarra un cabezal y se queda del golpe como un tronco. Apenas se sentó allá fuera, al fresquito del Risco, quedó embelesado. Y mi comadre Soledad, que le tenía más miedo a las malas indigestiones —¡quería!— que a una puntada de broncodemonía, se le dijo:

—Espabila, Peeepe. No te duermas con el estómago cargaaao, mís que la agaaarras, ¡te lo digo!

Pero cualqiuera resistía. La noche era un piano; venía de la marea un susurro que era una hamaca y la cabeza de Monagas viró a desvanecerse en un brumero blando, como si la enterraran en lana. Se quedó como tieso. Diblusada la cabeza feliz sobre un hombro, del lado de la boca que no quedaba trincada, pegó a salir un sopliito, un sopliito suave, como el de los depósitos del agua: "¡Fffff! ¡Fffff!" Y soñó. Tuvo una pesadilla como un bloque del Densanche.

Soñó que le ofrecieron un trabajillo: traer reses argentinas, de las que venían antes embarcadas, desde el muelle a la Matazón. Nunca le hicieron gracia aquellos cornúpetas de pa fuera, con un moño rebrujado entre el arranque de la cornamenta, unos pitones que se ofrece un pasaje como el de Las Chapas, o el de la Peregrina, sin ir más lejos, y se arma tal atrabanco que sale hasta en los periódicos, y una mirada, caballeros, que compare usted dos cuchillos de matón y son dos merengues de Anita. Arriba, un pecho como la casa de don Bruno, altos los morros y un manojo de puñaladas en la vista, que verlos nada más daba tales calambres que vaya a la... a donde quiera la Cícer.

Lo cogió la oferta sin cuartos y con galbiusa vieja. Dijo: "Sea lo que Dios quiera." Y tiró pal puerto.

Le tocó un toro pampero, con un dolor de reúma en cada ojo y un anuncio de una funeraria en cada cuerno.

—Esto está bueno pa toreros—pensó Pepe, con fríos y calenturas—. Y entodavía le sobra un cacho.

Pero había que apencar. Que no se dijera. Arriba, además, pagaban dos duros por la conducción.

—Bueno—dijo al animal, cariñosamente—. Vamos a dir pa Las Palmas, ¿entiendes? Yo no tengo que ver náa con el sitio a onde vas a dir. Yo voy de intrépete, como el otro que dise. Así que traquiliiito... Náa de abusos ni carreras, ni eso..., ¿tamos?

Partieron. Cuando pasaban las Arenas, el toro empezó a soliviantarse. Cruzaron la calle unos chiquillos arrastrando gangarros. Y el animal cambó el morro y miró con ojos calientes a los mataperros. Dos resoplidos dio y se levantó una polvajera que se perdió de vista la fábrica de ladrillos de don Ufemiano. Atrás cogió un tranquito que por lo repentino le puso a Monagas un cuerno por los alrededores de la carajaca. Pepe aligeró y emparejó la carrerilla. Pero ¡vea usted por dónde!: casualmente salía de las Escarabaneras ¡la máquina de la china! Pa qué fue aquello... El candrai que Monagas conducía se fue todo de una banda, como una gabarra con un golpe de mar, y cuando enderezó arrancó a correr. Pepe, medio vuelto y también corirendo, le dio unos gritos:

—¡Siaiiii! ¡Déjese dir, que naide le ha metío prisa!

Ni hablar. El toro apretaba la carrera. Y Monagas delante. Aquello se ponía más feo que Rosa Güeso. En el galope se quitó la chaqueta y se la tiró a la cara. Pero el toro dio una sacudida y la dejó guindada en la punta arriba de un palo del teléfono.

—Esto va listo—se dijo, con un sudor frío, cuando sintió que arrente mismo del güeso palomo venía rozando, rozando, la punta de un cuerno.

De repente el toro enganchó, alzó de reflechón la testa y Pepe Monagas salió volando como un pájaro palmero. Remontó las lomas de Schamann, pasó sobre Tamaraceite, se vio suspendido sobre la montaña de Arucas y desapareció por fin entre unos rengues de nubes que pasaban, acamelladas, pa abajo.

De pronto cayó en un piso especial. Un talegazo que se lo pega en un teso de este planeta y más nunca le aclara. Cuando cogió tino se halló ante un diablo, cornudillo, colorado como un cangrejo, con cara de tiesto fino:

—Usté dispense, ¿pero se púee saber quién es usté?

—Un guardián del infierno.

—Pos mire, yo..., estooo...

—No me digas nada. Sé a lo que vienes. Pretendes entrar aquí.

—¿Qué dise usté?—gritó, alarmado.

—¡¡Sss!! No grites. Tienes que esperar. Luzbel está dentro, en una diligencia.

—Por por mí no lo moleste, que a mí no se me ha perdío náa asquí...

—Es que estás muerto y ahora te hallas a las puertas del Averno, en trance de examen de tu vida, ya te supondrás para qué.

—¡Mi madre! Ah, ya me acuerdo... El consumío toro argentino, malos tunos se coma...

—Ssss. Cuida las expresiones.

—No tiene sino dispensá.

Se puso a esperar. Llegó más gente, que fue haciendo cola. Aparecieron por la antesala algunos ciudadanos. Se habló de cosas, entre otras, de la tierra; Monagas informó:

—Aquello está listo, mano. Se ha metío una marea que no hay quien duerma de un tirón.

Decayó la tertulia. Se empezó la gente a aburrir. Pepe se acordó que llevaba una baraja en el bolsillo. La sacó y pegó a tallarla.

—¿Echamos una manita, compadre?—propuso a un vecino flacón él, con cara de tener cuartos.

Se empezó a jugar a las siete y media. Monagas era la banca. Ganó un rato, sacando sietes y siete y medias rarísimas. Aumentó el corro, incorporándose algunos diablos.

En una de las jugadas casi se repartieron enteras las cartas. Había tres plantados en siete. Monagas tenía el cuarto y era banca. Cuando tocó ver baraja aparece un diablo con siete y media. ¿Cómo podía ser, si estaban fuera y a la vista los cuatro sietes? Entonces se encaró con el colorado y se lo dijo:

—Oiga, mano, diabluritas no, que nos estamos jugando los cuartos, ¿oyó?

2

DE CUANDO PEPE MONAGAS LE LEVANTÓ UN FALSO TESTIMONIO A UN PERRO DE *MASTRO* BARTOLO (1)

Además de la perra, una perrilla ratonera y chamba, más enralada que una taifa, *mastro* Bartolo tuvo un tiempo en la zapatería un perro inglés con el rabo cortado y un labio partido por el que asomaba un colmillo que no se llevaba paja y media con el cuerno de un torete. Bien cebado, duro de músculos, atravesado de vista y sabiendo más latín que un burro con la absoluta, le temían en el barrio desde la gata de Pepa la *Jardúa*, que tenía fama de haberle sacado los ojos a perros como los de la Plaja Jantana, hasta el vecino de más pelo en pecho. Y es que el *Pipiolo*, que así lo llamaba Bartolito, mordía callado y cada chabascada era un bistec.

Resulta ser que la zapatería de *mastro* Bartolo estaba en el paso del diario camino de Pepito Monagas. Y el *Pipiolo* la cogió con él sin palabras de más acá ni de más allá. Monagas subía y bajaba y ni apercibirlo lo apercibía. Pero un día el animalito le soltó un ronquido. Y echado con la cabeza entre las dos patas delanteras, levantó los ojos encarnizados que de su madre, una perra matona de Fuera la Portada, sacara, y lo siguió hasta que traspuso en la esquina.

La cosa fue en aumento. Del primer ronquido, el *Pipiolo* pasó a levantarse, a erizarse del lomo y enseñar los dos colmillos, que eran como agua de porrón por el totizo pa abajo. Pepe pensó: "Bueno, yo quisiera que me dijeran qué es lo que le ha jecho yo al jediondo éste pa que se engrife como un macho salema." Y como aquello amenazaba con el bistec, o por lo menos con la vuelta y vira, se lo dijo, dice:

—¡Pipiolo, Pipiolo, mira que va y te alevanto un falso testimonio! ¡Mira, vée, mira vée!

El perro oía la advertencia como quien oye caer agüita serena y arrugada, cada vez más amenazante.

—Oiga, *mastro* Bartolo—se acercó un día a la puerta del remendón—, mire que ya se lo ha dicho al *Pipiolo*. ¡Mire que va y le alevanto un farso testimonio, se lo diiigo!

---

(1) Este cuento, que vio la luz en *Canarias Deportiva* el 2-VII-1945, núm. 101, fue publicado de nuevo, con sustanciales variantes, en el mismo periódico el 26-V-1947, núm. 245, como podrá verse en el tomo V de esta serie.

El perro ya pasó la raya. Dejó los gruñidos e intentó la chavascada. Monagas, que nunca le quitaba ojo en la pasada, se afianzó contra la pared del callejón y con aspavientos de pies y manos se lo quitó de arriba:

—¡Yo te vengo disiendo, *Pipiolo,* que te voy a levantá un farso testimonio, desgrasiao! Te lo vengo disiendo y como si náa, mano Quico. ¡Deja véee!

Y llegó la hora. El *Pipiolo,* que al mou había decidido probar las carnes de Pepito Monagas, se hizo aquella mañana el dormido. Cuando el hombre asomó, entreabrió un ojo. Se hallaba tendido a lo largo, con la cabeza entre los remos lantreros, que era su postura favorita. Pepe cruzó sin un ruido, pensándolo como un tronco. Pero de repente, mano, arma brinco el animal y todo lo que Monagas anduvo listo en un esfuerzo no le sacó de llevarle de una nalga una lasca de bichillo que la pesan y se dejan pedir cinco duros por ella. Se revolvió, le sacudió unas patadas, cogió unas piedras... El perro, japiando y embistiendo se retiró un poco. Pepe advirtió, entonces, que le faltaba atrás, en los fondillos, un pedazo de pantalón y otro de calzoncillos.

—Ahora te vas a jeringar—decidió, lleno de rencores tan negros que la tinta de un calamar era leche de cacharro—. ¡Socorro, socorro!—pegó a gritar—. ¡Un perro rabioso! ¡Rabia! ¡El perro tiene rabia! ¡Socorro, socorro! ¡*Pipiolo* tiene rabia! ¡Socorro, socorro! ¡Perro rabioso!

Se reunió en un momento una insalla de gente y hasta dos guardias cayeron por allí. Al jaleo, el *Pipiolo* ladraba que era un gusto, y todo erizado respondía a la espectación, cosa que agravó su situación de presunto rabioso.

Surgieron palos y los dos sables. Empezó la leñada. De nada valían los gritos del remedón que desde el quicio del cuartillo empuñaba una horma y gritaba:

—¡Dejen al animal, bandíos!

Le dieron al *Pipiolo* cuero como quien lava. Hasta que Lorencito el guardia lo fue cuadrando, cuadrando, y ¡rián!, le metió un sablazo que si llega a ser para dinero le saca veinte duros. Lo alcanzó en el tronco de la oreja. *Pipiolo* dijo "¡Guaiiim!", se dobló y entregó. En los últimos estirones Monagas se abrió paso, y ya al pie, se lo soltó:

—¿No te lo venía disiendo? ¿No te venía disiendo que te diba a levantar un farso testimonio, desgrasiao?

3

DE CUANDO PEPE MONAGAS MAJÓ UNOS *CHONES* QUE SE LA ESTABAN ECHANDO

Turistas, o casi turistas, en tierra. Con el final de la guerra atracan a los espigones del puerto destructores ingleses y yanquis. La ciudad se llena de marinos rubios, de anchas perneras, cinturas flamencas y camisetas blancas con escote en cuadro, que caminan a zancadas tranquilas hasta encallar en un bar, donde, serenitos, se van cuajando de cerveza, quedándose cada vez más serios, hasta que cantan una canción en tal tono y con tal solemnidad que dan ganas de ponerse luto de los de solapas reviradas. Con los marinos suele verse a un isleño que *spiquingla*, o séase, que trapatiesta, con el idioma extraño: el "intrépete", que lo mismo vende una pájara amarilla por un pájaro, que enseña a los de fuera el portapaz de Chanchanuto Bellini, que tenemos en el tesoro de la Catedrán.

Cayeron en manos de mi compadre Pepito Monagas algunos de estos turistas, la mitad, pisco más, pisco menos, eran americanos, y la otra mitad, ingleses. Desde luego, todos *chones*. Pepe los sarandeó unas horas de aquí pa allí y beberretió con ellos a salto de mata y les colocó, con la consiguiente comisión, unas cajillas de cigarros rubios —Luquis Traque, Gol Flaque, sétera—. Y hasta sacó sus peniques de acuerdo con los camareros, cobrando aquéllos de más y táa y cuáa... Echaron el ancla ay por ese Fuera la Portada, en un cafén de rompe y rasga. Parece que allí uno de los *chones* hubo de echársela más de la cuenta, rebajando acá: de que si la población cabía en un parque de Londres, de que si la iglesia de Colón era un cuento, de que si las guaguas pa arriba, de que si la bomba anémica pa abajo... Monagas pegó a requintarse, pero se tupió, dejándose dir, que en ello le iban unas perritas y no era cosa de sacar la moña cuando llevaba el negocio como una cometa: con mucho jilo, alto y una navaja en el rabo...

Luego se enredaron en las fachas este inglés, que había salido picoterillo, y un americano, que también tenía lo suyo de escopetiado. Pepe se tranquilizó: allá ellos, que son blancos. El yanqui se le vino arriba al inglés, con todo Nueva York, que era la máquina de la china. Pero el inglés aguantó la variada con una pachorra que era una admiración.

Dijo de repente el americano, aplastante y desparpajado:

—Nousogtros en Ameggica tenegmos a unos siroujanos especialesss... A oun solgdado delg Pacífico le llevó ouna bala de canión una piegnna entegra. Oun cirougano amegicano le opuso ouna mecánica y ahoga es el megor cogedor del moundo. ¡Ooooh!

Con la cara de piedra, sin mover un brazo, el inglés saltó con lo suyo:

—¡Ouug, señoggg! Eso nou es nagda. En Inglategra oun mégico inglés pouso a oun soldado ingless que él había pegdido aun brazo enentegro oun brazo mecágnico. Y él volgvió a hasegrr sus cosas togdas del bragso. Y hoy él es el megorr vioulinisgta del moundo...

La cosa se empeoró, porque los dos discutidores se pusieron de acuerdo sobre las excelencias de sus países respectivos y en bloque se le vinieron arriba a Monagas. Pepe sintió, en medio del farfullo de aquella lengua, la palabra "pogquegía", y entonces saltó como un cigarrón:

—To eso está muy bien, ¡ji jeñóoo! Pero ustedes no saben lo que pasó asquí una ves. Asquí una ves, ¿entiende?, se le reventó un barreno a un muchacho de ay de la Apolinaria, que estaba trabajando en un poso, ¿tan oyendo?, y se le llevó del sapataso —¡que se dise muy pronto!— ende la nues jasta arrente los distentinos... ¿Oyó, mano? ¿Y usté sabe lo que pasó? Na, ¿veldá? Pos mire, pa no cansaslo: un méico de asquí le sacó el pecho a una cabra que estaba a una banda, se lo injertó y hoy día está el muchacho dando ocho medías de leche sin espuma...

4

DE CUANDO A PEPE MONAGAS SE LE AMULÓ LA MUJER

Mi compadre Pepe Monagas se peleó una vez con Soledad, su mujer, por mor de no sé qué cuentajos, que mejor es no sacar en papeles, no sea que vaya y se enrede la pita... Lo cierto es que estuvieron amulados su mes largo. Como ella trancaba el cuarto con llave, taramela y un pedazo de cañería afianzado en un saliente del piso, Pepe tuvo que dormir sus noches al sereno, en los poyos de San Telmo. Hasta que se enteró su compinche Venturilla el *Táita,* que tenía un cuartillo de portón en la Laera, y lo invitó a irse con él hasta tanto se componía el desarreglo matrimonial. En una estera y de cabecera una canto dormía Pepe, los primeros días feliz, de sentirse solo y ancho como un balayo; pero en seguida pegó a extrañar la soledad y el durez del teso donde dormía. Y era lo peor la comida... Porque una cosa es pisquiar, o comer de aquí pa allí un plato de potaje con este conocido, o cuatro cachos de casne con papas con tal maúro que baja a la fruta y que fue compañero de quintas, y otra comer caliente el potaje familiar, aunque fuera con cuatro pizcos de col y un charco de agua. Lo peor de la comida de fonda es el olor a fonda y a barco que larga, y las uñas del galletón que sirve los platos metiendo dentro el dedo gordo, y los tenedores distintos, con los que uno no se amaña. No le digo nada si esa fonda es de algún cumplimiento, y se enreda el asunto con cucharas varias y cuchillos raros, sin saber uno de cuáles echar mano.

Como Ventura no era hombre de trabajo fijo, que no resistía su temperamento, pasándose la vida al pisqueo y al cáido, allí no entraba un duro ni los días de fiesta. Monagas se puso en tres días en la tea. Y como quería darle por los besos a su mujer, haciéndose que estaba rey, y ello no podía ser por la dieta, se dedicó a no salir del cuarto porque no lo vieran las espías de Soledad y fueran con el cuento. Aburrido como un loro y desmayado como un perro, se le iban los días. Venturilla recalaba, de uvas a brevas, con algún pulpo, que finchaba de relance en los alrededores del *Zuleica*.

—Estoy relajao de pulpo.

Un día descubrió Pepe un olor a potaje que daba gusto. Le buscó la madre y se halló con que en el tabique que dividía el cuarto de Ventura del de la derecha había un bujero por el que entraba y salía franco un puño. Por ese bujero se colaban los olores de ese potaje. Se informó. Al lado vivían los "jarandinos", que todo lo que ganaban vendiendo se lo comían en guisos. Ponían el caldero a las once, casualmente debajo del mechinal, con buen fuego, cerraban la puerta y se iban hasta la una.

—¿Tú no tienes un tristel, de esos de las ayudas, Venturilla?

—Grasias a Dios, no señóoo.

—¿Ni naide que te lo empreste?

—Ya eso... Pere a vée—y salió.

Volvió con el cacharro y la goma. Monagas se encaramó, metió una verguilla gorda y derribó la tapa. Luego pasó la goma, la enchufó, sorbió de la banda acá y pegó a caer en una borsolana ya dispuesta el caldo de los jarandinos.

Tres días dejaron a los vecinos con las escurrajas.

—Si consiguiéramos una goma de barcos, pasábamos las papas tamién, ¿oítes?—comentaba Pepe.

Al tercer día se presentaron los "jarandinos", que por el insulto que traían eran chinos, mejor.

—¿Quién sia comida la potaga?

—Si le digo lo engaño, usté. Como ustedes se van, eso es que se ha embebío. ¡Digo yooo!

La situación era insostenible. Pepe decidió volver a su casa. Llamó una noche y Soledad se reviró dentro como una panchona:

—¡Sálgase dasquí, debaso, perdulario! A dormir al barranco.

—¡Échese usté a nadáa!

Volvió a casa de Ventura.

—Tú ahora vas y le tocas y le dises que tienes un telégrama pa ella. Yo te voy disiendo al oío lo que le contestas. Cuando abra, me meto dentro, de remplón, ¡y a vée cómo me echa dispués! Disimula la vos, ¿oítes?

Ventura tocó.

—¡Quiéeeen!—se oyó de adentro una voz amodorrada y vinagrienta.

—Estoooo... ¿Vive asquí doña Soleá Carsines?

—¡Sí, señóoo...!

—Un telégrama pa ustée.

—Usté se ha dequivocao. Eso es pa la gente ricaaa.

—No, señora, que es pa usté.

—¡Pos métamelo por debajo la pueertaaa!

"¡Lo que te voy a metée es un ladrillo, malos tunos te coman!", masculló Monagas, llevándoselo la trampa. Y le apuntó a Ventura algo al oído.

—Tiene que alevantarse, señora, porque tiene que echasle un firme al rabo del telegrama.

—¡Yo no firmo náaa sin que mi marío esté asquííí!

—¿Pos ónde está su marío?

—¡En los sinfiesnos, tengo sospechao!

"¡Miá pa allá!", suspiró Pepe, y volvió a apuntar algo en el oído de Ventura.

—Mire, Soleaíta, soy yo, Ventura, ¿oyó? Traigo una mala notisia pa ustée. Quería que se alevantara a lo del telégrama pa preparasla, ¿oyó?

—¿Cuála notisiaaa?

—Que su marío se jincó de cabesa por el puente de Matas.

Pusieron los dos la oreja, anhelantes.

—¿Y a eso llamas una mala notisia? Yo se lo tenía pedío a San Nicolás ende cuando.

—Miren la muy perra—se despegó Monagas de la puerta—. Me venía engañando con los visiteos al santo toos los lunes arreo.

—¿Por qué?

—Le diba a pedir que me jincara por Matas. Y a mí me desía que rogaba por sacarse los sesenta iguales. Toas las mujeres son iguales.

Bajaron meditabajos y se sentaron en un murillo del Risco.

—Y esta Soledá me viene engañando ende cuando... Tú sabes
que ella ha sío siempre golosa como un gato. ¡Ay que ver lo
que ese bicho gasta de rapaúras cuando no hay asuca! Pos ay
más allá fi yo al méico porque me venía sintiendo jeringaíllo.
Me dijo que tenía diabetis. Empesando, ¿sabes? Le pedí esplicasiones a don Osé y me dijo que era asuca que tenía. Entonses
me lo espliqué too. Tanto "¡te quiero, te quiero!" no era por mí,
¿oítes?, sino por la golosina, ¡la muy perra!

5

DE CUANDO PEPE MONAGAS QUISO APRENDER A MONTAR EN BICICLETA

¿Cuándo vinieron a la ínsula las primeras bicicletas? Precisarlo a rajatabla no es beberse un jarro de agua, ni muchísimo menos. Esto es requilorio propio de historiadores, aunque lo sean nada más que de historietas. Nosotros, gracias a Dios, no alcanzamos más que a Muñoz, hoy en la calle del Diablito. Y lo alcanzamos cuando hacía pruebas encima de ese "bicho menúo", como lo llamó, llena de susto, una mujer de pueblo que nunca las había visto y que por poco alcanza su salpazo por mor de una de ellas, en un callejón de cierto lugar del Sur. Pulpiando, como el otro que dice, en memorias viejas, hemos sabido que don Francisco Gourié trajo, allá por el 90, que se dice muy pronto, un velocípedo de los que tenían una rueda delantera con un radio tipo Faro Maspalomas, y una trasera que casi se podía guardar en el bolsillo de un chaleco. Pollo él, don Francisco pasaba por las calles asombradas de la ínsula encaramado en aquella Palma de San Roque con ruedas. Después, don Juan Francisco Gómez trajo bicicletas de verdad, pero sin gomas. Entró la moda. Y toda la pollería local se escarranchó y se dio los leñazos correspondientes y hasta aprendió. Iban los galletones a practicar a la plaza de toros, que aquí la hubo, aunque era de pinzapo. Estaba en la que hoy seguimos llamando Plaza de la Feria. Era el 94. Que también se dice muy pronto.

Más tarde tuvimos hasta un campeón, un bicicletista que mandaba las peras a la plaza: Agustín Alemán. Ya contamos una vez la hazaña estilo máquina de la china de este ciclista "prehistórico". Cuando las carreteras eran peores que los caminos reales y las bicicletas eran más pesadas que los amigos que le sueltan a uno rollos como si a uno le interesaran, Agustín Alemán apostó a que llegaba a San Mateo en bicicleta desde Las Parmas, ¡sin bajarse! ni para tomar un buchito de café. Una tartana con cuatro caballos lo siguió detrás. Alemán llegó arriba, viró y se volvió a Las Palmas tan fresco como una lechuga. Esto es un hombre, y no Greta Garbo, que diría *La Codorniz*.

Y a cuento de bicicletas: me parece que yo no les he contado nunca a los amigazos de *Canarias Deportiva* y de Pepito Monagas un caso que le pasó a dos maúros en el Royal Cinema. Resulta de ser que bajaron de la Cumbre con fruta y tal. Como se me-

tieron a beberretiar café en un timbeque chiquito, pero abarre-
nado, que hay en la calle de la Pelota, agarraron su desvelo.

—¿Vamos a dislos al sine, tú?
—Pos jello. Tira pa lantri. ¿Cuála penícula echan?
—Sé yooo.

Su guagüita y al Royal. La película estaba empezada, y el lleno
era de los de *Sor Angélica*. Pegaron a caminar por el pasillo abajo,
en busca de dos sitios "pegaos", como decía el de alante. Y en
esto el de atrás vio venir una linterna. El acomodador acudía
para ayudarles. Se asustó. Y le dijo al otro, atosigándolo:

—¿Oítes? ¡Pégate contra el muru, que viene una bisicleta!

Pues a lo que íbamos. Uno de los muchos ingleses que aquí
echó raíces, ramas y ramilletes —me parece que de la conocida
y simpática familia Quiney—, era gran amigazo de mi compadre
Pepe Monagas. Adaptado y bohemio por temperamento, en un
momento se hizo socio del Risco y de cuanto timbeque con chochos y caracoles había en la ínsula. Ligó con Monagas como la
riga y el engrudo de la tierra.

Cierta noche, jilvanándose unos copetines al canto arriba del
Camino Nuevo, Pepito habló de que le gustaría montar en bisicleta.

—Yo te enseña. Tú alquilar bicicleto, y tú irrr... ¿Cómo se
disa la estanca del polvorra...? ¿Ya? Tú ir a la Polvorrina.

—Ji jiñóooo... ¿Y los cuartos pal coche, don Silvestre?

El míster conocía los dichos del país. Apoquinó los cuartos
—dos duros, pa devolver el sobrante— y convino, por entenderlo
más práctico, que Monagas alquilara una bicicleta de las que mon-
tan dos. Con ella aprendería antes, cogiéndole el tranquillo al equilibrio.

—Tú irrr mañana a la casa mía y tú llevarrr ya la bicicleta.
De allí salimos para la Polvorrina.

Se fue el inglés. Y Pepito, que tenía la boca dulce de los pizquitos que se había mandado, siguió bebiendo y agarró una torta
de las de camisa por fuera. Con Venturilla el *Táita* a la banda,
recaló al alba por la plaza y se mamó fiado su media peseta de
churros del centro y su cafén con leche color violeta. A las nueve,
con un barrenillo en el sentido, se fue a ver a míster Quiney.

—Mire, miste Cuini, estooo... yooo...
—Ouuu... ¿Dónde está el bicicleta?
—¿No la está viendo? Mire, yo venía a desisle, ¿ta oyendo?,
que como no me acordaba bien de la hora que usté me dijo, la
agarré ende anoche mismo, ¿oyó? Y hasta la fecha no la ha
largao.

6

DE CUANDO PEPE MONAGAS LE METIÓ SU HUEVO CLUECO A MANOLITO EL *LALGO*

Mi compadre era atravesadillo y mataperro desde chico. Uno de esos guayetes malos como la quina que hacen exclamar a la madre canaria, toda elementada: "¡Ay, infiesno, que me vas a mandáa pa las plataneras! ¡Niño con este, quería!" Pero tenía rebujurón, el condeano, y cualquiera barrabasada que cometiera hacía gracia. Si pegara a contar todas sus mataperrerías, fugado de la escuela y campando en los antiguos tesos del Cercado Avellaneda, me cogía el alba en el primer tomo. Ya irán saliendo, como las pulgas al sol.

En el caso presente resulta de ser que se murió aquí arriba en La Matula un viejo que le decían Manolito el *Lalgo,* y también *Caña Dulse,* por ser un silbido el hombre. Nuevo él, y galletoncillo Monagas, corría Manolito unos Carnavales con unos amigotes. Tiraba de tartana e iban de copas que ya sonaba a gárgaras el reboso. Era en los tiempos en que se usaba tirar, a modo de bolas de confetis, cascarones de huevos con harina dentro, y hasta huevos, si estaban cluecos. Viniendo la tartana de Fuera la Portada a San José, por la esquina del puente, Pepillo divisó a los templarios. Iban de piesss, con sombreros de palma y cantando: "Ese lunar que tienes—sielito lindo—, junto a la boca..." Monagas tenía un huevo en la mano. Y de los cluecos. Lo primero que columbró fue la cabeza de Manuel el *Lalgo,* alta como un campanario. Un momento le vinieron al pensamiento dos palmas: la de Doña Nieves y la de San Roque. Se puso en una esquina de la acera, apercibió el huevo y empezó a aguaitar a Manuel...

"No se lo des a nadie—sielito lindo...", iba cantando como un becerro el cristiano de La Matula. Estaba vuelto hacia Monagas, con los ojos pintados de tizne, haciendo un blanco-negro que se pide de encargo como cosa fina y no sale mejor.

Monagas, que tenía una tela única jugando al boliche y al hueso y soltando pedradas en las guirreas, se cuadró. De pronto, ¡riaáan! El huevo salió como una pelota del frontón y agarró de pleno el ojo zurdo de Manuel. Al mou era de dos ñemas, por la abundancia de la chorrera. Se quedó de arriba abajo que lo mandan al tinte y le cuesta la broma sus treinta pesetas, como el que no quiere la cosa. ¡Pa que fue aquello!

De pronto se quedó abatatado, con él allí y el tino en los Poyos del Obispo. Se tambaleó un poco, como una palma. Luego se pasó la mano grande y gorda por la cara abajo y barrió. La sacudida a la calle de los dedos llenos fue tan de caliente que un adoquín, que luego estuvo allí una partida de años de testigo, se fue de una banda y formó bache. ¡Los gritos de ese hombre, las maldiciones, la de eñes!

—¡Apaaara! ¡Apaaara, desgrasiao!—le gritaba el tartanero, Luis el *Claca*, que no eran Carnavales, no se daba de cuenta y seguía rebenquiando sin írsele ni venírsele...

—¡Bandío... pxeñ rrr... uu ñññ.

—La suya—gritaba de abajo Monagas, con tal pasta que la del turrón al lado es la bomba anémica.

—¡Yo te conosco, sinvelgüensa bagañete! ¡Yo te caso, bandío!

Pepe, por lo visto, consideraba lo que había hecho un acto de justicia. Se picó. Y tuvo la pachorra de correr detrás de la tartana. Entonces fue cuando le lanzó a Manolito el *Lalgo*, como si fuera otro huevo, su famosa exclamación:

—¡Pos abájese de la silla, con!

* * *

Íbamos a contar las peripecias de una caja, una caja de muertos: aquella en que fue enterrado Manolito el *Lalgo* y que por los raros azares del destino le tocó llevar, con otros tres palanquines, a Pepillo Monagas desde San José a La Matula. Pero esto se ha hecho grande, hermano, burla burlando. Y hay que dejarse dir. Otra vez será.

7

DE CUANDO PEPE MONAGAS Y TRES MÁS LE JINCARON SU MONTDA A CUATRO POLLITOS DE GENTE RICA

¡Siguen los intierros! Pasa que una cosa tira por la otra, como cuando se sacan guindas de ese cestito de guindas que regala el hombre del campo, y se enredan las unas en las otras como sardinas en trasmallo. El de Manolito el *Lalgo* trajo a la memoria este otro como el que no quiere la cosa.

Este caso fue en el tiempo en que el acarreo para las Plataneras se hacía de noche, unas veces con un filera de faroles alante y una cabecera como las de San Pedro Mártir atrás y genterío, y otras con sólo cuatro palanquines sequitos como un palo, según el que iba listo fuera fuerza viva o pasaje de tercera, que de toda la vida ha sido verdad aquello de "una cosa es con violín y otra con guitarra".

En este caso el muerto era un Juan Pitín, sin tener donde caerse muerto, ni nadie que lo revolviera, ni persona que le guisara una tacita de agua de pasote, manque sea. Entregó el suspiro del siniquitate en cualquier sitio de Fuera la Portada y todo el mundo se quedó tan fresco. Para casos así tenía el Ayuntamiento una caja preparada, de riga ella, forrada por dentro con latón —todo para que aguantara leña— y por fuera de un telejo que, del tiempo y el polvo que iba agarrando, más tenía en el color del rucio de una cabra vieja que del negro serio de una caja decente. Se cogían cuatro palanquines, se le daba a cada uno un tostón y pa alante con él. No hay diferencia con un acarreto de tomates al muelle, sino en que pagan flete.

Los cuatro palanquines del caso resultaron ser mi compadre Pepe, Venturilla el *Táita*, un tal Nicolás el *Buchúo* y Antonio el del *Pambaso*. Cobraron su tostón, agarraron la caja, metieron en ella de mala manera al Juan Pitín, que era un hombre más bien grande y más bien gordo, y tiraron con el paquete, todo lo aprisa que permitía el encargo, que era una potala entre el cajón y el relleno. Era a la prima noche y ya estaban las calles casi vacías, que de viejo le viene al isleño acostarse con las gallinas. Bajaron los cuatro por San Telmo y cogieron la Marina alante por aligerar sin que la gente pegara a insultarse. Ahí a la mitad de la Marina los del entierro vieron venir a cuatro pollitos, cuatro hijos de gente rica, socios del casino y tal, pero con tendencias románticas y bohemias, su pizco cursis, pero aquí no se podía pedir otra cosa. Se dejaron dir. Los cuatro pollos vieron venir aquel patético entierro, a la carrera y desamparado. El más romántico de ellos, que luego resultó artista, hizo un comentario triste, que va y lo mide y lo rima, y le sale una cosa como las de Bécquer. Desde luego se disparó aquello de "Dios mío, que solos se quedan los muertos".

—¿Por qué no le improvisamos un acompañamiento a este pobre hombre?—propuso.

Alguno reviró su pizco, pero sin gran discusión los cuatro se incorporaron, serios y sentimentales, a la "imponente" manifestación del duelo. Cuando el entierro iba llegando al teatro, alguien apuntó:

—Vamos a relevar.

Se acercaron, tocaron con los dedos a los cargadores, que se volvieron asombrados, y metieron el hombro. Los palanquines se miraron entre sí, asmados, sin entender bien aquel rasgo. Monagas aclaró:

—Son cuatro románticos. Hay que dejarlos dir, que la buena voluntá, caballeros, es sagráa... Miren, cúchen una cosa. Le vamos a dar una montada a los pollitos estos. Los vamos a quear traseros y que carguen con el asunto jasta las Plataneras mesmas...

Y entraron en *El Camello* y se mandaron cuatro vinitos con aceitunas peninsulares.

Los otros siguieron. La caja era un plomo. Subieron el repecho de la calle de los Balcones; los cuatro iban ya entregados. A alguno se le metía un filo de la riga en los huesos de arrente del pescuezo y le iba haciendo un movimiento que lo traía tieso. Sudaban y no se acercaba el relevo. Uno apulsó la caja y viró como pudo la cabeza. ¡Detrás no venía nadie! No se quedó pegado a la pared porque así no podía ser.

—Los cuatro que venían cargando se rajaron, ¿oítes?—dijo, sin habla, al compañero delantero.

Que era el más calentoncillo de ellos.

—¿Ah, sí? Pues lo la largo, chico, en la plasa de Pilar Nuevo.

Convinieron en dejarla allí; pero al desembocar, apareció el guardia de la calle de los Reyes y tuvieron que tirar, haciéndose los zorroclocos.

—En la plasetilla la largamos, ¿oítes?—dijo el calentón.

Pero en la plasetilla estaba, tranquilito y largándose un Krüger apagón, el guardia de la placetilla. ¡Las agonías, los sudores, los resoplidos! ¡Y la rasquera! Como piojos tuvieron que seguir.

Muertos, más muertos que el Juan Pitín, largaron por fin la caja en el "Templo de la Verdad es el que miras" y tal. Y volvieron, callados como tocinos. Al llegar a la placetilla uno de ellos se paró, sin habla:

—Mira, mira pa adentro—y señalaba la tienda de Angelita.
Allí estaban Monagas y los otros tres de la quintada. Entraron como leones.

—¡Eso no se hase!

—Sss... Déjese dir.

—¡Lo que ustedes han hecho no se hase! Sss es un abuso.

—Aguántese y escuche una cosa. ¿A ustedes los arrempujó alguien? Cuando arrempujan a un hombre es abuso, ende luego. Pero cuando un hombre coge una baladera la coge por su gusto. ¡Digo yooo!

Y Monagas mandó despachar:

—Estebita: espache aquí una corría pal intierro entero, ¿oyó?

8

DE CUANDO PEPE MONAGAS RECUPERÓ A VIRIATO, UN PERRO MALO COMO LA QUINA QUE TUVO

Pollancón todavía y viviendo por Santo Domingo, tuvo Pepillo Monagas un perro que si no lo agarra un día un tal Liberato Mandarrias, matarife él, robándole de un poyete de su casa, en el Pinillo, una libra de carne de puchero, a consecuencia de lo cual le metió una jalada que lo despatarró primero y lo dejó en su lugar descanso después, que si no lo agarra, digo, acaba siendo famoso en las siete islas. Se llamaba el animalito Viriato, y según malas lenguas era el padre de la perra de maestro Bartolo (1), que tampoco era floja. Era un perro inglés, blanco, con el rabo cortado y una mancha negra y redonda en un ojo, que le daba un aire matoncillo, de matoncillo con un ojo, en tinta. Mimado, bien comido, callejero, porque más eran las horas que andaba belinguiando, que las que paraba la pata de puertas adentro, las mataperrerías diarias las consumaba por vicio mejor que por necesidad. Era malo como la quina, robón y de los finos. Se daba, por ejemplo, sus vueltas por la plaza, aguaitaba zorrito un puesto de chorizos, armaba de repente brinco y salía con una rueda entre los dientes, como si fuera un deleite. No había chiquillo en el barrio que no tuviera una vacuna de él en una pantorrilla. Si agarraba una echadura de pollos en una azotea, o huevos en gallineros vecinos, se daba unas sentadas de pollos sin arroz y de tortillas a la guanche que se quedaba aboyado para tres días. Así fue creándose un ambiente que coge color y forma y es tinta de calamares y culos de botellas rotas.

_____

(1) Véase el cuento núm. 2 de este volumen.

Llovieron las denuncias, los palos y las pedradas. Y empezaron a cogerle los güiros los perreros. Que un día le echaron el lazo y arramblaron con él, dentro de un carro de la basura, para la perrera, que por entonces estaba en los Poyos del Obispo, donde hoy está un grupo escolar, a la banda arriba de la carretera, según se sale pa Terde. Cuando Pepillo lo supo se trancó, sombrío y caviloso. Iba hacia la casa por la calle de San Marcos cuando lo encontró metido en aquel pesar y aquella rasquera Vitorillo, que preguntóle:

—¿Cuálo te pasa?

—¿Cuálo? Que los perreros agarraron a *Viriato.*

—¡Mueno, mueno! A mí me agarraron la perra mía, la *Bayeta,* ¿oítes?, pero por eso no me voy a estar abaratando ansina.

—¿Y quieres comparáa, tuuu, la *Bayeta* con el *Viriaaato,* vagañete? ¡Miusté jeso! ¡Sale, cooon!

De repente le pasó a Monagas por la cabeza de chiquillo malo que Dios le dio una idea torina:

—¿Me acompañas?

—¿Onde?

—¡Onde! A sacáa los perros, tu perra y el mío.

—¿Cómo?

—Tu jala pa alantre y déjame a mí.

Tiraron por San José allá, subieron por el callejón de Fleitas y remontaron la loma sobre los Poyos. Enfrente, empeso arriba del Baranquillo de los Pajaritos, se veían los cuatro muros de la perrera, llenos de perros, y en uno de ellos una puerta ancha, delante de la cual, haciendo jaulas y jiñeras, tranquilito, se sentaba el encargado, señor Juan el *Perrero.*

Ya cerca y atorrados detrás de unas tabaibas, Monagas expuso el plan de liberación.

—Tú te queas al pién de aquella piedra grande, ¿oítes?, yo voy por detrás, me upo y caigo dentro.

—¿Y si van y te muerden? ¡Mira que ay endentro hay caa leño!

—¡Cáyate la boca y déjame a mí! Tú asechas a señóo Juan, ¿oítes?, y si se da de cuenta me silvias dos veses. ¿Tamos?

Partió Pepe para la batalla, animoso, trincados los dientes, con sólo un palejo por toda arma. Y atorrándose alcanzó la trasera del depósito. Comenzó a entongar piedras sobre las que subirse y al fin se encaramó. Dentro se veían lo menos ochenta perros, casi todos pasaje de tercera, rabujientos, con verdaderos majanos de pulgas y garrapatas, alguno que otro grande, pero con pinta de ruin, como casne de pescueso. Destacaban la perra de Vitorillo, blanca y lanuda, limpita y floja, como una espuma, y el *Viriato,* vivo, inquieto, yendo y viniendo de las perras a las piedras, a las que su fantasía convertía en esquinas. De pronto todos los perros se viraron hacia lo alto del muro. Alguno agachó el rabo, arrió las orejas, se torció de banda y dio su par de ladridos, ladridos cluecos, culpables, de preso al que le huele la cosa a trapo quemado. *Viriato* miró primero de frente, cambió después la cabeza, sorprendido, y clavó sobre su amo el ojo de la mancha negra, que al mou era el que mejor trabajaba. Se arrancó de pronto y comenzó a ladrar y a brincar, alborozado, contra el muro.

—¡Ssss!—lo comunicó Monagas, señalándole la puerta.

Maestro Juan, que tenía para los ladridos un oído de director de orquesta, paró de hacer bujeros en un canuto y escuchó. De pronto largó la jaula y se levantó. Se oyeron dos largos silbidos de Vitorillo. ¡Todo estaba perdido! Pero Monagas no se abatató. Saltó animosamente dentro, corrió hacia la puerta y la abrió de par en par en el mismo momento en que señor Juan el *Perrero* caminaba sobre ella. Los ochenta perros, puestos en pie desde el salto, abrieron carrera, con Pepillo entre ellos. El héroe se fue sobre el viejo, le metió un garabatillo y juntos rodaron por la tierra. Por sobre sus cuerpos, trincados, porque maestro Juan se aferró como una lapa a las ropas del libertador, pasó la avalancha de los animales, que desde el suelo y con el susto era como una turba de toros al galope.

—¿Pero qué demonios es jesto?—resoplaba el viejo, al que, al tiempo de hablar, un perro zancudo de Matas le metió una pata en la boca.

—¡Es la guerra, señó Juan!—le gritaba Monagas.

Vitorio, arriba, presenciaba la terrible escena con un color de huevo clueco.

Pasaron los perros y Monagas quedó prisionero. Silbó entonces y de repente asomó *Viriato,* que como un león se tiró a los pantalones de dril de maestro Juan.

—¡No lo muerdas, *Viriatiiiillo!*—le gritaba Pepe—. ¡Los calsones náa máa, ¿oítes?

El viejo tuvo que aflojar. Y se quedó sólo, sentado en medio del campo, todo sorroballado, sin un perro que llevarse a la boca.

Cuando Vitorio y Pepe se vieron remontando la loma para rehuir los guardias, y aquél dijo a Monagas:

—¿Chacho? ¡Adiooos! ¡Apróntante! Ahora vas a la carse, que no te la quita de arriba ni el méico chino.

Pepillo contestó:

—¡Mueno, mueno! Quinse días y otra ves a la vía pública. Pero fíjate en una cosa: si algún día los perros mandan, ¿oítes?, a mí me alevantan un menumento como el de don Fernando en medio la Plaja Jantana.

9

DE CUANDO PEPE MONAGAS LE CONTÓ UN CUENTO CUBANO A ROQUE MORERA

Al romper por entre un grupo de gente, en algún lugar de los alrededores de la plaza, tropecé días más allá con mi compadre Pepito Monagas.

—¡Oh!—se me paró, mirándome con guasa.

—¿Cómo le va?—díjele, abatatado por sus ojillos irónicos y el dominio de su plantada.

—A mí de gofito..., si lo hubiera. ¿Y a usté y al rancho?

—Tirando.

—Con pólvora será... Bueno, yo quería jabláa una palabra con ustée.

—Usté dirá.

—Pero arrejálese pa acá, que asquí hay mucho rebumbio—y me sacó a un lugar más apartado—. ¡Buenas batatas le están metiendo a usté!

—¿Cómo?

—Que buenas batatas... ¿Quién le está contando a usté los cuentos esos que disen que son míos?

—Hombre, pues...

—Trolas, mi amigo, la mayoría de ellos. ¡Yo que se lo digo a ustée!

—Entonses le pasa a usted como a Quevedo...

—Al mou. Lo sierto es que me están "empresentado" historias y percanses que no me tocan ni papas ni pescao.

—Es que algunas personas, por la calle, ¿sabe?

—Sí, jiñóo, le cuentan cuentos, le disen que yo soy el esplotagonista y se quean tan frescos como el muro de la marea... Mire, asquí lo que pasa, por los moos vistos, y según calo, es que ustée tiene que jincarse su cuentito cáa siete días, ¿no es ansí?, y cuando le falta un algumento, o como quiera que sea, tira ustée la tarraya y se conforma con buyones.

—Sí, quisá sea eso...

—Pos mire, cuando ustée se vea muy agoniao déjese vée, que yo le echo un lanse.

—Bueno, y aprovechando, ¿no se le ocurre a usted nada?

—Hombre, asquí plantanao, sin un pisquito de náa con que consolar el pomo, ¡dígame ustée!

Y vamos a un timbequillo trasero, que huele a madrugada y a tollos con mojo.

—No, ron no—dice mi compadre—, que tengo entodavía el releje de una que agarré semanas pasáas... Póngame argo durse.

—¿Sabe lo que le caería bien?—le decimos—. Su pisquito de ponche de la casa *Castillo*, que tiene un deje de guindilla que parese que está uno en Santiago de Tunte.

—Pos espache el ponche *Castillo*.

—Tráiganos una botellita con dos copas.

—Mire—comienza mi compadre—. Le voy a contar a ustée un lanse que es la pura, ¿oyó? Pasó en Cuba. Estaba yo en La Bana cuando eso, y conosí a los esplotagonistas. Era un matrimonio, váyase dando cuenta, de asquí de la Vega Enmedio. Tiró él solo alante, ay por los tiempos del *Balbanera,* y pegó a guataquiar, y a acarriar leche y a fajar con todo lo que se presentara. Y a trancar pesos y sentenes, ustée, que pa sacarle un gordo había que cogerlo con cuarenta de calentura. Así ajorró sus perritas. Un día se le ofresió dir a La Bana y el diablo que va y lo tienta: se compró su peaso de lotería. Con tan buena mano que fue y se la sacó. El hombre, que se llamaba Austín, andaba que no le cabía una paja. Y como vivía solo y estaba enamorao de su mujer, le puso entonses unas letras mandándola a buscar. Recaló un día Juanita María Péres, que así la cristianaron. Debió haber sío, de nueva, una pollonsita vistosa, entrada en casnes y con unos colores encasnaos, como un durasno pelón. Pero cuando llegó a Cuba se había engoldao, que al mou crió baña de la buena vía y de la cama sola. Por los moos, ende nueva debió haber sío mujer fachenta, amiga de trajes coloriniaos, de prendas y de echársela, porque era de los Péres de no sé onde; y que le nasía, ¿sabe? La gordura le acresentó las fachas, un despachamiento que tenía pa camináa, pa jabláa y pa too. Y los cuartos del marío, claro está. Le dio por ponerse trapos llamativos, jechos con figurines de pa fuera y too, y se cargó de pulseras y de caenas y de moños, que tenía una mata de pelo pa llenar un colchón. Se paraba la gente en la calle pa vesla crusáa, porque además del calor y del ruío levantaba viento con un tranco de yegua criáa que cogió a fuersa de echársela. ¡Aquellos sombreros con aquellas plumas bailando en la picota! ¡Oiga, parese que la estoy viendo con estos ojos que se han de comée la tierra!

Resulta de see que un día allegó al pueblo un perdicaor de La Bana, hombre de palabrerío famoso, que lo habían invitao pa un novenario de la Vigen del Rosario, que era la Vigen de ayí. Juanita María Péres se compuso como los tollos. Se vistió de rosao, con un traje que tenía un vuelo como una paloma correa, se cargó de prendas en tal forma que grasias a lo nueva que estaba arrancaba con ellas, y se jincó al canto arriba un sombrero que de pájaros y flores era como la finca de Osorio. Pero fue tanto lo que se retrincó, tanto lo que sa tusoó, empolváa como una cuca y tanto lo que se finchó de jorquillas y alfineres estilo sable, que entró en la iglesia cuando el sermón estaba dando las boquiadas. Era el momento en que, ya too el mundo de roillas, el padrito vuelto a la Vigen y a la gente, desía los felvorines a la Señora del Rosario. Entraba Juanita María por el mismo sentro:

"¿Quién es?", preguntaba el padrito, lleno de entusiasmo. "¿Quién es esa señora, llena de virtudes y prendas?" Y se volvía para la gente, pegando de nuevo: "¿Quién es esa dama, adornada por las mejores galas, colmada de dones, enjoyada y hermosa? ¿Quién es?" Y se volvía a viráa pal público.

Juanita María, que al pronto se queó aleláa, oservando cómo la dibe siguiendo la gente con cara de pasmo, que pa ella la pobre era de admirasión, se figuró que el cura lo desía por ella. Y en el mesmo sentro de la iglesia, cuando el predicaor dijo por últimas: "¿Quién es?", alevantó la cabesa y dijo, dise:

—Pos soy la mujée de Austín Peres, que jase tres meses vine de la Vega Enmedio, pa selvisle a Dios y a ustée...

10

DE CUANDO PEPE MONAGAS AGARRÓ UNA BUENA SIN TENER CULPA MALDITA

—Lo que tú tienes que haser, pero de una ves y para últimas, es dejar de beber y acabar con los pisqueos, y no comer mojos ni cosas así que tengan pimienta y vinagre. Ni el estómago, ni el hígado, ni los riñones son de hierro. Los abusos acaban siempre mal.

—Pero si yo, don Osé...

—¡Nada! Has lo que te digo. A cada instante apareseis por aquí: que si estoy "estomagao"... Sujétate de una ves al régimen que te he dicho porsión de ocasiones y verás cómo liquidas las visitas de médicos y te entonas.

—¡Pero si yo no quería veníi, hombre! Es Soleáa, que agarra una matraquilla y cualquiera le dise que no. "Que vete al méico, Pepe; que me tienes llena de golpes, Pepe; porque estás en la tea, Pepe; que eso no es coló, que es barro de la Atalaya", sétera. Jasta que tengo que veníi a dasle a usté la conduelma. La suelte que no me cobra náa...

—Pues como vuelvas a recalar te voy a pasar la cuenta, porque ya estás de majadero.

—Ta bien, ta bien... De móo quée... dejá a los pisquitos. Eso se tira al pecho, don Osé; pero si usté lo dise, no hay más que jabláa. Listón.

Y Monagas salió una vez más decidido a no beber.

"Se han decreído que yo no tengo fuersa de voluntáa, ni coraje y eso pa afiansarme en que no ¡y que no!"—iba pensando. "Se lo han decreído, por lo visto. ¡Pos van a vée! Se acabó el beberío. Pepito Monagas, despídase del ronsito y de la papita durse, ¿oyó?, que vamos a tumbá par palo seco y el papée de lija. No sé cómo acabará esto con el arregosto que traigo de por sí... Debí de habesle dicho a don Osé que yo tengo oído que asín, de remplón, no es náa bueno. Pero quisá que háiga sío mejóo. Arrente y listón."

Al parecer, mi compadre se lo había cogido a pecho. Pasó una semana, pasaron dos y tres... Pasaron dos meses.

—¿Los echamos un macanasito, Pepe?

—¡Ta loco! Ende cuándo que me quité de la bebía. Ya yo no bebo ya.

Y el alma se le arrancaba, clavado en el paladar el recuerdo de un relejito. ¡Dos meses, santísima, sin probarlo!

—Se nesesita, cabayeros—comentaba, cuando salía en el conversar el mantenimiento de su heroica resolución—. Pa que luego se la echen los que suben a los aroplanos y los busios que bajan al fondo la marea. ¡Ji, jiñóoo!

Ocurría todo esto en aquel tiempo, todavía no muy lejano, en que la calderilla escaseaba más que la vergüenza. El menúo, las perras que le dicen, faltaba que era una vaina. Tomarse una copa, coger una guagua, comprar un sello inmóvil para algún lío de oficinas, era una complicación de tres mil demonios. No había cambio. Entonces salieron a resolver el paquete, mal que bien, los sellos de correos y los "tiquis" de las guaguas, unos cartoncitos con rancio y penicilina que servían hasta en las tiendas para sacar el reparto. Pero la "astensión" de mi compadre fue aún antes de los sellos y de los tiques.

Subía un mediodía el Risco, con las manos en los bolsillos, aburrido como un loro, a horas de almuerzo. Pasó por delante de un timbeque. Salía de él tal tufo a albacora en adobo y a carajacas frescas, y a baifo, que se tuvo que parar y buscar el sostén de la pared, porque el mundo se le tambaleó. Le dieron sus medias vueltas como si fuera en un correíllo. Claudicó.

—Esto no puee sée, señóo. Esto ya es abusáa de la naturalesa—se dijo, cuando le vino el tino—. Por lo menos, por lo menos una copita sola, un aperitivo, ¿oyó?

Y entró, pálido, tembloroso, con una emoción de novio al pie del altar.

—Póngame un ronsito. Uno solo, ¿oyó?—y miró alrededor, como si presintiera la presencia de Soledad, o de alguno de los amigos que tanto habían admirado su fuerza de voluntad.

Afortunadamente estaba solo.

Se lo bebió. Tuvo la sensación de que él era un secano majorero, algún pedazo de la tierra sedienta de Fuerteventura, y que se le había venido encima por la gracia de Dios una lluvia firme y serenita que se metía por las ansias del baldío y la refrescaba y la inundaba de golpe de una fuerza fecunda. El remate con un cacho de albacora lo acabó de inundar de felicidad. Sacó dos pesetas de papel apresuradamente, antes que el diablo lo tentara.

—Cóbrese.

El del timbeque no tenía cambio. Revolvió, miró por aquí y por allí. Nada. Ni una perra para una medicina.

—¿Y entonses?

—Bébase otro pisco, jasta vée si entra alguno y cambea.

—¡No, no! ¿Tá loco? Ni jablar del asunto.

—¡Venga, hombre! Pisco más pisco menos.

Dudó unos momentos.

—Pos espache la otra—y miró, ansioso, hacia la puerta, pidiéndole honradamente a la Virgen del Pino que entrara alguien con cuartos sueltos.

Y no vino nadie. Y Monagas se tuvo que beber las dos pesetas completitas.

Subió para el Risco con una torta serenita, alegre. Estaba más que justificada.

"Soleáa se tiene que dar de cuenta"—pensaba—. "Yo no ha tenido la curpa. Yo no tengo la curpita, ni tampoco la curpooo náaa... Aeee, aeeee, aeeee la chamelona...", pegó a cantar como si fuera el día del patrón del barrio.

El escándalo que le armó mi comadre no tiene pintura, como el crimen de Tamaraceite. Era la bomba anémica, dándole vueltas alrededor, sin atender a razones, presta a tirarse arriba como una aguililla sobre una tanda de pollitos. Cuando Pepito se pudo dejar oír, dijo, dise:

—¿Y qué curpa tengo yoo de que no haiga carderilla? ¡Que pongan cambeo! ¡Miusté!

11

DE CUANDO PEPE MONAGAS FUE AL INTIERRO DE SATURNINO

La verdad sea dicha: este don Saturnino que acababa de entregar su alma a Dios y su cuerpo a las plataneras, según corrió desde temprano, primero de volada y luego porque salió en los papeles, ni era bicho bueno, ni bien querido. El viejo fue nacido y criado en el campo, donde tenía algunos pizquejos de riego y media docena de arrifes. Según malas lenguas, en el pueblo no pasaba de ser un Juan Pitín, pero tenía su déjame entrar, y unas ganas manifiestas de salir de pellas y potajes de verguilla y entrar en sopitas y casne con papas. Con una cosa y otra fue engoando a una hija de un señor Velázquez, que tenía un comercio en el lugar. Cuando los padres de Teodorita, que así la cristianaron, tuvieron nuevas de esas pretensiones, pusiéronse que cogían las vigas del techo, particularmente al saber que la niña se dejaba querer, olvidándose de que ella era gente, y Saturnino un jediondo desde un callo en el dedo margaro, hasta un reblujón que sacó de madre al canto arriba de la coronilla.

—¿Habráse visto parejero?—rezongaba doña Isabel, la madre de Teodorita, pensando toda elementada en el alto donde había puesto el ojo el desgraciado de Saturnino.

—Pero tú pegas de él solo—metía tea a la candela señor Velázquez—y te olvidas de que tu hija le da calóo. Desvergonsada de... Mira, déjame callaarme, porque si va y se me desarreta la taramela es cosa de justisia...

—Bueno, pos no te pongas tú ansí, tampoco, no sea que sea peor. Que ya sabes lo cabesúa que es Teodorita, que en eso sale a ti.

—¿A mí? ¡Que la casta tuya no es floja tampoco! Acuérdate de Jasinta, tu madre. ¡Chica mula!

—¡Mueno, mueno, mueno! No quiero piquis ahora.

Ninguno de los dos se hacía cargo de que lo que a Teodorita le pasaba era que iba virando birolla a fuerza de meses, que el tiempo, mi amigo, parece una mopa y es una lima. Ella no era de por sí agraciada —escachadona y de un moreno bronco— y arriba trasponía los treinta. ¡Dígame usted! Por más que se empolvaba como una cuca y se vestía de fulgurante cada vez que había festejo en el pueblo, por ver de entramallar algún forastero, siquiera, que con la novedad se olvidara de lo durona que estaba ya, se iban unos días y venían otros y trasponían las semanas y doblaban los meses como las nubes majoreras. Había tenido sus pretendientes y hasta sus medios novios. Pero señor Velázquez, y especialmente su señora, se había emperrado en que su niña ligara con "gente", por ejemplo, con un pollo hijo del cacique, un palanquín que había estudiado pa fuera y que recaló con la salud mermada y la carrera a medias, pero echando más facha que unos fueguillos del Pino. Por eso le espantaban cuanto iba llegando a su vera, o a su ventana de polloncita "intervenida". Pasaba que el caciquito no cogía el surco ni con tresliñas, siguiendo soltero y tan campante entre pizqueos y un amagar y no dar. Y los meses se iban, zorritos pero como totes.

Cuando se presentó Saturnino, con su bigote negro, espeso y caído, que la empezó a encender a las salidas de misa y en los paseos de la Alameda, clavándole unos ojos de fogalera, la jamona se puso como una marimoña. Le abrió al ambicioso un mechinalito en su corazón, se hizo la sonsa en la casa y pegó a ver al otro a la escondida, poniendo cartitas, con faltas de ortografía, pero con sobra de emperramiento amoroso, debajo de una cierta piedra, donde el pollo las apañaba y dejaba a su vez la suya. Con la quilla pa el marisco, Saturnino era la solución de una soltería que le arriman un fósforo y el macanazo es como un barreno. Desarretada por casarse, Teodorita mandó todo para el jinojo y se dispuso, inclusive, a que el Juan Pitín "la depositara" ca el juez.

Se dijo luego, aunque la volada venía de lengüillas, que si Saturnino, que era atravesadillo y, sobre ello, traía el reconcomio de su humillación, abusó de Teodorita y tal, por trincar mejor la breva, o séase, porque no hubiera más remedio... Lo cierto es que se depositó, con los padres amulados en el fondo de la casa, las puertas trancadas y cerrados de negro —¡díiicen!—. Después Saturnino reclamó la parte de su mujer, la vendió y cogió jilo pa La Bana a una banda la señora y a otra un varoncito que les nació. En Cuba se fechó con tales modos y renunciamientos que amasó sus perritas. Vendió antes de la moratoria y cogió el tole pa Las Palmas. Aquí compró casas y pegó a emprestar dinero al 20 y hasta al 30 por 100 —¡díiicen!—. Enviudó, se le murió luego una hija de parto. Y entre que le nacía y estos duelos, que le cayeron arreo, el alma se le puso negra y viró de un carácter que hablar de vinagre es hablar de lamedor.

Un día que cobrando alquileres de unas casitas del Risco se tuvo una elevada, porque un arquilino que sabía de pluma le reclamó el recibo con el sello inmóvil correspondiente, y estuvieron a pique de darle una mano de componte, terció mi compadre Pepe Monagas, que lo sacó por los pelos de la embrujina, dando la cara por él porque entendió que no había derecho. Don Saturnino le guardó eterna gratitud, sentimiento que Monagas aprovechó para pedirle algunos favores y para meterle algún sablacillo, sin que el viejo se mostrara nunca con él ni enroñado ni gorrón. Por eso, cuando se murió, de no sé que maluras en la vejiga, Pepe fue al intierro.

Iba cerca de alante, de la cabecera. Detrás venían tres caballeros vestidos de oscuro, sacándole al pobre don Saturnino el cuero que daba de cara. Que si gorrón, que si fue un jediondo, que vino a más a costillas de la mujer, que si usurero pa arriba, que si malcriado pa abajo, que si en La Habana había matado a un negro porque le robó un peso de una chaqueta que dejó colgada...

Pepe acabó requintándose. Se volvió:

—Cabayeros, no hay derecho. ¡Digo yooo!

—¿Y a usté quién le ha dao vela en este intierro?

—Vela, no. Farol. Y me la ha dao usté, ¿oyó? Usté, que quisiera saber cómo anda usté tamién de ropas interiores. ¡Digo yooo!

—Jaga el favó y no sea antrometido.

—Aquí no hay más antrometido que usté—acabó de tupir al de las réplicas—, que se está entrometiendo en cuerpo difunto muerto ende ayer... ¿Y quiere que le diga una cosa? A lo mejor, cuando le allegue el tusnio a usté, por no tener quien le lleve, va a tener que diii a pata. ¡Digo yooo!

12

DE CUANDO PEPE MONAGAS SE LARGÓ LA FRASE MÁS GRANDE DE TODA SU EXISTENCIA

Está más que dicho y adivinado que mi compadre Pepe Monagas no era un hombre trabajador. La cosa, bien mirada, no era un defecto. Si acaso, una complicación. Con permiso, vamos a decir unas boberías en serio. El trabajo es un castigo, y no una gracia. Cualquier Juan Pitín que sepa un pizco de Historia Sagrada tiene conocimiento de esto desde que era un galletón. "Ganarás el pan con el sudor de tu frente." El sudor de la frente es el pico, el sacho, los remos, la mandarria, sétera. No entra la pluma, porque es sudor a la sombra. Y acaba siendo trabajo por el que sudan los que no lo hacen. Ejemplo: la curia. Siendo así que es un castigo, aquel isleño que se echa fuera de él es un cheche. Lo que pasa es que el costumbre ha ido poniendo en olvido su carácter de maldición y pena. Romperse el alma trabajando resulta, a fuerza de años, tan natural como dormir, o comerse el puchero de cada domingo. (¿Usted se va dando de cuenta?) El hombre nace, crece, se desarrolla, se parte el pecho, se gasta, lo que gana partiéndose el pecho, en botica y en la plaza, muere y lo entierran con un acompañamiento al que se le importa un pito, y que llega a la Placetilla de los Reyes por puro compromiso, hablando de fútbol y de mujerío y de esto y de lo de más allá.

Hay en la vida genios musicales, como el señor Beethoven, genios literarios, como el señor Cervantes, genios científicos, como el señor Freud —se advierte que la gente fina pronuncia "Froid"—. Pues igualmente hay genios del arte de la gandulería. Si el que lee estos cuentajos ha estudiado un pizco, sabe que arte significa hacer y que se ha definido como un "hábito de hacer alguna cosa con razón y regla". ¿Tamos? El haragán, el perdulario, el gandul es un artista que, como los otros genios, salió más listo que el común de los individuos y hace lo posible para no dar golpe. Me acuerdo que una vez, para vísperas de Santa María de Guía, estuve yo en la fiesta. Llegué temprano y di unas vueltas por la plaza de la ciudad. Había allí una barraca de feria con no sé qué mujer barbuda o mona sabia dentro. Un peninsular, muy hablantín y pronunciado, invitaba a una docena de maúros que se habían ido congregando a entrar, por la porquería de media peseta, para ver la maravilla. Los hombres, vestidos de negro, callados como tocinos, no se meneaban. El individuo de pa fuera seguía impávido, dándole a la taramela:

—Sólo por media peseta, señores, ¡pasen y verán!

Un zorrocloco de Guía que paraba a mi banda se diblusó despacio sobre un viejo que estaba pegado y le dijo, dice:

—¡Hay que ver lo que inventan los peninsulares pa no trabajar...!

Aquí está, en esta frase resumida, la madre de la baifa, o séase la explicación simplona de este arte. Existe una serie de maneras de no dar golpe, que tienen su razón y regla y su intríngulis. Pero no vale proponerse ser un debaso, como no vale proponerse ser un poeta. Hay que nacer con la predisposición y luego afianzar la mano izquierda, o séase la técnica. Porque es que el gran mérito del perdulario, galbanoso, agalbanado, haragán y eso, es comer y tirar más sobre lo bien que sobre lo jeringado, aún cargando trasero descaradamente. Tumbarse y estar hecho un jediondo no tiene mérito. Cualquiera lo hace. El arte radica en lo otro: en escarrancharse sobre la vida y ser su jinete, en vez de dejar que la vida se escarranche sobre uno y hacer para ella oficio de burro. ¿Tamos?

Muchas de estas ideas son de mi compadre, que solía exponerlas y defenderlas en plazuelas, mostradores y carpinterías cada vez que se venía a mano. Particularmente se trataba el tema en el taller de maestro Lorenzo, donde se hacía una tertulia después de suelta, a la que concurrían médicos y hasta algún que otro cura. Le tiraban sus puntitas a mi compadre, asunto de que no era dado a pegarse en un trabajito decente y de todos los días.

—Que trabajen los probes—pegaba a defenderse Monagas, medio en guasita.

—¿Y no sos tú pobre?

—Quiere desirse los probes de espíritu, señóoo... Y siempre ha oío que el trabajo embrutese al endeviduo.

Iba de tiempo en tiempo a la tertulia un pollo de aquí de Vegueta, estudiante él, sabijondo y demás. Mi compadre no lo tragaba bien por lo callado y zorro que aparentaba, y por una sonrisita irónica que siempre tenía a la flor de la boca. Sin embargo, el estudiante tenía una gran simpatía por Pepito. Cierto día que se enredó la pita una vez más a cuento del trabajo y la gandulería, hasta llegarse a la calentura por mor de que Monagas debía unas perras de tiempo a un maestro Juan de las Cruces, que trabaja en la carpintería de maestro Lorenzo, el cual llamó a Pepe "debaso" con retintín, Gregorito, que llamaban al tal pollo, se puso de parte del ofendido y defendió con calor y sabiduría al gandul y su arte, hasta el punto de que se tiró un salto a la casa para traer en su apoyo un libro nada menos que de don Miguel de Unamuno —que aquí conocimos bien porque estuvo en Fuerteventura quieras que no—, en cuyo libro venía un suelto titulado así: "En defensa de la haraganería". El pollo leyó unos párrafos y maestro Juan y los demás allí presentes se quedaron como totes. Yo copié entonces al pien de la letra un párrafo que dice lo que sigue, como si fuera un deleite: "Después de todo, la civilización se debe a los vagos, a los desocupados. La civilización empezó cuando sujetando un hombre a otro a la esclavitud le obligó a trabajar para los dos, y libre él de tener que esforzarse por su parte para ganar el pan, pudo mirar a las estrellas y preguntarse:

"¿Por qué darán así vueltas? ¿Por qué saldrán ahora por aquí y mañana por allá?"

—¿Verdad que es cosa asiada, cabayeros?—cerró Monagas la lectura con fuerza—. Y entodavía, ¿oyó?, entodavía le farta a don Miguée desíi una cosa en ese gran libro, que mañana mismo lo compro, entre paréntisis. Le farta desía lo siguiente...

Y entonces soltó Monagas la frase más genial de toda su existencia, que nosotros creemos digna de ser morena y sevillana. Dijo, sequito como un palo:

—Todo aquel que trabaja es porque no sirve pa otra cosa.

13

DE CUANDO PEPE MONAGAS LE PEGÓ UNA QUINTADA LINDA A RAFAELITO EL *REBENQUE*

Una de las chispas más afianzadas y más llenas de peripecias de toda su vida la agarró mi compadre un domingo de gallos. Había ido a las peleas con media docena de duros, había jugado con buena pata y había ganado dinero hasta pesarle en los bolsillos. Según salió de la gallera se metió en ese Fuera de la Portada, y pizco va, pizco viene, agarró una templadera de las faltonas y de camisa por fuera. Con ella arrastras recaló a la prima en el parque de San Telmo y se metió allí con cuanto isleño, amigo o desconocido, beberretiaba cerveza y cogía el fresco.

Primero fueron tan solamente bromas, alguna que otra salida, tal cual choteíto. Pero a medida que fue subiendo la cargazón del buche y la cabeza, en fuerza de los efectos y de que seguía achicando, pegó con puntitas, a las que —ya se sabe— deriva casi siempre el borracho insular. Hasta que dio con un calentón: Rafael el *Mulo,* al que le habían matado dos gallos en la tarde de mala manera y que perdió, por cuenta de ellos, más de quinientas pesetas. El hombre estaba que lo tiran en el Japón desde un aeroplano y la bomba anémica es un volador desrabonado.

—¿Oye, Rafaée, pero, y qué fue lo que tú trajiste a peliáa? ¿Gallinas disfrasáas o almojáas de plumas? ¡Guárdame un güevo de la echaúra!

Rafael el *Mulo* se calentó más pronto que volando. Soltó por la boca dos tres maldiciones y le cayó arriba a Monagas que si no lo atajan el compadre acaba entre cuatro sobre la mesa de la Casa de Socorro. Intervino Rafaelito el guardia, que estaba de tusnio en el parque, para acabarla de coronar. Rafaelito no podía ver a Pepe ni en pintura por un lío de palomas. El municipal era muy aficionado a ellas y tenía buenos animalitos, viajados hasta de Cabo Juby y premiados en muchas ocasiones. Parece que Monagas tuvo un palomo ladrón que fue algo así como el Al Capone de los palomares de la ciudad. El tal palomo la cogió con las hembras de Rafaelito el guardia. Desde que lo largaba enderezaba el vuelo sobre su azotea y pegaba a arrullar a algún pichón, o alguna solterona que anduviera por los murillos sacándose los piojos. El palomo de Monagas se daba tal geito, arrastraba el ala e hinchaba el buche tan irresistiblemente, que parecía hablar parodiando a don Juan Tenorio: "¿No es verdad, angel de amor, que en aquella azoteílla, donde tengo mi casilla estarías mucho mejor?" Lo cierto es que las convencía y trasponían con él. Rafaelito montó un acecho para cogerle los güiros al ladrón. Y lo localizó. Desde entonces venía rascado y tirante con mi compadre.

No obstante, como eso se sabía, y a Rafaelito no le gustaba que le lavaran la cara con injusticias, ese domingo del lío en el parque se limitó a llamar la atención a Monagas, muy comedido, señalándole que no había derecho a molestar. La cosa no hubiera pasado de aquí si Monagas no lo provoca diciéndole: "que si él no vía estado en la gayera, que se tupiera y cogiera jilo". Rafael metió el freno —como pa desahogar— y le recomendó que fuera y se tendiera un rato en la marea para que despejara con el airote. No hay cosa que jeringue más al borracho isleño que le digan que está templado y que debe tomar café y mojarse la coronilla y el totizo. Pepe se revió.

—Si se encarrila mucho no voy a respetáa ni el informe de gualdia que lleva puesto, ¿oyó?

Primera llevada a la Delegación, como se llamaba de antes, que estaba en los bajos del Gobierno Civil, entrando por la Marina. Monagas se dio maña para convencer al agente de guardia de que aquello era un abuso. Y lo soltaron. Cuando volvió al parque, porque volvió, ya venía vencido por la marea de las copas; torpe de pata, reculón de andar, atrabancado de lengua. En una baladera puso proa a un parterre de los jardines y quedó dormido como un tronco. Entonces fue cuando, descubierto por el municipal, que se metió tras él y lo cogió por el cuello de la americana remolcándolo hacia fuera, dijo la famosa frase, que ya conocemos los amigos y lectores del héroe risquero y sus peripecias: "No me arrastre, que no llevo triunfos."

Segundo viaje a la comisaría. Ahora ya no sería posible convencer al agente de que debía soltarlo para hacer justicia. Ahora, caería en un calabozo como un tote, arriba en el cuartelillo, por atrás del Ayuntamiento en ese entonces; Rafaelito lo espabiló y pegó a llevarlo por delante. Monagas se dejó conducir. En el fondo, y dado el sueño que tenía, le iban a hacer un favor: meterlo a dormir bajo techo. Luego pensó en el piso duro y húmedo de los calabozos, en las ratas, en el desayuno, en el interrogatorio y demás yerbas. No era asunto quedarse en el cuartelillo.

—Oiga, Rafaelito, yo le voy a peíiir un favóoo.

—Tire pa lante y no me jable, ¿oyó? No me provoque, no me provoque...

—Yo no le estoy provocando. Lo que yo le pío es de justisia humana, de la humanidad del sentimiento del endeviduo, que es lo úrtimo que se pierde; dispués de la velgüensa, se entiende...

—Mañana le cuenta ese cuento al Impertóo, ¿oítes?

Pepe se plantó, sacando firmezas de sabe Dios dónde:

—No señóoo... Mañana, no. Usté me tiene que oí. Lo que yo le pío, ¿oyó?, lo que yo le pío no tiene impoltansia. Yo voy con usté onde sea, pero mi mujé no tiene curpa de náa y yo no le voy a dáa un disgusto porque a usté se le antoje.

—A mí no se me antoja náa. Si usté farta a las ordenansas jala pa lante como too siudaano, ¿tamos?

—Tamos. Pero venga acáa... Lo que yo le pío a usté es que me acompañe un istante, los tiranos un sarto a mi casa, yo le digo a mi mujé lo que me ha pasao y asín no le doy el digusto mañana de no amaneser en la cama, que se figurará lo peóo: que me ha cogío la *Pepa,* que argún malón me ha dao una puñaláa trapera, que me fui pa Santa Crus, sétera. ¿Usted se da de cuenta? Vamos un momento, yo se lo digo y seguimos par cuartelillo...

Rafael estaba remolón. Pensaba que Monagas no tenía merecimientos para que ablandara. Pepe lo caló y tiró un lance sobre su amor propio de guardia consciente de sus deberes y tal:

—Lo que pasa es que usté me guarda un reconcomio... Usté no se olvía de lo de las palomas y quiere cobrármelas. ¡Ta bien, hombre!

—¡Ssss...!—se paró en seco Rafaelito, lleno de dignidad, ladeando el busto, con un pie alante y otro atrás—. ¡Ssss! Esto es aparte. Ahora yo soy el guardia. Aquí no hay que mescláa palomas ni palomas... Mire. Pa que vea que no es en vengansa: vamos a su casa. Usté avise ligerito y seguimos.

Subieron al Risco. Pepe abrió y entró. Rafael se quedó fuera esperando. Monagas se quitó tranquilito la ropa y se metió en el catre. A los cuatro minutos estaba soplando sueño como la máquina de la gaseosa. Fuera, el municipal pegó a cambiar de pie. Sacó un cigarro. Se arrimó contra la pared. Monagas no salía. Empezó a golérselo. Tocó. Volvió a tocar recio. Al fin una voz soñolienta llegó a la puerta:

—¡Quién! No molesteee. Si no puée beber, déjelo en la botella, ¿oyó?

Los tamborazos eran ahora de caliente. La puerta temblaba. Y el quejo de Rafaelito temblaba también.

—¡Salga de una veees, que hay media hora que lo espero!

Por una lucera que la puerta tenía al canto arriba asomó al fin la cabeza de mi compadre. Se había tocado un gorro de marinero que conservaba de unos Carnavales. Con un camango de niño chico en la boca y sacando una voz amariconadilla dijo a Rafaelito, dise:

—Mire, ¿Rafaelito?, dise mi maadre, que no me deja salí yáaa, porque es muy taaalde, ¿oyó?

14

DE CUANDO A PEPE MONAGAS LE METIERON UNA CABRA CON TETERA Y SE LAS COBRÓ AL PERDULARIO QUE LE JINCÓ EL *MUERTO*

Hubo, que ya murió, un Juan María López, a quien llamaban también Lopito, de aquí arriba de las Vegas, que de siempre comerció en la Plaza con fruta, con huevos, con cabras, con verduras y hasta con yerbas de salud para malejones de barriga, compromisos y demás. Era maúro, pero fino como una hebra de pita. Flaco, con los ojos chicos, ganchudo de nariz y zancudo de andares, daba pata buscando qué traer y tejemenear, regateando a vendedores y engañando como chinos a compradores. Lo mismo le daba que los huevos, un poner, tuvieran el pollo a flor, o estuvieran cluecos —pues los aguantaba cuando había demasía para venderlos como si fueran de la gallina que los ponía de oro—que que estuvieran como una lechuga, con el cacaraqueo de frescos arrentito. El, en compaña de Mariquita Salomé, su mujer, que tampoco era floja, inventó la mantequilla de papas, sebo de carnero y mechada con piedras de barranco para el aquel del peso; él descubrió que las aves viejas, compradas casi de balde por lo duronas, podían ganar traza de prolloncitas dándoles agua con aspirinas y lavándoles la pluma con aceite de comer, para que agarraran un relumbre mentiroso; él —y Salomé a la banda— sacaba a la leche hasta la última escurraja de mantequilla y con el suero y una puñadita de tumbos y un secreto que con él se fue a la tierra, hacía... ¡queso de ganado! Con una vista, caballeros, que lo llevaba en la palma de la mano por la calle y pegaba la gente a pararse y salivar, de lo apetitoso que tenía el parecer. Una alhaja, el hombre. Y otra su señora.

Cierta mañana recaló en el Tinglado con dos cabras de mal pelaje, una de ellas mocha y que no tenía mala pinta debajo de la merma que un hambre vieja le procuraba. Ponderaba las dos, pero particularmente la mocha.

—Caballeros—decía en una rueda que se formó por verlas y calibrarlas—, el día que esti animáa jalle afálfara ondi pegarse a tuti plin y su ambosaíta de rollón, y limpie la pelambrera de algún bichejo que puei que traiga del esmayo, ese día, caballeros, hay apuros en una casa pa buscal cacharrus de pastillas ondi coger la leche que ella lalgue... ¡Esto es de muy buena rasa, que se puei averigual fásirmente y naidi la dismienti!

La vendía regalada, porque tenía necesidad de pesetas. La vendía en la porquería de 30 duros. Mi compadre Monagas estaba en el corro de mirones. La venía ojeando callado había rato. Se agachó porción de veces, le cogió la ubre, se la sopesó, le regañó el hocico, le pasó la mano largamente, como en una caricia, por los lomos ásperos... Y la compró. Siempre se ha dicho que al mejor escribano... Y que los más listos, un día caen como tontos, igual que cualquier taita.

La llevó a su casa y la llenó de mimos. El animal, que era cariñoso, tal vez por lo desmayado que venía, se dejaba querer. Mi comadre Soledad se desvelaba por la cabrita. ¡Y la cabrita tenía tetera! Y sobre tener tetera —de vieja, que lo era grande— cuando se empelechó, se hizo más ruinita que un mal vecino. A toponazos no había cajón de echadero que le aguantara clavado, ni balde de agua que no volcara, ni ordeño sobre el que, al menor descuido, no pusiera... todo lo feo que a las cabras también les sobra...

—Te engañó el indino ese—comentó Soledad, mirándola con una rabia, una rabia.

—Me jeringó, jijeñóoo. Pero, déjalo. Yo le jablo, a vée...

Monagas le habló a Lopito y Lopito le dijo, cerrado a la banda, que el trato era trato. No hubo forma humana de convencerlo para que arreglara la fullera de aquella venta. "El tratu es tratu, ¿oyó?", se aferraba, malamañado.

—Ta bien, mano. Se dijo—cerró Pepe el diálogo, mirándolo gacho, con la cabeza cambada, cavilando de golpe el modo de cobrárselas con una buena montada.

Comentándolo a horas de cena con su mujer, Soledad le dijo, hecha una china:

—Está bueno pa que tú ahora aseches a la mujée y cuando entre por la poblasión con el balayo de güevos en el rueo trompiques con eya y le jagas una tortilla como la Plaja Jantana.

Pepe trincó por el aire la noticia:

—De móo que eya entra por la poblasión vendiendo güevos...

Pepe no la conocía, pero su mujer se la pintó con tales señas que la clavó.

—Sí, niñooo... Menúa, rosaíta, con pecas eya, y una pañoleta en el braso. Eya vende güevos y manteca por arriba, por Vegueta.

Mi compadre pegó a aguaitarla. La esperó dos o tres días en la esquina del Hospital y le cogió los güiros, como el otro que dise.

Cierta mañana la vio venir y tiró. Cogió López Botas abajo y se metió en el zaguán de la casa de don Juan Ramírez, el abogado, la cual casa tiene salida para la calle de la Cuna, hoy de Pedro Díaz. Quitóse el saco y se plantó, muy confianzudo, en la puerta. Por allí solía entrar, vendiendo, Mariquita Salomé. Pepe la llamó, de lejos:

—¿Lleva güevos?—preguntó tranquilamente.

—Sí, señóoo. Y fresquitos. Y mantequiya del pai tamién yevo.

Descargó la mujer el balayo y mostró un tenderete de huevos. A una banda, envueltas en dos hermosas y frescas hojas de ñamera, iban dos pellas de manteca de vaca cuyo parecer, por lo menos, daba gusto.

—¿Güevos cuántos jai?

—Siete dosenas bien contaítas. Y mantequiya la que esté vei áy.

Regateó por darle mejor forma al asunto, cerraron precios:

—Aguántese un pisco que voy a enseñárselos a la señora. Si acaso no se quea con tóoo, le devuelvo el sobrante.

—¡Esús! Ya lo creo. Pero no se esté, cristiaaano.

Monagas entró, cruzó tan fresco el zaguán, salió a la calle de la Cuna... y ojos que te vieron dir.

Mariquita Salomé, que toda la vida se la había echado de que nadie "de la suidá" la había engañado nunca, cayó en la cama que casi no la cuenta.

15

DE CUANDO PEPE MONAGAS SE HACÍA SUS ILUSIONES

Mi compadre no fue nunca un Don Juan, tipo que más tiene de maniático que de hombre, según opinaba cuando de "Ricarditos" u otros conquistadores de fuera de bambalinas se terciaba hablar.

—Don Juan, cabayeros, pa mi gusto—teorizaba Monagas—no es hombre, según entiendo yo un hombre. ¡Que puei que me equivoque, ya que tamién tengo la boca por debajo de la narís, y ya se sabe! Don Juan pa mí, cabayeros, respetando debiamente la mira de caa cual, es un maniático. ¿Ustedes han nan visto a esos endeviduos que les gustan las palomas, un poner? Ende que lalgal la tarea los tiene usté al canto arriba de la casa, con una bandera entre manos, dándole meneos y silbiando como totorotas, dispensando el moo de señalar y sin querer ofender. Una inmanía como otra cualisquiera. Lo mesmo el que ajunta sellos de cartas o moneas, o aquel que pa dir y venir pa dentro de la población coge por la Marina en ves de por Triana o las paralelas, que los jay. Tóo en la vía, si bien se repara, sin inmanías. Ese enamorao trapiento que llaman "Don Juan" es un maniático tamién, quítesen de dúas. Confolme le púo haber dao por las palomas o por los sellos, le dio por el mujerío. Y lo tiene usté como un perro casaor atrás eyas, desagayao, con cara de loco —¡que toos los conoseemos asquí en este chiquerito, y los habemos visto! (¡oh, ya!)— por mor de un sino que saca la madre, igual que los otros del otro. Oiga, en el fondo, si bien se mira, too en esta vía es manía. Too. Y uno jasiéndose ilusiones con que es libre y con que esparrama la vista a gusto. ¡Cabayos de tartana, cabayeros, con anteojeras, lansas y brías! Quítesen de dúas.

Pero si Monagas no fue un Don Juan, rondó como el primero la zona de engodo de unas piernas bonitas, de una color trigueña o de un lunar y una mata de pelo retinto. Soltero él, fue y vino del tingo al tango, por taifas y fiestas de pueblo, particularmente del Risco a San Cristóbal, donde no había tenderete o rumantela que se le escapara. Casado ya, siguió enraladillo. Y aun picando para viejo, todavía se encandilaba cuando un aire o una buena planta de mujer le cruzaba la banda dejando un rastro de primavera y juventud. "¡Los ojos siempre son niños...!" —explicaba, si algún pobre hombre se permitía sonreír irónico ante su plantada o su exclamación, y hasta su piropo, que aun siendo desabrido, porque el isleño echando piropos ha sido siempre un rabo de gato, tenía en su boca amagos de sinseridad y arranque.

Si alguna vez, por azar, Pepe estaba en sitios adonde llegaban mujeres, no podía remediar el acudir a ellas solícito, metiéndose, a lo mejor, donde nadie lo llamaba. Así, por ejemplo, si estaban ca Rafaelito, el de la tienda, jilvanándose unos copejos de argo, y llegaba alguna polloncita morena a por "un riá de sáa, dos perras de pimentóoon y choriso der paíii", y por un casual Rafaelito estaba "pa ayá atráaas" —a lo mejor jincándole agüita de los ingleses al vino conejero recién llegado— mi compadre, todo soliviantado, llamaba: "¡Rafaelitooo, a espacháaa! Mire véee!" Si en la guagua subía un guayabito de estos de Triana, meladita de los solajeros en la marea y con una moña airosa de las que ahora se estilan, Monagas no daba solo el sitio: pegaba un brinco, sonreía como una meloja y hasta se llevaba la punta de los dedos al filo de la cachorra. Si, yendo también en la guagua, llevaba niñas en frente, era mirón, mirón, que llegaba a veces a dar de cara. Las pollonas, al mou se daban de cuenta, porque: tirones al vestido, vengan jalones a la falda por ahí por la rodilla, y vengan carteras como tanques de la guerra delante, por atajar...

Cierta vez, precisamente ca Rafaelito y estando la jarca copeando, entró una Rosarillo a comprar. La muchacha era primorosa. Morena cargada, daba gusto verla. Pepe se acercó al pimpollo.

—Oiga, niña, escuche que se lo dise un hombre de fundamento, que al respetive de mujeres sabe lo que dise, aunque se jalle abatatao, como en el presente caso: si yo tuviera treinta años menos y no anduviera atravesáa una partía de casamiento con Soleá Santana pa servile a Dios y a usté, a usté no me la alevantaba naidie, ni Grieta Galbo.

Se reía Rosarillo, enseñando una entaúra que la trabajan para anuncios y se lavan los dientes hasta en Tajinastar. Más se encalabrinaba mi compadre.

—Grieta Galbo es una mujéee, cristiaano...

—Es lo mesmo. Está dicho un ponée, pa que se dé cuenta de la fuersa que tiene este devoto en el pico y en el corasón. ¿Tamos?

Siguió el coloquio, en el que fueron interviniendo Vitorio y demás templarios: el uno suelta una flor, el otro la otra.

Al fin se fue Rosarillo. Pepe y los demás acudieron a la puerta.

—¡Cosa asiada, cabayeros!—la veía Monagas tan nuevita, tan pimpante, tan primorosa—. Ante casos asín es cuando uno prinsipia a darse cuenta de esa cosa triste que es dir tumbando pa los Poyos del Parque a jablar de los barcos que han entrao y de si ha llovío o no ha llovío en Fuerteventura... "Juventud, divino tesoro"—recitó sin poderlo remediar con verdadera melancolía.

Pegaron los amigotes a darle bromas. Todos encontraban tan buena a Soledad.

—No, si yo no digo náa—resollaba Monagas con la voz apagada—. Lo suyo tuvo... Jasta ahora, al mediodía, mirándola asín de raspafilón, pasa. Y de noche, mayormente los sábados, después de lavadita y con el moño cojío..., bueno... Sin fijarse mucho..., bueno. ¡Pero por la mañana, cabayeros! ¡Chico papagüevo!

Pepe se tragó de un golpe un ron que tenía delante, como si quisiera pasar con él un boliche de gaseosa atrabancado en el galguero, y se sacudió todo con ese meneo de perro mojado que promueve el primer macanazo de bebida con fortaleza. Estaba pasando la memoria de Soledad por la mañana.

—De toas maneras—díjole Vitorio, con una voz grave, ronienta y una sonrisa en la esquina de la boca, al pie de la cola de un Krüger—, de toas maneras no te jagas ilusiones. ¿Pa qué dejarse dir ante un platito de bienmesabe como ese que acaba de dirse, si uno ya..., ¿eh?

—¿Qué dises túuu...?—reviró Monagas, lleno de dignidad varonil.

—Mira, Pepe, no te la eches, no te la eches... ¿Ónde vas tú yaa con una potranca de eeesas?

Entonces fue cuando Monagas dijo la famosa frase:

—Hombreee..., enbuyaiiiyo, embuyaiiiyo, ¡quien sabe!

16

DE CUANDO PEPE MONAGAS SEÑALÓ EN CANARIAS LOS DESCUBRIMIENTOS DE LA *PELISILINA* Y LA BOMBA *ANÉMICA*

Tertulia en la carpintería, después de suelta. Están, entre otros, señor don Pedro el *Batatoso*, don Miguel, maestro Manuel Lorenzo, Rafael el *Pipano*, don José y Pepito Vera, el estudiante, recalado de vacaciones. Se habla de todo, desde las lluvias en Fuerteventura hasta del experimento de la bomba anémica en el "espolón" de Bikini. Señor don Pedro el *Batatoso* lleva la voz cantante, exagerando que es un gusto.

MAESTRO MANUEL LORENZO.—Pos no farta ya sino que en ves de engrúo de la tierra los vendan pelisilina. Al mou es que sirve jasta de pegue.

SEÑOR DON PEDRO EL "BATATOSO".—No es pa tanto. Pero, cabayeros, ha cogido un hombre podrío ya, como el otro que dise, y lo ha dejao como una mansana. Ay en ese Fuera la Portada creo que había uno con la sangre toda revuelta desde galletón, que agarró una buena en La Habana. Se puso el hombre su penisilina y va por la calle que parese un pollo.

MONAGAS *(Con ánimo de jeringar a señor don Pedro.).*—Ese que usté dise debe de see Manuée el choofe... Siii. Pero lo que usté no sabe es que por reseta mía venía tomando sus tasitas di agua de cola cabayo, mayormente en ayunas. Vaya ustée a sabée ahora si es de la pelisilina o de la yelba. ¡Vaya usté a sabée!

DON MIGUEL.—Hombre, Pepe, es de suponer...

MONAGAS *(Provocativo.).*—¿Pol qué, vamos a vée, pol qué...?

RAFAEL EL "PIPANO" *(A Pepito Vera.).*—¿A usté qué le parese, Pepito, usté que ha estudiao pa fuera?

SEÑOR DON PEDRO *(Picado.).*—¿Por qué tiene que haser falta estudiar pa fuera? ¿No viene la prensa aquí?

MONAGAS.—¿Cuála prensa?

SEÑOR DON PEDRO.—¡La prensa!

RAFAEL EL "PIPANO".—Dejen jabláa, cabayeeeros...

PEPITO.—Hombre, es posible que la penisilina la haya mejorado. Depende del tipo de enfermeá que ese Manuel padesiera, porque too no lo cura la penisilina.

SEÑOR DON PEDRO.—Él venía revuelto, eso es lo que tenía.

MONAGAS.—Él venía trancao, no diga usté lo que no es. ¿Usté sabe, Pepito —¡masiao que sí!—, lo que es la angurria, que está

el cristiano con ella siempre desagallao por jaser "pipi"? Pos lo
de Manúee era al revés, ¿entiende? Tupío, tupío. Pegó a tomáa,
porque yo se lo dije, la cola cabayo que es refrescante y eso,
y pegó a aliviáaa, a aliviáa. Luego tomó esos polvos que no sé
yo lo que tendrán de modernos y le arrimaron la cura a eyos.
¡Vaya ustée a sabée!

SEÑOR DON PEDRO.—¡Ah!, ¿de modo que la pelisilina no tiene
náa de moderna?

MONAGAS.—Asigún lo que usté yame moderno. ¿No disen que
es del moho, usté Pepito?

PEPITO.—Sí.

MONAGAS.—Pos mire, yo conosí un cambuyonero, que no era
der país, sino de Cadis, que comía mariscos con tanta afisión como
losotros el gofito. Ese hombre, por el laterío daba un braso y
la mitan del otro. Una ves cayó en la cama muy malito que
jasta estuvo unos días con el tino perdío. Cuando lo cogió otra
vuerta, al cabo de cuatro o sinco días, se le antojó beber aguar-
diente con anchoas. ¡Fíjesen nustedes! Cuando la mujée no estaba delante, engatusó a un amigote que vía dío a veslo, pa que
le alongara la boteya y una latita de anchoas que estaba ya
ensetáa. Cuando repararon en la lata se dieron de cuentas de
que estaba llena de moho, criao en los días aqueyos. "No se
tome esto, usté, que esto está picao"—le dijo el amigo—. "Traiga
usté aca, compare, que pa lo que hay que vée..." Y se jilvanó
tranquilito la lata y jasta el sumeque que traía. Oiga, por la
talde —¡que se dise muy pronto!— estaba alevantao, preparando
pájaras jembras pa vendérselas por machos a los ingleses. ¿Qué
le parese?

SEÑOR DON PEDRO (Cogiéndose la nariz hinchona que Dios le
ha dado.).—Hombre...

MONAGAS.—Ni hombre, ni náa. Aquello fue la pelisilinia, que
estaría en bruto, pero que era. ¡Oh, ya! De moo que naide debe
de presumil que la descubrieron pa fuera. ¡Fue descubierta en
la Puntilla, primero que naide!

DON MIGUEL (Metiendo una candelita.).—Y a lo mejor —¡vaya
ustée a sabéee!— la bomba atómica fue descubierta en una fábrica de esas de Guanarteme...

DON PEDRO (Buscándose un aliado para jeringar a Pepe.).—
A lo mejóo. ¡Vaya ustée a sabée!

MONAGAS (Tan fresco.).—En Guanarteme, no; pero en Valse-
quiyo, sí...

DON PEDRO (Riendo, con una risa gorda y provocativa.).—¿Lo
vein? ¡Jo, jo, jo!

MONAGAS.—No se ría y escuche. Pa un San Miguel de Valse-
quiyo llevaban los fuegos de la fiesta a bordo de un burro del

pueblo, dende Guía, por la Cumbre alante. Diba sentao arriba del animal el fueguista fumándose su sigarro. En vistas del pueblo una chispa pegó en una mecha. El burro abrió a correr, desbocao y en una güelta cayó por un risquetiyo, arriba de unos alpendres. Allí endentro siguió estayando. Se mataron dos vacas, y seis animales más, entre reses y cabras, desaparesieron. ¿Y sabe ónde vinieron a aparesée? En la Ardea. Ayí tamién hay un chalco, como el del espolón ese de Bikini.

SEÑOR DON PEDRO *(Rascado por la novedad.)*.—¿Quiere desirse, que de los estampíos fueron a parar a la Aldea?

MONAGAS.—Ji, jiñóoo.

DON PEDRO.—¿Pero y cómo?

MONAGAS.—Vendiéndose… Unos romeros que venían detrás y las vieron juyendo, espantáaas les ayuaron al camino y traspusieron con eyas. ¿Es esto no es esto la bomba anémica?

SEÑOR DON PEDRO.—¡Mira, Pepe, vete pa…! Eso me hase recordar el cuento del loro. Un loro, cabayeros, que tenía más entendimiento que muchos cristianos. Resulta de ser…

MONAGAS *(Interrumpiéndolo, por jeringarlo más todavía, y más animado a ello porque don Miguel lo cuca para que le caiga arriba y no le deje hacer el cuento.)*.—Por mucho que usté selebre ese loro suyo…

SEÑOR DON PEDRO.—¡Oh, padrito! ¿Vas a habláa tú solo o qué…?

MONAGAS *(Cucado por don Miguel.)*.—No, pero aguántese, pa que vea. Yo conosí un loro en La Bana, ¿oyó?, que ese sí que tenía miluque. Era de una viua, una señora muy religiosa. El animal aprendió con un mulato que servía en la casa toa clase de maldisiones, que jasta a un hombre empedernío le sacaba las viejas a la cara. Entonses le dijeron a la viua que el loro tenía el diablo en el cuelpo y que era bueno bendesislo, rosiándolo con agua bendita. La señora, que mucho lo apresiaba, porque era un recueldo de su marío, le preparó un bautismo por too lo arto, jasta con sus copitas y sus durses y su pisquito de rumantela. Fue un día de fregao en la casa, limpiando, sacando briyo, preparando al loro que jasta un tapadito con una oriya de encaje le jisieron pa el "bautismo". Poco antes de bendesislo lo yevaron, lo trajieron, lo pusieron acá y ayá, por ver ónde mejor se podía jaser. El animal estaba ya tan verde que jasta se tupió, con lo jablantín que era. Cuando lo pusieron delante para la seremonia venía entregao. Entonces lo rosiaron, con sus palabritas en latín. ¿Y sabe usté, siñor don Pedro, lo que dijo, virándose con un ojo caliente para el señor cura, que lo hisopaba?: "¡No me chingue, que vengo suando!"

17

DE CUANDO PEPE MONAGAS CLAVÓ CON UNA PALABRA SOLA A TINITO EL *BATATA*

Sin rodeos: Agustinito era un batata. Rodeado de criadas y escaldones por todas partes, sin que hubiera antojo que no consumara, pegado a las faldas de la madre y de unas tías cotorronas que siempre le llevaban su ñemita en dulce, o su merengue de ca Anita. Tinito, como lo llamaban de puertas adentro con deje de gata parida, se fue criando blando de miembros, descolorido de tono y mollar tanto para el llanto como para la risa. Estaba entre la mopa, el bienmesabe y la escoba de albeo, que ya se sabe blandea que es un relajo.

Creció Tinito y no mejoró. No hubo colegio, ni profesor privado que lo enmendara. Como una vara de tuberosa iba medrando trincado de los traseros y con un paso tan menúo que no parecía sino que al andar —un andar brinconsito y cadencioso—, anduviera hacia atrás. A rempujones y tarjetas acabó el Bachillerato, con buenísimas notas en comportamiento, porque, eso sí, no hay que quitárselo, era un dechado de compostura; pero con chochos en el resto de las asignaturas, que no le entraban al pobre ni con sonsonete. Se dieron casos dignos de los papeles. Cierta vez, por ejemplo, le preguntaron en clase de Etica: "que qué era el Estado". Se quedó como un queso, de amarillo: "Estooo... el... ¿cómo dijo?" El profesor, que era por cierto un calentón, aunque armado de paciencia en este caso —porque siempre fue sensible a los apellidos y demás requilorios sociales de los alumnos—, repitió la pregunta y díjole la definición del modo más elemental. Algo así: "El Estado es una institución política nacional que tiene por función sustancial dictar las leyes y hacerlas cumplir..." Le hizo repetir la definición hasta que se la supo de carrerilla.

Luego, a poco de unas explicaciones sobre funciones secundarias del Estado volvió a atormentar a Tinito:

—Vamos a ver. ¿Ha entendido usted lo que acabo de explicar sobre funciones sustantivas y funciones accidentales del Estado...?

La cara del pollo era como la luna acabada de salir.

—No lo ha entendido usted. El Estado dicta las leyes. Ahí tiene usted su función sustancial. Aparte ésta, la institución cuida de una serie de aspectos dirigidos a mejorar las condiciones colectivas de vida. Por ejemplo, se preocupa de que un sistema de higiene ordenado y eficiente procure a la sociedad ciertas garantías de seguridad en orden a la salud. Aquí tiene usted una función adjetiva del Estado. Tenemos, pues, funciones sustanciales y funciones accidentales. ¿Lo entiende?

A Agustinito se le acentuaba a cada palabra la cara de pan de Agüimes con que lo remató la Naturaleza.

—Vamos a ver si con un ejemplo...—insistía, aplastado, el profesor, que solía tomar el té ca Tinito, y hasta se decía que enamorisquiaba a una tía solterona, con cuartos y tal—. Vamos a ver: Usted tiene una función primordial: cubrir su... su cabeza. ¿Estamos? Bien. Un día, usted va al campo de excursión. Y se ofrece recoger, por ejemplo, higos de una higuera. Casualmente no hay dónde echarlos. Entonces a usted se le ocurre que su sombrero podría servir. Y lo aplica usted como recipiente de la fruta. Tenemos, pues, una función accidental...

Tinito había ido cambando la cabeza y lo miraba lelo, metido el sentido en un brumero.

—Ahora dígame usted—prosiguió el profesor—para qué sirve el Estado en sus distintas funciones...

—Para echar los higos en el campo—contestó Tinito, todo iluminado de haber hecho el descubrimiento.

Del Instituto pasó a La Laguna, luego de un gran llantina familiar. Sus padres habían pensado hacerlo abogado, más que nada para que fuera luego político y llegara a alcalde y pudiera ir atrás del Pendón por el centro de la calle. Pero los profesores de allá no tomaban el té en su casa. Y catre va, catre viene, por poco le acaban la casta.

—Tinito es un niño delicado de sentimientos, y eso los profesores no lo estiman—decía la madre justificando la carga de calabazas—. Ellos prefieren los bandíos, con tal que sean atrevidos y desparpajados. Ya no lo mandamos más. ¿Pa qué?

Luego más tarde, la vida y las cosas fueron empotajando la economía de la casa, que vino pa atrás de mala manera. Y cuando Tinito tenía veintiséis años, entrando en veintisiete, en su vieja y otrora rica mansión no quedaban sino los muebles y el recuerdo entristecido de los buenos tiempos. Hasta las tías solteronas y ricas casaron con peninsulares y adiós te digo y no llores ilusiones.

A pesar de todo no se abatató. Le quedaban sus apellidos ilustres. De otra parte se fue soltando: una a manos de amigotes de media noche pal día, y otra por una suerte de despecho ante la torpeza o imprevisión de sus padres, que lo habían dejado con la quilla pal marisco, y se salió del surco echándose a mal traer y haciéndose malcriado. Socio del Casino, con su nombre,

siempre planchado como un domingo y en propiedad de una voz
campanuda y atrevida, iba tirando sin perder aire.

Entrando en los veintiocho años, sus padres hablaron pa allá
dentro de casarlo y esto y lo otro. Recorrieron una pequeña lista
de "partidos", hasta pararse en una Pepita, solterona de Vegueta, de "gente baja" y más fea que una mala palabra, pero con
las talegas como cargas de leña. Su padre de ella, mejor dicho.
Se dieron sus vueltas, consultaron, cabildearon, ataron sus cabi-
tos, y Tinito enlazó pa un mes de mayo ante la Virgen del Rosario de Santo Domingo. Sita Pepa salió mandona y brutita. Así
que al mes, cada uno vivía en su cuarto y Dios en el de todos.
Pero él no se afectó. Creció en fachas y alivió el fracaso conyugal, dedicándose a perros, mayormente a galgos, y al tenis y
otras zarandajas. Había que ver las influencias que tenía y su
parada, y el aire de sus palmadas en la espalda y sus intervenciones en la tertulia del casino para hablar de la ONU y del
proceso de Nurenberg, palabra pronunciada acentuando mucho
la *u* y dejando la *rg* final resonando al canto arriba del gallillo
y marcadas con un soplido, como cuando se retira del barril de
cerdina por unas lindes de pitas en ciertos arrifes: que si una
cuarta más adentro, que si una más afuera...

Un día bajó a Las Palmas Pepito María el del *Molinillo*. Era
gran amigo de mi compadre Monagas, que sirvió por su quinta con
él. Lo encontró en la plaza echándose un goto de café, y Pepe
se invitó a ir con él ca un abogado bueno, que además era amigo.

Llegaron, preguntaron y se asentaron a haser tusnio, callados como tosinos, entre un montón de libros, propios para enredar a los cristianos y un olor espeso de papel de barba.

En esto entró como Pedro por su casa don Agustín, o séase
Tinito. Vestido de punta en blanco, con el pecho sacado, alta la
cabeza, parecía el amo. Fue, vino, revolvió, dióle unas palmadas
a un pobre pasante que estaba poniendo a maquinilla un trasmallo para algún desgrasiao; se sentó por allí con las piernas
estiradas y soltó en el entretanto media docena de gracias pajizas. Allá cuando le pareció cogió el portante con el mismo aire
suficiente de la entrada. El hombre del campo no le quitó un
ojo, asmado de aquel aire y aquel dominio. Mi compadre, que
lo conocía de viejo, y lo encontraba más empalagoso que ralera
de inapetente, agachó el morro por no verlo. Cuando al fin traspuso, hecho un trono, Pepito María el del *Molinillo* preguntó a
Monagas:

—¿Qué es el caballero esti, Pepitu?

Y Pepito Monagas lo definió, sin apoyar mucho su voz, con
una sola palabra:

—Yerno.

18

DE CUANDO PEPE MONAGAS LE ARREGLÓ
EL MOMBALDINO A *MASTRO* CARLOS TALAVERA

Ya hemos hablado en alguna ocasión de una famosa banda de música que hubo en la ínsula, hay muchos años: la banda Republicana, integrada por maestros obreros y artesanos aficionados, conjunto que ensayaba en la que fue ermita de San Justo y Pastor, ahí por el Terrero, y que estuvo en heroica competencia con la primera murga municipal que hubo en la ciudad. Recordemos la montada que le pegó mi compadre Monagas a un alcalde de la época, que andaba localizando la causa de que tal banda no "soplara debidamente". El director informóle que la culpa era del "relleno", o séase de las segundas partes o borujo de la congregación filarmónica. Y el tal alcalde recibió de Monagas la noticia de que "relleno" era aquel que tocaba el "mombaldino" al canto atrás, "aquel del bigote caído..." La plancha fue como el techo de la casa de don Bruno. Pues en esa entusiasta y popular charanga figuraba un *mastro* Carlos Talavera, de aquí de San Nicolás, embanissadóo ée, que también tocaba el "mombaldino". Vivía *mastro* Carlos en una casa arrente del portón donde tenía su manida mi compadre. Y desde que largaba las brochas pa almolzar, o al solpuesto, tiraba zorrito, se escarranchaba en un traspatillo que tenía su casa y pegaba a soplar el instrumento con tales pulmones y empeños que ni hablar una conversación corriente y seguida era posible. Ocurrieron cas de *mastro* Carlos Talavera cosas sonadas, y no lo decimos por hacer el chascarrillo, como se va a ver. La mujer, que siempre fue persona sana del tino, agarró un barrenillo entre ceja y ceja que acabó con los ojos cambados. Se pasaba las horas del día echándose fuera los ensayos del bombardino con paños de vinagre y sal, u hojitas de nogal, mantenidas en el pañuelo negro. Y cuando su marido estaba al caer cogía el portante pa cas de alguna de las hijas casadas, porque si se quedaba en la casa fajaba a gritar con tales modos que, a primera vista, de dichos esperríos a la camisa de fuerza no cabía una paja. Los cinco hijos de *mastro* Carlos, alguno de los cuales llegó a calentarse tanto que estuvo a pique de levantarle la mano al padre y jincarle su güeso, casaron a la carrera por escurrirle el bulto a la casa, uno de ellos inclusive, entodavía tiernito, apenas entrando en los dieciséis años. Cuatro de ellos, que fueron desgraciados en el matrimonio, le pegaban al padre la culpa de su infelicidad:

—No los hamos casado—explicaba uno—por casarlos, asín ena-
morados y eso, como el otro que dise y es debío, sino pa qui-
taslos del guineo. Y semos unos desgrasiaos, como el otro que
dise, por mor de mi padre, o de su "mombaldino", que mal rayo...
¡Meeere..., mbre, al favóoo!

Pero lo más grande era que una machorrita, una cabra, un
gallo jabao y siete gallinas escachadas, pero ponedoras, que había
en la casa, acostumbradas por el ensayo musical a no pegar un
ojo a las horas naturales, seguían luego despiertas hasta pa allá
pa las once de la noche. Las gallinas, con el hábito, aprendieron
a ver al oscuro como los gatos, y era corriente que distraídas se
subieran a la cama matrimonial, se escarrancharan encima de
las caras de *mastro* Carlos y su señora y pegaran a escarbar como
si fuera un estercolero y el peso del mediodía, sobre el bigote
de él y el moño desparramado de ella. ¡Que se cuenta y no se
cree!

¿Y de los vecinos, ¡pa qué!? ¿Quién pegaba un ojo en seis
cuadras a la reonda en horas de siesta? Ni siquiera Venturilla
el *Táita*, que tenía fama de roncar en una sombrita de la Plataforma los días de tiro al blanco. Aquello era un escándalo y un
relajo.

—¡Rómpanlen nel listulmento, y verá cómo se tupe!—gritaba,
caliente un yesno de *mastro* Carlos, que nunca fue garbanzo de
su puchero—. ¡Miá que a los años dél yaa estal soplando un gangarro de esos! ¡Mejol le diera velgüensa!

—¿Quién se atreve a rompeeeelselo, muchaaacho?—replicaba
la hija del viejo, escandalizada—, siendo, como es, una inmanía...
Si fuera corriente y asín y eso... ¡Tás loco!

Y *mastro* Carlos, que se había quedado solo y se le impor-
taba un pito, seguía soplando que daba gusto.

Mi compadre Monagas, que de siempre dormía su siestita,
y que como trasnochaba de usos y costumbres la necesitaba de
mejores veras, le habló de primeras, lo amenazó luego, se lo dijo
al guardia más tarde... Ni con una navaja en la barriga largaba
el viejo la embocadura.

Cierta vez le hablaron a la banda para ir a tocar a un jolgorio de día señalado. Ya en plena competencia con la incipiente
y aún no estrenada murga municipal, preparóse un programa de
pelo en pecho. Todo el mundo había de ir afinado como un piano,
y dispuesto a partirse el espinazo para quedar como las rosas,
o mejor. Y la víspera de la tocata, todavía no se sabe si porque
se lo empujaron adrede y eso, o porque, estando de Dios, se cayó
al suelo, el instrumento de *mastro* Carlos se enconchabó. De la
caída resultó quebrada la boquilla y flojo uno de los pistones,
amén de una abolladura como un pan de a quince en la prin-

cipal corcova. Fue una pena, porque la noche anterior, después de una mano de mangrina y una sobada que creo que llegó a rebajar de grueso, quedó tan rutilante que se raspaba un fósforo y encandilaba como cuando usté levanta la vista y encara el sol.

Mastro Carlos se acordó de que mi compadre era bien amañado y tenía estaño y demás yelbas. Le llevó el bombardino:

—Tiene que dejálmelo listo, Pepito, pa mañana por la mañana, antes de las ocho, que tengo tocaaata.

—Váyase tranquiiilo, *mastro* Caaaslos, que a esas horas, está como de fáaaabrica.

Le cae un premio de pedrea, o dos pesetas de los sesenta iguales y mi compadre no se da más gusto que viéndose con el maldito instrumento en las manos. Ni qué decir que inmediatamente se le ocurrió cobrárselas todas juntas al viejo y emperrado músico. Caviló una partida de mataperrerías, entre ellas una con la que anduvo, y que abandonó luego, por hallarla exagerada y difícil de montaje: meterle dentro a última hora una brasa de carbón de piedra grande y bien encendida, y un poco más alante una mecha empatada a un volador sin rabo, para que cuando el viejo soplara, la brasa pegara la mecha, y el gatillo saliera espetaperros con las naturales consecuencias... Era difícil. Se contentó con una cosa más sencillita...

Preparó una ralerita espesa con su poquito de leche, su pizquito de harina y su golpito de canela, y la echó dentro del bombardino, una vez arreglado, se entiende. Y lo puso en el sitio de más cucas de la casa. Luego quitó todos los pizcos de la comida, las borsolanas y las bacinillas viejas de las gallinas, los cajones de los pájaros y, en fin, cuantas cosas pudieran distraer el hambre de la jedionda familia, para forzarlas a comer en las entrañas del instrumento.

Vino el viejo y se llevó su aparato. Congregóse la banda en la Alameda y pegó con un pasodoble rabioso de una zarzuela de moda. Y apenas *mastro* Carlos había dado los primeros soplidos, ¡pegan a salir cucas, hermanos! ¡Pa qué fue aquello! Una colona, que se echó fuera de las primeras, cogió viento y se estampó como una pardela encandilada en los lentes del director, dejándole enredado e nel bigote el canuto de una güevera que tenía a la flor. Poco después, de una insalla de las de semilla, que abrió a correr por el suelo, saltó una gorda, pesada, torpona, como esas señoras obesas que del peso van resentidas de los calcañares, y se le metió por el cogote al clarinete, un pollo barbero de mucho pelo enrizado, finito de modales y que caminaba de prisa, pero con pasos menuitos y para atrás. El niño cayó como un cortacapote, amarillo y en un trasudor, un trasudor... Otras grandes buscaron refugio, apresuradas e inatajables, por las piernas arriba de los demás músicos. Y el concierto se convirtió en un ballet, cada cual dando los brincos que mejor cuadraran a la defensa y a la condición de las cucarachas.

Mastro Carlos se quedó sentado en la silla, con la boca abierta, los ojos lelos, las manos colgantes y el instrumento derribado. Era la pura imagen del fracaso. Cuando le volvió la sangre a las venas levantóse pausado, tan lleno de ira que daba calambre, caminó sombrío, buscando a Monagas, que, estaba seguro, se hallaría gozándose el "concierto". Lo columbró en seguida, medio atorrado detrás de un risueño grupo de isleños. Entonces gritó en final de drama, con telón arriba de él ya:

—¡Emprestenmen nun revolveee!

—¿Pa qué lo quiere?—preguntóle Monagas, haciéndose el sonso.

Y *mastro* Carlos le replicó, sacando la voz de abajo, de la tripa gorda:

—¡Pa suisidalte, bandíoooo!

19

DE CUANDO PEPE MONAGAS PUSO A LA VENTA UNOS POLVITOS PARA ENGORDAR ¡EN TRES MINUTOS!, QUE SE DICE MUY PRONTO (1)

Mi compadre ha sido siempre un pillo, o un mataperro, pero no un aprovechón. Yo llamo aprovechón a aquel que usando de mañas y jocico ratoneros y cargando traserito va llenando pasito a paso, talegas, y comprando casas, más que sean terreras, y abriendo su cuentita atorrada en un Banco, y prestando al réito con el 10 en el papel y el 20 en el bolsillo, como el que no quiere la cosa. Esto sí es aprovecharse. Pero buscarle a la vida sus tranquillos fáciles por una propensión alegre y bohemia, de la que uno no acaba de tener culpa, debiendo pegársele más bien al sino del endeviduo, esto es, si acaso, ser tiestillo, pero nada más. Mi compadre Monagas ha vivido siempre al día, más con el cielo y la tierra que con dineros cuantiosos, que él ni sabría ganar, ni sabría tener. Que se cree la gente que es fácil disponer de cuartos en mano, olvidando que tienen un mucho de burro resabioso, al que el maúro, con sus tranquillos y vicios cogidos, maneja medio que bien, pero que agarra, un poner, a un jinete improvisado

_____

(1) Véase el cuento núm. 36 del tomo I (1968) de esta colección. Allí se engorda con "agüita mágica".

y le mete un talegazo de los de Amador, que en paz descanse.

Por eso no creo que resulte escandalosa, ni siquiera a los aspaventosos de nacimiento y crianza, una de sus pillerías más sonadas, que aprendió del libro que le dejara al morir Fernando Canabuey, libro del que ya hemos hablado al sacar en papeles los inventos de "El chorizo restrallón" y los "Polvos matapulgones" que con tan particular "éxito" fueron aplicados en mercancías de Rafaelito el tiendero. Fojiando con cierto detenimiento la obra, Pepito Monagas halló una fórmula curiosísima para engordar cristianos. "Aquí no se engaña a nadie, entendiendo por nadie el que vaya a aplicar el asunto, que a los demás sí", apuntaba honradamente, al principiar, la dicha receta. Que venía a decir al respetive, lo siguiente:

"El artista deberá disponer, fundamentalmente, de una báscula, procurando hacer de su presentación —buena pintura, alguna bandera u otro atractivo en lo alto— un motivo de atracción del público de feria. Si cuenta co nella se proveerá luego de azúcar, una botella de cazalla sin etiqueta alguna y anilina de varios colores, pero al menos de dos —rojo y azul, por ejemplo—, empleando un color para los hombres y otro para las mujeres. Se establecerá en su puesto con un cajón repleto de calderilla. Ninguna otra moneda le servirá. Luego no deberá admitir el pago de sus honorarios sino en pesetas, dando la vuelta en calderilla. Cualquiera que pague en perras sueltas deberá ser rechazado de plano. Ello no resultará sospechoso, porque se alegará, con el cajón lleno de la calderilla propia ante la vista del público, que no se quiere cargar con más peso.

"Una vez reunida con campanilla, aspavientos, llamadas espectaculares, etc., la parroquia, se pregonan las excelencias de aquellos polvos misteriosos para engordar, los cuales hacen aumentar de peso inmediatamente (debe marcarse mucho este "inmediatamente" en la perorata). Si se trabaja ante gente desconfiada, como maúros, soldados veteranos, profesores mercantiles, prestamistas y, en general, todos los que tienen los ojos gachos y más bien chicos, se deberá buscar un par de "ganchos" que prueben para animar a los tibios, indecisos y demás elementos contraproducentes. Luego se van ofreciendo los "polvos de engordar", en unos cartuchitos que, naturalmente, contienen sólo un poco de azúcar y un poco de anilina. Siempre dándole al discurso, se vierte el contenido de un cartuchito en un poco de agua, a la que se ponen seis u ocho gotas de cazalla, se disuelve y se prepara para dar a tomar. Instantes antes de que el cliente beba, se lo pesa a la vista del público y se toma nota exacta de su peso. Luego que beba se exigirá el pago en pesetas. Puesta a 0,20 céntimos la dosis, por ejemplo, se devolverán ocho perras.

Momentos después, y mientras se preparan, siempre hablando, otros beberajes, se vuelve a pesar al cliente, el cual arrojará, naturalmente, ochenta gramos justos de más, que es el peso de la calderilla devuelta." (Hay que tener en cuenta que la fórmula estaba hecha contando con las perras antiguas o las de cobre, cada una de las cuales pesaba justo diez gramos.)

Si se tiene habilidad y se sabe levantar el campo a tiempo, pueden sacarse a cada feria unas cuantas pesetas —terminaba tan frescamente la fórmula de los fantásticos "polvos de engordar".

En una trastienda de la ciudad había una báscula esconchabada. Ni qué decir que Monagas se la procuró, la arregló, la pintorrió con lindos colorines y armó tenderete con ella en una fiesta de San Juan de Arucas. Sirviéronle de gancho Venturilla el *Táita* y dos turronerillos conocidos, uno de los cuales se resistió, medio amarillo, diciendo a Monagas: "¡Usté no los envenene, Pepe...!"

Pegó el campanilleo y atrás el discurso, y atrás las pruebas con los compinches, y luego, como rosquilla, la venta general. Llegaba uno, flaco como un tollo, y daba las dos perras del papelillo. Monagas saltaba:

—¡Perras no me dennn! ¿No vein cómo tengo el cajón de yeno de eyas? No quiero sino pesetas. Yo devuervo y listón. ¡Vengan, muchachos, vengan! ¡A engordar sin comer! ¡Perras no me den! Quiero dirme livianitoooo.

Cada sujeto enganchado pesaba 80 gramos de más en tres minutos. ¡Era maravilloso! La gente estaba lela.

Se abrió paso, como Dios quiso, hasta la punta alante, un hombre de aquí de la raya del Bañadero, menudo como una verguilla, chupado de cachetes, amarillo como una sirgüela y con un toseo sospechoso, que al mou estaba tis. Monagas lo aprovechó como un ejemplo, pegándose un discurso, medio en peninsular, para reforzar el palabrerío, sobre "gorduras", "grasas bobas" y "el gofio como la vitamina del abesedario". Abrió primero un círculo delante de sí y puso en medio al flaco del experimento. Como muestra del modo peninsular que entreveraba, véase lo que les decía a los que se agolpaban en el fondo pretendiendo mejores puestos:

—¡Vosotros no arrempujéis!

Seguidamente hizo subir en la báscula al menúo del Bañadero.

—¡Oído, cabayeros...! Aquí tienen ustedee un cristiano que pesa naa más que 52 kilos y 300 gramos... De esto a las plataneras no cabe una paja. Haga el favooo: abájese... ¡Atensión, cabayeros que me escuchasssteeeiiisss! Bébase esto ustee... jaga el favooo... ¡Sin repunansia, vengaaa!

El pobre de las carnes de verguilla tragóse el beberaje y sacó dos perras:

—Ha dicho, señooo—replicó Monagas, caliente—, que no me paguen en carderiya, que ya yo voy retundío con la que tengo ay, que ay está a la vista, pa que vean que no es mentira... Saque una peseta que yo le devuervo...

El tis pagó a gusto de Pepito, recibiendo las consabidas ocho perras de vuelta:

—Súbase ahora... ¡Atensión, pueblo! El hombre de los 52 kilos, 300 gramos pesa ahora 52 kilos, yyy y... yyy...

Monagas se quedó de pronto perplejo, mirando alternativamente al hombre y a la báscula. Aquel individuo debía pesar 52 kilos y 380 gramos. Y pesaba 52 con 390 gramos. Diez gramos más. ¿Y eso? Como no estaba dispuesto a gastar saliva y polvos en balde, se viró para el cristiano y le dijo, sequito como un palo:

—Alije la perra que le di de más...

20

DE CUANDO PEPE MONAGAS VOLVIÓ A MAJAR A SEÑOR DON PEDRO EL *BATATOSO* CON UNA MECHA COMO LA CASA DE DON BRUNO

Otra tarde, después de suelta, en la carpintería de maestro Manuel Lorenzo. Están los de siempre, menos señor don Pedro el *Batatoso* (1), que no sabe por qué no ha recalado. Es lunes y hace "levante". El grupo de tertuliantes isleños está amodorrado, con un apoyito, un apoyito como si fuera el peso del mediodía. No liga ninguna conversiada, que nadie tiene ganas de soltar palabras por la boca. Igual que cabras rumiando, con los ojos cuajados como chopas de vivero, el virginio plantado en un apagón que huele a papel de la Audiencia y a engrudo de la tierra, así dejan pasar la tardecita los de la jarca. Según van atracando, y como cuando llega un golpito de aire a una rama y la menea apenas, así se despereza un pizco la reunión. El que, arriba, hace un apagado comentario sobre la calda que viene por el aire del Sur: "Vaya un levante, cabayeros... Yo creo que hay más de sincuenta años que no jasía un levante como éste... Oiga, y que no se menea la hoja de un arboo ni en un corriente...

_____
(1) Véase el cuento núm. 16 de este tomo.

Cómo habrá sío eso ayer en esas cumbres de Dios pa los casaores... ¡Mería! ¿Ta loooco?" Porque es que se ha levantado la
veda y se han tirado a medianías y cumbres los afisionados a
conejos, palomas, alpeldises y alcodosnises muertos. Se sabe que
señor don Pedro el *Batatoso* estuvo cazando y a base de ello se
comenta su extraña ausencia:

MAESTRO MANUEL LORENZO.—Me estraaaña. Me estraña que don
Pedro no se haiga dejao caée por asquí esta talde...

VITORIO EL DEL "PINILLO".—Él tiró pa la Cumbre ayer, asegún
dijo asquí el sábado. O po lo menos, tenía plan de díi.

MONAGAS.—Sí fue, porque a mí me lo dijo Cristoba er de la
plasetilla, que vía dio con ée.

DON MIGUEL.—Habrá caído malo.

MONAGAS.—Tiene que see, porque si no él no se pierde las
fachas asquí esta talde a cuento de cargas de alpeldises y conejos. ¿Quieren jugalse argo a que viene disiendo que cogió tresientas palomas y quinientos veintisiete conejos, o eso?

VITORIO.—A lo mejóoo está molío de la caminata. ¡A cualquiera se la doy, con este Levante!

De repente entra don Pedro. Viene enroscado, resplandeciente,
sin acusar cansancio, ni el calor, que como una ola muerta llega
de los riscos de Amurga y de esas laderas de los Cuchillos pa
riba, pa la ciudad.

DON MIGUEL.—¡Oh! Creíamos que usté ya no vendría, ya las
Orasiones dadas.

SEÑOR DON PEDRO EL BATATOSO.—Es que me atrasé un pisco por
una cosa que ninguno de estedes van a creé. Me traje ayer de la
Cumbre mis buenas dosenas de varitas de gamona. ¿Saben pa
qué? Pa espichar en eyas las cabesas de las palomas y alperdises
que maté y traeslas aquí pa que las vieran ustedes, porque yo los
conosco y toos ustedes y sé que creen que lo que digo es de bo-
quiya y no lo creen.

Todos los isleños agachan el morro y atorran una sonrisa debajo de bigotes y rascadas en la nariz. Ya está don Pedro escarranchado en la baladera de las mentiras. ¡Ahí está el hombre
con sus batatas!

MONAGAS.—Bueno, ¿pero y por qué no las trajo?

DON PEDRO.—¡Ya salite tú, ya salite tuuu...! ¿Por qué no las
traje? Porque con este levante que se ha metío corrompieron toas
eyas, y estaban largando un batumerio que si no las tiro, jasta
los perros que están en la asotea caen reondos de la peste... No
tienen más que vée que me mandaron un guardia, porque la gente
estaba protestando en Fuera la Portada. ¡Y yo vivo en Santo Domingo, como es sabido! Con eso se lo digo too.

MONAGAS.—*(Finchado.)* Malimpriaíto olóo par rabo de un cometón.

SEÑOR DON PEDRO.—*(Haciéndose el sonso.)* ¡Buena casería, cabayeros!

VITORIO.—Como está resién principiáa, es naturáa que haiga abundansia. Ahora se pueen coger al paaaalo...

DON PEDRO.—¿Qué dises tuuu? ¿Por qué no vas tuuu, pa que veas...? ¡Al palo! ¡Maliyo palo! ¡Hay que tirar, mi amigo, y tener buenos perros...!

DON MIGUEL.—Pero en resumen, ¿cuánto cogió de cada cosa?

DON PEDRO.—*(Ante la expectación general.)* Pos... Pere a vée... *(Se pone a pensar y masculla unas palabras.)* Eso es... Siento noventa y dos conejos, tresientas veintitrés alperdices —mejor dicho, tresientas veintidós, porque una se embujeró en un majano y fue lista— y alreor de cuatrosientas palomas.

MONAGAS.—¿De la mitán cuánto me rebaja...?—rezonga, entre el regocijo concentrado y zorro de la tertulia.

DON PEDRO.—¡Ya está, ya está este desconfiando! ¿Quieres jugarte algo? ¡Juégate algo...!

MONAGAS.—Yo no ha dicho náa, señor don Pedro.

DON PEDRO.—Ah, ya... Por sierto, que me pasó una cosa que si no la veo no la creo, cabayeros. Ay están toos los que fueron conmigo, que lo puein desir.

MONAGAS.—*(Aparte.)* Ya está, ya está trabao. Hoy viene que da gusto.

La pandilla se anima. Vitorio, que está tirado a lo largo del banco, se endereza; don Miguel raspa un fósforo, cambia la cabeza y enciende la mariposa del Krüger; maestro Manuel saca un banquillo para la puerta y se sienta a gusto. Los demas cambian de nalga, porque en la que estaban apoyados sienten un hormigueo que los distrae. Aquello se va a poner bueno. Mi compadre tiene cara de traerlas preparadas: si buena la mete don Pedro, mejor la va a meter él.

DON MIGUEL.—¿Qué lo que le pasó?

DON PEDRO.—¡Casi náa! Fimos por Timagada alante, faldeando la trasera del Nublo, jasta vistas de La Candelilla. Casualmente jise esti año casería en el mesmo sitio que el año pasao. Resulta que sée que el año pasao —que no me acuerdo yo ya si se lo conté a ustedes— saliendo un repechillo al canto arriba de Timagada, va y me sale delante un conejo... ¡Qué lebrancho, cabayeros! Un marrajo así... (y don Pedro pone las dos manos abiertas a una distancia de un metro, para señalar las dimensiones de la pieza).

MONAGAS.—*(Quitándose el cinto para medir el tamaño.)* Dispensando el moo de señaláaa... Deje vée... *(Don Pedro va sua-*

vemente acercando las manos, para reducir la batata) ¡No, no lo encoja!

DON PEDRO.—¡Cuidao que sós pesao, Pepillo! ¿Por qué no te sientas y te callas?

MONAGAS.—Ta bien. Siga pa lante.

PON PEDRO.—Como iba disiendo, me sale aquel animal delante, cabayeros... Yo noté que no se desandaba a correr. Más bien se dejaba dir al golpe. Encañónolo, señores, y tírole casi a boca de jarro, como el otro que dise... Lo cogió la munisión, que yo no me ha podío esplicar entodavía cómo estaba cargao aquel cartucho, por el mismo sentro. Pero en filera, ¿se dan cuenta?, como quien se parte la carrera peinándose. Así se esplica que lo rajara parejito por el sentro mismo en dos rebanáa, como el otro que dise. Entonses voy y me aserco y echo manos a una parte, que estaba tiráa de banda, salpiando entodavía. Y apenas quise coger la otra mitan, veo que se enderesa y abre a correr... Cabayeros, como ahora estamos entre noche y día: si yo no lo veo, en buena fe que no lo creo... Por sierto, que era una jembra...

MONAGAS.—Bueno, pero...

DON PEDRO.—*(Caliente.)* Ya está otra ves el entrometío este. ¿Por qué no te metes la leng...? ¿Usté ha visto, eh?

MONAGAS.—Siga, siga.

DON PEDRO.—Corrió, como digo, esa mitan, y se metió en una madriguera de pedregullo. Largamos jurona por dos o tres ocasiones. Y perdío o trasconejado, allí se queó el medio conejo... Pero lo grande es que ayer lleguemos al mismo sitio del año pasao, y lo conté yo. Por gusto solté jurona. ¡Y de repente, mano! ¿Saben lo que pasó? Salieron a espetaperros hasta siete medios conejos... ¡Que se dise y se jase cuesta arriba!

MONAGAS.—Pos ya...

DON PEDRO.—¿Ya quieres desi tuuu que son mentiras...?

MONAGAS.—No señóo. Cosas peores se han visto. ¿Usté no sabe lo que yo vi de un tomate?

DON PEDRO.—¿De un tomate?

MONAGAS.—Sí, de un tomate, sí... ¿Usté no lo sabe?

DON PEDRO.—No.

MONAGAS.—Pos mire; yo estuve, cuando pegaron a plantarse tomates en Sardinas, jasiendo una safra cá los Betancores. Y en una tierra nueva, que está Dotoral pa abajo pa la mar, plantemos unas dos fanegas. A los pocos días notemos unas cagarrutillas de conejos al pien de una de las matas, pero sin destroso, ¿oyó? Dispués seguimos notando que al pien de esa mata seguían viniendo los correlones a poner sus dejes de cuenta. De repente, usté don Pedro, faja la mata a desarrolláa, a desarrolláa... ¡Pa qué fue aquello! Tráiba de abajo la fortalesa de un pino, pero pa las bandas. A la semana, la mata se había cogío fanegáa y media, eya sola ¿oyó?, que se dise muy pronto... Pero la cosa no para asquí... Pegó a cuajar el fruto, y apenas como huevos de palomas se arrojaban los tomates y cáiban pesaditos. Menos uno, uno de ellos, usté, que pegó a agarrar granado que daba gusto. Una mañana los levantemos y ¡óiga! los queamos asmaos: el tomate se vía cogío cuatro o sinco canteros. Daba mieo. Siguió cresiendo jasta coger un vuelo que se tardaba siete minutos en dasle la vuerta alreor...

DON PEDRO.—(*Amarillo como una sirgüela.*) ¿Pero eso púee ser...?

MONAGAS.—¿Qué dise ustéee...? ¡Pregunte, pregúnteselo a toos los que lo vimos. Y lo dejemos seguíi, ¿oyó? Se dispuso traeslo pa Las Parmas, y como no entraba ni en camiones, ni en camionetas, hubo que habilitar una platafosma de tablones y encajarla en un carro. Nueve yuntas, ¿oyó?, nueve yuntas de vacas se le pegaron. Pero cuando se enreó la pita fue cuando lo quisimos meter en la Plasa, porque no entraba por la portáa principáa. Lo abajemos de canto y cogimos la embocaúra de la entráa. No pasaba. Entonses dispusimos forsaslo man que se averiara argo. Como quien arrempuja un piano los peguemos ¡sesenta! endividuos. Y fue tanto lo que lo forsamos, que reventó de una banda. ¿Sabe lo que pasó...? ¿No? Pos que del chorro de churrume que lalgó se ajogaron siete hombres... ¡cosa con esa!

21

DE CUANDO PEPE MONAGAS LE CONTESTÓ UN TELEGRAMA AL JEDIONDO DE FERMÍN EL DEL TOSCAL

Mi compadre conoció mucho aquí a un endividuo de Tenerife él, que lo llamaban a él Fermín el del Toscal. El tal Fermín era una alhaja desde la punta del dedo gordo hasta el canto arriba de la coronilla. Nuevo todavía se vino de arrancada pa Las Palmas a asuntos de gallos. Primero recaló de pasada, como elemento de unas riñas entre las islas. Después de aquel domingo de peleas se estuvo aquí hasta el correillo del jueves por la mañana, de primeras porque andaba alrededor de quedarse acá como cuidador, para cuyo oficio creo que era bien amañado. Dejó las cosas medio arregladas, no me acuerdo si con Triana o con San José, se tiró un salto, repañó los cuatro trapos y la media docena de teleque que tenía y se vino.

Luego entró de cuidador. Pero poco le duró el contento. Le tiraba la picareta. Donde quiera que hubiera un mostrador y goliera a vino tinto y a cocina de timbeque, allí se quedaba trabado como un perro. Templado como un requinto las más de las horas del día y en vela y trapisondeos las más de la noche, poco de fundamento podía hacer con los gallos. Pegaron las quejas. El se disculpaba, estaba de secano tres o cuatro días y vuelta a empezar con las copas. Le agravó la situación una "apiaemia" de gogo que se metió en la gallera y que, en poco más de lo que se cuenta, se llevó en bruma diez o doce de los mejores bichos.

Ni que decir que lo echaron a la calle como agua sucia.

Estuvo un par de semanas aparado, con el cielo y la tierra, tirando a cuenta de unos sablacitos de menor cuantía que metió entre gente de la afición. Después se puso en contacto con un maúro que vendió lo dél en el campo —una burra, dos cachejos de riego y cuatro arrifes— y le fue metiendo el barrenillo de montar un pizco de negocio en sociedad.

—Usté pone los cuartos y yo el trabajo—le decía—. Alquilemos un salón ay detrás en la Marina, lo arreglemos bien con cosas típicas y vendemos náa más que vinitos de la tierra con su taperío. Al canto arriba de la puerta le ponemos un rétulo que diga, dise: "*Venta del morapio*", y andentro, en una osla arriba el mostradóo, la palabra siguiente, pintáa con letras grandes: "*Si por beber no he de ver, adiós lus*". ¿Qué le parese?

El maúro se rascaba el cogote. Encontraba que toda aquella literatura no tenía fundamento, o séase seriedad. Cuando un isleño cree que una cosa no tiene fundamento se atrabanca como un luchador mejorero. Y, o hay que trabajarlo mucho para blandearlo, diciéndole, por ejemplo, que él "no ha pasado el charco", argumento que suele ser decisivo; o hay que virar en redondo antes que pegue a desconfiar y se embujere en la casa resistido, resistido.

—Yo tuve una venta en Santa Crus, mano—insistía Fermín el del Toscal—. Yo sé lo que es jeso. Usté agarra una pipa de vino, un poner, que le cueste equis pesetas —vamos a poner dossientas— y la pone a una banda de un chorro di agua. Entra el arte. Hay que saber administráa ese chorro. Si usté sabe, las dossienta pesetas del ponee se le viran a usté 500 como el que no quiere la cosa. ¿Usté sabe, lo que dan las perras de vino asín? ¡Ta loco, hombre!

Acabó engatusándolo. Hicieron un papel con sus firmas correspondientes y abrieron el timbeque. Fermín despachaba, al tiempo que le daba sus vueltas a la cocinilla y a la sartén y al cacharro de los chuchangos; y picaba los ajos y jincaba pimienta atómica "pa que el enyesque llamara". Las primeras liquidaciones fueron de emparejada. Al mago, que casi no aparecía por el establecimiento porque su mujer, a la que le había dado por echársela, andando desarretada porque el marido se hiciera socio del Mercantil pa meter dos niñas rusias que tenía en sociedad y sangolotearlas y casarlas, al mago, digo, no le cabía una paja. Fermín pegó a picar en los baches de la venta. Unas veces por catar y otras porque se lo pedía la lengua golosa que sacó de madre, se bebía al día su buen par de litros. Al mes fajó ya a robar. El del campo no era bobo y lo notó. Se produjeron las primeras tiranteces, que fueron acentuándose. Y un día el pique llegó a las mayores. Los dos hombres casi se meten manos.

Fermín se trazó un plan y las cosas le vinieron de perilla. Un día entró en la tienda un conejero que también vendió allá sus cachos y que quería establecerse en Las Palmas. Aparentemente sólo deseaba un vaso de malvasía y "un pisco de argo". Pero en el aire que traía y en el modo de mirar, Fermín, que era un lince, le pescó las intenciones. Pegó a preguntar detalles del gegocio y al fin cantó. El quería montar algo por el estilo, pero deseaba saber qué tal iba el asuntillo. El del timbeque se lo subió que era una cometa.

—Y si usté quiere compráa, ¿por qué no se anima con esto mismo, en ves de andar buscando locáa y eso?

Su socio había ido, caualmente, a su pueblo, para dos o tres días.

Se trabó el hombre de Lansarote. Y sobre la marcha trataron. Traía los cuartos encima y aquella misma noche, después de prima, Fermín se desprendió de "su" negocio, tiró pal Puerto, sacó un pasaje y traspuso pa Tenerife. Cuando su socio llegó, dos días después, se encontró con la montada.

Trajo la justicia pa Las Parmas al estafador y le jincó su cárcel. Al fin salió un día. Emborregándose lentamente en copas y trampas acabó el chicharrero amachinao en el Risco con una turronera de rompe y rasga, que hasta sus buenas cachetadas le metía. Luego dio una de sablazos e hizo de una estafas que los guardias no daban avío a llevarlo al "chaslén del Arbo Bonito", como dice Alejito.

En el Risco acabó de conocerlo mi compadre Monagas, que ya lo había tratado y calado en el timbeque de la Marina. No obstante su convencimiento pleno de que era jediondo de nacimiento, alguna vez que le dio mucha lástima verlo temblando por la mañana de la falta de unas copas, o con hambre en la noche, le aflojó su par de pesetas. Sin que se sepan las intenciones, alguna vez trató de enredarlo en proyectos comerciales turbios, como el de montar una "fábrica" de turrones que habían de ser hechos con unos moldes especiales, mediante los cuales la mercancía quedaba hueca y luego vendida sólo por cantidades, sin nada de peso... Mi compadre lo mandó a un sitio y siguió su camino.

Ocurrió, y rematamos con ello esta historia más bien larga, que estando cierta vez Fermín en Tenerife recibió Monagas un telegrama de él en el que le decía, dice: *"Gran negocio exportación clacas para enyesques. Tengo aquí socio interesado. Quiero Vd. participe. Gíreme doscientas pesetas. Gastos iniciales.— Fermín.*

Mi compadre le contestó estas cuatro palabras, sequito como un palo: *"Caimán no come caimán.—Monagas."*

22

DE CUANDO PEPE MONAGAS LE COBRÓ LAS TORTAS AL MATÓN DE JUAN CALIXTO

Era todavía en el tiempo de los matones, cuando la ciudad tenía matones, tres o cuatro en cada barrio, cada uno con un cuchillo cuya vista tan solamente provocaba fríos y calenturas, o con un revólver de balas gordas como rapaduras de La Palma. Abacoraban, armaban potajes, enredaban la pita por fiestas, taifas y cafetines, soltando galletas y metiendo navajazos como si fuera un deleite. Los hubo aquí famosos en las siete islas. Algún día, en otro lugar y ocasión, nos ocuparemos de ellos con pelos, señales y peripecias. Ahora vamos a sacar a uno que tuvo con mi compadre Monagas sus "diferensias".

Pepe era todavía un pollancón, soltero él y viviendo en Santo Domingo. Aún no había conocido a mi comadre Soledad, que luego fue su mujer. Trató en un festejo de San Nicolás a una muchachita del barrio del mismo nombre, se enamorisquió y anduvo trabado en una persiana porción de meses, hasta que tuvo un pique porque el padre del guayabo se emperró en que hablara con ella nada más que los jueves, sábados por la tarde y domingos después del almuerzo. Como ella era consentidora, al mou por miedo a las jaladas que el viejo le metería, Pepe cogió jilo y no volvió. Pues estando en esos amores pasó lo que pasó.

Monagas iba un día sí y otro también a echar su puño a la baifa. Mosiaba, más metío pa dentro que pa fuera, hasta que las dien daban por la Catedrán; se iba luego, virándose para atrás cada tres pasos, según usos y costumbres, cogía la calle del Alamo y bajaba por el callejón de Pambaso, para recalar en San Roque, camino de Santo Domingo.

Llamábase el matón Juan Calixto, más conocido por *Mandarria* a causa de una piña que tenía tan recia que era fama que sacaba muelas con quijada y todo. Lo mismo que aquel personaje de Arniches, al que le daba un moquetón si decía "¡ay!" pronunciaba un discurso. Era grandón, desbambilado, huesudo y con la cara llena de torondones, como papas de riñón.

Pues *Mandarria* agarró una maña muy fea e inconveniente a más no poder. Trincaba los sábados, arreo, unas chispas de camisa por fuera y charriscada de dientes. Allá cuando se iba a dormir, si no le salía pleito, recorría pacientemente todas las persianas de la calle Real del Risco donde hubiera novios diblusaos y

eso... Y donde quiera que encontraba alguno iba por detrás ca-
lladito y le jincaba de pronto una torta que entre el susto y lo
apulsada que caía, dejaba a los muchachos con la nuez señalada,
los gallillos secos y un trasudor, un trasudor... Mientras más re-
lajones, más recia la torta. Cuando los pollancones, más que nada
porque estaban ellas delante, sacaban un quíquere de mentiriji-
llas, *Mandarria* ordenaba, sequito como un palo:

—¡Ssss! Túpase. Desatraque y al catre.

La orden era terminante. Los infelices novios, llenos de pá-
nico, miraban un instante con ojos de pájara echada a las muchachitas y cogían el tole con las dos manos metidas en el bolsillo,
el morro gacho y atrrastrando los zapatos que arrancaban el alma. En cosa de media hora, *Mandarria* acosaba, impepinablemen-
te, a todos los novios del barrio. Más tarde, esta original matonada
le costó la vida. Pero ya hablaremos de ello cuando cuadre mejor.

Le hizo la gracia a Monagas dos ocasiones seguidas en quince
días. Se calentó Pepe, pero no se dejó foguetiar por la novia, que
se mostraba irrazonable al interesar que le diera la cara a Juan
Calixto, olvidándose del mandarriazo famoso y, claro está, segura de que a ella no se lo jincaría. Pepe pensó que era mejor pegarle a *Mandarria* una montada. Pacientemente y callado como
un tocino se fabricó una especie de culote con un pedazo de lona,
resto de un catre de viento, y hasta le puso sus refuerzos con
cachos de cuero. Los dispuso para que le ajustara bien las nalgas.
Luego se buscó una buena penca de tuneras coloradas, de las del
canto abajo de la planta, que sacan unos espichos como espinas
de cherne, y se la puso entre el pantalón y aquella especie de
pañal protector.

La novia notó que venía rengueando, como arrastrando la
chola:

—¿Cuálo es lo que te paaasa...?

—¿De qué?

—De que vienes como trabao asin ny eso.

—Ah. Es que se me fue anoche una pata bajando el callejón
del Pambaso y caí empeso arriba el hueso palomo. Entodavía
estoy resentío. Eso no es náaa...

Era sábado. Pasaban las horas y *Mandarria* no venía. Pegaron
a llamar de adentro a la muchacha, con una voz fañosa del sueño:

—¡Dooolooooreees!

—¡Ñoooraaa...!

—¿Qué horas son estaaas, niñaaa? ¡Entre pa acáaa, ande a
acostaaalse! ¡Por no fartaba máaas, tal relajooo...!

Pepe no se iba, estirando a ver si Juan Calixto recalaba. De
repente se sintió una voz borracha, que canturreaba: "A que tú
no tienes—lo que yo tenía—: un puesto en la plasa—y una chu-

rrería." *Mandarria*, al fin... Se dejó venir el golpito, y de pronto, ¡riáaaa!, una torta como un pan de Agüimes.

Le entraron los espichos como cuernos de toros. Algunos hasta le pasaron la mano de banda a banda. El pujío de Juan Calixto se oyó en La Puntilla.

—¡Ay, mi madre!

Del brinco, Monagas se quedó a 20 metros del aturdido *Mandarria*.

—¿Qué rayos ha sío esto?—gruñó el matón, al que del zapatazo se le había quitado la chispa.

Monagas, de medio perfil y cogiendo jilo, díjole, dice:

—Oh, que usté se dequivocó. En ves de tortas le han salío tunos...

23

DE CUANDO PEPE MONAGAS LE DESTUPIó EL *VATE COLOSE* A UN INGLÉS EN LUNES DE CARNAVAL, SEÑALADAMENTE

Tiempos casi del siniquitate, con Carnavales y demás hierbas aromáticas y olorosas y eso... Los había, como saben bien cuantos los gozaron, para todos los gustos y para todos los gastos y en todos los planos geográficos y sociales de la ínsula. Los había, ingenuos y tardíos, en San Cristóbal, con sus bulliciosas comparsas musicales de panderos desfondados, sables, sambombas, rasquetas, rallos y sétera; vertiginosos, encandilados, demoníacos y frescos, ay pal centro, con las verdades del barquero —y las que no eran del barquero y sólo, para jeringar— en los picos y bailes como cargas de leña, particularmente de los de engrudo de la tierra... Los había en ese inconmensurable Risco de San Nicolás y en ese Fuera de la Portada, que partían el espinazo, desgarrados y broncos, con su mejor humor, su ron de siete peleas, sus piñas y sus guitarras de corbatas y sus sétera... Y en ese Puerto, caballeros, morenos y escachados, como una turronerilla de rumbo por zonas un poco lerdos, según agarraran las calmas chichas de los sectores poblados por conejeros o majoreros, que ya se sabe que son los más abeletenados de todos nosotros, los hijos de este país tardío.

Era el disloque, sin exagerar tanto así.

Por medio de la batahola callejera, que llevaba y traía mareas de gente ensabanada, o vestida con camisones de dormir del tiempo del Pendón y rengues de esos baúles llenos de maripositas que hay en los cuartillos de la azoteas de cada casa, solía aparecer de pronto el grupo de templarios de buen humor, que se ataviaba con los trapos más absurdos de este mundo y los elementos más imprevistos: collares de ajos y cebollas, calabazas, ratones atados y decorando un sombrero antiguo de señora, jaulas con un báifo dentro...

Ninguna jarca tan famosa como la de mi compadre Pepito Monagas, con Vitorio el del *Pinillo*, Venturilla el *Táita*, Juan Canario, que se fue pa Tenerife, pero que no fallaba en esas fiestas de mil demonios, Manuel el de la Placetilla, mi compadre Juan Jinorio, que también diba en la rueda de presentes, y otros. Eran sonados sus disfraces, sonadas sus desvergüenzas, sonados sus golpes de una y otra clase, lo mismo los verbales que los de toletazo, que para eso iba Juan Canario, un hombre que no cabía por esa puerta y que tenía una piña como la patada de una mula de cuartel.

Pegaban a pizquiar a la prima noche del sábado y ya no soltaban la chispa hasta el Miércoles de Ceniza, después de las doce dadas por la Catedral. Caían luego en la cama y a fuerza de tacitas de agua con crémor y ginebra en ayunas iban empelechando, después de haberse quedado con la quilla pal marisco. Pero le sacaban a los Carnavales el kilo, hasta el extremo de que si todo el resto del año se la hubieran tenido que pasar en el "chaslén del Arbo Bonito", un poner, como sitio aburrido hasta requintar, nada les hubiera importado después de aquel reboso.

Pues cierto lunes de Carnaval, estando Monagas metido en farra hasta las mismas corvas, pasó algo en cierta casa inglesa de la localidad, que le interrumpió a mi compadre el tenderete y que dio ocasión a uno de sus mejores golpes. Resulta de ser que se le tupió el excusado, retrete o "vate colose", como decía Pepe cuando se ponía fino, a un inglés radicado en la ínsula y bien agarrado a ella por su boda, sus negocios y el gusto que le cogió al temple propio de nuestro clima. Las criadas metieron unos palos, alguna verguilla torcida y tal, jurgaron y nada. Trancado, como si de tunos se tratara. Pegó a correr el mal olor y a invadir la casa, que hasta una criada bobona de la cumbre que tenía lo notó. Y ello ya era el colmo de la "apeste", como la sirvienta decía con la nariz como una papa de riñón:

—Sale ousté a la calie e busca oun hombri qui sepa elli destoupigrrr la retretou—ordenó el Míster a una sirvienta, que era del Risco ella.

Se tropezó a los diez pasos con mi compadre, que pasaba con un requinto atravesado, los ojos en blanco y un gusto de juerga en la boca como un lamedor. Ella sabía que Pepito era bien amañado y le habló:

—¿Qué dises tú? ¿Hoy, lunes de Casnaváa, y como yo estoy a limpiá retretes...? ¡Tú te has jas vuerto loca!

—Ande, cristiano, no sea majaero, y se gana unas perritas, mire que es ca ingleses...

Esa palabra última encendió un pizco a mi compadre. De antes, por lo menos, un inglés era siempre una víctima de las pretensiones exorbitantes del isleño. Por nada y cosa ninguna el insular se dejaba pedir una libra o dos. Hasta tal extremo llegó esa maña que cuando a alguno de aquí del país le querían cobrar de más en alguna cuenta, o le pedían caro por una mercancía, soltaba como un rehilete:

—¿Usté se ha decreído que yo soy inglés o qué...? ¡Fartaba máaa!

Monagas se animó, fue, jurgó, metió manos, largó agua, volvió a jurgar... y al fin jaló por la cadena y el agua corrió que daba gusto. Se lavó y tal.

—¿Couanto esss...?—preguntó el inglés.

—Pos...—Monagas se rascó el cogote—. Deme estooo... deme siete duros y no tiene naa que desiii...

—Whot?—resolló el míster pegado a la pared. Y es que eran siete duros de entonces—. ¿Y disa ousté que yo no tieni nagda que desiiir. Eso es moucho carrísimo, absoloutamenti.

Monagas se picó:

—¿Cuálo dise usté...?

Luego cogió calma y dijo, para justificar debidamente el precio:

—Es que usté no se jase cargo, miste, que hoy es lune de Casnaváa, y que ésa, dispensando el móo de señalar, era caca inglesa...

24

DE CUANDO PEPE MONAGAS ANDUVO BUSCANDO UNA *USNIA PA SITA RITA*

Ritita —se entiende para los familiares y particulares que eran visita, que para las criadas y los ajenos era sita Rita— tenía sus setenta yyy... Solterona, por su gusto, ya que de polloncita fue vistosa y agraciada, habiendo tenido los pretendientes a fuleque, causa, tal vez, de una misteriosa inmanía, cuando la jurria de sus hermanos fue casándose, se fue quedando sola, pero a gusto. No se amañaba con cuñados, y los sobrinos le gustaban el día del bautismo y en visitas de relance. Dueña y señora de un caserón

de Vegueta, lleno de cuartos desmesurados, con un patio fresco
centrado por una palma y casi copado por una enmarañada en-
redadera, y una huerta allá atrás, llena de rosales sin podar y de
gallinas, iba tirando tan feliz, llenando su tiempo con misas ma-
ñaneras, los quehaceres, que en realidad eran de una vieja criada, buenísima para llevarle el genio y aguantarle las enconduermas; las visitas de esas señoras dengosas que saben siempre
quién está malito en la cama, quién se va a casar y quién dio a
luz, y los triduos y novenarios de la prima en las sosegadas pa-
rroquias del viejo barrio. Era sita Rita una persona fina, de raza;
pero allá en la intimidad tenía sus arranques y desahogos. Se
atrevía a decir, para justificar y ponderar su aislamiento, un re-
frán ordinario, dadas sus condiciones. Se atrevía a decirle a las
amigas, cuando venía con el requilorio, una vez más, de que se
fuera con algún hermano: "¡Mira lo que dise el dicho!: "el buey
solo bien se lame".

En parte había que estaba tirante con sus hermanos. Cuando
partieron los cachos de unas fincas en el campo, algunas casas
en la ciudad y los históricos muebles familiares, hubo piques, más
por presiones de los cuñados y cuñadas que por diferencias de
los hermanos entre sí. Particularmente los muebles, que eran del
siniquitate, pero buenísimos, dieron tales líos que los agarra la
curia y la empajada es como la de un pleito de aguas. Ello ocurrió porque casi todos los hermanos políticos, de origen burgués,
tenían tendencia a echársela. Metidos en el Casino y en sociedad
por mor de los matrimonios, dieron en echársela. Y los muebles
eran un bonito apoyo para ayudar al rango.

Entre otras piezas dio pie a un estira y encoge bastante duro
un Niño Jesús de regularcito tamaño, que se decía era obra de
Luján Pérez, y que tenía fama de milagroso, tanto entre la familia como entre los particulares amigos de la casa. A Ritita se
le metió el barrenillo de quedarse con él contra viento y marea,
y acabó consumando su pretensión. Se trataba de una talla bonita.
El Niño estaba vestido con una tela brillante, de cenefas doradas,
y tenía al pie unas flores contrahechas tan perfectas y vivas que
hubo quien las encontró olor. Primitivamente lo cubría un fanal,
que una criada rompió un día limpiando, torpeza que le costó
una imponente estupidura y la calle. Con el tiempo y descubierto, el ropaje del Niño fue perdiendo color y alcanzando desahogos de las moscas, y polvo. Lo observó primero que nadie mi comadre Soledad, que iba semanalmente a hacer limpieza general
y a salpicar el colchón de sita Rita.

—Si no lo tapa, sita Rita—díjole—se le va listo. Fíjese cómo
está de moscas, fíjese... Quisá que usté puea conseguir una usnia
de vidrio pa tapaslo por arriba, de esas antiguas y eso...

—¿Pero y dónde, Soleáaa...?

—Mire, yo se lo voy a desir a Pepe el mío, ¿sabe?, pa que si ée en er campo o ay por esos Riscos consigue una antigua, ¿abe?

Recibió Monagas el encargo y gestionó una media docena de "usnias", que fue llevando una por una a ca sita Rita. Aquéllas por grandes, estotras por angostas, todas recibían los peros de Ritita, que quería para su Niño un fanal más difícil que un premio de los ciegos. Por fin recaló mi compadre con uno que halló en el campo, y que se trajo condicional. Era grande, más bien, antiguo como el Pendón y estaba bastante conservado. Rita se atrevió a poner reparos otra vez, sin darse cuenta que la imagen era más bien grande, talludita ella.

—Esús, Pepe, fíjate que es grande, fíjate que es pa un niño, Pepe.

Monagas estaba ya tan requintado que le bailaban en la punta de los dientes las palabrotas. Frenó y dijo tan solamente:

—¿Un niño? Usté esajera, sita Rita, y dispense. Eso es un galletón ya.

25

DE CUANDO PEPE MONAGAS CONTÓ EN LA CARPINTERÍA DE MASTRO MANUEL LORENZO EL PERCANCE QUE TUVO LA *FRASQUITA* CON UN SUBMARINO INGLÉS

Una tarde de verano, cuajada como un beletén, llegó mi compadre Monagas a la carpintería de Maestro Manuel Lorenzo con el pico caliente y el rabo tieso. Había estado en el Puerto y se encontró con la gente marinera de la *Frasquita*, que venía "de la culvina". Trabóse el hombre como sin querer en un timbeque del muelle y cuando recaló por la carpintería tráiba su media chispa entre pecho y espalda.

Como volvía picaretiado y de buen temple, ni cuenta se dio de que la tertulia estaba dormintando en un rumeo, un rumeo como una punta de cabras a la sombrita de un nogal: especialmente señor don Pedro, que, no obstante no haber dado golpe en su vida, estaba siempre "molido como un senteno", el cual, más bien entrado en casnes y congestionado de lo que bebía y del levante, parecía una tonina sobrenadando sobre una marea del Pino.

Pepe se dispuso a despertar a la gente, por ese gusto en jeringar propio del isleño. Para hacerlos saltar había que ir jurgando, como quien saca burgados, en esta y en otra psicología, de acuerdo con las debilidades o los fallos de cada cual. El más propicio era señor don Pedro, al que una buena batata mejor compuesta y más grande que las suyas de usos y costumbres, sacaba de madre hasta coger su calentura.

Enfiló a don Pedro:

—Cabayeros—dijo—, me ha enterado hoy di una cosa curiosa de por demás.

Nadie resolló. La gente dormía con los ojos abiertos, algunos con un apoyito que era un desmayo total del cuerpo.

—Resurta de sée—continuo impávido—que poco antes de acabarse la guerra grande esa del otro día, diba la *Frasquita* pa abajo pa la costa a la safra. Ya arto el balco, una mañanita al arba saca su morro un sulmarino que andaba ay bajo, asechando quién diba y quiéen venía. Según se queó arriba del agua salieron de endentro de ée unos ingleses con unos antiojos y pegaron a miráa...

—Porqué no te cayas, Peeepe, con esa lata ahora...—resolló desmayado señor don Pedro.

—Oiga, señor don Pedro, es que merita la pena, cristiano. Escuche pa que vea. Salió, como digo, el sulmarino y de repente enderesa la proba sobre la *Frasquita* y pega a navegar arriba de eya... Oiga, ¡coge la gente de a bordo un serote, usté, y fájanse a correr, sin saber pa ónde, que hubo jasta quien tuvo chirgo...! Desde el timonel jasta el patrón, too perro y gato se metió abajo y dejaron el balquito solo.

—Y dale con la lata... ¿Por qué no se cayas, Pepiyo con ese guineo...?

—Escuche pa que vea que es cosa asiada lo que pasó, que yo no sé ni cómo los periódicos no se han ocupao del asunto, que se vieran vendío mejóo que cuando sale el repalto... Arrimó el sulmarino a la banda de la *Frasquita* y subieron a bordo unos chones rubios, con barbitas claras y gorras ladiadas, y pegaron a dar voces yamando. No resollaba naide. Por último, el cosinero del balco, un muchacho de asquí de la Isleta, que es pollo de pelo en pecho, se quitó de cuentos y subió: "¿Mieo pol qué...?", dijo a los demás que estaban atorraos por los rincones... Llegó a cubierta tranquilamente. Los chones lo yamaron, y uno de eyos, que chapurriaba un pisco en cristiano, pegó a jablasle. Querían sabée qué balco era, a ónde día, cuánto tiempo estaría pa la costa y sétera.

—Pos mire, míste—le dijo el cosinero de la *Frasquita* al inglés—esta es la *Frasquita*, ¿usté entiende?, que va pa'abajo pa la costa a la culvina y a mardito más. ¡En buena fe! Losotros semos de Las Parmas, ¿tiende?, del chipiélago canario, asquí lantrito al sotavento, y no los toca papas ni pescao la guerra y eso, ¿oyó? Asín que déjelos seguío tranquilitos y cojan nustedes su camino y listón...

La cosa estaba liquidada —¿tá oyendo, don Pedro?—, pero al inglés le hiso grasia el cosineriyo de la *Frasquita* y pegó a jabláa con ée.

—¿Ousted me quierri decigrrr ouna cosa...?

—Diga a vée.

—Oustedes, en las Canarrias, son amigous de la Alemania o de la Ingalaterra?

—¿Losotros? ¡Quite pa ayá, cristiano! Losotros semos amigos del pescao, de la peyita de gofio, de su pisquito de ron si cuadra, y eso... Lo demás está bueno pa esa gente que vá a los casinos y lee los pedrióicos. ¿Losotros, cristiano...? ¡Tá loco!

Sonreía el inglés.

—Boueno, ¿y ousted, personalmenti, qui esss...? ¿Frrranncofilou ou germanófilou?

—¿Quién yo? No, señóoo. Yo soy Teófilo, el cosinero.

26

DE CUANDO PEPE MONAGAS LLEVÓ A LA COSTA UN
ENCARGO DE RAFAELITO EL *TIENDERO*

Rafaelito el tiendero tenía que mercar a alguien de la Costa, de encargo, una cierta cantidad de lenguas de pescado, parte pa comer, parte pal pizco de negocio. Cuando Rafaelito tenía que hacer una compra asín, de algo de pafuera, mas que fuera del Moro, estaba su par de noches desvelao y a cada momento se empujaba de atrás la cachorra sobre la frente y se metía una rascada de preocupación. Si la mujer o los comisionistas le caían arriba, ella diciéndole: "No te orvide, Rafaé, que tienes que compráaa..." esto y lo otro, y ellos metiéndole por los ojos unos muestrarios y unas hojas de pedidos, Rafaelito se quedaba parado y como traspuesto. Y al cabo de dos minutos resollaba:

—Miri, déjime que lo piensi, ¿oyó? Las cosas hay que pensaslas...—y trasponía a pesar un kilo de plátanos con dos plátanos de menos.

En el tiempo en que necesitaba esas lenguas de pescado estaba mi compadre Monagas enrolado en la *Frasquita,* donde, como sabemos, duró apenas una zafra. No le cogió la embocadura a la mar... y sus remos. Ya decía: "A mí el pescao me gusta, sí señóo que me gusta... ¡Pero en un cardo!" Y añadía: "¿A la Costa? ¡A la Costa ni amarrao"! Pues cierta tarde, señaladamente en vísperas de hacerse la *Frasquita* a la mar, Pepe, Andresito el patrón y un tal Manuel *Lapa,* que era también del barco, se despedían de tierra ca Rafaelito jincándose su media docena de macanazos con chochos y jareas. Y estando en ello, Monagas oyó que la mujer del tiendero le recordaba a su marido lo de las lenguas: "¿Encargastes las lenguas, Rafaée?"

—Oiga, Rafaelito, palabra—llamó mi compadre aparte al hombre—. Si a usté se le ofresiera argo pa abajo la Costa, ya sabe... Se lo digo, más bien, porque ha oído a su señora argo de comprar unas lenguas de pescao. Si usté quiere que yo me jaga de cargo no tiene más que desislo.

Ni que decir tiene que lo engatusó hasta hacer que el otro cogiera confianza en él y le aflojó cinco duros para la compra. Y ni que decir, también, que, parte allí mismo y parte en otros timbeques de la raya de Fuera la Portada, Monagas se jilvanó en copejos los cinco duros del encarguito.

Partió la *Frasquita,* hizo su zafra y a su tiempo recaló en puerto. Naturalmente, Pepe no traía las lenguas. Sin acordarse ya, se metió en la trastienda de Rafaelito a beberse los consabidos pizcos.

—¿Usté me trujo las lenguas, Pepito?

Al pronto se quedó tieso. Pero su cabeza era siempre un volador sin rabo e ideó una salida como una bala:

—Pos mire, no. Y eso le venía a disíi.

—¿Pero y pol qué no las trujo?

—Pos mire, usté no lo va a creé, porque no es corruto, usual, naturáe, o como usté quiera yamarlo. Pero cogimos de pesca una parte onde, séase por los sumarinos, sea por la bomba anémica, toos los pescaos eran múos...

27

DE CUANDO PEPE MONAGAS MAJÓ UNA VEZ MÁS, AHORA CON UNA CABRA QUE DABA LECHE HASTA POR LOS CUERNOS, A SEÑOR DON PEDRO EL BATATOSO

Señor don Pedro el Batatoso acaba de meter una mecha de tal calibre ante la tertulia de cotorrones de la carpintería de maestro Manuel Lorenzo, que hubo asistente que tuvo que abanarse con la cachorra, como si lo apuntaran unas fatigas.

—Esto me pasó a mí, que hay testigos—remató la fantástica historia desparpajado, tan fresco como una lechuga atarosadita.

"Lástima que no estuviera aquí Pepe"—pensó, caliente, don Gregorio, acordándose de Monagas, que solía majarlo con otra brimba, siempre más grande que la de señor don Pedro el Batatoso.

En efecto, mi compadre no había recalado. Al mou se entramalló por algún timbeque y ya no lo esperaban. Pero que ni pintao, arrente de la última frase de don Pedro entró con la cachorra sobre las cejas y las manos en los bolsillos.

—Güenas, cabayeros.

—¡Oh!—se le encandilaron los ojos a don Gregorio—. ¿Ónde te metistes, que te hamos estao echando de menos...?—y le hizo el as de oros del envite, en un leve camango con referencia a señor don Pedro el Batatoso.

Monagas cogió la insinuación por el aire, como un perdiguero un buen hueso. "Ya se metió don Pedro una batata de primer premio"—pensó.

—Pos me entretuve—dijo arrepollinándose, y como si no pre-

parara réplica alguna—porque resurta de sée que vendí la cabra
rusia que compré en la Marina hay más allá y la tuve que regatiar. ¡Oh, ya! El que quiere seleste, que le cueste... Resurta
de sée que me ofresían 1.100 pesetas. Yo me emperré en las 1.750
y hamos estao acordeoniando alreor de esa indiferensia.

—¿Y la vendites en 1.750...?—saltó don Pedro en el filo del
taburete.

—Ji jiñóoo...

—¡Ya santísima! Vaya una mecha, cabayeros...

—¡Sss...! No se bote, que usté no conose la clase de animáa
que era esa cabra.

La gente se empezó a animar. Ya estaban trabados de pico.
Pepe acababa de tirar el primer revuelo y había cogido de buche.
Continuó:

—Diendo yo por la Marina, hay más ayá, venía como de Fuera la Porta un hombre con una cabra de cabresto. No tenía mal
pelaje, asín de primer vista, pero estaba como golpiada, que se
conose que era atravesadiya de genio y el amo le metía sus gentinas. ¡La veldá es que hay cabras, cabayeros, que si no fuere que
uno, aunque tamién animáa, es rasionáa, no salía de puñaláas
con eyas...! Voy y paro al endeviduo y le digo, dígole: "¿Ónde
va con esa cabra, si se púee sabée...?" Y va él y me dise, dise: "Pa
la Matasón, como un tote".—"¿Por qué?—le dije yo asín, sin de-
mostrasle mucha interés"—"¡Quite pa ayá!"—me dijo el endeviduo caliente. "No es mala cabra, ¿sabe?, pero tiene una farta
que no se la dispenso ni manque me lo pidiera de rodiyas. ¿Te
entiende...? Se mama, y eso sí que no..." "Güeno, ¿pero usté no
le ha puesto su coyáaa, o su palo atravesao y eso...?"—"¡Quite pa
ayá cristiano! ¿Ha quedao cosa que yo no le haiga jecho al pilfo
este, que se manda la alfálfara y arriba se manda tamién la leche...? Me tiene dejadas coger unas calenturas que pa qué...
Y aluego la agarró con mi mujer, que jasta sus cachetones le ha
costao e eya, sin comeslo ni bebeslo... ¡Quíteme delantre...!"

Monagas suspendió un momento el relato. Agachó y cambió
la cabeza para darle candela a la mariposa del virginio, y de
raspafilón le echó un ojo a señor don Pedro, que lo seguía suspenso.

—Pos resurta que voy y le digo, dise: "¿Pol qué no me la
vende?"—"Eso sí que no"—saltó el endeviduo, como un repiquete—. Esta cae a moa de tosinete en la Matasón, como yo me yamo
Felipe. Lo tengo jurao, ¿oyó? Es como una invengansa por las
incomodiaes que me ha dejao agarrar..." Pa no cansaslos: lo con-
vensí pujando en el presio. Naturalmente, yo, mientras él me
contaba del defeto, le echaba ojos al casnavón y le sopesaba el
jollejo. ¡Aquella era un real cabra! Me la llevé pa mi casa...

—Y se te seguiría mamando... ¡Naturáaa...!—trató de jeringarlo su pisquito señor don Pedro el Batatoso.

—Las ganas de eya... De primeras la aseché pa ver de ónde inclinaba y sobre qué teta se pegaba. Dispués le cogí el tranquillo y entre collares y su palito, y esto y lo otro y lo de más ayá, se le acabó la papita durse. Agarró su dolor de pescueso, estuvo balando que partía el alma alreor de una semana, y asquí no ha pasao náa... Lo que yo me golí ende que la vi; ¡aqueyo no era una cabra, aqueyo era el tanque de los Ingleses dando leche...! Pa mí que daba leche jasta por los cuesnos, señor don Pedro...

—¡Ya lo creo! Me lo vas a jasé creée...—se removió el Batatoso.

—Aluego tenía ese animáa una particulariá, ¿sabe?: Que la sobaba usté y era como si escurriera un buen limón. Pegaba a cargar a cargar otra ves el ubre, que daba mieo... Es desiii: yo la oldeñaba bien, por la mañanita, y apenas le dejaba el tumbito que ustede saben que hay que dejal siempre. Al cabo de un ratito le afiansaba el traste contra la caja del pecho mío, yo asentao en el suelo, con las patas abiertas a las dos bandas de eya, y pegaba a dar jalones con las manos dende debajo de las corbas de la cabra jasta arrente del ubre. Le tenía sacados ya dos caccharros de pastiyas y una borsolana de buen vuelo. Con el "masaje", como el otro que dise, pegaba el ubre pa arriba otra vuerta, como una soplaera... Usté no lo va a creé, señor don Pedro, pero sierta ves ocupé toos los cacharros de cosina de mi casa, y Soleá tuvo que tirar un potaje, que teníamos pa recalentar, pa poer coger tamién, esa vasija, porque, de reventándose, la cabra belaba, llorando que arrancaba el arma...

28

DE CUANDO PEPE MONAGAS LE PRESTÓ LOS PRIMEROS AUXILIOS A UN HIJO DE MANOLITO EL *SARGO*, QUE SE CAYÓ DE UNA PARED

La mujer de Manolito el *Sargo* era una de esas mujeres a las que les gusta tener hijos a fuleque. Una curiela, como si dijéramos. Ella hubiera dado lo que tenía y lo que no tenía por haber traído a este puñetero mundo una docena de guayetes, por lo menos.

Pero una cosa es con violín y otra con guitarra. Al mou, Manolito no era bien amañado. Su señora hubo de conformarse con un chico. Y le costó lo que le costó, que no es para decirlo.

El muchacho debió sacar todas las ansias concentradas de la madre, porque salió atravesado como un palo de albarda, feo como una mala palabra y malo como la quina. Manuel se llamaba, por el padre, y *Candela* de nombrete. No hubo chico más desinquieto en parte alguna, ni perro que no hubiera llevado al rabo bencina y un cacharro, ni ventana donde no hubiera roto un vidrio. Le dieron leña como quien lava en la casa y en la calle, y no parecía sino que los palos le cambaran más las intenciones, las mañas y la boca.

Vivió Manolito el *Sargo* una jurria de años en el mismo portón donde mi compadre Monagas tenía su mechinal. El muchacho, ya galletoncillo, traía calientes a todos los vecinos. Ni en pintura podían verlo. Y más de cuatro le deseaban una muerte con los zapatos puestos.

Como si este deseo se viera satisfecho por la Providencia, Manolillo sufrió un día un accidente de tal enverguilladura que con una cuarta más no la cuenta. Resulta de ser que se había subido a una azoteilla del portón atrás de una paloma, según unos, y atrás de un huevo, según otros (a los que les abría un agujero con una tacha y se los sorbía como si fuera un deleite) y se le fue una pata, metiéndose un talegazo de padre y muy señor mío. Usaba, para sus correrías por las lomas y fincas del extrarradio, una navaja de cabo de palo, de las llamadas antiguamente "una perra de navaja", que por prisas o distracciones se solía guardar abierta en un bolsillo del pantalón. La llevaba así el día del leñazo, y quiso su mala suerte que le entrara por el bajo vientre como Pedro por su casa.

Fue una puñalada seria, hasta el extremo de que "se le echaron afuera los distestinos", como decía su padre contándolo. Lo recogieron, un poco atontado y otro poco amarillo, y se lo metieron por las puertas adentro a mi compadre, que ya sabemos la buena maña de Monagas para endengues asín como de médicos o practicantes.

Tendiéronlo sobre la cama, y según quedó recostado vino en sí y se quedó tan fresco, que tenía sangre para eso y una vara más. Monagas le echó un vistazo y observándolo tan campante miró a Manolito, que se mantenía tieso a una banda y le dijo, dice:

—No tiene náa...

—¿¡Qué dise ustéee...!?

—¡Náa! ¿No lo vey, como una lechuga?

—¿Pero y esto...?—y Manolito le señalaba un trozo de intestino colgando a la vista—. ¿No le vei que tiene las tripas afuera?

—¡Ah...!—se rascó la barba Monagas—. Ya vey: yo me creí que era los tiros de los calzones...

29

DE CUANDO PEPE MONAGAS SE SACÓ A LA FUERZA UN RELOJ EN UN TENDERETE DE LA FIESTA DE GUANARTEME

Fiesta del Cristo de Farray en ese barrio conejero, medio majorero, medio canario de Guanarteme. Un tenderete como los antiguos; la fiesta más caliente y popular de toda la isla, lo único que queda de esa mezcla peliona de turrón y ron con tufo, de piñas y bailes de taifa. Por lo menos aquí en la isla redonda donde nos tocó jeringarnos. Medio Lanzarote está allí. Y medio Fuerteventura. Las gentes alegres—a su modo—a pesar de todo, de esas tierras de vino y cebollas, imprimen al jolgorio su manera. Al tiempo se pasea y se bebe y se baila y se canta y se jaranea, se preparan las trompadas, casi siempre de amagar y no dar. Los hombres se desplantan, echan fachas, con las cachorras enterradas hasta las orejas y los ojos serios. He aquí un diálogo recogido al azar en un solar cualquiera, donde despachan copas sobre unos tablones, y donde hay, a la banda, una taifa con una pianola infatigable.

—Oondi day un hombri, hay otru...

—Cuando usté lo disi... (*Con retintín.*) Rasooones...

—Un hombre chicu es un hombre abarrenau, si quieri... ¡Digo yooo!

—¡Oh...! ¿Va siguiii? ¿Usté ta de provocativo, o quéeee...?

—Yo estoy como a mí me da la gana... Espache asquí una corría, que envito yooo... Y a mí, ¿oyó?, a mí no habío hombri nasío que me haiga puestu un deu en la cara. Si hay que da una galleta, la doy yo. ¿Tamos?

—¿Cuándo, aónde, vagañeti...?

—¿Cuálo? (*El isleño en el aire, porque nadie lo está agarrando.*) ¡Lainguenmennn! ¡Ha dicho que laingennn! ¡Desgrasiaao!

Es el grito de guerra. Significa que todo el timbeque debe ponerse en movimiento para que sus parroquianos se den unos empujones, se pongan un poco más pálidos, suelten unos gritos confusos y peguen de nuevo a beber copas. Es un número del festejo, un complemento de diversión. En el que intervienen las mujeres, que son las que meten una especie de viento nervioso enmedio de la ruptura de hostilidades colgándose malamañadamente de los hombros de sus hembras, dando jalones hasta romper las camisas y soltando unos chillidos de conejas que entran por los oídos como agujas de punto de media. No se ha producido ni un solo cachetón. Ni siquiera ha dado su güeso ese tipo medio aislado del bebedero, que suele ser sancudo y expresivo, que está todo el tiempo a la expectativa "de que haiga piñas" para entrar él, sin irle ni venirle, a repartir algún leñazo por puro placer. Hay una calma de unos cinco o siete minutos, y vuelta al meneo. Así hasta el alba de Dios, cuando los carburos del ventorrillo sacan la lumbre cambada y un chorrito de aire jediondo por una orilla.

Gran fiesta la del Cristo de Farray. A todo lo largo de ella encuentra, el que se dé su vuelta, tenderetes sacaperras de todos los gustos, desde el que tiene sólo caramelos de miel de caña sabiendo a alquitrán, hasta el que cuelga relojes tipo cebolla, con la marcha de un caballo de tartana: "Clan, clan; clan, clan; clan, clan". Rifas y más rifas.

Mi compadre Monagas no se pierde ya nunca más el pintoresco festejo. El y su jarca son fijos entre el terreguero, de aquí para allá, compartiendo todos los plantones y todos los rempujones propios del programa.

Cierta vez, dando tumbos, encallaron los templarios delante de una tómbola cargada como un majano de todas clases de chucherías. Muy a la vista, metiéndose por los ojos, lucía un reloj de níquel, morenito y de buen tamaño. Pepe había tiempo que había empeñado el suyo, una cebolla de "Cuervo Hnos. La Habana. Cuba", y venía necesitado de él.

—Eese relón es pa mí—dijo parándose, medio templado—. Ese me lo saco yo como Dios pintó a Perico. ¡Oh, yaaa!

Pegó a jugar. Y pegó a perder que era un deleite.

—No te emperres, Pepe, que esta noche traes de proba la suerte—le aconsejaba Vitorio el del Pinillo.

—Pepito, deje eso, cristaaano. Vaya un emperramiento, cabayeeeros!—rezongaba Ventura, queriendo seguir.

—¡Sss!—mandaba anclar Monagas, lleno de pachorra—. Ese me lo saco yo, como Pepe que me cristianaron, sin consultarme si me gustaba más Ramón, vamos a poneee... Quiete España, que ese relón nes pa mí...

Seguía jugando y seguía perdiendo.

—¿Serás desgrasiaooo...?—lo miraba cambao Vitorio.

—Pepito, ¿vamos a dislos...? Se dijo—jalaba mi compadre Juan Jinorio, que también diba en la rueda de presentes, hacióndose el que había recibido una respuesta favorable.

—Ssss... Ha dicho que es pa mí y es pa mí...

Hubo un instante en que el dueño del tenderete—un peninsular muy pronunciado—se torció un pizco, apenas un pizco, para alcanzar no sé qué cachivache. Monagas aprovechó el jacio como un gato. Metió manos, tiró del reloj y traspuso haciéndose el sonto por la feria alante.

—¡Eeeeh, usteddddd!—le gritó atrás el peninsular—. Haga usteddd el favor de dejar el reloj donde estaba...

—Cuálo?—se viró Monagas, todo engrifado, como si le hubieran nombrado a la madre—. Oiga, tenga cuidao con lo que jabla, ¿oyó? ¿Usté qué se ha decreído? ¡Fartaba más!

Vitorio tenía la peliona. De golpe se quedó fajado. Trincó por las solapas al del puesto y le dijo, pegándole las narices:

—¡Cállese la boca!, ¿oyó?, fartón. ¿Usté qué se ha creíooo...?

—¡Que suelte el reloj!—gritaba el peninsular—. ¡Guardia, a ese!

Estaba el guardia a unos 15 metros del lugar de la ocurrencia. Unos cinco minutos después de llamado se dejó caer, al golpito:

—¿Qué pasa?

—Este señor me se ha llevado un reloj de aquí la tómbola.

—Esas son mentiras suyas, jablando pronto y mal...!—replicó, como un rehilete, Pepe.

El guardia lo registró, callado como un tocino, con el morro gacho, y sacó el reloj.

—¡Oh, pos tiene usté arriba el cuelpo del delito. ¡Digo yooo...!

—Pura causaliá, guardia, en buena fe. Yo estuve aparato ay gran rato. Re repente me fijé en el relón. Un relón no se debe poner en sitios de esos con cuerda. ¡Digo yo! Este endeviduo lo tenía andando. Yo sentí que me dijo: "¿Usté va pa allá?" Como él estaba andando, y yo diba pa allá, pos fimos juntos. No ha pasao más náaa...

30

DE CUANDO PEPE MONAGAS Y VENTURILLA EL *TAITA* PLANTEARON UNA OPERACIÓN DE COMPRA-VENTA

El primero y el único hijo de Andrés, el patrón de la *Frasquita* (1), vino al mundo cuando el popular marino, con ocho años de casado, andaba ya en vísperas de arrastrar la chola, como el otro que dice, pues contrajo madurón ya. La comadre Rosario, su esposa por delante de la Iglesia, que los hubiera tenido, viendo a las otras comadres largándolos como curielas, mientras que ella... ni aire.

—Así ha andao más liviano, Andresito—lo consolaba mi compadre Monagas, cuando el "roncote" se lamentaba de su baldío matrimonio.

—¡Quite p'allá, ...bre!—replicaba, dolorido y gacho—. Bastante magua que habemos tenío con eso, particularmente Rosarillo la mía. ¡Las lágrimas le han servíi de conduto, usté Pepito!

Un día apareció Rosario con una cara como si hubiera estado toda la noche en la cola de la casne. Algo le pasaba, y gordo, pero se lo calló para si no era más que una ilusión. Tiempo más tarde se puso radiante como una luna de enero: estaba en estado cuando había perdido toda clase de esperanzas. Andresito andaba en la mar. Y cuando volvió se quedó asmado. Primero no pudo menos que alegrarse. Luego se ensombreció. Mentiósele un barrenillo con la cuenta, que no repito porque todos conocemos ya, de haberlo contado en otra ocasión. Monagas le volvió a consolar con aquello de: "Usté saca tres meses. Y tres pa dí a la costa y tres pa vení son los seis que faltan. ¡La cuenta!". Y él añadía: "Deje quieto los meses y jágase el loco, ¿oyó? No hay náa como jaserse el loco..."

Sabemos también que el padrino del sonado bautizo del guayete, cuya venida al Risco fue comparada por mi compadre con un partido de envite: "En piedras de ocho matrimoniales —le decía— usté qué: ¡envío!, y chico primero..."; el padrino, digo, fue Monagas. Naturalmente, invitó a Venturilla el *Taita*, Vitorio el del Pinillo, a mi compadre Juan Jinorio, que también diba en la rueda de presentes, y sétera. Ventura agarró una mamada que con dos copas más entra en saco de papas para su par de días. La trompa le procuró una emperradura, como de usos y costumbres. Y esa noche tocó "de grandezas". Quería sacarse la lotería.

—"Si yo me sacara la lotería, cabayeros..."—decía a cada instante.

Monagas le saltaba:

---

(1) Véase el cuento núm. 5 del tomo I (1968).

—¿Por qué no te cayas ya con el guineo de la lotería? ¡Vaya un piano, cabayeros!

De repente Venturilla trataba atrás en el patio a alguno del baile que no entraba en taifas, o que esperaba vez.

—Oiga, no hay na como una lotería, ¿oyó? Si yo me la sacara, compraba una casa. Pero una casa güena, ¿ta oyendo? Náa de casejas terreras ni jediondas de esas. Una casa de las que mandan las peras a la Plasa.

A fuerza de berretiar y de hablar de lo mismo se llegó a creer que ya se había sacado la lotería. Cada momento quería echarse fuera de la rumantela para salir a comprar la finca.

—Pepito, y usté, Vitorio, venga, vámolos.

—¿Aónde?

—Que yo quiero comprar la casa y quiero que ustede me aconsejen y sean testigos.

—¡Oh, padrito! ¿Vas a seguí tú con el emperramiento bobo ese...—lo miraba Monagas, cambado y caliente.

Allá sobre el alba acabó la fiesta y tiraron los templarios a los churritos y al cafén con leche. En el camino, Ventura se emplantanó frente a una buena casa, ay por la Prasuela.

—Fíjesen, fíjesen nustede... Esa es la que me viene jasiendo farta.

—¡Sigue pa alante y cáyate la boca!

—Aguántese, Pepito, que una compra de estas no es un kilo de sardinas, o asín. Yo quiero compráa esa casa, ¿oyó? Y hay que alevantáa al amo.

Monagas lo agarró entonces de un brazo y le dijo, mientras lo remolcaba:

—Mira, vamos aquí lante, ¿oítes?, onde haiga argo abierto, que me voy a beber dos o tres macanasos más. Y entonses te la vendo yo mismo.

31

DE CUANDO PEPE MONAGAS CONTÓ AL SEÑOR DON PEDRO EL BATATOSO LA HAZAÑA DE UN LORO QUE COMPRÓ

Hasta que el señor don Pedro el Batatoso entregó las tablas en las plataneras, mi compadre Monagas y él tuvieron sus revuelillos y hasta sus puntadas de buche. La cosa no alcanzó nunca mareas de fondo, porque entre ellos, salvadas las distancias sociales y demás yerbas, se mantuvo siempre una viva corriente de simpatía y eso. Reducíase todo a un cabrilleo como de mantерío de sardinas, en un ambiente alegre y socarrón. Don Pedro se jincaba sus batatas famosas con reburujón suficiente para no hacerse infumable. Monagas le daba la réplica con el mismo airito simpático. Y toda la jarca de la carpintería de maestro Manuel Lorenzo se divertía, aunque con nobleza, sin esa disposición de quien tiene los gallos de pelea y los engarabita para darse gusto.

Según estaba la temperie, así recalaba señor don Pedro. ¿Que hacía Norte y soplaba un fresquito tal digno que no había necesidad de buscarse airote en los Poyos de San Telmo, un suponer? Pues don Pedro llegaba como gallo que canta en la mano y soltaba su mecha de turno. ¿Que estaba el día echadito, mansurrón, con su panza de burro correspondiente? Don Pedro venía atorrado hasta el extremo de pasarse tardes enteras casi sin abrir la boca. Si acaso para pedir: "alcánseme un fófaro, mastro Manuéee..."

A mi compadre le gustaba sacerlo de sus casillas en tales días. Aún sin ganas dábale vueltas al magín hasta encontrar una buena batata. Y se daba el caso de hacerlo calentar, a pesar del apoyito que traía entre las cejas el caballero.

Una de estas tardes agachadas llegó mi compadre con el pico caliente y el rabo tieso. Volvía de un "intierro" y de raspafilón, él, con media docena más de acompañantes, entraron por ca Angelita y se jilvanaron media docena de roncejos ¡tranquiliiitos! No hizo más que sentarse en la punta del banco y echarle un ojo a señor don Pedro, que en la puerta y sobre una banquetilla despuntaba una "mocorrita" y pegó:

—Cabayeros—principió diciendo—, díamos en el intierro de Luis el Cubano, que murió de tis ay en el Hospitáa, y aquí lante en la caye de los Reyes vimos un loro en un balcón que pegó a gritar cuando pasaba la gente: "¡Gandúuu! ¡Gandúuu!" Un her-

mano de Luis, que iba de cabesera, como es debío, se calentó y
too. Mandó aparar el intierro y quiso subir a fajarse con el loro.
Er Cubano nunca fue muy trabajador y el hermano lo cogió como
una puntita... Porque hay gente bruta, ya se sabe. ¿No le pareeese,
señor don Pedro...?

—Masiao que síiii!—rezongó don Pedro, medio dormido.

—¿Pos ustedes crein que el loro me jiso acordar de un paso
que me pasó a mí cuando había fielato, ay por arriba del Arbo
Bonito...? Resurta de see que yo anduve un tiempo trabajando
pa la Plasa con un don Tomás, de Tafira Baja, que tráiba a la
suidá sus verduritas, sus gallinas, su frutita, cuando era tiempo,
y sétera... Teníamos un carrillo tapao con una lona de balcos y
yo subía y abajaba con cosas que vender. Si me cogía con unas
perriyas y con el carro medio vasío de lo de don Tomás, yo compraba por mi cuenta lo que me salía y jasía mi propio negosio.
¡Oh, yaaa! ¿No le parese, señor don Pedro?

—Ji jiñóoo... ¿Pero por qué no te cayas con el guineo ese, Pepiyo?

—Peeere, hombre, que ya quea menos... Por resurta de seee...
que esto que yooo... que venía un sierto día de Tafira pa abajo
con cuatro dosenas de gayinas y la del diablo: !un loro! El tal
loro era de una gente que veraniaba arriba, la inclusive en el in-
viesno, por mor de un familiar que tenían picao del purmón y eso.
Séase porque aprendió maldisiones con una muchacha de asquí
de Las Cruses que tenían pa adentro, seéase porque andaban ne-
sesitaos, me ofresieron el loro en venta. Se lo compré a buen presio y tiré con éee... Ay por arriba del Secaero me encuentro un
cuadro, cabayeros, dino de verse: sentáa en una piedra, amuláa y
medio llorosa estaba una muchacha, entoavía pollonsita eya, y
a la banda un artomóvil con un pollo alreor de él, que al mou se
le había esconchabao. La "máquina", como desimos en Cubita,
se había emperrao en que no, y no había del qué...

—¿Pero qué tiene que vée lo del loro...?—interrumpió maestro Manuel Lorenzo por aliviar y meter su cadelita al tiempo.

—Déjese dii, maestro Manuéee... Me mandó el poyo a apáraa.
Y me dise dise que si los quiero abajar pa Las Parmas. "Súbanse
y los acotejamos", le dije yooo... Ella anduvo remolona, pero a
la poste..., ¿no se dise a la postre, señor don Pedro?, a la postre
fue y se subió... El tráiba sus copitas entre pecho y esparda y
venía medio que enralaiyo. Quisá, quisá que pos quitasle el enojo, o por lo que quiera que fuera, pega de repente a desisle: "Oye,
Asunción, dame un beso... ¡Que me des un beso te digo!" ¡Ooiga,
sin reparar maldita la cosa en que estaba yo presente...! Ella se
puso resistía, resistía, y él emperrándose: "¡Que me des un beso
te digo, Asunsión...! Dame un beso que es mejoo pa tiii... ¡Bueee-

no!" Y eya que nones. El se calentó de mala manera y se lo dijo: "¿Quieres que te diga una cosa? O me das un beso o te jinco a la carretera... ¿Oítes? ¡Que o me das un beso o te jinco a la carretera, muchaaacha!"

Don Pedro pegó a esabilar. Aquello era extraordinario. Preguntó sin poderlo remediar:

—¿Y tú no intervinitee? Porque tamién eso... delante de ti y eso...

—Yo sí intervine, sí señóoo. Pero él se viró pa mí y me dijo, sequito como un palo: "Usté se caya. A usté nadie le ha dao vela en este intierro..."—"Ta bien, mi amigo. Pa eso no jase farta que se caliente"—díjele yooo. Y volvió a eya: "¡Te digo por úrtima ves que o me das un beso o te jinto a la carretera. ¡¡Sunsióoon!!" Pa mí que aqueyo no era en serio. ¡Pero, Mano!, como eya no quería, levanta en peso por eya y la tiró abajo como un saco papas. Aqueyo daba de cara. Yo metí la retranca, dispuesto a fajarme y pensando que la había matao. El se tiró enseguía, tan campante, y me dijo: "Coja, el camino, que a usté no se le ha perdío nada en este pleito." En esto, eya se levantó se sacudió un pisco y fue y le dio su beso, como si nada de este mundo viera pasao... Entonses cogí el tole y traspuse y allí los dejé

Don Pedro preguntó entonces:

—¿Pero tú no habías dicho de un loro? ¿Qué pito toca el loro en ese lío?

—¡Peeero, hombre! ¡Ooooh...! Cavilando en lo que son las mujeres y en lo que es la vía, arreé. Y allegué al por fin al fielato. Me dijieron, sin arregistrarme, porque ya me conosían: "¿Cuálo traes hoy, Pepe?" "Gayinas", dije yo. "Cuatro dosenas de gayinas pa la Plasa". Al mou desconfiaron, porque dijieron, dise: "¿Náa máaas...?" "Naita máaaas, querío." Destapa la lona el fielatero ¡y se encuentra otro cuadro, cabayeros! ¡Oh, si yo no lo veo no lo creo...!

Pepe hizo una pausa intencionada. Sacó fósforos, raspó lento uno, hurgó la punta del virginio con el rabo de la cerilla y cogió candela tranquilito. El bache surtió su efecto. Señor don Pedro el Batatoso estaba en la punta de la banqueta como un perro cazador, desagallado por conocer el final:

—Bueno, ¿pero y qué fue lo que pasó, de úrtimas?

—Pos... De las cuatro dosenas de gayinas —que ustedes no lo van a creé—sólo queaba una. Las demás habían quedao regáas por la carretera... Resurtó que el loro, que bía oío muy bien al sarandajo que encontré en el Secaero, le agarró las palabras y las mañas. En el momento que los asercamos le estaba disiendo a la úrtima gayina: "O me das un beso o te jinco a la carretera...!"

32

DE CUANDO PEPE MONAGAS LE VIO LAS ÚLTIMAS A LA MÁS VIEJA DE *LAS NIÑAS DE CABRERA* (1)

De las siete solteronas que integraban una familia domiciliada en una casita terrera del barrio de San Agustín y conocida en la ínsula por *las niñas de Cabrera* y por malnombre *las de Angustias,* a causa de la cara de aceite y vinagre que tenían desde que se tiraban del catre para la misita mañanera hasta el solpuesto, que se acostaban porque eran más decentes que un traje de novia, una, la más vieja llamada Rafaela, con noventa años sobre el lomo, disimulados y negados hasta el soplido definitivo, se dispuso un día a morirse de un reconcomio que el médico no averiguó porque no valía la pena, pero que era como el gogo que le entra a las gallinas, según se desprendía de unos brinquitos que daba sobre una banda y de una garraspera que le sacaba, de la tubería en que había parado el cogote, unos cloquidos sordos y de los de vez en cuando.

Las siete *niñas de Angustias,* la menor de "sesenta y..." eran: Mariquita del Pino, Rafaelita, Caridad, Constancia, Dolores, Gregoria y Matilde, a la que llamaban por el dulce diminutivo de Tildita, por ser la más chica. Cada una tenía sus recuerdos, tan ligados, ¡ay! a los paseos en la Alameda de Santa Clara, un pensamiento disecado, un dije con un mechón de pelo y un suspiro de ocasiones que de puro cálido era como un tiempo de levante. Y, además, tenían, según se decía, pero esto otro en una cómoda, unas prendas antiguas que, como estaban las cosas, amenazaban con armar un pleito de familia más gordo que la división de la provincia. De aquí que no faltaran a las "niñas" carcamales las visitas y adulonerías de unos sobrinos, puestos a la tarea paciente y untuosa de irlas engoando, engoando. Por cierto que a uno de ellos, que les llevaba todos los jueves por las mañanas media peseta de lenguas de pájaro, le negaron el adiós los demás parientes porque decían que era "coasió" descarada, según definió, con fortuna, el soborno un pariente empleado del juzgado municipal.

Cuando doña Rafaela entró con la quilla en el marisco, el visiteo era como un lunes de San Nicolás. Y no sólo de la parentela, sino de señoras con velos, y pollos y pollitas agregados por la golosina de unos chocolates y unos dulces de almendras que las niñas preparaban con manos de ángel, y que brindaban tradi-

---

(1) Véase el cuento núm. 21 del tomo I (1968).

cionalmente a las visitas de sus enfermos. Al calor del chocolate se armaba luego una tertulia que era un relajo, pero de la que llegaron a salir sus bodas, que las niñas eran casamenteras como un rayo.

Resultó que la vieja, desahuciada desde que cayó en el catre, se empezó a dejar dir, a dejar dir, sin morirse, que ya era una pesadez y una vaina. Oh, hasta el extremo de que una noche, don Manuel Tabares, llevado a rastro por su mujer, que era resobrina de las solteronas, a las que él llamaba "las cargas de leña", al modo por lo secas que siempre fueron de carnes y lo demás, dijo en alta voz, que casi lo oyon y se arma:

—¿Pero esta vieja se va a morir o no se va a morir? ¡Vaya una enconduerma, mano. Pos no es náa con los velorios estos, que me estoy levantando molío como un senteno...

Y doña Rafaela no se acaba de morir. La gente del medio duelo principió a coger confianza, a establecer tertulias, a hablar cada vez más alto, a jugar a las prendas y a mosiar. La reunión fue invadiendo toda la casa y acabó llenando también el cuarto donde doña Rafaela amagaba y no daba, mantenida en su brinquito y en sus cloquidos de gogo. Hasta las propias hermanas del semifiambre se arregostaron a aquella majadería de doña Rafaela.

Toca decir ahora que Pepe Monagas era antiguo amigo, o así, de las niñas, a las que había puesto, entre sofocados pudores, alguna ventosa y tal cual inyección de ñema y de hígado, éstas últimas llamadas por él de carajacas.

Y la noche que la vieja entregó su alma a Dios y el cuerpo a Monzón, Pepe cayó por un casual ca las niñas.

—¿Ta mejorsita?—preguntó al entrar.

—Iguá...—contestó una heredera, sacándole a la voz un singuito de violín y poniendo los ojos como chopas de vivero.

Monagas entró, tomó el pulso a la pobre señora, le echó su vistazo con una vela en la mano. Y la encontró que golía ya a sajumerio de responso.

—Esto está listo—se dijo.

Como nadie se había apercibido de que ahora ya iba en serio y era cuestión de minutos, Pepe se volvió con la palmatoria levantada y dijo solemne a la parranda del velorio:

—Señores, jagan el favó de callarse, que doña Rafaela va a entregar.

Colección completa de

LOS CUENTOS FAMOSOS DE PEPE MONAGAS

(Quinta parte)

PROLOGO

por

JOSE PEREZ VIDAL

Queda mucho que decir sobre Pancho Guerra y sobre su obra en general, mas el reducido espacio de un prólogo fuerza a recoger la atención y a fijarla sólo en un aspecto particular; en algún rasgo que se advierta con claridad en la lectura de este V tomo de los Cuentos y que, además, sea característico de toda la producción del autor. Estas condiciones se dan de modo perfecto en el que aquí se va a examinar: la influencia marinera en el ámbito cultural de Pepe Monagas.

El inquieto e ingenioso pícaro vive en el Risco de San Nicolás y tiene bajo su vista de águila su principal campo de acción: Las Palmas. Como todos los individuos de su indisciplinado linaje, vagos pero habilidosos, hombres de mil recursos y oficios, sólo halla ambiente y medios propios para ejercitar sus infinitas posibilidades en la compleja vida de una urbe populosa. Sus accidentales contactos con el campo se reducen a pasajeras y contingentes relaciones rurales de hombre de ciudad: alguna cacería por la cumbre (a veces más referida como "batata", que realizada de verdad); alguna temporadita en casa de un compañero de mili, tratando de ponerle remedio a un empecinado "malejón"; algún viaje, con Soledad su mujer, a tal cual fiesta patronal por el trashumante negocio de los turrones... De ahí no pasa. Pepe Monagas no arraiga, ni puede arraigar, en el campo. El agudo, atrevido y, al mismo tiempo, flemático risquero, es un producto humano típico del pueblo de Las Palmas.

Las Palmas es una ciudad principalmente comercial, con una apertura natural y amplísima hacia el dilatado, vario y libre mundo marinero. La característica huella del mar en la vida y en la cultura de la capital grancanaria ya ha sido objeto de comentarios muy inteligentes y afortunados. Y si se ha observado en los niveles culturales más elevados y nobles —Tomás Morales, Néstor de la Torre, etc.—, con más motivo ha tenido que marcarse en las expresiones de la vida popular.

Con elocuente claridad y abundancia, se aprecia en la ya importante y copiosa tradición cuentística de la isla. Basta, por ejemplo, abrir una de sus más celebradas colecciones: Canariadas de antaño, de Luis y Agustín Millares. No tenemos que adentrarnos *ni esforzarnos en la búsqueda. El mar está presente desde el principio. Los elementos marineros, igual que en la pintoresca habla popular, aparecen como los más socorridos términos de comparación. En el primer cuento,* El temporal de Reyes, *a una mujer, Romualdita, se le ocurre dar a luz una noche de temporal; el agua llega hasta las rodillas; sin embargo, la partera, una de las comadronas de más peso que en el mundo ha habido, acude con la diligencia que exige un caso tan perentorio; llega "por el centro de la calle, cortando el agua con la magestad de una fragata"; pero ya en la casa, que estaba igual que un estanque, tiene la desgracia de resbalar y caer, pesada como un hipopótamo, haciendo saltar el agua hasta los cuadros de las paredes; y a Policarpo, el marido de la parturienta, no se le ocurre sino gritar: "¡El prisma!, ¡el prisma!"* En el segundo cuento, Suicidio, *la carga marinera no se limita a algunas expresiones: toda la acción se desarrolla a bordo de una fragata de verdad, la "Hermandad Isleña", en un viaje de retorno de Cuba a Las Palmas. ¡Buen ejemplo de canariote flemático y cachazudo, curtido por los mil avatares de la mar, el de nuestramo Periquito Poliadas, contramaestre de la fragata! Igual que Pepe Monagas, era risquero, pero del Risco de San Bernardo.*

En esta gavilla de cuentos que ahora se ofrece, lo mismo que en toda la obra de Pancho Guerra, se hallan presentes, con el relieve e importancia que en la realidad tienen, las más populares y auténticas expresiones de la insularidad y de las numerosas relaciones del isleño con el mar. Si no fuera así, la obra resultaría canariamente manca.

La geografía insular no puede estar expresada con más sencillez ni con más exactitud. Ofrece un claro contraste con la expresión geográfica de regiones dilatadas y extendidas. En el romancero castellano, las acciones fundamentales suelen sobrevenir "a eso de las siete leguas", "de las siete pa las ocho", "a eso de medio camino"; los caminos, larguísimos, se pierden en el horizonte y se miden por leguas. Para el canario, la única llanura dilatada es el mar, y por cualquier tierra que vaya, las llanuras se lo van recordando: la Mancha, para Galdós, es un mar petrificado. La isla, al menos en Canarias, es, por el contrario, una porción de tierra cerrada y escarpada. Y el isleño, casi sin darse cuenta, sin la menor dosis de vana literatura, está expresando constantemente esta condición de su tierra. Los sentidos fundamentales del movimiento en las islas, los cuatro puntos cardinales insulares, son "pa dentro" y "pa fuera", "pa arriba" y "pa abajo", con sus contrarios, de procedencia, "de dentro" y "de fueraQ, "de abajo" y "de arriba". Los ejemplos, en los presentes cuentos, son numerosísimos: "Un barco con gente de pa fuera"; "al hombre de pa fuera"; *"el turista viene* pa dentro"; *"¿Vamos a dirlos el domingo que viene pa abajo?"*; *"Véngase* pa arriba, *Pepito"*; *"¿Qué le tumbó por asquí arriba?"*.

Además, dentro de la isla, la capital es un islote, y en relación con él, no es raro el empleo de la misma nomenclatura: "Venía de fuera de la Portada pa dentro por la calle de Viera y Clavijo"; "Una vez, mastro Manuel Pinsapo, que iba pa dentro a comprar unos cachillos de madera"...

Y en este punto se ha dado una curiosa paradoja: la gente de elevada posición social ha sido gente de "pa abajo" —"tuvo que pedirle un favor a un caballero de pa abajo"— *y la gente humilde, de baja condición, ha sido de "pa arriba", "de pa los Riscos".*

Las posibilidades de la isla, en muchos aspectos, también han sido limitadas. Y el isleño ha tenido que salir de su tierra por muy diversos motivos. Los principales géneros de viajes que tradicionalmente ha efectuado el canario tienen en los Cuentos *su indispensable expresión: los esparanzados viajes a Cuba; los de regreso, unas veces con éxitos contantes y sonantes, y otras, de arrancada, con los más tristes fracasos; los viajes de polizón, casi siempre también para América, de los desesperados, incomprendidos y aventureros; tal cual viaje a la Península, casi siempre para someterse a una operación; y, como es natural, los duros viajes profesionales de los costeros a la zafra de la pesca. De los viajes interinsulares, viajes de andar por casa, se hallan representados los de los familiares correíllos y algún que otro viaje en barco de vela a cargar cebollas conejeras.*

Del mismo modo se recogen en los Cuentos *las más populares actividades del canario en el Puerto y a lo largo de la movida zona costera: los empleos, tan prestigiosos entre la gente humilde, de las casas de barcos; el trato pintoresco, y no pocas veces picaresco, de los tartaneros y turistas; el tráfico menudo, pero más importante, del cambullón, gran escuela de picardía; las apasionantes regatas o "pegas" de botes; la pesca medio deportiva, medio parrandera, siempre rubricada con un caldo de viejas bien regado; la pesca profesional de los lentos pero esforzados hombres de San Cristóbal... Y las fiestas. Sobre todo, la de la Naval, con su enorme gentío, su olor a fritango de bogas y a pota asada, y su fondo musical de isas punteadas, "serenitas como una habanera", isas rasgueadas, "de trapisonda y pleito", y, ya al final, "isas desmangalladas, de las de media noche p'al día, más cerca del guineo que del canto". Pero sin olvidar otras fiestas, sin campanas ni fuegos, fiestas calladas, apenas advertidas, que también se disfrutan en el litoral; por ejemplo, la sencilla fiesta de sentarse detrás del Teatro, en un día templado, sin aire y sin bochorno, y quedarse como una batata mirando para el Puerto.*

En toda esta zona ribereña, la religiosidad canaria se canaliza principalmente en las dos grandes devociones marineras: la del Carmen, más moderna y oficial, y la de San Telmo, más antigua, con su iglesia llena de recuerdos de gente de mar y rodeada de poyos ocupados por viejos hombres de mar cargados de recuerdos.

* * *

Desde la costa la influencia del mar se adentra por toda la vida insular como una marea, suave y blanda, pero incontenible y característica. Principalmente, se manifiesta en la pintoresca y expresiva habla del pueblo.

Se observa ya en muchos de los nombres populares, "nombretes", de los isleños: Juan Breca, Felipe Lapa, Cristóbal Salema, Chano Chopa, Dolores la Chopa, Rosario la Chopa, Rafaelito el Rebenque... Todos, personajes que encontrará el lector páginas adelante.

Se aprecia constantemente en los modos de expresar los rasgos y reacciones de las personas: "Al hombre de pa fuera se le ponen los ojos como chopas de vivero"; "gritaban con los bigotes temblorosos y los ojos como chopas de las lágrimas"; "con los ojos como chopas de vivero esperaba la paga"; "yo quisiera saber qué es lo que le he jecho yo al jediondo éste pa que primero me ronque y en dispués se me engrife como un macho salema"; "*se pegó como una lapa"; "cada día su carácter virándose más bolsa de* calamar"; "*hay gente que nace con suerte de* calamar"; "*Mastro Manuel, que hasta sin copas era resistío para hacerle el gusto a naide, se reviró como una* panchona"; "*hasta cerrarle los tristes y encovados ojos, en los que, hasta el punto final, hubo una lumbre de calentura varonil y de safío que atraía"; "y pegó a abrir los ojos como* chernes"; "*con el humor como la geta de un* rascasio"; "*estallan algunas botellas y vasos, hay su pisquito de sangre, y algún ojo coge en un soplío aire de agua viva"; "no ha sido hombre que se abatate ni por la flor de un berro ni por la grúa del Muelle Grande"; "resongaba Pepito..., trabada la lengua, pesado como una potala".*

El mar se halla, igualmente, muy bien representado en la cocina tradicional canaria: la morena con mojo; el caldo de viejas —"¡Cuidao con un caldo de viejas, cabayeros!"—; el sancocho de buen cherne; las bogas fritas y la pota asada, como ya se ha visto; las ásperas jareas...

E, indirectamente, en no pocas expresiones derivadas de la comida: "Ya te llegó la hora, desgraciado, que bastante que te lo tengo advertío. Ahora vas a saber tú lo que es mojo con morena";

"*como en el caso del pícaro genial que fue don Francisco de Quevedo y Villegas, a quien le han colgado lances, percances, dichos
y donaires por docenas sin que le haya tocado a él ni papas ni
pescado*".

*De modo más difundido, general y frecuente, aunque tal vez
menos notado, el influjo marinero se nota en la transposición,
más o menos metafórica, del léxico de mar al léxico de tierra.
Como ejemplo, valga este breve vocabulario, sobradamente auto-
rizado:*

Anclar.—"*Desatracaron los templarios de allí y* anclaron *más
adelante.*"

Avería gorda, *por 'avería gruesa'.*—"*Esto es una* avería gorda".

Banda.—"*Caballeros... que habían estado pa fuera y aprendido en ambiente de la otra* banda *de la marea"; "estaba calláa y
sonriente, con sus ojos azules, limpios como los de un niño, mirándonos a una* banda"; "*el isleño no se amaña a coger la* banda
*que le diga el guardia"; "emburejado en su casa hasta las tan-
tas, con el libro a la* banda"; "*Cierta mañana entró Adela a la
Plaza... Monagas se puso de pronto a la* banda"; "*llorando en la
puerta la encontró un día mi compadre Pepe Monagas, que vivía
a la* banda"; "*pasan serios a la* banda *una pollita de buenos colores*".

Brumero.—"*Todos recordamos cuando le metió un borrico
tuerto de un ojo y con un* brumero *en el otro a un panadero de
aquí de la Placetilla"; "Mi compadre lo vio entre el* brumero *de
la torta* [= borrachera] *de tres días que llevaba arriba*".

Desatracar.—"*Desatracaron los templarios de allí y anclaron
más adelante.*"

Empatar.—"*Me dí de cuenta de que iba montao tan solamente sobre medio burro. El otro medio se había quedado allá atrás,
que lo partí del latigaso... ¡Mueno! El trabajo que me costó pa*
empatarlo *otra vuerta.*"

Engodar.—"*Usté va pa adentro, ¿entiende? Corta caña como
quien tuesta y lleva al molino... manda los cuartos aquí, a mí...
Cómo fue no se ha sabido nunca; lo cierto es que lo* engoó;
"*Carmelilla la Pintada salió de la cáscara amarga... Y la empezó
a* engoar *un pollito"; "se tiró un salto a París atrás de una artista que lo* engoó *de mala manera"; "al Rafaelito este lo* engoo *yo
y le jago el esperimento*".

Engodo.—"*Atrevidillo, de otra parte, y con tino para saber
cuándo cuadra* engodo *y cuándo cabe lance.*"

Escandalosa.—"*Y lo mismo si tocaban bajito, como metiendo
la* escandalosa.*"

Estibar.—"*Un coche, un Super, señaladamente,* estibado *de gente del Norte"*; *"centra una rueda de papanatas un molinillo estibado de hermosas figuras de yeso".*

Flote.—*"Puede sacar a un hombre a flote o enterrarlo pa toda la vida, según."*

Jasío.—*"Monagas añadió, aprovechando el jasío."*

Lance.—*"Merodeaba Monagas por los alrededores del "Yeoward", en lances de venta y pesca"*; *"con tino para saber cuándo cuadra engodo y cuándo cabe lance."*

Largar.—*"Maestro Manuel Candelas largó el gallo y le echó un vistazo"*; *"... llegó una carta de La Habana...; entenderla costaba una calentura y una aspirina. Ee pegó con ella la primera doña Rosario. Nada. La tuvo que largar".*

Liña.—*"... la esperaba otra tardecita, a la suelta, siguiéndole luego los pasos hasta el Puerto, llevándola delante larguita para no espantarla, pero con la liña justa para que lo notara y tal."*

Marisco.—*Véase* Quilla.

Pulpear.—*"... iba fijo al puerto cada vez que llegaba barvo de las islas, veces por saludar a los paisanos, veces por ayudarse a vivir pulpiando en marisco fresco"*; *"la empezó a engoar un pollito... que a pesar de lo nuevillo pulpiaba como Casañas".*

Quilla.—*"Dio hoy tiempo con la quilla en este marisco un señor peninsulá"*; *"... después de un pleito de mil demonios... El suegro acabó con la quilla p'al marisco"*; *"mandar a echar arena en la calle de los amigos ricos cuando algún familiar de éstos entraba con la quilla en el marisco"*; *"al mou ha cogido una agitera de la entolláa y vengo asín con la quilla pa'l marisco".*

Rebencazo.—*"Le mete dos rebencazos al aire y el penco coge un trote"*; *"Le mete en los traseros al penco un justo rebencazo y sale a espetaperros".*

Rebenque.—*"Sentado en el pescante de su tartana, con la cara optimista y el rebenque suspendido."*

Recalada.—*"Toma su parte—dijo Soledad a su marido, tirándole delante las pesetas, según entró de recalada—"*; *"... y cuando venía la jarca de recaláa".*

Revirar.—*"¿Yo?—reviró Cristóbal, erizado como un muro con culos de botellas—"*; *"Traspuso, sin que se supiera de fijo si porque dio un mal paso con la muchachita y reviró en cuanto a remediarlo decentemente"*; *"se reviró como una panchona".*

Tarraya.—*"Mujer a la que echaba la tarraya era mujer lista."*

Timonear.—*"Monagas fue timoneando el asunto."*

Toletazo.—*"Algún grito y algún toletazo y listón"*; *" Ni las palabras de buena crianza, ni los toletazos, que buenos se los dio su padre trancado en la sala..., le mejoraron la camba del ser".*

Tolete.—*"Lo fue aguaitando [a un mono] con un tolete de*

riga procedente de un hueco de puerta, y del toletazo lo dejó en el sitio per omnia seculorum."

Trincar.—*"Cuando el insular regala un gallo de pelea, o anda dándole sus vueltas a una breva de a libra, o la tiene ya* trincada *por el bezo"*; *"Luego probaba el filo en la uña del dedo gordo y por último* trincaba *la brocha y fajaba a dar jabón..."*; *"El Mulo lo llamaron... por los zamarreos, achuchones y coces que daba si lo* trincaba *un guardia".*

Viaje.—*"Ustedes verán. De este* viaje *la jeringa la acalunia."*

Virar.—*"Cada día su carácter* virándose *más bolsa de calamar"*; *"Cristóbal se emperró de tal manera, usté, que hasta* viró *inapetente"*; *"...a quien el Señor quiera* virar *flores los pasos que dé"*; *"todo se* vira *negro allí donde pone la mano o la voluntad"*; *"Tenía un invento para* virar *dulce el agua de la marea".*

Y, como es natural, al frente de esta marea léxica que se adentra en el habla insular, se encuentra la misma voz marea: *"Y por hacer algo, señala pa la* marea"; *"Mi compadre Pepe Monagas, que fue siempre, aunque por* mareas, *aficionado a la compraventa de animalitos"; "dejándose llevar por la* marea de gente"; *"Partido de fútbol Marino-Victoria... La* marea *llegó hasta Tenerife"*; *"La* marea *de toda política la salvó Asunción mejor por reacción de abacoradas"; "Tenía un chiquillo tan esmirriado... que cualisquier* mareíta *lo tumbaba como una paja".*

Muchos más ejemplos de esta marca cultural se encuentran en el presente tomito de los Cuentos de Pepe Monagas. *Hay incluso párrafos enteros tan impregnados de mar como una red recién sacada del agua. Si no se registran aquí todas las impregnaciones marineras es para que el lector pueda tener el gusto de descubrir y saborear todas las que quedan; y para que el prólogo no llegue a ser lo que no debe: un bajo pesado y enfadoso a la entrada del puerto, en lugar de un fácil y ligero abalizamiento. Por esta misma razón se ha considerado impropia de este lugar toda consideración de carácter científico.*

JOSÉ PÉREZ VIDAL

1

DE CUANDO PEPE MONAGAS NO LE HIZO EL GUSTO A UN TURISTA

Turistas en puerto. Un barco con gente de pa fuera, grande y rubia, los hombres con cara de duraznos pelados y las mujeres cepilladas y caminando a zancazos. Monagas sale del muelle, sentado en el pescante de su tartana, con la cara optimista y el rebenque suspendido. Atrás, de viajero, viene un mister, con cara de niño grande. Le cruzan el pecho dos correas, de una de las cuales cuelgan unos anteojos y una cámara fotográfica de la otra.

El turista viene pa dentro, mirándolo todo con ojos que se le van a salir del casco. De vez en cuando, Pepe lo siente exclamar:

—¡Ou!—y un rezongo atrás en una lengua tan atravesada que va y nace uno donde él y estuviera hablando por señas, porque cualquiera la aprende.

Por ahí, a la altura del Parque de San Telmo, el mister toca a Monagas en un hombro y le hace señas de que pare. El isleño mete la retranca, empujando allá alante el brazo y reculando con todo el cuerpo, que con un pisco más sale por detrás.

—¡Siaiii... moreenoooo!

Se queda mirando el chone pal muelle de Don Benito. Y como si Pepe pudiera hacerse cargo, le habla:

—Kalimoyo jarrudti espiguosa tu carbuquesio sul la usborplat...

—Ji jiñóoo...!—le contesta Monagas en ayunas, con cara de guasa y sacando la voz por la nariz.

Y por hacer algo señala pa la marea y dice, dispuesto a esperar:

—Tire por ay pa abajo, a ve... A lo mejón se alcuentra una esquina güena y no hay guardias. Vaya, y jágase el perro, callao la boca, cristiano.

Dando zancadas con unos zapatos cuadrados, el mister alcan-

za el Parque, busca un rincón bonito que tiene al fondo la trasera de la ermita. Y tira una plaza. Luego retorna con una seriedad de cabecera de entierro. Sube, deja un momento al caballo
con las patas en el aire, y dice:

—Castamivo arragos eskua platkos rrua.

—Ji jiñó. A la Catedrá.

Chasquea la lengua Monagas, le mete dos rebencazos al aire
y el penco coge un trote, Triana alante.

Pa no cansarlo: la Catedral, la Plaza de Cairasco, los jarandinos, sétera. Y otra vez al muelle. Siempre en su lengua de mil
demonios, el turista, sacando unas libras esterlinas de la cartera,
dice:

—Helerimoti marroyor petit paled bero lipor fueyet arrrret
but.

—Deme sinco libras y no tiene náa que desíii—contesta Monagas, entendiendo que es un gusto.

Pero como el hombre se queda mirándolo perplejo con los billetes en la mano, Pepe se alonga desde el pescante, coge el fleje
de billetes y aparta cinco, devolviendo muy honrado el resto. Al
hombre de pa fuera se le ponen los ojos como chopas de vivero.
Le parece carísimo, a juzgar por la cara airada que saca.

—¡Nou pabriyonot, le santuyandé, nisla praventa...!—y saca
rápido un pequeño diccionario de bolsillo, cuyas páginas atrope-
lla buscando una palabra.

Monagas aprovecha, con una cara de zorrocloco que la coge
un prestamista y al año compra una casa de tres pisos, saca la
retranca, le mete en los traseros al penco un justo rebencazo y
sale a espetaperros. Cae atrás el mister, en una mano el diccionario, fechando con la otra contra el pecho la cámara y los anteojos y en la boca un grito con una sola palabra:

—¡Tagifá, tagifá, tagifá!

A la carrera y a los gritos se para la gente y sacude la modorra un guardia que pasa al golpito por frente a la Marquesina.
El municipal se hace cargo y manda parar la tartana. En seguida,
con la lengua fuera, llega el turista, en la boca la misma palabra:

—¡Tagifá, tagifá!

—¿Qué pasa?—pregunta calmoso el guardia.

—¡Oh! Antojos del hombre este...

—Nou pabriyonet, le santuyande, misla praventa...—repite
congestionado el extranjero—. ¡Tagifá, tagifá!

—¿De ónde es este cristiano, Pepe? ¿Tú lo entiendes?—dice
el guardia.

—Naturá que sí. Este hombre es de aquí delante, de una na-
sión que llaman Jibarbi, al sur de los Chirlos Mirlos.

—¡Tagifá!—se dirige, echándose arriba, el mister a la autoridad.

—¿Qué dise?

—Oh, que lo lleve a Tafira. ¡A estas horas, con la calor que jase y el caballo entregaíto! Ni jablar del asunto. ¡Váyase pal barco, no sea bobo! ¡Guardo elante!—y afloja la tartana.

Lejos, sostenido por el Municipal, el turista sigue gritando insistente y monótono:

—¡Tagifá, tagifá, tagifáaa...!

Monagas vuelve la cabeza, ya trasponiendo el muelle, con una expresión molesta en la cara:

—¡Vaya un guineo, mano!

2

DE CUANDO PEPE MONAGAS LE ACLARÓ A D. CARMELO LO QUE ERA UN GALLO *BARAJUNDA*

Hay un peculiarísimo regalo insular que determinado isleño suele hacer para agradecer un favor de los de "más nunca le pago", o para ablandar la caja del pecho al hombre oficial que puede echar una mano en la cuesta arriba de esta vida perra: el regalo de un gallo inglés. Cuando el insular regala un gallo de pelea, o anda dándole sus vueltas a una breva de a libra, o la tiene ya trincada por el beso de mala manera. Claro que, a veces, se mete el muerto —léase cachiporro o barajunda—, si no tiene a mano un animal de buen castío, o si la demostración de agradecimiento es para un Juan Pitín, o para un tabáiba, al que encima de un cuerno se le puede meter un cañazo.

Y esto ocurrió en el caso presente, que paso a endosarle como Dios pintó a Perico. Dio hay tiempo con la quilla en este marisco un señor peninsulá é, de Obras Públicas é, que casó aquí con la más vieja de don Plácido *Remeneo,* que le decían a é por un tembleque como el de las palomas de cola arta que se le pegó en el cuello, de un mal de huesos que dicen que le pegaron en no sé qué bujero. Don Carmelo, que así se llamaba el peninsular, le hizo no sé qué casta de favor a un maestro Ignacio Sambumbeátela, hombre de gallos, con un sombrero de peluche de pico-enrizado arrente de la boca que se necesita un dije pa él y hay que cogerle la caja de un despertador. Maestro Ignacio, que había sido y seguía siendo de lo más malamañado para doncellas, piñas y tratos, tenía también una perra de presa que era una curiela largando crías; y con una entaura tan respetable, usté, que cuando la sacaba a dar sus vueltitas le daban la acera hasta los matrimonios vestidos de negro. Don Carmelo, al recibir la insinuación de un regalo, pensó en una cría de aquella perra, criatura mal encarada y bardina. Pero su mujer, que era de Sevilla ella, le salió al camino de las intenciones con dos piedras en la mano:

—¿Pero tú va a meté en casa lo que dé de sí eso, pa qué? ¿Pa obligasnos a tené un médico de guardia?

Entonces maestro Ignacio le regaló un gallo inglés a don Carmelo.

El animalito era, como decimos, un *barajunda,* con una vena de palmero que las raspaúras y los puros al lado de él eran productos japoneses. Fachento —eso sí— era el mestisay, brillante de planta, pluma y canto, con una caída de alas y un rodeo que los coge de ajuste don Juan Tenorio y aumenta el censo como cargas de leña. Había que verlo empenicándose, que hasta las pollancas en la muda se le quedaban del golpe más anchas y mollares que una col de a peseta y media. ¡Aquel: "¡Tu, tu, tu cuuum...!" al rabo del ojo!

Pero todo era de escaparate. Dentro, en los reaños, donde hay que tener el coraje y lo otro, y fuera, al pie de las patas, donde hay que tener el filo y las intenciones de los que dan dinero a premio, ahí era más ruin que casne de pescueso.

Un día, por recomendación de un canario amigo, don Carmelo le pidió a Pepe Monagas que le ojeara el gallo y le gestionara la entrada en la gallera. Pepe fue a la azotea y de tan sólo un soslaire lo caló entero:

—Este es tan inglés como yo.

Pero se calló el pico. No era cosa de desilusionar de remplón al amo. El bicho era un castisay con más mezcla que la leche; o el vino perrero.

—¿Qué le parece a usted?

—Hombre... yooo...—se rascó el cogote Monagas—. ¿Qué quiere que le diga...? Yooo... Mire, vamos a llevárselo a maestro Manuel Candelas, que es el cuidadó, y él que lo atuse, que lo peche y que le diga, ¿oyó?

Salieron para la gallera, llena de cabras y de olor de cabras. Había allí la media docena de aficionados mirones que nunca faltan, dando vueltas, reencendiendo el virginio con la cabeza cambada, repasando parsimoniosos y zorros el "ganado". Maestro Manuel Candelas largó el gallo y le echó un vistazo.

—Fachento es, usté. Pero... Mire, de primeras, fíjese al canto atrás. Tiene una mopa como la flor de un cardo... Y fíjese el brillor de la pluma, cristiano. Hay que reparar también en esa golilla. Tiene plumerío pa un cabesal... Y lo encuentro enrisao, ¿entiende? Esto es una barajunda.

El señor peninsular no se enteraba de nada.

—Bueno, ¿pero por qué no lo pecha?—recomendó Monagas para aliviar la sorpresa de don Carmelo.

—Si es un antojo—observó indiferente Manuel Candelas.

Le colocó las botaras u orillas en las espuelas y lo soltó en la valla. El castisay dio la cara, echando facha por todos sitios, pero mirando pa los celajes. Y mientras, el melao que le pusieron en frente, después de aguaitarlo un pisco, le soltó dos cañazos que eran un gusto. Seguidamente se tiró a las varillas, loco como una cabra, con las patas más tiempo en el aire que en el piso.

—Se lo puede llevaɪ y comérselo—dijo Candelas devolviéndo-
lo muy serio.

—Bueno, pero...—pudo decir don Carmelo, aún sin haber entendido nada.

—Mire, lo voy a desengañar. Esto no es un gallo, sino un arrós
con pollo, entoavía sin el arrós, ¿usté entiende? Tiene mopa, o
sea plumerío atrás en un sitio feo; tiene golilla, o sea mucha
pluma en el totiso. ¿Se va dando cuenta? Tiene brillor en la pluma, como buen mestisay que es. Y está enrisao que más no puede. Náa más.

Don Carmelo hizo un gesto de estupor con la boca y salió con
Pepe, que portaba la secreta. Cuando bajaban el camino hacia
Lugo, don Carmelo preguntó:

—Bueno, señor Monagas. ¿Usted me quiere explicar lo que
dice ese hombre y lo que le pasa al gallo?

—Pos, mire —djole Pepe—: yo saco en limpio, según las vueltas que le ha dao él a la pluma y lo del enrisao, que usté ha llevao al animal a la peluquería *Juanito* pa que le jisieran la permanente.

3

DE CUANDO PEPE MONAGAS LE VAJIÓ UN BURRO A CRISTÓBAL *MORCILLA*

Mi compadre Pepe Monagas, que fue de siempre, aunque por mareas, aficionado a la compraventa de animalitos, le pegó una vez de modo particular, cuando la escasez grande de la gasolina, a los mulos flacos, a los caballos de tartana sin tartana y a los burros jediondos, que ningún gitano nacido endengó y celebró nunca con el pico y el gancho con que él lo hiciera. Todos recordamos cuando le metió un borrico tuerto de un ojo y con un brumero en el otro a un panadero de aquí de la Placetilla él, que cuando se lo vino a devolver, caliente, porque trastiaba como un viejecito del asilo, diciéndole a Monagas que qué iba a hacer él con un burro que no veía tres montados en un burro, se halló con que Pepe le recomendó que lo pusiera a vender los setenta iguales (1).

Pues por entonces le soltó otro burro penco de éstos a un tal Cristóbal *Morcilla*, que le decían a él porque criaba cochinos arriba en la Plataforma, y hacía luego sus morcillas con batata de ñema de güevo y jasta su poco de carne cochino, ya que era más la de gato, según diiísen: que se venían desapareciendo y la gente pegó a extrañar. Quería Cristóbal el animal para el acarreo de las fregaduras.

Monagas mercó el jumento pa un San Roque de Firgas, a donde había tirado con turrones. Al burro lo iban a desriscar, y por dos libras de turrón de gofio y una de Alicante (con azúcar, entreveraos), pasó a ser el amo de aquel carransio. Lo escondió en el traspatio de su casa del Risco, le fue dando rollón y raleritas livianas, pizco a pizco, no sea que lo estomagara la falta de arregosto; lo peló para que retoñara, lo lavó que casi agarra una gripe, le dio sus untaditas de ungüento soldado en las mataduras, que eran tantas que no andaban metido en un grito porque para aguante, caballeros, un burro; lo demás es bobería. Se dice que hasta llegó a ponerle sus inyecciones "de levantar" —alcanforado y porquerías de esas, que son porquerías, pero que al mou son buenas—. Un colchón viejo se le tendió, para que reposara los sueños y los huesos, todos en radiografía y sonando como palitroques.

Al cabo de un mes cogió el pollino una estampa que lo llevan a un baile y queda bien.

_____

(1) Véase cuento número 10 del tomo III (1970).

Con mucho cuidado lo puso a la puerta y pegó a decir que no lo vendía ni por nada, que si le tenía cariño, que si por esta vida que si por la otra: en fin, que lo quería para él. Un antojo, ¿oyó? Picó como un taía Cristóbal *Morcilla,* que más emperraba cuantimás remoloneaba Pepe.

—Por ser a usté, ¿oyó?, fíjese bien, por ser a ústé me desprendo del animáa...

Naturalmente, el vendedor se calló un vicio malamañado del pollino: padecía de calambres ende nuevito él. Le daban los tales en un anca trasera. Y cuando se atacaba se regañaba todo, igual que en los enralos, y ponía a dar brinquitos, como si estuviera bailando unas seguidillas. Si se atacaba en medio de una calle, bueno... ¡Con esperar a que se le quitara! Pero si lo cogía en el lomo de una ladera, mano, volteaba como una calabaza.

Sucedió que un día, recién vendido, bajaba el filósofo con su nuevo amo de la Plataforma, a donde subió con fregaduras. Y pasando un caminillo enladerado va y se ataca. ¡Pa qué fue aquello! Dio más vueltas que los fueguillos de Farray. Y cuando paró en un teso no se meneaba, molido como un centeno, toda destrozada la obra paciente de Monagas, que lo había aquellado como quien aquella una guitarra, con sus pizquitos de engrudo y sus manitas de barniz.

Como Dios le dio a entender, Cristóbal lo sacó del atolladero y se lo llevó medio a rastras hasta la puerta de Pepe Monagas. Traía tal calentura, que le temblaba el quejo como un fiebrón de los del canuto hasta la punta arriba.

Monagas asomó en la puerta:

—Ya se desafinó el requinto.

—¿Qué le parece a usté?—pudo resollar Cristóbal.

—Pos que eso no es pa mí, me parese. Eso es una avería gorda. Tienes que llevaslo lo menos a la casa Guermán, ¿oítes?

Como el otro pegó a dar gritos y eso, Pepe lo amorosó diciéndole:

—Mira, yo no te dije, porque se me fue del tino, que no asustaras al burro. Este burro es de Firgas, nasío y criao. Y una ves, diendo cargao de fueguillos pa la fiesta, se le ensendió fuego a una piesa, ¿oítes?, y le estralló al pién mesmo de las orejas un volaor de lágrimas. En después de eso, cada ves que lo asustan, agarra un estremesimiento como un cristiano... Tú has jas asustao al animáa...

—Ta bien... Pos mira, aparte eso, el pollino está molío de los salpasos que se ha dao en la laera. Te lo voy a poner güeno en un dos por tres, ¿oítes? Hay que bajiar al animáa. Ende que lo bajee coge una fuersa que ríete tú del fotingo de Molina.

Hay que explicar lo del "bajeo", por si acaso alguno de los

presentes ignora peso y contenido, como el otro que dice. Ciertos enfermos de dolores, de molimientos, de puntadas repentinas, curan como con la mano si el curandero o el amañado le aplica su aliento —el vajo, que llaman— impregnado de un batumerio fuerte: por ejemplo, de ron. Se cogen buches de ron y se va vajiando la parte jeringada, con algún sobón que otro entreverado, más o menos amoroso, según.

—Vete y tráeme una cuarta de ron—ordenó Monagas.

Cogió Pepe el primer buche y con él en la boca pegó a hacerle unas señas raras a Cristóbal, señalando los cuartos traseros.

—¿Cuáalo?—preguntaba hecho un lío *Morcilla*.

Monagas insistía en las señas y el otro no entendía. Entonces tenía que tragarse el buche y explicarle:

—Pero so animal, ¿no te estoy disiendo que levantes al burro de ay?—y cogía otro buche.

Se repetían las señas y Cristóbal, cada vez más torpe, no entendía. Monagas había de tragarse nuevamente el buche y volver a explicar.

Pa no cansar: hubo necesidad de mandar por dos cuartas de ron más, sin que Cristóbal pudiera enterarse qué cosas ordenaba Pepe con el buche en la boca y mudo. Ni que decir que Monagas acabó cuajado como un majano y Cristóbal sudando que un pato. Pepe, ya sin fuerzas, y con más apetito de una guitarra que de curar un burro, se volvió "caliente" para el *Morcilla* y se lo dijo:

—Con usté no se púee trabajar. Ni hamos curao el burro ni náa. Y arriba me ha dejao usté coger una templaera sin nesesiá denguna. ¡Dígame ustée!

4

DE CUANDO PEPE MONAGAS LE LEVANTÓ UN FALSO TESTIMONIO A UN PERRO INDINO QUE TUVO MAESTRO BARTOLO (1)

Además de la perra, una perrilla ratonera y chimba, más enralada que una taifa de las de ahora, maestro Bartolo tuvo un tiempo en su zapatería del barrio un perro inglés, con el rabo cortado y un labio regañado por el que asomaba un colmillo que no se llevaba paja y media con el cuerno de un torete. Grandote, bien cebado, duro de músculos, atravesado de vista y sabiendo más latín que un burro con la absoluta, le tenían chirgo en el barrio desde una gata parda de Pepe la *Jardúa,* que era famosa por su intensa voz de tiple en el mes de enero, hasta el vecino de más pelo en pecho. "¡Quite el perro, maestro Bartolo; quite el peerro...", solían decirle al viejo remendón los individuos. "O amárrelo corto, mire que ese perro lo desgrasia a usté un día, o desgrasia a cualisquier endeviduo..." Y es que *Pipiolo,* que así lo bautizó Bartolito, mordía callado y de cada chabascada se llevaba un bistec. O por lo menos una vuelta y vira.

Resulta de ser que la zapatería de maestro Bartolo estaba en un callejón por donde subía y bajaba arreo, camino de su casa, mi compadre Monagas. Era casi fatal el contacto con el malamañado perro. Y el *Pipiolo* la cogió con él, sin más palabras de acá ni de allá. En un principio, Pepe subía y bajaba y ni verlo lo veía, ya que no era animal que llamara la atención. Pero un día el *Pipiolo* le soltó un ronquido. Y echado, con la cabeza entre las patas delanteras, levantó unos ojos encarnizados que de su madre, la perra más tiesto que haya nacido en Fuera de la Portada, sacara. Con tales torinos ojos lo siguió hasta que traspuso en la esquina...

La amenaza fue en aumento. De aquel primer ronquido, el *Pipiolo* pasó a levantarse, con el lomo erizado, y el pedazo de rabo tieso, y a enseñar los colmillos, que provocaban una sensación de agua de porrón por el totizo abajo. "Oh, ya éstas son palabras mayores..."—se dijo Monagas por lo bajo. Y traspuso pensando: "Güeno, yo quisiera saber qué es lo que le he jecho yo al jediondo éste pa que primero me ronque y endispués se me engrife como un macho salema."

_____

(1) Véase cuento número 2 del tomo IV (1971), otra redacción con muchas variantes.

Esto fue a la subida. Cuando después de almuerzo bajaba, Pepe fue nuevamente amenazado. El perro se acercó ahora más de la cuenta, con la cabeza cambada, la boca entreabierta y saliendo por ella un gruñido que lo da de noche y no hay pomo que lo resista. Monagas le dio la cara, prudentemente, y cuando luego de aguantarle la primera embestida fue reculando, reculando sobre el mutis, le dijo así, estirando mucho la advertencia:

—¡Pipiolo, Pipiooooolo, mira que va y te alevanto un falso testimonio; Pipiooooolo...! ¡Mira véee y no te botes, por un si acaaaaso, Pipiooolo...!

El perro oía estos y otros apercibimientos, como dice la gente de la curia, como quien oye caer agüita serena; y seguía jeringando, haciendo una "guerra de nervios", como ahora se dice.

Se acercó un día Monagas a la puerta del remendón:

—Oiga, maestro Bartolo, palaaabra... Mire: ya se lo ha dicho al Pipiolo y más que repetido, ¿oyó? ¡Mire que va y le alevanto un farso testimonio a su perro, se lo digo! Recójalo, que es mejóo pa éee, y pa usté, que le tendrá su tecla. ¡Digo yooo!

El viejo zapatero aseguró que "no jasía naíta este mundo"; y Monagas se fue.

Un día Pipiolo pasó la raya. Abandonó la táctica de los gruñíos y se tiró al bulto, en plan de chabascada. Mi compadre, que nunca en la pasada le quitaba ojo, se afianzó contra la pared del callejón y, amarillo como la cera y con aspavientos de pies y manos, se lo quitó de arriba. En la salida del callejón, ya menos atabicado, casi sobre seguro, mi compadre se lo dijo una vez más:

—¡Yo te vengo disiendo, Pipiooolo, que no abuses, que te voy a levantáa un farso testimonio...! Güeno, ¡quiera Dios, madrina! Te lo vengo disiendo y como si náa. ¡Deja vée...!

Y sonó un día la hora fatal. Pipiolo, que al mou había decidido probar las carnes de Pepito Monagas, se hizo aquel mediodía el dormido. Cuando mi compadre asomó, entreabrió un ojo y lo caló. El perro se hallaba tendido a todo lo largo, con la cabeza entre los remos delanteros, que era su postura favorita. Pepe le creyó dormido y pasó con "planta de lana", que diría el señor Lope de Vega y Carpio. Se creía él que Pipiolo no lo advertiría... Pero de repente, mano, arma brinco el animal, y por lo que Monagas anduvo listo en un esfuerzo no le sacó de los traseros una lasca de bichillo que la pesan a como están las cosas y se dejan pedir por ella sus siete duros. ¡Yyy...! Pepe se revolvió, le sacudió unas patadas en vano y agarró del suelo dos buenas brimbas... El perro, japiando y embistiendo o reculando, según, se tiró un poco. Monagas advirtió entonces un frescor nuevo al canto abajo de la espalda. Se echó mano y se quedó alelado; le

colgaban dos jirones, uno de los calzones y otro de los calzoncillos:

—¡A, mal rayo...! Ya te llegó la hora, desgrasiao, que bastante que te lo tengo alvertío. Ahora vas a sabée tú lo que es
mojo con morena...

Estalló su viejo rencor. Pegó a gritar desaforadamente:

—¡Socorro, socorro...! ¡Socooooooorrooooo! ¡Un perro con la
rabia! ¡Rabia! ¡Perro rabioso, señooores! ¡El perro de maestro
Bartolo tiene la rabia!

Gritaba él, ladraba el *Pipiolo*, daba voces desde la puerta el
remendón diciendo que era una *acalunia*. Pegó a reunirse gente
y aumentó la bulla. Llegaron, de inclusive, dos guardias municipales, despacito y tal, pero arrimaron oportunos. Surgieron palos,
piedras y los dos sables de los guindillas. El viejo zapatero cla-
maba en vano:

—¡Déjenmennnn nal animáa, bandíioooos! ¿Habrase visto...?

Le dieron al *Pipiolo* cuero como quien lava. Hasta que Lorencito, el guardia, lo fue cuadrando, cuadrando, y ¡riaaán!, le
metió un sablazo arrente del tronco de la oreja que si llega a ser
de los simbólicos le saca veinte duros como un tote. *Pipiolo* dijo
tan solamente: "¡Guaiiim!, y cayó como un cortacapote. En los
últimos estirones, mi compadre Pepito Monagas se abrió paso y,
ya al pie del difunto, le dijo, dice:

—¿No te lo venía disiendo yooo? ¿No te lo venía disiendo,
desgrasiado, que te diba a levantá un farso testimonio? ¡Mira!

5

DE CUANDO PEPE MONAGAS TUVO UN ARRANQUE DE ENTUSIASMO OYENDO A UN TENOR DE ÓPERA Y LE DIJO A SU MUJER UNA COSA AL OÍDO

Como buen isleño, mi compadre era aficionado a la música, muy particularmente a la aplicada al teatro:

—Onde entra una güena compañía de ópera o de sarsuela, que se quite Beteoven y Chuben—había dicho Monagas un cierto día en la carpintería de maestro Manuel Lorenzo cuando se comentaba la noticia que traía *Diario de Las Palmas* acerca de la próxima visita de un conjunto de ópera.

—La vos humana, cabayeros—soltó solemne señor don Pedro el *Batatoso*, con el registro grave de las tertulias serias del Casino—, la vos humana es el istulmento más perfeto...

—No se dise "istulmento", señor don Pedro, y dispense...

—¿Cómo ha dicho yo?

—"Istulmento".

—¡Esas son mentiras suyas!

Terció maestro Manuel:

—No hay palabra mal dicha, sino mal comprendida, cabayeros. ¡Déjense de piliques...!

Mi compadre y algunos de sus amigos se encaramaban al canto arriba del Teatro, casi pegando al techo. La pureza de la audición era así perfecta. Ningún accidente distraía el curso y las bellezas de las partituras. ¡Qué diferencia la de esta congregación de espectadores de los altos con la del patio! Todo distraía abajo: los palcos, llenos de señoras gordas, empolvadas como cucas, con impertinentes, cadenas y collares para parar una guagua, y de pollonas, buenos guayabos, eso sí, como los trajes de San Pedro Mártir o del sarao de Candelaria; el olor a esencia, alguno entreverado y tan recio que mareaba tanto como un correíllo; las propias artistas, pegadas de las narices, cuyos peinados, tocados, afeites y toiletas merecían casi más atención que las divinas creaciones líricas interpretadas; ¡la pesca de güitos!—ji jiñóoo...—, que había quien se pasaba la noche acechando a las tiples a ver hacia qué butaca tiraban el ojo lánguido al tiempo de cantar una romanza de amor...

Una vez vino a Las Palmas Stagno. Mucha gente, particularmente la pollería nueva, debe estar ignorante de quién fue este

Stagno. Pues fue un famoso tenor, tan bueno que resultaba peligroso... ¡Díiicen! que hubo señora que pegó a abanarse, a abanarse mientras él cantaba, con aquella voz de meloja, con aquella emoción de bienmesabe de Tejeda, con aquel sentimiento de guitarra del país... hasta tenerse que ir...

—Me ha puesto mala, Sebastián... ¡Ay!

—¿Qué es lo que tienes ahora?

—Una fatiga, una fatiga que se me ha metido...

—¡Bah! Del calor, que hay levante... Eso se te pasa en seguidita, niña.

—¡Ay...! Que no... Me quiero ir...

—Pero, mujer, ¿y me vas a dejar con el gusto en la boca...?

—¡Que me quiero ir, te digo...!

Y el matrimonio trasponía, clavado por veinticinco o treinta pequeños anteojos debajo de cada uno de los cuales se dibujaba una sonrisita, una sonrisita...

Stagno, en cuyo honor se dio su nombre a la plazoleta que rodea el teatro *Pérez Galdós*, desmayaba a las señoras y arrebataba a los hombres. Oyéndolo embelesados, éstos comprendían que cualquier mujer se desmadejara toda como la lana de hacer punto. De pie, como si fuera en la guagua, los públicos ovacionaban al tenor, que sonreía exquisito y se inclinaba gentil, saludando que era un gusto...

Mi compadre no se lo perdió ninguna noche. ¡Ta loco! Y fue tan grande su entusiasmo que él, que siempre salía solo, convidó a mi comadre Soledad a que lo acompañara a Paraíso. Mi comadre se dio una buena mano de aceite en la mata de pelo, se repeinó bien para atrás, que hasta la cabeza le dolía, se trincó el moño con más manejos y horquillas que nunca y salió con su marido, cogida del brazo y todo.

Cantaba Stagno aquella noche *Hugonotes*. Fue todo un delirio, que culminó cuando el cantantes remató divinamente el *racconto*. Las palmas echaban humo y los caballeros de los palcos que habían estado pa fuera y aprendido en ambiente de la otra banda de la marea cierto repertorio de reacciones entusiastas, gritaban con los bigotes temblorosos y los ojos como chopas de las lágrimas: "¡Bravooo!" "¡Bravísimooo!"

Cuando aflojó un pizco la delirante salva de aplausos y tal, mi compadre se inclinó al oído de Soledaíta y le dijo, dice:

—Cucha, Soleá: si tú me vieras sío infiel con ese hombre, era capás que te lo perdonaba...

6

DE CUANDO PEPE MONAGAS EMPALMÓ UNA CHISPA

La jarca de la carpintería de maestro Manuel Lorenzo solía, algún domingo, o algún festivo entre semana, reunirse en una casita que el viejo carpintero tenía en San Cristóbal, ahí por Los Barquitos. Se salía a la mar temprano a pescar un caldo de viejas —"¡Cuidao con un caldo de viejas, cabayeros!"— exclamaba para ponderarlo señor don Pedro el *Batatoso*—, o si no cuadraba ese quehacer, se compraba ca Marcelita un cherne que estuviera bueno con vistas a un sancocho. La rumantela acababa, generalmente, en chispa, pero a la Oración casi todos los tertuliantes estaban de vuelta a sus casas, menos alguno al que se le iba el baifo y acababa donde no debía...

Un cierto día pegó a notarse que maestro Manuel Lorenzo le escurría el bulto a esas reuniones.

—¿Vamos a dirlos el domingo que viene pa abajo, pa tu casita, estooo, Manuée, y los comemos su cardito de viejas, como el que no quiere la cosa...?—sugería por ejemplo maestro Rafael, un viejo animoso, de la misma quinta de maestro Manuel y que casi siempre soliviantaba el rancho.

—¿El domingo...? No. El domingo no pueo yo.

A los pocos días:

—Oye, estooo... Manueliyo, ahora el viesnes es fiesta de respeto, ¿oítes? ¿Por qué no los vamos pa abajo pa tu casa a un sancochito y eso, ¿eh?

—El viesnes no pueo yo...

—¿Pero qué es lo que te pasa a ti de poco pa acá?—le preguntaba con cierta irritación señor don Pedro.

Y cargaba también don Miguel:

—Síiii... De poco pa acá te vienes royendo el cabo, Manuée Lorenso...

—Si tú no quieres que váigamos a tu casa, ¿oítes?, lo dises tranquilamente y listón—añadía Monagas—. ¿Tú tienes algún piqui o algún sentimiento o...?

—¡Ta loco, ...mbre! Es que no pueo porque estooo... porque me han salío unos cachiyos por fuera ¿tienden?, algunos endengues particulares y eso y tengo que atendeslos, que las cosas no están pa desperdisiar los cáidos...

No se volvió a hablar de ir a San Cristóbal lo menos en dos meses y medio. Al cabo de ese tiempo, cuarta más, cuarta menos, maestro Manuel invitó, todo privado:

—Señores, mañana domingo, si Dios quiere, podemos dir pa abajo pa mi casa...

—¡Oh! ¿Ya se te quitó el amulamiento?—díjole mi compadre Monagas.

—Yo no ha tenido amulamiento maldito, en buena fe... Lo que ha tenido es una sorpresa. ¡Un gayito tapao, mano Peeepe...! ¡Mañana hay que dir pa abajo...!

El gallito tapao era un bote. Maestro Manuel cogió un barrenillo con la construcción de un bote de carreras un domingo que navegaban en pega el *Tomás* y el *Faycán*. Se trancó la idea y aprovechó todas las horas y todos los festivos con verdadera fiebre. Cuando la embarcación estaba casi lista convidó a la jarca.

La reunión fue un acontecimiento. El bote era una cosa asiada y prometía ser tan marinero como el *Morales,* si no le echaba la pata alante. El efecto de la sorpresa y las cosas crearon un clima de entusiasmo del que nació la idea de constituir una sociedad para correr el bote. Quedó la cosa en firme. Fue nombrado Presidente, como hombre de cuartos, señor don Pedro. Mi compadre Monagas pidió un puesto en la tripulación. Y se convino en hablarle para patrón a maestro Nicolás Oramas, que aunque llevaba tiempo retirado, cuanto se traquiara un pizco, le iba a dar pos los besos a su pariente y demás patrones.

La primera pecha del *Timagada,* que así lo bautizaron, fue un acontecimiento, tanto por el resultado como por lo que se discutió la técnica de la carrera. El bote hizo la travesía al revés del pepino, o séase en contra de lo que iban esperando los entendidos desde la costa. "Ahora tumba pa tierra"—decía, por ejemplo, Cristóbal *Salema,* el de Fuera la Portada, que era un verdadero sabijondo en el asuntote... Y el bote tumbaba pa la mar. Después se dijo, desde luego por boca de envidiosos y de rascados, que el patrón estaba templado y que, por ejemplo, el tripulante Pepe Monagas cambiaba los cabos al revés de como le decían y hasta que se había caído al agua porque se le enredó uno en un tobillo al hacer una maniobra y lo jincó a la marea con ropa y todo.

La rasquera de los del otro bote no cabía dentro de la caldera de Bandama. Aquella misma noche presentaron un desafío al *Timagada* para el jueves siguiente, con apuestas de mil pesetitas. Quedó la pega casada. Y después hubo una junta medio solemne, de la que estuvo a punto de salir una terrible prohibición: que los tripulantes y el patróon claro, se fueran a acostar e hicieran hasta la hora de la competición una vida recogida, sin una sola copa y sin trasnochar. La gente no protestó, pero se amuló, que ya se sabe: el isleño se tranca como un tote, pero por dentro está que una tunera de tunos colorados es una mopa, en comparación.

En vista de que ello podría ser contraproducente, el secretario, un tal Eusebito de aquí de la calle la Cuna, propuso que se autorizara a la gente a celebrar aquella noche el triunfo, pero con el compromiso de que antes de hora de churros estaba todo Dios en el catre. Así lo prometieron Monagas y los demás, y traspusieron. Llevaban quinientas pesetas, parte de lo ganado en la apuesta, para tirarlas como mejor cuadrara. La chispa fue más que una chispa: fue una fogalera de víspera de San Juan. A las cuatro estaban casi todos medio caídos, regados por las esquinas, durmiendo en plena calle la apipada de ron con mezcla que se dieron. Mi compadre seguía en pie. Allá pa las seis de la mañana se encontró en el Tinglado a Venturilla el *Táita,* que había ido a la cola de la casne y a comprar unos tomates por encargo de su madrina, una señora de aquí de Vegueta donde su madre sirvió desde pollona hasta que entregó. Fueron pal jinojo la carne y los tomates. Ventura, al que se le calentaba el pico con dos copas tan solamente, se pegó como una lapa. Y hasta vendió el cesto de la madrina en siete perras y media...

La pega era, como se ha dicho, el jueves... Pues el miércoles... Iba para el puerto, ay a las ocho y media de la mañana a trabajar en una casa de barcos, donde estaba colocado, el secretario de la junta del nuevo bote: Eusebito, el de la calle de la Cuna. Mandaron a parar la guagua en Lugo. Y con unas ojeras que eran un luto por una madre, los ojos medio en blanco, la boca enralada y la camisa por fuera, templado como un requinto, en fin, subióse mi compadre Manogas, seguido de Venturilla el *Táita,* que venía de la misma guisa, pizco más, pizco menos. Eusebito, apasionadillo y muy formal él, se quedó del color de un albaricoque. Mi compadre lo vio entre el brumero de la torta de tres días que llevaba arriba. Le sentó mal, pero disimuló...

—Buenas, Usebito... y la compaña... ¿Qué vuerta por Las Parmas...? Yo bien... ¿Y los suyos...?

A Eusebito se le cambió el color de albaricoque por uno de ciruela negra. Y masculló, sombrío:

—Se nesesita ser jediondo...

—Sss... No se bote, usté, Usebito, que yo no ha fartao a mi compromiso, ¿oyó?...

—¡Cáyese! ¡Mejor le diera vergüensa...! Se dijo de enchisparse una ves sola, el domingo, pa amaneser el lunes. ¡Y listón!

—Yo ha cumplido mi palabra, señóoo... Una ves sola, ji jiñóoo... Usté se está creyendo que esta es otra chispa, ¿no? Pos mire que le digo: es la misma, ¿tiende? Sólo que bien despachaíta...

7

DE CUANDO PEPE MONAGAS TUVO UN PIQUE CON MAESTRO ANDRÉS EL *SAJONAO* Y SE MUDÚ PA LA BARBERÍA DE MAESTRO CHANO

Maestro Chano perteneció a una familia de tendero, gente decente ella. Fue el último de los nueve hermanos que sus padres trajeron a partirse el espinazo a este "mundo jediondo", como decía maestro Fernando, el inolvidable sochantre. Cinco del rancho fueron hembras y casaron, mal que bien, bastante nuevas todavía. De los cuatro varones, Chanillo salió revirariote, cargado de espaldaraje, más bien cabezudo. Le dio por discutir de religión en la mesa, con lo que maestro Rafael, su padre, agarraba unas calenturas que hasta paños de vinagre había que ponerle en la frente. Otras ocasiones planteaba problemas éticos en relación con las tradicionales devotas costumbres del autor de sus días.

—No comprendo bien—decía—tanto golpe de pecho y dispués venga a robar en el peso, como si fuera naturáa...

—¡Cállate la boca, desgrasiao, que me vas a desgrasiá...!—gritaba con todo el totizo rojo maestro Rafael.

Pasaba que Chanillo se creía inteligente. Le había dado por que tenía temperamento y talento de escritor. Amarrado y jeringado por la necesidad. tuvo que jincarse un mandil y ponerse detrás del mostrador a aguantar llamadas: "A espacháaaa, usté, Chanito"; e impertinencias: "Pese bien, cristiano, que se va a quear entullío de las manos... premítalo Dios". El no quería ser tendero. El quería ser. por lo menos, periodista.

Naturalmente, su padre no estaba dispuesto a mantenerlo en un colegio particular aprendiendo la media docena de cosas mal aprendidas que sabemos los periodistas. Exclamaba el viejo:

—¡Periodista, periodista! ¡Sale pa allá, vagañete...! Pa estar de alcagüete dispués, llevando y trayendo chismes como un alcagüete. ¡Sale pa allá!

Chanillo le dio vueltas a la cabeza. Y una noche en un desvelo, se le vino al coco una idea torina: se haría tipógrafo y al soco de tal profesión, iría metiéndose, metiéndose hasta alcanzar la redacción. Consiguió entrar de aprendiz en un periódico de la madrugada. Así pudo hacer el aprendizaje a escondidas de su padre, en las primeras horas de la noche, sin faltar a sus deberes de dependiente de ultramarinos. Un día, al fin, lo colocaron en el taller del diario y Chanillo llegó a la casa como un gallo quíquere.

Pero poco le duró el contento. A los cuatro o cinco meses se peleó, por causa de su carácter de tunera colorada, con el patrón y lo echaron a la calle como agua sucia. Para remate, en su casa le cayeron arriba cual piedra de molino. Amargo y sombrío por el fracaso, agarró una noche un barco que salía para Buenos Aires y traspuso en él de polizón.

Allá estuvo qué sé yo la de años, aguantando más miserias que una sábana de abajo. Muerto de hambre acabó mereciendo la compasión de un barbero, cuya abuela era de Santa Cruz y que por casi paisanaje lo colocó en su taller. Chano se resignó, aprendió el oficio y pelando y afeitando gauchos anduvo una jurria de años. También se peleó con el maestro chicharrero y tiró entonces para Montevideo, donde enchufó en otra barbería. Cada día su carácter virándose más bolsa de calamar. No hablaba sino para llevar la contraria al cliente. Del resto era un torreón de la Cícer... con un solo alivio: leer, que se llevaba los libros como rosquilla.

Cansado de las Américas, maestro Chano decidió coger un día el portante y volver a Canarias. Sin maleta siquiera en donde meter los cuatro trapos que tenía, consiguióse una lata de belmontina y allí apretujó sus vestidos y herramientas. Se fue al muelle, y como el barco no estaba para salir, se puso a leer. Leyendo, leyendo, sintió una sirena, y leyendo, leyendo, echó a caminar y se coló en el barco. Cuando éste llevaba su par de horas largas de navegación, se presentó a maestro Chano un marino:

—¿Usté dónde va?—le preguntó.

—¿Yo? Pa Las Parmas.

Le pusieron una escoba y un balde en las manos y ¡a fregar la cubierta se ha dicho! Habíase equivocado —leyendo, leyendo— y se había metido en otro navío, uno cargado de reses que iba de Buenos Aires para Liverpool.

Al fin recaló en su tierra. A poco alquiló un cuartito en la calle Real y puso su barbería, que fue mejorando luego con los ingresos.

* * *

Mi compadre Monagas era de viejo cliente de maestro Andrés el *Sajonao*. Pero un sábado por la noche, Pepe y maestro Andrés se calentaron por una discusión acerca de gallos ingleses. Amulóse Pepe y se mudó pa ca maestro Chano. Era aquella una barbería triste, donde apenas se podía hablar. Ni había damero, ni el maestro punteaba por un requinto una isita del cinco, ni se armaba el choteíto con algún peludo, o algún chiflado de la clientela... Monagas intentaba darle conversación al barbero:

—¿Se ha fijao la calor que se ha metío, mastro Chano?

—Hum-hum—replicaba, sequito como un palo, el maestro, y le ponía el dedo gordo en la nariz para afeitarlo a su gusto, quitándole, arriba, el resuello.

La operación preparatoria del afeitado era casi la de un ajusticiamiento. Maestro Chano agarraba el paño blanco, lo sacudía solemne, se lo ponía a Pepe bien metido en el cogote. Cogía después, lleno de majestad, la navaja y pegaba a afilarla en silencio, con los ojos como un funeral de primera. Luego probaba el filo en la uña del dedo gordo y por último trincaba la brocha y fajaba a dar jabón, hasta dejar la cara como cuando le ponen a uno una inyección para sacarle una muela. Si Monagas tenía prisa no se atrevía a decírselo, no sea que se calentara y le diera por apretar la navaja en el gallillo... Casi siempre sacaba lasca, o por lo menos abría raja en algún sitio, con preferencia al pie del tronco de la oreja, aparte de lo escaldada que se quedaba la cara toda. Otra particularidad era la de los movimientos impuestos a la cabeza por las manos serias y férreas de maestro Chano. Trincaba al cristiano por el cogote, con los dedos gordos aplicados en los resuellos de la nariz, y doblaba para donde quería. Si distraído el individuo iba enderezándose, enderezándose, maestro Chano lo miraba fijamente, fijamente, largaba un instante la navaja y agarraba de nuevo la cabeza, que colocaba ahora sacudiéndola con firmeza un par de veces en el sitio deseado.

Pepito Monagas se hartó. Salía de cada afeitada todo molido y con el pomo descompuesto... "No voy más aunque me lo jaga de gratis"—se dijo. Y no apareció más.

Cierto domingo por la mañana mi compadre se encontró en los Poyos de San Telmo a maestro Chano, callado, vestido de negro, con dos o tres viejos más, que no habrían, como él, la boca ni para decir: "Se va a meter levante, por los moos". Cuando el barbero lo vio, se desprendió del grupo y llamó a Monagas:

—Oiga, Pepito, palabra...

—Oh, mastro Chano. Usté dirá...

—He oselvao que usté no se deja caer ya por la balbería.

—Sí... Es que yo, ¿sabe?, yooo...

—Eso no se jase. Usté no tiene formalidá pa náa. Me lo suponía... Adiós.

—¡Pero venga acá, cristiano...!

—¡Sss...! Ni una palabra. De hoy en adelante le retiro la amistá. Listón.

—Ta bien. Pero cuche una cosa y no se la eche, ¿oyó? ¿Quiere sabé por qué dejé de di a su barbería...? Porque usté no es barbero.

—¿Qué...!!!?—replicó tremante maestro Chano, que se creía un maestro indiscutible—. ¿Que no soy barbero?

—No, señó.

—¿Pos qué soy entonses?

—¿Usté? ¡La máquina de la china afiláa por la parte alante!

8

DE CUANDO PEPE MONAGAS TENÍA 10.000 PESOS EN LA HABANA

En aquel famoso viaje a La Habana le pasó a mi compadre Pepe Monagas un percance que invita la pena contarlo. Cuando estaba en vías de venirse de arrancada pa Las Palmas, porque las cosas seguían más verdes que las uvas del cura, llegó al Morro a bordo del *Valbanera*, que luego se fue a pique cuando iba pa Santiago, un tal Manuel *Sarimpenque*, de ay de la raya del Carrisal él. Atracó a Cubita la bella el isleño, más serrero que un arado americano, con el habla turbia y bronca, diciendo "pa rría" que era un gusto, los dedos de las manos como plátanos mayeros y el aire palurdo a fuerza de estar siempre callado como un tocino y jalando por los zapatos herrados, que unas veces por tachas de cabeza y otras por barrizales era cada uno como una losa de barranco. Pero, eso sí, dispuesto a partirse el pecho guataquiando caña en los ingenios y cantando guajiras con voz fañosa, pero con sentimiento.

Monagas, que iba fijo al puerto cada vez que llegaba barco de las islas, veces por saludar a los paisanos, veces por ayudarse a vivir pulpiando en marisco fresco, no lo conocía, y no obstante le metió un abrazo de reculada de casnero que el isleño se quedó en los filos del Morro, si cae, si no cae a la marea.

—Yo ha visto su cara en algún sitio, maaano—le dijo en seguida para aliviar la mirada zorra y desconfiada del viajero, que se le quedó ojeándolo con la cabeza cambada—. ¡Cristiano, en alguna fiesta, cuando día yo con el turrón! ¡Miusté!... ¿Y qué güelta por Las Palmas...? ¡Digo por La Bana!

Pepe lo llevó a comer, comió él también y sétera. Luego hablaron de negocios... El insular iba pa adentro a emplearse a fondo, chico, machete en mano, el resuello trincado y la tajarria —volgo cinto— en el bujero de la punta atrás. El no sabía nada de pluma, pero él volvía pal Carrisal con un baúl enchapado, centenes en un banco, dos dientes de oro, una chaqueta blanca rajada atrás y una cadena de reloj con un peso colgando, que si se ofrecía servía pa estacar una cabra en una punta de legumbres.

Pepillo, echando facha, le propuso un asuntillo: sociedad comercial que te pego, uno aportando la fuerza bruta —quiere decirse la parte industrial— y otro aportando la parte de pluma, séase la inteligencia, el reburujón, las relaciones y sétera...

—Usté va pa adentro, ¿entiende?, corta caña como quien tuesta y lleva al molino, que pa eso trae brasos, manda los cuartos aquí, a mí; yo los ingreso en un banco, junto con los míos, y cuando téngamos una puñaíta buena, montamos una pulpería, como disen acá, chico. ¿Qué hubo?

El hombre del Carrisal agachó el morro, se rascó el totizo y preguntó atorrado:

—¿Y vusté, de qué lo gana, si se puei sabel?

—Compra y venta—replicó rápido Pepe.

Cómo fue no se ha sabido nunca. Lo cierto es que lo engoó. Monagas resultaba teniendo en el City Bank 5.000 pesos limpitos de polvo y paja. El otro principió a mandar perras y perras, hasta que su cuenta se niveló con la inventada de Pepe. Y un día, sin más recao ni más mandao, llegó a la capital. Monagas se quedó asmado y por disimular le armó una fiesta de recibimiento.

—Ta más gordo—le dijo entre otros halagos.

—Pos jello—se dejó decir el maúro.

Hablaron de negocios. Pepe había puesto el dinero del socio en el Banco del Canadá y el de él, en el City Bank. Lo triste es que no eran cinco mil pesos, sino ¡cinco!, sequitos como un palo, que arriba pidió prestados para abrir esa cuenta corriente.

Llegaron a la ventanilla. Pepe formalizó la cosa y habló de retirar "sus" 5.000 pesos. El empleado, después de rebuscar papeles y libros, se acercó y dijo:

—Usted debe estar equivocado, isleño. Aquí no reza usted sino con cinco pesos.

—¿Qué dise usté?—gritó Monagas en el colmo del asombro y la ira—. ¡Ya me robaron!

Y empezó a armar tal griterío que el Banco era como si viera parío la gallera, del genterío que se reunió. Haciendo un teatro que lo coge Borrás y se empaja, puso la entidad de caldo y cocina. Que si ladrones, que si estafadores, que si jediondos. El público aglomerado pegó a ponerse de su parte.

—Tiene rasón el hombre, guajiro. Esto es una cueva, chico. Y el cubano se jeringa.

Llegó la bulla a la dirección cuando el Director sostenía una importante conferencia con un colega. El cajero se presentó demudado y contó, lleno de alarma por el desprestigio y demás repercusiones del incidente.

—La gente se ha puesto de su parte y todo el mundo cree que lo hemos estafado.

El Director del otro banco tuvo una idea. Salió, se acercó a Monagas, que estaba echando espuma, con el maúro a la banda dispuesto a entrar al gajazo, y le dijo:

—Venga usted conmigo. Sus 5.000 pesos no están aquí. Recuerde que los puso usted en mi banco semanas pasadas.

Monagas lo miró, un momento, pero reponiéndose díjole rápido y como una lechuga:

—¡Esos son otros cinco mil!

9

DE CUANDO PEPE MONAGAS LE SACÓ EL SENTIDO A UNA CARTA DE LA HABANA

Un hijo de Rafaelito el *Tiendero*, Cristóbal, el más viejo de ellos, salió —por una vena mala de la abuela materna, según decía el padre cuando se ponía rabasquiniento con su señora por mor de la cría— atravesado como espina en gaznate. Gacho de morros, espeso de cejas, recortado y bronco de conversación, ni las palabras de buena crianza, ni los toletazos, que buenos se los metió el padre trancado en la sala, hasta dejarlo en ocasiones sin tino, blando de huesos y azul como un terno de los domingos el cuero, le mejoraron la camba del ser, con más de mulo que de cristiano. Lo pusieron en la Escuela de Comercio y una vez, porque le jincaron su "catre" en caligrafía, acechó en el Toril al profesor y le metió una pedrada que si no llega a darle en el lazo del sombrero —que Dios libre y guarde— lo liquida. Otra vez, yendo por Triana en la hora del relajo, paseo arriba, paseo abajo, que llegaba a la casa amarillo y enteco como un manojo de avenas, una guagua con un chófer matón, de esos a los que les jeringa el paseíto de la prima, se le vino arriba y acertó a darle un tope. Pero cosa de nada, como la cabesada de un mulo. ¡Pa qué fue aquello! El no dijo palabra: se fue arriba de la guagua y estuvo dándole patadas delante hasta que hizo gofiio los faros y dejó incrustados en el radiador la punta y media suela del zapato izquierdo, porque era zurdo perdido. Y eran tan grandes las encochinadas, que había que llevarlo a la casa de socorro y tenerlo después un día en cama con las ventanas cerradas y caminando a punta pien.

—¿Y su jijo, Rafaelito?—le preguntaban, adulonas, las mujeres al padre en la hora del despacho.

—Mire, mejor es que no me lo nombre, ¿oyó? ¡Eso es un animal, cristiana! Como lo era la agüela, mi suegra. ¡Floja mula!

Un día Cristóbal se enamorisquió de mala manera de una Lucía que vivía arriba, detrás de la casa, escachadilla ella, moreneta ella, con unas ojeras como un luto por una madre. La niña no tenía más tomateros que los de una maceta en la azoteílla, pero era decentita, que no hay que quitárselo. Bastante recogida ella, hasta el extremo que la quitaron de la costura porque había allí una muchacha que estaba en boca. De alegatos, desde luego, pero en boca.

Bien porque él era mulo hasta enamorándose, bien porque ella tenía un déjame entrar, Cristóbal se emperró de tal manera, usté, que hasta viró inapetente, él, que agarraba de ajuste un caldo de casne cochino para cinco, cuatro panes del campo, una borsolana de las medianas de gofio amasado, con su tocinito, y su medio cesto de tunitos de la Breña y se los jilbanaba, mano, sin un resoplido ni un pizco de bicarbonato.

Asomó en seguida la discordia, que hasta entonces fue capoteando la madre, medianera buena porque ella era el palo de la cuña. Y resultaba que la misma doña Rosario, como la llamaban con retintín sus clientes, fue quien ahora la provocó, cuadrándose como un ropero de tea frente al hijo enamorado. Ella no era gustante de aquel amorío que venía a mezclar a una cualquiera en su familia, tienderos, sí, pero de lo mejorcito de su pueblo, y a estropearle sus ilusiones de ver al hijo casado con una muchachita que supiera de pluma, maestra, un poner; o alguna niña de sociedad que viviera del barranco pa dentro y sin rebasar el Camino Nuevo.

¡Lo que doña Rosario batalló, lo que esa mujer intrigó, caballeros!; los jocicones que ese bicho hizo, que hasta el pescuezo llegó a dolerle, y los portazos que le tiró a la niña y a su parentela si le pasaban por delante, gritándoles como una aguililla: "¿De cuándo aónde?"

Y Cristóbal, emperrado, cada vez más emperrado.

—¿Pa qué se entremete usté, señooora? ¿Pa qué no sigue su camino pa la cosina y me deja el alma quieta? ¿Usté es la que se va a casá o yo? ¡Tonseees! ¡Fartaría máaas!

Replicaba la madre, empenicada en un esperrido que lo agarra doña María Guerrero, que en paz descanse, y hay que remendar el teatro al siguiente día:

—¡Muerto! ¿Oítes? ¡Muerto en medio de la casa, con cuatro velas de sera y una llantina, primeeeeeeeeroooooo! ¿Oítes?—cogía resuello y reviraba—. ¿Y con qué te vas a casáa, desgrasiáaaao? ¿Con quéee? ¡Si la metes asquí endendro, le siego el pescueso como a un baifo, que tú serás mulo, pero yo soy tu madre!

Una noche, estando él mosiando, Rafaelito encendió una vela nueva, detalle solemne que sacaba la casa de las penumbras del aceite en días sonados, cuando venía el medianero a engañarlo con las cuentas, o había visita de cumplido. Despacio la puso en una mesilla liviana que centraba la habitación y se sentó despacio en la punta de la cama. Y habló con voz de trato de feria:

—Mira, Rosario, te voy a desir, ¿oítes?, que estos escorrosos tuyos con tu jijo ya son un choteo y una afrenta y jasta una merma pal negosio. Y tiene que concluir, ¿oítes?

—Masiao que sí.

—Sí, masiao que sí, pero usté no lo endenga, sino que lo empotaja caa día más: esperrío va, esperrío viene, que ya da de cara!

—¿Y pa qué no lo arreglas tú, que sos el que cargas los calsones?

—¡Los calsones! Cuando te conviene te los quitas y me los vuelves a ponée... Toa la vía maneja que maneja y aguanta Rafaée... Güeno, lo sierto es que yo ha desidío virar la tosna, ¿oyó, y pa eso la ha llamao a usté, pa que tenga conosimiento—una pausa grave, que marca con un sombrajo una mariposa menuda chamuscada al pronto en la vela—. Cristóbal se tiene que dir a Cuba...

—¿Cuálo...?

—¡Déjeme termináaa, señooora! Esta es la única forma de que se le quite el barrenillo. Yo le escribo a mi hermano Manuée pa que me lo meta en el igenio, y si a mano viene me lo case con la jija Consuelo, que me parese que de las tres del retrato es la que está vestía de blanco, gordita ella...

Rafaelito se apalabró con un indiano recién recalado de Bana, el cual se presentó un día haciéndose pasar por un enviado de Manuel, hombre de mucha caña dulce en la provincia de Matanzas. Manuel resultaba recomendando el envío urgente de Cristóbal para hacerse cargo de un ingenio que había comprado en Vuelta Abajo.

El muchacho picó como un batata, cogió el portante y ojos que te vieron dir.

* * *

Un día, al cabo de los años miles, llegó una carta de La Habana. Cristóbal había por fin escrito, después de estar tupido qué sé yo la de tiempo. Al mou su tío Manuel lo convenció para que no fuera brutito y pusiera dos letras. Pero sobre la mala gana, la letra del pollo nunca fue ni grande ni clara. Menuda y enredada como un zarzal, entenderla costaba una calentura y una aspirina. Se pegó con ella la primera doña Rosario. Nada. La tuvo que largar. Pasó a manos de Rafaelito. Nada.

—Esto no es letra. Esto es un majano, usté...—rezongó el viejo.

Llamaron a Felipe, un galletón que estaba ca los Padritos. Felipe, que era fachentillo, se puso a la lectura muy animoso. Y entró con buena pata:

—"Labana, 3 de marso de 1937—empezó leyendo—. Querido padres y ermanoz deceo que al rressivo de la presente sejallen todos gocando buena salú comoeste mi corason lo deceba. Llo vien grasia adio. Padre eta e pa dezile ya madre tamién que... que... que...

—Ya se tupió...—gruñó Rafaelito, que, hecho un garabato encima de la vela y con la oreja puesta, seguía la lectura.

—¡Cállate, niño, no lo abacores!

—¡Y pague usté colegios! Mal limpriao dinero pa un perro casadóo...

—¡Te ha dicho que te calles... Pégate tú otra güelta, a vé si le coges el tranquillo!

No hubo forma. Felipe no daba con ella. Doña Rosario sugirió mandar a buscar a un hijo de una vecina que trabajaba en una casa de barcos.

—¿Quiéee? ¿El vagañete de Luis? ¡No seas boba, muchacha! Ese no sabe onde le quea la mano derecha. Cuuucha. Esa es letra de méico. Si no la saca un boticario no la saca naide...

—Oye, Pepito Monagas, que es un hombre de letra menúa tamién, ¿no la sacará tú, Rafaéee?

—Pos mira, puei ser. Tírate un salto. Disle tú a Pepito que digo yo que te diga lo que dise tu hermano Cristóbal. Y lo que diga, cuando él te lo diga, ¡fíjate bien!, pa que tú me lo digas, ¿oíte?

Salió la hija con la carta. Mi compadre Pepe estaba arreglando una jiñera.

—Pepito, estooo... dise mi padre que... que si usté jase el favol y le lee esta carta de la Bana que como tiene letra de méico y eso no la entendemos...

—¿Letra de méico? ¿Pero y pa qué no se la llevaste a un boticario?

—Como usté tamién sabe y vive más serca...

Monagas le dio un vistazo a la carta.

—Para un pisco...—y entró en un cuarto de adentro, saliendo a poco con una botella de medicina, un tónico o cosa por el estilo...—. Mira, es un sobrante de mi mujer que no se lo acabó de tomar porque se mejoró. Le dises a tu padre que se tome una cucharada cáa dos horas, ¿oítes?

10

DE CUANDO A PEPE MONAGAS SE LAS COBRÓ UN INGLÉS

Aquel marino inglés a quien Pepe Monagas le vendió un pájaro canario cojo, con una pata sin dedos, desde un bote del
cambullón y en un momento en que ya no se lo podía devolver,
cogió jilo para Inglaterra cargando con el mochuelo, pero juran-
do cobrárselas en cuanto recalara de nuevo por el puerto de La
Luz sobre el sonoro Atlántico y tal. El animalito, desde luego,
era una vaina, si se iba a mirar la cosa por las patas, no obstante
que él se había hecho su técnica de inválido, como los impedidos
de la mano derecha arregostan la izquierda, si a mano viene, hasta para escribir cartas a La Habana, llegando a brincar en los
saltaderos con un disimulo como una mujer cuarentona con polvos y un vestido nuevo. De contra, cantaba que era un primor.
Y lo que Monagas le dijo—y ya todos sabemos—cuando alejaba
el bote, mientras el míster, colgado de la borda y todo desborrifado de la calentura, le soltaba la elevada:
—¡Simerrrrrrjuensa, ou yes! Mi no quierre comprá uona pa-
garrita con menos uno sapato... Devuelvi librrras, que te devuelvi la pagarrito...
—Guanijai ti tu plei...—rezongaba Pepe, mientras se alejaba
con una pachorra que hasta los flemáticos ingleses de cachimba,
que sin irles ni venirles fumaban en la borda, indiferentes y como
adormilados, se quedaron más fríos que la barriga de un muerto.
Hasta que terminó diciéndole lo que le dijo, como decía, y
con muchísima razón:
—¿Usté pa qué lo quiere? ¿Pa cantá o pa bailá?
Traspuso el *Yeoward* y con él el rubio marino, rascado como
un piojo. Y todavía el mercante sin doblar la punta del muelle,
ya estaba cavilando una revancha. Dado que venía bastante arreo
por aquí y trataba bastante con cambulloneros y demás pejes de
muelle, nadie se puede extrañar de que mascullara, singándole
las palabras entre los dientes y al filo de la paipa:
—A ti te gerringá yo como la rrrío va a la marrrrea...

* * *

Un mal día retornó de London el barco. El inglés traía entre
pecho y espalda una venganza que de alevosía, ensañamiento,

emperramiento, agachaura y demás hierbas aromáticas y olorosas era tan malamañada que la sueltan en una plaza de toros y alcanza un cuernazo hasta el taquillero.

—A ti te gerrringo yo...

Merodeaba Monagas por los alrededores del *Yeoward*, en lances de venta y pesca. Hasta que lo alcanzó a ver el chone, agazapados los ojillos azules, enterrada hasta el cogote la gorra, entre los colmillos el caño de la cachimba, pero con el aspecto aparente como si viniera jinchado de agua de tila... Lo llamó:

—Yo trrrae ouna cadena moucho buena para vendé... Yo vendé barrrata para ti...

—¿Qué casta de caena...? Quiero desí que de qué es...

—Ouna cadena de barrrco, moucho gorda, moucho buena cadena... Barrata, yes.

Era un buen asunto. Concertaron el precio. El inglés la daba casi de balde, sin que Monagas, olvidado del pájaro, sospechara de eso... Hablaron de detalles. El negocio era medio clandestino. Había que echarla en el bote por detrás, arrente de la popa, ocultando en todo lo posible la operación. Por ello navegó y se situó en el sitio convenido.

Y comenzó a bajar la cadena, una señora cadena. Cada eslabón era como el mollero de un hombre. Y se empezó a amontonar en el fondo de la embarcación.

—¿Quea mucha, usté?—gritó Monagas, observando que el barquillo se empezaba a ir de una banda más de la cuenta.

—Ouna pisquita...

Y seguía bajando la cadena. De pronto el agua rozó la borda y hasta le metió su lengüetazo a un par de eslabones. Pepe comenzó entonces su grito histórico:

—¡No más caena, míster! ¡No más caena!

Arriba, el inglés, impávido y flemático, seguía largando "cabo". De abajo subía angustiado el grito:

—¡No más caena, cristiano! ¿Usted se ha vuelto loco? ¡No más caena!

Inexorable, más pesada que esos amigos que cuentan las películas, la caden aseguía bajando. Hasta que el bote, requintado, hincó la popa de medio lado y se empezó a enterrar.

—¡Fuerte hombre cabesúo!—mascullaba Monagas empezando a naufragar—. ¿No le ha dicho que no más caena, desgrasiado?

Con el bote medio anegado, Pepe, en el agua hasta el cogote, pudo gritar al míster, que desde arriba lo miraba con una fría sonrisa de sus labios estrechos y de sus menudos ojillos azules:

—Como agarre un catarro por amor de la mojaúra ésta te las voy a cobrar, que tú serás inglés, pero sos un jediondo.

11

DE CUANDO PEPE MONAGAS LE COGIÓ MIEDO
A UNA GUAGUA MADRILEÑA

—Hombre, nunca ha visto que haya usté sacao en papeles dos pasos de Pepito Monagas en Madrí, que tienen su reburujón y tal...—me dijo el otro día un isleño.

—Pues mire—le digo, díjele—, no tenía noticias de que el compadre haya estado alguna vez en la capital. Pero pudiera ser, no le digo que no.

—Pos me lo dijeron, usté Roquito. Ende luego, a mí no me lo crea, ¿oyó?

—Bueno, ¿pero y qué es lo que le contaron?

Y el isleño entonces fue y me contó...

Según dice, Monagas cayó una vez en Madrid. En cuanto a las razones del viaje "ignoraba peso y contenido", lo cual me ha hecho sospechar que se trata de una atribución, como en el caso del pícaro genial que fue don Francisco de Quevedo y Villegas, a quien le han colgado lances, percances, dichos y donaires por docenas sin que le haya tocado a él ni papas ni pescado. De cualquier manera...

Monagas cayó en la villa castellana. Y aunque el isleño es de por sí su pizco desparpajado y su pizco indiferente frente a lo extraño superior, no dejó de abatatarse lo suyo ante las dimensiones, los lugares, el genterío y todo lo demás de Madrid. Recordó allí algunas famosas reacciones insulares frente a cosas de la capital... Recordó, por ejemplo, el golpe de aquel zapatero federal que vino en una comisión y al que el gran parque del Retiro le resultó sublime. Era en los tiempos gloriosos de la Alameda—la alameda de Colón—, centro de la vida social y lírica de la ciudad nuestra. Cuando, de vuelta, le preguntaron a maestro Bartolo por Madrid, dijo:

—Miren, pa no cansaslos: fi a onde llaman el Retiro, un parque, cabayeros, de los que mandan las peras a la Plasa. ¡Oh, con desisles a ustede que en él caben siete Lameas, lo menos, lo dejo dicho too! (1).

Recordó también Monagas, recorriendo, sinceramente asmado, los *Almacenes Preciados* y otras grandes galerías madrileñas, aquel otro famoso arranque insular de un brutito con cuartos que salió de los *Almacenes El Siglo,* de Barcelona.

_____

(1) Véase cuento número 18 de este tomo V.

—¿Qué le ha paresido?—preguntó otro isleño que lo llevaba, acordándose del histórico comercio de *Los Peñates,* el más
importante de la ínsula por el tiempo.

—¿Que qué me ha paresío...? ¡Que vayan a la... *Los Peñates!*

Monagas, decíamos, cayó en la villa. ¡Le pasaron allí porción
de cosas, que sería largo contar! Pero particularmente dos son
dignas de los papeles.

Un cierto día... Lunes, señaladamente. Hay que ir a Correos,
enfrentito a la Cibeles, a llevar las cartas del avión, ese día, porque recogen a las ocho todo lo que el martes tempranito acarrea
pa las islas el aparatote de la *Iberia.* Mi compadre iba Gran Vía
abajo entregado, o séase molido como un centeno, que hay que
ver lo que aperrea una ciudad grande cuando uno la coge a jecho
e intenta pasarla y repasarla de atrás alante. Llegó, selló con peseta y media unas letras pa Soledad y volvió a la calle. Tenía que
volver Gran Vía arriba, porque su echadero le quedaba en una
de las callejas que arrancan de la plaza del Callao. No es que
fuera muy lejos, y eso, particularmente, para un nativo o un
acostumbrado, que acaba, a fuerza de correr calles imponentes,
por no hacerse cargo de lo que muelen. Pero para él, que estando en la plaza cogía la guagua pa ir a la calle de Torres, aquella
vía en cuesta era más pesada que un difunto sin relevo. Le escal-
daban los zapatos, le dolían los lagartos de las pantorrillas y tenía como retundidos los cuadriles y en cada uno un saco de cemento, o similar. Dejándose llevar por la marea de gente, Pepito
se acercó a un guardia:

—Oiga, guardia, dispénseme la pregunta, pero es que ya no
pueo más... Resurta de see que esto que yo vine asquí a poné una
carta pa Soledá, la mujer mía, nasía y criáa y con domisilio en
Las Parmas...

—Ah, ¿es usted mallorquín?

—¿Cuálo...? ¡No, hombre! ¡Qué mallorquín ni mallorquín! Yo
soy del Risco de San Nicolás, y en buena hora lo diga... Lo que
usté dise es Parma de Mayorca... Pos como le diba disiendo...

El guardia dejaba de pronto de oírlo, tocaba un pito, daba
unos manotazos y volvía a él:

—Decía usted...

—No, por mí, no... Termine de arbitráa usté y luego jablemos...

—Dígame, dígame.

—Pos mire, que yo tengo el echaero—quiere desirse la fonda—daquí lante, al canto arriba de la calle ésta, ¿se da cuenta?
Creo que la llaman plasa del Callao, o cosa por el estilo...

—Ya.

—Güeno, pos yo quiero tirar pa arriba, ¿oyó?, y no quiero

jalar la pata. Que usté no lo va a creé, cristiano, pero estoy tan
entregao como si estuviera acabaíto de llegar de una casería en
la Cumbre.

—Entonces, lo que usted desea es no ir a pie...

—¡Equilicuá! Argo, cristiano, onde asentar la popa y estirar
los remos.

—Bien. Ahora, cuando yo le avise, cruza usted la calle y toma
allí enfrente un autobús que sube...

—Ah. Una guagua asul eya, arta eya... Sí, yo las ha visto pasar. ¡De uvas a brevas, ende luego!

—Allí, junto a aquel poste, tiene usted la parada.

—Güeno, Manolito, Dios se lo pague. Si arguna ves coge jilo
usté pa las Canarias, cuente conmigo, ¿oyó? ¡Oiga, que hay un
ron al canto arriba del Camino Nuevo, cristiano, ca Justito...!
Déjese caer, ¿oyó?, que no le ha de pesar. Adiós, mi amigo.

Monagas cruzó la calle y se puso donde le indicaron. Cuando
Dios quiso atracó el autobús, uno de estos autobuses de dos pisos que intentan aliviar la imponente crisis del tráfico madrileño.
Mi compadre gritó: "¡Apareeee...!" y subió. Díjole entonces el
cobrador:

—Suba usted a la parte alta, que aquí no hay asientos.

—¿Cómo a la parte arta?

—Arriba, señor, haga el favor. Suba por esa escalera.

Subió Monagas pensando: "Esto más parese un correiyo que
una guagua." Y apenas llegó arriba, tiró para abajo como un es-
copetazo. El cobrador lo vio bajar repentino y con un susto en
la cara, pero se limitó a decirle, con la proverbial cortesía ma-
drileña:

—Haga el favor de subir, que ya le he dicho que aquí no hay
asientos.

—Oiga, cristiano, más que sea de pie. ¡Jágalo por sus hijos!
Hasta cuatro de piesss pei llevar. ¡Digo!

—No puede ir nadie de pie. Suba usted. Arriba encontrará
asiento.

—Ta bien, mano...—y volvió a subir, resignado, aquella escalera menúa de correíllo.

Pero rápidamente volvió a bajar, más asorimbado que antes.
El cobrador se inquietó un pizco:

—Señor, es la segunda vez que le digo que haga usted el favor de subir, que aquí no hay sitio.

El compadre saltó, ya sin poderse contener:

—¿Y yo le ha jecho a usté argo pa ese emperramiento suyo
de que suba y de que suba? ¡Pos no subo! ¡Oh, padrito!

—¿Pero por qué?

—Porque soy casao y tengo mujé que mantené. Y de otra,

porque no tengo ganas de esriscarme, que ya me vi feo una ves en una camioneta por la cuesta de Sirva, ¡y a mí no!

—Pero, bueno, ¿a qué viene toda esta historia?

—¡Oh, padrito! ¿Cómo quiere que se lo diga? ¡No subo arriba, porque arriba no hay chofe, ¿oyó?

12

DE CUANDO PEPE MONAGAS PASÓ MAL RATO EN EL TEATRO EN COMPAÑÍA DEL INDIANO JOSÉ MARÍA EL *MULO*

José María el *Mulo* fue uno de los más característicos componentes de la jarca de Santo Domingo que capitaneó en su juventud Pepito Monagas. El *Mulo* lo llamaron desde galletón por razones varias: por la piña que tenía, que era idéntica a la patada de una bestia, por los zamarreos, achuchones y coces que daba si lo trincaba un guardia, por lo brutito y emperrado que era en discusiones y en malas ideas, que por nada y cosa ninguna agarraba unas calenturas de las que destrozan una tienda o desbaratan un baile, y sétera. Una cierta noche se tuvo un pique en ese Fuera la Portada y fajó con un guardia que casi le acaba la casta. Por mor de este percance hubo de salir de aquí a espetaperros pa allá pa Tenerife, donde estuvo agachado hasta que el fleje de papeles del Usgado crió penicilina, y allá se estableció al fin, no sé si porque le cuadraron las cosas bien o por el calor que le diera alguna chicharrerita escachada. Lo cierto es que también de Santa Cruz desapareció un día sin dejar rastro. Un domingo que mi compadre y los amigos fueron a la isla de enfrente a una corrida de toros que allá hubo lo buscaron en balde. Traspuso, sin que se supiera de fijo si porque dio un mal paso con la muchachita y reviró en cuanto a remediarlo decentemente, o si porque se cayó en el cajón de una tienda donde venía trabajando, o si porque armó allí alguna trapisonda del estilo de la de acá que lo forzó a espantar.

Años después se supo de él. Estaba en La Habana. Indianos que de Cubita la bella recalaron dijeron de él que estaba partiéndose el espinazo en la caña con unas ambiciones como un barranco de los de antes. —"Ese llega —"chicu"— pronosticaban los que lo vieron en Cuba.

Y así fue. José María el *Mulo* cuajó de centenes una cuenta en un banco. Y con cuatro baúles grandes y enchapados, dos dientes de oro, una leontina como la cadena de una cabra y un puro trincado entre los dientes de perro majorero que tenía, se vino de arrancada un buen día para su tierra, por la que entró en fachas y desplantes de gallo tomatero. Su último tiempo en Trasmarino lo pasó en la capital cubana, dándose gusto porque aprendió a gastar, y hasta se dio un viaje a Nueva York, que después estuvo contándolo aquí cerca de veinte años donde quiera que sentara las posaderas.

Rumboso, vestido de limpio arreo, que la gente lo veía y se creía que era domingo, no había perdido un defecto que desde galletón tenía el pobre: se le notaban los pies. Quiere decirse que... como cuando uno tiene cerca un par de quesos chasneros, vamos a un suponer, que uno se da cuenta, quiera que no, de que están allí, arrente, notorios más por el tufo que por la vista... Una cosa así. Cuando nuevo se lo tiraban en cara. Y era fama que se quitaba los calcetines y, mantenidos en la mismísima forma del ñame, seguían de piesss, como en la guagua. Pero ahora que tráiba centenes y tiraba de unos puros como la palma de San Roque, todo el mundo se lo tragaba que era un gusto, aunque fuera en el mes de agosto y se metierra levante. Ya lo dice el dicho: "Poderoso caballero...".

Cierta noche, estando el *Mulo* con mi compadre Monagas tomando unas cervecitas en un bar céntrico, se le antojó a José María ir al teatro. Estaban una compañía de zarzuelas y operetas.

—Yo no voy, asín como estoy, mal trajiao y con esta ropa. ¡Y a butaca...! ¡Tas loco!

Emperrao, como siempre, el *Mulo* tiró por Pepe y lo metió en el teatro.

Comenzó la función. Y a poco, José María pegó como con una jiribilla, a cambear de postura a cada instante. Lo peor no era esto, sino que dióle por poner las piernas cruzadas, ahora una, después la otra, inquieto y esparciendo olores irresistibles.

Monagas le dio primero unos discretos codazos y le cambió significativamente la cabeza. Como a poco volviera con el escandaloso cambio de piernas, ya le dijo:

—¿Pero qué rayos te pasa, que estás como gayina sin nidá?

—Que tengo los pies endolmíos, chicu.

—¿Endolmíos? Pos por el olóoo, más bien paresen muertos.

13

DE CUANDO PEPE MONAGAS CONTÓ EN LA CARPINTERÍA DE MAESTRO MANUEL LORENZO UNA HISTORIA CON UN SENTIMIENTO COMO UNA MALAGUEÑA (1)

La fe es una cosa grande, cabayeros, subrayó mi compadre Monagas, después de un silencio que se abrió, por efecto de una historia seria que alguien hizo en la carpintería una tardecita de tertulia.

_____

(1) Este cuento 13 presenta una notable variante en el comienzo de la narración original. Véase:

—La fe es una cosa grande, cabayeros. Según ha oído a pedricadores asiados, mueve montañas...—subrayó, dando al tiempo de cabeza, mi compadre Monagas, un golpe de silencio que se abrió como una onda en agua mansa cuando maestro Isidro Bolaños remató, cierta grata tardecita de tertulia en la carpintería de maestro Manuel Lorenzo, la historia sería de un prodigio acaecido en tierras conejeras.

Todo el mundo dio seriamente de cabeza, sin que se apuntara siquiera la más leve sonrisa de guasa. El tiempo estaba como una mopa...

Este que lo es, Roque Morera, ha acabado por aprender y estar cierto de que constituye una verdad como un bloque del Ensanche la histórica creencia en los días fastos y nefastos, aunque entiende no se dan por imperio de los dioses, al modo clásico, sino por influjo de los oscuros caprichos del tiempo, y como fenómeno personal, no como hecho objetivo. Por lo menos no lo estima evidente en esta tierra de tollos y trampas de la luz. El isleño es mimoso y susceptible por causa de la temperie. Casi podría juzgarse que salta puro del vientre materno. Pero desde que pega a hacer "pis" en las faldas de las visitas, pega el clima y las demás circunstancias ambientales a modificarlo y conformarlo, virándolo paulatinamente mimoso, receloso, quisquilloso, vidrioso, corrosivo y sétera. Los días insulares de "panza de burro", estos días densos y gachos, de luz húmeda, sorroballada y reverberante, con un viento por ráfagas que se advierte en insospechadas esquinas con los bronquios del isleño, los manteos de los canónigos y los sombreros de los socios del Casino; esos otros días de "levante", cuando salta del Moro y abacora la isla la sollama imposible del aire africano, proyectándose como una irradiación demoníaca sobre el cogollo nervioso del indígena; aquellos de jaruja pegajosa o de sorimba marinera, más desaboridos que el emperramiento de una mujer fea; los otros, en fin, echaditos y de arrullo, con algo de perro y algo de paloma de Curato, todos van procurando al isleño un modo particular y alternativo de reacción.

Conforme se manifiesta el tiempo, el indígena se muestra "molido como un centeno", incapaz de ideas e iniciativas, harto hasta de la más sencilla conversación; o acerbo y lleno de puntas y filos, como una botella sin culo; o simplemente incómodo, como cuando se estrenan unos zapatos; o sonriente y saludador, capaz del milagroso olvido de un verbo favorito: _jeringar_.

Como suelen ser más abundantes los de "panza de burro" que los jocundos y luminosos, el insular permanece la mayor parte del año "detrás de su tunera", como ha dicho de su más característica disposición algún agudo observador del alma canaria. Calla lo más del tiempo, pero permanece al acecho dentro de su silencio, esperando la coyuntura para clavar una lezna más o menos metafórica o para soltar una coz de mula de cuar-

Yo he acabado por aprender y estar cierto de que es una verdad como la casa de don Bruno el aserto histórico de los días
fastos y de los días nefastos. Por lo menos en esta tierra de pellas
y tunos colorados.

El isleño es mimoso y susceptible, por causa de la temperie.
Los días de panza de burro; los inciertos, entre sol y sombra,
con un viento por rachas que se divierte en las esquinas insulares con los manteos de los canónigos y los sombreros de los cal-
vos y de los socios del Casino; los de lluvia pegajosa como una
mujer fea emperrada; esos días de "mala tiempla", el hombre
del país es una tunera. Se calla como un tocino, al acecho de que
le den coyuntura para clavar una lezna o meter una coz de mula
de cuartel. Y cuando abre la boca, tira una presa. Si lo llega a
coger en copas uno de esos días nefastos, le falta a su propia
sombra, dando primero la lata, sobajiento; acariciando, como el
que no quiere la cosa, la puyita, que al fin suelta para alivio de
viejos y recónditos resentimientos.

En cambio, si el tiempo está bueno, templadito y tal, echada
la marea, tibio el sol, un perro el viento y eso: entonces es bue-
nísimo. Estos días es cuando el isleño se emperra en los mostradores en pagar "la suya", que hay que beberse porque si no agarra un amulamiento que hasta puede acabar a la piña. En días
tales el insular tiene hasta ganas de volver a las relaciones con
ese montón de gente con la que no se lleva y con la que se peleó,
entendiendo que para jediondos más vale solo.

—La fe es una cosa grande, cabayeros—había comentado Monagas después que maestro Isidro Bolaños hizo su relato, un relato milagroso de un suceso por tierras conejeras que él oyó contar en ocasión de un viaje a por cebollas que él hizo ay más allá.

La voz de mi compadre, que solía tener siempre un deje aje-
lioso, cierto retintín, guasa, en fin, más que otra cosa, sonaba
aquel día con acento insólito—y dispensen esta palabra de artículo de fondo—. La tertulia se había desenrrollado mansita, contra usos y costumbres. Es que había un día templado como un
requinto, sin aire para mover una paja y sin bochorno; uno de
estos días que da gusto irse atrás del teatro y quedarse callado mirando para el Puerto, como una batata. Estaba todo individuo con los nervios templados, tranquilito. Se podía hablar en

---

tel también más o menos metafórica. Para jeringar todo lo que se pueda,
en fin. Si se le coge en copas uno de esos días nefastos, le falta a su propia
sombra. Da primero la lata, a veces con arranque y buenos golpes que es-
tropea en fuerza de reiterativo, casi siempre sobajeando, metiéndole a uno
en la nariz todo un intenso resumen de sus pizquetes y enyesques, y por
último suelta la brimba, que ha venido acariciando, para alivio de viejos
y recónditos resentimientos...

serio. A nadie se le ocurriría conjugar el verbo jeringar, tan socorrido en la ínsula, con semejante "ambriente".

Monagas añadió, aprovechando el jasío:

—A mí me pasó un caso, cabayeros, un caso de estos de fe grande, dino de ser sacao en papeles...

La tertulia, con un dulce apoyito cogido, se puso a escuchar a Monagas.

—Díamos de casería, yo y una partía más, pa arriba, por Tejea. Atrás de alpeldises, tumbo va, tumbo viene, un bandao los fue llevando, llevando y aparamos en vistas del barranco de Acusa. Arriba, en peso, a la banda del sotavento, estaba el Roque Bentaiga. Pegamos a subir, a subir, siguiendo los saltos de las alpeldises, y que además eran horas de almuerso, según se sentía el barreniyo aquí arrente del vaso, que Dios libre y gualde. Cuando díamos alcansando el canto arriba, divisemos en el filo de una mesa que jasía allí el Risco, a una mujer, una viejita reconcomía, pero con una sonrisa triste en la boca sin dientes, y los ojos asules tan limpios como los de un niño. ¡Oiga, daban ganas de queresla, igualito como si fuera una madre! "Santas y güenas, agüela"—le digo. "Adiós, mis niños"—contestó eya con una vos que era un guante y que paresía que venía de lejos.

—Vaya, parese como si viera salío a resibislos—le dijo.

—Pos sí, ya vey... A ustees, no... ha sío, pero...—contestó con un suspiro.

—¿A quién entonses...? Digo, si no es mucho preguntar...

—¡Esús, mi niño de mi arma! ¡Efase! ¿Saben?: yo, siempre que siento bulla de gente caminera que viene pa quia arriba, me alcanso a esta orillita por ver si es mi jijo quien vuelve...

—¿Su jijo? ¿Ónde está su jijo?

—¿Quién lo sabe, mi niño de mi arma...? Pa fuera se fue, ya hay qué años, y no ha venío más. Se olvió, al mou, de que dejó aquí, solita casi ya, porque el viejo estaba ya más pa la tierra que la pella (Dios lo tenga en su seno), a su madre, sin más sostén que él, a quien el Señor quiera virar flores los pasos que dé... Se orvidó y no ha vuerto. Sus rasones tendrá, el pobre. Que la Virgen del Socorro le tienda su manto.

—¿Era su único jijo y se le fue y no le escribe?

—Asín mismo, señóoo... Pero él, saben vustedes?, él es güeno, como el pan nuevo. Si no ha venío ni ha escrito, sus rasones tendrá. Caa cual tiene las suyas y el mundo manda más que uno.

—Y usté, al mou, tiene la esperansa de que un día güelva y recale...

—Pos sí, ya vey. Estoy segura que tanto la Vigen del Socorro como mi santo me oirán el reso que yo les reso y mi jijo Juan

venerá un día de pa fuera con sentenes pa compráa una yunta
y una mula y trabajá estas tierras que ustés ven alreor y que
no quieren más que los brasos de un hombre pa floreser.

—Oiga—comentaba Monagas—, nos queamos con un intriga,
un intriga asunto de lo de su santo.

—¿Cómo?

—Y dise usté, agüela, que la Vilgen del Socorro y su santo...
¿Qué santo es jese?

—¡Ay, mi niño, uno que tengo ay dentro que no ha habido
cosa de este mundo, quitando lo de mi jijo Juan, que yo no le
haiga pedío que no me lo haiga consedío. Ende que lo compré
—¡ya hay qué años!—no le ha fartao nunca su mariposa de aseite, y por tiempos, cuando se dan, sus ramilletitos de melindros
o de retama. ¡Grasias a é, que me ha ayudao a viví y me ha jecho la compaña en este solitario...!

—¿Y se puée ver ese santo, agüela...?

Entremos en la casa de la viejita. Limpita como el oro la tenía. Al sentro una estera de palma primorosa y ensima una cama
con sinco colchones que entodavía no entiendo cómo aquella mujer podía upirse. A una banda una caja de tea, a la otra una cómoda con dos perros de yeso, un ramo de avenas drento de un
vasillo de barro y una jurria de retratos antiguos. Enfrente, serca de la cama, el santo de la agüela...

—Pos vaya una novedá—se removió don Pedro el *Batatoso*,
que no podía estar callado.

—Déjeme terminar, señor don Pedro, que ahora viene lo güeno... "¿Ónde lo compró, agüela?"—le preguntemos.

—En la calle la Pelegrina, mi niño, soltera yo, pollona entodavía... Fí a Las Palmas, la primera ves y la úrtima, se me antojó, pagué dose riales de bellón por él y ende entonse jasta la
fecha presente.

Los aserquemos. Era una figura de algo más de una cuarta de
alto, que tenía solamente la cabesa y parte del pecho, cortado
por los hombros. Una cosa así por el estilo al busto del señor
Cairasco, que está a la banda del hotel Madrí... ¿Se dan cuenta?
Tenía una cabesa cargada de pelo y una barba espesa que le se-
rraba el cuello.

—Con su permiso—le dije a la agüela, y me aserqué. Al pien
del busto había unas letras, que al mou eran alguna parrafáa en
lengua de Semana Santa, o el nombre del Santo. Leí en vos arta:
"Saint Saens"... ¡Oiga, me queé como si me vieran dao un tiro
de sal y asufre! Era don Camilo Saint Saens, el músico famoso,
que ustedes saben que estuvo aquí, porque le cojió el gusto a
esto... La vieja le resaba a San Saen y don Camilo le consedía

lo que ella le pidiera... La miremos. Estaba calláa y sonriente, con sus ojos asules, limpios como los de un niño, mirándonos a una banda. No le dijimos náa... Los quitamos toos las cachorras, como si entráramos en una iglesia, y yo creo que jasta resemos. A mí, cabayeros, particularmente, se me jiso un núo y me entraron ganas de yoráaa...

14

DE CUANDO PEPE MONAGAS FUE AL ENTIERRO
DE CARMELILLA LA *PINTADA*

Carmelilla la *Pintada* salió de la cáscara amarga. De su padre no era, según dicen, porque fue un maestro mampostero decente hasta cierto punto. Menos los sábados, días en que agarraba unas mamadas salpiconas, y desde tirarle puntitas a los guardias, provocativo como él solo, hasta meterle a la mujer unas gentinas que la dejaban sin habla y con las carnes como un terno azul marino, de todo había en sus paquetes de templario. De la madre, le diré... La madre procedía de la pila de Valleseco. Los abuelos se vinieron para abajo de arrancada y se aposentaron en una casita del Risco, según se suben los callejones, por la banda acá del Pilar, a la izquierda. Se dijo arriba en el pueblo... ¡bueno! Que si la vieja, cuando era una pollona, salía por leña... Que si chica leña... Que si volvía como un cesto de brevas de tres días... Que si después una hija, que venía a ser la madre de Carmela, se casó de aquí pa allí, porque el galibardo del novio cogió un tranco, en vez de dejarse dir, como es debido... Que si esto, que si lo otro... Total, pueblos chicos.

Luego, ya en el Risco, donde ella se hizo turronera, que si el amo de la casa siempre iba a cobrar cuando el marido estaba fuera, en el trabajo, que si le pagaba en calderilla por lo mucho que tardaba dentro, que si vuelta y vira y tal... ¡A lo mejor envidias!

Lo cierto es que Carmela salió fina. Desde luego era cosa asiada el guayabo. Más bien menuda, con la pierna fina y alta, entradita de cintura, la boca más sobre lo grande que sobre lo chico, madura y desdeñosa, como una fruta pintona y alta. ¡Y los ojos, cristiano...! Los ojos no tenían pintura. Con un pisco más le llegaban al tronco de la oreja. Negros, brillantes y como recién llovidos. Y abajo de ese relente un relumbrar como de fiebre, igual que si estuviera en cama con un calenturón de tifus. ¡Y una filera de pestañas que se las quita y les pega su canuto de pólvora y hay voladores para abastecer San Pedro Mártir!

Primero, todavía una pollancona, se arregló con un Miguelillo Bordón, un barbero limpito él, delgadito él, que le decían de dichete *La Casa de los Picos* porque su pelo, enrizado y abundante, le salía en un tupé de tres torres, llenos de reveces y clocos, que traía asadas a las niñas, contri más que cantaba tangos, y se los acompañaba con tal sentimiento que vaya a la... vaya a donde quiera Carlitos Gardel. Miguel iba de noche a la persiana, ella le alongaba una silla, él se arrepollinaba en ella —en la silla— con el gesto sombrío y concentrado, y pegaba a jalar por un cigarro virginiano apagón como una cocinilla desconchabada. De hablar y lo demás usos y costumbres, que no hay pa qué estar expresando, ni pío. Cada vez que Miguel raspaba un fósforo se veía relumbrar el rostro morenito de Carmelilla y sus ojos, entre irónicos y nostálgicos y eso. Callados, digo, como tocinos, transcurría la hora del moseo, que más que una hora de amor era una hora con unos zapatos nuevos.

Legó Miguelillo a tales extravíos de novio, que hasta le prohibió a Carmela que le dijera adiós a la gente. Pegaron a decir en el barrio que la muchachita era una consentía y una echona.

—¡Ni que la vieran nombrao mises de esas de sociedá, usté! —comentó un día en el pilar Pepa la Chola.

—¡Ji jiñó! Empolváa como una cuca, quería, y toa pintorriá, que ni sé cómo él se lo aguanta—remató Candelarilla la *Bisoja*, con el ojo más atrabancado que nunca, toda reconcomida de una envidia que le sacaba a la cara un color de lagarto clueco temeroso.

Carmela se hartó. Tenía demasiada imaginación y demasiadas candelillas en la sangre para resistir aquel amorío moro, todo rodeado de celos, como de verguillas de jardines, concentrado, sin palabrerío, sin dengues, lleno de calor, pero por dentro, como el Teide gigante, que ya se sabe: mucha nieve en el semblante y apare en la esquina. Se tiró a Triana un día y otro no y pegó a ir al Pabellón y luego al Royal y luego al Cuyás, todo esto sin él, con una amiga más escachada que una pegadera. Por último sus vueltitas por el Parque y tal.

Y la empezó a engor un pollito, un tal Manolito Linares, hijo de un tiendero de ropa, que a pesar de lo nuevillo pulpiaba ya como Casañas. Ella se dejó querer. Miguel recibió la consabida alcagüetiadura y le metió una noche una galleta que la oyeron hasta en la Plataforma. Pero ella le replicó con otra tan de ladrillo que una muela picada que tenía el barbero, pendiente de empaste, salió dando un singuío y se metió por el buzón de una alcantarilla. Atrás le tiró la persiana con tal remango y brío que al día siguiente hubo que reforzarle los tirafondos con tarugos.

* * *

Carmela tuvo su niña. Y la verdad sea dicha, feíta como una machanga, que al mou salió al abuelo paterno, el *Tiendero;* reconcomido como un millo viejo. Y de allí pa alante cogió fuga y se perdió de vista en la senda peligrosa, al par que erizada de espinas y abrojos, del pastoreo y el pillaje. Llegó a tener fama en esta raya y en la de Santa Cruz, pa donde cogía su correíllo de vez en cuando.

Y naturalmente: al par de años estaba acacharrada como Rosa Güeso, que daba pena de verla, zapatuda, colgando por todos sitios, y sétera. Por cierto que un día subía por la Vica al tiempo que bajaba Pepito Monagas. El se paró y meneó la cabeza y dijo, que impresionaba, dice:

—¡Quién te ha visto y quién te ve...! Jediondo mundo...—y siguió meneando la cabeza, que era una sentencia de muerte.

* * *

De un mal de todos los demonios, que se le clavó como un rancajo entre huesos y sangre, se fue Carmelilla la *Pintada* pa las Plataneras. En el barrio no la lloraron ni los perros sentimentales. Pero la madre, que tenía mucho miluque, se trajo la difunta a la casa y le armó un tenderete de velas y flores y llantos que dio que hablar su par de semanas. La vistió de blanco de arriba a abajo y le compró su caja blanca, de las que se ponen a las niñas solteras y puras como las azucenas y eso, tan enredada de lazos y clocos, también blancos como palomas, que más de una mosca se enredó en sus vuelos sobajientos, como si fuera aquello una telaraña.

Salió el entierro. Iban en él Pepe Monagas y Vitorio el del *Pinillo,* que le tuvo su afecto y le compró sus trajes y demás... Cuando ganó la calle la caja, tan blanca y tan llena de flores blancas, con su muerta de blanco y sétera, Monagas se quedó asmado. El sabía sobradamente de la negra vida de Carmela. Se diblusó sobre el hombro de Vitorio. Y le dijo, dise:

—Oye, Vitorillo, cuando San Pedro se la trompique, la manda al tinte, ¿oítes?

15

DE CUANDO PEPE MONAGAS—¡DICEN QUE FUE ÉL!— LE INJERTÓ UN CANTAR DE LOS DE LEZNA A MAESTRO ROQUE EL *CARPETUDO*

Maestro Roque el *Carpetudo,* que le pusieron de dichete por una cargazón que sacó de nacimiento al canto arriba del espaldaraje, fue de los isleños que se "ajitó", como él decía, de la tierra canaria y su vida mirienta, sin salir del be a ba. Era carpintero en el Risco, de esos carpinteros que tienen predisposición a oler ellos y todo lo que tienen alrededor a engrudo de la tierra y colas del Kruger. Endengando patas de sillas, pegando tal cual guitarra averiada en una amanecida, puesto a teleques, tan solamente, maestro Roque, que era federal él, pegó a reconcomerse, a reconcomerse de las estrechuras y de "tantos bausios" que tenía que aguantar el "suidadano"... Cogió de repente, él también, un barrenillo con Cuba. Y puso por obra coger el tole cuanto antes.

Se había casado con una mujer del campo, la hija mayor de un maúro de las Medianías que vendió los cuatro cachos y arrifes que heredó, después de un pleito de mil demonios con los hermanos y unos cuñados, que hasta metidos en un fleje de papeles de la curia estuvieron porción de meses, para poner un tiendujillo en el Risco. El suegro acabó con la quilla p'al marisco y tuvo que arrancar la penca de nuevo para el pueblo. Maestro Roque tuvo con su señora, o séase, decentemente, dos chicos, machos ellos. Uno, el más nuevillo, que vino al valle de lágrimas cuando parecía que no era tiempo ya, lo mandó ca los abuelos a sopetiar pan en pasote y a comer raleras de gofio y leche; y al otro, que estaba ya entrado en los catorce años, lo dejó con él para llevárselo a Bana, que pensó, en lo que hacían el viaje y buscaban acomodo y tal y tal, habría de ponerse en condiciones de echar una mano.

Maestro Roque no era simpático en el barrio por su mal humor. En el fondo era un bondoso. Y un sentimiento exaltado de la justicia y el equilibrio social le agrió el carácter. Gruñón y desapacible, cuando se le iba a hablar para algún endenguillo había que hacerlo como pidiéndole un favor. Le daba, de otra parte, por vestirse bien. Y los domingos por la noche se daba sus vueltas, primero por la alameda y luego por el parque, con un traje de lana hecho por costureras, pero pretencioso en fuerza de su color y del aire con que él lo rellenaba. Cuando traspuso para Cubita la Bella, hubo un pizco de choteíto en el barrio. "A dónde irá el cacho de viejo éste, ya arrastrando la chola"...—murmuróse con sonrisitas de las cucas de semilla inglesa. El viejo se trancó en el emperramiento y cogió jilo con la señora y el guayete. Alquiló la casita, vendió los cachejos del taller y tiró.

Cuando la gente lo había olvidado, tal vez dándolo por muerto, recala maestro Roque un día por la Vica pa arriba, tirando voladores como si fuera la fiesta del Pino. En una tartana subió por el Camino Nuevo y entrando por la calle Real su mujer y el muchacho, que venía hecho un hombrito, con una guayabera, un cinto de chapa de oro y un amuela y dos colmillos del mismo preciado y rutilante metal. El viejo quiso recalar a pie, "por darle por los besos a algunos endeviduos envidiosos, de jiel revuerta y taaa... y taa..."—deca. No le hizo bien alguno la facha de entrada. Maestro Roque venía bastante vencido. Y con un acentuado defecto físico: una pata coja. Lo agarró de mala manera "una máquina, chicu", un fotingo malamañado que lo tiró pa allá como a un pez con el beso partido. Le mandó la maquinita, principalmente, en una pata. Y le procuró una cojera particular: le viró el pie para atrás, casi al revés de como es debido.

Traía cuartos, bastantes. Y no obstante eso no hubo forma de convencerlo de quedarse a vivir abajo. "Manque sea en Fuera la Portada, muchacho..."—le indicaba su mujer. "No señora. En el Risco soy nasío y criao. Y allí dobló las cajetas. Después que yo trasponga, usté púee cogée camino pa onde quiera, ¿oyó?"—replicábale tieso como un ajo porro.

A las pocas horas de estar en su casa de la ladera nuevamente, maestro Roque supo de una pequeña desgracia. Hacía dos años, señaladamente pa Pascuas, que se metió un tiempo de mil demonios y formó una barranquera a una banda de la casa, tan impetuosa y brava que arrancó con un pedazo de ladera por donde pasaba un camino amurallado perteneciente al inmueble y que lo comunicaba por el sur con el resto de la barriada. Ahora había que hacer el paso dando un rodeo por debajo, bastante incómodo por cierto. La cojera de maestro Roque empeoraba la cosa.

—Tengo que tapá esa baranquera—dijo maestro Roque una tarde echándole un vistaso en compañía de los antiguos y despedidos inquilinos, de su mujer y de mi compadre Monagas, que era vecino y había ido a saludarlo.

—Eso le cuesta carísimo ustéee... maestro Roque—díjole Monagas—. ¿Usté se ha dado cuenta del fonduco que abrió el agua ay y de la piedra y demás yerbas que hay que meter ay pa entullir eso...? ¡Ta loco, cristiano!

—Dispense usté, Pepito, pero yo a usté no le ha pedío opinión...

—Hombre, yooo lo ha dicho por que yooo...

—Cáyese la boca, chicu, no sea bobáticu... Ha dicho que eso lo entullo yo y lo entullo.

Corrió la volada. Y pegó el choteíto. Súpolo maestro Roque el *Carpetudo* y se calentó y demás. Entonces mandó clavar entre el pedregullo una vieja caña de pesca que se conservaba en un rincón de la casa. Y en todo lo alto de esa caña fjó un cartel con un latinaje que aprendiera en sus viejos tiempos de federal: *Nihil imposibile est.* Un poco exagerado esto de que nada es imposible, pero un hombre con un emperramiento es una cosa muy seria.

Días después, señaladamente un sábado pa amanecer un domingo, pasó por los alrededores una parrandona de gente que recalaba de cierta taifa, según pegaron, de media noche p'al día. Por la mañana amaneció finchado en la caña de pesca otro cartel con un cantar, cantar que fue atribuido por las malas lenguas a mi compadre Pepito Monagas, tanto por su conocido buen humor e ingenio como por decírselo rascado con la réplica que el indiano le dio el día que el compare se permitió aconsejarle que no entullera el barranquillo. La dicha copla decía así, según consta en papeles, y si no, en el recuerdo de gente de mérito y decente, de quien lo tengo oído yo Roque Morera:

> "Si nihil impossibile est,
> como tu lengua relata,
> enderézate la pata
> que la tienes al revés..."

16

DE CUANDO PEPE MONAGAS NO QUERÍA IR A UN PARTIDO
DE FÚTBOL *MARINO-VICTORIA*

Partido de fútbol *Marino-Victoria*. Ese Fuera la Portada y ese Puerto están que se tira encendido un fósforo bueno y el macanazo es como la bomba anémica. Movimiento, nervios, apuestas, malas noches, sétera, sétera.

El pasaje de tercera se toma sus cafés con leche y se parte el pecho discutiendo calidades y cuadros y haciendo pronósticos. La marea llegó hasta Tenerife y hubo hasta gente que cogió su correído y se tiró un salto de sábado a lunes, por gozarse la contienda. Acá se dieron casos. Un maestro Chano, de aquí de San José, tuvo que ir al médico, porque la mujer se emperró en llevarlo, y ya se sabe que cuando una mujer se emperra... Claro, que ella tenía sus razones. Maestro Chano viraba de noche a chutar en la cama, con unas pesadillas futbolísticas jeringadísimas, hasta el extremo de que su señora amanecía por la mañana molida como un centeno.

—Y grasias que duerme sin los sapatos, ustéee...—le decía ella al médico el día que fueron a verlo.

La jarca—Pepito Monagas, Vitorio el del *Pinillo,* Venturilla el *Táita* y mi compadre Juan Jinorio, que también diba en la rueda de presentes—se disponía a asistir como un solo hombre. Todos eran marinistas y todos estaban seguros de que, si no pasaba algo raro, la tupida al equipo porteño iba a ser seria.

Y llegó el domingo del partido. A una hora convenida todos habían de reunirse en un café del Camino Nuevo. Fueron llegando, menos Pepe Monagas.

—¿Se habrá puesto malo, tú?

—¡Qué va, ...bre, si esta mañana estuve yo en la plasa con éee...—saltaba Venturilla.

—Vamos a esperar un pisco más a véee...

Raspando la hora de comenzar el partido, Monagas no había comparecido. Entonces se echaron todos a la calle y pegaron a preguntar por el caballero. Al fin dieron las señas.

—Sentao, solo, ca don José del Hierro, lo dejé yo jase un pisco—informó Manué el de la *Portadilla*.

Cogieron todos su guagüita y tiraron pa ca don José el del Hierro. Con un vaso de vino delante, solo y entristecido estaba Pepito Monagas.

—¿Pero y qué jases asquí? ¿No queemos en vesnos en el Camino Nuevo?

—Es que yo no voy a la pelota hoy.

—¿Cuálo?—preguntó asombrado Venturilla, que no podía entender cómo se perdía tal contienda el amigazo.

—¿Pero a ti no te ha pasado algo pa el amulo ése?—le dijo Vitorio.

—Bastante.

—Alguna trapisonda con tu mujer, seguro... Vamos a coger la guagua; anda.

—No, que no voy. Ha dicho que no voy y no voy. ¡Y listón!

—¡Vaya un cristiano emperrao, caballeros!—comentó mi compadre Juan Jinorio.

—¿Pero y por qué, muchacho?

—No lo puedo desir.

—¡Miá pa allá! A losotros tampoco, ¿verdad?

—Pos miren, voy a desir por qué no quiero dir: porque soy un desgrasiao...

Estupor general.

—¿Un desgrasiao, por qué?

—No lo había dicho pa no armar choteos, pero el domingo pasao me pasó un caso que jase pensar que soy un desgrasiao en la pelota. Ustées saben el lleno que hubo. Lo menos ocho mil personas. Pos cuando metieron el primer gol los chicharreros largó uno de sol una paloma correa, al mou con su papel en la pata. Güeno, pos esa paloma se dio sus vuertas por el campo antes de coger rumbo. Por lo visto, de estar enserrá se requintó. Lo sierto es que en una de las vueltas deja caer lo suyo. ¡Y jagan el favol de fijarse: habíamos en el campo lo menos ocho mil personas, como digo: ¡pos me tuvo que caer a mí el deje de cuenta de la palomita...! Jagan el favol de pensar si tengo rasones pa no dir...

17

DE CUANDO A PEPE MONAGAS LO PERDIÓ UN BAIFO (1)

Don Victoriano tenía una finca en los alrededores de la ciudad. Platanitos, alfálfara, algunas reses buenas, una punta de cabras de raza y un potrillo, también de buen castío, cuidado especialmente para si se terciaba alguna pecha de aquí al jardín de doña Luisa. Ah...: más un perro de presa, que hubo quien cayó en la cama de cruzárselo tan solamente, y unas veinte gallinas, cebadas y ponedoras que daba gusto, con un gallo de la tierra, solo, fachendo y foforito, a pesar de ser de plantilla y apencar por todas.

Don Victoriano, no obstante tales bicocas y no tener hijos, a lo menos en el Registro, era tan gorrón que cada vez que tenía que pagar las contribuciones, un poner, estaba tres días en el catre a tila y paños de vinagre. Se decía de él—y mi alma la quiero pa Dios—que sus cosas allí, las del cuartillo chico de allá atrás, que hay en todas las casas, y que llaman finamente las visitas requintadas "el baño", cuando dicen: "Mujé, voy a pasar al baño, ¿sabes?", y que en las sociedades se llama, también por lo finito, el "cuarto de señoras", que es donde van las niñas del baile cuando la orquesta descansa y le dicen a los pollos que las sangolotean: "Espérate un pisco, que voy a ir al "cuarto de señoras", ¿oítes?"; se decía de él, digo, que esas cosas las hacía en la marea. A pique de agarrar un enfriamiento de los de "serrío" en el pecho o un "redoma" de los de alcayata. Y cierta vez mi compadre Pepe Monagas lo agarró acabaíto y le dijo dice:

—¡Pero don Victoriano de mi arma, un hombre como usté, cristiano, con tantos posibles, venirse a la marea a eso, como Guarín, ...mbre!

El le replicó:

—Porque tú sos un derrochaor, igualito que toos los que son como tú. Y no se jasen cargo de la farta di agua que padesemos y de lo que vale el agua aquí. Me queo en mi casa y caa ves que jalo por la caena, ¡ay van sinco litros pa los infiesnos! ¡Eso es!

Monagas se quedó asmado ante aquella lógica. Y sólo pudo resollar:

—Rasones.

Era un hombre que provocaba las montadas. Daban ganas de pegarle montadas un día sí y otro también. Se la echaba, además,

_____
(1) Véase cuento número 30 del tomo I (1968) y sus variantes.

de que a él no había nacido en las siete islas quien "le viera" robado ni el valor de un alfiler. Para eso tenía el bardino y un dormir de conejo, con escopeta a la banda, una escopeta de dos caños más bien antigua, pero con un bramido que el cañón de las doce era un merengue de Anita.

Cierta noche de copas no sé por dónde salió la conversación en torno a don Victoriano. Monagas tenía una idea torina. Y la expuso a la cuadrilla de templarios, que estaba en la ocasión reforzada: Victorio el del *Pinillo*, Venturilla el *Táita*, mi compadre Juan Jinorio, que también diba en la rueda de presentes, mano Austín Morera, Manuel Calderín, Chano *Rapaúra*, sétera.

—Tengo ganas de un arró con pollo, Austinillo. ¿Y tú?

—Cállate la boca, no seas provocativo, Pepe.

—¡Peeera! Estaba pensando de pedirle emprestao el gallo a don Victoriano.

—¿Emprestao pa qué?—preguntó, hecho un simplón, Venturilla.

—Pa dar una güelta... ¡Miá qué cara! ¿Pa qué va sé, babieca...? ¿Vamos a dir a robasle el gallo a don Victoriano...?

Mi compadre Juan Jinorio terció, prudente:

—Acuérdese del bardino, compadre, que es de presa. Y del sueño de don Victoriano, que duerme con un ojo abierto y la metrallaora como una guitarra...

—Ustedes me dejan a mí. Y el que no quiera dir, que baje pa tierra.

Salió del timbeque Pepino Monagas como esos generales decisivos que se ponen al frente en los momentos estelares y tal. Nadie resolló. Chano *Rapaúra* se bebió las raspas del macanazo que tenía delante y Venturilla cogió de un lance la ambosada de chochos del platito de enyesque. Cuando iban camino de la finca, Pepe se separó del grupo, reclamó a Ventura y recomendó a los demás que se dejaran dir al golpito, que ellos los alcanzaban. Los dos cayeron en la botica de tusnio, compraron un tubo de píldoras de dormir, recogieron al paso de la casa del *Táita* un kilo de gofio y un pedazo de queso chasnero y alcanzaron al grupo.

Pepe trazó el plan. Primero harían una pella buena con el gofio, el quesito—que mal limpriao, se dejó decir Ventura—y las píldoras del sueño. El *Táita* se alongaría por la tapia y tiraría al perro el amasijo. Todos esperarían. Al cuarto de hora, adentro la cuadrilla. Unos ordeñarían las cabras, otros cargarían plátanos y Venturilla, que era un técnico tirándose al gaznate de las aves, se llevaría el gallo... Todo en silencio, como sombras.

Salió la cosa como una sedita. El perro agarró una entroncada que si no es un resoplidito que le quedó lo entierran vivo aquel mismo día. Las cabras se quedaron con las ubres tan menguadas que parecían con tres patas traseras. Y el gallo no pudo decir ni pío, aunque pollo hubiera sido.

Aparentemente todo había salido como con la mano. Se reunieron los templarios en el sitio convenido Y de repente se notó que Pepito Monagas faltaba. Lo había perdido un antojo. Cuando volvía de retirada sintió un quejidito. Se fue orientando por aquella voz hasta dar con un baifo de unos veinte días, tan granado que cualquiera cae en la tentación.

La boca se le hizo agua. Lo agarró, le metió la cabeza debajo de la chaqueta y tiró con él. Pero se había despistado. Mientras buscaba la subida de la tapia, el baifo rebulló y sacó un balido doliente, como una malagueña de media noche pal día. Despertó don Vitoriano, se tiró del catre y escopeta en mano salió a los corralillos. Pepe lo vio de pronto avanzar. Y más pronto que volando largó el baifo, subió por el borde de una poseta donde abrevaba el ganado y fue a saltar. Pero en esto se le viene el lomo del muro y ¡plán!, de remojo como los chochos.

De allí, entripado hasta los huesos, lo sacó por el cuello don Vitoriano. Pepe agachó el morro, con la ilusión de que, ayudado por el oscuro, no lo conociera.

—¿Qué jasías aquí, bandolero?

—Vine a retratarme—dijo cambiando la voz.

—La hora es aldecuada, ¡sí...! ¿Cómo te llamas?

Monagas le pudo contestar:

—Como usté quiera. ¿No me está sacando de pila?

18

DE CUANDO PEPE MONAGAS DEVOLVIÓ UNA
MERCANCÍA AVERIADA

La ciudad tenía Alcalde nuevo, después de haber tirado una partida de años con uno que era menos malo, y con el que nos habíamos venido remediando. A nadie le cayó bien la cambiatina, porque es lo que dice Segundo: "Más vale malo conosido, usté, que bueno por conoser". Pero donde manda capitán, mano, no manda marinero.

El señor Alcalde nuevo tenía puntos de vista. Tener puntos de vista aquí puede sacar a un hombre a flote o enterrarlo pa toda la vida, según. Pero desde luego no lo deja nunca en un término medio, que ya es algo, porque no exige gritar para que oigan a uno. Con no tirarse a hablar más de lo debido, y al hacerlo, hacerlo con ciertas pausas y ciertas junturas de dientes y ciertos ladeamientos de cabeza, sacando la voz de la caja del pecho, un hombre podía llegar muy bien a concejal, y colocar un par de guardias entre los amigos pobres, y mandar a echar arena en la calle de los amigos ricos cuando algún familiar de éstos entraba con la quilla en el marisco por mor de alguna malura de las que no arregla ni el médico chino.

El Alcalde tenía curtura y hasta se había pegado sus viajitos a la Península, una vez con una hermana que venía padeciendo y los médicos de aquí, por más que la trastearon, no le hallaron la maleza, y otra vez en una comisión de fuerzas vivas, cuando los meneos de la División de la provincia. El fue el que dijo un día en el Casino, contando de Madrid —que casi no acaba— y por los tiempos en que la Alameda de Colón era el centro de nuestros paseítos con tocata, que el Retiro era tan grande que cabían en él siete *Lameas* (1). También se dijo, aunque se lo echaron a malas lenguas, que se tiró un salto a París atrás de una artista que lo engañó de mala manera, hasta tener que vender, por causa de ella, una casa que tenía atrás de la Catedral, cosa que le costó la vida a su señora, una doña Josefina, tiernita como un boango, que con él casó por arreglos allá de padres y consejeros, y que desde que lo supo se amuló y ya no volvió a levantar cabeza.

Lo llamaban a él don Juan Anicasio. Y desde que trincó la

---

(1) Véase cuento número 11 de este tomo V, donde le explica el caso a maestro Bartolo, el zapatero.

vara pegó con una cambiatinas tan desbaratadas que la gente
pensó que estaba loco. Una de las novedades era que todo el
mundo tenía que coger su derecha. Si usté iba al Parque, sun
poner, tenía que coger la acera de ca Chanray. Si usté venía de
Fuera la Portada pa dentro por la calle de Viera y Clavijo, tenía que agarrar la acera del Circo Cuyás. Aquello era demasiado. El isleño no se amaña a coger la banda que le diga el guardia. Yo por querer tener razón siempre hubo sus agarradas. Una
vez, nuestro Manuel *Pinsapo*, que iba pa dentro a comprar unos
cachillos de madera, se vio abacorado por un municipal que se
emperró en que se abajara de la banda que llevaba y cogiera el
sotavento. Mastro Manuel, que hasta sin copas era resistío para
hacerle el gusto a nadie, se reviró como una panchona:

—¿Qué dise usté? ¡Mire, hombre, jágame el favóoo... hombre! ¡Derecha ni derecha! No fartaba más...

—Usted se abaja y coge la derecha.

—Pero cristiano de mi arma, ¡si es que arriba llevo la derecha, cristiaaano! ¡Vaya un emperramiento, caballeros!

—Usted no sabe ónde le quea la mano derecha—se dejó decir el guardia.

—Oiga, no emprensipie a fartar, hombre, no emprensipie, y
déjeme el alma quieta de una ves, hombre...

—Yo no le ha fartao a usté.

—Ende el momento en que usté me dise a mí que yo no sé
onde me quea la mano derecha, usté me ha dicho alfabeto a mí
Y usté será guardia, pero yo ha leído, y tengo mi curtura tamién.
¡Ah, ya! ¿Usté quiere saber por qué no llevo la derecha? Porque yo, ende que nasí, soy surdo. ¡Pa que lo sepa! ¿Habráse visto con los vagañetes estos, ...mbre?—se fue refunfuñando.

Otra moda de don Juan Anicasio fue la de condenar a los
"beodos", como él decía a los templarios de usos y costumbres,
a acompañar a un barrendero durante la limpieza de la mañana,
ayudándole en la faena de hacer que limpiaba la ciudad. Como
se lo tomó en serio, acabó por imponer el vejatorio régimen de
regeneración. Y una madrugada trincaron a mi compadre Pepito
Monagas con una trompa que la agarra un cristiano sin arregosto
y no la cuenta. Parece que hubo que tirarle una puntita a un
municipal acerca de lo de las aceras. Se puso en medio de la calle
y le preguntaba al guardia con retintín, que vino a ser lo que
más le jeringó a la autoridad:

—¿Por cuála me deja dir, usté? ¿Por la del sotavento o por
la del barlovento?

Le jincaron su barrendero. Cayó Pepe con un Fesnando el
Chuchango, de áy de las Cruces, que olía el ron y se quedaba
del golpe con la pata levantada como un perro perdiguero. Mo-

nagas apenas tuvo trabajo pa embullarlo. A la media hora lo tenía ya que lo coge un airito del Puente de Piedra y va a tener a Bocabarranco. Entonces Pepe lo metió como un saco de papas dentro de la carrucha de la limpieza y tiró con él pal Potrero. Cuando lo vieron entrar con aquella carga todo el mundo se quedó asmado.

—¿Ónde vas con eso?—le pudo preguntar alguno de la puerta.

—A devolveslo y a que me den otro, porque éste que me dieron no sirve.

19

DE CUANDO PEPE MONAGAS *INVENTÓ* UNA DROGA PARA VOLVER RESTRALLONES LOS CHORIZOS REVEJIDOS

Mi compadre Monagas conoció en Las Palmas y luego en Cubita la bella a Fesnando *Canabuey*, que le decían a él de nombrete, un isleño de aquí de Fuera de la Portada que emigró nuevo, ganó allá centenes como estiércol y se arruinó más tarde en su tierra, a la que volvió, entre verde y madurón, más fachento que el anillo de un puro, apostando miles a las patas de un gallo y espirrifiando el resto en rumantelas y trapisondeos con mujeres ruines y amigotes estilo sanguijuelas, de los que ríen las gracias hasta con la barriga, pero que no pagan una corrida ni con promesa de mayor respeto. El *Canabuey* acabó podrido, baldado de los remos traseros, con más mataduras que un burro de cochinero y viviendo de misericordia en el cuartito más jediondo del portón donde Pepe tenía su casa, que de alguna manera hay que llamarla. En un catre de viento, sin una sábana que llevarse a la boca, rezongando mientras pudo, acabó sus días Fesnando el *Canabuey*.

Monagas, que supo de su generosidad en La Habana y acá, y que siempre fue un bondoso, particularmente ante acacharramientos de tal solemnidad, le ponía inyecciones, lo revolvía, le mandaba con Soledad sus platitos calientes a horas de yantar y sus gotitos de café los días enervantes de panza de burro, y lo veló en las últimas horas hasta cerrarle los tristes y encovados ojos, en los que, hasta el punto final, hubo una lumbre de calentura varonil y desafío que atraía, como el majá atrae en Cuba al pajarillo que aguaita.

Poco dejó en este jediondo mundo el *Canabuey:* miserias y

rengues en unos trapos de vestir, y un libro. Un libro que mercó en La Habana, en un puesto de feria, a un jablantín de estos que van y predican hasta quedarse con los gallillos como pollancos en la muda para vender porquerías. Era un libro "químico", según decía Fesnando, con recetas de fuleque para toda clase de industrias "físicas, químicas y sicalógicas". Con tales recetas, cualquier endeviduo que no fuera un tenique declarado, podía hacerse rico, fabricando cosas que pasarán por inventos, atorrando convenientemente la obra.

—Yévatelo...—le dijo a Monagas el *Canabuey* con la voz ya entreverada de cloquidos finales—. Te lo dejo... a tí... sí... sos listo... y yo... yo...

Por respetar la voluntad del difunto, mi compadre cogió el libro, no sin cierta repugnancia, y se lo llevó a su casa. Allí, en un rincón, olvidado y hasta con polvo en los entresijos del lomo, estuvo porción de tiempo. Pa mi gusto, años.

Un día Pepito amaneció con dolor de "redoma" en una rodilla. A la fuerza se quedó entre las paredes del cuarto. Y estando más aburrido que el *Boletín Oficial*, se le vino al pensamiento el libro que legara el *Canabuey*.

—Chacha, Soleáa, alóngame aquel libro que está al canto atrás del esquinero.

Pegó a leer. Y pegó a abrir los ojos como chernes y quedársele el mirar cuajadito como a chopas de vivero. Era curioso el consumido librito. Tenía una relación grande de fórmulas facilísimas para todo: desde una receta para un pegue que lo mismo ligaba papel que hierro colado, hasta la manera de hacer miel "de verdad", con un lamedor, unas yerbas de aroma y un paquete de velas derretidas. Se le quedaron, particularmente, a mi compadre en el tino como un barrenillo, que hasta el dormir le soliviantaron, dos recetas: la una era para matar el pulgón del grano; y la otra, para poner las ruedas de chorizo pasados (esos chorizos del país que no se venden, y van arrugando, arrugando, como viejas solteronas detrás de las persianas de Vegueta), tiernitos y restrallones, como muchachas en sus quince.

En la cama dábale vueltas a los dos inventos con la persona de Rafaelito el tiendero metida en el sentido. "Al Rafaelito este le engóo yo y le jago el esperimento"—pensaba, hablando solo, dando vueltas en la cama como perro con pulgas.

—¿Por qué no te cayas yaaa, y te estás quieto, niñooo, yaaa, con el la radio esa y esa jiriguiya? ¡Fartaba otra!—acabó rezongando mi comadre, que siempre fue livianita de sueño.

Se levantó mi hombre más temprano que de usos y costumbres, se jincó casi de piesss el goto de café y tiró arrastrando el redoma. Cayó ca Rafaelito cuando todavía estaba barriendo y las cucas levantadas. Trabó ajoto de una ginebra "pa en ayuna" y pegó a engatusar al hombre. En un rincón de la trastienda, donde se reunen ciertas tardes los del copeteo, mi compadre tenía vista una tonga de sacos de millo con pulgón. Y en una vitrina donde el tiendero tenía las raspaduras y los boliches de chupar, una rueda de chorizos reconcomidos, contemporáneos, al mou, del Pendón de la Conquista. No lo convenció de entrada, pero dejó sembrado. Siguió dándose sus vueltas, llevando por allí a la jarca para que ayudaran a animar al "mercader de Tenteniguada", como él lo llamaba. Y a los tres días, Rafaelito estaba mollar. Accedió, pero con una condición: si el asunto no daba resultado no pagaba a Monagas "ni un perru chicu, ¿tamus?.

Pepe, hallando que Rafaelito amarosaba, anduvo aquellos días en pasos de "químico", comprando de botiqueo polvitos y líquidos apestosos. Y embujerado en su casa hasta las tantas, con el libro a la banda y un tenderete de platos, copas, goteros, botellas y escudillas delante, fue componiendo la fórmula. Al fin quedó dispuesta una botella de a medio litro con cierto líquido de la color de los tunos colorados, y un cartucho de a kilo con ciertos polvos, cuyo tono y batumerio los hacía parecerse a los de las chinches.

Se reunieron ca Rafaelito la tarde de la prueba, para goler y gozarse el experimento. Vitorio el del *Pinillo*, Andrés el de la *Placetilla*, Venturilla el *Táita*, un Luisito *Pastilla* —que entendía él de química y eso— y mi compañero Juan Jinorio, que también diba en la rueda de presentes. Se olían algo, al mou...

Monagas pegó con los chorizos. Cargaba de la botella colorada una jeringuilla de inyecciones y a cada chorizo le jincaba su finchonazo, como quien vacuna en el cuartel. Cuando terminó volvieron a colgar la rueda ajillada. Y en expectativa de que volviera "a su ser y estado primitivo", como decía mi compadre para darle cierto tono a la cosa, se sentaron a jilvanarse unos macanazos con aceitunas der paí. Distrajéronse. Pepe fajó a considerar los posibles de la fabricación de penicilina y bombas anémicas en su nuevo laboratorio.

De pronto recaló, con tal privazón que no le cabía una paja, Rafaelito. Traía entre las dos manos, como una guirnalda, la rueda de chorizos. ¡Pero quá cambiatina, caballeros! Habían cogido una vida que parecían saltar como baifos apipados, estallando como colleja. Brillantes, largando un zumeque apimentonado, hinchones como fruta nueva: mostrábanse casi milagrosos entre los dedos con tembleque de Rafaelito.

—Esto es pelisilínico, cabayeros...—dijo Vitorio con voz grave.

Después de unas corridas para festejarlo debidamente, Monagas pegó con los bichos del millo. Se aplicaba la polvajera matona del invento mediante una botella de aire comprimido, en combinación con un pulverizador, cuya punta era como uno de esos punzones para catar el grano. Se aflojaba la tuerca del aire y se iban dando finchonazos hasta el alma de los sacos: aquí se mete, más allá se saca. Manipulaba con el fincho mi compadre y con la gorda botella de hierro Rafaelito.

De repente aquello se tupió. Monagas dio unas órdenes:

—No llega el aire. Afloje un pisco la tuerca...

Rafaelito aflojó, pero el chisme seguía tupido.

—Afloje más... Máaas... Máaaas...

De repente la tapa de rosca de la botella, que descuidadamente había sido aflojada demasiado por Rafaelito, saltó como una bala. El tendero tenía la cabeza casi encima. Y ni que decir que le cogió las quijadas, llevándose por delante, como si fuera una deleite, media barba, dos pedazos de labio y tres dientes de arriba, todo lo cual se quedó pegado al techo. El viejo no pudo dar ni quejido. Se dobló, tieso, sobre las rodillas y cayó como un cortacapote, sin tino al pie de la tonga.

—¡Chaaacho...!—exclamó, amarillo como un ramo de avenas, Vitorio.

Con agua de San Roque y aire que le dieron, meneando unos abanadores de palma a toda mecha, Rafaelito cogió tino al cabo de horas. No podía entender aún su catástrofe, que había alcanzado también a los chorizos, los cuales pasaron el atardecer de primorosos y reventones a otra vez reconcomidos y ajillados, como millo viejo. Con un brumero, un brumero metido en el tino, preguntó, la voz como un gato chico:

—¿Ondi estoy...?

Y Monagas, sin respeto maldito por la catástrofe, le orientó:

—Por los mooos, ¿oyóoo?, pa allá pal Japón. En Okienagua.

20

DE CUANDO PEPE MONAGAS LE PIDIÓ UN ALFILER
A UNA NOVIA QUE SE ECHÓ EN LA MARINA

La muchacha era conejera y entró a servir pa dentro en una casa de la calle Triana que daba pa la Marina. Nuevita, aceitunada de color, tiposita y con el habla viva de las gentes de su isla, Adela, que así la cristianaron, se metía por los ojos. Vivía en Guanarteme, y como no se quedaba de noche, todos los días del mundo, al solpuesto, cogía el petate primero y el remolque de *la Pepa* después y tiraba pa la Barriada.

Porque era en los tiempos de *la Pepa*, de la primera *Pepa*. Soltero él, la conoció Pepito Monagas, que fue un rayo para el mujerío. Más bien feo que bonito, con las narices sobre el chorizo del país y la boca sobre la alcantarilla, Pepe tenía, no obstante, un reburujón, un muñequeo, un déjame entrar, parecidos a la guindilla, que sonsa, sonsa, se va dejando dir pal pie y acaba desmayando y encendiendo a la vez. Risueños y brillantes los ojos, listo el pico, tanto para arrullar como un palomo buchudo, como para soltar un dicho atómico; atrevidillo, de otra parte, y con tino para saber cuándo cuadra engodo y cuándo cabe lance, mujer a la que echaba la tarraya era mujer lista.

Ya era novio de mi comadre Soledad cuando apareció Adela, la conejerita primorosa. Pepe la empezó a aguaitar en la Plaza. La seguía cuando volvía con la compra y la esperaba por la tardecita, a la suelta, siguiéndole luego los pasos hasta el Puerto, llevándola delante, larguita para no espantarla, pero con la liña justa para que lo notara y tal. Algún día contaré un importante percance de estas rondas primeras.

Cierta mañana entró Adela a la Plaza, fresquita como un ramillete tarozado. Se acercó a un puesto:

—¿A cómo tiene los tomates, ustée?

Monagas se puso de pronto a la banda:

—Oiga, Mariquita, lo que esta mujer compre aquí está pago, ¿oyó?

—¿Y eso?—se volvió, salada como una almendra, Adelilla.

—Porque usté es forastera. Y asquí, a los forasteros, les echamos flores el día que allegan, y jasta quinse días después, too gratis, ¿oyó?

—¡Ji jiñóooo!

Y trabaron.

Buenos pellizcones le costó a mi compadre el enralo, porque
Soledad, que tenía de pollita lunares vistosísimos y un relumbre
de plumas de cuervo en los ojos —los más guapos del Risco— se
cogió tan a pecho los livianeos del novio que lo traía asado:

—Tú lo que estás queriendo es que yo abaje un día pa abajo
pa la Plasa, ¿oítes?—y ponía la mayor provocación en el oítes—
y me trave como una gallina inglesa de las pelionas, y le saque
los ojos a la Adela esa, y me jaga unos sarsiyos con eyos. ¡Al
mou!

Monagas fue timoneando el asunto. Y era novio de las dos,
con tiempo sobransero pa los cáidos. Hablaba con una, mano a
mano, en una persiana del Risco, y con la otra por la Marina,
ella en una ventana de un tercer piso y él afianzado contra la
pared de un almacén, ya acostumbrado el cogote. La crió al dedo
como el otro que dice. Y no había antojo de Pepe, que ella no
satisfaciera, maquilándole al ama. Claro, que por amor, que si
no, no. Una mañana amaneció caprichoso:

—Oye, Adelilla, hoy me pide el cuerpo su pisquito jamón,
túuu...

Entre noche y día, y allá para el final del moseo, se desprendió de la ventana un envoltorio hecho con el *Diario de Las Palmas*. El rumor de la marea ahogaba el salpaso. Pepe recogió,
desenvolvió... Tenía delante una pierna de jamón, ya empezada,
pero casi entera, y tan hermosa que era de seguro de una *Miss
Cochina*.

—¡Si es empajada!—pensaba echándole un vistazo.

Descubrió un papelito pegado a una banda del tocino. Aproximóse a la luz y leyó:

"Pepe, la precente espa desirte que nome pidas man náa di
antojos pora ora polque la señora quetu save loagarrá y asecho-
na ques benía desbelada con la farta de los chorisos destremeño,
que casi toos te los comites tu y las latas del laterío de pa fuera
que llo te diba tirando y los paquetes de gayetas de maría que te
di cuando te pusites estomagado.

Y esta espa decirte por la presente queal poco rato de agrarrar
el jamó sedió de cuenta y me soltó una estupidura que entodabía
me dura el sonío; llo lo tenía escondío al canto atrás diunas sillas viejas yno dio con él; me pareze queme va a hechal la caye
como agua zusia; lo siento únicamente por que no te pueo seguil
suministrando. Te digo que está una jarta de injustisias.

Tequiere, Pepillo de mialma y de mi corasón, esta que lo es

ADELA."

Monagas se quedó tieso. ¡Adios te digo y no llores; empajadas con todo pago! Desde luego no estaba mal el último suministro, pero incompleto, sobre todo por ser el último. Se le despertaron unas feroces ganas de jilvanarse unas lascas, allí cerca, al pie de la orilla, con el fresquito salado del mar. ¡Pero jamón solo...!

—Está bien—gritó a lo alto—. Pero mira, estooo...

—¿Cuálo?

—Que digo que esto...

No se atrevía después de la carta. "Pero un alfilée sí le puedo pedir", pensó.

—¡Mira, Adelaaa, ¿oítes?; que estooo, queee... que me tires un alfilée, ¿oítes?

—¿Cuálo?

—¡Sí, mujéee! ¡Un alfíléee!

—¿Un arfilée? ¿Pa qué quieres ahora un arfiléee?

—Porque no tengo palillo de dientes, mujer, y tú sabes cómo traba la entaúra esta casne nerviosa del jamón...

—¡Oh! ¿Pero cómo te voy a tiráa un arfilée con el oscuro que jase, muchaaaacho?

—¡Mira! Me la espichas en un pan, ¿oítes?

21

DE CUANDO PEPE MONAGAS LE MAJÓ, UNA VEZ MÁS, LAS LIENDRES A SEÑOR DON PEDRO EL *BATATOSO* (1)

Fue una tarde de batatas. Señor don Pedro el *Batatoso* llegaba por días a la carpintería de maestro Manuel Lorenzo desarretado. Aquello no era un hombre, caballeros; aquello era una máquina de decir mentiras. Después de la mecha del camello viejo, al que Monagas le echó en una matadura un puñado de tierra para evitar que las moscas lo martirizaran antes de abandonarlo por inservible, y que apareció al año siguiente con una calabacera nacida arrente de la corcova y seis calabazas arrastro, después de esa batata, señor don Pedro recogió velas un tanto y no se atrevió durante una temporada... Pero esta tarde llegó, como decimos, "atacado"...

—Vengo asombrado, cabayeros—dijo desde que entró y cogió

_____

(1) Véase el cuento número 10 del tomo I (1968), de argumento similar, aunque distinto.

resuello... ¡Oiga, si no fuera que mi medianero es hombre de confiansa, no lo creía ni con acta notarial! ¡Ta loco!

—¿Qué fue lo que pasó, señor don Pedro?—preguntóle perplejo maestro Manuel Lorenzo.

—Oh, que me llegó esta mañanita el medianero a darme la nueva de una vaca primerisa que fue mercada pa ferias de San Miguel, en Valsequillo, y que ha resultao un barranco el animalito...

—¿Y eso...?—díjole Monagas.

—Pues resulta de see que él oldeña por la mañana, al albita. Ayer por la mañana, según costumbre, sacó la leche a la noviya y se fue despúes a arar unos cachejos que están por abajo de las casas, enyugando la res. Mientras araba pegó a notar que la ubre del animal iba inflando otra ves, inflando otra ves... "¡Oh!, ¿y esto, mano?—se dijo José Lucas, que es el medianero, ¿sabe?—. Eso no es por buena mano... ¡No!" Pero siguió el hombre arando. Allá pal mediodía agarró y la oldeñó de nuevo pa aliviarla, porque estaba requintada ya, señores... Y ordeñándola estuvo hasta que llegó un chiquiyo de ée con el almuerso... La dejó por ayí, a una sombrita y pegó a comée... Estando jasiendo la siesta recaló otra ves el muchacho, que venía a ayudarle, dijo, dísele: "Oiga, padre, a algún lechero ha tenío que caérsele un cacharro grande de leche porque está cayendo un chorro al barranco"... ¡Oiga, van y se asoman, cabayeros...! Por un surco alante venía una sequía de leche y caía al barranco como si fuera agua...

—Como agua que es—se dejó decir mi compadre, soltándole un bichillo.

—¿Te lo echas a la guasa...? ¡Ve y pregúntales a ée y a los vesinos toos...! ¿Saben lo que era...? Que la casa, de tan requintada, pegó a irse en leche, eya sola... ¡Un fenómeno, cabayeros! Que si no fuera que Pepe Lucas es persona meresedora de créito, yo no me lo tragaba...

La gente se quedó como si se les hubiera venido encima er Tune de Terde... Aquello era demasiado...

—Yo lo creo—pegó serenito mi compadre Monagas—, porque en la vida se vein fenómenos, cabayeros, del orden fenomenal de los metafísicos de ésos, y espiritísticos y táa, que si uno no los viera no eran pa creíos... A mí me han pasao sus casos dinos de ser puestos en papeles... Una ves, cuando yo estuve en los altos de Guía con un compañero de quintas que me invitó a pasar una temporaíta, despúes de un releje que agarré, y que me tuvo en cama, fui un día en el burro de aquel hombre jasta unos sequeros onde él estaba sembrando. Séase porque el burro me extrañaba, séase porque era mal amañao, lo sierto es que pa levantar una pata le pedía permiso a la otra... Yo pegué a jurgarlo, y a castigarlo y acabé calentándome. Llevaba yo una vara fina de almendrero, curada, que mi amigo tenía espicháa siempre en la albarda por estos casos, y acabé dándole al animal un lambriaso trasero, arrente de la albarda, con tan malos moos, que la vara dio un singuío en el aire... Le tiré el segundo golpe, y éste, cabayeros, no encontró resistencia. La vara me dio en el aire... ¡Voy y miro pa atrás...! ¡Pa qué fue aqueyo...! Me di de cuenta de que iba montao tan solamente sobre medio burro. El otro medio se había quedao allá atrás, que lo partí del latigaso... ¡Bueno! El trabajo que me costó pa empataslo otra vuerta, que casi me coge la noche... ¡Ta loco!

22

DE CUANDO PEPE MONAGAS DISCUTÍA QUE LA BANDA DE SANTA BRÍGIDA ERA MEJOR QUE LA DE MADRID

Cuando señor don Pedro regresó de aquel viaje a la Península con "mi hermana Rosario", que iba a operarse, tuvo la ciudad lata para largo tiempo. Cada momento, señor don Pedro ponía el disco y ahí te va un paquete de que si en el Retiro cabían tres "lameas", de que si vayan... aonde quieran los Peñates, de si Zaragoza era llana como la palma de la mano, de que mal limpriaíta agua la de los ríos pa agarrarla en ese Sur y pegar a plantar tomates a tuti plen, sétera. Estaba bien su ratito, si se ofrecía, pero aquel guineo, aquel guineo, ústé, requintaba a cualquiera.

Una tardecita, después de suelta, se formó la tertulia en la carpintería de Vegueta. Y no sé por dónde, la conversiada vino a recaer en bandas de música. Señor don Pedro, que se quedaba pegado de la flor de un berro, metió la cuchara:

—Caballeros, bandas, las de la Península. ¡Aquello sí es cosa asiada! Un día fimos yo y mi hermana Rosario a escuchar una tocata de la Munisipal de Madrí áy en el Retiro... ¡Avemaría! ¿Ta loco, cristiano? Aquello sí que mandaba las peras a la plasa. ¡Aquel sonío, ustê! Oiga, y lo mismo si tocaban bajito, como metiendo la escandalosa: era igual. Y lo mismo si le tocaban a ustê una masurca, que una lata de esas grandes que dan una moorra como un peso del mediodía. Era igual, ¿oyó? Lo que yo digo: hay que ver salío de aquí pa oír cosa asiáa.

—Pos a mí—interrumpió, dispuesto a jeringar, mi compadre Pepito Monagas—, a mí, ¿ta oyendo?, me gusta más la banda de Santa Brígida.

—¿Cuálo?—preguntó triunfante señor don Pedro. Y lanzó una carcajada como un volador de lágrimas—. No seas totorota, Pepe. ¿Onde vas a comparar? ¡Miustê!

—Pos yo le digo que me gusta más, señor. ¿Y quéeee...?—se emperró Monagas, que manejaba como un maestro esta táctica tan isleña del emperramiento, cuando hay que ganar por la zorra, agachado y atravesándose, como un luchador majorero.

—No digas animaláas, muchacho, no digas animaláas! ¡Caballeros, lo que hay que oír...! ¿Ande vas a comparar, muchaaaacho? De finasión, de sonío y eso... Aquello es un piano, te lo digo, y lo de aquí—y no es por despresiar—un gangarro. ¡Ta bueno...! ¡Pregúntaselo a mi hermana Rosario!

—Y yo le digo a usté que no, ¡señóoo!, porque hay que tener en cuenta que toas las cosas son asigún.

—¿Cómo asigún?

—Asigún, señóoo... Es natural que pa fuera sea mejor, que pa eso es pa fuera, y siempre lo ha sío. Pero comparando, o séase, asigún, la de aquí es mejón.

La discusión pegó a enredarse y a apasionarse. Algunos de los de fuera se repantigaron bien, dispuestos a gozársela, echando leña al fuego, dando una vez la razón a uno y otra a otro, haciéndole el juego a señor don Pedro cuando se veía muy abatatado, preparándole una caída a Monagas cuando el curso de la polémica cogía vientito de popa.

—Más vale que lo dejen en tablas—dijo con una voz grave, de hombre que nunca habla, maestro Cristóbal Sánchez, con un aire solemne de jurado de luchar en tarde buena—, que ya es tarde y los potajes se enfrían.

Y en esto recala de pasada don José el médico.

—Asiéntese un pisco, don Osé.

—No. Imposible. Tengo un enfermo aquí delante. Como me gusta mi ratito aquí, me tiré un salto, pero a echar un sajumerio, como el otro que dise.

—Pues mire, ha venido usté que ni pedido con recomendasiones—le dijo don Gregorio—. Es que aquí don Pedro y Pepe, ¿sabe?, se han enredado ellos en una discusión, que si es mejor la banda de Madrid o la de Santa Brígida. A Pepe, ende luego, le gusta más la de Santa Brígida—apuntó, enderezando el velamen sobre el viento de don José, que cogió la insinuación por el aire—. Usté puede sacar de dudas la diferensia, que usté ha estudiao pa fuera y eso...

—Hombre, yo...

Monagas saltó, ventajista:

—Yo ha dicho que asigún, ¿oyó, don Osé? Ah, ya...

—Pues yo, la verdad... A mí me parese, teniendo en cuenta esto que dise Monagas de "asigún", que la de Santa Brígida es mejor.

—¿Pero por qué, señóoo? Esto es lo que hay que desir y listón: ¿por qué?, vamos a ver—saltó, picado, señor don Pedro.

—Hombre, porque la de Santa Brígida tiene tres semicorcheas más...

Don José salió seguidamente a espetaperros, a pretexto del enfermo. Y Monagas se quedó en el terreno, con un aire de Justo Mesa imponente. Y para remacharla y ya en la despedida, Pepe se acercó al oído de don Pedro y le dijo, dise:

—Vaya una palabrilla de meisina que le metió...

23

DE CUANDO PEPE MONAGAS LE BARRUNTÓ UNA DESGRACIA A SUNSIONITA LA *MORENA*

Comadre Sunsión la *Morena,* casada ella con el costero Felipe *Lapa,* contrajo por la Iglesia, aquí en San Telmo, una polloncita todavía, entrando en los diecisiete años. Séase por lo nueva, séase por lo tiposita que salió, la muchacha era un escándalo en la calle y en la plaza y en el barrio. Como perros a la carniza la rondaban esos pollancones trasnochados y escurriendo brillantina que van a conquistar por la mañana entre los puestos de verduras, dando vueltas como totorotas y soltando piropos pajizos; echados a perder más todavía porque como estuvieron embarcados cuando la guerra sacan unas engalladas y unas pronunciaciones de un peninsular tan desabrío que da de cara. La muchachita, que de por sí no era enralada, sentía el cerco con repugnancia, como cuando uno está malo y le huele a puchero. La marea de toda política la salvó Asunción mejor por reacción de abacoradas: aquí se revuelve con una estupidura, allí llora de asco, tan graciosamente inadvertida de su reburujón que ello sólo le prestaba simpatía; más allá suelta su galleta, cuando la cosa pasaba del requiebro arrente de la oreja y de los ojos de pájara echada a un avance más fresco que la trasera del teatro...

Por esto, cuando, a pesar de los barruntos y hasta de las calumnias que le levantaron en el barrio los donjuanes de doce en media docena, le habló en serio, con poquitas palabras y una z enredada entre las dos paletas de su dentadura tímida, Felipe *Lapa,* para casarse como Dios manda, Sunsión se puso que era una amanecida de Reyes. Con la boda, además, se quitaría de su casa, donde la madre le metía unas gentinas que se quedaban las dos esmorecidas, emperrada la gorda mujer en que la muchachita tenía la culpa de los jaleos "por provocativa", cuando era lo cierto que ni levantar levantaba los ojos del suelo.

Envidiada por las mujeres y celada por los hombres, Sunsión hizo una vida matrimonial difícil. Que si esto, que si lo otro... En boca siempre. Y ella decente, y su marido sabiéndolo y queriéndola... a su modo—como un burro—. Más pronto que volando, Sunsión trajo a llorar a ese Risco de lágrimas cinco chiquillos, porque en dos ocasiones los dio por pares de una sentada. Se engordó su poco, pero seguía guapa, morenita la piel, grandes y vivos los ojos, fresca la boca como la mordida de una manzana. Por esto mismo seguía rondándola el chisme y la calumnia.

Vino al mundo el sexto guayete. Ocurrió que cuando la comadre todavía no lo había encargado a París, tuvo que pedirle un favor a un caballero de pa abajo. Su marido estaba en paro y había que recomendarlo para que lo enrolaran con destino a una zafra en puerta. La cosa se arregló después de tres o cuatro decentísimas visitas de Sunsionita a esa fuerza viva, de una de cuyas tarjetas dependía el caldo de papas y la pella de gofiio de su mechinal risquero. Y el diablo que la había de hacer...

Acomadada enfrente de ese caballero, cuarentón ya, pero bien comido y tal, estaba una Antonia, vecina de Sunsión, más chimba que la perra de maestro Bartolo, alcahueta como ella sola. Le faltó tiempo para soltar la especie. Sunsionita entraba y salía ca don Cristóbal. ¡Miá pa allá!

Naturalmente, cuando la comadre tenía la carta en París ya, pegaron en el barrio con las chirigotas. Y hasta bautizaron al chico en vísperas: Cristobita. La pobre Sunsión acusó los chismes y se puso triste. Más de una vez las lágrimas le sirvieron de conducto. Llorando en la puerta la encontró un día mi compadre Pepe Monagas, que vivía a la banda. Ella se desahogó por más de una hora, que de viejo penaba las malicias y los desvíos.

—¡Otra acalunia, Pepito! Y esto toa la vía, a mí, que ha resistío como ninguna, aunque no tenga mérito, porque ninguna fuersa que me ha costao. ¡No voy a tenée ni quién me lo cristiane!

—¿Qué dise ustée? Yo voy a ser el padrino de ese bautiso, ¿oyó? Y va a sonar aquí arriba como un repique de San Pedro Mártir. Ya lo sabe.

Monagas le contó el paso a su mujer y a su compadre Victorio y a Juan Jinorio, su otro compadre.

—¿Sabes qué digo? Que por primera ves va a alcansáa la acalunia a esa mujée. Ahora, cuando su marío venga de la costa, se arma, porque como las cuentas las llevan las mujeres y él, arriba, ni entiende ni papas de ellas, va a pegar a extrañar. ¡Y sabe Dios!

—Náa. El no sacará cuentas, ni le pasará por el pensamiento, ni náa va a ocurrir a Asunción.

—Ustede verán. De este viaje, la jeringa la acalunia. Esto va a traer sangre.

—No te pongas romántico, Pepe, que ya tú no estás pa novelas.

Y se equivocó Monagas. Volvió de la mar Felipe *Lapa,* vino el chico al mundo, sacó arriba la color más clara que los otros, llegó a oídos del costero el chisme. Y, sin embargo, no pasó nada. Soledad y los amigos de Pepe le cayeron arriba subrayándole la plancha.

—Te equivocastes.

—Pue ser.

Pasó el tiempo. El último de los guayetes de Sunsión, el de la sospecha, tan blanco y tan guapo, cayóse un día en la ladera, dio unas vueltas y se partió. Estuvo el muchachito enyesado qué se yo la de tiempo. Y no hubo de qué. Se corcovó. Su tronco, antes tan espigadito, acható y sacó un morro alante y otro atrás, que partía el alma verlo.

Comentándolo un día Victorio y demás, Monagas saltó con aire triunfante:

—¿No lo dije yo entonces? ¿No se acuerdan que se lo dijo yo, que ésa era la calunia que diba a jasesle daño a Asunsionita?

—¿Pero qué tiene que vée, muchacho? Una casualidad. El chico se cayó y se partió. ¿Qué?

—¡Naturáaa! Pero ni se mató, ni se partió una pata, ni se estilló un braso. La acalunia, sí señó.

—¿Pero qué acalunia ni acalunia, muchacho?

—¿Que qué acalunia?: la calunia vertebral.

24

DE CUANDO PEPE MONAGAS LE HIZO LA CUENTA DE LA PATA A SOLEDAD, SU SEÑORA

Cierta vez se le ofreció a don Manuel el *Batata* albear y pintar su casa. Don Manuel tenía fama de gorrón, hasta el punto que Monagas, que le conocía todos los trasteos, dijo de él en una ocasión que no dar, no daría ni las boqueadas en la hora de irse listo. Como Pepe no era fijo en el oficio, sino que según le daba agarraba escobas y brochas para un cáido, y cobraba menos por eso mismo, don Manuel, que perdía una perra chica y cogía un desvelo, lo aguaitaba hasta verlo muy atrabancado, y entonces le hablaba. Por la mitad del precio corriente le levantaba el blanqueo y la pintura de los huecos del frontis.

Resulta de ser que trataron el renuevo de la casa. Monagas cobraría por semana el ajuste. Este convenio era con don Manuel, que otro había con Soledad, la mujer de Pepe, que le tenía más miedo a los sábados que a unos fríos y calenturas, y había arreglado con él para que le entregara, limpito de polvo y paja, la mitad de lo cobrado, con lo que atendía los potajitos de enredaderas, pudiendo él darle libremente jilo a la otra mitad.

Pero el diablo la había de hacer. Un sábado, Monagas se encontró ahí por alrededores del Pabellón a Victorio el del *Pinillo*, que venía de una diligencia.

—¿Los echamos un estampiíto, Pepe?

—Cabe.

Los dos entraron, se pegaron y dada la una larga el dueño del timbeque tuvo que echarlos.

—A mí lo que me jeringa son los abusos, ¿oyó?—rezongaba Pepito, por jeringar al dueño, trabada la lengua, pesado como una potala—. ¡No jase farta que arrempuje! ¿No es así, Victorio?

—Masiao que sí...

—Póngalos la arrancaílla, ¿oyó?

—No hay más. A la calle.

Y en la calle y sin llavín se vieron los dos compinchess, allá pa las dos. No había nada que hacer con esto del cierre a rajatabla. El catre dio la única y definitiva solución.

Excusado es decir que mi comadre Soledad lo esperaba como un erizo, sentada en medio de la cama, con el rodete enterito todavía y el camisón, que como sábado, se había puesto limpio, sin una arruga pa una medicina. ¡Aquella entrada! Ella como un aguililla, él con la boca cambada en una mueca de sinvergüenza que hasta las perinolas del catre se enfriaron. Y callado como un tocino, con apenas tal cual rezongo:

—¡Vaya un guineo, mano!

Hasta que ella alivió la cargazón del sentimiento, se viró con un remango y pegó a llamar el sueño. De pronto, al verlo acercar medio vestido con ánimo de compartir el lecho conyugal, saltó como un gatillo:

—¡Asquí no te queas! ¡A la estera, perdulario, bandío!

—Ta bieeen... Pero túpase de una ves, señooora, que está poniendo en planta too el portón con esos esperríos...

La noche echó una tupida pañoleta sobre el escorroso.

Y a la mañana siguiente...

—¿Onde está la mitad del jornáa?—preguntó como una escopeta Soledad.

—¿Qué josnáa, si no me han pagao?

—¿Que no te han pagao?

—¡No, señooora! Y no pegue otra ves con el griterío, ¿oyó? No me deje calentáa.

—¿Pero y por qué no te pagaron?

—Porque don Manué tuvo que dir pa Teror, a la finca, y se alcontró con un señor que subía. Por no desperdisiar, se queó jasta sin almuerso.

—¡Tú no me digas mentiras, Pepe!

—¡Oh, padrito! ¿Por qué no va y pregunta?

—¿Que si pregunto? Como que voy jasta a cobrar.

—No arme líos, ¿oye? Déjese dir, déjese dir.

—¿Y con qué comemos hoy?

—Los remediamos.

—¿Qué dises túuu?

Hecha una fiera y trancada, sin una palabra más, Soledad se echó la pañoleta y tiró pa ca doña Agustina, la mujer de don Manuel.

—Su marío se fue sin pagasle a Pepe. Y estamos sin poder comprar náa. A vée si usté quería darme la semana, asín Dios le salve el alma, usté, que Pepe arregla mañana con don Manué.

—¡Esús, mujée!, ¿por qué no?

* * *

—Toma tu parte—dijo Soledad a su marido tirándole delante las pesetas, según entró de recalada.

Monagas se quedó asmado:

—¡Pero muchacha!, ¿cobraste?

—¡Naturáa!

—Y van dos—rezongó Pepe.

Cuando bajó don Manuel, a su señora la faltó tiempo para pintarle, con voz sentimental y ojos de pájara echada, la "caridad" que había hecho, cubriendo su olvido.

—¿Cuálo? ¡Ya te engañaron como a una china! Pero si yo le pagué, muchacha. ¡Ya, santísima! ¡Vaya una cara de baqueta, caballeros! ¡Y tú tamién, bobática!

Naturalmente, mi compadre Pepito Monagas fue llamado a capítulo. Y explicó la cosa:

—Mire, don Manuel. Pasa que Soledá, mi mujée, lleva de tiempo la contabilidá de mi casa, ¿oyó? Y últimamente, sin haber visto la Escuela de Comersio ni por el forro, le ha dao por llevarla por "partía doble". ¡Fíjese usté!

25

DE CUANDO PEPE MONAGAS EMPLEÓ EN SU CARRETÓN A CHANO *CHOPA*

Mucho tiempo tuvo Monagas un carrillo para mandados, de los que paran en la trasera del Teatro. Amarrado con verguillas y servido por un cabisbundo, meditabajo y penco burrillo, más dado a filosofar que a tirar de las cargas, con él se ayudó, no obstante, muchos meses en la cuesta jeringada de esta vida perra.

Pero un día Pepito cayó con un "redoma" en una rodilla, que lo tuvo baldado tres meses. Se arrimó el carro y entró el borrico de vacaciones. Destacado en un alpendesillo de latón, por debajo de la Plataforma, el menudo y meditabundo animal se hubiera empajado de descanso si en la vida hubiera dicha completa. Pero era poca la alfalfa y menos que poca la ración, que no están las cosas para abundancias, y ya es bastante ir tirando como Dios y el mundo quieran. Por cierto que mi comadre Soledad, la mujer de Pepito, que subía todos los días a la Plataforma a echarle el puño, bajó un día insultada. Y se lo dijo al marido:

—¿Sabes una cosa? El burro ha perdío la vos.

—Ensima de que no ha tenío nunca oído, ¿también esa?—comentó con guasa Pepe—. ¿Y en qué se lo jas notao?

—En que pega a abrir la boca y a mirá pal sielo y sin salisle sonío ninguno.

Monagas se calló, sonriente, y pensó:

—Sos más impedía del entendimiento que el burro, Soleá.

¡Mira que no darse cuenta que lo que está es esmayao! ¡Te quisiera yo ver a ti con tres riales de alfalfa y media peseta de rollón pa too el día!

Como decía, se aparó el carro por mor del "redoma". Y un día se presentó cal compadre Pepe un tal Chano *Chopa*, endeviduo de las Cruces él, del que todo el mundo sabía que era un jediondo, más informal que la hoja del álamo.

—Estooo... Pepito, yo venía, ¿usté entiende?, porque me ha enterao, ¿sabe?, de que usté ha caío en la cama y estooo... y tiene el carretón aparao y eso, ¿sabe? Y yo quería, ¿usté entiende? —¡si puei seeer...! — que usté me lo soltara a mí y eso. Yo lo trabajaba —¡pa usté! — y usté me daba a mí arreglao a las ganansias, una comisión y eso...

—De la nata sale el queso...—murmuró Monagas.

—¿Señó?

—Náa. Como tú dises.

—¡Tamos!

—"Y eso", pos... Bueno, pos mira. Yo te conosco como si te viera dao a lus, ¿entiendes? Sé que sos gandú, y más liviano que un papel de fumar. No ostante, como conosco que tienes jilorio viejo y que el que no come va pa las plataneras, yo te voy a dar el carretón. Tú lo trabajas y yo te pago siete duros a la semana.

—Hombre, Pepito, yo no quería tanto...

—Cállate la boca. Sale y coje el carro. Toos los días entregas las ganansias y toos los sábados vienes a liquiar. Y acuérdate que el burro tiene entaúra.

* * *

Pegó Chano *Chopa* a trabajar. Y a lo primero daba gusto. Pero a poco comenzó a llegar con las manos vacías.

—Vengo siego, Pepito. Ma ha dao el día como un marisco. Diga, pero ¡cuasitito! me sale un viaje asqui lante al Puelto.

—Güeno, hombre. Otro día será mejor.

Días después.

—Me da velgüensa, cristiano. No ha jecho ni dos maldesías pesetas, en buena fe. Pero, oiga, Pepito, ¡cuasitito, cuasitito! me sale un viaje pa arriba pa la Apolinaria.

—Vaya, hombre. A ver si otro día hay más suerte.

Así que, ¡cuasitito, cuasitito!, le sale un viaje, estuvo Chano más de un mes.

—Reséjalo y aséchalo!—recomendaba paciente Monagas a su mujer, cada vez que ésta se ponía elementada.

Soledad aprovechó sus bajadas a la Palaza para cogerle los güiros a Chano. Parte de los días, el muy debaso, se la pasaba durmiendo dentro del carro. Doblemente enroñada porque no se encontraba en la Plaza un chesne ni para una medicina subió al Risco Soledad.

—¿Sabes ónde estaba? Apalastrao dentro del carretón, durmiendo como un tronco. Y dispués, ¡cuasitito, cuasitito!, me sale un viaje. ¡Será perdulario!

Llegó el sábado y recaló el *Chopa* a cobrar.

—¿Qué tal el día, Chano?

—¡Quite, hombre! ¡No me diga náaa! Siego en pelea. ¿Y usté cree? ¡Cuasitito, cuasitito!, me sale un viaje por debajo el Fielato.

—Güeno, hombre. Son siete duros los que yo te debo, ¿no?

—Sí, señó.

Monagas sacó los cuartos y se los tendió a Chano, que con los ojos como chopas de vivero esperaba la paga. Pero Pepe, con los billetes bien agarrados por una punta, se limitó a pasárselos por la palma de la mano como haciéndole cosquillas.

—¡Oye, Chanillo—le dijo con una jovialidad de chiquillo mataperro—, ¡cuasitito, cuasitito te pago!

Y se volvió a guardar los cuartos.

26

DE CUANDO PEPE MONAGAS, SIENDO GUARDIA, HIZO UN TRATO CON MANUEL *RATA PELÚA*

En la época en que mi compadre fue guardia, todavía estaban entronizados en esos barrios y en ese Puerto de la Luz los matones. Se fajaban a la piña en las taifas y en las fiestas del Patrón, estos hombres de alma atrás, como perros de presa y un lunar de pelo arrente de la boca; armaban una trapatiesta por nada y cosa ninguna en los sitios más inconvenientes, como en un jolgorio de boda o en la calle al paso de una procesión. Como abundaban los maipoles, en el tiempo en que estuvieron de moda, enterrábanlos hasta el mismo totizo, dejando al hombre tirado en la calle, como molido de una máquina de la china...

Cada uno de ellos era capaz de armar una trágica: rondaba una casa y arramblaba con la ropa tendida y las gallinas; forzaba las puertas y trasponía pa las Arenas con una caja de caudales en peso, que luego en aquellos solitarios hacía piscos para sacar el contenido. Y todas las demás yerbas propias del asunto de mamarle al prójimo lo que el prójimo a lo mejor había sudado.

Entre los rateros famosos en la ínsula hubo uno con el que en más de una ocasión tuvo que lidiar Pepito Monagas cuando le tocaba el tusnio en el Muelle Grande, particularmente. Se llamaba por su pila Manuel, pero lo conocía todo perro y gato por *Rata Pelúa,* de unas por el "oficio" y de otras porque le cogía el cuerpo una pelambrera que si hubiera sido de tea, un suponer, vale un dineral. *Rata Pelúa* lo hizo todo: desde llevarse en una noche todas las gallinas de un gallinero, cosa asiada, hasta levantarle al suidadano la cartera en una aglomeración, por ejemplo en la esquina de una calle viendo un desfile, o a la salida de la gallera o de las luchas, los domingos de mucho rebumbio.

Cierta vez... Era la fiesta de la Naval y estaba ese Puerto y particularmente ese Muelle Grande que se tira una naranja y no llega al suelo. Un genterío iba y venía, se embarcaba, compraba pota asada, se partía el espinazo bebiendo ron y cantando isas al estilo conejero... Era un gran día pa Manuel *Rata Pelúa.*

Ay a las once de la mañana recaló de Arucas un coche, un Super señaladamente, estivado de gente del Norte con los cuartos como cargas de leña. Se tiraron frente a un timbeque de la Manigua y de golpe pegaron. Aquello no era beber: aquello era la Presa Grande de Arucas cogiendo agüita... Pasó de raspafilón por la puerta del timbeque el *Rata Pelúa.* Y se golió "golpe"... Confirmó su sospecha cuando dos de los compadres, con las carteras en las manos casi se agarran al moquete discutiendo quién pagaba unas corridas que importaría en total, incluidos los enyesques, unas catorce pesetas y media. Manuel columbró en las dos carteras unos flejes de billetes tales que le entró tembleque a pesar del arregosto a emociones fuertes. Entre los juerguistas venía don Cristóbal, un señor de Arucas que no se sabía los cuartos que tenía. Gran amigo de mi compadre Monagas y con el que se había portado generosamente.

Desatracaron los emplarios de allí y anclaron más alante. El *Rata* cayó atrás como una sombra... Tan trabado en la idea iba que no se apercibió de que mi compadre Monagas, que estaba de tusnio, le caló las intenciones y andaba cogiéndole los güiros como el que no quiere la cosa. Desde detrás de un molinillo Pepito montó un acecho. Tenía enfrente la puerta de la tienda y todo el grupo. Manuel se metió como pudo por entre el rebumbio de hombres y llamó:

—¡A espacháa asquíiii...! Póngame un golpito, estooo ustéee... ¿Tiene un pisco de argo pa quitáa el releeeje...?

Se fue virando, virando... Mi compadre, fuera, lo tenía bajo la vista, como un perro cazador... Estaba en medio de la gente del Norte, que distraída en una cantanera y sin sensibilidad ni para sentir una camioneta rozándoles, se corrían la juerga de la

Naval. El *Rata Pelúa* metió manos... Con una limpieza que daba gusto verle, y que aprendió de un peninsular que recaló por aquí huyendo de la justicia, le sacó a uno de ellos, peje gordo, la cartera con todo el contenido, naturalmente. Había pagado su copa previamente...

—Dispensennn...—dijo saliendo—, que es que me voy a díii...

Traspuso. Monagas le cayó arriba. Pero la suerte estaba de parte de Manuel. Se habían atrabancado delante de un molinillo una insalla de galletones, criadas y soldados y en el grupo se trabó lo suficiente para que el *Rata* desapareciera.

Pepe se quedó rascado como un piojo, pero con el barrenillo metido en la cabeza lo buscó; lo buscó lleno de paciencia. No debía parar en el barrio porque recorrió todos sus sitios habituales y no estaba. Pero allá a las once de la noche, el *Rata* que va y aparece... Monagas entró en la tiendilla, lo trincó por una manga y jaló por él:

—Ven acá, buena piesa, que tengo que jablarte dos palabras tan solamente; mejol dicho, tres: alija la cartera...

—¿Acuála caltera?

—Venga, venga no te jagas el sonso, que tú sabes mucho, que sos mucha cuenta tú...

—Pero lálgueme, hombre. ¡Lálgueme usté a mí...!

Poco le duró el contento. Pepe le contó hilo por pabilo cómo lo había visto y de qué forma y de qué manera... El *Rata* acabó cantando. Pero ocurría una cosa: se había gastado todos los cuartos. O los había escondido, vaya usted a saber. Lo cierto es que encima no llevaba arriba de cinco duros. Monagas le dijo, díjole:

—Pos estás apañao. Te espera la cálcel o una murta que te bardan. Lo único que te hubiera aliviao viera sio degolver lo que le mamaste a ese suidadano. Pero...

—Hombre, Pepito, tenga clemensia de mí, que soy un padre de familia y taaa...

—¿Túuuu...? Tú lo que sós es un jediondo. ¡Venímelo a desíii a mí...!

—Pero cristiano, la nesesiaá... ¿Cómo pueo yo ahora restituíii ese dinero? ¿Di ónde?

Entre bromas y veras mi compadre le dijo:

—Mira, hay una solusión. Yo te lalgo ahora a tí, ¿te das de cuenta? Y áy a la una o a las dos de la mañana recalas...

—¿Y eso pa qué?

—¿Cómo que pa qué?

—Digo...

—Yo te dejo dar una vueltita y a las horas dichas vienes y restituyes... ¿Te das de cuenta?

Y le picaba el ojo.

27

DE CUANDO PEPE MONAGAS ESTUVO DE *TABIQUERO* EN EL CAIDERO DE SAN JOSÉ

Quien se figure que mi compadre Pepe Monagas se pasaba la vida emborregado entre timbeques, calles y callejones de la ciudad que lo vio nacer y medrar se equivoca de medio a medio. Mi compadre Pepe Monagas se ha echado toda la vida sus escapaditas, veces a La Habana, veces a Tenerife y otras islas propias para mayores y menores, veces al campo, esto último cuando por estomagado o por averguillamiento del físico veíase en la necesidad de buscarle al aire y al agua mejorías de altura. Cierta vez fue a parar a Gáldar por mor de un malejón que empezó a ajillarlo como un millo viejo. En Gáldar vivía un antiguo compañero de quintas y tenderetes, copartícipe de muchos arrestos en prevenciones y calabozos y de mucha mataperrería del Camino Nuevo pa allá y de Las Chapas pa acá. Una íntima amistad quedó entre ambos de la conocencia cuartelera, que se mantuvo a pesar de que se veían de uvas a brevas. Pepe le escribió al que era ya por entonces señor Manuel el del Caidero, labrador él, con su yuntita, una burra pa el acarreo y tierritas, tanto de riego como de secano:

"Esta es pa desirte, mano Manué, que el costero Juan Breca, que tú no debes conosé, los regaló ay tiempo a mí y a mi mujé una carga de tollos por un agradesimiento, que llevamos comiendo delles ya va pa dos meses. Al mou a cogido una agitera de la entolláa y vengo asín con la quilla pal marisco que si no la atajo, mano Manué, esto va pa ca Monsón, te lo digo."

Ni que decir que señor Manuel el del Caidero le mandó su carta en mano, con el cobrador del correo: "Véngase pa arriba, Pepito, que aquí el ron es poco y con agua, y la leche mucha y sin ella."

Al principio todo fueron parabienes y quesito tiesno, risas y fiestas y escudillas de leche... Pero la mujer de señor Manuel el del Caidero era más falsa que un botón de camisa nueva. A poco comenzó a jartarse del hospedaje y a virarse agria, rezongona y jociquienta, celosa de las metidas que Pepe le daba al queso y a la leche del ordeño y de los singuíos que por el gaznate de Monagas pa abajo daban las papitas nuevas del finquejo, que al hombre se le había abierto un apetito como er tune de Terde.

Callada en un principio, en seguida pegó a tirar puntitas por aquí, puntitas por allá... Claro, que tanto Pepe, como señor Manuel el del Caidero, que venía puesto en el brete de ejercer el poder moderador, sabían de mujeres un rato largo, lo mismo que de vinos. Y sabían que, al igual que los vinos, las mujeres se avinagran con el tiempo y la chola.

—Entonses—solía opinar Monagas—lo mejor es no bebeslos, ¿usté entiende? O bebeslos, a último remedio, con enyesques de mojo colorao, pa que la pimienta aborre el deje agelioso que sacan, ¿oyó?...

Con esta filosofía asordinando las orejas y empellejando el ánimo, los revuelos y picotazos de comadre Mariquita Antonia la del señor Manuel el del Caidero eran agüita de la que no empapa.

—A su amaño mulita como no me tumbes—se decía por lo bajo, más impávido que un torreón de la Cicer.

Pero la consumía mujer no sólo no aflojaba, usté, sino que se crecía a cada hora en la incompatibilidad, turbia y emborregada.

—¡En mi casa no lo quiero!—se oyó clarito un día, entre una bullanga de protestas, fregueteos y batumerio de un potage de enreaeras—. ¡Que se vaya con la jambre pa la casa y tres mil demonios! ¡Pos no faltaba más...!

Estando así de tirante la cosa sucedió que salió a remate para un ajuste la construcción de una tapia en el cementerio del lugar. Monagas tenía tanto de tapiador como de fraile, pero le entraba a todo, inclusive a la medicina. Y pensó sacarla a la oportunidad unas pesetas con qué taparle los jocicos japientos a Mariquita Antonia la de señor Manué el del Caidero. Acudió y tanto abajó en la puja que se quedó con el terreno, entre las miradas sonrientes y perplejas de los albañiles profesionales. Mano Manué el del Caidero le buscó y emprestó algunas herramientas y un peón de mano, flojo hasta para un amaño, pero que, por unas pesetas y mantenío de plátanos y tal cual pella, daba lo que podía callado como un tocino. Pero al hacer números, Monagas se halló con que el ajuste le quedaba muy por abajo del costo de la obra. Que si cemento, que si cal, que si arena, que si ripios, que si acarreos, sétera, sétera... ¡Se la había ido al baifo! Pero mi compadre Pepe no ha sido hombre que se abatate ni por la flor de un berro ni por la grúa del Muelle Grande. Se lió la pañoleta a la cabeza dispuesto a toda fullera con tal de rebasar. Por eso, ni hablar de cales y cemento. ¡Ta loco! Tierrita de las laeras y piedra menúa pa encascotar.

La pared fue subiendo en vilo: Monagas y su hombre juntaron piedras y lajas y lengüetilla de mano; él fue alzando y repellando el muro, retranquiando por las orillas, enripiando por dentro y enfoscando lo hecho; aquí tapa un mechinal, más allá ciega un bujero.

Pronto se remató así su improvisado trabajo de tabiquero. La pared quedó hecha, que de alguna manera hay que llamar el remate. Faltaba sólo un repelleo de argamasa y un jalbegue final para darle vistos de acabadita y esto y lo otro. Entonces preparó una arcatiga con más de lechada que de torta y con ella acabó de enfoscar la obra, rubricando el enlucido con un estropajeo malicioso.

Ni que insistir en que todo estaba en el aire, con más de papel de fumar que de pared hecha y derecha. Ya para colmo, en la hora de terminar principia a levantarse un vientito, un vientito, mano, que si llega a agarrar, el tapiado se viene abajo más mollar que cartas de baraja.

Entonces, y temerosos de un chasco en el momento en que iba a cobrar los cuartitos del ajuste, se volvió para Chano, que así se llamaba el peón de mano, y le dijo, dice:

—Mira, Chanillo, pégale las manos, ¿oítes?, y aguántamela un pisco hasta que la cobre... (1).

---

(1)   Este final presenta la siguiente variante: "¡Y no la sueltes hasta que no la cobre!".

28

DE CUANDO PEPE MONAGAS LE RECETÓ HIERRO
A UN HIJO DE MI COMADRE DOLORES *LA CHOPA*

Tiempo de cacería. Al albita, para la cumbre con mucha talega de gofio y pan biscochado y mucho grito de perro flaco y mucho sueño pegado a la frente. Durante el domingo, mucho tiro, mucho solajero y un cangrejo por la mañana, un par de palomas, un conejo, una perdiz de realce, tal cual alcodornis... Pero mucha facha... Cada cazador cogió setenta palomas, veintisiete conejos, dieciocho perdices, dos docenas de codornices, sétera, sétera. La fama de mentirosos no hay quien se la quite a los cazadores. Digo en general.

Pero una cosa es meter una batata de éstas, que son corrientes, a meter una de las otras, de estraperlo, como las que se pegaba, señor don Pedro, que todos sabemos lo batatoso que era.

Y es que recaló un lunes por la tardecita en la carpintería de maestro Manuel contando que no acababa. Y ante el pasmo de los presentes se largó una que no había derecho... Había estado cazando el día antes en vistas de La Candelilla. Hubo un fogueo como en la guerra, porque, como si se hubieran citado por aquella zona, eran tantas las perdices y tantos los conejos, que se trapezaba con ellos y había que apartarlos como piedras de estorbo para poder caminar.

—Llegó la tardesita—seguía don Pedro impávido—y cuando veníamos la jarca de recaláa pasó una cosa que parese mentira. Yo caminaba más trasero, porque me queé atrás pa un alivio. Traía sólo un cartucho, el único. Y en esto, mano, se me alevanta delante un bandao de alperdises que sin esajerar eran sesenta. ¿Cuántas creen ustedes que maté con un cartucho solo?

—Pos una, si acaso—se dejó decir don Miguel, requintadillo, porque lo estaba viendo venir.

—No, señor. Las sesenta completitas.

—¡Mira, Pedro, hasme el favóoo, ...mbre!—saltó sin muchos aspavientos todavía señor don Salvador.

—¿Qué dises tú? Es que tú no sabes de qué me valí...: se me ocurrió así de repente. Me apoyé la escopeta, puse un deo alante, en la boca del sañón, y fui dejando salir las munisiones una a una mientras apuntaba pa acá y pa allá. ¡Cayeron las sesenta!

Fue aquello como si hubiera caído una losa.

—Usté ha bebío—dijo guasón Pepito Monagas.

—Estoy disiendo la pura verdá.

Monagas la metió arrente la suya.

—Eso tiene mérito—ende luego, comenzó diciendo...—. Pero hay cosas mucho más notables que esa, caballeros. Yo le voy a contar a usté una, mi señor don Pedro, que usté no la va a creer, y sin embargo es la pura y limpia. Mire: cuarto con cuarto en mi portón vive mi comadre Dolores la *Chopa*. Ella tenía un chiquillo tan esmirriao que estaban siempre sacándolo de corriente de aire porque cualisquier mareíta lo tumbaba como una paja. Un día le dije a mi comadre, digo: "Mire, comadre, usté lo que tiene que jaser es dasle a su guayete jierro, que coma jierro, ¿sabe? Mire, quítele el serrojo a la puerta y remédiese con la taramela y un palo atrabancao. Coge ese serrojo, lo mete de remojo un rato y que el niño se jaga la cuenta que es un pirulín y que chupe de él cada ves que tenga gana. ¿Oyó?" Como mi comá Dolores estaba ya jasta la coronilla de botiqueo y güevos y leche, desclavó el serrojo, lo remojó y se lo dio a chupar al muchacho, untándolo con rapaúras pa engatusarlo. A los seis meses de esto se presentó un día la comadre en mi casa. Traía al chiquillo. Pero oiga, aquel bígaro, que era la verdadera frutita de aire, paresía jecho con sandías de Lansarote. Aquellos mofletes, caballeros, y aquellas morsillas, caa momento saltando un botón como una bala de que le estallaban con la gordura. Daba gusto de verlo. "¡Comadre! —le dije yo asmado—. ¿Y éste es el sarimpenque?" El mesmo que viste y calsa, usté", me dijo ella. "¿Y eso?" "Oh, el serrojo, Pepito. Fíjese cómo lo ha dejao." Y me enseñó un serrojo, caballeros, que cabía en el bolsillo de un chaleco.

29

DE CUANDO PEPE MONAGAS ESTUVO EN EL *USGADO* POR MOR DE LA PELOTERA EN EL PORTÓN

Escena única

La acción en el "Usgado". Huele a papel de barba, a goma de pegar y a cigarros virginios. Arriba el Juez, el Secretario y un escribiente. Abajo una insalla: Pepito Monagas, Soledad, su señora; Rosario la Chopa; Milagros, hermana de la Chopa; su sobrina Antoñita; el novio de ésta, Pepe Tabletas; Rafaelillo el Rebenque con el uniforme caqui; maestro Bartolo el zapatero y algunos testigos. Al pie de la puerta, la perra de maestro Bartolo.

SECRETARIO.—*(Terminando de leer un fleje de papeles.)* "Motivó la riña el hecho de que al entrar la susodicha Rosario Calcines, alias la *Chopa,* procedente del Pilar y llevando a la cabeza un cacharro de los llamados de "belmontina" lleno de agua, la antes citada Soledad la empujó violentamente...

SOLEDAD.—¡Esas son mentiras!

JUEZ.—¡Cállese! Siga usted.

SECRETARIO.—*(Después de mirar con ojos torinos por arriba de los lentes a la mujer de Monagas y repitiendo con retintín.)* "...la empujó violentamente... volcándole el cacharro, cuyo contenido cayó íntegro encima de un hijo menor de la Rosario y de un sobrino, hijo de la Milagros, a resultas de cuyas mojaduras ambos cayeron en la cama, uno con bronquitis y otro con las chinas, según certificados médicos que se adjuntan..."

MONAGAS.—*(Por lo bajo.)* ¿Con las chinas? Con las japonesas debieron haber caído. Y atrás la bomba anémica.

SECRETARIO.—*(Caliente con Soledad.)* ¿Quién resonga por ay?

SOLEDAD.—*(Recogiendo la tirantez.)* De mí no pegue. Yo ha estao callá como un tosino.

JUEZ.—¡Silencio! Prosiga.

SECRETARIO.—*(Sigue leyendo, sin entendérsele ni papas. Alguna palabra que otra de relance.)* "...que se adjuntan. Huuuum, de la huuuuuujum, que aaaaaah, la antesdicha huuuuum de aaaah... Nada más.

JUEZ.—*(A Monagas.)* Usted. Póngase en pie. ¿Se llama usted...?

MONAGAS.—¿Otra vez? ¿No lo ha estao leyendo ay media hora, que ya da la cara...?

JUEZ.—¡Cállese! Diga cómo se llama.

MONAGAS.—José Monagas, ende jase sincuenta y dos años, si no mienten las partías, casao, sin séula personal y ta...

JUEZ.—Limítese a contestar estrictamente en lo que fuere preguntado.

MONAGAS.—Ji, jiñóooo...

JUEZ.—¿Es cierto que dio usted una cachetada a Rosario Calcines, alias la *Chopa*...?

ROSARIO.—Pa eso no es menester que diga el nombrete.

MONAGAS.—No te apures, que te dijo "alias" pa endulsarlo.

JUEZ.—¡Silencio! Pregunto a usted si es cierto que usted le dio una bofetada.

MONAGAS.—Ji jiñóooo...

JUEZ.—¿Por qué?

MONAGAS.—Porque no me dio tiempo a jincarle la otra. *(Pitorreo en la sala.)*

Rosario.—*(Saltando como un rehilete.)* ¡Atrévete, valiente, que te la echas más de la cuenta!

Juez.—*(Dando golpes.)* ¡Silencio!

Soledad.—¡Y si no se atreve éee, me atrevo yo, estropajo!

Juez.—*(Por Rosario.)* A usted la voy a perjudicar.

Rosario.—¿Y ustée, pa qué tiene que sacáaa el dichete? ¡Vaya, señóoo!

Monagas.—En eso tiene asquí, aunque yo no me lleve, mucha rasón, señó jues. Tamién le disen a usté, dende su agüelo, don Antonio *Perra Golda*, y naide se lo ha sacao. ¡Digo yooo!

Juez.—*(Cogiendo las vigas del techo.)* ¡Cállense! *(Al Secretario.)* Tome nota y levante acta de ese insulto a mi autoridad.

Monagas.—*(Moliendo.)* ¿Pero qué acta, ni acta, cristiano? *(Mirando en derredor.)* ¿Asquí se le ha dicho a él *Perra Golda*, o a sío un poner...?

Juez.—¡Lo voy a mandar detenido!

Monagas.—*(Resongando.)* ¿Más entodavía?

Juez.—*(Congestionando como un tomate y dispuesto a enredarlo.)* ¿Ha sido usted procesado alguna vez?

Monagas.—*(Tan fresco.)* Que yo sepa, no señor.

Juez.—*(Brincando entre asmado y jubiloso.)* ¡Cómo! *(Al Secretario.)* Lea usted, lea los antecedentes de José Monagas.

Secretario.—*(Después de reblujar el fleje de papeles, tiró pa arriba por uno que tiene tapas y todo.)* "José Monagas... oh juuuuum... Aquí. Procesado... con lesiones en un brazo en San Lázaro... Aaaaaaa... Por estafa a don Esteban, alias el *Baifo*, en compra de supuestos pájaros... Aa... uuum... Por escalo con robo de una abaifa en una finca... Aaaaaaa...

Juez.—*(Victorioso.)* No siga. ¿Para qué más?

Monagas.—Güeno, entonces yo me queo en el Puelto. *(Aparte, a Soledad.)* Soleadilla, esto se pone más feo que una libreta de fiaos y yo cojo la puerta ahora mismo, ¿oítes?

Juez.—*(Después de haber tomado unas notas con una pluma ferrugienta.)* ¿Qué tiene usted que decir a esto?

Monagas.—*(Con una gran calma.)* Una cosa náa más: que ya le vinieron a usté tamién con la alcagüetiadura.

Juez.—*(Largando vinagre.)* ¿Qué? *(Al Secretario.)* ¿Tiene el acta de las faltas de respeto a mi autoridad?

Secretario.—*(Alargándole un papel, sin levantarse.)* Sí, señor.

Juez.—*(Después de darle un vistazo, a Monagas.)* ¡Firme aquí!

Monagas.—*(Que por instinto se ve en otro enredo.)* ¿Ñooor? *(Cogiendo la puerta.)* Mire, señor jues, firme ustée mismo, ¿oyó?, que usté también es de confianza, ¿oyó?

Cuando Monagas y mi comadre Soledad vinieron pa arriba de Agüimes se encontraron con una jurria de denuncias, a cual peor. Ni que decir que fue a parar al Juzgado a responder de la ofensiva de la machanga que tuvo una tarde medio barrio como si fuera la guerra. Se leyeron los cargos, desfilaron los testigos, hubo su poquito de choteo con campanillazos y demás yerbas e interrogaron por fin a Monagas.

—Yo no tengo curpa mardita, señor Jues—pegó a defenderse mi compadre—. Aquí lo que ha pasao es que esa machanga era espesial. ¡Distinta, quiere desirse! Tenía talento, inteligensia, o miluque, como usté quiera yamaslo... En vista de lo cuáa, yo pegué a enseñasla, a enseñasla, la inclusive, jasta leé. Se sabía la cartilla cuasi toa y demás. O, pa no cansarlo: le enseñó tamién música y le tocaba a usté una isa del sinco puntiá por el requinto que levantaba los pies del suelo...

—Bueno, ¿qué es lo que quiere usted decir con todo eso? —preguntó el juez, un poco requintado.

—¡Oh, padrito...! Que yo no tengo mardita curpa.

—Entonces, ¿quién la tiene?

—¿Quién? Cuando ese animal estaba en Fesnando Poo no jasía destrosos. ¡Mire véee...!

—¡Acabe de una vez!

—Lo que quiero desirle a usté, señor jues, es que la curpa no es mía. La curpa es de la curtura, aunque paresca mentira.

32

DE CUANDO PEPE MONAGAS SE FUE A PIQUE EN LA FIESTA DE LA NAVAL

Fiesta en el puerto. Y de la Naval, nada menos. El pueblo rompe zapatos a plazos por las calles de maipés de la Manigua con una irresponsabilidad optimista y estimulante. Y se parte el pecho bebiendo ron de siete peleas, cantando isas punteadas, serenitas como una habanera, isas rasgueadas, de trapisonda y pleito, isas desmangalladas, de las de "media noche p'al día", más cerca del guineo que del canto, y los cristianos que las entonan, mejor sobre el saco de papas que sobre protagonistas hechos y —sobre todo— derechos de una rumantela. Hace sol entreverado y huele a fritango de bogas y a pota asada. Por zonas hay polvajeras y en medio una insalla corretona de chiquillos, más galletones que otra cosa, tropezando, metiendo codazos y poniendo rabos.

Cada diez pasos abre su boca una caja de turrón o centra una rueda
de papanatas un molinillo, estivado de hermosas figuras de yeso,
de chucherías pintorreadas, de tal cual botella de un vino tinto de
padrastos desconocidos, que lo mismo sirve para beber que para
escribir cartas a La Habana, o poner paños de vinagre a una frente con cargasón. Privadas por la alegría contagiosa del jolgorio
y por la salida del turrón, que se va en bruma por camadas, las
turroneras se revuelven en los banquillos, tirando puntitas, y com-
prometiendo a los soldados, que pasan serios a la banda de una
pollita de buenos colores, con el traje tieso y los zapatos escaldones:

TURRONERA.—¡Militá, cómprese un turronsito de asúca pa la
pareja, cristiano, que se le va a esmayá! ¡Aimería!

SOLDADO.—*(Cogiendo una vieja y agachando el morro.)* ¿Usté
lleva gusto?

LA POLLITA.—*(Haciendo un cordial jocicón.)* ¡Quite pa allá, cristiano, que se me pican las muelas!

TURRONERA.—¡Las muelas! ¡Miá pa allá la niña cuidándose la
entaúra! Esús. quería, paesen del campo. Ande, militáaa; no sea
Alejandro en puño.

SOLDADO.—*(Atarugado.)* ¿No vei que no quieri?

TURRONERA.—*(Desmayado el pregón.)* ¡Al turronsito, muchachos, al turrosinto de asúca!

Afuera, en la mar, van y vienen embanderados y hasta los to-
pes de pasaje, los remolcadores, y las falúas y tal cual bote gra-
nujiendo, con gente del campo mayormente, disfrutando la primera vez las delicias del mareo.

Y arriba, en la plaza del Carmen, metida el ancla hasta las
corvas y las ganas hasta el fondo de los garrafones, al pie de un
viejo y envinado mostrador; envueltos de lleno en una atmósfera
de latas de templarios, algunos con lloronas y alguno recitando a
Campoamor; de humo del *Krüger* y de meneo de cuerdas, saltones como pescado de San Cristóbal los timples, y tranquilas
como camellos las guitarras, están los siguientes endeviduos:
Pepe Monagas, Venturilla el *Táita*, Victorio el del *Pinillo* y mi
compadre Juan Jinorio, que también diba en la rueda de presentes. La noche antes agarraron su guagua en la plaza. Y ahora son
las cuatro de la tarde y mojado.

Ninguno se menea, con el embullo de las copas arreo. Y es
que el isleño es hombre que, metido en tenderete, no se moivili-
za sino por embates del ambiente, como una cometa en lo alto del
viento. Cogerlas, lo que se llama cogerlas, las coge echaítas. Hay
ahora una agarrada de pico de unos vecinos de mostrador, que
sube a cogida de buche cuando uno de ellos expresa que a él

"ningún arpa vieja le coge el lomo", y que acaba más pronto que volando en una trompada, que la coge *Ciclone* y se empaja. El que ha recibido la breva tiene entre manos una guitarra cuadrada, de las de cajón. Y apenas recupera tino levanta el instrumento y como cuando maestro Benito majaba hierro le manda con ella a modo de marronete hasta ponérsele de corbata, que da gusto. El del guitarrazo da unas vueltas de gallo ciego y con el brazo y las clavijas del vihuelo saca unas lascas a la redonda de narices y frentes, a la mayoría de las cuales ni les va ni les viene el desahogo. Estallan algunas botellas y vasos, hay su pizquito de sangre y algún ojo coge en un soplío aire de agua viva. No tiene importancia, pero es incómodo. Venturilla el *Táita,* que lo está pasando bien, se vira para el pleito y dice:

—¿Por qué no se van a peliar detrás del teatro? ¡Miú usté jeso!

Monagas propone:

—Mira, Victorio, esto es que va a venir otra ves el barranco. Y si los coge aquí, en medio de esta manáa de tabaibas, arranca tamién con losotros.

Se van y no pasa más nada. Por lo pronto.

Dando tumbos acaban a orillas del muelle. Sale un bote cargado como un majano. Y otro atraca vacío, con un patrón animoso, que embulla a la jarca y la va metiendo a bordo a pulso de brazos. Pegan a navegar y a cantar, más felices que nunca. Pero de repente se viene arriba otra embarcación. Del abordaje vira a una banda y lanza una carga de gente al agua. De resultas del encontronazo, Victoria el del *Pinillo,* que va de pie en la "proba", sale de cabeza, como el Ribanso por el Parque. Despejado del susto da un repiquete, sale a flote y se cuelga de la borda, cambando la embarcación de tal manera, que todo el mundo se ve listo. En medio de la alarma y las órdenes, Monagas pregunta al patrón:

—Oiga, patrón, ¿cuánto haberá de fondo asquí?

—Unos veinte metros—puede contestar, sofocado, el remero.

Monagas se rasca el cogote y dice tranquilo:

—Pos me sobran diesinueve, mano.

PANCHO GUERRA

SIETE ENTREMESES DE
PEPE MONAGAS

¿NO FUMAS INGLÉS?
¡NO TE APIPES, REGORIO, QUE LA AGARRAS...!
DE MEDIA NOCHE PAL DÍA.
DE CUANDO PEPE MONAGAS SE ENTROMETIÓ EN UNA AGARRADA
   DE ISABEL LA DE CARMELO...
¿A LA COSTA...? ¡NI AMARRAO!
A MÍ LO QUE ME JERINGA SON LOS ABUSOS.
AHORA QUE HAY MAREA..., ¡GOLPE A LA LAPA!

PRESENTACIÓN Y PRÓLOGO

POR

Vicente Marrero

Se reúnen en este volumen los entremeses de "Pepe Monagas", creación la más popular y lograda y también la que mayor fama ha dado a su autor. Representados casi todos ellos varias veces en vida de éste, obtuvieron la acogida calurosa que siempre les dispensó el público canario. Con la ilusión de editarlos—y somos testigos de excepción—los reelaboró continuamente, tratando de perfilar su forma definitiva hasta los últimos momentos de su vida. Justamente, por los continuos retoques a que sometió el material disperso y bastante enrevesado de sus manuscritos no ha sido tarea fácil, para el grupo de amigos que en Madrid constituimos la Peña que lleva su nombre, fechar, seleccionar y compaginar las diferentes copias que dejó.

Mas con este volumen no se agota, ni mucho menos, su teatro. Francisco Guerra Navarro tiene otras obras de corte distinto, como "Tres lunas rojas", de sello lorquiano; una adaptación de "La Umbría", de Alonso Quesada, y otra de la novela "Nada", de Carmen Laforet, cuyo original, al igual que el dedicado a la tragedia insular del agua, se ha traspapelado, sin que aún hayamos logrado localizarlo. Podríamos seguir citando varios nombres más de piezas teatrales de distinta factura, la mayoría estrenadas en vida del autor, y que sus amigos, de acuerdo con su familia, harán lo posible por publicar algún día.

Puede afirmarse del autor de estos entremeses que su fuerte es la vis dramática. Inclusive "Los cuentos famosos" y las "Memorias de Pepe Monagas" están escritas sub specie theatri. Hasta sentimos la tentación de añadir que su "Léxico de Gran Canaria", en el que abundan efectos y chispas muy de proscenio, se sale por ello de los moldes habituales de todo léxico. ¿Y qué es, en suma, la figura de Pepe Monagas, sino teatro, puro teatro sobre ese escenario prodigioso de un archipiélago único y afortunado?

De todos modos, quien creó la figura de Pepe Monagas abrió un tajo en la geografía humana de las Canarias, un mundo casi virgen e inédito, por donde el autor ha hecho penetrar esa luz tan distinta a la que suele captar en la epidermis insular el paisajista o el viajero. Gozosa herida, de donde mana a borbotones

*la gracia isleña de solera inconfundible. Ningún otro artista como
Pancho Guerra ha penetrado en el sentido y modo de vivir del
canario, en su comportamiento más cotidiano, sacando a la superficie un corazón grande y cálido, singular y muy del sur. Con
razón ha dicho Carmen Laforet de sus "Memorias" "que no se
ha hecho hasta ahora un libro mejor sobre las islas Canarias. Un
libro más hondo, más directamente canario..."*

*Como en todo gran creador, su obra no es otra cosa que ese
largo camino para encontrar, tras los vericuetos del arte, dos o
tres imágenes simples y grandes. He aquí por qué, después de más
de veinte años de producción, el artista continúa viviendo de las
luces que desde sus inicios le alumbraran.*

*Desde el principio, al fin, su obra tiene una impronta carac-
terística. Siempre prefirió anclar en lo festivo, que Gehard Nebel,
siguiendo a Ernst Jünger, ha querido ver como rasgo distintivo
de la vida canaria en el libro de viaje, un tanto mitomaníaco, esa
es la verdad, que dedicó a nuestras islas. Y, en realidad, la obra,
la continua "juerga" del creador de Pepe Monagas, no se com-
prendería sin ese sentido comunicativo, cordial, amigable, hospi-
talario, proverbial entre canarios, elementos cuya suma nos da
toda su concepción muy humana y jocunda de la existencia. Nada
hay en ella de naturaleza deshumanizada. Nada de contemplar
la roca, el mar o el mundo desnudo, espeso, masivo e indiferente.
Nada de pensamiento de la noche. Comedia humana. Espíritu muy
del mediodía que excluye al proscrito y al aniquilado. Toda su
obra es un compromiso entre la naturaleza y el hombre, una ten-
tativa por una coexistencia pacífica entre dos fuerzas hostiles.
Entre la pobreza y la luz, más allá del resentimiento y más acá
de la satisfacción, su obra encierra un credo que, si bien no intenta cambiar el mundo, trata al menos de cambiar la vida. En
ella, la voluntad hace sitio a la buena voluntad, y el esfuerzo solitario intenta solidarizarse con el otro, sobrepasando el aislamiento, siempre en la comunicación.*

GENIO Y FIGURA

*Los que tratamos de cerca al autor, muchas veces nos hemos
preguntado por la relación entre el hombre y su obra; por el secreto de este ser grave y un poco triste, al que sólo le faltaba descansar una mano sobre el corazón para ofrecernos la imagen viva
del caballero del Greco. Una de las figuras canarias más paradó-
jicas con que nos hemos tropezado. ¿Cómo es posible que él, todo
un señor, tan poco locuaz, casi siempre serio, en contraste con la*

jovialidad y el bullicio de que solía rodearse, acertara a captar como ningún otro los resortes ocultos y, precisamente, más festivos, de la vida isleña? No somos los primeros en extrañarnos de su figura descarnada, alta y derecha, de traza quijotesca, que no parecería compendiar los caracteres biológicos de su raza, ni siquiera los rasgos más comunes a los isleños. Manolo Cerezales, fiel, inteligente y protector amigo del autor desde sus primeros pasos por Madrid, ha escrito que, precisamente por eso, por ser distinto, se asomó como nadie al alma canaria, ofreciéndonos el producto más destilado de su pueblo. De todos modos, es muy difícil saber las razones por las que una persona llega a identificarse de manera tan perfecta con su tierra, pues no hay la menor duda de que Pancho Guerra es un canario hasta los tuétanos. Un canario, sin embargo, para quien el hombre que ríe parecía ser su antifigura y para quien su concepción de las letras estaba más cerca del deber que del divertimiento; paradoja viviente como la de aquel gran hidalgo y humorista por antonomasia, con quien, guardando la distancia, tenía más de una afinidad. A veces, cuando comentábamos nuestras intervenciones en los colegios públicos organizados por el "Hogar Canario" de Madrid, Pancho Guerra nos inquiría preocupado: "¿Te has fijado que cuando yo hablo no me ríe la cara?"; pero los que le tratábamos de cerca presentíamos la razón profunda y rica de su paradoja; sabíamos que tras los gestos contraídos, casi hieráticos, de su rostro, resbalaba, abandonada, un alma de niño grande que se esforzaba por rendir a un sediento y contrariado gran amor.

Y así es, en efecto. Detrás de toda su obra dedicada a la figura de Pepe Monagas vemos el gran amor a su pueblo que él fundía con otro no menos grande a la literatura, este último en franca evolución hasta los momentos postreros de su vida. Somos confidentes de la admiración que últimamente sentía por Koestler y de los nuevos planes de trabajo—aquella novela que trababa sobre sus experiencias de la guerra española, aquella otra tragedia insular sobre la lucha por el agua...—que hubieran llevado su arte por unos derroteros sólo en apariencia distintos a los de su obra anterior. Sólo en apariencia, porque ese gran amor que siempre sintió por sus semejantes seguía haciendo acto de presencia en su obra.

Sin ir más lejos, en esta misma colección de entremeses pueden advertirse diferentes concepciones de su arte, aunque no tan divergentes como las que acabamos de apuntar. El paso, un tanto aventurado, del estilo de "Los cuentos famosos" al de las "Memorias", se advierte también de un entremés a otro. Porque lo que el autor juzgaba mala factura de sus primeros escritos, los

*escasos dolores, la campante manera con que rompió y se puso
a vivir su Pepe Monagas, en la mayor enjundia idiomática de
sus últimos escritos, perdía algo de su primigenia lozanía y es-
pontaneidad, resultándonos por ello un tanto encorsetadas sus "Memorias", de mayor esmero y, sin duda, de más grandes calidades
literarias, pero también de impacto menos directo. Se comprende esta preocupación en un autor que, situado de lleno en lo
eminentemente popular, luchaba por no avecindarse en lo popu-
lachero. De ahí que, a nuestro juicio, en algunos momentos de
sus entremeses logre su mayor acierto literario, en el justo medio entre el impacto fulminante y la dignidad del lenguaje.*

*A medida que el autor perfeccionaba la visión artística de un
género como el que cultivaba después de caer, ineludiblemente,
de lleno en el lenguaje vernáculo, tenía que depurar éste some-
tiéndolo a un tratamiento cada vez más exigente. Así resultó una
lengua que, en gran parte, ha sido creación suya. Tal vez no
exista en la literatura contemporánea española otro ejemplo de
creación idiomática que pueda comparársele. En este aspecto, "La
vida nueva de Pedrito de Andía", de Rafael Sánchez Mazas, o la
obra gallega de Otero Pedrayo, son, seguramente, los únicos casos que pueden resistir la comparación.*

ENTRE LA LENGUA Y EL CARACTER

*Nuestro autor no sólo llegó a ser un gran conocedor del habla
popular, sino también un estudioso, como lo demuestra su "Léxico", desgraciadamente incompleto. Pero quien dude de su apor-
tación en este terreno, no debe de olvidar que su lenguaje es el
de Gran Canaria, con la peculiaridad de que el isleño del norte
tiene modalidades distintas de las del sur. No hablemos de las
diferencias idiomáticas entre una y otra isla. Cuando en algún
escenario madrileño se presentaba uno de los entremeses aquí
recopilados—y ello nos consta, porque lo hemos comentado con
el que hacía el papel de protagonista—, los de Tenerife no enten-
dían muchas de sus expresiones. En todo caso, un lenguaje tan típicamente elaborado como el de Pancho Guerra no existía antes
en las letras canarias.*

*¿Y qué clase de lenguaje es éste que sin ser dialectal (1),
con mucho de castellano antiguo conservado en las islas por un
conocido fenómeno, ya que las versiones insulares de la forma
idiomática son más arcaicas y puras que las del continente; con*

_____

(1) *Sobre el lenguaje reflejado en estas obras, véase al final del volumen* (págs. 221-226) *las* Observaciones *de* Miguel Santiago.

mucho de castellano corrompido bajo un clima en el que hablar muele; con otro tanto de castellano inventado o semiamericanizado; qué clase de lenguaje es éste—decimos—que en gran parte sólo los canarios entienden y con él se solazan? ¿Qué clase de misterio encierra el habla viva y cálida de un pueblo, máxime de un pueblo de tan reconocida vitalidad y espíritu emprendedor? Por lo pronto, lo que no puede ponerse en duda es que, gracias a ese lenguaje popular y al conjuro de sus ocurrencias, ha surgido por vez primera un personaje en la literatura hispana que los canarios conocen como suyo. ¿Hubiese salido a la luz Pepe Monagas si no existiera previamente ese deje cansino en la elocución, ese repertorio de modismos y neologismos, en el que se arrastra el acento, se come unas cuantas consonantes y se dejan las palabras sin acabar; si no existiesen esas chácharas "llenas de baches y aparentes meditaciones, de siesta eterna, normalmente amodorradas, soñarreras, con puntitas, sin embargo, de tan fina clavada como las de una tunera"; "si no existiesen esos isleños como troncos y con los ojos abiertos..."; si no existiese el tráfico marítimo y el de la colonización...? La savia que encierra un lenguaje vivo y popular es de tal fuerza configuradora que ante una creación como la de Pepe Monagas, podemos preguntarnos; ¿Qué fue antes, el lenguaje o el personaje? El artista no crea nunca de la nada. En el nacimiento de las grandes obras literarias puede advertirse cómo su camino más genuino conduce siempre las aportaciones, ocurrencias, sugerencias del pueblo a formas superiores que sólo saben dar los grandes creadores del espíritu. Piénsese que hasta la entrada en escena de Pepe Monagas, como muy bien ha visto don Simón Benítez en su prólogo a "Los cuentos famosos", nuestra literatura propiamente insular está inmersa en la masa anónima, pese a los intentos que hizo por salir a la superficie con autores beneméritos del pasado.

PEPE MONAGAS Y LA PICARESCA

De este Pepe Monagas, que aparece de pronto y explica e ilumina factores soterraños de la vida popular, se ha hablado—también por el mismo autor—, trayendo a cuento lo de la picaresca, en este caso picaresca canaria. Concepto, sin embargo, ya sea procedente de nuestros siglos de oro, ya de sus epígonos contemporáneos, demasiado estereotipado para que pueda sobrellevar impunemente los imponderables de épocas y climas distintos. Máxime si se tiene presente que del pícaro al antihéroe apenas hay un trecho. El viejo pícaro tenía mucho de reservado, solemne y

*tétrico, reminiscencias propias de aquellos años contrarreforma-
dores en que los españoles luchábamos con el alma y la vida contra los protestantes, llegándonos a contagiar en la pelea de algunos de los hábitos de su estilo. No en balde quien verfolgt, folgt
(quien persigue, sigue). Por ello, la España negra, sin caer en
los tópicos de quienes tendenciosamente exageran todo lo anti-
español, tiene algún fundamento real. Mas es bien sabido que, en
otros países europeos católicos, el barroco propendió a una concepción más sensual o rococó de la existencia que la conocida en
España. ¿Qué relación guarda nuestro Pepe Monagas con el pícaro ruin y falto de honra de los siglos de oro? Su vida se desen-
vuelve en la llaneza, en la naturalidad y, además, en un ambiente
tan bien abastecido como soleado por la luz más hiriente. Y cómo
va a ser un desalmado Pepe Monagas si continuamente está haciendo el bien, aunque, a veces, lo haga a su manera y haga también de paso alguna de las suyas. No hay en su vida tonalidades
tenebristas, siniestras. Antes al contrario, pasa su vivir desvivién-
dose en una constante juerga. Se siente bien en la existencia. Sí,
parece decirnos, la vida es corta..., pero ancha, aunque deja sentado bien claro en las "Memorias" que, en el fondo, es "un hombre cristiano y bueno, que ahora que va ya para viejo, y ya
casi con la quilla en el marisco", se consuela y alivia pensando
en el misterio y en la obra de la Providencia. Más que a la picaresca, Pepe Monagas, con su manera inocente, tierna y divertida de desenvolverse, pertenece a las verdaderas obras de humor, a la de aquellos que se sienten bien en la vida. Humor
quiere decir precisamente eso: sentirse bien en la vida. No hace
falta para ello ser humorista ni reírse cada dos por tres. El humor es característico de personalidad, de equilibrio, de un temperamento, si no siempre profundo, sí siempre sano; una especial
cualidad de la naturaleza, por la que se muestra más disposición
para una cosa que para otra. Dícese que el humor verdadero
tiene su fuente en el corazón más que en la cabeza. Especie de
bálsamo que un espíritu generoso derrama sobre los males de la
vida y que solamente los corazones nobles tienen el don de con-
ceder. Y esa noble llaneza, basta si se quiere, y hasta un tanto
malhablada, es la que define en último término a Pepe Monagas más allá de la picaresca, tal como corrientemente se entiende
ésta en su acepción más literaria.*

*Pero sea cual fuere su empadronamiento definitivo, con Pepe
Monagas entra Pancho Guerra de lleno en la revitalización literaria del folklore canario. Hay en Las Palmas quienes afirman
que fue él su creador antes que otros adjudicatarios de su fama,
pero es éste un tema sobre el que debían escribir quienes tienen*

más títulos para hacerlo. Ya a los dieciocho años nuestro autor establece contacto con la Escuela "Luján Pérez", de Las Palmas, cuyo clima artístico influye poderosamente en su personalidad. Desde entonces viene su afición a lo popular y su amoroso contacto con las cosas y gentes de su pueblo. Nada más lejos, sin embargo, de su temperamento que pasar por uno de esos individuos con afición a lo castizo que se falsean a sí mismos colocándose una máscara folklórica. El cultivaba el amor a su pueblo por convicción, por credo artístico, aunque no se hacía muchas ilusiones sobre algunos de sus paisanos, que nunca faltan en todas las regiones, paisanos muy queridos por su "mirar gacho, el suero aseo y apasionamiento en la mala idea".

ENTRE CANARIAS Y CASTILLA

Mas, con la limitada comunicación de su léxico particularísimo y purificado, de sus patois tan singular,, ¿formará Pancho Guerra escuela literaria algún día? Sus frutos no caerán, con toda seguridad, en el vacío, pero conviene también tener presente su último pensamiento. El amor por las cosas de su tierra no lo perdió nunca Pancho Guerra. Desde 1947 hasta el 4 de agosto de 1961, en que falleció, vivió en Madrid, haciendo muy pocas y cortas escapadas a su isla, de la que en una ocasión estuvo alejado trece años. En Madrid vivía entregado de lleno al periodismo, pero estaba bien instalado, sin embargo, por sus virtudes y sus amigos, en un magisterio de canarismo, rodeado siempre de fieles admiradores con los que se reunía periódicamente en ágapes inolvidables. En el corazón de Castilla comprendió Pancho Guerra muchas cosas en las que antes no había parado su atención, pero pensando siempre en el amor a la isla que en él se traducía en un anhelo de ayudarla. ("Hubo en tiempo —dijo en una de sus intervenciones en Radio Nacional, cuyo original nos ha facilitado la hermana del autor, Maruca, que lo guardaba con gran cariño— en que creía que esto era cursi. Ahora, con el corazón más maduro y la cabeza más serena, ya no".) "Es preciso —decía en esa misma ocasión— abrise camino hasta el respeto peninsular con algo más que mercancías y anécdotas. Hay que subir a Castilla y tomar sus senderos reales, y entrar por ellos en señor. Desde Castilla, la que no tiene acento y está cargada de siglos y de cultura incluida la de la sangre, la que no le dio Salamanca, que se la dio un prodigio; desde Castilla, que sustituye con mágica, inexplicable fuerza, el garabato nacional por

*una universal fascinación, desde Castilla y por Castilla se será
primero seriamente, auténticamente específico y luego universal."*

Incitación que ha de entenderse desde el punto de vista literario, pues literarios son, y concernientes a todas las regiones es-
pañolas, las ejemplificaciones que aduce en su alocución radiada:
"a Castilla vinieron y por Castilla fueron —nos recuerda— los
gallegos don Ramón del Valle Inclán y Camilo José Cela; los
vascos Miguel de Unamuno y Pío Baroja; el catalán d'Ors; los
levantinos Azorín, Miró y Miguel Hernández; los andaluces Juan
Ramón Jiménez, Manuel de Falla, Antonio Machado, Federico
García... ¡Qué breve lista para tanta muestra como ofrece la ancha geografía peninsular!" Y tiene gran valor que Pancho Guerra, el más inconfudiblemente popular de los escritores canarios,
sea también el más convencido de la filiación castellana y veté-
rrima del Archipiélago. Lo había advertido, sin ir más lejos, en
la concepción y estructura de estos entremeses; en cada palabra
de nuestra cantera popular que pulía día a día, según iba enri-
queciendo su léxico; en el sabor quevedesco o cervantino de que
se impregnaban las escenas de sus libros; en sus contactos y experiencias en la capital de la república literaria; en su visión de
las fronteras entre lo específico y lo universal... Por todo ello,
Pancho Guerra hablaba con frecuencia, en los últimos años de
su vida, de lo que era ya en él una antigua preocupación, casi
una pena, "del inconveniente —y hasta injusto— olvido insular de
Castilla, tal vez desdeñada por la leyenda alegre de Madrid". Le
sobraba, además, experiencia para hablar de ese modo. Tuvo, inclusive, un pequeño altercado con un joven poeta isleño, a quien
precisamente, por esete mismo motivo, le disgustaron las palabras con que nuestro autor presentó en Madrid su recital poéti-
co. Recordaba también haber tenido en las manos una carta de
Gabriel Miró a Alonso Quesada, en la que aquél invitaba al dolorido y alto poeta insular a venir a Madrid. Pero el enjaulado
e incómodo poeta no se arrancó. "Su ejemplo —su mal ejemplo,
puntualizaba Pancho Guerra—, en el que cree juega papel el
desdén, pero también el miedo, está siendo seguido por admira-
bles paisanos míos que tendrán que venir y plantarse aquí, en
medio de la grande, de la honda, de la viva meseta castellana."

Y dirigiéndose al actual director de la Escuela de "Luján Pérez", al pintor Felo Monzón, le invita a que se vuelva él el primero hacia Castilla, para que haga prender "después entre la
gente moza que vaya cayendo por la casa, y que valga la pena,
la curiosidad y el amor por esta tierra alta, concretamente por
esa ciudad central, desde donde te envío mi mensaje y en torno

de la cual viven y giran Salamanca, Avila, Toledo y tantos otros lugares matrices del país. Puedes estar seguro de que desde aquí se salta más firme, más ágil, más garbosamente sobre Roma, París, Londres o cualquier otra espejante ciudad del mundo".

Pancho Guerra no se hacía falsas ilusiones. Se preguntó, como muchos canarios, por qué en Madrid no se les respeta tanto como les gustaría que se les respetara, pero respondió claramente "que esto se debe a una auténtica falta de peso específico, y no sustancialmente a otra cosa, a otra vana o anecdótica cosa". Esta respuesta en sus labios no hay que interpretarla de otro modo. Trataba de valorar nuestra literatura y su porvenir. Y tal como lo creyó, se propuso vivirlo.

LA "PEÑA PANCHO GUERRA"

Su ejemplo desea seguirlo la peña que lleva su nombre, constituida en Madrid, a raíz de su muerte, por el grupo de amigos que con pl se reunía periódicamente. Tiene por objeto realzar la memoria de Pancho Guerra, por considerar que su obra, tanto la recogida en libros como la que todavía permanece inédita, refleja con fidelidad el modo de ser inconfundible de Canarias; y, al mismo tiempo, fomentar una aproximación cada vez más estrecha entre la vida cultural del Archipiélago canario y la que se polariza en la capital de España.

La edición de este libro es el primer fruto público con que da fe de vida la "Peña Pancho Guerra", cuyos fundadores son, con su presidente el doctor Arbelo, Alfonso Santamaría, José Navarro, Manolo Cerezales, Eduardo Creagh, Miguel Santiago, Pérez Vidal, Rodríguez Batllori, Villariños, Luis Manchado, el que esto escribe y otros más que se han adherido. Todos han contribuido a hacer realidad este libro, comparando y seleccionando originales. La labor más dura ha recaído en Luis Manchado, que pasó a limpio el original prácticamente ilegible de la comedia más larga e incompleta aquí recogida. Las notas que van a pie de página informan debidamente al lector del estado en que se encontró esta obra. Por lo demás, no hay ninguna decisión concerniente a este libro que no haya sido tomada de acuerdo con el parecer de los que integran la citada peña, así como con el de la familia del autor.

Párrafo aparte merece el mecenas espléndido, gran isleño y entusiasta de siempre del arte de Pancho Guerra, don Juan Ro-

dríguez Pérez, que gentilmente adelantó los fondos para la presente edición.

Sólo nos resta pedir excusas al lector por haber abusado de su atención con este prólogo de corte tan distinto a las escenas que a partir de ahora van a hacerle pasar, de seguro, momentos tan felices como inolvidables.

VICENTE MARRERO

I

¿NO FUMAS, INGLÉS?
o
EN EL *YOVAR* LLEGÓ UN CHONE

REPARTO

PERSONAJES

CHONE.
PEPE MONACAS.
MANOLITO EL GUARDIA.

Forillo representando un aspecto del viejo muelle de La Luz, en el puerto principal de Gran Canaria, "sobre el sonoro Atlántico". Asoma la popa de un Yeoward. Al fondo se ven un pedazo de mar, cielo y las montañuelas de La Isleta. Cruza la escena, escurriendo el bulto, PEPE MONAGAS, ahora en funciones de tartanero, calada la vieja gorra azul con visera de hule y rebenque en mano. Lo sigue y persigue, hasta trabarle delante de la concha, con flema, pero con firmeza, el CHONE, un inglés de los que en serie bota en islas el barato turismo británico. Ni que decir que su pintoresco atavío va complementado con los impepinables prismáticos y la no menos impepinable cámara fotográfica.

ESCENA I

(MONAGAS y el CHONE.)

CHONE. — *(Alcanzando y sujetando a Pepe.)* ¡Tagrrrifa! ¡Tagrrrifa! ¡Tagrrrifa!

MONAGAS.—¡Vaya un piano que m'a caío, caballeros! ¿Pero güeno, usté va a seguí jugando a la lapa conmigo, o qué...?

CHONE.—Lapa nou. Tagrrrifa soulamenti. ¡Tagrrrifa!

MONAGAS.—El Yova no ha lalgao en su vía inglés más soba-

jiento. ¡Cuidao con la pejiguera del chone éste, eh, que llevo ser-
quita de media hora ajuliándolo, y, como dise Pepito el *Peninsular;* "¡Que si quieres arrós, Catalina!"

CHONE.—Io no comprendi nadda. Io comprendi tagrrrifa soulamenti. ¡Tagrrrifa!

MONAGAS.—¡Y dale con el guineo! Usté tiene el disco trabao,
míster.

CHONE.—¡Ou...! Yo quierre desir... Yu ar ei suindel an impu-
dent man.

MONAGAS.—A la suya, por si acaso.

CHONE.—Yu mast, ricov mi in odar tu di tárif.

MONAGAS.—Oiga, mida las palabras, ¿oyó?, que usté tiene cara
de fartón.

CHONE.—Ay sall invouc tu di autóriti dat dey arrest yu.

MONAGAS.—¿Que arrée yo...? ¿Y por qué no arrea usté...? El
que está dando la enconduelma aquí es usté... Ya no le faltaba
al desgrasiao éste más que correrme, mira...

CHONE.—¿Uot...?

MONAGAS.—Que sí, hombre: que arraye usté, y listón. Y mire,
pa darle a esto un suculún: yu no guanpeny, ¿se entera?

CHONE.—No comprendi...

MONAGAS.—Digo que guanijay tin tu pley, moriturem te salu-
tam... Y ya no jablo más su lengua, que se me pone la campanilla como un senserro.

CHONE.—¿Oout...?

MONAGAS. — ¡Oh, padrito...! ¿Sabemos inglés, o no sabemos
inglés?

CHONE.—Yu nou...

MONAGAS.—¡Yo no! ¡Y usté sí...! Siempre jalando pa ustedes... ¡Te conosco, lamparón, que sos pintor...!

CHONE.—*(Animándose al observar fuera de escena la presencia del Guardia.)* ¡Polisman, tagrrifa! Esti tagrrrifa, nou.

MONAGAS.—Ya enreó la pita el barbas de piña. ¡Guardia a la
vista! *(Intenta marcharse. El Chone lo sujeta firmemente por
un brazo y el cuello de la americana.)* ¡Lárgueme! Mire que me
rompe, hombre... *(Se desprende y enfrenta al inglés firmemente.)* ¡Mire, yu an mi trinca la chaqueta, orsay penalti, siniquita-
tem túan, juventutes meam! ¡Y le meto su soplío!, ¿eh?

ESCENA II

(DICHOS y MANOLITO EL GUARDIA, que asoma y avanza calmoso.)

GUARDIA.—¿Qué pasa?

MONAGAS.—¡Oh, aquí don angrúo de la tierra, que mal levante se meta y lo desencuaerne...!

CHONE.—(*Al guardia.*) Ji jas arrrid mi in jis tartana, and jui güis tu ricov mor de rison.

MONAGAS.—¿Riso yo...? ¿De qué, totorota...? ¡A que le pego un sonío a este...!

CHONE.—(*Impávido, al guardia.*) ¿Comprendi...?

GUARDIA.—(*Escamado.*) Hablaba conmigo, ¿no...? ¿Usté tiene ganas de choteíto, o qué...?

CHONA.—Ay am...

GUARDIA.—¡Sss...! Por partes. Túpase usté pa que destupa aquí. (*A Monagas.*) ¿Qué es lo que dise aquí?

MONAGAS.—¿Onde...?

GUARDIA.—No se jaga el sonso. Aquí, el señor melao.

MONAGAS.—¿Y me lo pregunta a mí?

GUARDIA.—¿Tú no sos intrépete del bilingüe, pal turismo y eso?

MONAGAS.—Sí. Pero lo que jabla esta criatura, usté, Manolito, no es bilingüe. Es emburujilingüe.

CHONE.—(*Tirando de diccionario.*) Ouna momenta. (*Toma notas en un bloc.*)

GUARDIA.—(*A Monagas.*) Anda, cuenta de una ves qué es lo que le pasa al Chone éste.

MONAGAS.—Mire, Manolito, yo salí de viaje con él, pa que usté entienda, y ahora no me quiere largar...

GUARDIA.—¡Me estraña...! Bueno, ¿y por qué?

MONAGAS.—¡Sé yo...! Antojos de él. Se ha emperrao en que me vaya pa fuera con él.

GUARDIA.—Se conose que no te conose...

MONAGAS.—Se conose... Ende que pegué con el viaje me dijo que quería "tipical espanis". ¿Usté entiende...?

GUARDIA.—Tú, sigue.

MONAGAS.—Pos el diablo que va y me tienta, cristiano, voy y lo atraco ca Eulalio... Ya sabe: el que tiene el timbequeo enfrentito de la pará de guaguas de San Osé... ¡Oiga, Manolito, se queó pegao del ron y las carajacas como un baifo! ¿Y quién lo arrancaba, usté...? ¡Vaya un ancla, caballeros! Se conose que tiene bebía de antojo. Lo sierto es que ha agarrao un emperramiento de que me vaya con él pa fuera. Y mire que lo digo, si usté no me lo quita de arriba, yo voy pal chalé del Arbol Bonito, pero su majestá británica pierde un súito, porque del pugío lo...

GUARDIA.—Bueno, déjate dir, déjate dir... Y escucha. El, en inglés, ¿no jabla na?

MONAGAS.—Hombre, argo.

GUARDIA.—¿Y en cristiano?

MONAGAS.—Tamién argo, pero con merma. Lo que le ha tenío que pasar es que se ha tupío con el ron y los enyesques.

GUARDIA,—*(Al inglés, hablándole al oído, y alto, como si se tratara de un sordo.)* ¡Mire, míster, eso no pue ser! ¿Oyó...? Usté tiene que coger el tole solo, ¿tiende?

CHONE.—¿Tole is money? ¡Ou! El mi cogió el tole a mí.

MONAGAS.—¡Mida las palabras! ¿Oyó? ¡Por un si acaso...!

GUARDIA.—*(Con suficiencia.)* ¡Lo que es la ignoransia, caballeros! *(Al inglés.)* Váyase tranquilito, de una ves, y déjelo a él en tierra, que tiene mujer que mantener.

CHONE.— *(Enfrascado en el diccionario.)* Nou. Yo quierri...

MONAGAS.—Mire, Manolito, yo me voy a dir, ¿oyó?, que tengo el caballo desmayao.

GUARDIA.—Para un pisco.

CHONE.—Io quierri pagarrr soulamenti tagrrrifa, absolutamenti tagrrrifa.

MONAGAS.—¡Adiós, madrina, que va destupiendo...!

CHONE.—El coubra a mí la estrapeuglo del tartana.

GUARDIA.—¡Mia p'allá, si conose los dichos de acá!

CHONE.—Ou, yes. Io conousi otra palabrito: él es un gediondu.

MONAGAS.—¡Vaya, ya pegó a fartar!

GUARDIA.—¡Oh, eso güele a gofito de la tierra! ¿Onde lo aprendió, míster?

CHONE.—En Londres, con los canarios tomaterros y platanerros... Esi gediondu il cobra a mí tagrrrifa moucho grrrande.

MONAGAS.—¡Esas son mentiras suyas, jablando pronto y mal!

GUARDIA.—¡Sss...! Tú no te botes. ¿De moo que era eso...?

MONAGAS.—¿Ya se enteró? ¿No dise que no sabía inglés...?

GUARDIA.—¿Qué es lo que ha pasao?

MONAGAS.—Mire: él agarró la tartana áy a las onse. Indispués de unas vuertitas por la suidá, fimos ca los indios, a comprar alefantes y jaiques de sea. Aluego tiremos pa Sa Antonio Abán, a lo de don Cristoba...

GUARDIA.—¿Cuál don Cristóbal...?

MONAGAS.—¡Don Cristóbal Colón, que en pas descanse, cristiano...! Más tarde, proba a la Catedrán, con su visiteo al Pendón y demás "novedades" del año de la nanita. Y tarde ya, lo menos lan don, ¡se emperra esta creatura en dir a Tafira...! Oiga, Manolito, y que entodavía le dura el guineo: ¡Tafigrra, Tafigrra...!

CHONE.—¡Mentigrrras souyas! Tafigrra, nou. Tagrrriffa, sí.

MONAGAS.—¡Cambéale tamién el nombre, si te parese!

CHONE.—Además de gediondu is un mentigrrroso absolutamenti.

GUARDIA.—Trínquese, míster, que está en el uso aquí. Dispués agarra la ves usté.

MONAGAS.—Sí, coja la cola, qus ustedes la inventaron... Pos como le desía, Manolito.

GUARDIA.—Mira, no jables más. Esto está más claro que agüita de manantial. Tú le jas cobrao de más. ¿Cuánto le alevantó, míster?

CHONE.—Io no comprendi "alevantó"...

GUARDIA.—(Gritándole al oído.) ¡Que cuántos tollos tuvo que apoquinar usté!

CHONE.—Comprendi menos "Tol-lios" y "apoquinar".

GUARDIA.—Usté lo primerito que tiene que jaser es aprender a jablar. (A Monagas.) ¿Cuánto le cobrastes? ¡Dime la verda...!

MONAGAS.—Dos libritas, naíta más, Manolito.

GUARDIA.—¡Ya, santísima! ¡Vaya un caimán, caballeros!

MONAGAS. — ¿Y qué viene siendo una libra, querío...? Menos del medio kilo. Y del peso de ahora dos onsas ¡yyy...!

MONAGAS.—No me jagas chascarrillos, porque te doy tu cachetón... ¿Por que le cobrastes esa demasía?

MONAGAS.—Yo creí que quería comprar la tartana, con caballo y tóoo.

GUARDIA.—Quéate con lo justo y alíjale la indiferensia, anda.

MONAGAS.—(Devolviendo, remolón, un billete.) Usté manda, Manolito. Tenga, míster, un guan poún. (Aparte.) Y en méicos y botica te lo gastes, gorrón.

GUARDIA.—¿Qué resongas áy...?

MONAGAS.—No, estaba disiendo que jasta peso ha perdío con la lata ésta: una libra de menos.

CHONE.—(Con cierto entusiasmo, al guardia.) Ousted moucho buen pólisman, moucho paresido pólisman de Inglater. Ousted moucho despasito, espegrrrate ouna poquito a cada pie, pero moucha fuerte autórita.

GUARDIA.—¡Qué quedrá éste que me está adulando...! Bueno, y usté, que al emprinsipio se trabucaba, de golpe y sumbío se ha quedao jablando en cristiano.

CHONE.—Oou, es que yo olvida la casteliano antes porque yo estaba... ¿Cómo se dise...? ¡Como fuego...!

MONAGAS.—Ah: caliente...

CHONE.—Yes.

GUARDIA.—Bueno, pos ahora tire tranquilito p'al Yova.

CHONE.—Espegrrrase ouna momento. Yo quierri tener notisias de ouno cambulionero que él vendió a mi padre, hase mouchos anios, ouna paggarrito canario que él era cojo.

MONAGAS.—¡Adiós, madrina, que saca el lío viejo del pájaro cojo y la enrea otra ves! Mire, míster, que tenemos que jaser yo y aquí...

CHONE.—¿Out?

MONAGAS.—Que foar yu camen jia seculum y réculam, reculorum.

GUARDIA.—¿Pa qué le jablas el lengua de Semana Santa?

MONAGAS.—Porque se puee. ¿Usté no sabe que toas las lenguas escurren de la latina?

CHONE.—Cuando mi padre le gritó a ese cambulionero: "¡Esti pájarro está cojo!" El le contestó "¿Usté, pa qué lo quierre, pa cantar o pa bailar?" (Ríe complacido.) Yo traigo el encargo de mi padre de saludar a esí hombri.

GUARDIA.—(Por Monagas.) Pos lo tiene usté delante, caballero.

CHONE.—¡Ou...! Es moucha suerti. Esti hombre es moucho ingenierro.

MONAGAS.—¿Ingeniero yo...? Peón, y no le ha cojío el gusto.

CHONE.—(Saludando efusivamente a Monagas.) Yo lleva a Ingalatera moucha grande alegría por encontrarlo. Mi padre hase veintisinco anios que lo cuenta siempre a la hora del té. Mi madre se divorsió de él por majorero.

GUARDIA. — Ah, que su madre casó con alguno de Fuerteventura...

CHONE.—Nou. Quierre desir: siempri la mismo cosa, otra ves la mismo cosa siempri. ¡Y siempri moucho risa! (Saca el dinero que Monagas le devolvió y se lo entrega.)

MONAGAS.—¡Facundo veri macho, miste...! ¡Lo que son las cosas de la vía...! Mira por ónde viene a resollar el dichoso pájaro cojo.

CHONE.—Ese pagarrito que ousté vendió a mi padre, él fue oun acontesimiento familiarrr. Cantaba tamién de noche. Y no dejaba dormirrr a mi madre, que era nerviosa. Elia lo denunsió a la sociedad protectora de animales y moultaron a mi padre por crueldad. Pero el pagarrito se hiso famoiso en todo el imperio. Luego ganó en un concurso ochosientas libras...

GUARDIA.—Ya es engordar.

MONAGAS.—¡Vaya una batata, caballeros! Deja que jable yo, que ya verás...

CHONE.—Lo pusieron Carruso, y hasta le grabarrron discos. ¿No han oído ustedes discos de Carruso?

GUARDIA.—Sí, parese que me suena...

CHONE.—Más tarde, la pagarrito tuvo hijos que elios se vendías carrisimos. Era ouna pequenia fortuna.

MONAGAS.—Sí, un pájaro de cuenta... ¿Y qué se jiso de él, míster?

CHONE.—Se morrió de melancolía... Vinieron a casa ounos canarrrios tomaterrros para verlo. Tomarron después moucho whiskey y tocaron ouna guitarra. Cuando la pagarrito oyó cantar los folios, él se morrrio... ¿cómo se dise "inmediatomente"...?

MONAGAS.—Del bolichazo... Chica mecha, usté.

CHONE.—Nadie podía hablar de la emosión. Soulamenti don

Perico García se asercó serrio, serrio, a la jaula, y dijo, serrio, serrio: "Está tieso!"

GUARDIA.—(*Haciendo bicos.*) ¡Caracho! ¿Usté crei que me ha cargao sentimiento a mí tamién?

MONAGAS.—Pos si viera usté conosío, míster, una pájara jembra, hermana de ese pájaro, que salió macha ella, y que cantaba mejor que un flauta, no ostante el seso femenino de ella. Mataba los machos que se le ponían pa criá, y por el pico y lo peliona agarró fama en las siete islas. Por mor de un chiquito, ahijao mío, que estaba en mi casa de contino, la pusimos "Tita", porque él pegó a llamarla así. Dispués, como era tan echáa pa alante y tan rufa, la llamemos tamién "Rufa". Y se queó al final "Tita Rufa"... Tamién le han sacao sus discos. Usté ha tenío que oí discos de Tita Rufa, no me diga que no...

CHONE.—Ou, yes!

GUARDIA.—(*Aparte.*) ¿No fumas, inglés...?

MONAGAS.—Por un día, cristiano, riaaán, esplota en mi casa la cosinilla, cuando andaba mi mujée alreor de ella, que Soleá está viva porque yo tengo cuñas con la Virgen der Pino, que si no... Y agarró el macanaso a la Tita Rufa, oiga, y se le llevó la caja del pecho arrente, que no le dejó ni pal botón de una camisa. De aquí del galguero, al canto abajo del visagreo, too fue listo.

CHONE.—¿Quí es el galguerro y quí es el visagrrreo?

GUARDIA.—¡Oh. padrito...! ¡Este hombre es que no sabe papas de ná...!

MONAGAS.—Pos son las partes fisiológicas de la filosofía de la caja del pecho, aquí que Dios libre y guarde. Pos mire, llamemos a un veterinario de pa fuera que había quí, matemos en caliente una baifa que yo tenía, y del ubrito le saquemos una lasca finita, asín como un bisté de ahora y se la injertemos... Y usté no lo va a creer, pero a los siete meses estaba la pájara dando ocho medías de leche sin espuma...

CHONE.—(*Pasmado.*) ¡Quuu...!

MONAGAS.—Y no tenía ni pa los compromisos.

CHONE.—Ousté es moucho más mentigrrrose que you...

MONAGAS.—¿No fumas, inglés...?

TELON

II

¡NO TE APIPES, REGORIO, QUE LA AGARRAS...!

R E P A R T O

PERSONAJES

Gregorito.
Isabel.
Pepito Monagas.
Don José, el médico.

*Un cuartito de El Portón. Cómoda al fondo. Al pie, una buta-
ca y un taburete. Encima de la cómoda, una botella con vinagre
de la tierra.*

ESCENA I

(Gregorio e Isabel.)

Gregorito.—*(Pasea por la escena muy agitado, con la cabeza
entre las manos.)* ¡Ay, mi madre del alma! ¡Ay, madrita mía
del Pino, mi cabesita del alma que se me parte toa, que esto no
es cabesa, sino un cuadro de ánimas. *(Asomándose al lateral.)*
¡Isabelilla, alevántate, asín Dios te dé el sielo, y jasme algo pa
este reconcomio que se me ha metío arrente de la tapa de los
sesos! ¡Que tú te crees que no es náa, pero es la máquina de la
china apisonándome el sentío! ¡Ay, mi madre, que no la ha visto
más negra ende que me enrisqué con la camioneta de los turrones por la Cuesta del Empedrao!
Isabel.—*(Dentro.)* ¡Mejor te callaras y te acostaras, que toa

la vía jas sío un quejón, y por náa y cosa nenguna armas un jiriquimeo!

GREGORITO.—*(Desesperado.)* ¡Ay, lo que dise, señores! ¡Quejón yo, que soy más sufrío que el muro de la marea! ¡Y cásese usté pa que, ensimba de que la mujé se le vire sapatúa y con bigote, no tenga ni quien lo regüelva, ni quien le ponga unos pañitos, ni quien le guise una tasita di agua de pasote... ¡Ay, mi cabesita, que se me está meniando endentro como un güevo movío!

ISABEL.—*(Dentro.)* ¡Cállate ya, escandaloso, que vas a levantá too el Portón con ese guineo! ¡Esús, quería!

GREGORITO.—*(Con voz llorosa.)* ¡Alevántate, Isabelilla, por los hijos que no hamos podido tené, y guísame una tasita de yelba güelto, o de rayos y pimientas, que se me va a estrallar la cabesa como un volaor!

ISABEL.—*(Dentro.)* Aspera que me tire de la cama... Ónde habrás cogío la encoduerma esa... *(Asoma con una palmatoria en la mano, despeinada, con cara avinagrada y de sueño.)* ¡Mi cabesa, mi cabesa! No sé cómo puei dolerte un tenique.

GREGORITO.—¡No emprensipies, no emprensipies, Isabel, a provocar! Cállate y jasme algo pa este dolor de la cabesa, que la tengo como el piso bajo de un baile.

ISABEL.—¿Pero qué te voy a jasé?... Como no te ponga unos paños de vinagre. *(Abre la cómoda y saca un rengue, que moja con el contenido de una botella a la mano encima de la cómoda.)* Qué ron jabrás bebío...

GREGORITO.—Por mis senisas que ni probarlo.

ISABEL.—Y qué tollos pajúos y pimientos jabrás enyescao... Sabe Dios.

GREGORITO.—¡Ay, qué perro de presa, Santísima Virgen de las Nieves!

ISABEL.—Pero, muchacho, di de una ves qué es lo que tienes, consumío...

GREGORITO.—¿Cómo rayos lo voy a saber? Será aire que cogí en la calle... Cuando yo subía pal Risco me encontré en el callejón de La Vica a Dominguito el *Morrocoyo*, que bajaba, y estuve tratando con él siete pesetas de rapaúras pa el carrillo. En el callejón corría airote...

ISABEL.—Airote, sí, pero no del callejón, sino de una corriente que cogiste aquí. Anoche te quitastes el sombrero pa comé, cuando no es costumbre.

GREGORITO. — ¡Qué sé yo!... Cambéame el paño, Isabel, que éste está escaldando ya... ¡Ay, que se me está metiendo un brumero delante como un tostaero de castañas!

ISABEL.—Será el vinagre que se te ha metío en los ojos, niño. ¡Cállate! ¿Te refrescas?

GREGORITO.—¡Qué va! Si tengo la cabesa como una cosinilla.

ISABEL.—Mira, lo mejor será avisarle a Isidrito el platicante, que como vive a la banda, a tirito está aquí. Que se traiga las sanguijuelas y te pegue tres o cuatro, que a lo mejó es sangre que se te ha subío.

GREGORITO.—Si me llegas a traer sanguijuelas te las pego de la lengua.

ISABEL.—¿Entonces qué quieres? ¿Una cabra dando leche?

GREGORITO.—Lo que quiero es que le toques a Pepito Monagas, que, como duerme puerta con puerta, él se alevanta deseguida. Y ya tú sabes lo bien amañao que es pa cualisquier malura.

ISABEL.—¡Qué bonito! Ahora pego a dar tamborasos pa que se ponga en planta too el Portón.

GREGORITO.—Te importa más el Portón que la cabesa de tu marío. ¡Cásese usté pa que...!

ISABEL.—¡Cállate ya! Te voy a jaser el gusto. Aguántate un pisco este paño ay, que lo voy a llamar... Déjame echarme algo por ensimba que esta noche caigo yo tamién en la cama como un cortacapote. *(Se pone una pañoleta y sale.)*

GREGORITO.—¡Madrita mía de Jinámar, si de ésta escapo y no abico, te aprometo una vela como el trinquete de un correíllo!

ISABEL.—*(Fuera, llamando.)* ¡Pepitoo!

MONAGAS.—*(Fuera.)* ¡Digaa! ¡Quieeen!

ISABEL.—Dispense que le moleste, usté. Alevántese, jágame el gran favó, que Regoric el mío se ha dispertao metío en un grito, con los ojos encuevaos y una puntáa al canto atrás de la cabesa.

MONAGAS.—*(Dentro.)* ¿Una puntáa natural, o de alguna agarráa con usté?

ISABEL.—Natural: que esta noche no hamos peliao.

MONAGAS.—A tirito estoy ay. Déjeme que me pongan más que sea los calsones.

ISABEL.—*(Entrando.)* Ahora viene... ¿Estás mejor?

GREGORITO.—¡Mejó! Y tengo un macanaso atrás del sentío que se lo pegan a una fanega de almendras y van como rosquillas.

ISABEL.—¡Ay tal hombre quejón, quería! Lo que tú tienes es chirgo.

GREGORITO.—No emprensipies, Isabel; te digo, que si me güelves a desir quejón sin enconsiderasión a este barrenillo que tengo, te pego un puñete que tuches más baja que Margarita la de los limones.

ISABEL.—Aimería, lo pronto que espabila pa jablar de gentinas. ¡Mia pallá!

ESCENA II

(Dichos y Pepito Monagas.)

Monagas.—Buenas, Regorito.

Gregorito.—Más bien jeringáas, Pepito Monagas.

Monagas.—¡Esús, hombre! ¿Qué le pasa?

Gregorito.—Aquí me tiene usté pasando las brevas de Tirajana, cristiano, por mor de un sangoloteo que se me ha metío debajo de la tapaera.

Monagas.—(Acercando una silla y sentándose a su lado.) Vamos a ve, esplíqueme usté sin mieo qué es lo que le pasa. Y si tiene fiebre no me lo niegue, ¿oyó?

Gregorito.—Pos, mire..., me pasa que dende que cogí el catre, pegué a sentirme un amaguito, un amaguito, en los bajos de la coronilla. Pensé que se me quitaría durmiendo y me atorré bien. Pero no poía pegar un ojo. Del sotavento al barlovento llevo jasta ahora mismo, que me tuve que tirar de la cama porque no resistía.

Monagas.—Vamos a dir al golpito y por partes. De primeras, eso puei ser del pomo. Un pomo rebellao, caballeros, es como una panchona. ¿Qué ha comío usté?

Gregorito.—Pos...

Isabel.—Usté sabe que la cabra tuvo baifos antier. Por ende ayer viene apipándose de beletén y yo disiéndoselo...: "No te apipes, Regorio, que la agarras." ¡Mire!

Monagas.—Beletén. ¡Bueno! Jalaíto de gofio, ende luego...

Gregorito.—Por sí... Y esta noche, además del beletén, me mamé mi platito de tollos, bastante pajúos, por sierto, y más bien sobre lo amargo que sobre lo dulse.

Monagas.—De manera que pajúos y más bien sobre lo amargo... Vaya. ¿Pos quiere saber una cosa? Con esa mescla están cargando pa fuera las bombas de la guerra. ¡Jágase cargo...! ¿Y usté ha paesío de algo?

Gregorito.—Pos... Yo he padesío, ende luego, de angurria, por tiempos... Y también me daban unos despeños, cuando comía de fonda muy arreo.

Monagas.—Ta claro... Bueno, por too esto viene a resultar ser un cargasón de los sentros bajos, onde llaman las víseras, que van cogiendo una bajurria, una bajurria de fondajos y esto y lo otro, too sobrasero de la indigestión que jase de por sí el estómago humano. Y como no se draga ni de uvas a brevas con su pisquito de carabaña en ayunas, por los destinos se van sintiendo y un día sale un batumerio pa los altos de Guía del pomo y se aposienta debajo de los mismos sesos. ¡Y dispués, mano, cualquiera lo echa fuera! Ende luego, Regorito, usté tiene que sentí endentro un rebumbio, un rebumbio como la máquina de un correíllo en tersera...

GREGORITO.—Así mesmo es, Pepito.

MONAGAS.—¡Natural!... Deje ver. (*Le pone una mano en la frente.*) Lo alcuentro tan enchapao, que pa mi que le está entrando la cargasón... Calentito... Natural. (*A Isabel.*) Tiene una calentura, Isabelita, que se le parte un güevo en la frente y se quea, del golpe, más seco que una jarea... Usté se tiene que sentí un fiebrón, de jinojo parriba un cacho...

GREGORITO.—¡Qué sé yo, cristiano! Lo que me siento es la cabesa como una tosa y asín como si trajiera dentro un viaje de la Pepa después del fútbol. (*Dobla la cabeza y se queda como embelesado.*)

ISABEL.—Mire, Pepito, se está queando atroncao.

MONAGAS.—(*Levantándose.*) No me extraña. Ahora entra en el menguante del abatatamiento.

ISABEL.—¿Tan malito lo encuentra usté, Pepito?

MONAGAS.—¿Pa qué lo vamos a está engañando, comá Isabelita? La verdá, a mí me güele a sajumerio de responso. Ende antes, que yo lo sentí ende la cama, me dio qué pensar. Por eso, ende que me alevanté, y como vi salir a Manolito el guardia, que entraba en tusnio, pos le dije que llamara al méico por el teléfano. Esto no es pa mí, comadre. Esto manda méico, porque no es un dolorsajo de a dos un rial, sino un rebumbio con tiques de lujo que si no lo atajan con botiqueo, abica... y pa cá Monsón con una serenata alante y una comparsa, fumando y jablando de fútbol, atrás.

ISABEL.—¡Esús, tal desgrasia, quería de mi alma!

MONAGAS.—Si no semos náa, Isabelita de mi alma: usté lo sabe...

ISABEL.—¡Cómo ha de ser!

MONAGAS.—(*A Gregorito.*) No te abatates, Regorio, que eso se te pasa.

GREGORITO.—¡Amargos chochos, Pepito Monagas!

MONAGAS.—¿No está mejor?

GREGORITO.—¡Qué va!... Caa ves más abacorao.

ESCENA III

(DICHOS y el MÉDICO.)

MÉDICO.—(Entrando.) Buenas noches.

MONAGAS. ⎱
ISABEL. ⎰ Muy buenas.

MÉDICO.—Me avisó el guardia por el teléfono...

ISABEL.—Sí, siñor... Aquí mi marío... que...

MONAGAS.—Mire, don José, pasa que aquí, Rigorito, se ha despertao metío en un esperrío por mor de un malejón que le está salpiando los sesos como un lavao de ropa. Yo me acordé de usté porque no se quita con bajeos, ni con sobones, ni con agüita de pasote. ¡Digo yo!

MÉDICO.—(Se sienta junto al enfermo y le toma el pulso. En seguida le pone el termómetro.) Saque la lengua. (Gregorio le enseña la lengua.)

ISABEL.—(Volviéndose, erizada.) ¡Esús, quería, tal falta de lavao!

MONAGAS.—(Aparte.) Este Regorio nunca tuvo güena lengua.

MÉDICO.—¿Hace mucho tiempo que está usted enfermo?

GREGORITO.—Ende que me recogí, don José. Pero así, malito, habrá media hora, pisco más, pisco menos.

MÉDICO.—¿Qué le duele?

GREGORITO.—La cabesita, don José, que no es que me duela, sino que me estalla. (El Médico saca el termómetro y lo examina.)

MONAGAS.—(Aparte a Isabel.) Me juego algo a que tiene el canuto hasta la punta arriba.

MÉDICO.—(Extendiendo una receta.) Vayan ahora mismo a la farmacia y denle esto en seguida. Que se acueste inmediatamente. Y póngale hielo. Mañana volveré.

ISABEL.—Sí, señor.

GREGORITO.—(Saliendo con Isabel, que le ayuda a caminar.) ¡Ay mi cabesita de mi alma, que me la llevo más amarga que un saco de chochos. (Sale.)

MONAGAS.—(Al Médico, que va a salir.) Oiga, don José, usté dispense, pero pa mí que esto está más de la Plasetilla pa abajo, que de la Plasetilla pa arriba. ¿Usted qué dise

MÉDICO.—(Sonriente.) No sé, no sé. Veremos a ver cómo amanece. (Se dispone a salir.)

MONAGAS.—Usté me va a tener que dispensá otra ves, don José, que sea tan majaero, pero es que Regorio, sobre ser compadre mío, es de mi quinta, y yo le tengo su apresio, no ostante haber sío un poco tiesto... A mí me gustaría saber cómo está y qué es lo que tiene.

MÉDICO.—Pues tiene, sencillamente, un ataque de coma.

MONAGAS.—¡Coma! ¿Lo vi usté? Lo que yo desía: estomagao, señor.

MÉDICO.—No. No es coma de comer... Se trata de una enfermedad de la cabeza que provoca un sopor profundo. Todo a consecuencia de una congestión cerebral.

MONAGAS.—Ah, ya.

MÉDICO.—Bueno, hasta mañana.

MONAGAS.—Que a usté le vaya bien, me alegro.

ISABEL.—(Saliendo.) ¿Qué le dijo, Pepito? ¿Cómo lo alcuentra?

MONAGAS.—Por lo alcuentra de segunda visita, porque mañana vuelve.

ISABEL.—¿Pero y qué dijo que tenía, usté?

MONAGAS.—Coma.

ISABEL.—¿Cómo?

MONAGAS.—Cómo, no. Coma. No sé, no sé... ¿Quiere que le diga la verdá, aunque yo no ha estudiao por libros? Pa mí lo que tiene no es coma, sino punto final. ¡Oh, ya!

FIN

III

DE MEDIA NOCHE PAL DIA
o
DE CUANDO PEPE MONAGAS ANDUVO BUSCANDO
UN ECHADERO

REPARTO

PERSONAJES

Pepe Monacas.
Venturilla el Taita.
Pancho el Sargo (indiano).
Candelaria la Chacarona (una voz).

Casita terrera, en el Risco, con la puerta bien cerrada. Dentro vive mi comadre Candelaria la Chacarona. Es de noche. Alguien acompaña fuera, con guitarra y timple, el aire cubano de "La Chamelona". Por un lateral, y medio templados, aparecen Pepe Monagas, *el indiano* Pancho *el Sargo y* Venturilla *el Taita. Pepe empuña el timple. Ventura, la guitarra. El Sargo trae entre manos un puro de media vara, con el anillo puesto.*

ESCENA ÚNICA

(Monagas, Pancho, Ventura y la Chacarona.)

Los tres.—*(Cantando.)* "Yo no tengo la culpita, ni tampoco la culpona—aé, aé, aé La Chamelona."
Monagas.—*(Solo.)* "Al fotingo de Molina ya se le picó la goma."
Todos.—"Aé, aé, aé La Chamelona."

MONAGAS.—¡Sss! ¡A tupirse! Ya estamos aquí.

PANCHO.—¿Onde es aquí, chicu?

MONAGAS.—Ca Candelarita... *(Bajando la voz.)* ¡La *Chacarona!* que le disen. *(Ante el gesto intrigado de Pancho.)* ¡Sí, hombre...! Lo más que tú tienes que conoser. Ya no te acuerdas...

PANCHO.—Son treinta años en Cubita la bella, isleño. ¡Date de cuenta!

MONAGAS.—Pos ella viene siendo familia de los sajohnaos estos de la Plataforma, ¿te acuerdas?, que uno fue chofe de Faife, él, que se desriscó una ves por la cuesta del Empedrao... ¡Sí, hombre...! Bueno. Candelaria se casó con un tal Manué el *Quitrín,* que fue cochero del señor Conde él. Un día lo trincaron quitándole las crines a los caballos pa jaser anillos de pelo y le dieron el canuto. Entonces puso un timbequillo aquí, con un ron que es cosa asiada. Manué va y viene a Lansarote por sebollas y batata y Candelaria se ha quedao alreor del copeo.

PANCHO.—Pero esto está trancao, chicu.

VENTURA.—No se ocupe usté, Panchito. Ella tiene el costumbre de abrir pa los amigos más que sea alta la noche.

MONAGAS.—A mí me abre. Cabe que no se despierte con la boca dulse, pero no me paso a creer que revire, porque es más perrera que una alcansía.

PANCHO.—Y si revira entramos con la insurreta, chicu. Como no se bote del catre y franquee el persiano, jalo por el siete y medio *(Saca un revólver tirando a cañón.),* fajo al tiro y se me quea la fechaura como una meloja.

VENTURA.—¡Ta loco!

MONAGAS.—Mira, Pancho, guárdate el abrelatas ése, ¿oíhtes? ¡Déjate dir p'al pien, que yo conosco este paño mejor que tú. Aquí, con la *Chacarona,* lo que pone mollar esa puerta es el sobonsito de aseite de pardela, como el otro que dise. Espera a ver... *(Toca. Pausa, con la oreja alerta. Vuelve a llamar más fuerte. Nueva expectante pausa.)*

VENTURA.—*(En voz baja.)* Al mou no está, usté, Pepito.

MONAGAS y PANCHO.—*(Con exagerado aspaviento.)* ¡Sss...!

VENTURA.—¡Ta bien! *(Aparte, en un rezongo.)* Cualquiera diría que ha isao la escandalosa. Dispués de la bulla que traímos, lo que yo ha dicho ha sío como un arrorró. ¡Digo yo!

MONAGAS.—¿Por qué no tupes de una ves, y te metes la lengua... en un bolsillo del chaleco, totorota?

VENTURA.—Se dijo.

MONAGAS.—A la tersera va la vensía. *(Vuelve a llamar, ahora recio.)*

VOZ.—*(Fañosa y de mujer, dentro.)* ¿Quiééén...?

MONAGAS.—Ya resolló. Y no me gusta náa el cloquío... *(Alto.)*

¡Semos losotros, usté, Candelarita!

Voz.—*(Dentro.)* ¿Acuaslo...?

Monagas.—¡Que semos losotros!

Voz.—¿Losotros...? Yo digo ustees.

Monagas.—¡Escucha, tú...! ¡Hay que ser serrera, caballeros! Digo, Candelarita, que semos yo, Pancho y el Sargo, que está acabaíto de venir de La Bana, y Venturilla el Taita..., que viene de pegaera.

Voz.—¡Qué tres patas pa un banco...! ¡No se puei, que son lan don dadan por la Catedrán!

Monagas.—¡Asín se te viraran dos tiros de sal y azufre! *(Alto, y con guasa.)* ¿Usté, por ónde tiene arreglao el reló, Candelarita? ¿Por la bomba del tanque?

Voz.—¿Ñooor...?

Pancho.—Si emprinsipias con chirigotas, rebella y no abre, Pepe.

Monagas.—Güeno. Entonces la toco por los bordones. *(Alto.)* ¡Mire, Candelarita, que estooo... ¿Cómo le entro, tú...? Resulta de ser que está aquí Pancho, el de la Apolinaria, que le disen a él "el Sargo", ¿se acuerda?... Ha venido de La Bana ayer y hamos estao con él, festejándolo. Ahora vamos de recalá, ¿ta oyendo?, y los gustaría echar la penúltima, como el otro que dise. ¿Le llega la onda...?

Voz.—¡Sííí!

Monagas.—¡Como está too serrao, ¿oyó?, y usté tiene el ronsito meejor de las siete islas—incluida Alegransa—, más sus chuchanguitos salpicones y demás entullos, pos queríamos que los abriera, le dejamos ay su media dosena de pesetas y picando pal catre! ¿Qué le parese?

Voz.—Que no me parese. Y disle a Pancho que se vaya otra vuelta pa La Bana, porque lo que es yo no le abro esta noche al mismísimo don Fernando León y Castillo.

Monagas.—¡Sale p'allá, rivisionista!

Ventura.—*(Derrumbado.)* ¡La jeringuemos, usté, Panchito!

Pancho.—*(Tirando, jaquetón, del revólver.)* ¡Guardo lantri, Pepe, que le voy a abrir a esta puerta un boquete como er tune de Terde!

Monagas.—*(Atajándolo.)* ¡No me apures el gallo, Pancho, que entoavía no está este envite en piedras de ocho! De otra parte, hase una partía de tiempo que no tiran el cañón de las dose, y si tú llegas a jalar por ese gatillo, se arma tal potaje con los relojes y la hora, que jasta los gallos pierden el tino.

Pancho.—*(Guardándose el revólver.)* Murió el cochino. Pero deja que me esplique, por lo menos, chicu. *(Pegándose a la puer-*

ta.) ¡Candelarita, que soy yo, Pancho el Sargo, de la Plataforma! ¿Cómo le va?

Voz.—Bien, ¿ñusté, qué tal?

Pancho.—Bien, me alegro. Pos mire, vengo de pasar el charco, y traigo un puro pa su marío... *(Guiña el ojo, muy satisfecho.)*

Voz.—Mi marío no fuma ende que cayó de la caja del pecho, con un toseo.

Monagas.—¿Y no se murió?

Voz.—Pos mire, no.

Monagas.—Bastante que me alegro. Así tiene que aguantarlo.

Pancho.—Pero, escuche, paisana: ábralos un pisco, nos bebemos media dosena de copas, tranquilitos...

Monagas.—¡Pa empesar...!

Pancho.—... y a guataquiar pa otro ingenio.

Voz.—Pal de Agüimes será, porque yo no abro. ¡Y ya está!

Monagas.—¡Ande, cabesúa! Con rasón Manué, el marío, se picó de tis.

Ventura.—¡Por ya!

Monagas.—¡Espérense toos, que tengo una idea torina! Arrejálense p'allá. *(Se alejan los otros. El tose preparando su garganta. Vuelve a llamar.)*

Voz.—¿Otra ves? Sus, quería, tal emperramiento. ¿Quiéeen?

Monagas.—*(Fingiendo la voz.)* ¡Un telegrama pa doña Candelaria Santana!

Voz.—¡Métalo por bajo la puerta!

Monagas.—¡Lo que te voy a meter es un caroso por...!

Pancho.—*(Matón.)* ¡Termina, isleño! Si no se lo dises tú, se lo digo yo.

Monagas.—Déjate estar. Malascriansas, no. *(Fingiendo de nuevo la voz.)* ¡Tiene que alevantarse, señora! ¿No ve que tiene que echar un firme en el rabo del telegrama?

Voz.—Si tiene rabo no es pa mí. De cualquier moo, déjelo pa mañana, que mi marío está pa Lansarote comprando jareas, y yo, sin que él me lo diga, no firmo naíta de este mundo.

Ventura.—¡Candelarita de mi alma, alevántese, cristiana, asín Dios le salve el alma, que traemos la lengua como una baldosa!

Monagas.—Bueno, ya que te metiste, sigue tocándole el sentimiento, aunque creo que vas a dar en tosca... *(En voz más alta.)* ¡Alevántese, mire que no le pesa, que el compá Pancho trae los sentenes como cargas de leña!...

Pancho.—¡Menos!

Monagas.—Ssss..., déjame a mí... *(Pone el oído.)* ¡Se siente un rebullicio, mano!... ¡Se está alevantando!

Voz—*(Dentro.)* ¡Ha dicho que nó; no sean majaeros, que son lan do! ¡Váyanse y déjenme dormí!...

VENTURA.—Estaba dando la güelta pal otro lao.

MONAGAS.—¡Esús, malrayo...! ¡Estoy tentao de desirte que saques el cañón...! *(A un gesto decidido de Pancho.)* ¡Ssss! ¡No, hay que dejarse dir pal pien!

PANCHO.—¿Pero otras veses no se ha levantao ella?

VENTURA.—No es mu mollar, pero acaba aflojando. Al mou esta noche está de compromiso y tal y tal...

MONAGAS.—¿Será posible que los queemos sin beber cuando le estábamos cogiendo la embocaura al resibimiento, usté?

VENTURA.—No me diga eso, Pepito, que aluego no pego un ojo.

PANCHO.—Espera a ve. Déjame que tire otro lanse. *(Llamando.)* Mire, Candelarita, usté se alevanta un pisco, los espacha por un ventano un par de botellas, y una peseta de aseitunas del país y unos chochitos y tal, y se acaba el guineo.

VOZ.—¡Ha dicho que no, consumíos! ¡Mejor tuvieran velgüenza y se fueran al catre!

VENTURA.—¡Cállate, *Chacarona*, asín se te güelva toa la bebía sotal!...

TODOS.—Ssss...

MONAGAS.—¡Ya la encharcahte! ¡Ya le dijihtes *Chacarona*, ya la encharcahte!

VENTURA.—Ah, ¿de manera que yo tengo la culpa? Siempre pago yo el pato. Eso es como cuando el gallo... ¡Mire, Pepito!...

PANCHO.—¿Qué gallo?

MONAGAS.—Náa. Una chorisáa de éste. Que una noche fimos a un baile de úrtima, aquí lantre, ca un talayero que vive Fuera la Portada, y apenas empesó el tenderete se emperró esta criatura en bailar, cuando estaba el terrero que no le entraba ni el rabo de un volaor. ¡Le dieron las copas por ay y mira!

VENTURA.—Yo estaba de tocaor, tamién, y de toa la vía los tocaores no guardan tusno...

PANCHO.—¡Ahí está Ventura en lo firme!

MONAGAS.—De acuerdo. Lo sierto es que se emperró y bailó. Y estaba mandando el baile náa menos que el matón de Isidro el *Mulo*... ¡Sí, hombre, el del Pambaso, que tú sabes que le desían a é la "máquina de la china"...

PANCHO.—Sí, conosco... Me acuerdo de una vez que le metió en la Gallera una trompá a Manuel el *Pipa*, que pa sacasle las muelas tuvieron que pegahle la grúa del Muelle grande.

MONAGAS.—Güeno, pos pegaron las discusiones, dispués los rempujones, atrás los cachetones, sétera, sétera. Aquello acabó que se tira un saco de piñas en medio del baile y sale un gofito que ni en los Molinos del Pambaso... A éste le dieron con una palmatoria arrente de un ojo y se le queó la mitá de la vela dentro... Y a mí... ¡Oye, entodavía me acuerdo y mira!... *(Se reman-*

ga un brazo y lo enseña.) ¡Se me quea la cahne como una gallina de Agüimes! El hijo de Pepita la *Bocúa,* que jugaba de defensa en el "Rocha" él..., ¡oye, me metió tal patáa que me sacó el
boliche del tobillo, que fue a parar debajo de una cómoa!...

PANCHO.—Sabes, chicu: que ya me está jasiendo falta a mí un
tenderete así, con moquetes y demás, pa desentumeserme el bisagreo.

VENTURA.—Pos mire. Panchito, el sábado hay un bailito de bautiso ca Manué el de la Plataforma; usté no tiene más que picar-
me la perica y yo le meto un soplito al carburo, ¡y jierro que te
cría, luego!

MONAGAS.—¡Cállate la boca! ¡Que te gusta, que te gusta!...

PANCHO.—Güeno, ¿y que pasó luego, chicu?

MONAGAS.—¡Oh, que entoavía la encharcó más! Resulta que
el padrino, que era Manolito Rabelo, los tenía convidaos, a mí
y a unos cuantos, con un baifo en adobo pa tras pa la cosina.

PANCHO.—¡Chacho, chacho, Pepiiillo, no me lo nombres, que
se me quea el palaar como una breva!

VENTURA.—¡Oiga, Panchito! ¿Y el de aquella noche? ¡Un tu-
fito, usté!; ¡jasta a una "ampliasión" se le meneaba la tarlatana
y el bigote!...

MONAGAS.—Ta claro, con el rebumbio que se formó, ¡adiós
baifo! Luego se supo que un galletón de Carmela la *Gata* jaló
por él y traspuso por una pareílla trasera. Los queamos con el
vapó del adogo pegao del sentío como un engrú de maestro Juan
Amaro. ¡Y se le ocurre entonses al batata este dir a la plasa a
robá un gallo!...

PANCHO.—Lo alcuentro bien pensao, chicu. Es lo que desimos
por allá: ¡Sacúdete y cambia, cubano! Lo mejó pa quitá el releje
del desconsuelito.

VENTURA.—Pos naturá que sí.

MONAGAS.—Totá, que fimoh a robá el gallo. Había un jablón
con seis gallinas, tú, dormías como troncos...

PANCHO.—¡Como rolos!

MONAGAS.—... más un gallo de la tierra, atarracao é, jabao é,
con unas cahnes, muchachos... ¡Aquello no era un gallo; aquello
era una vaca con dos espuelas! ¡Aquella pechuga, Panchillo!
¡Aquellos molleros! Yo planeé el "traspaso", ¿entiendes?, y entonses va y se emperra éste en discutirme...

VENTURA.—Ta claro. Fíjese usté, pa que le dé la rasón al que
la tenga Panchito: un pisco más allá había otro jablón con otro
gallo...

MONAGAS.—Un pollanco, no seas mentiroso.

VENTURA.—Ta bien. Entonces yo le dije a Pepito, digo: "Mire,

Pepito, vamos a tirar la "tarralla" allí más allá, que está más oscuro", y tá y tá y tá.

Monagas.—¡Ya se te pegó el tá y tá! ¡Cállate la boca!... Como yo conosco a éste, que se abatata por el meneo de una hoja, voy y le digo: "Quítate los sapatos y estate lo menos sinco minutos abriendo la puerta, ¡que esa tiene el bisagreo con más ferruge que el *Suleica*"! Cuando esté abierta jurgas el gallo por la pechuga pa que saque el pescueso y cuando lo tenga derecho te tiras a él como el "Ribanso" por el Parque. Que se le queen toos los cloquíos en la caja del pecho. Según lo trabes de cogote, jalas como pa ti y te lo traes debajo del sobaco y le trincas el aleteo. Pero no lo aflojes, que si lo aflojas es como las banderas de San Pedro Mártir con ventanero...

Pancho.—Pero, bueno, y a toas esas, ¿el amo qué?

Ventura.—No era amo, que era ama. Una viejita de aquí arriba de la Angostura, que estaba amantujáa en una pañoleta, durmiendo al pie.

Monagas.—Yo me puse a cojer güiros en la esquina, porque había un guardia y algunos "maúros" de los que traen fruta, yendo y viniendo; y Ventura atracó el jablón mansito como una marea del Pino.

Ventura.—Oiga, Panchito, ¡qué susto, usté! Se me pegó un golpeteo aquí endentro, cristiano, que paresía "la Pepa"... Oiga, y pa acabarla de coroná voy y piso una cáscara de manises y ¡clán! La vieja jiso unos currucos y dijo, debajo de la pañoleta, "Esús, quería, tal ruma que voy a cojer aquí".

Monagas.—Ventura abrió, jurgó y el gallo sacó el pescueso y se queó mirando de lao, con un ojo como un queso de a cuarto libra. Este se tiró al pescueso bienísimo, no hay que quitárselo, y el pollo se queó jasiendo gárgaras debajo de la chaqueta. Jasta quí too estuvo bienísimo; pero mano, va y lo afloja un pisco...

Ventura.—Bah, ¡casi ná!, usté lo sabe. Apenas jiso "cuaaaagr".

Monagas.—Lo sufisiente pa que la vieja volviera en sí del embeleso. Ventura salió a espetaperros y yo me tiré de un brinco delante del jablón pa disimulá y pegué a cantá aquello de *Marina (Cantando)*: "Por queé, por qué temblar..." La vieja se despertó y se queó mirando con la cabesa cambiáa y un ojo peor que el del gallo, y dijo, dice: "Esús, paese que sentí un gallo". Yo, que estaba entonaíllo cantando, me piqué y le respondí: "Señora, un "gallo" se le ha ío jasta a Fleta"...

Pancho.—Bueno, chicu, mucho cuento, pero de bebé sequitos como un palo.

Monagas.—Deja vé si s'animao mi comá Candelaria. *(Toca.)* ¡Estamos esperando, Candelarita!

Voz.—¿Por qué no se van p'allá los infiehnos con tanto toque y tanto guineo? ¡Mejó les diera velgüenza!

Pancho.—Jilando pa otro cañaveral, mano, que no hay manteca.

Ventura.—*(Desconsolado.)* ¡Aimería!

Monagas.—Oye, me voy rascao... Oh, como que estoy en tres...

Pancho.—¿Qué tres?

Monagas.—Sí: dos pa quearme y una pa dirme... Estoy pensando ónde podíamos dir a jirbanarnos unos copejos. *(Haciendo memoria.)* Manuel el *Pintao*, ende luego, no abre, porque está baldao de un ruma... Consuelo la *Carosa* tiene compromiso... ¡Ah!, ya está: vamos a la botica de tusno.

Ventura.—¿A la botica?

Pancho.—¡Mira, mira, mira, Pepe ! Vete pal jinojo. ¡A la botica!

Ventura.—Ende luego, a mí me va a dispensá, porque no me gusta el sotá.

Monagas.—¿Qué sotá ni sotá? ¡Qué cachetón! ¡Cállate la boca! Vamos a la botica, ¿entiendes?, y los bebemos una botellita de vino yodao. ¡Oh, ya!

Pancho.—¡Gran idea! ¡Pa lante con los faroles! Puntée, mano Pepe, que le voy a cantá la despedía a Candelarita...

Monagas.—¡Cántale un responso, mal rayo...! *(Salen cantando.)*

Pancho.—Comadre la *Chacarona*—no te jagas al rogá—que yo nunca he pretendío—rasimo de sul parral...

F I N

IV

DE CUANDO PEPE MONAGAS SE ENTROMETIO EN UNA AGARRADA DE ISABEL LA DE CARMELO Y DOLORCITAS LA CHOPA

PIZCO DE SAINETE

*A Resurrección Acevedo, Maruja
Umpiérrez, Nena Artiles Acevedo,
Pepe Castellano, Isidoro Bermu-
des, Agustín Sánchez y Manolo Pérez, insuperables intérpretes de los
entremeses de PEPE MONAGAS*

R E P A R T O

PERSONAJES

Dolorcitas la Chopa.
Pepito el Peninsular.
Isabel la de Carmelo.
Pepito Monagas.
Venturilla el Taita.
Victorio el del Pinillo.
Juan Jinorio.

La escena representa la plaza de San Nicolás el día del Patrono del barrio, con el festejo dando las boqueadas. Colgadas
de unas verguillas, media docena de banderas descoloridas. Regados por el suelo, tres o cuatro carosos de piñas asadas —y mamadas—, huesos de aceitunas y aretes de turrones. Espichadas en
barricas de cemento o clavadas en timones albeados, algunas pen-

cas de palma. En el centro mismo del escenario, chamuscado y vacío, el palo de los fueguillos, y al pie, con las raspas, una caja de turrones. En el lateral derecha, un ventorrillo de sábanas y sacos, y en el de la izquierda, un tabanco con queques y caramelos escurriendo el bofe. Durante la acción, dos perros chimbos pasean la escena pulpiando. Huele fuerte, entre a barranco y tenerías. De lejos llega guitarreo con el calacimbre y el quinto desafinados y una isa revuelta, que la canta un burro y pasa, pero que la entona un cristiano y no va a la cárcel porque no hay justicia.

En el ventorrillo, Dolorcitas la Chopa, molida como un centeno, pero metida en tal fregado de nervios que las tablas del pescuezo parecen de riga. Al pie de la caja de turrones, Isabel la de Carmelo, menuda como un volador, afilada de nariz, que le gotea, y con la que luego se alisa el pelo. ("A mí déjeme de briyantinas, usté, que tengo oío que dan la tiña.") En el tabanco, Pepito el Peninsular, limpiando los queques con un trapo, como si fueran piezas de un automóvil.

La única luz de la escena la dan: un carburo del ventorrillo, que tiene tufo y soplido del airote que corre, otro del tabanco, que se mantiene como un suspiro, y el farol de la turronera, cuya vela aletea también en las últimas.

La fiesta está lista. Al levantarse el telón, los personajes figuran estar recogiendo para irse, hasta que se enreda la discusión por mor de una pollita, María del Pino, hija de Dolores la Chopa, que se fue al paseo desde la prima, quedando en volver en cuanto acabara la música, ¡y hasta la fecha!

ESCENA PRIMERA

(Dolorcitas, Isabel y Pepito el Peninsular.)

Dolorcitas.—¡Mira que se lo dije!, digo: "Dende que toquen el pasodoble, coges el tole y te vienes pa acá." ¿Usté ha venío...? Pos ella iguáa.

Pepito el Peninsular.—(Que ha cogido los dichos del país; aparte.) Igualito que en Tenerife...

Isabel.—(Con retintín.) ¡Ji, jiñóo! Dígaselo a las niñas de hoy en día, mi niña, que son como alpeldises foguetiáas. ¡Mire, señora, al favóo!

Dolorcitas.—(Acusando el retintín.) Toas no son iguales. Digo yo... (*Picada y picando.*) Si es por comparáa, no sé qué se haberá creío usté de mi niña...

ISABEL.—(*Hace un hocicón, como repugnada, y se recoge la gota con la mano.*) ¡Jum!

DOLORSITAS.—¿Cómo que "jum"? ¿Jum de acualo?

ISABEL.—Pos mire, pa desírselo por atrás, se lo digo por alantre: igualita que toas. ¡Miusté!

DOLORSITAS.—Naturáa...

ISABEL.—¡De Agüimes...!

DOLORCITAS.—Como las suyas le han salío abejones en flores, que aquí lalgan un novio y más allá agarran otro; y van y vienen del tingo al tango; y usté las deja dil al Pabeyón solas—¡que diban solas!—y pal Puelto los domingos, que le recalan dispués de Animas, metías en un sitio que le disen el Barandilla, se haberá decreído usté, al mou, que toas son iguales. ¡Al mou!

PEPITO EL PENINSULAR.—(*Aparte.*) Preludio de guerra. ¡Se zumban, como si lo viera!

ISABEL.—¡Mía quién jabla del Pabeyón y del Barandilla...! ¿Por qué no le pregunta a Usebio Garepa ónde vio la otra taldesita a su niña? ¡Orasiones dáas, con un poyito de pa abajo de Triana...! ¡Aaah!

DOLORCITAS.—(*Engrifada como una gallina de Agüimes.*) ¿Acuáslo?

ISABEL.—¿Qué acuáslo? Pregúnteselo a ée... En el Arbo Bonito de Chile, mi niña, cuando entoavía no vieran puesto el bombiyo grande di ahora. (*Aparte.*) ¿No fumas, inglés?

DOLORCITAS.—(*A tirarse.*) ¡La lengua te debieran arrancá, peaso de arranclín, felpudo de tres mil demonios, que traís casta de tiestos y no la dismientes!

ISABEL.—(*Metiendo retranca y amarilla como una ñema.*) ¡Casta de tiestos! Echate otra. El cahnero le dise a la poya "quita pa ayá que me tisnas". ¡Mía quién jabla de tiestos, gentuayo! Eya, la muy peldularia. ¡Y su niña, con ojos de pájaro echáa!

(*Es la guerra. Pero cuando parece inminente el estampido, que habría de iniciarse con una cabeza de puente abierta por Dolorcitas entre la nariz y el rodete de Isabel, interviene diplomático Pepito el Peninsular, que se ha ido acercando durante estos cañazos preliminares con un queque en una mano y el trapo en la otra.*)

PEPITO EL PENINSULAR.—¿Se pue zabé a qué viene esta gresca, vezinas, cuando es jora de dormí? ¡Por los clavos de una carreta, mujé, dejaslo pa otro día!

DOLORCITAS.—(*Como una cocinilla inflada.*) ¿Y a usté quién le ha dao vela en este intierro?

PEPITO EL PENINSULAS.—¿Velas a mí...? ¿A que va a sé er tío de la funeraria? Quería dezí que...

DOLORCITAS.—¿Pa qué? ¡No digo náa! Guarde las ganas pa su mujée. ¡Y guarde a su mujé tamién!

PEPITO EL PENINSULAR.—Ya arcansaste argo, mujé, sin comeslo ni bebeslo... Déjela usté, señora Dolores, que ya se cansará eya. *(Inicia una prudente retirada, intimidado por la actitud felina de Dolorcitas.)* Por lo demás, darse ustede por los morros. A ve si va y tiene gracia. Vaya, ¡con Dio! *(Se va para el tabanco limpiando el queque, al que intenta sacar brillo con un golpe de saliva.)*

DOLORCITAS.—¡Y tú, estropajo, basiniya de mi catre, te vas a comé como conduto la caja de turrones, el faro, los pesos y tóos los teleques! ¡Por éstas que te las cobro! *(Pone un dedo oliendo a hígado de vaca encima de otro oliendo a aceitunas del país y estampa encima un beso como un queso de Guía.)*

ISABEL.—*(Cerrando, agachada y vuelta de popa, la caja de turrones.)* Sí, sí... Mejó estacara corta a la jija, que indispués que la nombraron mis de la Sociedá, está más relajona que un bienmesabe. ¡Escacháa, que tiene a quien salíi!

DOLORCITAS.—*(A pique de caer encima de Isabel como la máquina de la china.)* ¡Ay, que me pieldo, santísima!

ISABEL.—*(Siempre de popa y con tonillo indiferente.)* Usté está perdía hay qué tiempo...

DOLORCITAS.—*(Saliéndole por la boca la presa de los Betancores.)* ¡Ya, señores, tal mujer provocativa, señores! ¡Espérate ay, cometa de mil demonios...! *(Se tira a Isabel y se le fecha al moño, tirándole al tiempo una chabascada en la nariz. De la nariz saca lasca y del moño se le viene entre las uñas un abundante reblujón con sus correspondientes liendres. Isabel le pone ambas manos en la cara y empújala hacia atrás, tirándola como un cortacapote. El coco de Dolorcitas suena como cuando cae en peso una sandía de Lanzarote.)* ¡Ay, que ya me mató la indina! *(Este grito debe ser expresado con un poco de cloquido en el "¡Ay!" para que no pueda ser confundido con el "Marabú" y a los fines, también, de lograr un mayor efecto dramático.)*

ISABEL.—*(Recogiéndose el rodete como quien saca un chinchorro.)* ¡Así es como está buena, tiráa en el terreguero, la indina! ¡Lástima de escoba!

ESCENA II

(DICHOS y PEPITO MONAGAS, VENTURILLA el Taita, VICTORIO el del Pinillo y mi compadre JUAN JINORIO, que también iba en la rueda de presentes. La jarca entra en el momento en que DOLORCITAS, repuesta del talegazo, se dispone a fajarse otra vuelta.)

MONAGAS.—*(Haciéndose cargo de entrada.)* Ya declararon las utilidades los belillos éstos. *(Metiéndose entre ambas mujeres.)* ¡Sss...! Manténgase, comá Dolores. Y tú, Isabée, tira para la caja. ¿Qué relajo es éste?

DOLORCITAS.—*(Está que se la compara con una panchona y la panchona no pasa de pejín.)* ¡Suélteme, Pepito Monagas; lárgueme, que usté no sabe el deshonro que esa perdularia me ha jecho! *(Da un reflechón y logra zafarse, pero se le atraviesa Venturilla el Taita, al que, ciega, trinca por la pelambrera, trayéndose en cada mano un puño como para una baifa primeriza.)*

VENTURILLA.—*(Echándose manos al coco y en tono sencillo.)* Ya me peló la desgrasiáa ésta... *(Entre Victorio y Monagas logran contener a Dolorcitas.)*

JUAN JINORIO.—Bueno, ¿pero y este escorroso después de horas...?

DOLORCITAS.—¡La mato, bandía! *(Pausa suficiente para que coja resuello, teniendo en cuenta la conveniencia de que la artista se meta en situación.)* Ha pasao, que a María del Pino la mía la dejé dir al paseo y no me ha vuerto. Y se lo estaba disiendo a la jedionda ésa y pegó a tirar puntitas...

ISABEL.—Jedionda lo será usté, tiesto. ¡Mía pa ayáaaa!

MONAGAS.—¡Sss! Está en el uso del cloquido aquí Dolorsitas. Usté, mana Isabée, me va a jaser el favóo de callarse jasta que ella desembuche toa la prueba testifical. Prosiga en el uso, Dolorsitas.

ISABEL.—*(Más salpicona que nunca.)* ¿Y por qué me tengo que cayá yo, vamos a vée? Si el guayabo se le mete en esos bailes di ahora, que no se ve náa por entre medio, que la estaque más corta y que no venga a desajogar en los demás. ¡Miusté!

MONAGAS.—Mana Isabée, usté confunde el baile con el angrúo de la tierra. Y no es del caso. Otro sí: le ha dicho que se tupa, jasta que aquí, comá Dolores, afloje too el paquete de la parte demandante. ¿Qué más, comá Dolores?

DOLORCITAS.—¡Oh, que nos hamos agarrao a peliáa, que ninguna nesesiá tenía yo de cogerme un atracón de éstos pa remate!

MONAGAS.—¿Usté terminó?

DOLORCITAS.—Por ahora, sí. ¡Que dispués, cuando la trinque sola, pego otra vuerta!

MONAGAS.—Jabla tú ahora, Isabée.

ISABEL.—*(Con los puños en los cuadriles, un pie sacado como en un paso de baile y el moño bailándole de flojo y de la arrogancia.)* Una palabra tan solamente, usté, Pepito: ¡Imberse!

(Al oír lo de "imberse", Dolorcitas cae tiesa, procurando el director que se meta el leñazo cerca de la concha para que el apuntador pueda darle bien un jeringazo de tinta china colorada en la

cara, aplicándole luego una buena linterna, todo, naturalmente, a
los fines de lograr un realismo dramático rayano en la matazón.)

DOLORCITAS.—*(Salpeando, en una batalla por incorporarse.)*
¡Ay, que ya me quitó la vía este berringayo! Pe... pi... to... Mo...
Mo... Monagas..., tráiganmen un cura... ¡Y búsquenmen mi jija,
asín Dios le sarve el arma...! Métale usté la gentina, que yo...
que yo no podré metehle por mor de una desgrasiáa turronera...
Es... cuche, Pe...pito...
MONAGAS.—Comadre, no lo diga por diósesis, ¿oyó?, que suena
el "pito" y se arma el choteo.
DOLORCITAS.—No tiene si... no... si... no...
MONAGAS.—*(Aparte.)* Poco, mucho, náa.
DOLORCITAS.—Si no dispensá... De unas perras... que... tengo
al... al reito, con un pagareme arriba de José Manué, el de la Platafolma, mándeme a desí unas misas de San Vicente...
MONAGAS.—¡Cállese la boca! No jable de misas, que usté no
se va a morí. Espere, que yo tengo una melesina que usté verá.
Yo ha visto jugaores de la pelota medio esnucaos y con unos chorritos se quean saltando como un chinchorro. ¡Chacho, Venturilla,
alóngame una botella di agua de San Roque...!
DOLORCITAS.—*(Dando las boqueadas.)* Adiós, Canarias... que...
rida!
MONAGAS.—*(Aparte.)* ¡Mal limpriaito emprincipio pa una isa
puntiáa!
DOLORCITAS.—¡A... adiós, María der Pino! A ver si mi muerte
te sirve de ejemplo pa que... pa que cojas fundamento de... de una
ves... Adiós... *(Muere.)*
MONAGAS.—*(Sin darse cuenta de que ha entregado.)* Pampa
mía... *(Al apercibirse del fallecimiento se levanta y se quita la*
cachorra. Luego de una breve pausa se adelanta y se dirige al pú-
blico. La voz de este final deberá sacarla de la tripa gorda, si no
se lo carga.) Ay tenéis, señores que me escuchasteis, un ejemplo:
una madre que acaba de mala manera por mor del relajo de la
juventú contemporánea, cuya velgüensa—dicho sea mejorando lo
presente y dispensando el moo de señalá—está más perdía que
una abuja en un pajar. Y ay tenéis, tamién, una vítima de la palabra. La palabra, caballeros, es como la pólvora. Pega un endividuo a jablá y se lleva los hombres como cahneros. Se dise una
mala palabra—porque bien se saca pa jeringá o bien pa afiansá,
o sale como un gatillo en un momento de calentura y eso—y la
arma, o quea usté por un malcriao pa mientras viva. Mientras menos se jabla, más echaíto está el ser fisiológico y el norasténico del
ser humano. El hombre tupío—se entiende de la lengua— en toos
sitios tiene el respeto y la considerasión debía al siudadano de-

sente y tal. Lo ha dicho Servantes y otros endividuos famosos en las siete islas y pa fuera. De todo lo dicho y acaesío, ay tiene el mundo un ejemplo como la casa de don Bruno. *(Señala para Dolorcitas con el dedo tieso y una cara de cabecera de entierro.)*

(Al mismo tiempo, en el fondo, Victorio saca del ventorrillo una guitarra, ya afinada, para que no dé el requilorio, y puntea la malagueña del nueve, que Monagas entona con sentimiento.)

MONAGAS.—*(Cantando.)*

> Al pién de un bardo tuneras
> oí una vos que desía:
> pican de peor manera
> la jija que sale bandía
> y una mala turronera...

(Sobre el último verso va cayendo lentamente el)

TELÓN

V

¿A LA COSTA...? ¡NI AMARRAO!

R E P A R T O

PERSONAJES

Soledad.
Pepe Monacas.
Niña.
Andrés, el patrón de la "Frasquita".
Don Esteban el Baifo.
Voz.

Un cuartito cualquiera de una casa del Risco, con una cómoda al fondo que intenta aliviar su pesadumbre con una pareja de perros de yeso, una botella con un barco dentro, un ramo de espigas de avena o cualquier otra chuchería de molinillo o tenderete de fiesta. Encima del mueble hay un espejo cuyas barras doradas insinúan orillas de alfalfa bajo la verdosa trasparencia del pedazo de tarlatana que las protege contra las cagadas de moscas. En lo alto de un testero una ampliación fotográfica de un antepasado con ojos de vidrio y un bigote negro y enroscado, si es varón, y si hembra, un rodete como un pan de Agüimes de los tiempos de don Juan Melián y algo después. También cuelgan de las paredes algunos moldes de escayola ilustrados y una guitarra con una soba de naipes de cafetín en el lomo y en los cuadriles.

El mechinal tiene al fondo un hueco de puerta cubierto con una cortinilla rameada y a un lado otra salida por donde se va a la calle o se viene de ella. En el centro hay una mesilla coji-

tranca y de pinzapo ruin, al lado de la cual, sentado, Pepe Monagas *compone una jiñera. A la banda da allá otra silla y al pie
de ésta una cestita de caña con materiales para hacer aros de
turrón.*

ESCENA I

(Soledad *y* Pepe Monagas.)

Soledad.—*(En la puerta de la calle, terminando una conversación con alguien que ha salido.)* Yo no puedo jaser más náa.
Tú le dises eso: que mi marío está aparao *(volviendo un momento la cara airada);*—¡con la retranca ferrugienta!— y que
como lo del turrón está más bien mal porque las fiestitas vienen
tan ruines que no se vende arriba de dos fileras, pos mi niña,
que eso... Disle que yo le pago —¡Esús, bueno fuera!—, pero
que se aguante un pisco más, a ve... *(Cierra y viene al centro,
revirada como una panchona.)* ¡Y que no te se caiga la cara de
vergüensa delante de esta romería de cuentas, que no parece el
cuarto sino un lunes de San Nicolás con la gente agoniaa!

Monagas.—Siempre se desajera un poco.

Soledad.—¿¡Esajera!? ¿Cuántos han venío hoy...? ¡Cuénta-
los! Siete con Manué el der carbón, que tiene rasón el pobre en
desir que está más negro de no cobrar que del negosio.

Monagas.—Dihle tú que si cobra pronto, más pronto se lo
gasta. Y si se lava, como no está arregostao agarra su pulmonía.
Mejor es que no cobre.

Soledad.—¡Mia pa allá...! Tú lo arreglas too con el choteo.
Y lo que tienes que arreglar es esto. *(Le pone delante una mu-
grienta libreta.)* ¡Mira, empápate! Aquí tienes la libreta de las
cuentas, que se cuelga de la paré y sirve de cuadro de ánimas.

Monagas.—Déjalas por ay que ellas no se pelean.

Soledad.—¡Ya, santísima, tal pachorra, quería! *(Se sienta a
la tarea de los aros, que manipula hecha un manojo de voladores.)* ¡Pesao de perdulario, afrentoso de mil demonios, que ya
no pueo dir ni a la sieca porque pegan a cantarme, ajoto de los
fiiaos ca Rafaelito el *Mauro;* "Ni el *Mauro* duerme ni ella pega
un ojo—, que los fiaos desvelan—como el cafén solo."

Máncgas.—Mándelas usté a la... a la esa del Toril a freir bogas, y suculún.

Soledad.—¿Por qué no vas y las mandas tú?

Monagas.—Mira, no me jagas jablar, ¿oíhtes? Déjame el alma
quieta ya.

SOLEDAD.—¡Eso quisieras tú, que te dejara tranquilo, gandú...! Mira que pudiendo enrolarse otra ves pa la Costa, a ganarse sus perras como Dios manda, querer quearse apalastrao aquí como si estuviera baldao de un redoma.

MONAGAS.—¡Vaya un guineo, mano...! ¿Pero usté ha visto el empeño de la criatura ésta en que trabaje en lo que ella quiera...? Y esto too el santo día, desde que se tira del catre hasta que abre a roncar otra ves...

SOLEDAD.—¡Natural!

MONAGAS.—Será natural, pero usté me va a obligar a cojerle el lomo, cuando yo no quiero castigarla..., pa que no se diga en el Portón.

SOLEDAD.—¡Pa eso sí estás pronto, jeringao: pa los cachetones! Mejor le cojieras el lomo a la mar y tiraras pa la Costa otra ves, como van toos.

MONAGAS.—Toos, no. Yo veo mucha gente sentáa en la Plasuela...

SOLEDAD.—¡Y arriba que me calle! ¡Y trabaje usté y rómpase el alma pa que el caballero ande de belingo, beberretiando y sabe Dios en qué esquinas y callejones de Fuera la Portada...

MONAGAS.—¡Vaya un piano que me ha caío, caballeros...! (*Perdiendo un poco la calma.*) Mire, señora, repare en lo que dise, ¿oyó?, no sea que vaya y se me acabe el pisco de pasiensia que me quea y pegue el cachetón y... Bueno, en consumías cuentas, que mejor es que se tupa de una ves.

SOLEDAD.—¡El que tiene que reparar sos tú! ¡Y si quieres pegarme, pégame! ¡Ay tiene el pírgamo! Pero te juro que me oyen los esperríos jasta en los Poyos del Obispo. (*Se desinfla y jirimiquea un poco.*)

MONAGAS.—Bueno, ahora llorona. Déjalo ya, deja eso ya, muchacha... Tú no tienes sino que estás con los nervios engrifaos del Levante.

SOLEDAD.—Si tú llamas Levante a un rosario de drogas... (*Calmada.*) Pero criatura, ¿tú no ves que si te doy conduerma con la mar es por tu bien y el de la casa?

MONAGAS.—Ese tono ya es harina de otro talego. Si usté se mantiene así, tranquilita, yo le voy a jablar con rasones. Mire, de una, yo no vuelvo a la Costa porque mareo tan resio que jasta un bolinche de gaseosa que me tragué siendo chico lo largué en el último viaje, a los cuarenta años de llevarlo dentro, que se dise y no se cree. De otra, no me embarco porque a mí el pescao..., bueno, me gusta, sí, pero en un buen caldo. ¿Usté me va entendiendo?

SOLEDAD.—¡Masiao que sí! ¿Pero y el carbón y el aseite y las papas y las prevensiones, de aónde...?

MONAGAS.—Too se va arreglando, mujer. ¿Tú has visto trabajar alguna ves a los pájaros palmeros...? Pos ninguno se ha muerto toavía de jambre, a lo menos pa el Registro.

SOLEDAD.—Pos si no quieres volver a la pesca, busca trabajo en otro sitio.

MONAGAS.—Usté se ha empeñao en buscarme a mí una ruina. ¡No quiero trabajar en ningún sitio, porque de repente falta algo y pegan de mí! Y a mí no me saca nadie los colores a la cara... Aunque tu cabesa no te alcansa, te voy a desir más: el hombre que trabaje es porque no sirve pa otra cosa.

SOLEDAD.—¡En total, que no quieres jaser náa! Y después: "ponme la comía", y recaliente usté el potage porque el caballero viene tarde, y esto y lo otro. Y arriba, ¡que no me gusta el potage, que no quiero sino cahne con papas!

MONAGAS.—¡Casne con papas, tú...! Potagito de enreaeras y apare en la esquina.

SOLEDAD.—Lo que quieres, ya está visto, es seguir aquí escarranchao. ¡Y tira tú, Soleá, pa onde quiera que hay un festejo, con los turrones a cuestas, a regatiar con los "maúros" y a coger sereno! Está muy bien. Tú no trabajas, pero yo cojo mis teleques y tiro pa ca mi madre. ¡Y aquí te queas tú pa que te esparganées solo.

MONAGAS.—Usté no se va pa ningún lao, no sea boba.

SOLEDAD.—¡Veremos a ver!

MONAGAS.—(Cariñoso.) ¿Pero ónde vas a dir tú, totorota, si desde que eras una pollonsita y me conosiste, ya no podías parar sin mí...? Una noche sola que te falte, te pones que coges las vigas del techo.

SOLEDAD. — (Complacida, pero haciendo esfuerzos por disimularlo.) Sí, échatela ahora.

MONAGAS.—Pos claro que sí. ¿Y quién te iba a calentar a ti los pies, geniosa, cuando parese que los traes de ca Andresito el del hielo...? Tú dame liña y déjate dir pal pie, que too se va arreglando. No hay náa en este mundo como dejarse dir pal pie. (Llaman de la calle.)

SOLEDAD.—Sigue la guaracha. ¡Otra cuenta!

MONAGAS.—O un cáido, ¿quién sabe? Yo tengo hoy una corasonáa, Soleá. Hoy entran aquí cuartitos frescos y descansaos, usté verá. (Vuelven a llamar.) ¡Contesta, muchacha!

SOLEDAD.—¿Quién?

VOZ.—(De niña, fuera.) Soy yo, usté Solesita.

MONAGAS.—¡Otro inglés!

SOLEDAD.—(Con retintín, mirando a su marido.) Entra, mi niña, entra pa dentro.

ESCENA II

(DICHOS y la NIÑA.)

NIÑA.—*(Entra. Habla con "tinete".)* Solesita, dise mi padre que le pague, que si no, le pega...

MONAGAS.—¡Sss...! Oye, mi niña, ¿de quién sos tú?

NIÑA.—De Rafaelito el de la tienda.

MONAGAS.—¡Ah...! Pos mira, tú le dises a tu padre que dise Pepito Monagas que a los matones se los llevó el barranco con las pitas y las tabaibas, ¿oíhtes?

NIÑA.—*(Simplona perdida)*. Si, señó.

SOLEDAD.—¡Niño!, ¿no ves que la niña se equivocó? No dise que te pega, sino que le pagues.

MONAGAS.—¡Vaya una epidemia, caballeros! Too el mundo "pague", "pague"... ¿Y cuánto es, mi niña?

NIÑA.—Aquí está el papé. *(Le entrega una hoja de libreta.)*

MONAGAS.—¿Y esto qué es, quería...?

SOLEDAD.—¿Qué va a ser? La cuenta.

MONAGAS.—Pos yo no veo aquí más que chochos y palotes... Mira, dihle a tu padre que se equivocó. Que en ves de la cuenta me mandó el plano de una caena de papas y millo.

NIÑA.—*(Impermeable.)* Dise que son nueve pesetas y un riá.

MONAGAS.—Ah... Pos tú le dises como tú eres chica no te las doy, no sea que vayas y las pierdas por el camino.

NIÑA.—Güeno, adiós.

MONAGAS.—Que te vaya bien. Y echa por la sombrita. *(Sale la niña.)*

SOLEDAD.—Ya sabes lo que tienes que jaser: cojer el tole y dir a pagarle.

MONAGAS.—Iré, no se agoníe. Esta tarde, antes de las seis, tiene el *maúro* su dinero. Hoy entran cuartos frescos aquí. Te digo que tengo la corasinada... *(Vuelven a llamar en la puerta.)*

SOLEDAD.—Drogas llaman otra vuelta.

MONAGAS.—Y si no fuera, ¿qué cara ponía usté entonses?

SOLEDAD.—¿Quién?

VOZ.—*(Fuera.)* ¡Pas! Soy yo, comá Soleá.

MONAGAS.—Ah. El patrón de la *Frasquita*. ¿Se le debe algo a él?

SOLEDAD.—No. ¡Y es al único!

MONAGAS.—¡Qué provocativa sos! Mejor te callaras ya... Adentro, compá Andrés.

ESCENA III

(DICHOS *y el patrón de la "Frasquita".*)

PATRÓN.—(*Un "roncote" con pan y con qué comérselo. Envarado de por sí, el traje de los domingo y los zapatos —dos bardinos con una presa en cada "ñame"— lo entiesan como a un difunto vestido para el viaje de las Plataneras. Tira de una vieja
pipa con tal ansia que se le pegan los cachetes. Apenas entre se
quita los zapatos, sin poder disimular unas camangos dolorosos.*)
Buenas, Solesita y la compaña.

SOLEDAD.—Adiós, Andresito.

MONAGAS.—¿Qué dise el hombre?

PATRÓN.—(*Algo turbado.*) Pos...

MONAGAS.—¿Y qué viento lo tumbó, patrón?

PATRÓN.—Es que diba aquí lantre... ca lo eso de la... pa aquellar el... y me dije, digo... deja que voy a... ¿Usté entiende?

MONAGAS.—¡Sí! Está clarísimo. Usté diba a ca la eso a aquellar
el que lo otro... Y mi mujer, como tiene un barrenillo que hay
que echarle jurona pa que salga, pos fue... ¿A dónde fuihtes tú
esta mañana, Soleá, que espantaste de aquí lo menos una hora...?

SOLEDAD.—(*Mintiendo malamente.*) A la Plasa. ¿No te lo dije,
niño?

MONAGAS.—¡Pa qué eres embustera, muchacha...! Tu caihtes
ca Andresito. Como está el barco al salir, fuihtes pa que viniera
a soliviantarme. ¿No es así, mano Andrés...?

PATRÓN.—Hombre, yo, usté Pepito, esto... ¿Qué quiere que le
diga? La mar, ya sabe. Y a mí no, pero... Aquellando, pos...
¡Digo ya! ¿Usté entiende?

MONAGAS.—Hombre, entender, lo que se llama entender, no;
pero lo calo... Y le voy a desir a usté tamién: no voy más a la
Costa. Por muchas rasones, ¿sabe? Y una de ellas, porque estoy
en dedicarme otra ves al negosio de los cáidos.

PATRÓN.—¿Cáidos de acuaslos?

MONAGAS.—Pos de endengar timples y quitarras, de arreglar
istalasiones elétricas; de poner inyesiones, de comprar y vender
pájaros pa los ingleses del Yova; de haserle sus trampitas a la
lus, que tengo un modelo que no lo trincan ni con el radar, y sétera, sétera.

PATRÓN.—No escarmienta, rayo. Siempre que se ja metío en
negosios ja salío cachiporriao.

MONAGAS.—Según.

PATRÓN.—Usté lo sabe. ¡Y de pájaros, pa qué! ¿Se acuerda cuando le vendió a un chone un pájaro cojo, con una pata comía, que lo llevaron al semento por que usté no quería aflojar los cheslines que le alevantó...?

MONAGAS.—¿No me voy a acordar? Pero tamién me acuerdo que yo tenía rasón. Lo que yo le dije al míster: "¿Usté pa qué lo quiere, pa cantar o pa bailar?"

PATRÓN.—Rasones... Güeno, que tengo mucho que jaser. ¿Se enrolea otra vuerta pa la Costa o no se enrolea?

MONAGAS.—Ya lo ha dicho usté, Andresito.

PATRÓN.—Deje el cambulloneo, mano Pepe, y péguese a un trabajito desente y de toos los días arreo, no sea tolete.

SOLEDAD. — (Engrifada, estallando.) ¡Jasle caso, perdulario, peaso de mil demonios, y tira pal Moro, que más vale la mar que la cársel!

MONAGAS. — Vosotros no arrempujéis, señora. (Al patrón.) Mire, patrón, déjeme que lo rumie esta noche con el cabesal. ¿Cuándo sale la Frasquita?

PATRÓN.—Al alba de pasao mañana levemos. ¿Tonses está más animaíllo?

MONAGAS.—Hombre, animaíllo, lo que dise animaíllo, no. En tres, na más.

PATRÓN.—¿En tres...?

MONAGAS.—En tres, claro: dos pa quearme y una pa dirme...

PATRÓN.—Rasones.

SOLEDAD.—¡Mia que josico!

PATRÓN.—(Levantándose.) Pos si se embulla, leva, tumba pa mi casa y me avisa. ¿Qué le digo, Soleaíta?

SOLEDAD.—Que le vaya bien, Andresito. ¡Qué le vamos a jaser! De un morrocoyo no ha salío nunca un fotingo.

PATRÓN.—Rasones. (Sale.)

MONAGAS.—(A su mujer, que desde la puerta se le vuelve elementada.) ¡Ssss! Si me vuelves a sermoniar ni hay ni Costa, ni cáidos, ni náa. Que ya tengo la cachimba llena. (Ella se sienta mascando el freno.) No se me quita la corasonáa. Antes de orasiones cae aquí dinerito fresco, no te agoníes. (Llaman recio de la calle.) Ay lo tienes. ¡Contesta, muchacha!

SOLEDAD.—¡Quién!

VOZ.—(De hombre, fuera.) ¡Soy yo! ¿Se puei? ¡Si no se puei es lo mesmo!

MONAGAS.—(Abacoradillo.) ¡Santiago bendito, don Esteban el Baifo a cobrar la casa...!

SOLEDAD.—Anda, dihle también al amo del Portón que estás en tres...

MONAGAS.—*(Con su mejor flema de pícaro.)* Mira, Soleá, me voy a meter ay detrás, ¿tiendes? Y tú le dises al *Baifo* que salí... Que fui pal Puerto y que me quearé a comer en el Refugio, ca mi compadre Chano Rapaúra, por ejemplo.

SOLEDAD.—¡Yo no le digo naíta este mundo! ¿Tú no sos el palo de la casa? ¡Pos aguanta la vela!

MONAGAS.—Es que esto pasa de vela pa ser velorio... Y mira, jasme caso a mí, que ya sabes que soy de confiansa. Dihle lo que te ha dicho. *(Se oculta tras la cortina de la puerta del fondo.)*

VOZ.—*(Después de volver a llamar fuerte.)* ¿Vas a abrí o no vas a abrí?

SOLEDAD.—*(Busca y se pone un pañuelo a la cabeza y contesta al cabo quebrando mimosamente la voz.)* ¡Aspérese, cristiano, que estaba tiráa en la cama con una jaqueca! *(Abre.)*

ESCENA IV

(DICHOS y DON ESTEBAN *el Baifo*.)

DON ESTEBAN.—*(Entra como un toro hasta la mitad del cuarto, donde se planta mirando gacho alrededor. Viste de negro, con cachorra y botas de tirillas elásticas. Las bombas y los resuellos de la chopa que tiene por nariz se pierden bajo la manigua de un bigote negro y rebellado. Para hablar—con un marcado acento campesino—tumba el cogote a una banda.)* ¡Ya sabes a lo que vengu!

SOLEDAD.—*(Ingenua.)* Pos mire, no.

DON ESTEBAN.—¿Qué dises tú? *(Buscando con manos gordas y nerviosas entre un fleje de recibos.)* Aquí están. Son siete meses y vensíos, ni unu menos. ¡Y vengo a cobrahlos a rajatolete! Ya no aguantu más, que toa sincha tiene su bujero úrtimo.

SOLEDAD.—*(Siempre con el mismo aire.)* ¿Siete meses, don Esteban? Pa mí que eran más, ya usté vei.

DON ESTEBAN.—¡A!, ¿te paresen pocus?

SOLEDAD.—No. Asín... Pos mi marío no está, usté.

DON ESTEBAN.—Yo no he venío a ver a tu maríu, que dende que me trabajó la tartana, no lo trago ni con conduto. Lo que vengo es a cobrar.

SOLEDAD.—Ah, a cobrar... Pos como no se asiente...

DON ESTEBAN.—¿Qué dises?

SOLEDAD.—No, náa.

DON ESTEBAN.—Y no quiero detenensias, ¿oíhtes?

SOLEDAD.—Si usté está aquí es por su gusto, don Esteban. Ni naide lo estaca, ni naide lo arrempuja.

DON ESTEBAN.—¿Ya me vienes con puntitas, como Pepe...? Saca los cuartos de una ves y no me andes con recuilorios, que traigo la sangre como un mojo colorao.

SOLEDAD.—¿Pero y de ónde los saco, don Esteban de mi alma, si yo no tengo y Pepe no está aquí?

DON ESTEBAN.—¿No está aquí? ¿Pos ónde se mete el bergante ése? Al mou se habrá embarcao.

SOLEDAD.—¡Qué más quisiera yo!

MONAGAS.—*(Asomando un instante la cabeza tras la cortina.)* ¡Y yo!

DON ESTEBAN.—*(Escamado.)* ¿Qué...? *(Soledad tose y hace gestos de no haber dicho nada.)* Pos mira, le dises de una ves pa última al belillu de tu marío que son siete meses, entrando en ocho. Que el que entra le pego arrente un desajusio como la máquina de la china.

SOLEDAD.—Como la máquina de la china, sí, seño.

DON ESTEBAN.—*(Guardando atropelladamente los recibos.)* ¡Pos no fartaba más con estos arranclines, viviendo como las garrapatas toa la santa vía! ¡Desgraciaos!

MONAGAS.—*(Sacando un momento algo más que la cabeza.)* ¡Eso no me lo dise usté en la calle!

DON ESTEBAN.—*(Agresivo, a Soledad.)* ¡Sos una mujer, si no te lo desía en medio de Triana!

SOLEDAD.—Oiga, fohforito, que no no fi, ¿se entera?

DON ESTEBAN.—¡Murió el cochinu! ¡No espero sino el mes que va corriendu! Pa últimos compro media peseta de papel de barba, le pego al canto arriba sus impólisas o sus sellos inmóviles ¡y a arrancar la caña se ha dicho! ¡De mí no se chotea ningún imberse como tu marío!

MONAGAS.—*(Sale calmoso y amenazador.)* No se dise "imberse", don Esteban. Se dise *(echándoselo en la cara)* ¡to-le-te! Too se lo he resistío, menos eso. Fíjese cómo tengo el pañuelo de morderlo, pa aguantar. *(Le muestra un pañuelo desgarrado.)*

DON ESTEBAN.—*(Con cierto cerote.)* ¡Ah! ¿Pero estabas ay...?

MONAGAS.—¿Pos no lo ve, faltón?

SOLEDAD.—*(Asustada, colgándosele al cuello.)* ¡Pepe, que te vas a desgrasiar!

MONAGAS.—¡Lárgame...! *(Dramático.)* ¡Arrímense las mujeres!

DON ESTEBAN.—¡Si te atreves a ponerme una mano arriba, te

meto debajo del jues con tal embrujina de papeles, que más nunca te aclaras!

MONAGAS.—*(Perdonándole la vida.)* Mire, lo vamos a dejar... ¡Pero no por usté, que no merese ni un soplo en un ojo, sino por su mujer y sus hijas, a las que apresio!

DON ESTEBAN.—*(Otra vez envalentonado.)* ¿Ya me vienes a sacar la llorona, pa que ablande...? ¡Te conosco, que sos un almanaquiento!

MONAGAS.—¡Ya está destupiéndose otra ves...! ¡Cállese ya, hombre, cállese...! Si su mujer y sus niñas, que se han virao de sosiedá, lo vieran como un aguililla en este Risco...

DON ESTEBAN.—A mí no me interesa ná.

MONAGAS.—¿Quiere dejarme jablar de una ves...? Si lo vieran por el bujero de una llave las visitas de su mujé y las amigas de sus niñas, ¡jágase cargo del deshonro...! Estoy seguro que doña Candelaria caía en la cama como un cortacapote.

DON ESTEBAN.—¡No sé por qué! Estoy defendiendo los intereses de ellas

MONAGAS.—¡De esa manera afrentosa!, ¿verdá...? Al moo no se acuerda ya del ataque que le dio en el Casino a su señora, cuando usté dijo, alta vos, que su jija Pilar le había dicho que no al niño de don Pedro, porque era "un jediondo" ¡Mia qué palabra p'al Gabinete!

DON ESTEBAN.—Bueno, no me saques trapos viejos, que yo no he venío a eso, ¿oíhtes?

MONAGAS.—De sobra sé que no. Pero es que me da de cara. Y, además, quiero desirle una cosa, ¿oyó? Usté lo que es, es un mal agradesío.

DON ESTEBAN.—¿Mal agradesío, por qué...?

MONAGAS.—¡Fíjate, Soleá, y lo pregunta...! Ya no se acuerda que estuve más de dos años trabajando con una tartana suya, cuando se vino de arrancá de Agüimes, pa arriba, que entonces le desían a usté don Esteban el *Baifo,* porque venía serrerito perdío...

DON ESTEBAN.—Si me sacas el dichete otra vuelta, vamos a tener rifi-rafe. ¡Te lo digo!

MONAGAS.—Ta bien, yo no le digo *Baifo* más. Pero acuérdese de que entodavía le desían a usté don Esteban el *Baifo* cuando su mujer y sus niñas se ponían unos sombreros pa ir a misa de dose, que venía gente jasta del Puerto pa verlas salir...

DON ESTEBAN.—¡Y dale con la matraquilla...! Te digo que yo no ha venío más que a cobrar, y de lo demás, no quiero saber ná.

MONAGAS.—Pos yo sí quiero saber, ¿tiende?, porque fi yo el que llevó las mujeres de su rancho ca las niñas de Antunes, que trabajaban como figurines de pa fuera. De entonses p'acá se jisieron gente. ¡Lo mihmo que usté! ¿Quién se dio sus vueltas, sino yo, pa que no le metieran la bola negra en el Casino y lo jisieran sosio...? ¡Ah!

DON ESTEBAN.—¡Sí! Pero aluego prinsipiahtes a comerte la tartana; primero, el rollón del caballo, dispués la alfalfa..., y jasta el rabo del animal se lo pelahte y se lo vendihtes a un moro pa jaser anillos de pelo. ¡Ah!

MONAGAS.—¡Otra ves con el quejío del rollón y del razo del caballo...! Una cosa del año del Pendón...

DON ESTEBAN.—Güeno, yo no quiero más tarameleo, ¿oíhtes? Si estabas ay, ya sabes la cartilla.

MONAGAS.—Ta bien, pero venga acá, que tenemos que jablá yo y usté. Yo estaba incluso pa dir a su casa, mire.

DON ESTEBAN.—¿A pagar...?

MONAGAS.—¡A pagar! ¡Vaya un visio que ha cogío este hombre con esa palabra, con lo feíta que es... Yo quería verlo pa jablarle de un negosio, cristiano.

DON ESTEBAN.—¿Un negosio de acuálo...?

MONAGAS.—Mira, Soledaílla, ponle una sillita que no esté coja aquí a don Esteban.

DON ESTEBAN.—Yo m'alcuentro bien de pien.

MONAGAS.—Asiéntese, no sea baifo.

DON ESTEBAN.—¡Te ha dicho que dejes el dichete quieto, Pepe!

MONAGAS.—Güeno, pos no me provoque usté a mí... Ande, asiéntese. (*Don Esteban se sienta, entre aturdido y escamado.*) Pos mire, resurta que mañana llega al puerto un Yova, que creo que viene tan estivao de chones que le echan uno más y acaba como el *Suleica*. Usté sabe, de otra parte, que de cuatro meses p'acá ss ha metío esa enfermeá de los pájaros, que pegan a engrifarse, como las gallinas de Agüimes, y de ahora pa después, ¡suculúm!

DON ESTEBAN.—Sí. Una apiemia de gogo que se encendió. A mí me amanesió un capirote tieso.

MONAGAS.—No, y que se está corriendo, además: de unas chiquitas de aquí detrás, que las llaman Las Alpispas, ya se han muerto dos... Bueno, pos yo sé de un sitio en Tafira Baja, ¿oyó?, donde hay unos cuarenta pájaros que de amarillitos y gordos son como una carga de naranjas de la Jiguera Canaria...

DON ESTEBAN.—(*Malicioso, cayendo.*) ¡Ah...! Y tú...

MONAGAS.—¡Ta claro! Yo me tiro un salto arriba, compro—regatiando, como la gente rica—y al alba estoy en la punta del muelle. Pa horas de almuerso, don Esteban, me tiene usté de recaláa con más de sien duros en el bolsillo. ¿Qui'hubo, viejo...?

Don Esteban.—*(Rascándose, desconfiado, el cogote.)* Ju... Y tú querías...

Monagas.—Pos un sosio capitalista. Está clarito... Soledá, tráete un pisquito de vino, mujé, p'aquí pa don Esteban y pa el que suscribe... *(Soledad trae y sirve unos vasos.)* Mire, usté es el que tiene los cuartos y usté entra en el negocio. ¡Los amigos son pa los amigos, don Esteban!

Don Esteban.—*(Todavía algo durillo.)* ¿Y cuánto quieres tú...?

Monagas.—Son... póngale cuarenta pájaros... *(Hace una cuenta con los dedos y una lengua tan torpe que no se le entiende una palabra.)* Mire, usté me da a mí—¡pa dir sobre lo firme, que yo le devuelvo lo sobransero!—sincuenta duros...

Don Esteban.—*(De un brinco se queda en pie.)* ¿Sincuenta duros...? ¿Pero tú vas a comprar pájaros, o una fanegá de plantaneras...?

Monagas.—¡Pero qué brutito es, señores...! Luego se queja de que le digan *Baifo...* Asiéntese y reflexione, cristiano, ande. Mire: hamos dicho cuarenta pájaros, ¿no? Usté póngales, machos con jembras—¡pa nosotros, que pa los ingleses son toos machos!—a seis pesetas. Son dossientas cuarenta, si los palotes no mienten, y dies pesetas p'al pirata, ¡mire ver!

Don Esteban.—¿Y quién me garantisa a mí...?

Monagas.—¡Oh, padrito! Si empesamos a jablar de boberías... ¿Y a mí quién me garantisa, vamos a ver?

Don Esteban.—¿A ti, de qué?

Monagas.—¡De qué dise, Soledá, fíjate...! Pos de que usté me va a emprestar los sincuenta duros.

Don Esteban.—Eso es otra cosa.

Monagas.—¿Otra cosa? Esa es la madre de la baifa, mi amigo. Si usté no afloja, me perjudico yo.

Don Esteban.—*(Rascándose una pantorrilla.)* Sí, asín como tú lo pintas... ¿Y cómo entramos a ganar...?

Monagas.—Según la pluma y el estilo de folias que cada pájaro tenga, yo vendo de sinco a siete duros. Usté me da un tollito por cabesa de ganao, y el remanente pa usté.

Don Esteban.—*(Codicioso.)* Ta bien... Pero, oye, Pepillo, ¿no podríamos jaser un papelito, con una firma...? ¡Como tóos semos jijos de la muerte!, ¿ohítes?

Monagas.—¡No tenga cuidao! Entoavía damos el requilorio los dos un rato largo. Deje los papeles y saque los cuartos.

Don Esteban.—*(Remolón.)* Güeno... *(Saca un pañuelo y desata de una punta los billetes.)*

Monagas.—¡Pero don Esteban de mi alma!, ¿pa qué lleva el dinero ay, teniendo una cartera, cristiano...?

Don Esteban.—Es que se me perdió el impendible grande que tenía pal bolsillo y por dejadés no ha comprao otro... Toma... Güeno, ¿y cuándo te dejas ver?

Monagas.—Ay p'al sol puesto, en *El Camello.*

Don Esteban.—Ni una palabra más. Jasta mañana. *(Se levanta e inicia la salida.)*

Monagas.—Que le vaya bien, me alegro, don Esteban. *(Parándole en la salida.)* Pero, oiga, don Esteban, ahora que me acuerdo: ¿Usté no vino a cobrar?

Don Esteban.—Pos... *(Acordándose y poniéndose de nuevo en casero.)* ¡Oye, pos a eso vine, sí! Y te voy a desir una cosa...!

Monagas.—*(Digno.)* ¡Sss...! ¡No me diga náa! Nosotros podemos tener nuestros dimes y diretes, y yo mis atrasos, ¡pero lo que es pagar...! ¡Ta loco! Yo le debo a usté siete meses vensíos. El que va corriendo, déjelo correr... A siete pesetas—que aquí pa nosotros es más dinero de la cuenta—, son cuarenta y nueve. *(Le alarga un billete.)* Tenga, cóbrese y alije la vuerta.

Don Esteban.—*(Da el cambio y entrega los recibos. De pronto se da cuenta.)* ¡Pero, oye, resurta que me pagas con el dinero que yo...

Monagas.—¿Usté ha cobrao o no ha cobrao...? Pos entonses cállese la boca y váyase tranquilo. *(Lo empuja suavemente hasta echarlo.)*

Soledad.—¡Pero, muchacho...! Esús, madrita mía del Pino, tal repoquísima vergüensa...!

Monagas.—Déjate dir, que no es pa tanto... Mira, toma, pa que pagues las nueve pesetas y el rial de Rafaelito el *Maúro*; esto pa el lechero; un duro para maestro Luciano, que me vendió unas cuerdas del timple; sinco duros pa que compres cahne con papas, a ver si la comemos un día; dos duros pa un chehne, y cuatro duritos pa que te compres un vestío nuevo. Mira a ver si hay más cuentas...

Soledad.—¡Pero, muchacho! ¿Y los pájaros...?

Monagas.—¿Los pájaros...? En la asotea. ¡Chica insalla de palmeros! Voy a terminar los falsetes de la jeñera, pa ponerla a pajariar arriba. De aquí a la tarde tengo más de cuarenta.

Soledad.—¡Esús, tal desgrasia, quería de mi alma, que le dijo canarios!

Monagas.—¿Y qué? Yo le mando los palmeros a maestro Juan Amaro pa que me les dé una buena manita de pintura naranja, y asunto concluso.

Soledad.—¡Ay, mi madre, que me veo subiendo con el sesto de la comía por el Arbol Bonito!

MONAGAS.—Usté no tiene que subir na más que el callejón de la Vica, de la plasa pa arriba. *(Llaman fuerte a la puerta.)*

SOLEDAD.—¡Ay tienes al guardia...!

MONAGAS.—¡Me extraña! Entoavía no puée ser. *(Vuelven a llamar fuerte.)* ¿Cuánto es...?

VOZ.—*(Fuera.)* ¿Quieren langosta...?

MONAGAS.—¿Qué dise?

VOZ.—*(Fuera.)* ¡Langosta viva! ¡Que si quieren langosta!

MONAGAS.—¡Ah, ya! Creí que pa la Costa. ¡Porque pa la Costa, hermano, ni amarrao...!

FIN

VI

A MI LO QUE ME JERINGA SON LOS ABUSOS

Segunda parte de

"¿A LA COSTA...? ¡NI AMARRAO!"

R E P A R T O

PERSONAJES

PEPE MONACAS.
ANDRÉS, EL PATRÓN DE LA "FRASQUITA".
SOLEDAD.
CAROSO.
CARMELO.
DON ESTEBAN EL BAIFO.

Un cuarto trasero muy modesto, de un portón. Puerta practicable en el lateral izquierdo. En las paredes y por el suelo, cestas, redes, cañas, remos y otros arreos de pesca. Algunas sillas viejas y una mesilla en el fondo.

Al comenzar la acción la escena está en la penumbra. Dentro se oye una alegre risa, a cuyo final alguien canta, siguiéndola un estribillo coreado por hombres.

En seguida que termina entran MONAGAS, *con un quinqué en las manos, y* ANDRÉS, *el patrón de la "Frasquita", con una botella y dos vasos, cosas que deja sobre la mesa.* MONAGAS, *enchapadillo de beber, trae una expresión optimista y feliz. El mismo estado de ánimo acusa* ANDRÉS, *a pesar de que le aprietan los zapatos.*

ESCENA I

(Monagas y Andrés, *el patrón de la "Frasquita", endomingados,
satisfechos y alegres. Pepe trae un quinqué encendido y el patrón una botella y dos vasos, cosas que dejan ambos sobre una
mesa.)*

Monagas.—Arrejálese pa acá, compá Andrés, que aquí estamos más frehquitos.

Andrés.—A lo menos no pisan a uno, rayos, que entre el rebumbio y los sapatos escaldones tengo los pieses como chopas de
vivero.

Monagas.—*(Sentándose muy cómodo.)* Largue el lastre sobre
la mesa y asiéntese por ay.

Andrés.—*(Respirando con satisfacción.)* ¡Vaya un tenderete
desente, compaire! Too sobransero y too en un jasío... Ende luego, hay muchos años que aquí en este Risco no navegaba un bautismo con tan buen viento y marea tan echaíta. Toas las que yo
recuerdo se han arriao antes de tiempo por mor de algún marejón.

Monagas.—Corrientito.

Andrés.—Oiga, compadre, ni que juera del campo.

Monagas.—Sí, señor. Y jablando de too un poco, usté no me
púo embarcar pa la costa, pero en cambio me embarcó de padrino en este bautismo.

Andrés.—Y muy satisfecho que estoy, ¿oyó? Naide mejor que
usté.

Monagas.—Pero mire, entoavía me parese peor ocurrensia
traer un chiquillo dispués de viejo. ¿Qué fue eso, compá Andrés?

Andrés.—*(Regocijadillo.)* ¡Qué sé yo, compaire! Enralos de
la comadre... Ni acordarme me acordaba yo ya, pa que éste vea...
Miusté, a los ocho años de casao.

Monagas.—Oiga, parese un partío de envite, dao que el hijo
único los han tenío en piedras de ocho matrimoniales; usté que:
¡envío!, y chico primero... *(Ambos ríen alegremente.)* Usté es
más viejo que la comadre...

Andrés.—Le paso unos nueve años... Ya ve. Toa la travesía
del matrimonio engóo va, engóo viene, lanse va, lanse viene, por
ver de entramallar un guayete, y por la mañana un cangrejo. Y
dimpués de pasao, pescando en el Parque, como el otro que dise,
la saifía que va y sale, compaire.

Monagas.—Pero ahí ha andao más liviano.

Andrés.—No se crea. Siempre hamos tenío una gran pena con

eso. Losotros sin un jijo y las otras comadres como curielas. Bastante que ha llorao Calmela la mía. Las lágrimas le sirvieron de conduto, compaire... Lo peor es que pegaba de mí...

MONAGAS.—Güeno, no se abatate ahora. Ya lo tiene y se acabó.

ANDRÉS.—Oiga, compaire, Aquí en confiansa, pa losotros dos, ¿a usté se le parese a mí?

MONAGAS. — *(Aparte.)* ¡Adiós! Ya me echó la jurona este... *(Alto.)* Hombre, yo... En realidá, yo le ha echao una mala vista... Siii... Morenillo y menúo es... Pero mire, los muchachos en estas alturas, a lo que se paresen es a una machanga.

ANDRÉS.—Rasones... Pero, mire, compaire, a mí se me ha metío un barrenillo con una cuenta, ¿sabe? No me salen sino seis meses, usté... Tres pa di a la costa y tres pa vení... ¿No le da queé pensá...?

MONAGAS.—Pos mire, no... Usté saca seis: tres pa dí y tres pa vení. Y mes y medio de día y mes y medio de noche, son tres más. La cuenta.

ANDRÉS.—*(Satisfecho.)* Rasones. El que no sabe es como el que no vey.

MONAGAS.—Pero mire, deje las cuentas allá y jágase el loco, ¿oyó?; no hay náa como jasesse el loco... Y ahora arríe velas, que las cosas no están pa enralos ¡No se deje cojer la camella, compadre!

ANDRÉS.—Haiga mieo. Ahorita, antes que la comadre se ponga güena, voy yo en la *Frasquita* más de Arinaga pa abajo que de Arinaga pa arriba.

MONAGAS.—Lo que siento es que haiga sío un bautismo de pobres, con vinito pelió y galletitas de María...

ANDRÉS.—¡Cállese la boca! ¿Más abundansia ha querío, que jasta ha habío josiqueo de chocolate?

MONAGAS.—Pero a mí siempre me ha gustao quear como la gente rica... Y grasias que me cojió con unas perrillas den negosio que jisimos ahora poco yo y don Esteban el *Baifo*, usté.

ANDRÉS.—Milagro se casó con usté, con lo desconfiao que es.

MONAGAS.—Conmigo amarra bien, que yo le manejo la liña como usté pescando viejas.

ANDRÉS.—¿Y le dejó mucho?

MONAGAS.—Oh, le pagué sus atrasos de alquileres y saldé los fiaos de las tiendas, que en cáa una tenía una libreta con chochos y palotes que era un sercao.

ANDRÉS.—Vaya... Algún asunto de fruta...

MONAGAS.—¿Qué fruta? De pájaros... Sí, unos canarios que... que "compremos" entre yo y él, ¿sabe?: él puso el engóo y yo la jiñera.

ANDRÉS.—Y ahora, con mi compromiso se habrá quedao limpio, compaire.

MONAGAS.—No se apure. Seguramente me múo un día de estos...

ANDRÉS.—¿Que se múa?

MONAGAS.—Sí, señó. Me voy una temporáa "al campo".

ANDRÉS.—¡Qué suerte tiene, rayos!

MONAGAS.—¡Ya lo creo!

ANDRÉS.—¿Y quién lo invita, si se puei saber?

MONAGAS.—Recomendao por don Esteban ca unos amigos...

ANDRÉS.—Pa Tafira, ¿no?

MONAGAS.—Más abajo. En un chaslén que han jecho por el Fielato, antes de llegar al Tanque los Ingleses. ¿Usté sabe ónde está el alfarroguero?

ANDRÉS.—Ah: por arriba de la carse...

MONAGAS.—Pegaíto, pegaíto... Allí no nesesita náa. Lo comío por lo servío.

ESCENA II

(DICHS y SOLEDAD, *que entra con un niño llorando.*)

MONAGAS.—Ya cayó que jaser... ¿A qué vienes ahora acá con ese guineo? Usté dispense, comadre, pero está uno aquí tan tranquilo...

SOLEDAD.—¡Cállate tú...! *(Al niño, acunándolo.)* ¡Vaya, vaya, vaya, manojito de tollos, piñita tiehna! ¿Tú quieres un peasito de turrón, mi niño?

MONAGAS.—Indigéstalo, pa que sea peor.

SOLEDAD.—Vaya, vaya, vaya, vaya, mi chuchango chico, que te jisieron llorar los galibardos esos... Mira tu padre con la ropa nueva fumándose la chimenea de un correíllo... *(El chico sigue llorando.)* Cójalo, compadre, a vé si se calla con usté.

ANDRÉS.—*(Hecho un lío.)* ¿Yo comadre? ¿Y si va y se cai...? Mire, además, que no tengo ropa con qué mudarme... Deselo a mi compadre, que él tiene geito.

MONAGAS.—¡Sss! Yo ha venío aquí de profesor de idiomas. *(El niño sigue berreando.)* ¡Muchacha, dale un pisco de vino, a vé si se calla!

SOLEDAD.—¡Vino! ¡Ya lo creo! *(Le pone la chupa.)* Tenga tollito, mi niño. *(El crío se calla.)*

MONAGAS.—¡Grasias a Dios!

SOLEDAD.—¡Cállate tú, desamorable! Mejó los hubieras traío tú, pa no estar envidiando a los demás...

MONAGAS.—¿Yo? ¿Pa qué no lo trajihte tú? ¡Pega de mí ahora!

SOLEDAD.—¡Ya lo creo!

MONAGAS.—¿Se fija, compadre? Toas son iguales. Ellas las resistías y pague usté prenda.

SOLEDAD.—¡Bueno, bueno, bueno! (Por el niño, otra vez tierno.) ¡Fíjese qué lindura, compá Andrés! (Andrés lo mira embobado.) ¿Qué dise el morrocoyito, qué dise?

MONAGAS.—¿Qué va a desir? Que te lo lleves pa afuera.

SOLEDAD.—¡Ajó, pispito, ajó!

MONAGAS.—¡Adiós, alpispito, adiós! Que te vaya bién, me alegro.

SOLEDAD.—Fíjese, Andresito, fíjese... La carita del padre pura y pintáa, usté... No le farta más que el bigote... (Acercándoselo al marido.) ¿No se te parese, Pepillu?

MONAGAS.—(Aparte.) ¡Ya lo dijo! (Alto.) Vete pa afuera, Soleá, no seas comprometeora...

SOLEDAD.—¡Esús, tal repunansia!

MONAGAS.—Güeno...

SOLEDAD.—No digas que no es guapo...

MONAGAS.—Tampoco ha dicho que sea la machanga de Asuaje.

SOLEDAD.—Escucha. Estooo... (Le hace señas por detrás de Andrés.)

MONAGAS.—¿Qué camangos son esos? ¿Tú estás de niñera o jugando un envite?

SOLEDAD.—(Desconcertada.) ¡Esús, quería, tal hombre afrentoso!

MONAGAS.—Dí lo que quieras sin tapujos.

ANDRÉS.—¿Ha pasao algo, comadre?

SOLEDAD.—Que eso ay dentro es un relajo.

MONAGAS.—Pero un relajo con orden, como la cola de la guagua.

SOLEDAD.—Como quiera que sea, como el vino se lo han llevao en bruma, está la cosa que se da su aire con la fiesta el Pino.

ANDRÉS.—No se apure por medios días, habiendo días enteros, comadre.

SOLEDAD.—¡Quite pa allá, cristiano! Afrenta con ésta...

MONAGAS.—Ya estás esajerando. ¿Afrenta por qué?

SOLEDAD.—Esús, Pepe, paese cosa mentira, hombre. Padrinos de un bautiso onde el vino no arrejundió, no digo pa un pleito, ni pa un rempujón.

MONAGAS.—¿Y quién te ha dicho a tí que no hay vino?

SOLEDAD.—Yo, que lo ha estao sirviendo.

Andrés.—Rasones.

Soledad.—Del garrafón grande quean las raspas, y el chico fue listo.

Monagas.—*(Molesto.)* ¿No te dije, Soleá, que sacaras un pisco pa nosotros y al sobrante le pusieras cuatro tasas de agua?

Soledad.—¿Y no lo bautisé? Pero al úrtimo, si le pongo más, sale con tirisia.

Andrés.—Rasones.

Monagas.—Pos yo, mi jija, estoy siego en pelea. Más aseite da un torreón de la Sise.

Andrés.—No se estén agoniando, compadres.

Monagas.—¿Qué dise usté? ¿Usté se cree que yo no tengo vergüensa? Aquí entra vino esta noche jasta pa naar. ¡Dejaría de ser quien soy!

Soledad.—¡Si la boca te cresiera!

Monagas.—¿Más entodavía? Mira, te tiras un salto ca Rafaelito y le dises que te suelte unas botijas, que mañana arreglemos.

Soledad.—¿Cuálo? ¿Fiao? ¡No, mi niño! Sin perras vas a buscarlo tú y el alma que tienes.

Monagas.—*(Cavilando.)* Espera a ver... ¿No había en casa una botella de tres cuartos con vinagre de la tierra?

Soledad.—La había y la hay.

Monagas.—¿Y no había un poco de asuca de estrespelo?

Soledad.—Tamién.

Monagas.—Pos entonses vas y le tocas a Josefa la de los pirulines. Que te suelte una embosáa de anilina tinta. Con eso jago yo un vino del Monte que si no se muere la gente se arma aquí un meneo como el de la división de la provinsia.

Andrés.—Mire, compadre, como eso no puei ser, yo le voy a dar a usté unos cuartitos que tengo ay pa un encargo en el Moro y con ellos cojemos viento otra ves.

Monagas.—¡Sss! Pare la jaca, ¿oyó? ¿Yo no soy el padrino de este bautismo? Pos aquí no jase gastos naide más que yo.

Soledad.—¿Pero y de aónde, condenao?

Monagas.—Toavía no lo sé. ¡Pero que aquí cae vino esta noche! ¡Esús, hombre! Dejaría yo de ser quien soy.

Soledad.—*(Alarmada.)* ¡Tú no la enrees, Pepe, que tengo ya el pomo que si no fuera maestro Hilario ya estuviera en Las Plataneras. *(Con el grito se despierta el chico, que comienza a llorar.)*

Soledad.—*(Saliendo.)* Vaya, vaya, vaya, el baladronsillo chico, que ha salío cantaor. *(Sale.)*

Andrés.—Oiga, compadre, usté no se apure. A lo mejor ha sío una suerte que se haiga acabao el beberío... Asín terminamos la taifa con calma chicha.

MONAGAS.—*(Pensativo.)* ¡Qué va! Tenemos que terminar con vino. Y hay que encontrarlo como quiera que sea...

(En esto se oye dentro un tremendo alboroto con mucho "esperrío" femenino y una voz dominante que repite):

Voz.—¡Arrímense las mujeres! ¡Arrímense las mujeres!

ANDRÉS.—¿Qué escorroso es ése, compaire?

MONAGAS.—¿Escorroso? El Caroso, dirá usté, que ya la armó, como si lo viera.

ESCENA III

(DICHOS y el CAROSO, un pollo levantisco, escurriendo brillantina y con una corbata chillona, que asoma de espaldas, tapándose un ojo con un pañuelo. SOLEDAD que lo viene empujando, y luego CARMELO, otro galletón de las mismas características, que viene asimismo tapándose un ojo negro.)

CAROSO.—*(Forcejeando en la puerta por zafarse de las manos de Soledad.)* ¡Lálgueme! ¡Tú veras, desgrasiao! ¡Deja que te coja bien puesto, machango, bagañete!

SOLEDAD.—¡Cállate y entra pa aquí, tú, fosforito, que la tenías que armar, mal rayo te coma! *(De un empellón lo lanza al centro. Queda frente al público. Entonces se quita el pañuelo y muestra un ojo "en tinta".)*

MONAGAS.—El "V-1".

CAROSO.—*(Revirándose iracundo.)* ¿Qué dise usté?

MONAGAS.—Pos "mira", que la vista es la que trabaja. Si púee.

CAROSO.—Deje que yo lo agarre por debajo, al desgrasiao ese, que lo van a recoger como las letras de una imprenta.

ANDRÉS.—¿Con quién te peliahtes?

SOLEDAD.—Con Chano *Rapaúra.*

MONAGAS.—Otro que tal baila... Pos te resultó la rapaúra de las de clavo de cañiso.

ANDRÉS.—¿Y por qué se agarraron?

SOLEDAD.—Por unos josicones que dise que le jiso Lolilla la del Pilá, que parese que los dos andan alreor de ella.

ANDRÉS.—Rasones.

CARMELO.—*(Forcejea en la puerta con unas manos que lo retienen.)* ¡Le ha dicho que me lalge, señó. *(Se zafa y al volverte descubre el ojo negro.)*

MONAGAS.—El "V-2"... ¿Ah, pero sos tú, Calmelo?

ANDRÉS.—¿Pero no dise que fue con Chano *Rapaúra*, y ahora aparese Calmelo?

CARMELO.—Es que yo me metí a desapartarlos.

ANDRÉS.—Rasones.

MONAGAS.—Pero soquete, ¿a quién se le ocurre desapartar por delante? Se desaparta así, aprende. *(Coge de la americana al Caroso y tira hacia atrás por los faldones, huyendo exageradamente la cara.)*

CAROSO.—¡Lálgueme usté a mí!

MONAGAS.—No te encochines, que es un suponé.

CARMELO.—¡Yo te las cobro!

CAROSO.—¿A quién? ¡Miusté jeso!

CARMELO.—*(Sacudiéndose, como si lo estuvieran agarrando.)* ¡Suéltenme! ¡Ha dicho que me lalguen!

MONAGAS.—¿Eh? Pero si no te está agarrando naide, babieca...

CARMELO.—Déjalo llegar, pa completarle los lentes...

SOLEDAD.—¡Cállate tú, provocativo! ¡Miusté, el sollajo ése!

CARMELO.—¿No vey que me está provocando él a mí?

SOLEDAD.—¡Bueno, bueno!

MONAGAS.—*(Ocurriéndosele una idea.)* Esperen un pisco. *(Se acerca a la puerta y llama fuera.)* ¡Chacho, Isidro, sigue tocando, que ya se arregló too. Pero toca fuerte, sabes? *(Suena un pasodoble popular. Monagas cierra la fuerte y dispone tres sillas al fondo de la escena. A su mujer.)* Siéntate ay.

SOLEDAD.—Pepe, ¿qué vas a jaser?

MONAGAS.—Cállate y siéntate. Mano Andrés, asiéntese usté tamién. *(Al Caroso.)* ¿Cuánto dinero tienes tú?

CAROSO.—¿Cuálo?

MONAGAS.—¡Cuálo! Mía qué cara... Que cuántos cuartos llevas arriba.

CAROSO.—Pos, unas siete pesetas.

MONAGAS.—Vete sacándolas. *(A Carmelo.)* ¿Y tú?

CARMELO.—Unas dies pesetas y perras.

MONAGAS.—Alíjalas tamién.

CARMELO.—Pero oiga...

MONAGAS.—Alijen y cállense la boca... *(Ambos le entregan el dinero. Monagas coge un cacharro y se sienta en la silla del centro, dando un golpe a manera de gong.)* ¡Venga! Puen pegar a darse cuero. Vale mandar en toos sitios, menos en el jurao... Compá Andrés, usté vaya jaciendo palotes. Cáa leñaso, un palote.

ANDRÉS.—Rasones.

MONAGAS.—El que gane se quea en el baile y la mitán de la bolsa pa él. El que pierda va a la calle como agua susia.

CAROSO.—¿Y la otra mitá?

Monagas.—Pa gastos del campo y pa aquí la federasión. ¡Venga, que es tarde! ¡Jierro que te cría!

Soledad.—(*Levantándose indignada.*) ¿Pero, Pepe, tú te has vuelto loco?

Monagas.—¡Cállate y siéntate!

Soledad.—No, señor. Se acabó. ¿Qué relajo es éste?

Monagas.—¿Pero no ves qué sofocaos están los dos, muchacha? ¡Mía qué par de cachiporros!

Caroso.—Mire, Pepito, si usté tiene sus copas y ganas de broma, yo no.

Monagas.—¿Tú no? Pero ganas de pleitos sí, pa venir a una reunión desente y declarar las utilidades, como si fuera la guerra. ¡Pa eso sí!

Andrés.—Rasones... ¿Y toas esas eran tus fechas?

Monagas.—Estos no pelean sino agarrándolos. Ende que los largan se viran barajundas, como gallos palmeros.

Carmelo.—(*Serio, con voz grave y rizo perdido.*) A mí lo que me jeringa son los abusos.

Monagas.—(*Al Caroso.*) ¿Y a ti? ¿A ti no te jeringan?

Caroso.—(*Despectivo.*) ¡Mire, hombre...!

Monagas.—(*Cogiéndolo y empuñándolo cordialmente hacia la salida.*) Vaya, vete tranquilito. Pero no te quees en el baile. Al catre, que mañana es lunes. (*Andrés ha cogido a Carmelo y lo empuja también.*)

Carmelo.—(*De pronto, levantisco.*) ¡A mí lo que me jeringa son los abusos! ¡Y le voy a dar una cachetada al desgrasiao ése! (*Intenta abalanzarse, sostenido por Andrés.*)

Caroso.—¿A quién? ¿A quién le vas a dar tú, machango? ¡Lálguelo, pa que vea!

Monagas.—(*Que lo ha estado sosteniendo, hace una seña rápida a Andrés.*) ¡Lálguelo, compadre, y coja el cacharro. (*Los dos corren hacia las sillas.*)

Soledad.—(*Que se mantiene al margen, desandada.*) ¿Otra ves?

Andrés.—¡Mojo con morena, muchachos! ¡Venga!

Monagas.—(*Die pie y como en la gallera.*) ¡Sinco duros al colorao! ¡Sinco duros al colorao! (*Los dos pollos se miran de lejos sin acometerse.*)

Soledad.—Ya está bueno.

Monagas.—Cahnita de pescueso. (*Imitando a Carmelo.*) A mí lo que jeringa son los abusos... ¡Salgan pa la vida pública, que aquí se acabaron los manteneores! (*Los dos pollos, al intentar el mutis, se quedan mirándole, remolones.*) ¿Qué es lo que quieren?

Caroso.—Los cuartos.

Monagas.—¿Los qué? Multa de la federasión por abandono.

¡Arrancando la caña! *(Ambos salen corridos. Andrés y Monagas estallan en una carcajada.)*

ANDRÉS.—¡Compaire, vengan esos dátiles!

SOLEDAD.—¡Sos de oro, Pepillo!

MONAGAS.—Qué más quisiera yo... *(Dándole el dinero.)* Mira, manda por vino; pero encarga, pa nosotros, aparte, su pisquito de ron, ¿sabes?

SOLEDAD.—Pero si esto no da pa empesá, muchacho.

ANDRÉS.—Que lo beban con tasa, comadre.

MONAGAS.—¿Con tasa? ¿Y con las tasas suyas, las del sopeteo y las raleras? Que lo beban con deales.

ANDRÉS.—Rasones... Pero mire, no hay palabra mal dicha, sino mal comprendía.

MONAGAS.—*(Imitándolo.)* Rasones... Bueno, vete y compra del más que entre, ¿oíhtes? Y pa el aumento, jahte la cuenta que sos un lechero... Cuando se vaya a acabar me avisas, que yo provoco a un par de galletones de esos del baile, los meto aquí dentro y les jinco su multa. *(Soledad sale.)*

ANDRÉS.—Mire, compaire, yo estoy animaíllo, ¿sabe? Ese dinero no da pa náa. Déjeme que le dé a la comadre los cuartos que yo tengo.

MONAGAS.—¡Ta loco! Ni jablar del asunto... Yo sé que eso no arrejunde náa. Y estoy cavilando qué jaser con un cacharro de agua y una sesta de tunos coloraos... Ay fuera hay una insalla de pollancones. El que más, con el que menos tiene su par de pesetas... Oiga, compadre, ¿vamos a jaser los motes pa una rifa? Pero una rifa de una cosa que usté no tenga...

ANDRÉS.—¿Que yo no tenga?

MONAGAS.—Natural. Pa no tenerla que dar.

ANDRÉS.—Hombre, eso, compaire...

MONAGAS.—¿Pero usté ha visto alguna ves una rifa que se rife?

ESCENA IV

(DICHOS y SOLEDAD, que entra con un cesto con botellas, muy agoniada. hablando con la boca seca.)

SOLEDAD.—¡Ay, Pepillo, tal desgrasia!

MONAGAS.—¿Qué pasa? *(Con calma.)*

SOLEDAD.—¡Ay, Pepillo de mi alma, que ya se los encharcó el bautismo!

ANDRÉS.—¿Cuálo, comadre?

MONAGAS.—El Caroso otra vez, como si lo viera. Güeno, a ése lo jago yo gofio esta noche.

SOLEDAD.—No... Si no es el Caroso...

ANDRÉS.—¿Pos qué pasa, comadre?

SOLEDAD.—¡Ay! Déjame coger resuello, cristiano...

MONAGAS.—Jabla, muchacha. Después coges el resuello.

SOLEDAD.—Que don Esteban el *Baifo*..., ¡ay!..., al mou se ha golío que tú estabas aquí y está ay fuera elementao, con un guardia... ¡ay!..., y emperrao en entrar.

MONAGAS.—¿Y quién le ha dicho a él que esto es una pelea de cahneros? ¡Ay mi madre, la fin del mundo!

SOLEDAD.—*(A Andrés.)* Su cuñao, que está mandando el baile, y que tiene la peliona, no lo deja entrar ni por nada, porque dise que no está convidao.

ANDRÉS.—Rasones.

MONAGAS.—Masino que sí.

SOLEDAD.—Pero él sigue engrifao, usté... Dise que entra como la máquina de la china... Y que tú lo invitahte a un asaero de pájaros.

MONAGAS.—¿Yo? De piñas será, porque me güele que las va a haber.

ANDRÉS.—*(Muy decidido.)* Compaire, ahora tengo que jaser la autoriá, ¿oyó? Usté será el padrino, pero yo soy el padre de la criatura. ¿Usted qué dise?

MONAGAS.—Que cuando usté lo dise...

ANDRÉS.—Rasones... Y en mi casa, ¿oyó?, en mi casa mando yo. Digo, si usté no...

MONAGAS.—Rasones... Pero mire, aguántese un pisco... *(Con un aplomo que deja fríos a los demás.)* Soleá, vete y dihle a don Esteban que digo yo que entre.

SOLEDAD.—*(Pasmada.)* ¿Qué? Pero muchacho, ¿y los sincuenta duros de los pájaros? ¡Tú tienes ganas! Ni por náa le digo que entre.

MONAGAS.—*(Imperante.)* Obedesca a su marío, señora. Vaya y dígale a don Esteban que adrento. Usté me deja a mí, compadre, que yo sé lo que jago.

ANDRÉS.—Rasones. Usté vire de proba pa onde quiera, que usté es el patrón del bautismo.

SOLEDAD.—¡Qué lío de los infiernos se te estará ocurriendo!

MONAGAS.—Ninguno. Voy a pagarle sus cuartos.

SOLEDAD.—¿Sus qué...? ¡No sé de aónde! Y aunque tuvieras las perras... *(Saliendo.)* Pa que luego se las gaste con el belillo de María del Pino la *Pintáa*...

MONAGAS.—*(Cogiendo la insinuación en el aire.)* ¿Qué dijihte? ¡Chacha, ven acá...! ¿Qué es eso de Pino la *Pintáa*?

Soledad.—¿Pero tú no sabes náa? ¡Aimería, una cosa corruta en el too del barrio! El viejo está enmachinao de tiempo con la María del Pino.

Monagas.—No seas alegantina, Soleá...

Soleá.—La lengüita se me parta.

Monagas.—¿Ende cuándo viene eso?

Soledad.—¡Mueno! ¿Qué fecha lleva esa carta? ¡Ajoto que tiene cuartos, too está bueno pa él!

Monagas.—*(Con la cara iluminada.)* Yo le guardaba el secreto... Chacha, ¿tú estás segura?

Soledad.—¡Mería! Tú sabes que ella vive de cuartitos de don Esteban. Cuartillos que eran antes, que hoy son buenos cuartos, arreglaos gratis por él. Y jasta uno de baño que la peste a jabonsillo llega a la calle... Tú sabes que la mitán del año se la pasaba ella en el Urgado, con un desajusio va y otro viene. Pos de repente, usté, se acabó er papée de barba y pegaron a entrar los kilos de cahne y los quimonos y las chinelas de ca Chanrray. ¿Tú te acuerdas de ella, que era un bígaro? Pos ahora está rey ancha como un balayo, oriando baña de bien comía y sabe Dios qué más.

Andrés.—¡Cosa con esa!

Monagas.—Por ahora me desayuno. ¿Y qué mah? Dame mah datos.

Sloedad.—Ella lo ha dío engoando, engoando. Y ha llegao a tal caramelo el enralo con el pilfo ése, que el viejo le está faltando a doña Candelaria jasta comer. De día le dise que está jasiendo unas reformas en el Portón, y de noche, que como están los tiempos sofocones y no coge el sueño, va a despuntá la prima ca un cuarto de cotorrones de la plasa Santo Domingo.

Andrés.—¡Miá pa allá!

Monagas.—¿Y tú cómo sabes que le farta a doña Candelaria?

Soledad.—De su boca, mi niño, que ella me lo dijo el día que fi a salpiahle los colchones. La pobre no lo sabe. Y si lo sabe lo disimula. Unicamente me dijo que lo venía encontrando acacharrao.

Monagas.—*(Satisfecho.)* ¡Este barco coge viento, compadre! Sale, muchacha, como un volador, y dihle a don Esteban que entre como la máquina de la china.

Soledad.—Tú, Pepe, mira a vé. ¡Ten cuidao con lo que vas a jaser, Pepe!

Monagas.—Corre. Y no te estés. *(Soledad sale.)*

Andrés.—Compaire, yo aspero que ese hombre no alevante la escandalosa aquí en dentro.

Monagas.—Olvide eso. ¿Usté sabe lo que es esto? Una balsa en piedras de ocho con tres, caballo y perica.

Andrés.—De qualisquier mou, compaire, como don Esteban es

un macho salema pa rebirarse, y a mí me güele el atraque a mojo con morena, yo le voy a aconsejá, que soy de una quinta más antigua. Primero, vea el viento que trae, y asigún, refuerse cabos o arríe velas. Si usté tira de lanse, mientras esté entero y sienta en la mano reflechón, aguante, pero largue liña. No se emparre. Y en cuanto afloje, tráigaselo pa tierra. Pero oiga, si lo arrima bien a la banda, ojo con los salpeos.

MONAGAS.—Usté se ha creío que don Esteban es una tonina... Don Esteban no es pescao, patrón; es cahnero. Y de este animal entiendo yo más que usté.

ESCENA V

(DICHOS y DON ESTEBAN, *que entra sofocado y agresivo, luego de pararse un instante en la puerta, y* SOLEDAD, *que lo sigue con un desande. Don Esteban, con una satisfacción agresiva, atusándose el bigote, contempla un momento a* MONAGAS.)

MONAGAS.—*(Al verlo aparecer.)* ¡La perica en puerta!

SOLEDAD.—*(Detrás del Baifo, haciéndole viajes a su marido.)* Pepe, aquí está don Esteban.

DON ESTEBAN.—*(Volviéndose, iracundo.)* ¡No jase farta que me cantes! ¿No me está viendu?

MONAGAS.—*(Con ironía.)* No se destoque, que está entre puertas.

DON ESTEBAN.—¿Entre puertas? ¡Ya te caíhtes!

MONAGAS. *(Poniendo cara del que no entiende.)* ¿Ya me caí por qué?

DON ESTEBAN.—¿Y lo preguntas? ¡Ya caíhtes en la pelasa, belillu!

MONAGAS.—*(Sin perder la calma.)* No emprensipie a fartar, hombre, no emprensipie...

DON ESTEBAN.—Cuidiao que sos cara dura. Arriba te jases el ofendíu.

ANDRÉS.—*(Engallado.)* ¡Oiga, señó, ésta es una casa desente, ¿oyó?...

DON ESTEBAN.—*(Duro y rápido.)* Me extraña.

ANDRÉS.—Aquí selebremos tranquilitos un bautismo. Y yo soy el padre de la criatura...

DON ESTEBAN.—Me extraña.

MONAGAS.—¡Sss! Tenga cuidado con lo que dise.

ANDRÉS.—Rasones... Mire, por lo menos esta noche, ni suelta usté palabras mayores por la boca, ni me alevanta el gallo.

DON ESTEBAN.—*(Haciéndole cara.)* ¡Yo suelto lo que me da la gana! ¡Y alevanto un gallinero, si es presisu!

ANDRÉS.—*(Corrido.)* Rasones... pero pa eso no arrempuje.

DON ESTEBAN.—Yo no h'arrempujao a naide. Y ganas no me fartan. Yo ha venío a buscar al arranclín ése, que me alevantó el otro día sincuenta duros con una enreína de pájaros de Tafira la Baja y un Yova y unos ingleses y no sé qué más entullos.

MONAGAS.—Pero, mire...

DON ESTEBAN.—Ni miri, ni miri... Que me dijiste que te esperara en el Camellu y te roíhtes el cabo. Y dende ese día que vienes juyéndome, juyéndome; y yo aguaitándote, aguaitándote... Igualito que la ves del macho, que me lo solimpiahtes pa rifahlu, y te mamahtes los cuartos de los motes y el machu, ahora me clavahtes otra ves con los pájaros. Pero de esta ves te atabico...

MONAGAS.—Como la máquina de la china.

DON ESTEBAN.—Sí.

MONAGAS.—Rasones. Pero venga acá...

DON ESTEBAN.—Contigu, ni a misa. ¿Onde están los pájaros? ¡Ah! Aquí no hay más pájaro que tú, que sos un pájaro de cuenta.

MONAGAS.—*(Aparte.)* Y usté, que es un sehnícalo.

SOLEDAD.—Pero mire, don Esteban, escuche usté a mi marío, que...

DON ESTEBAN.—¡Cállate tú tamién, agujilla, que estás más ensayá que una escopeta!

SOLEDAD.—¡Miusté jeso!

DON ESTEBAN.—Te ha dicho que no quiero jablar contigu, que sos una salpicona.

MONAGAS.—Déjenlo que desajogue, que a lo mejor tiene "rasones".

DON ESTEBAN.—¿Desajogue? ¡Tú sos el que tiene que desajogar, taranta! Ay fuera tienes al guardia. Con que alija los sincuenta duros, o jalas pa lante, pal Comiserío, como la máquina de la china.

MONAGAS.—*(Cada vez con más calma, a su mujer.)* Mira, Soleasilla, vete a comprar la bebía, anda. Y cuando güelvas, que ya estás aquí, convidas al guardia con sus copitas, y le das unos piñones pa los chiquillos.

DON ESTEBAN.—¿Ya le quieres untar el beso tamién a él? ¡Te conosco! Pero con ese das en tosca viva. ¿Sabes quién es? ¡Rafael el *Rebenque*!, que lo busqué aldecuado, porque no te puei ver ni en pintura desde que te conseguihtes un palomo buchúu y pegahtes a comerte las palomas de él, jasta que te mató de un tiro al palomo ladrón.

MONAGAS.—¿Si lo mató, cómo está usté vivo?

ANDRÉS.—Rasones.

DON ESTEBAN.—¿Usté tamién?

ANDRÉS.—Mire, señó, a mí no me guhta ser entrometío, ¿sabe?, pero jaga el favó una palabra... *(Se lo lleva aparte y hablan, don Esteban con mucho manoteo.)*

MONAGAS.—*(Rápido a Soledad.)* Mira, en ves de vino, compra ron, coñá de garrofón, yerbitas, jiniebra, casalla, una ría de canela y otra ría de pimienta negra molía, lo misturas y lo remeneas, que le vamos a jasé un cote a don Esteban. Ya estás aquí.

SOLEDAD.—¿Pero, muchacho, y el vino pa la gente?

MONAGAS.—Ese lo compra el *Baifo.*

SOLEDAD.—¡Tales ilusiones! Rayos ensendíos es lo que compra ese.

MONAGAS.—Déjalo de mi cuenta, que yo lo amoroso. *(Soledad sale.)* Con permiso... Oiga, compá Andrés, ¿a usté no le importa aguantarse un pisco ay fuera, que tenemos que jablar yo y don Esteban?

ANDRÉS.—Rasones. *(A don Esteban.)* Jágase cargo de lo que le ha dicho, señó.

DON ESTEBAN.—Sí, sí. ¡No te vayas pa que almuerses!

ANDRÉS. — *(Aparte a Monagas.)* ¡Fuerte cristiano bruto, compaire! ¿Pero como ha poío jaser dinero un serrero asín?

MONAGAS.—De la mujer, cristiano. Casó con una brutita que tenía unas capellanías.

ANDRÉS.—Rasones.

MONAGAS.—Güeno, váyase, que voy a ver si lo blandeo. Le voy a preparar la reculá del cahnero.

ANDRÉS.—*(Al salir.)* Si se le alevanta mucha marea, me silvia. *(Sale.)*

DON ESTEBAN.—¡No quiero sermoneos, ni trapos viejos, ni requilorios dengunos, que te conohco el trasmallo! Livianito. Págame, y al avío.

MONAGAS.—¡Págame, págame! Parese un dihco trabao. Una ves le dise que la calabasa es buena, hombre.

DON ESTEBAN.—Asigún sea la calabasa.

MONAGAS.—Ya vei, lo que son las casualidades. Yo estaba pa golver mañana a su casa.

DON ESTEBAN.—¿Pa golver? ¿Pero tú jas aparesío por mi casa? ¡Y a los dos meses, cuando los pájaros tendrían ya criasón en Lingraterra!

MONAGAS.—Mire, asiéntese y escúcheme.

DON ESTEBAN.—No me asiento.

MONAGAS.—¿Pos a qué ha venío? ¿A echar un sajumerio?

DON ESTEBAN.—No pierdas el tiempo, que tú te jas creío que yo soy un bobático o un "maúro".

MONAGAS.—Rasones.

DON ESTEBAN.—¡Ya emprensipias, ya emprensipias a trabar! Te repito que no quiero coloquios. Quiero los sincuenta duros.

MONAGAS.—Como la máquina de la china...

DON ESTEBAN.—Sí.

MONAGAS. — (*Haciendo tentativas de sacar la cartera.*) Más pronto que volando. (*Para de pronto la decisión y habla un poco fuerte, empezando a dominar la situación.*) Yo le voy a pagar, que más vale magua que dolor. Pero tranquilitos, ¿oyó? Y las cuentitas claras, o tenemos palabras mayores.

DON ESTEBAN.—Eso ende luego.

MONAGAS.—Asiéntese por ay. (*Saca la cartera. Don Esteban lo mira entre embicioso e incrédulo. Se sienta en la punta de la silla.*) Empesando que no son sincuenta duros.

DON ESTEBAN.—(*Del brinco se queda en pie.*) ¿Qué dises tú? ¿Ya emprensipias?

MONAGAS.—(*Fuerte.*) ¡Cállese! Y asiéntese. (*Don Esteban obedece.*)

DON ESTEBAN.—Tú, mira, Pepillo, que ay fuera está el *Rebenque* con el sable.

MONAGAS.—¿En qué queamos? ¿Con el *Rebenque* o con el sable?

DON ESTEBAN.—No me jagas chascarrillos, que no está el tostaor pa cochafiscu. Mira que con ese no juegas.

MONAGAS.—Naide va a jugar... Usté me dio a mí sincuenta duros. ¿Conformes? Yo le pagué a usté con ellos siete meses de casa, que a siete pesetas son cuarenta y nueve. Descontando, quean cuarenta duros y una peseta.

DON ESTEBAN.—(*Distraido.*) Sí. Asín es. (*Reaccionando.*) ¿Cuálo? Si me pagahtes con el mihmo dinero...

MONAGAS.—No se bote... ¿Le pagué o no le pagué?

DON ESTEBAN.—(*Dudando.*) Sí...

MONAGAS.—(*Aparte.*) Ya está en piedras de ocho... (*Alto.*) Pos, listo, a mí me gusta el chocolate del Polo, pero las cositas claras. Así que yo no le debo sino cuarenta duros y una peseta. ¿Ta bien?

DON ESTEBAN.—(*Resignado.*) Ta bien.

MONAGAS. — (*Aparte.*) Chico primero. (*Alto.*) Luego hay que tener en cuenta de que todo negosio tiene sus pérdidas y ganansias...

DON ESTEBAN.—(*Revolviéndose.*) ¿Onde vas a parar?...

MONAGAS.—(*Aparte.*) Si pueo, a la carse no. (*Alto.*) Mire, ¿usté ha estudiao contebiliá?

DON ESTEBAN.—¿Te parese poca debiliá largarte sincuenta duros sin papeles ni firmes?

MONAGAS.—No es debilidad, no sea animal. Digo con-te-bi-li-dá, de la Escuela Comersio.

DON ESTEBAN.—Ni farta que me jase.

MONAGAS.—¿Ah, no? ¿Usté lo que quiere es jaser las cuentas con chochos y palotes?

DON ESTEBAN.—Yo lo que quiero es que no emprinsipies a enrearme, que tienes mucha letra menúa. En ves de venirme con requilorios, debías haber dío al *Camello,* como quedahtes, a liquidar.

MONAGAS.—¿Pero, cómo, cristiano, si vine del Puerto después de las nueve, que me puse en la cola de la guagua y me salió la barba esperando... Mire, vamos a seguir. Queamos en que yo le debía a usté cuarenta duros y una peseta. La peseta del rabo me la gasté en un cafén con leche y dos duros en el pirata, quean asín treinta y ocho duros reonditos. Compré treinta y ocho pájaros a duro. Y cuando llegué me encontré con que los del Turismo me dijeron que estaba prohibío vender pájaros pelaos.

DON ESTEBAN.—¿Y pa qué los comprahtes si estaban pelaos?

MONAGAS.—Es un dicho, cristiano. Querían desir que pájaros de "trespelos". ¿Usté ha oío que no se puee vender náa de "trespelos"? Tuve que vender a lo mismo que me costaron, que mal limpriao trabajo, y volví a coger los treinta y ocho duros. ¡Que me vi feo pa meter las jembras por machos!, ¿oyó?, porque casi toas eran enrisáas. Y usté sabe que el género femenino, con la permanente, es más descarao... Güeno, aunque se vendió bajo, como no fue por culpa mía, yo tengo que cobrar mi comisión, según la contebiliá, y además que soy pobre.

DON ESTEBAN.—¿La comisión de qué? La Bana pa ti.

MONAGAS.—Aguántese, no lo enree.

DON ESTEBAN.—¿Que lo enreo yo...?

MONAGAS.—Mire. Vamos a ponerle náa más que dos pesetas en pájaro. Son quinse duros y una peseta. Descuénteselos de los treinta y ocho, quean veintitrés menos una peseta. Esta peseta creo que me la bebí de argo, porque no me sale... Son veintiún duros reondos. ¿Qué más, señor...?

DON ESTEBAN.—¿Hay más?

MONAGAS.—Natural... ¡Ah! Un jablón pa traerlos, veintisinco pesetas, que era de verguilla y de los grandes. Quean diesiséis. El alquiler del bote toa la mañana y parte de la tarde pa cambulloniar, nueve duros. Quean siete. Una murta de la Junta de Turismo por venderle a los chones jembras por machos, ¡que al mou hubo algún alcagüete!, diez duros. A nueve que queaban, me debe uno. *(Don Esteban lo mira con los ojos fuera del caso, sin poder hablar.)* Pero no se apure, ya lo arreglaremos.

DON ESTEBAN.—*(En pie y airado.)* ¿Pero h'abío alguna ves en las siete ihlas una cara de banqueta como la tuya? ¿De moo que arriba te debo un duro...?

MONAGAS.—Si el Pintagorras no miente, sí, señor.

DON ESTEBAN.—*(Aplastado por la calma de Pepe.)* ¡Ya, santísima! ¡Vaya un semento, caballeros! ¿Pero y si sale como tú dises, por qué no fihtes a mi casa a cobrar el duro, con lo apetitoso que sos?

MONAGAS.—¿Y no fi? ¿No fi a su casa en aquel entonses, por dos o tres ocasiones y nunca lo agarré? *(Con intención.)* ¡Que siempre me dijo doña Candelaria que donde lo cogía seguro era ahquí en el Risco, porque... porque estaba jasiendo reformas en el Portón...!

DON ESTEBAN.—*(Soliviantado.)* ¿Eh? ¿Tú estuvihtes jablando con mi mujer de eso?

MONAGAS.—Masiao que sí.

DON ESTEBAN.—*(Disparado.)* ¿Y tú qué le dijihtes?

MONAGAS.—¿Qué le diba a desir? Yo no lo podía buscar sino en su casa. Los demás sitios de un hombre son allá... *(Don Esteban da un respingo.)* Güeno, tamién tuve porsión de veses, porque me dijo doña Candelaria que de noche paraba aí, ca los cotorrones de Santo Domingo. Y nunca lo encontré, tampoco...

DON ESTEBAN.—Y se lo dijistes a mi mujer, ¿no?

MONAGAS.—¿Usté se ha vuelto loco? Yo tamién sé guardar un secreto, don Esteban.

DON ESTEBAN.—*(En el colmo de los nervios.)* ¿Qué dises tú?

MONAGAS.—De sobra sabía yo que usté no estaba de reformas, ni ca los cotorros, sino ca las cotorras...

DON ESTEBAN.—¿Pa qué tienes que gritá? *(Dando zancazos y medio loco va a la puerta y observa si alguien ha oído, cerrando bien.)* Mira, te veo venir. Ya me vienes con almanaques, que ya te ha dicho que sos un almanaquiento. Y me estás jasiendo la cama, ¿oíhtes?

MONAGAS.—Oiga, oiga, don Esteban, yo a tanto no ha llegao. Usté tiene quien se la jaga, y bien jecha...

DON ESTEBAN.—*(Acorralado.)* ¿Pero qué es lo que estás disiendo tú?

MONAGAS.—*(Muy tranquilo.)* Que yo no soy María del Pino la *Pintáa*...

DON ESTEBAN.—*(Despistado.)* Masiao que no. *(Reaccionando.)* ¿Cuálo?

MONAGAS.—*(Acercándosele.)* Ese enralo, ¿oyó?, ese enralo quea aquí entre losotros. ¡Si usté quiere y lo corta por lo sano! Y si usté no quiere lo pregonaremos como el pescao fresco.

Don Esteban.—(*Inquieto sobre la puerta.*) Güeno, ¿te vas a callar ya, que sos más agujilla que tu mujer?

Monagas.—Mi mujer de este asunto no sabe náa... ¿Pero qué le encuentra usté a ese felpudo, cristiano, gorda, bicácara, y con los besos como jigos brigasotes? ¡Deje esos güiros, don Esteban, que esa lo va engoando, engoando, y acaba jasta con los arrifes que tiene en Agüimes!

Don Esteban.—(*Murmurando.*) ¡Daba yo algo por saber quién fue el alcagüete!

Monagas.—No se ocupe de averiguasiones. ¡Y no ande pisquiando por ay, mía que va y me lo mancan...! ¡Jágalo por sus hijas, aunque sea...!

Don Esteban.—(*Débil.*) Pero si esas son mentiras... Esa es una acalunia que me han levantao...

Monagas.—¿Levantarle a usté algo, cuando por no dar no da ni un soplo en un ojo?

Don Esteban.—¿Y lo dises tú?

Monagas.—Eso es aparte. Esos son negosios. Usté no se enroñe, pero too el mundo dise que es más agarrao que las pitas del barranco.

Don Esteban.—¿Y la tartana, y el macho, y los sincuenta duros...?

Monagas.—(*Imitándole.*) Y el pilfo de María el Pino la *Pintáa*...?

Don Esteban.—(*Alarmado por el grito.*) ¡Mira, ve, mira ve, que si lo sueltas en aires de belingo me desgrasias pa toa la vía. (*Va a la puerta y observa por ella.*) ¿No pueis jablar sino pegando gritos?

Monagas.—Deje esos pasos, don Esteban, que son pecao mortal, y naide tiene la via trancáa.

Don Esteban.—Ta bien ta bien... Yo me voy a dir, ¿sabes?, porque es un pisco tarde ya...

Monagas.—(*Aparte.*) Este acaba cantando en la mano. (*Alto.*) Espérese, que vamos a rreglar cuentas. (*Saca la cartera.*)

Don Esteban.—(*Escamado.*) ¿Cuálas cuentas?

Monagas.—Las de los pájaros. Yo renuncio a la mitá de la comisión, ¿entiende?, pa que usté no lo pierda too.

Don Esteban.—¡Mia pa allá, lo generoso que te has virao. (*Inquieto.*) Mira, déjalo pa otro día. O no me aregles náa, ¿oíhtes?, que yo comprendo el trabajo y la conduerma que ha tenío que darte lo de los pájaros. Y tou no sale como unu quieri, Pepillu.

Monagas.—¿Qué dise usté? ¡No, señor! Piña asáa, piña mamáa. Con cosas de dinero no quiero favores. Usté cobra lo suyo y listón.

DON ESTEBAN.—No seas majadero, Pepillu, que me tengo que dir, no sea que Candelaria me eche de menos. Y además que no quiero encontrarme otra ves con tu mujer, que si agarra de ajuste, el chismi, Dios nos libre... Tú te jases cargo, Pepe, que tú sos un hombre. Y tú sabes que un hombri se sacúe los calsones y es diferente.

MONAGAS.—Pero, don Esteban...

DON ESTEBAN.—Los ojos siempre son niñus, Pepillo...

MONAGAS.—(Aparte.) Los suyos son ya galletones.

DON ESTEBAN.—Oye, mira que te digu: yo sé que tú te callas como un tosinu. Y jasta que si se me ofresiera asín un recaíto o una disculpa... y eso...

MONAGAS.—¡Ah, ya! Lo que usté quiere es taparme la boca y que le mantenga el sesto con el felpúo ese. Pos mire, ni se lo aguanto, ni le miro bien los sahcandileos, ¿oyó? (Subiendo el tono.) Estaría bueno que con lo que yo apresio a doña Candelaria anduviera jeringándole la pas del hogar con el pilfo de María del Pino la Pintáa...

DON ESTEBAN.—(Nerviosísimo.) ¡Cállate, mal rayo...! (Acude a la puerta.) ¿Por qué tienes que jablar pegando gritos...? (Mostrándose adulón.) Oye, Pepillu, jahte la cuenta de que yo no ha venío, ¿entiendes? Y fíjate que si vine enroñao y con un guardia no fue por náa, ¿sabes?, sino porque no sabía que fihtes a mi casa y que yo te debía un dinerillo. (Muy amable.) Tú me dijihtes que te debía un duro, ¿no es así? Pos tómalo y listo. (Inicia el mutis.)

MONAGAS.—Ehpere. Usté se va cuando guste, pero no sin tomarse una copa, que ha venío ca mi compá Andrés el día de un bautismo del que yo soy el padrino y naide lo ha convidao.

DON ESTEBAN.—Conmigo no tengas cumplimiento, Pepillu. Te lo agradehco como si lo tomara, ¿oíhtes? Adiós...

MONAGAS.—¿Pero por qué ese emperramiento en dirse ahora?

DON ESTEBAN.—Porque me estoy goliendo que tú me vas a jeringar...

MONAGAS.—No sea desconfiao. Venga acá y espérese. Tenga un puro pa empesar.

DON ESTEBAN.—Yo no fumo puros.

MONAGAS.—Cójalo, más que sea pa tirar volaores. (Llamando fuera ante la inquietud de don Esteban.) ¡Chacha, Soleá! Sí... Ven acá... Y dihle al compá Andrés que se deje caer contigo.

DON ESTEBAN.—(Muy alarmado.) ¡Pepe, mira a ve, mira a ve! Jasme el favor no desirle náa a tu mujer de la acalunia esa, mira que si llega a golérselo lo saben jasta en el Carrisal. ¡Chica lengua! Y dispensa.

MONAGAS.—No tenga cuidao.

ESCENA VI

(DICHOS y SOLEDAD y ANDRÉS. *Ambos asoman expectantes. Soledad con cierto temor.*)

SOLEDAD.—¿Tú me llamahtes, Pepe?

MONAGAS.—¡Pero Solesilla del alma!, ¿cómo has tenío a don Esteban sin un pisco de algo, con la boca como una jarea y pensando en tí...? (*Soledad se queda pasmada.*)

DON ESTEBAN.—No emprensipies con puntitas, Pepe. ¡Mira ve, mira ve!

MONAGAS.—Estese tranquilo. ¿Pero, muchacha, a ti no se da vergüensa?

ANDRÉS.—Rasones, comadre.

SOLEDAD.—(*Asombrada.*) ¡Madre del Pino, que ya lo hinotisó...! ¿Qué va a tomá don Esteban?

DON ESTEBAN.—(*Huyéndola, nerviosísimo.*) ¿Quién, yo? Naíta. Te lo agradehco igualito que si lo tomara.

SOLEDAD.—Esús, cristiano, no me desaire...

MONAGAS.—(*Confidencial.*) Disimule, que va Soleá y se lo nota y levanta la polvajera. (*Alto.*) ¿Qué va a tomar, don Esteban?

DON ESTEBAN.—Lo que tú quieras. (*Sonriendo forzado.*) ¡A la buena voluntá, quién se resiste! (*Se sienta aparte y pensativo.*) ¡Quién habrá sío el alcagüete...!

SOLEDAD.—(*Observándolo.*) ¡Lo ha dejao como los Cristobitas, quería!

MONAGAS.—(*Aparte, a su mujer.*) Está tan amorosito, que un guance comparao es un rascasio. (*Alto.*) Trae cote pa don Esteban.

SOLEDAD.—¿Cuálo?

MONAGAS.—La mistura esa que te dije, muchacha.

SOLEDAD.—¿Pero y pa qué se la das ya, que le dises trúchate y sea de golpe como una salea?

MONAGAS.—Porque jase farta vino.

ANDRÉS.—Rasones.

MONAGAS.—Y don Esteban está dispuesto a comprar lo que jaga farta. (*Alto.*) ¿No es así, don Esteban?

DON ESTEBAN.—(*Saliendo de su pesadumbre.*) ¿De acuálo?

MONAGAS.—*(A su mujer.)* ¿No te da pena, Soleá?

SOLEDAD.—Ninguna. ¡Viejo enralao, mejor le diera vergüensa!

DON ESTEBAN.—*(Escamado.)* ¿Qué están jablando ay? ¡Mira ve, mira ve, Pepe!

MONAGAS.—No sabe náa, don Esteban. Vete por la botella, Soleá. *(Soledad sale.)* Estábamos disiendo ay que toa la vía usté con fama de Alejandro en puño, que si gorrón pa arriba, que si gorrón pa abajo. ¡Acalunias tamién! Fíjese usté, compadre, lo pronto que se le quita la fama a un hombre. ¿Usté no conose el tiesto de María del Pino la *Pintáa*...?

DON ESTEBAN.—*(Saltando.)* ¡Te ha dicho que mires a ve Pepe...!

MONAGAS.—¿No estamos entre hombres, cristiano?

DON ESTEBAN.—Yo no sé náa. Tú me la vas a armar y yo me voy. *(Dándole apuradamente la mano a Andrés.)* Adiós, usté. Que haiga sío con feliciá y siga en aumento. Adiós, Pepe.

MONAGAS.—Ta bien. Usté se púee dir. Pero si Soleá pega a estrañarse y josiquiar, con lo chimba que es, y la campanáa llega a oídos de doña Candelaria, de mí no peque...

DON ESTEBAN.—*(Después de dudar se sienta.)* ¿Tienes algo que beber?

MONAGAS.—Ahorita viene mi mujer... Güeno, don Esteban; usté debe aclararle a mi compadre su visita, porque usté me ha jecho un deshonro viniendo a esta casa con un guardia y la bulla de una trampa, que lo tengo clavao en el sentío como un tirafondo de tres pulgáas.

ANDRÉS.—De mí no se ocupe, compadre. ¡Ni papas ni pehcao! La inclusive María del Pino no me importa náa...

DON ESTEBAN.—*(Levantándose.)* ¿Lo veis? ¡Ya se lo dijihtes! ¿No desía yo que me dibas a jeringar?

ANDRÉS.—A mí no me han dicho na de náaa... ¿Pasa alguna cosa de particular?

DON ESTEBAN.—*(Respirando.)* No pasa náa. ¿Qué va a pasar?

ANDRÉS.—Ta bien. Rasones.

MONAGAS.—Mire, cristiano, lo que pasa es que don Esteban, ¿entiende?, es que don Esteban tiene un concomio...

DON ESTEBAN.—¡Mira ve! Pero vaya un cristiano emperrao..., caballero.

MONAGAS.—No se bote. Espérese... Un concomio de un negosio en el cual me debía un duro. Y vino a pagarme. ¿No es así, don Esteban?

DON ESTEBAN.—Pos así será...

ANDRÉS.—¿Y pa pagarlo trajo un guardia?

MONAGAS.—El guardia lo acompañó porque a él no le gusta andar de noche en estos Riscos, que hay mucho belillo suelto... ¿No es así, don Esteban?

Don Esteban.—¡Mira ve, mira ve!

Andrés.—Rasones.

ESCENA VIII

(Dichos y Soledad, *que vuelve con una botella y tres vasos.*)

Soledad.—Aquí está el cóter, Pepe.

Monagas.—¿El qué? Ah, ya. Ponle un pihco a don Esteban. *(Soledad le sirve y él bebe nerviosamente de un trago.)*

Don Esteban.—Ponme más. *(En adelante seguirá bebiendo nervioso.)* Si no es abuso, echa otro pihco. *(Vuelve a beber.)*

Soledad.—Esús, don Esteban. Too lo que usté quiera, cristiano. *(Aparte.)* Ay que la agarra...

Andrés.—Este acaba con la mano en el trinquete. Y lo siento, compaire, porque si tenemos que llevarlo a la casa, con estos sapatos...

Monagas.—Ya habrá una tartana... Sirve pa losotros, Soleá. *(Ambos beben en adelante de cuando en cuando.)* Jase falta engoo, Soleaílla... ¿Quiere unos chochitos, don Esteban?

Don Esteban.—No te molestes... Si no es abuso, échame otro pihco.

Monagas.—Sírvele a don Esteban, Soleá. *(Poniendo el oído a una isa que empieza.)* ¡Escuche, escuche cómo está eso ay fuera, don Esteban..., que alevanta los pies del suelo... ¡Soledaílla, ponle un pihco a don Esteban, que no ha bebío, muchacha...

Andrés.—Está esperesío. *(Todos beben.)*

Soledad.—¿Otro pihquito, don Esteban?

Don Esteban.—*(Estirándose el cuello.)* No, déjame coger resuello. Me está subiendo una calor como un tiempo de levante.

Monagas.—Desaflójese, don Esteban. *(Don Esteban se afloja el cuello.)*

Soledad.—Beba, cristiano, que de la muerte a la vía, la bebía.

Don Esteban.—Pos mándole. *(Bebe.)* Vaya un beberaje escaldón, Pepillo.

Monagas.—Es un cote, pa usté espesial... ¡Mándase la otra. *(El viejo bebe.)*

Don Esteban.—*(Ya templado.)* Espacha lo mihmo... Y una corría pa toos, que invito yo...

Monagas.—*(Aparte.)* Ya está mollar. Este acaba esta noche con la camisa por fuera.

Andrés.—¿Está bueno, don Esteban?

Don Esteban.—Pos no le ha cogío bien el palaar, ¿sabes?

MONAGAS.—Ahora vamos a echar nuestra taifita.

DON ESTEBAN.—*(Animándose.)* ¿Tú creis que ya hay lo menos dieh años que no varseo?

MONAGAS.—¡Al pisotón pa alante, cristiano! Y que no hay cosa buena en ese tenderete... Rosarillo Galindo, Calmela la de Antonia la *Chola,* Mariquilla el Pino la *Pintáa...*

DON ESTEBAN.—*(Distraído.)* ¡Que me las traigan! *(Reaccionando y en un brinco.)* ¿Cuá la dijihtes? ¡Mira a ve, mira a ve, Pepe!

MONAGAS.—Murió... Bueno, Soleá, ¿cómo está ese baile de bebía.

SOLEDAD.—Entregando las raspas.

MONAGAS.—Pos, mira, le tocas a Rafaelito y te trae seis botellas de coñá, dos de ron, un garrafón de tinto pa el pasaje de tersera y otro del durse pa las niñas y los antojos de la comadre...

SOLEDAD.—¿Y los cuartos pa el coche, don Silvestre...?

MONAGAS.—No empieses a jablar de boberías. ¿Cuánto te jase farta?

SOLEDAD.—*(Sospechosa.)* Pepe, ¿qué vas a jasé...?

MONAGAS.—Don Esteban, alije doscientas pesetas, que luego arreglamos yo y usté. *(Soledad y Andrés, temiendo una reacción violenta, se apartan temerosos.)*

SOLEDAD.—Ya la armó otra ves este condenao...

DON ESTEBAN.—*(Buscando muy dispuesto, pero torpemente, en el bolsillo, la cartera.)* Mira, vamos a atracar los papeles, Pepillu... Tú no sos el padrino, ¿entiendes? El padrino soy yo. *(Le entrega el dinero.)* Tú sos el padre.

MONAGAS.—Cuidao, don Esteban. El padre es aquí compá Andréss.

ANDRÉS.—Rasones. Si no estuviera templao era pa tomarlo a mal.

DON ESTEBAN.—Dame otro pihco de lameor, Soledad, que esta noche les echamos la tierra por ensimba. *(Bebe.)*

MONAGAS.—*(Dando el dinero.)* Toma, muchacha. Y tráete un canuto de salchichón.

SOLEDAD.—*(Complacida y admirándole.)* ¡Sos de oro, Pepillo!

MONAGAS.—Venga, no te pongas relajona. *(Soledad sale.)* Oiga, don Esteban, ¿cómo era aquello de: *(Entonando la conocida guajira.)* "Y eso y eso..."

DON ESTEBAN.—*(A tono con Monagas.)* "... De la nata nase el queso; de los quesos, los quesitos; de los guachinangos grandes salen los guachinanguitos...", etc. *(Todos están ya templados.)*

MONAGAS.—Don Esteban, no es por náa, pero usté desafina. Y usté, compá Andrés, fíjese que estamos cantando una guajira, y no sacando un chinchorro. *(Don Esteban saca el pañuelo y empieza a llorar.)*

ANDRÉS.—*(Reparándolo.)* ¿Pero don Esteban...?

MONAGAS.—¡Ay mi madre, que ya le entró la llorona...!

ANDRÉS.—*(Emocionándose gradualmente.)* Don Esteban, hombre, no se ponga ansina... Mire que yo tamién soy mu mollar, cristiano... *(Rompe a llorar.)* ¿Usté lo vey? ¿No se lo desía? ¡Aimería Santísima! ¡Le ha cogía una aprensión asín de repente a este hombre, compaire!

MONAGAS.—Otra llorona. Andresito, lo acompaño en su sentimiento.

DON ESTEBAN.—De hoy en padelante tengo un hermano: usté, patrón.

ANDRÉS.—Usté tiene, don Esteban, un hermano, un padre, un padre y un hijo. Y la comadre tamién, si la quiere... *(A Monagas.)* ¡Ay, compaire, mucho quiero yo a la comadre, contri más que me ha traío un guayete que es el sostén de mi vida.

MONAGAS.—Usté no necesita sostén, cristiano.

ANDRÉS.—Si no fuera, Pepito, por este barrenillo que se me ha metido detrás de las sejas con la cuenta de los seis meses...

MONAGAS.—No sea majaero. Acuérdese: mes y medio de día y mes y medio de noche son los tres que fartan.

DON ESTEBAN.—*(Llorando.)* ¿Le está jasiendo una cuenta? Ya se cayó.

MONAGAS.—Oiga, don Esteban...

DON ESTEBAN.—No me digas náa, Pepe... Yo estoy arrepentío de too, ¿entiendes? Si yo güelvo mas a casa de María del Pino la *Pintáa,* cuando llegue a mi casa me alcuentre a mi señora en medio de la casa con cuatro velas y una llantina.

MONAGAS.—¡Qué más quisieras tú! *(Alto.)* Eso está bien, porque eso hay que dejarlo, don Esteban.

DON ESTEBAN.—*(Esmorecido.)* Pero tú no se lo digas entoavía a tu mujer, Pepe...

MONAGAS.—Haiga mieo... Pero usté la deja, ¿verdad? ¡Jaserle eso a una señora como doña Candelaria, que es una santa!

DON ESTEBAN.—Una santa, Pepe, pero se me ha virao sapatúa y con bigote.

ANDRÉS.—Rasones.

MONAGAS.—¿Y cuála no? Losotros ya no estamos pa pinturas, cristiano. Usté sierre los ojos y disimule. Ya se lo ha dicho aquí al compadre: no hay más que disimular.

ANDRÉS.—Rasones.

DON ESTEBAN.—¿Usted se fija en el gran corasón de Pepe, Andresito? ¡Ay mi madre, qué sentimiento!

TELÓN

VII

AHORA QUE HAY MAREA, ¡GOLPE A LA LAPA!

(Comedia de ambiente risquero)

(Incompleta)

R E P A R T O

PERSONAJES

DOLORSITAS LA VENTORRILLERA.
ROSA.
TURRONERA.
BORRACHO 1.º ANDRESILLO.
BORRACHO 2.º MAESTRO RAFAÉ.
BORRACHO 3.º MAESTRO AUSTÍN.
MANUEL.
DON GREGORIO.
DOÑA PEPA.
PEPE MONAGAS.
VICTORITO EL DEL PINILLO.
VENTURILLA EL TAITA.
ANGINAS.
JOROBADO.
AGENTE.
GUARDIA.
PANCHO RASCASIO.
LA ZAHORINA.
SOLEDAD.
CANDELARIA.
ENCARNASIONSITA LA DEL JARANDINO.
DON ANTONIO.
MARIQUILLA.
EL JARANDINO.
CAPIRRO.

PRIMER ACTO

La plaza de San Nicolás, en el Risco. Un "ventorrillo" levantando el campo, acabado el jolgorio que por la fiesta del Patrono ha habido. Cerca, una Turronera semidormida. Lejano se oye guitarreo cansado y una voz que canta con el mismo desmayo. La Ventorrilla atiende sus quehaceres ayudada por una muchacha que friega y enjuaga la loza dentro y al tiempo viene nerviosa hasta la puerta de su despacho ojeando los alrededores.

ESCENA I

(DOLORSITAS, ROSA, la TURRONERA y los tres BORRACHOS.)

DOLORSITAS.—Ya me tiene consumía esa niña, que ehta noche no pego un ojo ni con tila.

ROSA.—¡Esús, Dolorsitas! Cójalo con calma, crihtiana, que ya venerá. Al mou se ha entretenío en alguna cosa. Mire, por sierto, que ca Manué el *Clueco* había taifa. Al mou se enraló pa allí.

DOLORSITAS.—¿Se enraló? ¿Y ella no sabe, la muy perra, que se lo tengo dicho, que no quiero que se me entretenga y mucho menos con el pollito ese de Triana, que mala bala lo pase? Que se lo ha dicho, Rosa, que no quiero amores con ese galán: "que lo dejes, muchacha, que es otra clase de pehcao que tú, que no viene sino a chotiarse de ti, porque sos una probe y porque sos una miss".

ROSA.—De ay le vienen a usté las enconduelmas, Dolorsitas, de ay.

DOLORSITAS.—¿De ay? ¿De ónde de ay?

ROSA.—De ay, de lo de manises, crihtiana.

DOLORSITAS.—¿A cuahlos manises?

ROSA.—Manises de bellesas usté. Reina de eso, crihtiana.

DOLORSITAS.—Son misses, muchacha.

ROSA.—A como lo llame es lo mesmo, Dolorsitas, pero es de ay. Se lo digo yo.

DOLORSITAS.—Tamién lo creo, maldita sea la noche que me la nombraron. La culpa la tiene Pepe el Cubano, que se emperró, ojeto de que el jurao era de caballeros de pa abajo y que mi niña era más finita que las otras, y esto y lo otro.

ROSA.—Pos ya. Too pa echársela a costa de la muchachita. Pero a usté, Dolorsita, bastante que se lo dijieron.

DOLORSITA.—¿Qué me dijieron, qué?

ROSA.—Que no la dejara, que toas las que han sío manises han terminao con la quilla pal marisco.

DOLORSITAS.—¿Y qué diba a jaser, si cuando pegaba a gritar que no, se me vino arriba el Cubano con un guineo, un guineo: que si era mejor pa el barrio, que pa que no se dijiera que a falta de una mujer guapa no se había nombrao miss de la sosiedá... *(Sale Rosa) **.

DOLORSITAS.—*(Viniendo hasta el lado de la Turronera y sacudiéndola por un hombro.)* Rosarito, crihtiana, a dormir al catre.

TURRONERA.—*(Despertando.)* Los de asúca a tres un riá y los de Alicante... *(Advirtiendo a Dolorsitas.)* ¡Esús, quería...! ¿Uhté cree que me queé embelesáa, comadre?

DOLORSITAS.—Sí, es tardísimo, señora.

TURRONERA.—Es que anoche no pegué un ojo, Dolorsitas.

DOLORSITAS.—Alreor del turrón, claro...

TURRONERA.—¿Alreor del turrón sólo? Y del que traía mi marío sin el tu, que me llegó de bebía usté, como un peje tamborí. Entre el batumerio y lo sobajiento que venía, me vine a queal trahpuesta pa allá pa lah dos, dáas por la Catedrán... ¡Esús, quería, que me ha dao jahta frío!

DOLORSITAS.—Pos ehpabile, que ya es hora de recoger teleques y trahponer.

TURRONERA.—Pos ya. ¿Uhté tamién se va a dir?

DOLORSITAS.—*(Por los tres borrachos.)* Si no fuera por esos tres pianos que me han encallao ay. ¡Ay, deja ve si se me van esas penitensias!

TURRONERA.—*(Alogándose para verlos.)* ¡Mia pa allá, que tres patas pa un banco! Ehpántelos, señora.

DOLORSITAS.—Los aguanto, porque estoy esperando a mi jija Candelaria, que andaba con las niñas en el paseo y que al mou se ha olvidao que la fiesta se acabó ya. Y pa más estoy comprometía, con un antojo de mi compadre Pepe Monagas.

TURRONERA.—Qué será eso.

DOLORSITAS.—Me mandó a la prima, con Venturilla el *Táita*, una pota pa que se la asara y recao de que venía con su jarca a comérsela; con que ehtán al caer.

TURRONERA.—Será a bebérsela.

---

* Este diálogo preliminar está tomado del "Apunte para un diálogo inicial", según puño y letra del autor, con otros añadidos que conservamos con este título: "Acotación escena 1er. acto.—Diálogo inicial, Turronera y Dolores", y, también, "Escena I. Dolores y Turronera (pasarlo limpio)". Aunque falte el engarce directo con la escena siguiente, lo suplimos con el que en su momento pudo existir, con la retirada dentro del ventorrillo, a la que llama Rosa por una vez, y que en el apunte, seguramente por la premura con que fue redactado, llamó "Mujer".

DOLORSITAS.—Pos ya. Lo sierto es que está ya más fría que la barriga de una talla. Yo ya no los ehpero, uhté.

TURRONERA.—¿Y qué hora serán, Dolorsitas?

DOLORSITAS.—Pos no le digo, uhté. Yo sentí una media en la Catedrán.

TURRONERA.—Onde andará Nicolás el mío, que queó de venir a por la caja pa coger el tole. ¡Si ehpera que la lleve yo!, que cargue con ella, él y el alma que tiene, que yo ehtoy molía como un senteno.

DOLORSITAS.—Pos andará con mi Candelaria, que no sé qué se le ha perdío por ay, fuera de hora.

TURRONERA.—No andarán juntos, no. Al mío se le habrá trabao la quilla en algún marisco con ron y fritangos. Y la suya andará enraláa con las Lirias, que tenían su bailito de taifa.

DOLORSITAS.—Por ello. ¿Tendrá ganas de calda la niña? *(Pausa.)*

TURRONERA.—Vaya una fiestita ruin, Dolorsitas.

DOLORSITAS.—Pos, así, así.

TURRONERA.—¡Quite pa allá, señora! Fíjese pa la caja, que apenas ehtá ensetáa. Otros años, pa el último fueguillo asomaba el fondo la jeta por cuatro fileras.

DOLORSITAS.—Será que la gente no ehtá por dulsuras, usté. Porque lo que es por ron... Si la marea tuviera su pihquito de alcohó y su pihquito de tufo, diríamos caminando a Tenerife, es lo que le digo.

TURRONERA.—Se lo creo.

DOLORSITAS.—Güeno, señora, déjeme dir recogiendo. *(Se va hacia el ventorrillo y en el fondo dispone las cosas para marcharse.)*

BORRACHO 1.º—*(Rematando la colocación de una prima en la guitarra.)* ¡Ehtán viniendo los ehcalasimbres, caballeros, como rabos de lagartijas! Apenas uhté las atienta, ¡clin!, lihtos... Ensima de que no hay, porque los ehtán cogiendo las mujeres pa destupir cosinillas...

BORRACHO 2.º—¿Pero tú vas a acabar con la quitarra... o acabas con la pasiensia?

BORRACHO 1.º—Ni asín ni de la otra manera, mahtro Rafaé. La quitarra va a acabá conmigo, que no es lo mismo.

BORRACHO 3.º—Y tú y la quitarra con toos los otros juntos, por los moos vihtos. ¡Digo yo!

BORRACHO 1.º—Ta bien. Lo que es no jaserse cargo, ¿eh? Los quisiera yo ver a uhtedes enreaos aquí...

BORRACHO 2.º—¿Enreaos? ¿Pero eso es una guitarra o un trasmayo?

BORRACHO 1.º—¡Oiga, mahtro Rafaé, guasitas en el taller, no! ¿Oyó?

Borracho 3.º—Siempre tú jas tenío las mehmas enconduermas, Andresillo. Pa salí el día de la Navá, te tienes que poné a afiná el día San Cristóbal.

Borracho 1.º—Ta claro. A cogé puesto. ¡Oh! ¿Van a siguí?

Borracho 3.º—Cállate la boca, que es asín como yo te digo.

Borracho 2.º—Pero si Austín tiene rasón, muchacho. Siempre que si la prima singuea, que si la sejesilla está cambáa, que si el quinto es de ehcalasimbre. Y jalones pa abajo, jalones pa arriba, te aclara el día, como el que no quiere la cosa.

Borracho 3.º—Déjelo, mastro Rafaé, que se mate él solo Y escúcheme uhté a mí, que vuelvo y le repito: un hombre sin palabra es un dehgrasiao, ¿oyó? Se lo digo yo.

Borracho 2.º—Ta bien, mastro Austín.

Borracho 3.º—Lo primero y prinsipal de un hombre asín, que tenga desensia y esto y lo otro y lo de más acá y lo de más allá, sétera, sétera, es la palabra, ¿uhté entiende. Y lihtón.

Borracho 2.º—Ta bien, mahtro Austín.

Borracho 3.º—Pero si jahta el cantar lo dise, cristiano. *(Cantando.)* "Con palabras salameras y engañosas..."

Borracho 2.º—Pero, oiga, mahtro Austín, una pregunta: ¿eso lo dise uhté ludiéndome a mí?

Borracho 3.º—Yo no ha ludío a nadie, señó. Ha dicho too el mundo por parejo. No éste, ni el otro, ni el de más acá, ni el de más allá. Ajechito palante. Como aquel que dise. ¿Uhté entiende?

Borracho 2.º—Sí, señó. No, yo preguntaba por si acaso... Pero uhté no tiene en cuenta, mano, que un hombre asín...

Borracho 3.º—¡Oh, padrito! No me dihcuta, mahtro Rafaé, que es asín, señó. Como yo le digo.

Borracho 2.º—Pero...

Borracho 3.º—Náa: que yo ha leído y tengo mi cultura, como aquel que dise. Cállese la boca.

Borracho 2.º—Ta bien, mahtro Austín. Yo no le ha dicho náa. Uhté es un hombre que entiende, ¿uhté entiende?

Borracho 3.º—Mire, mahtro Rafaé: ¿vamos a jasé una cosa?

Borracho 2.º—Uhté dirá.

Borracho 3.º—¿Vamos a no dihcutí uhté y yo?

Borracho 2.º—Se dijo. *(Se dan la mano torpemente.)*

Borracho 3.º—*(Llamando.)* Oiga, Dolorsitas, con el permiso...

Dolorsitas.—*(Viniendo. Desabrida.)* ¿Con el permiso de quién?

Borracho 3.º—¡Oh, señó! A lo mejor de naide. Lo ha dicho por buena criansa, ¿o no se puee tener ya buena criansa?

Dolorsitas.—*(Muy seca.)* ¿Qué van a tomar?

Borracho 2.º—¿Y lo pregunta? Ese no es perro que sigue a su amor.

Borracho 3.º—Ron, Dolorsitas. Y mándele tamién su golpito a

Andrés, ¿oyó?, a ver si de una ves le coge el tranquillo a la quitarra.

DOLORSITAS.—*(Sirviendo.)* La última, ¿entendieron?, que mañana es día de trabajo.

BORRACHO 2.º—Pa mí, como si fuera víhpera del Pino.

BORRACHO 3.º—Cállese la boca, mahtro Rafaé... Ta bien, Dolorsitas. Lo que uhté diga ehtá bien... Vámolos.

BORRACHO 2.º—¿Dolorsitas, se le debe algo aquí?

DOLORSITAS.—*(Con paciencia.)* Naíta. *(Ella vuelve a sus quehaceres.)*

BORRACHO 2.º—Andando. *(Se apartan a un lado.)*

ESCENA II

(DICHOS y MANUEL.) *

MANUEL.—*(Entra por la izquierda, muy agitado, el pelo sobre la cara y la camisa rota. Por como se resguarda con la Turronera y el palo enramado, se nota que no quiere ser visto desde el ventorrillo. Despertando bruscamente a la Turronera que ha vuelto a quedar dormida.)* ¡Rosarito! ¡Rosarito!

TURRONERA.—*(Dando un salto sobre el asiento.)* ¡Ay, quería, las condenáas guaguas! *(Advirtiendo a Manuel.)* ¡Esús, uhté, el consumío muchacho! Me despertahtes cuando ehtaba soñando que pasaba el puente de Palo.

MANUEL.—Güeno, ehcuche, ¿uhté ha visto llegar por aquí a Candelaria?

TURRONERA.—¿A cuála Candelaria?

MANUEL.—¿A cuála va a ser, señora?

TURRONERA. — Ah, la de Dolorsitas... Pos mira, no. Y ahorita ehtuvo aquí la madre quejándose de que no le había recalao entoavía.

MANUEL.—Entonses, quiere desirse que uhté no sabe náa...

TURRONERA.—¿Que no sé náa de qué? Tú jas bebío, Manué.

MANUEL.—¡Venga, venga, no me venga con machangáas, seño-

---

* *Nota del autor.*—"En el primer acto los dos Borrachos salen a comprar una prima para la guitarra. Queda solo uno arreglando la cuerda rota. ¿Vuelve al final?" En interrogante, como se verá al correr de la lectura, tiene su justificación, pero en caso de escenificarse algún día esta comedia ello no supone ninguna dificultad seria. En la misma nota se lee también, aunque referido a lo que sigue: "Introducir diálogo Vecina. Manuel debe hablar más al final".

ra, que no está la marea pa repiquetes! ¿Uhté sabe algo o no sabe náa?

TURRONERA.—¿Pero de acuálo? Mira, a mis jijos no los vea, si sé de qué ehtás jablando.

MANUEL.—Ende luego, si uhté no lo sabe, tampoco Dolorsitas... Mejor es asín... Pos, ehcuche, me tiene que jasé un favó... Pero antes le voy a contar lo que ha pasao. Candelaria casi traspone esta noche con el bagañete del pollito ese, que se ha jechao de novio.

TURRONERA.—(Asmada.) ¡Esús, tal dehgrasia! ¿Pero tú te refieres a ese niño de pa abajo, que le disen Bienmesabe, por lo que relaja?

MANUEL.—A ése, sí, señora.

TURRONERA.—¡Aimería! ¡Esús, quería, que me ha quedao asmáa! ¿Pero esa niña se ha vuelto loca?

MANUEL.—¿Se ha vuelto loca? Venío, que no es lo mismo.

TURRONERA.—¿Venío de ónde?

MANUEL.—¡De ningún sitio, señora! ¿Pero uhté ehtá boba, o qué?

TURRONERA. — ¡Aimería, aimería, aimería! Manué, esas son mentiras tuyas, Manué...

MANUEL.—La verdá de Dios, Rosarito.

TURRONERA.—Esas son mentiras tuyas, Manué, que tú sos un seloso, que sales a tu padre. Aimería, tu padre que le paresía que jahta la luna menguante era pa él. Tu padre pasó las brevas de Tirajana. Mira que los hombres selosos son capases de alevantarle una acalunia jahta a una vieja chocha, muchacho.

MANUEL.—Ni acalunias, ni náa, que no se la llevó por un es lo que es.

TURRONERA.—¿Pero y cómo?

MANUEL.—Se lo cuento pa que usté me jaga el favó y se lo cuente endispués a Dolorsitas, porque de toas maneras hay que desírselo y yo no me atrevo. Candelaria estuvo en el paseo, mosiando con el Dominguito Bienmesabe, jahta que pa allá pa las onse y media, pihco más, pihco menos... Yo la diba vigilando en toas las vueltas, porque por más fuersa que jise por mandarla... pa un sitio y dirme yo pal baile, no púe dehpegarme.

TURRONERA.—No me ehtraña. Too perro y gato sabe que estás enamorao como un burro.

MANUEL.—(Insolente.) Bueno, ¿y qué?

TURRONERA.—Náa; sigue.

MANUEL.—Al final de una vuerta pa acá, voy y la veo que se separa de Antonia, la de Estebita el Bocúo, y de María, la de Pepita, que con ellas se ehtaba pasiando, y que ya se mete ca Micaelita Fleitas.

TURRONERA.—¿Con el otro?

MANUEL.—No, señora, sola. El otro se fue dejando dir, sorrito y largo, por allá. Antonia y María se iban a ehperar, pero Candelaria les dijo que siguieran pasiando que ella las alcansaba. Y al ratito, asomó en la puerta, con una cara rara, uhté. Yo me golí algo, ¿pero quién diba a pensar? Salió y tiró Risco alante, de prisa, de prisa, pa el Camino Nuevo. Pasao el Pilar y al pien de la casa de Toribio, se le puso a la banda el Dominguito *Bienmesabe,* que la ehtaba ehperando, y juntos bajaron a Matas y cogieron allí un tasis, que por lo visto tenían apalabrao.

TURRONERA.—¡Esús, Esús, la mosquita muerta!

MANUEL.—Figúrese uhté. Yo corrí derecho al coche, pero como diba muy trasero pa que no me vieran, no los alcansé. Y cuando ehtaba maldisiendo la hora en que los dejé dir, pasaba vasío un "pirata" de Arucas, que había dejao un viaje. Lo aparé, y le dije al chófer lo que me pasaba y se cogió, cristiana, un interés mayor que el mío. Me dijo, dise: "¿Un güiro? Súbase, que yo no le cobro náa y usté verá la corría en pelo que le meto yo a ése. No me rebasa la Apolinaria." ¡Aquello no era correr, Rosarito! ¡Aquello era un gato con bensina debajo del rabo!

TURRONERA.—A pique de matarte, muchacho.

MANUEL.—Entonses, me daba igual... Le cogimos la vuerta a tierra pa arriba del Polvorín. El "pirata" le pasó por la proa y se le atravesó, tocando una bosina, que no paresía sino la de un correíllo. Por lo vihto se dio cuenta el chófer de ellos, porque paró de remplón, viró en un suspiro y golvió ehcapao pa Las Palmas.

TURRONERA.—¡Pero si no parese sino una penícula!... Esús, quería.

MANUEL.—Pero el de Arucas no era flojo. Jiso una reviráa que ríase uhté de la de las panchonas. Caímos atrás y al canto abajo de las casas de frente a las Cuevas del Provecho el "pirata" los alcansó, se les arrimó a una banda y tranquilló el coche contra la asera. Entonses se tuvo que parar.

TURRONERA.—Escucha, Manué. ¿Tú no vendrás del Pabellón y me ehtarás contando la penícula que echaron?

MANUEL.—¿Pa qué viene con esas machangáas uhté? ¿No ve que estoy jablando en serio?

TURRONERA.—Güeno, hombre, no te engrifes. ¡Esús! Te lo desía porque alcuentro eso tan de romanse...

MANUEL.—Güeno, déjeme terminar, que me tengo que dir en seguía. Candelaria se tiró del coche y echó a correr como una loca Matas abajo. Yo no la púe seguir, porque tenía que ajuhtarle las cuentas al Dominguito *Bienmesabe.* Le di una entráa de leñasos, fuertes, como es natural, que si no me lo quita de las manos

Pepito Monagas, que pasaba casualmente, se le acaba la semilla a ese, como Manuel que me llamo.

TURRONERA.—Pos ya, ¿pero y Candelaria?

MANUEL.—Salí en seguía a ver si la vía. Y ni los polvos, Rosarito. Toqué en la casa gran rato, por si se había metío dentro, y no me respondió naide. Entonses me vine aquí pa desirle a la madre lo que ha pasao. Pero ahora no me atrevo, Rosarito, y lo que quiero es que uhté prepare a Dolorsitas y se lo diga.

TURRONERA.—Pos mira, que chico paquete no me traes tú a mí. Con el genio de Dolorsitas, y que ella padese, soltarle de remplón una carta de La Bana, de esas... Si al menos supiéramos ónde está la niña, pa desirle que no le ha pasao náa, y que además, de seguro, está intata.

MANUEL.—Claro, que sin saber de Candelaria... ¿Qué la parese a uhté que jaga?

TURRONERA.—Vuelve a la casa. Y no toques, sino salta por detrás, por la asoteílla del callejón. Te tiras al patio y la buhcas, dentro. Si está allí, me das tres silbíos, que yo se lo digo entonses.

MANUEL.—Ehtá bien. Voy a ver. *(Sale.)*

ESCENA III

(DICHOS *menos* MANUEL. DON GREGORIO y DOÑA PEPA.)

(Pausa. Pasan desde el primer término hacia el fondo don Gregorio y doña Pepa, un matrimonio de "maúros" acomodados, con tienda en el Risco.)

TURRONERA.—Adiós, doña Pepa y la Compaña.

DOÑA PEPA.—Adiós, Rosario.

TURRONERA.—¿No me lleva un turronsito, señora?

DOÑA PEPA.—¿Pa qué, mujé? Eso se deja pa la gente de fiehta.

TURRONERA.—¿Pos y que uhtés no han estao?

DOÑA PEPA.—¡Qué va, señora! Losotros fuimos pa abajo, pa ca la sobrina de aquí de Regorio que se le metió el andansio en la casa y tiene al marío y a los sinco chicos en cama y ella orijiando, si cae o no cae.

TURRONERA.—¡Eso es el ospitá, doña Pepa!

DOÑA PEPA.—Pos ya. Y lo que siento es que me parese que lo llevo agarraíto yo tamién, porque en too el día no se ma quitao de aquí *(señala las costillas)* de arrente el visagreo de un puntáa, quería, que ni jablar bien me deja. Y luego una carrahpera, una carrahpera, con un toseo...

Turronera.—Eso es que lo trincó en alguna corriente, uhté *.

Don Gregorio.—No pegues la jebra, Pepa, que yo tengo que alevantarme templano.

Doña Pepa.—Ehpera un pihco, hombre. ¡Esús el hombre, qué atosigao viene!

Turronera.—¿Qué prisa lleva, crihtiano?

Don Gregorio.—Tengo que abrir la tienda templano y además tengo los sapatos nuevos.

Turronera. — Ehpere, que tengo que contarle a doña Pepa. ¿No ha sabío, señora?

Don Gregorio.—Vámolos, Pepa, no me jagas empesar a dar jalones.

Doña Pepa.—Ehpera, hombre. ¡Esús el hombre! ¿De qué dise usté, Rosarito?

Turronera.—No me diga náa, señora, que entoavía ehtoy engrifá del insulto.

Doña Pepa.—Esús, ¿pero y de qué?

Turronera. — Candelaria, ¿abe?, la de aquí de Dolorsitas, ¿abe?, casi trahpone ehta noche con un pretendiente de Triana que le ha salío, ¿abe?

Doña Pepa.—¡Esús, uhté!, ¿y la madre?

Turronera.—¿La madre? La madre, en Babia, quería; ay, alreor del ventorrillo, sin saber náa la probe.

Doña Pepa.—¡Cosa con esa! Nunca la había percatao como enraláa.

Turronera.—Señora, una sorrita, y esas son las peores, doña Pepa. Ta claro, sin sombra de padre, sola con Dolorsitas, que por náa y cosa ninguna le da caldito de pecho, y echándosela de guapa, uhté me dirá.

Don Gregorio.—¿Pero y él quién es?

Turronera.—¿El? Miusté: un pollito de pa abajo de Triana, de esos niños que vienen al Risco a juelguiar. El padre ha oío tiene una tienda de ropa y la madre es de ay, de Aruca, de gente de plántanos, ella. ¡Pa reírse, señora! Miusté.

Don Gregorio.—Pos yo tenía entendío que ella era novia de Manué. Y lo tengo a él por un muchacho desente. Con él me afeito yo, endehpués que me robaron la navaja.

Turronera.—¡Ta loco! Manué fue medio novio al prinsipio y andaba por ella cuajaíto como la leche cortáa, don Regorio. Pero endihpués que la nombraron de esas niñas guapas de la sosiedá, se puso tan consentía, que al mou le paresía poco el muchachito.

---

* *Nota del autor.*—"¡Alguna receta casera!"

De entonses pa acá pegó a darle de lao, a pintorriarse toa, y empolvarse como una cuca, y a dir por las tardes a Triana, uhté, a pasiarse allí, que tienen a las guaguas asáas, según le ha oío a un jijo de Pepe Tomasa, que es chofe él de la Patroná.

Doña Pepa.—Pos ya.

Turronera.—Una tarde, Candelaria recaló con el pollito a una banda. Y por más tremendas caldas que le metió la madre, que uhté sabe lo que es Dolorsitas cuando se encochina, no ha había forma. Emperrá, emperráaa, uhté.

Doña Pepa.—¡La juventú ehtá loca, Rosario!

Don Gregorio.—Loca, no, lo que está es podría.

Doña Pepa.—¡Esús, Esús, Esús!

Don Gregorio.—Güeno, ¿tú te vas a dir de buena manera, o quieres que te pegue el jalón?

Doña Pepa.—¡Esús, Regorio!

Don Gregorio.—Que te ha dicho que tengo que alevantarme, y quitarme estos sapatos, ¡oh, señó!

Doña Pepa.—Ta bien, ta bien. Güeno, Rosario, jahta más vé.

Turronera.—Que les vaya bien. (Confidencial.) Oiga, doña Pepa, mire que le digo, no lo diga, ¿abe?, porque se corre, ¿abe?, y ponen a la muchachita en la calle, uhté.

Doña Pepa.—Esús, Rosario, no tienes ni que desirlo, mujer.

Don Gregorio.—Qué va. No tienes ni que desirlo, porque no sacarás náa. Antes del alba lo haben jahta en la cola de la guagua de la barriáa de Guanarteme.

Doña Pepa.—¡Rigorio! ¿Pero uhté ha visto hombre más afrentoso, señora? Vámolos, vámolos. Güeno, es que me voy toa erisáa, ¡cosa con esa! Adiós, Rosario. (Vanse.)

Turronera.—Adiós, señora. (Hablando ella sola.) Esús, Esús, quería, tal relajo de niña, que parese que no moja y empapa. (Pausa.)

ESCENA IV

(Dichos, menos Don Gregorio y Doña Pepa. Pepe Monagas, Victorito el del Pinillo y Venturilla el Taita. Venturilla viene punteando un requinto. Monagas trae una guitarra bajo el brazo, y Victorito, un gallo envuelto en un periódico y cogido por las patas. Entran los tres desde el primer término hacia el fondo.)

Monagas.—(Asomando y frente al ventorrillo.) ¡Tierra a la vihta, patrón! (A Dolorsitas.) Más vale tarde que nunca, comadre, dijo David, y tiró del arpa.

VENTURILLA.—Aquí ehtamos porque hemos venío, Dolorsitas.

DOLORSITAS.—*(Molesta.)* Ya lo veo. Mia pa allá qué horas de recalar... Tenerme ahquí cansáa como una perra por la consumía pota éhta, que ehtá ya más fría que la tienda de Andresito el del hielo.

(Los borrachos de la escena I intervienen, después de haber estado a un lado del ventorrillo.)

BORRACHO 1.º—Oiga, Dolorsitas, con el permiso...

DOLORSITAS.—*(Dirigiéndose al Borracho.)* ¡A dormir, que hay que madrugar!

BORRACHO 1.º—Dolorsitas, yo siempre la ha respetao a uhté, oyó, pero a arrempujones, no, señora.

DOLORSITAS.—He dicho a dormir y no me rechiste. Y uhtedes tamién *(dirigiéndose a los Borrachos 2.º y 3.º)*, que hay parroquia nueva y nesesito su favor.

BORRACHO 2.º—Oiga, comá Dolores, ¿eso lo dise uhté de remplón?

DOLORSITAS.—*(Engallada.)* Sí, de remplón, ¿qué pasa?

BORRACHO 2.º—*(Dirigiéndose al Borracho 3.º)* Mahtro Rafaé, dise aquí Dolorsitas que qué pasa.

BORRACHO 3.º—*(Se levanta.)* ¿Qué va a pasar? ¡Ella dise que apencando!, pos apencando. *(Sentándose.)* ¡Ella dise que en quearnos! pos no queamos y listón.

DOLORSITAS.—Venga, que ya me está jirviendo la sangre de tanta enconduerma.

BORRACHO 3.º—Ehtá bien, comadre. Se dijo. Vámoslos, tú, que ya no ehpachan. *(Salen dando trompicones.)*

VICTORITO.—*(Intentando alegrar a Dolorsitas.)* Caballeros *(una pausa):* ¡Viva mi comáa Dolores, la reina de las carajacas! *(Se van sentando.)*

DOLORSITAS.—¿Qué van a tomar?

MONAGAS.—¿Y lo pregunta, comadre? Ronito, señora. Y si le quea algún pihquillo de algo pa enyescá, cuadra, ¿no es eso, Vitorio?

VICTORITO.—Pos no va a sé, si venimos entrando al fiao. ¿Toavía tienes pretensiones? *(Dolorsitas va sirviendo.)*

VICTORITO.—Dolorsitas, golviendo a lo de endenantes: usté tenía rasón en molestarse. Too ha sío por las enconduermas de éste.

VENTURILLA.—¿Las mías sólo?

MONAGAS.—Sí, comadre, las enconduermas de Ventura, ¡que así uhté lo vei, menúo como un volaor!, pos es tan pesao, que si lo fueran a espachar no se podía robar en el peso.

VENTURA.—De sobra lo saben ustées. Yo no pueo tocar con el requinto desafinao.

VICTORITO.—Pero, muchacho, si cuando tú te crees que está afinao, suena como el clarinete del que toca en la servesería.

MONAGAS.—Mire, comadre, ay a la entráa del Risco afiansó una piehna contra el muro, se encloquilló y pegó a apretar clavijas. Y Vitorio y yo esperando. De ves en cuando le preguntábamos: "¿Ya está, Ventura?" "Le falta un pelito a la segunda", desía. Y ahquí Vitorio y yo sentaos esperando. "¿Cómo la llevas, Ventura?" "Ya falta menos." Oiga, y de repente los fijamos pa la marea y vimos un rehplandor. Pa mí que era el alba, ¿oyó?

VICTORITO.—Y era la luna, Dolorsitas, que como no la lleva por cuenta, porque no tiene agua que regar, ni papas que coger...

MONAGAS.—Y era la luna, comadre. Pero al prinsipio los creímos que estaba aclarando. Reparamos en Ventura, y él, pegao, afinando, afinando...

VICTORITO.—Entonses, Dolorsitas, voy y le digo yo: "Chacho, Venturilla, vámoslos sin afiná, que hay que llegar al ventorrillo y está amanesiendo."

MONAGAS.—Y oiga, comadre, ¿sabe lo que dijo a las dos horas de estar afinando? Dise: "Caballeros, si no llega a aclarar tan pronto la dejo como un piano."

VENTURILLA.—Naturá. Pero dígales, Dolorsitas, que si hamos llegao tarde es más bien porque luego se le antojó a Pepito dir a la plasa a "comprá" *(hace el signo de robar)* plumas.

DOLORSITAS.—¿A comprar plumas a esa hora?

VENTURILLA.—Sí, señora. Plumas de gallo (1).

VICTORITO.—Plumas que están ahquí con los palilleros y demás. *(Le entrega el pollo a Dolorsitas.)*

DOLORSITAS.—¿Y esto qué significa?

MONAGAS.—¡Oh! Que me trompiqué ay bajo, en la plasa, contra un gallinero y me jise un gallo.

VENTURILLA.—Sí, disimulen ahora, pa que yo pague la tardansa.

VICTORITO.—Güeno, comadre. Ta bien, Ventura tiene rasón. Cuando ya veníamos se le antojó a Pepe "comprá" *(el mismo gesto de Venturilla)*, como dise Ventura, un pollanco. Oiga, Dolorsitas, y Pepe es un hombre a quien no se le púee llevar la contraria, ¿oyó?

DOLORSITAS.—Toos ustées están buenos. Mia que dahles las copas por robar...

VICTORITO.—Asigún, Dolorsitas.

DOLORSITAS.—¿Cómo asigún?

VICTORITO.—¡Oh! Asigún llame uhté robar.

DOLORSITAS.—Yo digo robar y sé lo que digo.

---

(1) Esta historia del gallo se cuenta también, con algunas variantes, en el entremés *De media noche pal día.*

MONAGAS.—Pos no, comadre. Yo se lo ha pedío prestao, pa jaser una tasita de caldo a una vieja de Tafira que tenía allí una jurria de ellos. Lo que pasa es que la vieja estaba dormía.

VENTURILLA.—Eso fue lo peor.

MONAGAS.—¿Lo peor? Eso fue lo mejor. ¿Oyó? Mire, ella estaba durmiendo en el quisio de una puerta, frente al gallinero, dando cabesasos así... *(Imita los cabezazos de un durmiente.)* Yo le pregunté—bajito pa no molestarla, ¿entiende?—por tres veces: "Ooiga, Mariquita, ¿uhté me da un gallo?" Las tres jiso así *(repite el gesto);* uhté verá.

DOLORSITAS.—Güeno, ¿pero uhtedes me han tomao por boba o qué?

VICTORITO.—Pepe, cuéntale la veldá a tu comadre.

MONAGAS.—Ta bien. La veldá. Mire, comadre, yo vengo necesitao de un poquito de caldo, ¿entiende? Y fimos abajo por la grasa. Vitorio se puso en una ehquina pa aguaitar al guardia, yo en la otra pa lo mihmo, y Ventura dio el pecho.

VENTURILLA.—Siempre que hay tabacasos en puerta, algo con lambriasos a la vista, Ventura da el pecho. Eso es viejo.

MONAGAS.—Ta bien, señó. Lo das pa cosas de hombres. Lo malo fuera que lo dieras pa cosas de niños.

VICTORITO.—Eso es, y además tú tienes en la cartilla: "valor reconosío". Y Pepe y yo: "valor se le supone".

DOLORSITAS.—Güeno, ¿y en qué paró?

MONAGAS.—¿En qué paró? En el ventorrillo. ¿No lo ve, ay?

DOLORSITAS.—Quiero desir el "trabajo".

MONAGAS.—Ah, pos en el traspaso perfeto, comadre. Ventura estuvo más fino que el "Rana". Abrió la puerta. Enfrente estaba un gallo jabao tan granaíto, comadre, que daba caldo pa too el Risco en peso. Según contaba endespués Ventura, estaba dehpierto, preparando el altavós y mirándolo por un ojo como disiendo: "Esta cara no m'es conosía..." Este no le dio ni las buenas noches. Se tiró al gasnate como el Ribanso por el parque. Y mire, comadre, de chiquito lo diría, pero de grande no dijo ni pío.

VICTORITO.—Yo sentí como un pujiito apenas.

VENTURILLA.—Náa de pujiitos, no diga usté lo que no es. No dio sino unos salpasillos con las alas.

MONAGAS.—Una gallina amarilla, que había de ser de Agüimes porque ehtaba toa enrisáa del viento, se solivianto y largó su cloquío: "Clooooo..." Entonses se despertó la vieja. De un brinco me queé al pie de ella, y pa disimular pegué a cantar *Marina,* aquello de "Marina, ¿adónde estás?" Entonces ella va y me dise: "Cristiano, parese que sentí un gallo." Oiga, comare, en buena fe: estaba cantando bienísimo. Y se lo dije, ¡oh, ya!: "Señora, no es pa tanto. Además, un gallo, se le ha dío jahta a Caruso."

VICTORITO.—Güeno, pero jablando, jablando, ¿ahquí no se bebe náa, o qué? Dolorsitas, entre la carrera del gallo, y que no había pa abajo tiendas abiertas, y que los ha dado a toos por el palique, tengo la boca que se púee freir un güevo.

DOLORSITAS.—Ron pa toos. No era eso?

VENTURILLA.—Pa mí no traiga ron, Dolorsitas. Pa mí, una gaseosa.

MONAGAS.—Sí, señora: y *La Provinsia* y un palillo de dientes. ¡Bebe ron, tolete!

VENTURILLA.—Pepito, uhté sabe que yo cuando me pego soy un sumiero. Uhté lo sabe.

VICTORITO.—¡Oh, ya! Lo saben jahta los niños del hospisio.

VENTURILLA.—Pero esta noche no quiero beber más. Ya se lo ha dicho: estoy estomagao.

MONAGAS.—Pos sale, vete ca maestro Hilario, que eso es del pomo.

VENTURILLA.—Qué pomo, ni qué pomo, señó. Lo que pasa es que comí en ca los Conejeros unas lentejas y al mou, me cayeron mal.

MONAGAS.—¿Comihtes lentejas ca los Conejeros? Entonses tienes rasón. Déle gaseosa, comadre.

DOLORSITAS.—*(Sirviendo el ron.)* ¿Les pongo algo de enyehque?

VICTORITO.—¡Oh, ya! ¿Pero y esa pota, cristiana?

DOLORSITAS.—Eso está ya más frío que la barriga de un muerto, cristiano. Tengo unas carajacas...

(Vuelven los tres Borrachos, que no han encontrado donde beber y que dicen vienen por la arrancadilla.)

MONAGAS.—Ponga lo que le parehca y sírvales aquí a los señores.

BORRACHO 1.º—No me moleste uhté.

MONAGAS.—Sí, hombre, ¿qué van uhtées a tomar?

BORRACHO 2.º—Pos ronito.

TURRONERA.—*(Acercándose al ventorrillo con cierta cautela.)* Pepito, jaga el favó una palabra.

MONAGAS.—*(A su grupo.)* Dihpensen, caballeros. *(Saliendo.)* ¡Oh, Rosario! ¿Qué le duele?

TURRONERA.—*(Con mucho misterio.)* Tengo que jablá con usté. Venga pa acá, pa la caja.

MONAGAS.—¿Pa la caja? No me barruntes muertos, Rosario. Mira, ni con golosinas. Te prevengo que estoy compromentío pa toa la noche. *(En una galante insinuación.)* Pero, de toas maneras...

TURRONERA.—¡Cállese, cristiano! ¡Esús el hombre, que nunca tiene fundamento pa náa!

MONAGAS.—Oye, depende. En tratándose de una turronera con reburujón, como una tal Rosarillo *Piña Tierna* que yo conohco, tengo yo más fundamento que un jues de primera instancia. Y tú tienes reburujón como cargas de leña.

TURRONERA.—¡Quite pa allá, cristiano! ¡Esús, quería, vaya un hombre sobajiento!

MONAGAS.—Güeno, vamos a ver qué se te ofrese.

TURRONERA.—*(Con misterio.)* Estoy enteráa de too.

MONAGAS.—Ende luego: a ti no se te ha ehcapao nunca náa de lo que pasa en este Risco, porque tú sos de las que quea pegáa a la flor de un berro.

TURRONERA.—Bueno, está bien... ¡Tenga fundamento, cristiano! Esús, el hombre.

MONAGAS.—Jabla. ¿Qué pasa?

TURRONERA.—Es lo de la Candelaria. Manué, que estuvo aquí ay ratito, me lo contó too.

MONAGAS.—*(Sorprendido.)* ¿De lo de Candelaria? ¿Qué es lo de Candelaria?

TURRONERA.—Esús, Pepito, no se jaga de nuevo.

MONAGAS.—*(Seco.)* No me andes con requilorios, Rosarillo. ¿Qué es lo que pasó a mi ajijáa?

TURRONERA.—¿Pero usté no desapartó antes a Manué de un mojo con morena en el puente de Matas, cristiano, cuando le estaba dando una gentina a Domiunguito Linares, ese de pa abajo, que le disen a él de nombrete *Bienmesabe*?

MONAGAS.—Sí, señora. Así mismo es. ¿Pero qué tiene que ver eso con Candelaria?

TURRONERA.—Pos que Manué, ¿usté entiende?, le daba la calda al otro, ojeto de su ajijáa. ¿No se lo dijo él?

MONAGAS.—A mí no me ha dicho náa. Yo venía del cafetín de Pepe Parranda solo, y siguiendo a mi jarca, que se había adelantao, cuando me tropesé a Manué dándole unos guantasillos al Dominguito Linares ése. Los desaparté, como es natural, y él, sin desir ni ehta boca es mía, se puso a buhcar alreor como un loco. Luego salió a espetaperros pa abajo, pal Camino Nuevo. Yo no lo ha visto más.

TURRONERA.—Pos, según me contó, el *Bienmesabe* engañó a la muchachita y se la llevaba en un pirata de tasis como pa arriba pa Tamarseite, usté, Manué, que le andaba cogiendo los güiros, cayó atrás en otro pirata y le cogió la vuerta.

MONAGAS.—¡Santiago bendito! ¿Y qué pasó?

TURRONERA.—Pos, en consumías cuentas, náa. Pepito, porque él le tumbó a tiempo y le quitó el barlovento en Matas. Estando allí dándole la cueriáa al *Bienmesabe,* la Candelaria se echó a corré y traspuso. Y jahta la fecha, Pepito. Dispués él vino aquí, con la idea de desírselo a Dolorsitas, y no se atrevió, porque no sabe náa de la muchacha y a la madre le dan esos ataques de paralís, usté, le pareció mucho pa un remplón.

MONAGAS.—¡Aimería, Aimería! ¿Pero esa niña está loca?

TURRONERA.—Mire, Pepito, aquí pa losotros: bastante que se lo dijimos toas en el Portón, cuando fueron y la nombraron en la socieá, esto, como se llama... Sí, cristiano, que le ponen una banda y le dan anisao...

MONAGAS.—Mis.

TURRONERA.—¡Mis! ¡Miusté! Bastante que se lo dijimos toas, Pepito: "Muchacha, vete a la socieá y le dises a maestro Antonio Pan Mollet—que usté sabe que era el presidente—, que te desborre, niña, que tú no quieres ser de eso, que no queará trapo que no te saquen." ¿Y sabe lo que me dijo? Que era envidia. ¡Miusté, envidia! ¡Aimería!

MONAGAS.—Pos y a lo mejor.

TURRONERA.—Y luego jablando fino, que se viró peninsulá perdía. ¿Sabe lo que le dijo la otra noche a la salía del Pabellón a unas mujeres que venían detrás? "Vosotras, no arrempujéis." Fíjese usté.

MONAGAS.—*(Cortándola.)* Güeno, güeno. Y Manué, ¿ónde está?

TURRONERA.—Estuvo antes en la casa y no la jalló. Ahora volvió pa arriba, a ver si ha recalao.

MONAGAS.—*(Después de una breve y preocupada pausa.)* Pos, mira, te voy a pedir una cosa difísil: cállate la boca, ¿entiendes? Que te caiga una sipela en la lengua si jablas, y cuando sepamos de esa paloma, le soltamos a mi comadre este paquete de media peseta de chochos amargos, que no son flojos.

TURRONERA.—Oiga, Pepito, ¿y el *Bienmesabe,* que dijo Manué que le metió una calda, que si no es por usté se le acaba la casta?

MONAGAS.—Ese niño es un tiesto fino. Cuando yo entraba al Risco salía de buscarlo por toa la fiesta el padre, don Eusebio Linares. Me preguntó por él y yo no le quise desir náa. ¿Pa qué? Lo andaba buscando porque el pollo ende jasía dos días no le recalaba por la casa. Y pa acabarla de coroná le había robao unas tres mil pesetas. Don Eusebio me dijo que onde lo trincara lo desencuaernaba. Y se lo creo, tú, porque ese hombre encochinao es como la represa de Tenoya.

TURRONERA.—Pos ya. ¿Y Manué le dio mucho, Pepito?

MONAGAS.—Le dio leña como quien tuesta y lleva al molino. Como estaba tan golpiao, yo me lo quise llevar al cafetín del

Parranda pa echahle allí un pisco de ron que fuera, en las jerías. Pero de repente me dio unos reflechones y me dijo, dise: "Lárgueme, hombre, lárgueme. Yo no quiero ir a ningún lado. Yo sé ónde tiene que parar un desgrasiao como yo." Siempre se ha dicho, Rosario, de mal agradesíos está el infierno adoquinao. Lo dejé sacudiéndose y me vine pa acá. Ya no ha sabío más náa.

TURRONERA.—¿Y de desírselo a la madre, qué le parese, Pepito?

MONAGAS.—Pos, ya te ha dicho. Mira... Que te caiga una sipela en la lengua. *(Quedan hablando.)*

ESCENA V

(Dichos, Anginas y el Jorobado.)

ANGINAS.—*(Entra acompañada del Jorobado.)* Buenas, señores.

ALGUNOS.—Buenas.

MONAGAS.—Ron pa dos, y pa aquí *(señalando al Jorobado)* un refresco.

BORRACHO 1.º—Pos aquí, ron tamién. Es que es corcovaíto el pobre, ¿sabe?, y está enguirrao de la mala noche. Pero, oiga, no grita ¡Oh!, y si Vd. lo oyera cantar. ¿Sabe cómo le disen?: el Capirote de San José *.

AUSTINITO.—*(Al Jorobado.)* Oiga, mano, usté dispense, pero me tiene que jaser un favó.

JOROBADO.—Usté dirá.

AUSTINITO.—Es que yo, ¿usté entiende?, le compré a los siegos una peseta de los sesenta iguales pa mañana, que son pa más nunca, ¿oyó?, porque no salen. Ta bien. Y yo quería que usté me los deje pasar por la montaña de Gáldar esa, que usté trai ay escondía, ¿oyó?, pa ver si le da la rebelina de tocar.

JOROBADO.—Si no es más que eso... Páselos.

AUSTINITO.—*(Pasando la serie.)* Voto.

ANGINAS.—Caballeros, aunque ustedes lo vein ansina, atorrao y esto y lo otro, canta como un capirote por la mañana.

VICTORITO.—¿Por la mañana? ¿Y ahora no?

ANGINAS.—Hombre, quiere desirse, lo que quiere desirse, que toos sabemos que el capirote cuando mejor canta es por la mañana, con el primer solito.

---

* *Dos notas del autor.*—"Empalmar con el canto."
(Despúes de una escena con la llegada de Monagas y pandilla.)

VICTORITO.—Ah, ya. Pos será con trampas entonses.

ANGINAS.—Oiga, amigo, a usté nadie le ha faltao. ¡Digo yo!

AUSTINITO.—Lo que quiere desir aquí es que el señor, de cantar como usté dise, trae con él la radio escondía atrás.

ANGINAS.—Vamos a verlo. *(A Venturilla.)* Usté me jase el favó de unas folíítas, usté.

MONAGAS.—Venturilla, métele un calso a la prima, que está singuiando.

VENTURILLA.—¿Un calso? ¿De qué le voy a meter un calso?

MONAGAS. — Métele un calso, muchacho. De papel que sea. *(Pausa en la que Ventura coge un papel de envolver completo y empieza a doblarlo.)* Tráele una pólisa de una sincuenta, porque en ves de un calso, vah a jaser una istancia. ¿Pero tú le vas a meter un calso, o vas a jaser una istancia?

VENTURILLA.—¿Usté no me dijo que de papel?

MONAGAS.—Sí, pero coja un pisco por una punta, muchacho. Sigues siendo el taita de toa la vía. *(Se pone a hablar con la Turronera, un poco alejado.)*

ANGINAS.—Pero, bueno, esa folía, ¿es que va a ser como los siegos, siempre pa mañana?

VENTURILLA.—¿Una sola? Y dos tamién. *(Toca. El Jorobado canta magníficamente una copla de folías.)*

MONAGAS.—*(En una pausa final del canto, a la Turronera.)* Muchacha, cállate a ver... Ay dentro canta un hombre como Dios manda. Deja ver... *(Se acerca al ventorrillo, a donde llega a tiempo de oír terminar la copla. Dirigiéndose al Jorobado.)* Ah, ¿pero era usté quien cantaba? *.

ANGINAS.—Sí, señó.

MONAGAS.—Ta bien. No me estraña, porque lleva usté su gasógeno.

ESCENA VI

(DICHOS, el AGENTE y el GUARDIA.)

AGENTE.—*(Entra en escena acompañado de un guardia municipal. Después de una rápida observación desde el extremo avanza hasta el ventorrillo, interrumpiendo la jarana. Habla con acento peninsular.)* ¡Un momento!... Soy de la Policía.

---

* En el pequeño apunte del autor, a propósito de este episodio en el que habla de "meter un calzo a la prima", retocado por él aparte, indicó el posible lugar en que debía ser incrustado. Hemos respetado su indicación, pero no nos es posible seguirle, por intervenir Pepe Monagas en el incidente del calzo y luego continuar hablando con la Turronera. De haber hecho el autor una nueva copia, habría subsanado este pequeño lapsus.

MONAGAS.—*(Aparte.)* Ya nos cayó que jaser.

AGENTE.—¿Se encuentra entre ustedes un individuo llamado *(consulta un bloc)* Manuel Pacheco Santana?

MONAGAS. — *(Nervioso, adelantándose.)* Pos..., pos no, señor... Por qué, que yo sepa... *(El agente toma notas.)* ¿Y se puée saber pa qué lo buhca uhté?

AGENTE.—No pregunte nada. Limítese a contestar.

MONAGAS.—Ta bien, señor. No tiene más, sino que dispensá.

GUARDIA.—Pepito, es que aquí, ¿sabe?, está jasiendo una pesquisia a cuento de un asunto, ¿usté entiende?

MONAGAS.—Ta bien. Allá él.

AGENTE.—¿Quién es la dueña de la venta?

VICTORITO.—Del ventorrillo, dirá usté.

AGENTE.—Cállese.

MONAGAS.—Esá visto que ahquí no rechista sino él.

AGENTE.—Pregunto que quién es el dueño de ésto.

DOLORSITAS.—Si pueo jablar, pos le diré que soy yo.

AGENTE.—Diga usted, ¿no ha visto usted por aquí esta noche al Manuel Pacheco Santana que busco?

DOLORSITAS.—Pos, no, señor, no lo ha visto.

AGENTE. — *(Consultando su bloc.)* ¿Usted es Dolores López Calcines?

DOLORSITAS.—Serviora.

AGENTE.—¿El Manuel Pacheco que busco es novio de una hija de usted?

DOLORSITAS.—No, señor.

GUARDIA.—Güeno, Doloritas, usté sabe que...

DOLORSITAS.—Estoy jablanco con aquí. No sé pa qué se entromete usté...

GUARDIA.—¿Qué pasa?

GUARDIA.—Es que yo quería desirle aquí a Dolorsitas, que no se olvide que son conosidos en el barrio los amores de Manué con Candelaria.

DOLORSITAS.—Eso son mentiras suyas, y dispénseme que se lo diga. Manué sí estuvo alreor de la muchacha y jahta alguna noche paró en la persiana, medio que mosiando. Pero al mou no era garbanso de su puchero, le fue dando de lao, jahta que lo aburrió. El sí la quiere, y mejor tuviera ella vergüensa y sentara la cabesa, que Manué es un muchachito güeno, y barbero él...

AGENTE.—Está bien. Eso no me interesa. *(Buscando donde hablar aparte.)* Mire, señora, haga el favor. *(Se la lleva dentro y habla con ella tomando notas, mientras tanto.)*

MONAGAS.—*(Al guardia.)* Güeno, mastro Pedro, ¿se puée saber qué sinifica esta enconduerma?

GUARDIA.—Pos casi náa, Pepito. Que yo me jallé debajo del

puente de Matas el cadáver de un difunto, que luego ha resultao ser náa menos que un jijo de don Eusebio Linares.

MONAGAS. — ¡Mi madre! Pero oiga, mastro Pedro, ¿usté dijo muerto, o durmiendo su templaerita?

GUARDIA.—Yo ha dicho el cadáver de un difunto, clarito como el agua. Y golpiao, usté, que tenía más colores que una trapera.

MONAGAS.—(Aparte.) ¿Será posible que...? Pero, oiga, ¿qué es lo que sospechan pa venir a preguntar por Manué?

GUARDIA.—Parese que del cafetín del Parranda lo vieron golpiando al muerto.

VICTORITO.—Cuando estaba vivo, entoavía, se entiende.

GUARDIA.—Ende luego... Oiga, Vitorito, ¿por qué no deja los repiquetes pa otra marea?

MONAGAS.—¿Pero y qué es lo que ha calculao el señor? ¿Que Manué lo tiró?

GUARDIA.—Al mou. Este hombre, ende que se jiso cargo de los autos de mayor cuantía, que éstos son de mayor cuantía porque hay un muerto por entre medio, pegó a desir que si la noturniá, que si un ensarmamiento, que si la alenvosía... Dispués me dijo que estaba así como del cubito supino. Aluego fajó a preguntar a too el mundo, y al cabo pegó de Manué. De Manué y de otro que disen que anduvo tamién alreor del muerto.

VICTORITO.—Cuando toavía estava vivo, sería.

GUARDIA.—¡Oh, padrito! ¿Otra ves?

MONAGAS.—Pero si eso no puei ser. Si yo... Bueno, náa. Vamos a ver qué viento va cogiendo este bote.

GUARDIA.—Oiga, Pepito, yo, ende luego, no ha visto nada, ¿oyó? Yo estaba en la panadería cuando me vinieron a buscar, disiéndome que en el fondo del barranquillo se oían unos pujíos. Me dejé dir jasta abajo y me jallé el asunto ése. Ahora acompaño a aquí, porque me cogió de turnio en Matas. (Se quedan hablando.)

DOLORSITAS.—(Siguiendo al agente, que se ha levantado y ha venido hasta fuera.) ¿Pero usté me quiere jasé el favó de desirme a qué viene este pregunteo?

AGENTE.—Pasa, señora, que ha aparecido muerto en el Puente de Matas un hombre, un mozo que era novio de su hija de usted. Pasa, además, que por celos se han peleado esta noche él y el Manuel Pacheco en ese mismo lugar, según declaración de testigos. Y hay órdenes de detener a Manuel como presunto autor de un asesinato.

DOLORSITAS. — (Insultada.) ¡Esús, tal desgrasia, quería de mi alma. ¡Ay, madrita mía del Pino, que me lo estaba goliendo! ¡Ay, ay, ay! (Le da un soponcio y el agente la mantiene, acu-

diendo también a ella Monagas y Austinito. Entre todos la sientan, aplicándole aire y demás remedios del caso.)

MONAGAS.—*(A Venturilla.)* Vete recogiendo too, Ventura, y guardándolo. *(A la Turronera, aparte.)* Rosario, tira tú pa arriba pa la Laera a ver si das con Manué. Y le dises tú que desaparesca del mapa, jahta ver en qué para too esto.

TURRONERA.—Ay, Pepillo, cuánto lo siento, pero no pueo dir, cristiano. Tengo que estar alreor de la caja y esperando a mi marío, que está al caer, pa que la lleve pa arriba.

MONAGAS.—Dende luego, tú no te pierdes el belingo. *(A Venturilla.)* Ventura, deja eso y vete tú. Tírate un salto arriba, ca mi comadre Dolores. Por el camino o allí te encontrarás a Manué. Dihle que trasponga, que lo andan buscando pa meterlo en el semento.

VENTURILLA.—Está bien. *(Sale.)*

AGENTE.—*(A Monagas.)* ¿Sabe usted dónde vive Manuel Pacheco?

MONAGAS.—Pos no le digo, usté. Y si le digo, le engaño.

AGENTE.—¿Me engaña?

AGENTE.—*(Al guardia.)* Usted sí sabrá...

GUARDIA. — Pos..., pos sí. Vamos a ver si damos con él. *(Al salir.)* Pepito, jágase cargo, ¿oyó? Yo estaba de turnio en Matas. ¿Qué voy a jaser?

MONAGAS. — Ta bien, mastro Pedro. Váyase tranquilo. Pero, oiga, déjese dir al golpito, que ya mandé a Venturilla a avisar pa que le dé tiempo, ¿entiende?

GUARDIA.—Ta bien. *(Sale con el agente.)*

DOLORSITAS.—*(Recuperándose.)* ¡Ay, San Nicolás bendito, día señalao! Esto es cosa de mi niña, que me tiene más consumía que un chuchango. ¡Candelaria, Candelaria, deja que te trinque! ¡Ay, a quién habrá salío esta niña!

MONAGAS.—Al padre, que era tan cabesúo, que don Juan Sánchez de la Coba le tenía que jaser los sombreros aparte.

DOLORSITAS.—*(Abandonando el tono patético y muy macha.)* ¿Y aónde está esa jija de Barrabás, que la voy a dejar más seca que una jarea?

AUSTINITA.—Vamos, Dolorsita, no se lo coja a pecho.

MONAGAS.—Sí, comadre, que jahta un catarrejo cogió a pecho, da que jaser.

MANUEL.—*(Apareciendo por el mismo sitio del principio y con el mismo aire furtivo.)* Rosarito, Rosarito...

TURRONERA.—Manué...

MANUEL.—Ssss... Venga acá.

TURRONERA.—¿Estaba?

MANUEL.—Estaba. La encontré en la cosina, llorando como una perra.

TURRONERA.—Al mou le ha pesao.

MANUEL.—Vaya usté a saber. A lo mejor llora por la gentina que le metí yo al otro. ¿Ya lo sabe Dolorsitas?

TURRONERA.—Ay, querío, la mitá náa más. Lo del muerto, únicamente.

MANUEL.—(Sorprendido.) ¿Lo del muerto? ¿Lo de qué muerto?

MONAGAS.—(Apercibiéndose de la presencia de Manuel.) ¡Oh! ¿Tú no te tropesaste con Venturilla?

MANUEL.—No, señor. Yo no ha visto a naide.

MONAGAS.—Vamos a ver, Manué. ¿Tú lo matahte?

MANUEL.—¿Cuálo?

MONAGAS.—A mí no me desniegues náa, Manué, que yo soy el padrino de Candelaria y tu padre era de la quinta mía.

MANUEL.—¿Pero qué desniego ni desniego, cristiano? ¿De qué está usté jablando?

MONAGAS.—El *Bienmesabe* aparesió muerto debajo del puente.

MANUEL.—¿Cuálo? Pero... (Va hacia el ventorrillo.)

DOLORSITAS.—¡Ay, Manué, Manué!...

MONAGAS.—(Aparte.) Qué malito estás.

MANUEL.—Dolorsitas, usté no crea náa.

DOLORSITAS.—Manué, ¿tú lo matastes?

MANUEL.—¿Cómo voy a matarlo, cristiana? Yo, ende luego, le di unos golpes, pero lo dejé vivo al pien del puente. Que lo diga Pepito, que él me desapartó...

MONAGAS.—Es sierto, sí, señor. Pero, escucha que te digo, muchacho. Tú, por las buenas, sos un pan de Agüimes. Eso lo sabemos toos. Pero tú sos tamién un hombre muy seloso, que en eso sales a tu padre. ¿Tú sabes cómo le desíamos a tu padre? Ontelo, el moro de Venesia. Jaste cargo si jas leío algo. Puée ser que tú... No, si yo no pienso mal de ti estando tú en tus cabales. Pero me da mieo un hombre abacorao por los selos. Yo digo que si tú... Vamos, que si endespués que yo te dejé volvistes...

MANUEL.—Se lo juro a usté por las senisas de mi madre, Pepito.

DOLORSITAS.—¿Y Candelaria?

MANUEL.—A Candelaria no le ha pasao náa, Dolorsitas.

DOLORSITAS.—¿Cómo que no le ha pasao náa? ¿Qué quieres desir?

MANUEL.—¿Yo...? Pos...

DOLORSITAS.—(A tirarse.) ¡Jabla, condenao, o te arranco la lengua! (Silencio general.) ¿Pero, qué pasa? (Gritando terrible.) Pepe Monagas, ella no tiene padre, que jase ocho años pa el día de la Naval señaladamente se lo llevó la tierra. Y tú sos el padrino, Pepe Monagas. Jabla. ¿Qué es lo que no le ha pasao a Candelaria?

MONAGAS. — Pos, comadre... Pero, bueno, cójalo con calma, ¿oyó? Trae un banco, Austín. Asiéntese, comadre... Pos, mire, la verdá: la muchacha, que usté sabe que es nuevilla, guapetona ella y casquiveletilla y esto y lo otro... El otro bandío, Dios lo tenga en su lugar descanso... El quiso engañarla, ¿usté entiende? Se la diba a llevar. Pero aquí, Manué, anduvo listo y le paró la jaca. Aluego se fajaron éste y el *Bienmesabe*. Lo demás ya lo sabe usté.

DOLORSITAS.—¡Ay, San Nicolás, me tenía que pasar! Bastante que me lo dijeron cuando la nombraron de eso de la sociedá, que malos demonios se coman a *Pan Mollete* por la ocurrensia. *(Cae con otro ataque.)* ¡Ay! ¡Ay! ¡Ay!

VICTORITO.—*(Que mientras ella ha dicho lo anterior ha estado con un vaso y una botella de agua preparados.)* Toma, toma, Pepe, que lo tengo ya preparao.

ESCENA VII

(DICHOS y PANCHO RASCASIO.)

PANCHO RASCASIO.—*(Entra medio templado, parándose al pie de la caja.)* Rosario, chacha, que es tarde.

TURRONERA.—¿Tarde? Eso digo yo... Mia pa allá, cómo viene. Mejor le diega vergüensa.

PANCHO RASCASIO.—¿Cómo voy a vení? Como viene un marinero: con el vaivén.

TURRONERA.—Quíteseme delantre, perdulario. *(A una carantoña de él.)* Quite pa allá. *(Cerrando la caja.)* Ay el hombre, qué repunansia.

PANCHO RASCASIO.—Güeno, ¿loh fuimos?

TURRONERA. — Espera un pisco que hay tenderete. ¿Sabes lo que ha pasao? *(Le cuenta aparte.)*

MONAGAS.—*(Viendo recuperarse a Dolorsitas.)* Güeno, Dolorsitas, hay que coger las cosas con calma. Además, ¿qué ha pasao? Náa. Candelaria está en su casa como una asusena, ¿oyó? Y Manué no ha matao a nadie. Son percanses de la vía, que pasan. Vaya, vaya recogiendo too. *(Dolorsitas, llorosa, dispone dentro del ventorrillo el levantamiento del campo.)*

AUSTINITO.—Pero, oye, Pepe, estoy pensando que van a enrear al muchachito sin culpa. Y a ti tamién.

MONAGAS.—¿A mí tamién, por qué?

AUSTINITO.—Oh, ¿no oistes al guardia? De ca el Parranda vieron a dos. Tú sos el segundo.

MONAGAS.—Eso es. Oye, mira que estaría bueno que pegaran de mí ahora.

VICTORITO.—Pos entra dentro de lo posible. Y entrando dentro de lo posible, tú entras dentro del semento de la cárcel, como Dios pintó a Perico.

MONAGAS.—Mira, Vitorio, siempre tú jas sío un pesao. Mia que yo...

AUSTINITO.—Too lo que tú quieras, pero la justisia no entiende de lo que tú le digas. Hay que aclarar lo que quiera que haiga pasao, y mientras lo aclaran te enchironan. Oh, ya.

MONAGAS.—(Asombrado.) No digas boberías, hombre. ¿Pero habrase visto?

VICTORITO.—Que sí, Pepe. Que Austín tiene rasón, no seas majaero. Tiene que aclararse que ustées no lo mataron. Y eso, como el muerto no lo diga.

VENTURILLA.—(Muy serio.) Y él no lo dirá, el muy esgrasiao. ¡Pa comprometer a dos hombres!

VICTORITO.—¿Pero cómo rayos lo va a desir, taita?

VENTURILLA.—¡Hombre, yo ha querío desir...!

AUSTINITO.—Cállate la boca, Ventura, que lo echas a perder más entodavía.

VICTORITO.—Ustedes, en prinsipio, tienen que esconderse bien, jahta ver qué rumbo va cogiendo el asunto.

PANCHO RASCASIO.—Ustées me van a dispensá que me entrometa, pero yo estoy de acuerdo con aquí, con Vitorito y con maestro Austín. A ustées los van a entrasmallar y van a estar dando salpasos sobre el marisco lo menos dos años. Acuérdesen lo que les pasó al padre y al hijo de pa abajo de Triana cuando mataron a un curial de aquella raya, que pegaron de ellos, y casi los encallan pa toa la vía.

AUSTINITO.—Por primera vez en tu vía, Pancho *Rascasio*, jas dicho una cosa derecha y que tenga su miluque. Yo que tú no desía más náa en toa la noche, pa no encharchala.

PANCHO RASCASIO.—Manténgase a la banda, usté, que todavía me quea un repiquete. Escuche, Pepito, y tú Manuelillo: mañana, al albita, sale mi barco pa la costa. Hay que tirarse al agua con ropa y too. Usté y Manué se van conmigo. Y adiós te digo y no llores, o si te vi no me acuerdo, como el otro que dise.

AUSTINITO.—Pos mira, sí, ¡tenías otra idea, rayos!

MONAGAS.—Seguramente las pidió emprestadas.

TURRONERA.—¡Esús, ensima que el hombre está jasiéndoles un favó están ay con un choteo, un choteo! Pos mira.

AUSTINITO.—Las mujeres, a una banda. Esto es asunto de hombres.

TURRONERA.—(Al marido.) Ven aquí, tú, y déjalos.

PANCHO RASCASIO.—Señora, usté váyase a dormir, que las mujeres, de navegá, no entienden náa.

DOLORSITAS.—Sí, compadre. Váyase pa la costa. Y llévese a Manuel. Y jahta que no se aclare este potaje, estar aquí es una bobería.

MONAGAS.—¿Pero cómo voy a dir yo a la costa, Dolorsitas de mi alma? ¡Si me mareo más que una señora fina en un correíllo!

VICTORITO.—Te llevas media peseta de limones.

AUSTINITO.—Y una botellita de agua de San Roque.

PANCHO RASCASIO.—Y andando, ¿oyeron?, que de repente se acaba la mareíta, de este susto, y se nos quea el viaje.

MONAGAS.—Pero, güeno, ¿y mi mujer? Yo me tengo que dir a despeir de mi mujer.

AUSTINITO.—¡No seas romántico, Pepillo!

DOLORSITAS.—Váyase tranquilo, que yo esta noche mismo la llamo y le digo lo que ha pasao.

PANCHO RASCASIO.—(A su mujer.) Que Venturilla te lleve la caja. Losotros tres costiamos ahora el Risco y tumbamos por sobre las arenas. De allí ponemos proa al barco. Y con el primer sol, ojos que te vieron dir.

VICTORITO.—¿Te vas o no te vas?

MONAGAS.—Estoy en tres, Vitorio.

VICTORITO.—¿Cómo en tres?

MONAGAS.—Sí. Dos pa quearme y una pa dirme.

VICTORITO.—¿Y eso?

MONAGAS.—La ves que fui a Tenerife, a la corría de toros, usté, lo juré: a mí no me trinca más un barco ni en la fiesta de la Naval. Y ya vei, comadre Dolores: ahora, por mor de un lío que no me toca ni papas ni pescao, salgo pa un sangoloteo en la *Pepita*, que si no me muero de ésta, diga usté que no me muero ni aunque me coja la máquina de la china. Vámoslos y que San Nicolás los eche una mano. (Se despide silenciosa y emocionadamente de todos, como asimismo Manuel.)

MANUEL.—Adiós, Dolorsitas. Dígale a Candelaria que yo güelvo. Y que no le guardo inmanía alguna, ¿oyó? Y no la deje salir, Dolorsitas. ¿Usté me entiende? No la deje salir.

DOLORSITAS.—¡Adiós, Manué, Manué!

MONAGAS.—Qué malito estás... (Salen.)

SEGUNDO ACTO

Habitación modesta que ocupa el matrimonio Monagas en un portón del Risco. Una puerta al fondo sobre un pasillo ancho, frente a la cual se abre otra de una habitación frontera y otra lateral. Es la prima noche. Están en escena, casi a oscuras, SOLEDAD, *la mujer de Monagas, y* BRIGIDITA LA ZAHORINA, *enfrascadas las dos en el lío de las cartas. Sentadas muy en visita* ENCARNASIONSITA *la del Jarandino,* DOLORSITAS *la ventorrillera y* CANDELARIA, *su hija. Un tanto nerviosa la mujer de Monagas. Candelaria va y viene inquieta, de junto a ellas, a la puerta de la calle.*

ESCENA I (*)

(LA ZAHORINA, SOLEDAD, ENCARNASIONSITA, DOLORSITAS y CANDELARIA. *Luego,* ROSARITO LA TURRONERA.)

LA ZAHORINA.—Güeno. Ya me supongo que tiene algún disgusto. Vamos a veylo.

SOLEDAD.—Ay, sí. Así Dios le salve el alma. Quiero que se me quite este reconcomio que me está abrasando el alma.

LA ZAHORINA.—Güeno, mujé. Tenga pasensia: que las cartas lo disen too. Vamos a veylo. *(Saca las cartas y las coloca sobre un velador que habrá en la escena. Mientras baraja las cartas va diciendo.)* ... Tenga fe, hay que tener mucha fe, que las cartas no mienten nunca. Corte. Con la mano isquierda jaga sinco montones *(los hace).* Así. Ya está bien.

_____

(*) Entre los papeles del autor hay una nota a este pasaje que dice: "Quizás falta la primera conversación hasta fijar bien lo de la fiesta, o empalmarla así." Hay otra en la que apunta: "una incidencia importante para el 2.º acto". Como se conservan además dos apuntes sueltos para este acto, uno sobre "La Zahorina de Pepe Monagas" y otro, muy pequeño pero bastante superior, hemos creído conveniente engarzar el primero dándole cuerpo a esta primera escena, único sitio en el que buenamente creemos que podía situarse. El segundo lo hemos intercalado poco después del principio de la segunda escena.

SOLEDAD.—Sinco. ¡Oiga! Esto no está claro, usté.

LA ZAHORINA.—¿Qué? Pasa algo.

SOLEDAD.—Usté dirá.

LA ZAHORINA.—No, quiero desir que ahquí se ve un tumulto de gentes que buscan a una persona a la que acusan...

SOLEDAD.—Ay, mi madre.

LA ZAHORINC.—Una, dos, tres, cuatro, sinco. Pero esa persona a la que buscan es inosente, pos este sinco de oros dise que juye por mol de que no quiere verse emburujáa en este asunto. La casa la tiene emburujaá por las cuatro esquinas. (Sigue poniendo cartas.) Así, así, así... Ay, quería, esto me güele mal. Aquí se ven moros por la costa y aquí salen tres marineros y boa. Usté ha de tener una carta de tres marinos dándole una buena notisia. Oiga, qué es esto? Aquí aparese un animal y aquí un queso: pos tiene que ser o vaca, o cabra, o oveja, vaya usted a saber.

SOLEDAD.—Oiga. ¿No púee desir seguro que si es macho o jembra?

LA ZAHORINA.—Mujé. ¿No le ha dicho que un animal y un que-so? ¿Cómo quiere que sea macho? En fin: yo creo que usté debe tener cuidao y si usté quiere pa resguardarle su casa yo le pre-gunto a la maestra lo que debo jaser, y si ella dise que hay que jaser un resguardo, tiene que jaserlo, si se quiere ver libre de rastros en su casa. Que en este mundo, jija, hay que estar guardáa de una mala amistá. Y cuando uno menos lo cree sale una mala alma que trae la ruina a una casa.

SOLEDAD.—Ansina es. ¿Usté, cuánto le debo?

LA ZAHORINA.—Esto es a voluntá. Lo que quiera. Pero lo que le recomiendo es que jaga el resguardo, pos sin él, siempre le está rondando el daño.

SOLEDAD.—Está bien, Brigidita. Y no sabe el favol que me jase endespués de pagarle. ¿Oiga, por cuánto me saldrá el resguardo?

LA ZAHORINA.—No le digo. Barato. Si tiene ahora me da dies duros y si le falta argo ya le diré.

SOLEDAD.—Mire, vendré la semana que viene y le diré en defi-nitiva lo que jaré.

LA ZAHORINA.—Güeno, adiós. (Sale.)

SOLEDAD.—Adiós.

DOLORSITAS.—(A su hija Candelaria, que permanece en la puer-ta.) ¿Asoman?

CANDELARIA.—No, señora, no, no veo venir a naide.

DOLORSITAS.—¿Pero tú le distes el recao a ellos mismos?

CANDELARIA.—¡Esús, madre! No le ha dicho que jablé con Ro-sarito en persona y que me dijo que venía enseguía, lo mismo que don Antonio el abogao.

DOLORSITAS.—Pos ni que vieran estao jasiendo cola de la guagua.

ENCARNASIONSITA.—Ya no puein tardá. Tenga pasensia.

DOLORSITAS.—Ustées verán cómo yo tengo rasón.

SOLEDAD.—¡Ojalá, comadre! Pero me estraña, porque Pepe me escribió jase quinse días y de venía ni una palabra.

DOLORSITAS.—Sí, señor. Too lo que usté quiera; y más tarde llegaron de la pesca la *Pepita* y la *Lusera* y trajieron notisias de too menos de él. Pero asín y too, usté verá. (*A Candelaria.*) Mira, Candelaria, entretanto llegan, coge la carta otra ves a ver si ahora la entiendes.

CANDELARIA.—¡Esús, madre, qué majaera se pone! ¿No le ha dicho ya que no la entiendo, cristiana?

DOLORSITAS.—Cógela a ver, anda.

CANDELARIA.—Como se le meta una cosa en la cabesa... Traiga acá la carta.

SOLEDAD.—Está allí, sobre la cómoa. (*Candelaria coge la carta y en este momento entra Rosario la Turronera.*)

DOLORSITAS.—Vaya. Se conose que vino en la guagua asul.

TURRONERA.—Esús, quería, que casi no allego. Tenía un pisco de leche al fuero, Vd., y pa que no se me fuera...

SOLEDAD.—Asiéntese, Rosarito.

TURRONERA.—Que no sea pa mucho, usté, porque tengo too en la cosinilla.

DOLORSITAS. — Mire, Rosarito. Aquí mi comadre Soledaíta ha resibío esta tarde una carta rara, de esas que no tienen firma y las llaman nóminas. Pasa que por más vuertas que le hamos dao no entendemos bien lo que quiere desir, pero a mí me güele que tiene gato endentro. Soledaíta me llamó pa que se la leyera mi Candelaria, y esta niña, aunque ha estao ca las biatas de San Agustín, más de año y medio, no saca ni papas...

CANDELARIA.—¡Qué le gusta afrentá! ¡Aimería! (*Se va para la puerta.*)

DOLORSITAS.—Entonses mandamos a buscar a Encarnasionita, que no es porque esté delante, pero nadie lee en el Portón como lee ella, pa ver si daba con esa letra negra y menúa, que no parese sino un potaje de lentejas.

ENCARNASIONITA.—Y yo tampoco, la verdá, sé lo que dise.

DOLORSITAS.—Mire, leerse, leerse, eso que se llama leerse, pos leer se sabe, aunque es trabajosa. Pero entenderla, usté... Unicamente deja sospechar de una trapisonda, como de un daño que se viene arriba. Por eso la hamos llamao, pa ver si usté, con la baraja vei algo.

TURRONERA.—(*Sacando la baraja.*) Si viera que yo me lo golí y me la traje por delantre.

DOLORSITAS.—¡Mia pa allá!

TURRONERA.—Pero, bueno, ¿y qué dise la carta?

DOLORSITAS.—¡Oh!, eso es lo que no sabemos. ¿No le digo?

TURRONERA.—Pos sin tener algún norte, usté, la baraja poco puei cantar.

DOLORSITAS.—Candelaria, lee lo que pueas, como endenante, pa que caiga aquí, Rosarito.

TURRONERA.—Lei, Candelaria, a ve.

CANDELARIA.—(Intentando empezar.) Yo no veo bien.

SOLEDAD.—Espera un pisco, que traiga una palmatoria. (Coge una vela de sobre la cómoda, la enciende y le alumbra.)

DOLORSITAS.—Como están viniendo tan buenas, que no paresen sino merengues de ca Anita.

CANDELARIA.—(Leyendo.) "Soleá, ésta... es... pa desirte..., ésta..., ésta..., ésta es... pa desirte..." ¡Yo no veo náa, madre!

DOLORSITAS.—Pos déjala. Mire, Rosarito, la carta jabla como de viajes, ¿sabe? De una boa y de una mora, quería. Le disen tamién a mi comadre que no se insulte si se le meten por las puertas adrento, de remplón. ¡Y qué sé yo! Una emburujina de esas.

SOLEDAD.—Fíjese usté, yo nunca ha resibío mónimos de naide.

DOLORSITAS.—Mónimos, no, comadre. Nóminos.

SOLEDAD.—Eso.

ROSARIO.—Esús, usté, cosa más rara. Pos, mire, too quea ahorita más claro que el agua de un pilar. (Se dispone a echar las cartas cuando entra don Antonio el abogado.)

ESCENA II

(DICHOS y DON ANTONIO.)

DON ANTONIO.—(Es un tipo seriote con personalidad, que vive de trapisondas y de juzgados. Habla con solemnidad estudiada y de vez en cuando con acento peninsular. Trae un fleje de papel de barba.) ¿Se puede?

SOLEDAD.—(Levantándose y atendiéndolo.) Adelante, don Antonio.

DON ANTONIO.—(Reparando en la Turronera y su baraja.) Ah, ¿pero hay naipes? Ya me cayó que haser.

DOLORSITAS.—Era pa entretenerlos, don Antonio.

SOLEDAD.—(Acercándole una silla.) Asiéntese, don Antonio.

DON ANTONIO.—(Sentándose con mucha parsimonia.) Lo hago, pero dejaré el sitio como agua de sol, porque me tengo que ir corriendo.

DOLORSITAS.—Ah, pos pensábamos que a esta hora, usté...

DON ANTONIO. — Yo trabajo todo el día, señora. No diré que como un negro, porque no me gusta exagerar, pero sí como un mulato. Ahora mismo debía estar yendo para la plaza, reclamado por un asuntillo de mis vecinos de la Atalaya, que tienen una enredina armada con unas lindes y unos almendreros que ríanse ustedes del crimen de Telde. Me esperan en la fonda de Cándido a las ocho que sube una camioneta para la Atalaya, y como viera que había un poco de tiempo, me he dado un salto; con que hay que aligerar. Verbigracia: "Arrempuja, Chano".

SOLEDAD.—Pos mire... Dígaselo usté, Dolorsitas.

DOLORSITAS. — Lo que ha pasao, don Antonio, es que cuando aquí, mi comadre Soleadita vino endenantes del Pilar, ¿usté en-tiende?, se alcontró por debajo de la puerta con una carta, ¿usté entiende?

DON ANTONIO.—Ahórrese los ¿usté entiende?, porque me estoy empapando que da gusto.

DOLORSITAS.—No tiene más sino dispensar, don Antonio. Güeno, pos resulta ser que esa carta, ensimba de no ser carta, sino una adivinansa, es nómina. Fíjese usté, y, entre una cosa y otra, Soledaíta está insultada, pensando qué será y qué no será. Lo hamos mandao a buscar pa ver si le cogen pien y cabesa. Y porque además la carta dise que lo llamemos.

TURRONERA.—Pos ya.

DOLORSITAS.—Como usté es medio abogao...

DON ANTONIO.—(*Algo picado.*) Soy medio, pero me sobra tela pa muchos "enteros". ¿Se entera?

DOLORSITAS.—Esús, don Antonio, yo no le ha querío desir...

DON ANTONIO.—Denme esa misiva.

SOLEDAD.—¿Cuála misiva?

DON ANTONIO.—La carta. Digo la carta.

SOLEDAD.—(*Aturdida.*) ¡Ah! La cal... Dale la cal... Dale la calta a don Antonio, Candelaria.

TURRONERA.—¡Esús, parese que viene tirante! (*Luego de buscarle aparatosamente la mejor luz, don Antonio lee en silencio y ante la expectación de las mujeres.*)

TURRONERA.—Don Antonio, como creo que ahquí a Soledaíta no le ha de importar si usté la quisiera leé en alta vos...

DON ANTONIO.—No hay inconveniente, con la venia.

SOLEDAD.—(*Buscando alrededor.*) ¿Con cuala venía?

DON ANTONIO.—(*Después de un gesto molesto, pero resignado, lee la carta.*) Dise: "Soleá, la presente es pa desirte que aunque esta media dosena de letras no vayan firmadas, no te asustes, porque es un anónimo de confiansa. Esta es pa desirte que atracaremos por esa puerta a la hora del potaje, pisco más, pisco me-

nos, si no se nos mete algún viento de proba en la travesía, orí-
llemos mucho y éntremos con la quilla en algún marisco. No te
asustes, que me refiero a un timbeque, porque vengo tan despe-
resío por ron; ay más de seis meses —fíjate tú— que no veo el
ron sino en sueños, que donde trinque un timbeque me empapo
y me queo encallado, como el *Suleica*.

"Vengo casado, pero ni te estires ni te encojas por esta boda
en vida tuya, que ha sido hecha con vistas a haser una balsa;
con que déjate dir pal pien, que yo llevo el tres y voy a meter
un envite de los de mandan las peras a la plasa. ¿Tú entiendes?
Mi señora es mora, y como te digo la traigo pa el asunto, que
hay que limpiarlo de una vez. Ya tú sabes, Soleá, que la mancha
de una mora, con otra verde se quita. La presente es pa desirte,
Soleá, que cuando me veas entrar de remplón no te vayas a coger
una chapetonada, como la que le dio a la mujer de Andrés *Salema* cuando se le metió por las puertas adentro, de La Habana,
el gandul del marío, que casi la manda pa las plataneras. Ni tampoco te vayas a poner como una aguililla por la mora, porque yo
te conosco, y tú por nada y cosa ninguna te pones como una aguililla. Soleá, ésta es pa desirte que a lo mejor no sabes entoavía
quién soy. Dispénsame que te diga que siempre jas sido un poco
tabaiba. Como estoy seguro que más nunca te aclaras, llama a don
Antonio el abogao, que por mucho que te lo enrede, siempre lo
veráa más claro que tú. Déjate dir pal pien que yo sé lo que hago.
Este que lo es anónimo: Tamaran Bross."

Dolorsitas.—Frangollonada mayor...

Turronera.—Pos mire, sí...

Dolorsitas.—Cristiana, quite pa allá.

Encarnasionita.—¿Qué le parese, don Antonio?

Don Antonio.—(*Después de una pausa, durante la cual hace
unos gestos suficientes con la boca.*) Pues..., en principio, en principio, que esto tiene más miga que un pan de Agüimes.

Dolorsitas.—Ya es algo. ¿Y qué más?

Don Antonio.—(*Siempre con cachaza, y encendiendo un cigarrillo.*) Pues... (*da una profunda chupada al cigarro*), dicho sea
sin ambages ni rodeos, encuentro la epístola un poco empotajada.

Encarnasionita.—En eso tiene mucha rasón don Antonio.

Dolorsitas.—Pos vaya un descubrimiento. ¿Pero usté no sabe
aclarar nada?

Don Antonio.—Déjese dir. Puedo desir, con visos de no equi-
vocarme, que esta carta fue escrita esta mañana, tal vez con el
rosisclés de la aurora.

Dolorsitas.—¡Ay, que los va a cantar una habanera!

Don Antonio.—(*Examinando la carta.*) Y fue escrita a bordo,

sirviendo de mesa de pintado pino un rollo de sogas o un trasmallo.

DOLORSITAS.—Jumm. Con rasón viene tan enreáa.

TURRONERA.—(*Suspensa.*) Esús, quería... ¿Pero don Antonio, y
cómo sabe usté too eso?

DON ANTONIO. — Para algo estudia uno. "Qui la naturam no
dam, Salamanca no empresta."

DOLORSITAS.—(*Deshecha y nerviosa.*) Güeno, jable claro de una
vez, cristiano. ¡Esús el hombre!

DON ANTONIO. — Señora, hay que ir por sus pasos contados.
Toda fruta madura a su tiempo y en el árbol.

DOLORSITAS.—Menos los plátanos, que los maúran con asufre.

DON ANTONIO.—La carta conserva huellas de relente. No es
sorimba marinera, sino relente, que no es lo mismo. Aquí no hay
rastros de salitre. Del mar sólo viene pegada en esta punta una
escama, al pareser de un macho salema. De otra parte, la letra
es menúa, como tachas de semilla, y los renglones vienen trasa-
dos como las calles de este Risco. Fíjense... ¿No la ven, además,
picada, como con un sarpullo, por haber sido apoyada sobre sogas
o una red, a falta de tal cual superficie horizontal a la par que
lisa, como la palma de la mano?

TURRONERA.—Esús, quería, tal talento de hombre. No es porque
esté usté delante, don Antonio, pero siempre le oí a mi marío, que
mal limpriaíta cabesa, pa otro caldo.

SOLEDAD.—¿Y qué más, don Antonio?

DON ANTONIO.—¡Oh! ¿Te parese poco?

DOLORSITAS.—Y al mou a usté le parese mucho. Pos no me ha
desayunao. ¡Esús, el hombre, vaya una potala!

DON ANTONIO.—(*Sin inmutarse.*) Concluyamos. Esta carta es de
Pepe Monagas, avisando su llegada a tierras de Gran Canaria
sobre el sonoro Atlántico.

SOLEDAD. — (*Impresionada.*) ¡Esús, tal notisia, don Antonio!
Don Antonio, mire lo que dise, don Antonio, que estoy de nervios, que me trastean y toco unas seguiillas saltonas.

DON ANTONIO.—Lo que le digo es el Evangelio, según San Mateo. Siento disponerla a ese baile de cigarrones, pero debo decirle
que su marido está al caer.

SOLEDAD. — (*Privada.*) ¿Pero usté oye, Dolorsitas? ¡Ay, si la
boca le cresiera, don Antonio!

DOLORSITAS.—Pos, mire, me está paresiendo que puee ser. Pos
claro que sí...

SOLEDAD.—¿Pero usté está seguro, don Antonio?

DON ANTONIO.—Una ves se dise que la calabasa es buena, y se
miente. Esta carta la escribió su marío, no ostante ser anónima,
que cosas peores se han visto.

DOLORSITAS.—Y las que quean que ver.

DON ANTONIO.—El no quiere que se sepa de su retorno, hasta que no se esclaresca el potaje de Matas. Por eso firma con seudónimo. *(Leyendo.)* "Tamaran Bross." Es una palabra compuesta de inglés y de orate que significa "Dátiles y Compañía, Sociedad Anónima".

TURRONERA.—¡Aimería, tal talento, usté!

SOLEDAD.—*(Radiante de alegría.)* ¡Ay, Pepillo, Pepillo, que me parese mentira que güelvas, después de un año en el moro! Esús, que parese qus estoy soñando, usté.

CANDELARIA.—Don Antonio, ¿y de Manué, de venir Manué, no dise náa?

DON ANTONIO.—De Manuel no hay rastros, que impliquen, de jure o de facto, que está también al caer.

SOLEDAD.—Oiga, don Antonio, ¿y qué me dise de esa mora que viene entrasmalláa ay?

DON ANTONIO.—¿Quiere que le sea franco? Esta mora es un *"qui pro cuo"*.

SOLEDAD.—¿Y cualo es un "qui pro cuo", don Antonio?

DON ANTONIO.—Pues... otra, pa no enrear más en explicasiones. La mora viene, ya lo dise la carta, para limpiar sierta mancha.

DOLORSITAS.—Malillo "qui pro cuo", como si pa limpiar manchas, no tuviéramos ahquí a la Tintorería París.

DON ANTONIO.—*(Muy expresivamente hace un gesto de superioridad.)* La inoransia es muy atrevida, caballeros.

TURRONERA.—Esús, Dolorsitas, déjelo a él, mujer.

DON ANTONIO. — No materialise y ojetive usté, Dolores, que habla de manchas morales, señora.

DOLORSITAS. — Natural. Y tan morales. Como que trae moras. ¡miusté!

SOLEDAD.—A mí tamién me da mucho en desconfiar, don Antonio, lo de esa boa morisma, por más que me la espliquen. Será lo que quiera que sea, pero que yo no se la aguanto, que ya tuve bastante enconduerma cuando me anduvo faltando con la perdularia de Pino la *Pelma*.

DON ANTONIO.—Pero tenga usté en cuenta que si bien le habla de que viene casado, lo hase recomendandole testual que no coja chapetonadas, ni se ponga como una aguililla.

SOLEDAD.—Todo lo testual que usté quiera, don Antonio, pero en el cobijo de mi casa no quiero enmachinamientos ni juronas. ¡Pos no faltaba más!

DOLORSITAS.—Y ensima mora.

DON ANTONIO.—No me canso de repetirlo: la inoransia es muy atrevida. Mire, Soledaíta, toda cosa tiene su "qui pro cuo".

DOLORSITAS.—¿Otra ves?

DON ANTONIO. — Hay que atenerse a él, antes de emperrarse. Un ejemplo: usté pasa por una puerta, al peso del mediodía, y coge al soslaire un tufillo a fritango que sale de un traspatio, vamos a un poné; pueden ser sardinas, pueden ser bogas. ¿Está entendiendo?

SOLEDAD.—Siga a ver.

DON ANTONIO.—Usté se para, vamos a un poné. Y esto es lo que pudiéramos llamar, la plantada reflesiva. Una ves plantada, usté güele. Y se pregunta atrás de haber golido, ¿bogas o sardinas? Esto es lo que se llama, el dislema.

DOLORSITAS.—¿El dislame?

DON ANTONIO.—He dicho el dislema. Por el batumerio saca usté la espesie de pescao: bogas, dise usté, caso que lo sean. Iten más: puede usté hilar más fino. ¿De San Cristóbal o de vivero? El tufo se lo dirá. Pues...

DOLORSITAS.—Está clarito, clarito. Aquí mi comadre, ha olfateao ya y se ha plantao. ¿Y sabe a qué le güele? A moras por la costa o a chopas de vivero, que es igual.

DON ANTONIO.—Bueno, y pongamos que Pepe tuvo que casarse por circunstansias espesiales, pa escapar con el pellejo, por ejemplo.

DOLORSITAS.—Ahora ha jablao usté como un libro, don Antonio: pa escapar con el pellejo. Y pa traérselo pa acá, que es lo peor.

SOLEDAD.—Mire, don Antonio, como él es tan escachao, jahta que no vea lo que es, desconfío. ¡Oh, ya!

ESCENA III

(DICHOS y MARIQUILLA.)

MARIQUILLA.—(Es una "galletoncilla", hija de la Turronera. Entra anhelante.) ¡Madre! ¡Madre!

TURRONERA.—Ya se me fue la leche por el fuego.

MARIQUILLA.—(Tomando aliento.) ¡Madre!

TURRONERA.—¿Pero tú te jas tragao un boliche de gaseosa, o qué? ¡Jabla de una ves, condenáa!

MARIQUILLA.—Que padre..., que padre estuvo en casa...

TURRONERA.—¿Y pa eso te pones esmoresía?

MARIQUILLA.—No, porque además estuvo Pepito Monagas vestío de máscara.

Soledad. — *(Levantándose, impresionada.)* ¿Que mi marío estuvo...?

Dolorsitas.—¿Vestío de máscara?

Mariquilla.—Y otra máscara, tapáa por la cara.

Don Antonio.—La perica en puerta.

Candelaria.—¿Y Manué? ¿No venía Manué con ellos?

Mariquilla.—Yo no vi a más naide.

Dolorsitas.—¿Onde están?

Mariquilla.—¿Onde están?

Mariquilla.—Pa acá echaron los tres. Ay mismito venían como escondiéndose. *(Soledad, muy nerviosa, va hasta la puerta.)*

Don Antonio.—Natural. Vienen anónimos como la carta.

Soledad.—*(Volviendo.)* ¡Ay, cómo me la va a encharcar la... mora ésa! Mía que tengo yo que resibir a Pepe amuláa por mor de un pendón.

Dolorsitas.—Será porque a usté se le vira la sangre beletén. Si fuera yo, trincaba un manojo de tollos y la dejaba como el manto de la Soledá.

Soledad.—¿Beletén? ¡Suero recalentao! Si me pasa de ay pa dentro, por San Nicolás Bendito, que yo voy pa el Llano de las Brujas, pero ella va pa las Plataneras, como Soleá que me llamo.

Don Antonio.—Haga fuersas y féchese, Soledaíta.

Soledad.—¿Pero y cómo me fecho, don Antonio?

Don Antonio.—Metiendo la retranca.

Dolorsitas.—A ver, si le parese fásil.

Don Antonio.—Calma y tabaco, Nicolás. Hay que esperar el desenrollo de los acontecimientos.

Dolorsitas.—¿Y qué esperaba yo? ¿Quieres que te diga una cosa, Soleá? Tú por la mancha. Y ella la mora verde. A ti te quieren desaborrar del mapa.

Don Antonio.—¡No meta líos, Dolores, no meta líos, que hay que esperar!

Dolorsitas.—Yo no esperaba por náa. Si la dejas escarrancharse aquí dentro te coge la camella y el día que la quieras ajuliar se te revira como una panchona.

Don Antonio.—¡Qué falta de curtura! No diga usté disparates, señora. El día que ella la quiera echarme lo dise a mí, yo le lleno a maquinilla media peseta de papel de barba, le pongo al canto arriba dos o tres pólisas de una sincuenta y le armo un lío a la mora que ni Mahoma la desenreda.

Dolorsitas.—Tamién lo creo.

Mariquilla.—*(Que con Candelaria ha estado en la puerta observando.)* ¡Ahquí vienen, madre! *(Todos se ponen de pie, menos don Antonio, que sigue sentado e impávido. La Turronera corre a la puerta.)*

Don Antonio.—*(Encendiendo un cigarro.)* Tendré que coger un pirata pa ir a la Atalaya, porque lo que es yo no me pierdo esta misa de La Lus.

Turronera.—*(Desde la puerta, a su hija.)* Vete pa arriba tú, que está tu hermano solo. *(La muchacha se va.)* Esús, quería, que Pepito parese que viene corriendo el Miércoles de Senisa.

ESCENA IV

(Dichos y Pepe Monagas. Monagas aparece en la puerta vestido de moro, con una gran barba negra, que se quita para saludar como si fuera un sombrero.)

Soledad.—*(Pensando en la mora.)* ¡Pepe!

Monagas.—*(Se hace un gesto solemne para que aguarde y practica seguidamente unos signos extraños, tocándose la planta de un pie, una rodilla, la nariz, un codo. terminando con un gesto amplio de la mano.)* ¡Alá laván! Jaalame la caja Jaime. Jalamela. *(Se vuelve a colocar la barba.)*

Dolorsitas.—Pos..., parese que le entendí que le jalaran la caja... Al mou trae una maleta.

Don Antonio.—*(Levantándose tranquilamente y acercándose a la puerta donde permanece Monagas.)* ¿Qué hay, Pepe? ¿Cómo te va...?

Monagas.—¡Ala! fela, tolete, guanijau ti tu pley.

Turronera.—Vaya una jabla, usté.

Don Antonio.—Oye, Pepe, ¿vamos a dejarnos de cuentos?

Monagas.—*(Soltándose el moño.)* ¡Viva la Virgen del Pino, el millo de San José y el torreón de la Siser! ¡Y mi casa, me caso en el mundo! Que, oiga, don Antonio, anque usté la ve que no sea más que cuatro muros y un simprés, la quiero más que a la de don Bruno. *(Le estrecha las manos a don Antonio.)* Ven acá, Soleá *(con acento roncote)*, y abrasa a tu marío, rayos, que viene de la costa. *(Soledad, recelosa y sentida, no se anima.)*

Dolorsitas.—*(Con intención.)* De pescar.

Monagas.—*(Con intención.)* De pescar.

Monagas.—¿Pero qué pasa que están toas amuláas? ¡Ah! Que hay moros por la costa. Ya. *(Se acerca a la puerta y llama fuera.)* Metaran, chelaran, selin jadad, ven acá tú. No te quees ay pará. *(Recogida y tímida aparece en el umbral la mora. Monagas le tira de una manga para que entre.)* Entre pa acá.

ESCENA V

(DICHOS y la MORA.)

MORA.—*(Con acento árabe y pronunciación en falsete y rápida.)* No me jale por el jato. *(Saluda por el estilo de Monagas.)*

DOLORSITAS.—¡Mia pa allá! ¡Qué poca vergüenza!

MONAGAS.—*(Acercándose a su mujer, que le huye.)* ¿Quiere que le diga una cosa? Los josicones sobran. Y lo digo pa toas en general. Yo le ha escrito a usté una carta antes y le ha dicho que estuviera tranquila, que yo sé lo que jago. Aguántese y listón.

SOLEDAD.—*(Estallando muy risquera.)* Pos no me aguanto, vaya. Tú la traerás, pa lo que quiera que sea, pero aquí endentro no quiero petates. ¡Pos no faltaba más!

MONAGAS.—Don Antonio, jáblele usté con rasones, a ver si lo quiere entender.

DON ANTONIO.—Pierdo el tiempo, Pepe. A priori lo sé. Donde no hay cultura se siembra como sobre una plancha de sin.

MONAGAS.—Tamién es verdá. Oiga, comadre Dolores, por una ves en la vía tenga confiansa en mí. Se lo pío con el sentimiento de roíllas. ¿Usté me quiere prestar la confiansa, aunque sea media hora, pa dar una güerta?

DOLORSITAS.—Pos...

MONAGAS.—Míreme a los ojos, comadre, de hombre a hombre, ¿la estoy engañando?

DOLORSITAS.—*(Cediendo.)* Soleá, afloja un pisco a ve *(por la mora.)*, que ya habrá tiempo de subir a la batería y arrempujarla.

CANDELARIA.—*(Huyendo de la mora, que se le ha estado arrimando y viniendo a su madre alarmada.)* ¡Madre! ¿Pero usted ha visto?

DOLORSITAS.—¿Qué te pasa?

CANDELARIA.—¡Oh!, que se me está arrimando, arrimando.

DOLORSITAS.—Quedrá jaserse amiga tuya. Déjala, mujer, que aunque es mora y eso, parese que tiene ojitos de buena.

MONAGAS.—*(A la mora, que, ante la transigencia de Dolorsitas, vuelve a Candelaria.)* ¡Sss!... Suai. Suai... *(Tirando de ella por el traje.)* Ven acá tú. Y ojo con los relajos, que estás en mi casa.

MORA.—*(En falsete y rápido.)* No me jale por el jato.

MONAGAS.—*(Distraído.)* ¿Por qué?

MORA.—*(También distraída y con voz natural.)* Porque se me viene cayendo, hombre. *(Pasmo general. Monagas se queda todo cambado.)*

DOLORSITAS.—¡Esús! Jabla en cristiano, usté, y lo pronunsia con vos de macho.

MONAGAS.—Es que aprendió un pisco de español conmigo, ¿sabe?, y los moros son como los loros. Cogen jahta el tono, ¿oyó?

DON ANTONIO.—Sí. Moro y loro es casi igual.

TURRONERA.—(*A Candelaria, que ha estado junto a ella cuchicheando.*) Pregúntaselo tú, niña, de una ves.

CANDELARIA.—Esto... Pepito, ¿y Manué, cómo está?

MONAGAS.—De gofio, Candelaria. Gordo como un peje tamboril. Si no fueran las ojeras que le han salío por causa tuya...

CANDELARIA.—(*Cortada y muy femenina.*) ¡Vaya!

MONAGAS.—Sale pa allí, que es natural, manojito de retamas...

CANDELARIA.—¡Aimería! Esús el hombre...

TURRONERA.—¿Y mi Andrés, Pepito?

MONAGAS.—¿Tu Andrés? Con losotros venía... Ah, se queó ay debajo buscando una tienda.

TURRONERA.—¿Buscando una tienda? Ya sé que esta noche no pego un ojo.

SOLEDAD.—Por más fuersas que jago, yo no pueo tener tranquilidá, Pepe. No pueo, señor. Lo primero que tienes que jaser es esplicar qué jase esta fantasma en mi casa.

MONAGAS.—Yo le esplico too lo que usté quiera, señora. Pero déjeme sentar, que vengo molío como un senteno. (*Se sienta.*) Y asiéntense los que puean, que voy a jablar de mi ausensia. Oiga, don Antonio, la cosa lo merese, porque esto ha sío como un viaje pa La Bana. Y me alegro que usté haiga venío, ¿oyó?, porque me va a jaser mucha falta. Usté es medio abogao y además, y perdóneme que se lo diga, bastante trapisondiendo. Pero es que las dos cosas me vienen a mí de perilla, ¿oyó?, porque lo que traigo entre manos, quiere justisia, ende luego, pero quiere tamién un bando de sargos como la Plaja Santana, y así como media dosena de calamares largando tinta. Fíjese bien: llevamos en el moro ay como un año, que ahora lo jase pa San Nicolás señalaamente, pasando las brevas de Tirajana, don Antonio. Oh, usté no tiene más que ve sino que estuvimos serca de seis meses, sin un pisquito de ron.

DON ANTONIO.—Comprendo lo de las brevas.

MONAGAS.—Un año esperando que se aclarara por fin la complicáa muerte de Matas y poer golver al Risco con la cabesa levantáa y el rabo tieso, como el otro que dise. Náa se ha aclarao y yo estoy ya jarto. De repente me entró la rebelina de venir y ahquí estoy. He pensao que atorrao ahquí unos días podría preparar un aclaresimiento de la cosa. ¿Qué le parese?

DON ANTONIO.—Me parese que vas a sacar lo que de agua en un jasnero. Ojalá y me equivoque... Tú sabías, por cartas, que se habló con el jues, que trabajó la polisía como nunca, que se metieron empeños pa todo perro y gato. Conseguimos inclusive que el padre del muerto declarara que su niño era más tiesto que Juan Pitín, setera, setera. Y sacamos lo de aquel de la caña: toda la noche pescando y por la mañana un cangrejo.

MONAGAS.—Pero últimamente dijeron en la costa los de la *Estrella*, que habían unos de éstos, como se llaman..., endisios.

DON ANTONIO.—Nada. Aquí se sigue creyendo que el interfecto, denominado *Bienmesabe*, fue la noche de autos arrempujado de mala manera por el puente.

MONAGAS.—Está bien; no ostante, don Antonio, yo lo trabajo. ¿Qué púee pasar? ¿Que no saque ná? *(Gravemente.)* Entonses tengo preparao otro camino.

SOLEDAD.—*(Alarmada.)* ¿Qué vas a jaser, Pepe?

MONAGAS.—Muy fásil. Yo no pueo resistir lo de Manué. Perdona, Candelaria, que lo diga alante de ti. Antes te engañé, pero la verdá es que Manué no está náa bien. A poco de llegar pegó a ponerse triste y amarillo. Y pa atrás, pa atrás, el muchacho tiene ahora una inmelancolía, señores, que es como una malagueña bien tocáa. *(Candelaria se acoge a su madre y llora en silencio.)* No se púee consentir que un muchacho como ése, que es un pan del campo, viva ahora toa la vía enredao en un lío que no le toca ni papas ni pescao. Además, él no lo resiste. De jase un mes pa acá, se le metió un toseo, un toseo... Y luego sin méicos y sin meisinas.

DOLORSITAS.—Esús, tal desgrasia.

TURRONERA.—Pobre Manué.

MONAGAS.—Pero no hay que apurarse, que too tiene arreglo en la vía. Ahora trabajamos un tiempo el enreo. ¿Que al cabo no sale náa en limpio y la justisia sigue creyendo que a Dominguito *Bienmesabe* lo mataron?: me presento yo como el mataor único.

SOLEDAD.—¡Pepe!

MONAGAS.—Yo no tengo jijos ni ilusiones, ni juventú: pos que me enchironen a mí. No creo que me vayan a matar. Descanso unos años, y aluego salgo con la satifasión de que mi ahijáa, a la que quiero como una jija, es felis, y de que Manué escapó con la vía y es tamién dichoso. *(Las mujeres se enternecen y hasta don Antonio se camba su "pisco".)* Güeno, pero no hay que abatatarse. Escúcheme, don Antonio: traigo mi plan preparaíto y quiero empesar a trabajar ahora mismo.

DON ANTONIO.—Tú dirás.

MONAGAS.—Yo necesito testigos buenos o barberos, me da lo mismo. Nadie mejor que los de mi pandilla me pueen ayuar. Hay que dir por ellos ahora mismo.

DON ANTONIO.—Pues ahora mismo, cuando yo venía, entraban en la tienda de los *Maúros*, Victorio el del *Pinillo* y Venturilla el *Táita*, que ahora están echando la forraya todas las tardes en ese mostrador, porque han descubierto ahí un ron espesial. Si no se han ido...

MONAGAS.—Candelaria, mi jija, tírate un salto ca los *Maúros*, y le dises a Vitorio y a Venturilla que se alcansen aquí; con ellos dos me basta.

CANDELARIA.—Sí, señor. *(Sale.)*

ESCENA VI

(DICHOS, *menos* CANDELARIA, *y el* JARANDINO) (*)

JARANDINO.—*(Entra mal encarado.)* ¿Está aquí mi mugé?

MONAGAS.—¡Oh, Muley! ¿Qué te pasa?

ENCARNASIONITA.—¡Qué quedrá! Aquí estoy. ¿Por qué?

JARANDINO.—Yo no quiere líos. Tú no te tiene que meter en lío. Sale pa casa.

TURRONERA.—¿Eh? ¿Pero usté ha visto, el hombre?

JARANDINO.—Tú, no se meta.

TURRONERA.—¡Cállese, cristiano! ¡Aimería!

MONAGAS.—¿Pero qué pasa?

JARANDINO.—Bahta, Bebito, que ya tuve bastante líos la otra ves con abogaos y audiensias y no quiero que mi mugé se meta más en líos.

DOLORSITAS.—Cállese, cristiano, y jable claro, que ya tiene edá pa eso.

ENCARNASIONITA.—Mira, ahora mismo coges el tole y te vas al cafetín del barranco a jugar al dominó. Y me dejas el alma quieta.

JARANDINO.—Tú viene tamién.

MONAGAS.—¿Ella tamién a jugá al dominó? Mire, Selinito, ¿quiere que le dé un consejo?: cuando una mujer como la suya se revira la primera ves, lo mejor es dejarla, porque pa que tumbe tiene usté que ir a la cársel.

JARANDINO.—¿La carse? Yo no voy a la carse. Ella tiene que dir a jasé de comé, que se ha venío pa su casa y lo ha dejao too sin jaser.

MONAGAS.—Por eso no se apure, hombre: usté se come aquí

(*) Hay una nota del autor que dice: "Introducir un Jarandino casado con la dueña del cuarto que no quiere líos en su casa y se pelea. La mujer lo domina", y se señala el lugar donde debía engarzarse. Hay tres apuntes en los que el autor se pregunta: "¿Introducir un "Pepito el Peninsulá" en el segundo acto? ¿Un pleito de comadres? ¿Tal vez la amiga del abogado que lo viene a buscar porque no quiere que él se meta en líos?" Dos interrogantes que quedaron sin respuestas.

conmigo las cuatro papitas naando en un caldo de verguilla que tendremos y sale usté como un balayo.

JARANDINO.—¿Como un balayo? Como un balayo saldrá tú.

MONAGAS.—Tamién. Ta bueno. Déjela, que está en visita, porque vine de La Bana. ¿Usté quiere un puro? Bueno, puro no traje, ¿oyó? Pero tengo un ron ay bajo del jato.

JARANDINO.—Yo no quiero ron. Tú sale pa tu casa ahora mismo, bandía, a jaser el potaje pa comer, que está too abagao y los calderos susios.

ENCARNASIONITA.—*(Sin inmutarse.)* Vete alante.

MONAGAS.—Pa que vaya alumbrando, ¿oyó? Con la calentura que tiene, dará usté mán candela que una fogalera de San Juan.

JARANDINO.—Tú verá cuando llegue.

ENCARNASIONITA.—*(Retadora.)* ¡No me mates con tomate; mátame con perejil!

JARANDINO.—¿Qué?

ENCARNASIONITA.—Sale pa allí, niño.

JARANDINO.—¿Tonse tú no vas?

ENCARNASIONITA.—Déjame pensarlo.

JARANDINO.—Ta bien. Esta noche vas a dormí a la fonda.

ENCARNASIONITA.—Y tú al barranco, si a mano viene. *(El Jarandino se marcha furioso.)*

ESCENA VII

(DICHOS, *menos el* JARANDINO.)

MONAGAS.—¡Pobre Candelaria! ¿Y qué ha sío de ella en este tiempo, comadre?

DOLORSITAS.—Pos pasaos unos días de aquella noche, la metí en ca las Adoratrises, y allí estuvo seis meses. Endespués que salió, estuvo dos más ca una prima hermana de una cuñáa de mi marío, que en pas descanse, de Agaete ellos. Y aluego conmigo, pero en un puño, ¿sabe?, amarraíta ¡oh, ya! Corta, usté, que no ha visto más la pintura, ni por el forro, y los vestiitos por debajo de las corbas.

MONAGAS.—Me da pena volverla a enrear en este jaleo, pero ella tiene que ayuar tamién. Tiene que declarar que la noche del lío lo oyó al *Bienmesabe* desir que se mataba, y que en otras ocasiones él le jabló de lo mismo, si ella no le jasía el gusto y eso.

DOLORSITAS.—Jará lo que le digas. Sin forsarla: de primero, porque ella ha sío la que ha armao este berengenal; de segundo, porque está por Manué que me da jasta mieo, con unas ojeras como un luto por una madre.

MONAGAS.—Oh, ¿pos y Manué? Manué está por ella tan cuajaíto y tan mantecoso, que se jase con él un queso como los de Fontanales.

DON ANTONIO.—Bueno, Pepe, ese plan que desías, ¿en qué consiste?

MONAGAS.—(Expone su plan.) (*).

DON ANTONIO.—Yo no tengo ni un pisco de confiansa en eso, pero por intentarlo, que no quede. Y cuenta conmigo, con mi maquinilla de escribir y con mi papel de barba.

MONAGAS.—Está bien, don Antonio.

ESCENA VIII

(DICHOS, CANDELARIA, VICTORITO y VENTURA.)

CANDELARIA. — (Entrando.) Aquí vienen Vitorito y Ventura. (Aparecen ambos en la puerta. Monagas se coloca rápidamente la barba.)

VICTORITO.—(Se le desaparece la sonrisa que traía en los labios al mirar y no descubrir a Monagas.) Ventura, ya nos pegaron una montada.

VENTURILLA.—¿Una montáa, por qué?

VICTORITO.—Oh, disen que estaba Pepe, y mira a ver...

MONAGAS.—¡Alá! Jalame la caja, Jaime, jalamela!, Vitorio, págame los sinco duros que me debes.

VENTURILLA.—¿Oiga, Vitorito, y esa vos...?

MONAGAS.—(Quitándose la barba y riendo francamente.) ¡Ven acá, Vitorillo, los demonios te coman!

VICTORITO.—¡Pepe Monagas! (Quedan abrazados.) Oye, Pepe, son las copas o eres tú de verdad?

MONAGAS.—Oh, Venturita (con acento roncote), mal rayo me parta consio que no lo había reparao. Los míos bien, ¿y los tuyos?

VENTURILLA.—De gofito, mano.

MONAGAS.—(Abrazándole con mucha alegría.) Las ganas que tenía de echar unos copetines contigo.

VENTURILLA.—Güeno, pero usté se los ha echao ya... (Olfateán-

---

(*) No existe ninguna otra indicación del autor. No queda, por tanto, otro recurso que admitir un plan expuesto misteriosa e imperceptiblemente al oído.

dole.) Y ese ron tiene tufo. Además, los tollos son de antier..., usté bebió ca la Chocha.

MONAGAS.—¡Eh! ¿Te fijas, Vitorio, cómo conserva la narís? Pero, mira, a ver si conoses este otro... *(Da una sacudida y le da el aliento.)*

VENTURILLA.—*(Rastreando.)* Ese..., ese es güeno. Y los chuchangos son frescos, aunque pimientudos... De ca Isidorito el *Pintón.*

MONAGAS.—¡Aimería, aimería! Es una sea, usté.

VICTORITO.—Pero, oye, Pepe, ¿tú no sabes que ya no hay Cahnavales?

MONAGAS.—¡Ah! ¿Lo dises por este jato? *(Con intención.)* Es un poco de disimulo, ¿entiendes?

VITORITO.—*(Reparando en la mora.)* Y aquí, qué vela trae en el intierro.

MONAGAS.—Sss... Esa es jarina de otro costal. Se trata de mi mujer.

VICTORITO.—*(Mirando a Soledad, que se pone amulada.)* ¿De tu mujer? Pero...

MONAGAS.—Es que vengo de la costa, casao con una mora. Ahora soy de los de segundas nusias, ¿es así, don Antonio? Aquí *(por la mujer)* es mi primera nusia y aquí *(por la mora)* la segunda.

SOLEDAD.—Mejor le diera vergüensa.

MONAGAS.—Tenga calma, y aguante.

VICTORITO.—*(Acercándose a la mora.)* De moo que tú sos la mujer de Pepe Monagas... *(La mora hace signos afirmativos y escurre el bulto.)* Oye, Pepe, ¿sabe el español?

MONAGAS.—Le entra, pero no lo sabe, ¿oíhtes?, quiero desir que comprende, pero no..., no suelta. Se traba, ¿sabes?

VICTORITO. — *(Acercándosele.)* ¡Ah!, ¿se traba? *(La mora le huye.)*

MONAGAS.—Vitorio, que es mora, que no es turronera, Vitorio. Te aprevengo que se engrifa como un macho salema.

VICTORITO.—¡No quería sino verla de serca, hombre!... Güeno, cuéntanos argo del Moro. ¿Cómo te fue por allá abajo?

MONAGAS.—*(Sentándose.)* Ya se lo dije antes aquí, a las señoras: pasando las brevas de Tirajana grasias a un requinto que me llevé, tú, y a los caldos de pescao que los había como cargas de leña. ¡Pero un asesío de ron, Vitorillo! ¡Unas ganas de unos pisquejos, que tú no te pués jaser ni idea! Oh, ustées desen de cuenta: al prinsipio fimos bebiendo de las botellas que diban a bordo, que no eran pocas. Además, Manué y yo compremos dos en el Muelle, a pique de saltar. Y con toas ellas fimos tirando. Se me acabaron las mías y como Dios me encaminó fi bebiendo de las de los demás. Pero se fueron en bruma, tú. Un día mandé ca el patrón a Manué. "Dihle que te mande unos pihquillos pa ti y pa mí." ¿Y sabes lo que trajo Manué? Un recao: "Dise el patrón que perdone que no hay pan partío."

VICTORITO.—Te quearías tóo cambao...

MONAGAS.—Oh, fíjate. Dije solamente: "Manué, ahora es cuando de verdad empesamos a sentí el Moro." y caí sin conosimiento.

VENTURILLA.—Pepito, no era pa menos.

MONAGAS.—Ta loco, hombre.

VICTORITO.—Oye, Pepillo, ¿y tu... boa con aquí, con la mascarita?

ENCARNASIONITA.—Oye, mía que oportuno ha estao Vitorito. Sí, Pepillo, cuéntanos.

MONAGAS.—No pue ser.

VICTORITO.—¿Por qué?

MONAGAS.—Porque hay moros en la costa.

VICTORITO.—Es iguá. Por curiosidá. ¿Cómo fue?

MONAGAS.—Güeno. ¿Ustedes quieren sabé? Es muy fásil. Fue ansí: a los cuatro o sinco meses de allegar, un día se presentó un calor, caballeros, que suaban jahta la piedras del barranco. Por la noche voy y le digo a Manué, digo: "Oye, Manuelillo, ¿tú púees dormir?" Y Manué me dijo: "¿Quién? ¿Yo? De remojo, como los chochos, ¿quién sabe?" Y le dije: "Mira, vámolos pa abajo pa la marea, ¿oístes?, y los tendemos allí". Ibamos casi esnuos, pero con la botella de ron que nos queaba amarrá el pescueso, que cualquiera la largaba, con la de galiones que había por allí.

VENTURILLA.—Oh, ya.

MONAGAS.—La marea estaba echaíta, echaíta, y los callaos eran como panes acabaítos de sacar. Pero venía una mareíta de la mar... Los tendimos y los queemos dormíos. Y allá pa la media noche, sería, sentí de repente que me trancaban por aquí (señala la solapa tras el cuello) y que me sacaban pa arriba como un burgao.

VICTORITO.—Ope, al mou alguno que estaba pulpiando y se creyó que tú eras...

MONAGAS.—¡Qué va!: un ganao de moros alreor, callaos como tosinos y mirando, mirando... Yo me queé muerto. De repente me fijé en Manué y lo veo con una cara de calentón que se le podía ensender un sigarro en un cachete. Le dije: "Déjate dir, Manué, a ve." Pa disimular el mieo voy y les digo: "Güeno, ¿aquí parió la gallera o qué?" Uno de ellos que al mou entendió, me dijo una cosa y me metió mi cachetón. Entonses me atorré. ¡Oh, ya! Empesaron a jablar con un guirigai..., más difísil que el chino. ¡Oh, yo le desía después a Manué: "Manolillo, si losotros hubiéramos nasío ahquí, estuviéramos jablando por señas." De repente pegaron a gritar y a dar brincos como en una taifa. Y por señas los dijeron que tiráramos pa alante. Empesemos a caminar y venga caminar por un llano pa dentro que ríete tú de Sardinas. Al alba allegamos a un pueblo de ellos y los paramos muy serca de las casas jahta que rompió el primer sol. Entonses los llevaron delantre de un jefe, un tarajallo de moro más grande de Justo Mesa.

VICTORITO.—Oye, ¡si lo cogiera el Norte pa echárselo al Faro de Maspalomas!

MONAGAS.—¡Se empajaban, oh, ya! Güeno, como diba disiendo, nos llevaron delantre de un moro, y entonses, despasito, despasito, fue volviendo la cara pa losotros. La tenía, tú, que era un macho de animal. Estaba llorando, pero serio. Unas lágrimas reondas le diban bajando, bajando y empapándole el bigote. Oye, después de too, me dio pena, en buena fe. Entonses va y se nos aserca otro moro, y jablando natural, tú, como si fuera nasío por Fuera la Portáa, va y me pregunta que qué jasíamos en la playa. Le dije: "Oh, ¿qué díbamos a jaser?: durmiendo la fresca." Sin más esplicasiones, tú, los diban a sacar, sabe Dios con qué intensiones de mil demonios, cuando se me ocurrió una idea: voy y le pregunto al moro, que jablaba español: "Oiga, dispense la pregunta: ¿qué la pasa al Alcalde, hombre, que está el hombre más triste que una malagueña bien cantáa?" Me esplicó: se le había dío la mujer que más quería ¡de la dosena que tenía! *(Dirigiéndose a su mujer.)* ¡Fíjate, una dosena! ¡Y luego te amulas tú por una! Se le había dío, digo, con un fransés, rubito él, que vendía y compraba por allí. El hombre estaba que si se mojaba una pluma en el llanto, escribe como si fuera con tinta china.

DOLORITAS.—Pos ya.

MONAGAS.—Entonses le dije al intérpete: "Oiga, mano, dígale usté que si quiere olvidar... Dígaselo usté a ver." Hablaron ellos allí y me contestan: "Dise que sí." Ya te caihte, me dije. Le piqué el ojo a Manué, agarré la botella y ¿pa qué vamos a engañarnos?, arrancándoseme el alma se la di. "Dígale que beba, ¿oyó? Que se jarte bien, y que dispense que no haiga náa de enyescar." Bebió el moro a pecho la botella, como si fuera de agua de Firgas. El ron era blanco, del Puerto él, papel de lija del número sinco. Al cuarto de hora pegó a cantar con un guineo, un guineo, que yo creo que si pega con una isa la canta casi igualito que Soila. ¡Aimería los besos, los abrasos! Oh, yo acabé molío como un senteno. Cuando vi la cosa ansí le pedí permiso pa dihnos. Y entonses vino el antojo: que pa agradeserme el favor que le había jecho me tenía que casar con una jija de él. Oye, era un compromiso, porque esa gente no admite desaires. ¿Oistes?

VICTORITO.—¿Y la hija es ésa...?

MONAGAS.—Esa.

Don Antonio.—(*A Encarnación.*) Lo que yo le decía a usté: pa escapar con el pellejo.

Turronera.—¡Esús! Yo ha visto una penícula paresía...

Monagas.—¡Cállate la boca, Rosario! No seas entrometía.

Encarnasionita.—Too eso está muy bien pa escapar con el pellejo, como dise don Antonio. ¿Pero pa qué te lo trajiste pa acá?

Monagas.—¿El cuálo?

Encarnasionita.—El pellejo.

Monagas.—¡Venga, venga! Lo diba a dejar allí, señora. ¿Pero ustedes se fijan, eh? ¿No ven que trajo una escolta y que después, como ella era jija de un caído de esos, que debe ser así como un Alcalde de acá, que tenía un servisio de moros y moras como una señora de Vegueta?

Victorito.—Pepe está jablando clarito y sinsero, Carnasionita.

Encarnasionita.—Bueno, ta bien.

Dolorsitas. — (*Levantándose para irse.*) Güeno, compadre, ¿qué le digo? (*Le da la mano.*)

Monagas.—Adiós, comadre. Me alegro de vehla buena.

Encarnasionita.—¿Onde va, señora?

Dolorsitas.—¿Onde voy?; a la cosina.

Turronera.—Yo tamién me voy. Adiós, Pepito. Me alegro de que haiga venío bien.

Monagas.—Adiós, Rosario.

Turronera.—(*Por la mora.*) Usté se fue de turista y acabó pescando.

Monagas.—Márchate, márchate, que eres más mal intensionáa que una mula de cuartel. Adiós, Candelaria, mi jija.

Candelaria.—Adiós, Pepito.

Monagas.—No te apenes por Manué, que está como si estuviera ahquí. (*Las mujeres van saliendo, después de mirar marcadamente a la mora, que se mantiene replegada moviendo sus ojos en torno.*)

Encarnasionita.—Yo salgo con ella, Pepe, y luego me voy a la cosina a poner algo al fuego.

Monagas.—Ta bien.

Don Antonio.—(*Levantándose.*) Yo también tengo de dirme.

Monagas.—Don Antonio, jágame el favó y quéese un pisco. Esto hoy hay que arreglarlo como quiera que sea. Usté invente argo.

Don Antonio.—(*Sentándose.*) ¿Y yo qué voy a inventar?

Monagas.—Argo... Aunque sea un disparate. Yo no pueo seguir viviendo así juyendo de la Justisia que me persigue por una cosa que no ha jecho. Sin poer dormir, sin poer comer y, lo que es peor, con este jaique arriba que va a acabar por enfermarme del corasón, porque cáa ves que veo un espejo me llevo un susto.

VICTORITO.—La verdá es que te ha caío arriba un piano, Pepillo... que...

MONAGAS.—¡Quita pa allá! *(Dirigiéndose a don Antonio.)* Tenemos que jaser algo, don Antonio.

DON ANTONIO.—Pues como no se lo aclare Pepito el espiritista...

MONAGAS.—Me da igual. Ahora hecho manos de espiritistas, de la baraja, de testigos falsos, de lo que sea, porque yo no sigo ansina.

VENTURILLA.—Oiga, Pepito, ¿por qué no le jabla a Paquito Capirro, que entiende él de polisía?

MONAGAS.—¿A qué Paquito Capirro?

VENTURILLA.—Sí, hombre: ese muchacho delgaíto él, bajito él, que era guardia y que vivió mucho en el Portón del Barbúo... ¡Lo más que ustées tienen que conoser!

MONAGAS.—¡Ah, que tamién le desían a él, *Rabo Conejo*?

VENTURILLA.—El mismito, usté.

DON ANTONIO.—¡Ese está como una cabra, hombre!

VICTORITO. — Mira, Ventura, como una "baifa" no, sino como un ganao.

VENTURILLA.—Estará loco, pero él ha descubierto jahta robos de gallinas, y pa cogé a los que roban bisicletas es un linse.

MONAGAS.—¿Y él sigue viviendo en el Portón del Barbúo?

VENTURILLA.—No. De aqí lo echaron por falta de pago. Ultimamente se mudó aquí, a este Portón, a un cuartillo del fondo.

MONAGAS.—¿Ensima vesinos? Vete y llámalo, Ventura.

VENTURILLA.—Sí, señor. *(Sale.)*

DON ANTONIO.—Vas a perder el tiempo, Pepe. Ese Capirro es un pobre infelís que estaba de Guardia Munisipal y lo tuvieron que echar a la calle porque todos los días armaba un lío.

VICTORITO.—¡Buf! No lo sabes tú bien. Hay poco tiempo jiso la última calabráa: en no sé qué libracos leyó que a los ladrones dormíos se les pué sacar lo que han jecho preguntándole cosas con una mano sobre el corasón. Compró una botella de una cosa que hay pa dormir y le dio la mitá a un tal Isidro el *Bonito* que el pobre había robao una gallina en el Toril. El individuo cayó como un cortacapote y estuvo luego dormío en el hospital serca de un mes. Al Capirro lo echaron a la calle y al *Bonito* le pusieron otro nombrete, "la bella Durmiente".

MONAGAS.—Güeno, a mí me da igual el Capirro que la Capirra, lo que te digo es que too me parese bueno con tal de salir de este trasmallo.

VENTURILLA.—*(Entrando muy contento.)* Ay viene, Pepito.

ESCENA IX

(DICHOS y CAPIRRO.)

CAPIRRO.—(*Queda un instante parado en la puerta. Es un tipo estrafalario, vestido con ropa grande, melenudo y con cachimbra. No trae cuello ni corbata.*)

MONAGAS.—Muy buenas. Tome asiento. Ventura, alóngale una silla aquí.

CAPIRRO.—(*Sentándose.*) Grasias, estoy bien de pie. (*Todos se miran escamados.*) Hoy no tengo ganas de hablar. Hablen ustedes.

VICTORITO.—¡Uy, uy, uy!

DON ANTONIO.—¿No te lo dije, Pepe?

CAPIRRO.—Cojo al soslaire que hablan de mí, pensando que estoy loco. También lo dijeron de Colón.

MONAGAS.—Güeno, ¿pero usté qué quería?

CAPIRRO.—¿Yo? Oírlos a ustedes. Me ha dicho aquí, el señor Ventura, que usted quería hablarme de un asunto importante, del esclaresimiento del crimen. ¡Dise él!

MONAGAS.—¿Qué yo le quería jablar?...

VENTURILLA.—Pepito, yo le avisé porque...

CAPIRRO.—Yo quiero servirle, señor Monagas. Usté me lo agradeserá y yo saldré en *La Provinsia*. Lo tengo dicho, lo aguaito, lo espero.

MONAGAS.—Pos mire. Yo lo he pensao mejor y por ahora lo voy a dejar, ¿entiende?

CAPIRRO.—Usté sí, pero yo no. Yo no lo dejo. A partir de ahora soy una lapa del asunto... No, no me lo cuente, que lo conosco muy bien. Se trata de la muerte de Dominguito "Bienmesabe" en Mata; ¿se suisidó?, ¿lo arrempujaron?" "Dat tis question", que dijo Sakespeare. Alguna cucharada he metido yo en ese potaje, pero entonses era guardia y las obligaciones del servisio me tenían tan jeringao que no podía dedicarle el tiempo presiso. Ahora me dedico totalmente a polisía S. P., como los tasis, ¿entiende? Usté verá. Y se acordará de mí.

MONAGAS.—Me parese que sí. Güeno, y ¿usté qué piensa jaser?

CAPIRRO.—(*Sacando una lupa.*) Primeramente practicar una ispesión ocular en el lugar de la concurrensia. Después voy a llevar conmigo a Bonel, este que jase retratos al lao de ca los Peñates del Barranco, para que se saque dos radiografías: una rasante arrente del muro pa abajo, conmigo tendío en el fondo del Barranquillo. Este es el retrato de la prueba perpendicular: si estaba así, al endividuo lo arrempujaron. Otro retrato es uno pa fuera como la corriente. También me tenderé yo abajo. Es el de la prueba oblicua: si el cadáver del difunto está tan afuera, entonses es que él se jincó de cabesas. Como todos sabemos que el *Bienmesabe* estaba en el cubito subino, de esta última echadura, adiós sospechas. (*Todos se miran con guasa.*)

Monagas.—Güeno, pos tire pa el Barranquillo. Y cuando tenga los retratos y algo aclarao, déjese ver, que los vamos a beber un pisco juntos. Y adiós, amigo.

Capirro.—Adiós, señor Monagas. Si además de estas cosas polisíacas, necesita usté de mí, mándeme.

Monagas.—Pos a lo mejor, a lo mejor, de nuevo le mando.

Capirro.—Soy también inventor. Y la Química no tiene para mí secretos. Fabrico medisinas y bebidas, un pulverisaó para matar los pulgones del millo y demás sereales y un líquido inyectable que coge los tunos del país revejidos por el tiempo y los deja como tallas.

Monagas.—Vaya, hombre. Pos me alegro de tenerlo de vesino, porque si quiera me servirá pa algún veneno de ratones.

Capirro.—¡Oh, tengo uno…!

Monagas.—No, sin escoger, cualquier cosa de esas sirve pa matarlos. Güeno, jasta otro día.

Capirro.—Quede usted bien y los señores igualmente. (*Sale.*)

Monagas.—¡Mi madre, si es regaera! Pero es que no tiene ya onde le quepa un abujero más.

Don Antonio.—Ya te lo desía yo.

Monagas.—Pero, Ventura, ¿tú te crees que estamos de broma o qué?

Venturilla.—Usté me dijo, Pepito, que lo llamara.

Don Antonio.—Bueno, yo me voy, y mañana hablaremos más detenidamente.

Monagas.—Don Antonio, aguántese un pisco más. Antes que se vaya y ahora que habemos hombres solos, quiero confiarle a toos un secreto. (*A la mora.*) ¡Ven acá, tú! (*La mora se levanta y se acerca dócilmente.*) Esta mora, ni es mora, ni es verde, ni es mi mujer. (*Le quita de un golpe el antifaz.*) Es Manué, como vein. (*Sorpresa general.*)

Don Antonio.—¡Manuelillo! (*Le da la mano.*)

Victorito.—¡Ven acá, Abel Crin, que te quiero dar un abraso!

Venturilla.—(*Luego de estrecharle la mano.*) Caballero, en buena fe si no me creí que era una mora de verdá, con too, con too.

Manuel.—Güeno, Pepito, ahora que ya me he descubierto usté y que es de noche, déjeme dir a ver a Candelaria.

Monagas.—De ninguna manera. Usté no sale de la puerta fuera. Yo pensaba callármelo, pero creí mejor que aquí, los amigos, lo sepan, pa que se interesen más. Pero de eso a salir... en cuanto lo sepan las mujeres, lo sabe jasta el diablo.

ENCARNASIONITA.—(*Asomando en la puerta.*) ¿Quieres que te los fría?

MONAGAS.—(*Ocultando a Manuel.*) No... Güeno, mira...

ENCARNASIONITA.—(*Entrando.*) ¿Eh? ¿Y eso, qué es?

MONAGAS.—Al diablo el secreto.

ENCARNASIONITA.—¡Esús, quería, tal chasco! ¿Pero si es Manué? ¡Manuelillo! (*Le saluda.*)

MANUEL.—Ya ve, Carnasionita. Aquí.

ENCARNASIONITA.—¡Ay!, tal alegrón que se va a llevar mi comadre Dolores y la jija. (*Intenta salir.*)

MONAGAS.—¿Ustedes lo vein? Ven acá, Encarnasión, ven acá. Lo de Manué, ¡entiéndelo bien!, es un secreto. Nadie, ¡nadie!, ¿oíhtes?, lo tiene que saber.

ENCARNASIONITA.—¡Esús, hombre! Dolorsitas no importa.

MONAGAS.—Nadie. Hay que guardar la incónita. Ahora vamos a trabajar toos como perros pa aclarar el lío. Y cuando se arregle, entonses loh echamos a la calle, escuche, con una de volaores, que la fiesta del Pino se va a quear más chica que la flor de un berro.

APUNTES PARA EL TERCER ACTO

De los distintos papeles que del autor se conservan, se deduce que tuvo dos concepciones de esta obra. Una primera en dos actos, que luego modificó por otra, añadiéndole un tercero que no llegó a redactar.

Prueba la primera concepción una nota suya al II acto, de la que ya hablamos en su lugar, en la que, después de explicar el incidente del Jarandino, añade: "Luego entra corriendo una hija de la turronera que avisa que viene su padre con Pepito Monagas disfrazado de moro y una mora. A poco entran los tres personajes. Justificación de la vuelta y explicación de la boda.—Diálogos. Monagas, abogado.—Vienen Venturilla y Victorito.—Viene el policía *amateur.*—Plan de liberación.—Final."

Mas no hay duda de que pensaba añadirle un III acto. En la solapa de su obra "Los cuentos famosos de Pepe Monagas" (Madrid, 1948), ya lo anunciaba así: "Comedia en tres actos, de ambiente risquero", *a lo que añadió una coletilla con mucha sal gruesa a lo Monagas:* "que no he estrenado por gandul". *Habla, además, expresamente de este III acto en otra nota redactada con desaliño, a vuela pluma, pero que, por su interés, reproducimos fielmente. Es el único apunte del autor con el que puede desenmarañarse el hilo de la trama según él tenía pensado. Dice así:*

"Hay un policía (aficionado) que venía investigando el asunto por su cuenta y que, al saber (II acto) que Monagas estaba en su casa, se presenta a ofrecer sus servicios, partiendo a proseguir investigaciones. Se presenta en el III con un trozo de una carta que arrancó de la boca de una cabra, cuando ésta se la comía. Carta cortada. El policía aficionado justifica la carta diciendo que sospechó la había dejado como todo suicida serio. Estudió entonces las corrientes de aire y del agua e hizo una inspección ocular en unas zarzas del Barranco. Allí estaba la carta, y cerca de ella una cabra. Averiguación del dueño. Este viene. No quiere vomitivos, ni purgarla, según recomienda el abogado. El policía estima el procedimiento peligroso. Preconiza matar. A llantos de las mujeres se consigue que acepte y salen al degüello. Entretanto, se presenta el policía de verdad con el guardia. Ha habido una confidencia de que estaban allí y vienen a detenerlos. Monagas se finge moro que compra cabras y habla con el agente en árabe (*). Cuando van a llevárselos presos, aparece el trozo de la carta, la reúnen y la leen solemnemente. (La carta la puede leer el abogado solemnemente, señalando errores de redacción y ortografía). Quedan libres y se prepara un baile, al que quedan invitados el policía y el de la cabra."

En otra versión con variantes del pasaje "La Zahorina", que hemos publicado en la primera escena del segundo acto, se pone en boca de Brigidita "La Zahorina", cuando echa la baraja, lo siguiente, que está relacionado con este mismo desenlace, y de lo que nos pareció oportuno, por razones fáciles de presumir, hablar antes. Dice "La Zahorina":

"Ahora sale a relucir una persona que está interesáa en comprar una cabra, pero a esta persona la están rondando por las cuatro esquinas de su casa, pero él aconseja a otra persona que está metida en este lío y que a él no le va en esto papas ni pescao que se ausente" Este siete de copas dice que hay moros por la costa..., "que pronto tendrá carta de tres marineros y quisás, sorpresa. Quería, veo casorio en puerta y con una persona que tiene la cara tapáa por los ojos. Y esta persona tiene un color raro, porque no es un color revuelto... deje ver si pueo sacar el color... ya... es color morao.

"Entoavía quea más: muy pronto, muy pronto, no le digo si mañana, si pasao, si han de meter por su casa dos presonas que

---

(*) Hay otra variante de este pasaje: "Una visita del guardia ¿de paisano? y el agente que han tenido una confidencia (una "alcahuetedura"). Se la pegan a la mujer del abogado. Monagas sale del atracón fingiéndose moro y hablando de que venía a comprar una cabra."

son pa usted muy querías. Una es más nueva que la otra. Allegará disfrasáas como el día de Cahnaval. Vienen con más jambre que ratón de ferretería. El mayor es, como le dije, un hombre que, aunque con él no va náa, en mi asunto se emprestó pa salvar a sierta persona."

Como resumen de estos apuntes podemos inferir que, si bien la obra quedó inconclusa en la mente de su autor, privándonos con ello de una pieza señera de su fecundo e inimitable ingenio, no por ello hemos desistido de publicarla. Se trata, como habrá observado el lector, de una obra que si bien no fue la última salida de su pluma, la retocó hasta sus postreros momentos. Por su gran aliento, su inconfundible impronta y su carácter fragmentario, nos parece todo un símbolo de la misma vida de su autor, truncada en la más plena lozanía de su arte.

OBSERVACIONES REFERENTES AL LENGUAJE EMPLEADO
EN ESTA OBRA

OBSERVACIONES

REFERENTES AL LENGUAJE EMPLEADO POR PANCHO GUERRA
EN ESTA OBRA, Y SU TRANSCRIPCIÓN GRÁFICA

PANCHO GUERRA ha intentado, en estas como en otras obras de ambiente canario, reflejar, más o menos aproximadamente, el habla popular de las islas Canarias, y concretamente la de Gran Canaria, en sus modalidades de campesina, "risquera" y marinera. Otros ambientes sociales presentarían distintas variaciones (así la netamente rural, incluso con su *s* sonora aun hoy día conservada, la de las ciudades, más cultas, etc.), si bien todos ellos tienen algún denominador común, por ejemplo, el *seseo* absoluto y la cadencia característica de las islas.

No ha pretendido PANCHO GUERRA hacer una transcripción fonética del lenguaje canario, pues, aparte las dificultades que ello encierra para un no especialista en la cuestión, resultaría ininteligible e incluso ilegible para los lectores en general. Sólo ha empleado, pues, los signos gráficos usuales en el español corriente, a excepción de la *h* aspirada para representar el sonido de la *s* aspirada, muy característico en las islas, y aun el de la transformación en dicha *s* aspirada de otros fonemas, como la *r carne*, que da *casne*, pero que suena *cahne*. Así, *pasta* lo representa por *pahta*, y *basta* por *bahta*, pues así suena. Sin embargo, para no cansar al lector no ha tenido la extremosidad de representarlo siempre así, aunque siempre así se pronuncia. De todas maneras, debe tenerse presente que en ello hay muchas vacilaciones y grados de aspiración, según el medio cultural de los parlantes; pero se puede tener la seguridad de que casi nadie (a no ser que finodamente quiera remedar el habla de los peninsulares) pronuncia la *s* ante consonante, como en Castilla, hasta el punto de que en ciertos casos se llega no sólo a aspirar, sino que se nasaliza, y para los oyentes suena a *n*. Así, por burla, se dice que ciertas gentes de Gran Canaria dicen *lan don*, por *las dos;* en realidad lo que pronuncian es *lah doh*, dándole a esa *h* un sonido equivalente al correspondiente árabe.

Otro fonema característico del habla popular canario es el de la más fuerte aspiración de la *h* procedente de la *f* latina, representada en estas obras de PANCHO GUERRA por la *j;* así, del antiguo *facer* (de *fácere)*, castellano moderno *hacer,* resulta el canario *jacer,* con aspiración fuerte y seseo. Pero debe tenerse en cuenta que no es el sonido de la *j* castellana, sino muy semejante al de la *ja* árabe: una aspiración fuerte, pero no es la de la gutural dura castellana. Una palabra (por lo demás de origen árabe) recoge los dos tipos de aspiraciones de que venimos hablando, el fuerte y el suave: el *hasta* castellano se pronuncia en canario algo así como *jahta.*

Otros fenómenos fonéticos y gramaticales destacables en el canario son:

Transformación frecuente de la *r* en *l* y al revés: *parte* se pronuncia como *palte, vergüenza* como *velgüensa;* y al revés, *molde* se dice *morde,* y *última* se pronuncia *úrtima.*

Caída absoluta de la oclusiva sonora intervocálica, incluso no postónica: *dado* se dice *dao,* y *quedemos = queemos.*

Cerramiento excesivo de la *o* final átona hasta el punto de parecer suena como una *u,* y así la transcribe PANCHO GUERRA, a veces, aunque ello sin duda es una exageración: *modo = moo = mou; chico = chicu.*

Vacilación entre *yeísmo* y *lleísmo,* si bien predomina el *lleísmo;* se dice *llena* y no *yena.*

Prótesis, epéntesis y paragoges frecuentes. Así *endespués, ahquí, ansina,* por *después, aquí, así.*

Lo que no quita para que a su vez haya frecuentes aféresis, síncopas y apócopes: *onde, Regorio, La Bana, pa, ve,* por *donde, Gregorio, La Habana, para, ver,* etc.

Cambio frecuente de *b* en *g: güeno* por *bueno.*

Trastocamiento del lugar del acento en los verbos: *báyamos* por *vayamos,* a más del clásico *áiga* por *haya.*

Cambio de forma en el verbo auxiliar haber; así, por *yo ha dicho,* expresan generalmente esta forma: *yo ha dicho; ya le he dicho* lo emiten así: *ya le ha dicho,* etc. Y *sos por eres.*

Transformación del pronombre personal *nos* en *los:* por *nosotros* dicen *losotros; los queemos* en vez de *nos quedemos* o, más exactamente, *los quéemos.*

En fin, otras transformaciones fonéticas arbitrarias se podrían señalar, pero que están muy extendidas en el habla popular: *alcuentro,* etc., y todo ello con grandes vacilaciones.

Aunque en Canarias, como en Castilla, no hay absolutamente ninguna diferencia entre el sonido de la *b* y la *v,* pronunciándose siempre como *b,* PANCHO GUERRA ha seguido el criterio oficial y distingue en la grafía uno de otro signo, y así escribe *baifo* y *va-*

mos, vaca y *batata,* etc. Pero no representan ninguna distinción en el sonido.

Respecto al vocabulario, no hemos ninguna observación, sino sólo que respondemos de que el empleado por PANCHO GUERRA refleja realmente la manera de expresarse de las gentes del medio ambiente que quiere individualizar, y que puede ser distinto en cada isla y aun en cada sector cultural.

Pero lo más íntimo, lo más característico del habla canaria: el acento, la cadencia, eso no se puede conocer más que de viva voz, hablado por canarios auténticos y no contaminados ni de americanismos ni de peninsularismo. Para ello hay que ir a Canarias, y en este caso concreto a Gran Canaria, a los campos de la Isla, al Barrio del Risco en Las Palmas, y al de San Cristóbal para oír a los marineros "roncotes".

MIGUEL SANTIAGO

Madrid, 4 agosto 1962.

A) CUENTOS

PRIMERA PARTE

TERCERA PARTE

B) SIETE ENTREMESES

ESTE LIBRO SE TERMINÓ DE IMPRIMIR EN
LOS TALLERES DE ARTES GRÁFICAS
CLAVILEÑO, S. A., EL DÍA
19 DE SEPTIEMBRE DE
1976, EN MADRID